धर्म-दर्शन का स्वरूप

डॉ. अवधेश यादव
(असिस्टेंट प्रोफेसर)
लक्ष्मीबाई महाविद्यालय
दिल्ली-विश्वविद्यालय
अशोक विहार-110052

MOTILAL BANARSIDASS PUBLISHING HOUSE
SINCE 1903

मोतीलाल बनारसीदास
पब्लिशिंग हाउस • दिल्ली
Email: naraina@mlbd.in • Website: www.mlbd.in
@mlbdofficial
+91 89 2999 9000

प्रथम संस्करण : दिल्ली, 2023

ISBN: 978-93-5971-297-0 (सजिल्द)
ISBN: 978-93-5971-579-7 (अजिल्द)

मुद्रक एवं प्रकाशक
राजेन्द्र प्रकाश जैन के *द्वारा*
मोतीलाल बनारसीदास पब्लिशिंग हाउस
ए-44, नारायणा इंडस्ट्रियल एरिया, फेज़-1,
नई दिल्ली-110 028 (**भारत**)
Email: naraina@mlbd.in
Website: www.mlbd.in
Tel.: (+91-11)4751 1592

शोरूम:
4637/20, एफ-2, हरि सदन, पहली मंजिल, अंसारी रोड, दरियागंज
दिल्ली-110 002 (फायर स्टेशन के सामने) दूरभाष: (+91-11)4559 7999

समर्पण

प्रात:स्मरणीय **माता पिता**

एवं परम पूज्य गुरुदेव

.......जी

के चरण कमलों में

सादर समर्पित।

आभार

धर्म शब्द का नाम लेते ही हमारे मनस पटल पर एक ऐसा प्रत्यय अंकन होता है, जहां देवी देवताओं की अनेक छवि अंकित होती है। इसमें अनेक देवी-देवताओं और महापुरुषों की छवि मंदिर, मस्जिद, गुरुद्वारे इत्यादि में दिखाई पड़ती है। इसी मनस छवि को हृदयाभाव में आत्मर्पित करते हुए **'धर्म-दर्शन का स्वरूप'** नामक पुस्तक का सृजन करने जा रहा हूँ। जहां सभी धर्मों में व्याप्त सकारात्मक पहलुओं के साथ उससे सम्बन्धित नैतिक नियम, शुभ-अशुभ, ईश्वरीय प्रमाण, धर्म-निरपेक्षता, ईश्वर रहित धर्म की संकल्पना, धर्म का स्वरूप इत्यादि को सारगर्भित रूप में पिरोने का प्रयास कर रहा हूँ। इस कड़ी में सर्वप्रथम सृष्टि की सभी शक्तियों के शक्तिपुंज बाबा विश्वनाथ का अभिनंदन वंदन करता हूँ, कि जिन्होंने सृष्टि के असंख्य कणों को 25 तत्वों में अध्यारोपित करके पंचमहाभूत में मेरे सजीव शरीर में अपने प्राणांश को अवतरित किये हैं। उसी प्रकाश को ज्योतिर्मय करते हुए कुछ पंक्तियां समर्पित करता हूँ कि–

ईश्वर, खुदा, गॉड सब प्रेम में बसता है,
थोड़ा गौर से देखो हर एक में बसता है,
वो सत्य में है, वो तुम्हारे त्याग में है,
वो अयोध्या, मथुरा, काशी, काबा, प्रयाग में है,
वही तुम्हारी जीत एवं हार में है, सबके सम्मान में है,
थोड़ा गौर से देखो सृष्टि के शिलान्यास में है।

इसी भाव को अपनी पुस्तक में सृजित करने का प्रयास कर पुस्तक सृजनता के क्रम में सर्वप्रथम परम पूज्य गुरुजी प्रोफेसर उमेश चंद दुबे जी (पूर्व कला संकाय अध्यक्ष, काशी हिंदू विश्वविद्यालय वाराणसी) का वंदन एवं अभिनंदन करता हूँ, जो प्रत्येक समय मूल्यवर्धित सुझाव एवं सकारात्मक दिशा में प्रेरित कर उत्कृष्टता प्रदान किए हैं। सृष्टि में

मेरे प्राणांश को अवतरित करने वाले (माता जी श्रीमति नागेश्वरी देवी जी एवं पिता जी (बाबू जी) श्री शिववचन यादव जी) को वंदन एवं अभिनंदन करता हूँ। जिन्होंने मुझे सृष्टि में अवतरित करने का उद्गम प्रयास किया। इसके साथ मेरे अनुजतुल्य सखा एवं मित्र मंडलीय ओम प्रकाश यादव डॉ. पूनम भारती, डॉ. रमा यादव, डॉ. अंजली शर्मा आदि को हृदयाभाव से धन्यवाद ज्ञापित करता हूँ, जिन्होंने मेरे इस कार्य में सहयोगात्मक भूमिका प्रदान की है।

अंततोगत्वा मोतीलाल बनारसीदास पब्लिकेशन के नागर जी, पूजा जी एवं समस्त कर्मचारियों के साथ समस्त प्रत्यक्ष या परोक्ष रूप से सहयोगी लोगों का धन्यवाद ज्ञापित करते हुए, स्नातक एवं परास्नातक तथा संघ लोक सेवा आयोग, राज्य लोक सेवा आयोग के सभी परीक्षार्थियों के उज्जवल भविष्य की कामना करते हुए कुछ पंक्तियां समर्पित करता हूँ–

वक्त से लड़कर जो नसीब बदल दे,
इंसान वही जो अपनी तकदीर बदल दे,
कल क्या होगा कभी मत सोच ऐ-मेरे दोस्त,
क्या पता कल खुद वक्त तेरी तस्वीर बदल दे।

डॉ. अवधेश यादव
(असिस्टेंट प्रोफेसर)
लक्ष्मीबाई महाविद्यालय
दिल्ली विश्वविद्यालय
दिल्ली-110052

विषय सूची

UPSC प्रश्न पत्र-1
दर्शन का इतिहास एवं समस्याएँ

प्लेटो एवं अरस्तू: प्रत्यय; द्रव्य; आकार एवं पुदगल; कार्यकारण भाव; वास्तविकता एवं शक्यता।

तर्कबुद्धिवाद (देकार्त, स्पिनोजा, लाइबनित्ज): देकार्त की पद्धति एवं असंदिग्ध ज्ञान; द्रव्य; परमात्मा; मन-शरीर द्वैतवाद; नियतत्ववाद एवं स्वातंत्र्य।

इंद्रियानुभव (लॉक, बर्कले, ह्यूम); ज्ञान का सिद्धांत; द्रव्य एवं गुण; आत्मा एवं परमात्मा; संशयवाद।

कांट: संश्लेषात्मक प्रागनुभविक निर्णय की संभवता; दिव एवं काल; कौटियाँ/विकल्प/पदार्थ; तर्कबुद्धि प्रत्यय; विप्रतिषेध; परमात्मा के अस्तित्व के प्रमाणों की मीमांसा।

हीगेल: द्वंद्वात्मक प्रणाली; परमप्रत्ययवाद।

मूर, रसेल एवं पूर्ववर्ती विटगेन्स्टीन: सामान्य बुद्धि का मंडन/समर्थन; प्रत्ययवाद का खंडन, तार्किक परमाणुवाद; तार्किक रचना; अपूर्ण प्रतीक; अर्थ का चित्र सिद्धांत; उक्ति एवं प्रदर्शन।

तार्किक प्रत्यक्षवाद; अर्थ का सत्यापन सिद्धांत; तत्वमीमांसा का अस्वीकार; अनिर्या प्रतिज्ञप्ति का भाषिक सिद्धांत।

उत्तरवर्ती विटगेन्स्टीन: अर्थ एवं प्रयोग; भाषा-खेल; निजी/व्यक्ति भाषा की मीमांसा संवतिशास्त्र (हर्सल); प्रणाली; सार सिद्धांत; मनोविज्ञानपरता का परिहार।

अस्तित्वपरकतावाद (कीर्कगार्ड, सार्त्र, हीडेगर); अस्तित्व एवं सार; वरण, उत्तरदायित्व एवं प्रामाणिक अस्तित्व; विश्वनीयता एवं कालसत्ता।

क्वाइन एवं स्ट्रासन: इंद्रियानुभववाद की मीमांसा; मूल विशिष्ट एवं व्यक्ति का सिद्धांत।

चार्वाक: ज्ञान का सिद्धांत; अतींद्रिय सत्वों का अस्वीकार।

जैनदर्शन संप्रदाय; सत्ता का सिद्धांत; सप्तभंगी न्याय; बंधन एवं मुक्ति।

बौद्धदर्शन संप्रदाय; प्रतीत्यसमुत्पाद; क्षणिकवाद; नैरात्म्यवाद।

न्याय-वैशेषिक: पदार्थ सिद्धांत; आभास सिद्धांत; प्रमाण सिद्धांत; आत्मा, मुक्ति; परमात्मा; परमात्मा के अस्तित्व के प्रमाण; कार्यकारण-भाव का सिद्धांत, सृष्टि का परमाणुवादी सिद्धांत।

सांख्य: प्रकृति; पुरुष; कार्यकारण-भाव; मुक्ति।

योग: चित्त; चित्तवृत्ति; क्लेश; समाधि; कैवल्य।

मीमांसा; ज्ञान का सिद्धांत।

वेदांत संप्रदाय: ब्रह्मन; ईश्वर; आत्मन; जीव; जगत; माया; अविद्या; अध्यास; मोक्ष; अपृथक सिद्धि; पंचविधभेद।

अरविन्द: विकास, प्रतिविकास; पूर्ण योग।

प्रश्न पत्र-2

सामाजिक-राजनैतिक दर्शन

सामाजिक एवं राजनैतिक आदर्श; समानता, न्याय, स्वतंत्रता।

प्रभुसत्ता: ऑस्टिन, बोदाँ, लास्की, कौटिल्य।

व्यक्ति एवं राज्य: अधिकार; कर्तव्य एवं उत्तरदायित्व।

शासन के प्रकार: राजतंत्र; धर्मतंत्र एवं लोकतंत्र।

राजनैतिक विचारधाराएँ; अराजकतावाद; मार्क्सवाद एवं समाजवाद।

मानववाद; धर्मनिरपेक्षतावाद; बहुसंस्कृतिवाद।

अपराध एवं दंड: भ्रष्टाचार, व्यापक हिंसा, जातिसंहार, प्राणदंड।

विकास एवं सामाजिक उन्नति।

लिंग भेद: स्त्रीभ्रूण हत्या, भूमि एवं संपत्ति अधिकार; सशक्तीकरण।

जाति भेद: गांधी एवं अम्बेडकर।

धर्म दर्शन

ईश्वर की धारणा: गुण; मनुष्य एवं विश्व से संबंध (भारतीय एवं पाश्चात्य)।

ईश्वर के अस्तित्व के प्रमाण और उसकी मीमांसा (भारतीय एवं पाश्चात्य)।

अशुभ की समस्या।

आत्मा: अमरता; पुनर्जन्म एवं मुक्ति।

तर्कबुद्धि, श्रुति एवं आस्था।

धार्मिक अनुभव: प्रकृति एवं वस्तु (भारतीय एवं पाश्चात्य)।

ईश्वर रहित धर्म।

धर्म एवं नैतिकता।

धार्मिक शुचिता एवं परम सत्यता की समस्या।

धार्मिक भाषा की प्रकृति: सादृश्यमूलक एवं प्रतीकात्मक; संज्ञानवादी एवं निस्संज्ञानवादी।

UPSC Philosophy Syllabus (Paper I)

History and Problems of Philosophy

1. Plato and Aristotle: Ideas; Substance; Form and Matter; Causation; Actuality and Potentiality.
2. Rationalism (Descartes, Spinoza, Leibnitz); Cartesian Method and Certain Knowledge; Substance; God; Mind-Body Dualism; Determinism and Freedom.
3. Empiricism (Locke, Berckeley, Hume): Theory of Knowledge; Substance and Qualities; Self and God; Scepticism.
4. Kant: Possibility of Synthetic a priori Judgments; Space and Time; Categories; Ideas of Reason; Antinomies; Critique of Proofs for the Existence of God.
5. Hegel: Dialectical Method; Absolute Idealism.
6. Moore, Russell and Early Wittgenstein: Defence of Commonsense; Refutation of Idealism; Logical Atomism; Logical Constructions; Incomplete Symbols; Picture Theory of Meaning; Sying and Showing.
7. Logical Positivism: Verification Theory of Meaning; Rejection of Metaphysics; Linguistic Theory of Necessary Propositions.
8. Later Wittgenstein: Meaning and Use; Language-games; Critique of Private Language.
9. Phenomenology (Husserl): Method; Theory of Essences; Avoidance of Psychologism.
10. Existentialism (Kierkegaard, Sarte, Heidegger): Existence and Essence; Choice, Responsibility and Authentic Existence; Being in the World and Temporality.
11. Quine and Strawson : Critique of Empiricism; Theory of Basic Particulars and Persons.
12. Carvaka: Theory of Knowledge; Rejection of Transcendent Entities.

13. Jainism: Theory of Reality; Saptabhanginaya; Bondage and Liberation.
14. Schools of Buddhism: Prat Ityasamutpada; Ksanikavada, Nairatmyavada.
15. Nyaya—Vaieshesika: Theory of Categories; Theory of Appearance; Theory of Pramana; Self, Liberation; God; Proofs for the Existence of God; Theory of Causation; Atomistic Theory of Creation.
16. Samkhya; Prakrit; Purusa; Causation; Liberation.
17. Yoga; Citta; Cittavritti; Klesas; Samadhi; Kaivalya.
18. Mimamsa: Theory of Knowledge.
19. Schools of Vedanta: Brahman; Isvara; Atman; Jiva; Jagat; Maya; Avidya; Adhyasa; Moksa; Aprthaksiddhi; Pancavidhabheda.
20. Aurobindo: Evolution, Involution; Integral Yoga.

Candidates preparing for UPSC 2021 may want to check the linked article.

UPSC Philosophy Syllabus (Paper-II)

Socio-Political Philosophy

1. Social and Political Ideals : Equality, Justice, Liberty.
2. Sovereignty : Austin, Bodin, Laski, Kautilya.
3. Individual and State : Rights; Duties and Accountability.
4. Forms of Government : Monarchy; Theocracy and Democracy.
5. Political Ideologies : Anarchism; Marxism and Socialism.
6. Humanism; Secularism; Multi-culturalism.
7. Crime and Punishment : Corruption, Mass Violence, Genocide, Capital Punishment.
8. Development and Social Progress.
9. Gender Discrimation : Female Foeticide, Land and Property Rights; Empowerment.
10. Caste Discrimination : Gandhi and Ambedkar.

Philosophy of Religion

1. Notions of God : Attributes; Relation to Man and the World (Indian and Western).
2. Proofs for the Existence of God and their Critique (Indian and Western).
3. Problem of Evil.
4. Soul : Immortality; Rebirth and Liberation.
5. Reason, Revelation and Faith.
6. Religious Experience : Nature and Object (Indian and Western).
7. Religion without God.
8. Religion and Morality.
9. Religious Pluralism and the Problem of Absolute Truth.
10. Nature of Religious Language : Analogical and Symbolic; Cognitivist and Non-cognitive.

Philosophy Paper-I RPSC

1. **Veda and Upanisad :** The development of Vedic thought – polytheism, henotheism, monotheism and monism; The nature of Reality atman and Brahman, their identity, the concept of self-realization.
2. **Non-vedic Schools of thought :**
   (a) Charvaka epistemology and metaphysics.
   (b) Jainism – anekatavada, syadvada, dravya guna and paryaya, the classification of dravyas, bondage and liberation.
   (c) Buddhism – pratitysamutpada, anatmavada, ksanikavada (momentariness), nirvana.
3. **Nyaya, Vaisesika and Purva Mimamsa:**
   Nyaya system : prama, pramana and its types, paratah pramanyavada; anyathakhyati vada, asatkaryavada, proofs for the existence of God Vaisesika metaphysics: the types of padarthas (categories), paramanuvada.

Purvamimamsa : arthapatti and anupalabdhi as independent sources of knowledge, svatahpramanyavada, akhyati and viparitakhyati.

4. **Samkhya and Yoga :** purusa and prakrti.
   Proofs for their existence, plurality of purusa, the doctrine of evolution, satkaryavada, bondage and liberation, the nature of yoga and astanga yoga satkaryavada, bondage and liberation, the nature of yoga and astanga yoga.
5. **Vendnta – Samkara and Ramanuja:**
   Brahman and the world according to Samkara and Ramanuja, mayavada and its critique, bondage and liberation according to Samkara and Ramanuja.
6. **Modern Indian Thought :** Sri Aurabindo, Tagore, Gandhi and Radhakrishnam.

Philosophy Paper-II

1. **The nature and object of philosophical enquiry :** philosophy and its place in life and culture; philosophy religion and science.
2. **Socratic view of Virtue**, Plato's theory of Justice, Utilitarianism of Bentham and Mill, Kant's Moral theory. The problem of free will and determinism.
3. **Bhagvad Gita** – Svadharma, niskama karmayoga; purusartha-dharma, artha, kama and moksa, Gandhian ethics—non-violence, truth and satyagraha, trusteeship and sarvodaya; ends and means.
4. **Plato :** The problem of Being and Becoming – theory of ideas, knowledge and opinion, Aristotle : Doctrine of causation, Matter and Form.
5. **Descrats; Philosophical method** – Search for self-evident principle, proofs for the existence of God.
   Spinoz : Doctrine of substance, attributes and modes.
   Liebnitz : Monadology, the doctrine of Pre-established harmony.

The problem of mind and body relation according to the rationalists.

6. **Locke :** The doctrine of Substance : Primary and secondary quality, refutation of matter, Esseest percipi, the subjective Idealist position.

   Hume : doctrine of causation, refutation of substance.

7. **Kant :** Critique of rationalism and Empericism, the problem of space and time, categories of understanding, phenomena and Noumeva.

प्रश्न पत्र-II (Paper-II)

सामाजिक-राजनैतिक दर्शन एवं धर्म-दर्शन

(Socio-political Philosophy and Philosophy of Religion)

(खण्ड-अ, Section-A)

1. सामाजिक और राजनैतिक आदर्शः समानता, न्याय, स्वतंत्रता,
2. संप्रभुता,
3. व्यक्ति तथा राज्य,
4. लोकतंत्रः अवधारणा तथा प्रकार,
5. समाजवाद तथा मार्क्सवाद,
6. मानववाद,
7. धर्मनिरपेक्षततावववाद,
8. बहुसंस्कृतिवाद,
9. दण्ड के सिद्धान्त,
10. हिंसा, अहिंसा, सर्वोदय,
11. लिंग-समानता,
12. वैज्ञानिक दृष्टि एवं प्रगति,
13. पारिस्थितिकी-दर्शन।

(खण्ड-ब, Section-B)

1. धर्म, धर्मशास्त्र तथा धर्म दर्शन,
2. धर्म तथा नैतिकता,
3. ईश्वर विषयक अवधारणाएँः वैयक्तिक, अवैयक्तिक, प्रकृतिवादी,
4. ईश्वर के अस्तित्व के लिए प्रमाण,
5. आत्मा की अमरता,
6. मोक्ष,
7. धार्मिक ज्ञानः बुद्धि, देवी प्रकाशन तथा रहस्यवाद,
8. ईश्वर विहीन धर्म,

9. अशुभ की समस्या,
10. धार्मिक सहिष्णुता।

BPSC खण्ड-I (Section-I)
तत्वमीमांसा और ज्ञानमीमांसा

उम्मीद्वारों से अपेक्षा की जाती है कि उन्हें निम्नलिखित विषयों के विशेष सन्दर्भ में भारतीय और पाश्चात्य ज्ञानमीमांसा तथा तत्व मीमांसा के सिद्धांतों तथा प्रकारों की जानकारी हो–

(क) पाश्चात्य–आदर्शवाद, यथार्थवाद, निरपेक्षवाद, इंदियानुभववाद, तर्कबुद्धिबाद, तार्किक प्रत्यक्षवाद, विश्लेषण संवत्तिशास्त्र अस्तित्ववाद और अथोक्रियावाद।

(ख) भारतीय–प्रमाण और प्रामाण्य, सत्य और त्रुटि के सिद्धांत, भाषा और अर्थ का दर्शन, दर्शन की प्रमुख पद्धतियाँ (रूढ़िवाद और रूढ़िमुक्त) प्रणालियों के सन्दर्भ में यथार्थवाद के सिद्धांत।

खण्ड-II (Section-II)
सामाजिक राजनैतिक दर्शन और धर्म दर्शन

1. दर्शन का स्वरूप, इसका जीवन विचार और संस्कृति से संबंध।
2. भारत के सारे, विशेषकर भारतीय संविधान के विशेष सन्दर्भ में निम्नलिखित विषय, जिनमें भारतीय संविधान सम्मिलित हो– राजनीतिक विचारधाराएँ, प्रजातंत्र, समाजवाद, फासिस्टवाद, धर्मतंत्र साम्यवाद और सर्वोदय। राजनीतिक क्रियाविधि की पद्धतियाँ, संविधानवाद, क्रांति, आतंकवाद और सत्याग्रह।
3. भारतीय सामाजिक संस्थाओं के संदर्भ में परम्परा, परिवर्तन और आधुनिकता।
4. धार्मिक भाषा और अर्थ का दर्शन।
5. धर्म दर्शन का स्वरूप और क्षेत्र, बौद्ध धर्म, जैन धर्म, हिन्दु धर्म, इस्लाम धर्म, ईसाइ धर्म और सिक्ख धर्म के विशेष सन्दर्भ में धर्म का दर्शन।

(क) धर्मशास्त्र और धर्म दर्शन।

(ख) धार्मिक विश्वास के आधार पर तर्क, रहस्योद्घाटन, निष्ठा और रहस्यवाद।

(ग) ईश्वर, आत्मा की अमरता, मुक्ति और बुराई तथा पाप की समस्या।

(घ) धर्म की समानता, एकता और सर्वव्यापकता, धार्मिक सहिष्णुता धर्म परिवर्तन, धर्म निरपेक्षता।

(6) मोक्ष प्राप्ति के पक्ष।

भूमिका

सृष्टि के सृजनता के क्रम में एक शब्द का उद्घोष हुआ जिसे धर्म कहते हैं। जी हां, धर्म शब्द का हमारे मानस पटल पर एक ऐसी अमिट छाप अंकित है। जिसमें लाखों-करोड़ों देवी-देवताओं महापुरुषों की आध्यात्मिक भाव की भावना प्रज्वलित होती है। इसी भाव को सृजनशील करते हुए अनेक धर्म पुरुषों ने समय-समय पर आकर संपूर्ण मानव को मानवीयता एवं नैतिकता का पाठ पढ़ाया उसी कड़ी के आरंभ में समग्रता में देखा जाए तो **धर्म एक ऐसे नैतिक नियमों का समूह है।**

जिसमें संपूर्ण मानवता को एक सूत्र में धारित करने एवं जीवंतता का उद्घोष किया जाता है। यही भावनाएं सत्य के मार्ग पर अग्रसर होने के समय में पथ-प्रदर्शक या दीपक का कार्य करती है, जिसे हम धर्म कहते हैं, यथार्थता यही है कि यह एक ऐसे नैतिक नियमों का समूह है, जो संपूर्ण मानव जाति अथवा सृष्टि को मानवीयता के मानवीय बंधन में बांधने का कार्य करता है।

संपूर्ण सृष्टि में व्याप्त धर्म की निकृष्ट अवधारणाएं कहीं-न-कहीं धर्म की व्यापकता को संकट में डालती चली गई उसी का परिणाम यह हुआ कि संपूर्ण विश्व में अनेक धर्म संप्रदाय का उद्घोष हुआ जिसे हम निकृष्ट भावना में धर्म संप्रदाय कहते हैं जैसे हिंदू धर्म, बौद्ध धर्म, जैन धर्म, सिख धर्म, ईसाई धर्म, समग्रता में देखा जाए तो यह धर्म नहीं है यह तो वह संस्थाएं हैं, वैचारिक अवधारणाएं हैं, जो धर्म रूपी संस्था के नैतिक नियमों को अपने तरीके से मूल्यांकन करने का प्रयास करती हैं। समग्रता में धर्म के अंदर विश्व के सभी धर्म संप्रदाय के संपूर्ण नैतिक नियमों का आदर्श मूल्य समाहित दिखाई पड़ता है।

इसी संदर्भ में प्रारंभिक अवस्था पर पुस्तक सृजनता के क्रम में मैंने धर्म के सभी आयाम को सभी तरीके से मूल्यांकन करने का

प्रयास किया है, तथा धर्म के केंद्र बिंदु में स्थापित आध्यात्मिक एवं पारलौकिक शक्ति के रूप में विराजमान ईश्वर की यथार्थता को द्वितीय अध्याय में मूल्यांकन करते हुए एक नए दृष्टिकोण के साथ धर्म-अधर्म की मानवीय क्रियाकलापों का मूल्यांकन करते हुए संपूर्ण सृष्टि में ईश्वर की मान्यता की वैचारिक उन्माद को एक नई दिशा में मूल्यांकन करने का प्रयास किया गया है।

उसी क्रम में हमने आधुनिक समय में व्याप्त अनेक महापुरुषों जिसमें महात्मा गांधी, स्वामी विवेकानंद, धर्मदास जैसे उच्च कोटि के विद्वानों की वैचारिक उन्मादों को सृजित किया गया है। रविंद्र नाथ टैगोर द्वारा स्थापित मानवीय धर्म, वैचारिक कार्यशाला को आगे बढ़ाने का प्रयास किया है। जिसमें संपूर्ण विश्व के सभी धर्म संप्रदाय के मानवीय गुणों के साथ नैतिक गुणों का संश्लेषण-विश्लेषण करने का प्रयास किया गया है। यथार्थता में यही वह सन्मार्ग है। जिसके ऊपर चढ़कर एक व्यक्ति भौतिक जीवन एवं आध्यात्मिक जीवन के मध्य सामंजस्य स्थापित कर संपूर्ण विश्व में भगवान अर्थात् भाग्य से उत्पन्न भावात्मक प्राणी जिसे भगवान कहते हैं, जो बनता है यथार्थता में भगवान वही है, जो सृष्टि के नैतिक नियमों को अपनी आत्मा में आत्मार्पित करके संपूर्ण समाज के सामने नैतिक दर्शन का पथ प्रदर्शन करने का काम करता है। जिसके पद चिन्हों पर चलते हुए संपूर्ण मानवीय परंपराएं एक नए दृष्टिकोण को प्राप्त करती है।

इसी क्रम में सनातनी परंपरा में भगवान कृष्ण तथा मर्यादा पुरुषोत्तम राम का नाम सबसे ऊपर लिया जाता है, तो वही ईसाई धर्म में ईसा-मसीह का नाम दिया जाता है, जिसे ईश्वर के पुत्र के रूप में माना गया है। सिख धर्म में गुरु नानक की परंपरा को उसी रूप में मूल्यांकन करने का प्रयास किया गया है, तो वहीं इस्लाम धर्म में पैगंबर साहब को **अल्लाह का परवरदिगार** मानकर मूल्यांकन करने का प्रयास किया गया है। यह कहीं न कहीं इस तरफ निर्देशित करती है कि सृष्टि में कोई भी व्यक्ति अपनी नैतिक आचरण के माध्यम से भगवान यानी ईश्वर

के अंश के रूप में स्थापित हो सकता है। यदि सच्चे हृदय से यथार्थता में वह धर्म के बनाए नैतिक नियमों को उजागर कर विश्व बंधुत्व की भावना को प्रखर करें।

इस संदर्भ में देखा जाए तो शंकराचार्य का प्रसिद्ध कथन **अहम् ब्रह्मास्मि अर्थात् मैं ही ब्रह्म हूं** सही चरितार्थ दिखता है, क्योंकि इस सृष्टि में कोई भी मानव प्राणी अपने नैतिक कर्मों के आधार पर ही **ईश्वर अंश के रूप में परिलक्षित होता है**। यथार्थता यह है कि यहां पर कोई जाति विशेष वर्ग की निकृष्टता से हटकर सर्वांगीण विकास की परिकल्पना में आगे बढ़कर ही ईश्वर का सृजन कर सकता है।

इस संदर्भ में गांधी की एक पंक्ति अधिक कारगर दिखाई पड़ती है जहां पर हिंदू धर्म संप्रदाय एवं इस्लाम धर्म में व्याप्त कट्टरता को दूर करने के लिए कहा था **"ईश्वर अल्लाह तेरों नाम सबको सन्मति दे भगवान"** अर्थात् कहने का मतलब यही है **ईश्वर, अल्लाह उसी परवरदिगार का नाम है**। जिसने संपूर्ण सृष्टि में मानवीय गुणों को सृजित किया है, तथा हमें नैतिकता के मार्ग पर अग्रसर होकर आगे बढ़ने की प्रेरणा शक्ति प्रदान करता है।

संपूर्ण विश्व में जिस प्रकार से धर्म की निकृष्टता फैली है उसको देखते हुए यह बात सही चरितार्थ होती है कि आज हमें विश्व में **धर्म की निकृष्टता को तोड़ना होगा, मानवीयता के दीपक को प्रज्वलित करके धर्म में व्याप्त निकृष्टता** को दूर करके अंधकार को दूर करना होगा जिससे संपूर्ण विश्व में समानता, स्वतंत्रता, विश्वबंधुत्व की भावना का प्रकाश प्रज्वलित हो।

जिसके प्रकाश से संपूर्ण विश्व में फैले जाति, धर्म, वर्ग, अमीर-गरीब जैसी निकृष्ट मानवता के विरोधी मान्यताओं का उन्मूलन हो सके, तभी जाकर यथार्थता में धर्म की वास्तविक परिभाषा व्यवहारिकता में चरितार्थ होगी जहां पर सभी लोग किसी धर्म संप्रदाय के वैचारिक उन्माद से ऊपर उठकर मानवीय धर्म के नैतिक आयाम में अपने को निखारने का प्रयास करेंगे और यही निखार संपूर्ण विश्व में उसे नैतिकता के प्रकाश

के रूप में प्रचलित करने का कार्य करेगा। पुस्तक सृजनात्मक में गांधी जी, स्वामी विवेकानंद द्वारा स्थापित **सर्वधर्म समभाव तथा गुरुदेव द्वारा स्थापित मानव धर्म ही सर्वोपरि है** के संपूर्ण आयाम को मूल्यांकन करने का प्रयास किया गया है। इसके साथ ही साथ आधुनिक समय में जिस प्रकार से धर्म संप्रदाय को लेकर विभेद है। उसके निदान के संदर्भ में **धर्मनिरपेक्षता की भावना को तर्क के आधार पर मूल्यांकन करने का प्रयास किया गया है।** जिससे संपूर्ण विश्व में मानवीय धर्म के साथ नैतिक गुणों का विकास किया जा सके जहां लोग धर्म को आध्यात्मिकता के चश्मे से न देखते हुए उसे तर्क से देखने का कार्य करें, जिसमें धर्म में व्याप्त रहस्य, आस्था, रहस्यानुभूति पारलौकिक वैचारिक उन्माद को प्रखर करने का प्रयास किया गया है, साथ ही साथ संपूर्ण विश्व में पहले सभी धर्म संप्रदाय के संस्थापक के साथ उनके क्रियाकलापों का मूल्यांकन करने का प्रयास किया गया है।

जीवन के सभी भावों को देखते हुए भौतिक जगत के साथ आध्यात्मिक जगत के बीच उचित सामंजस्य स्थापित करते हुए अंतिम पुरुषार्थ मोक्ष के मार्ग एवं वास्तविकता को जानने का प्रयास किया गया है। जिस प्रकार से वैदिक संस्कृति में मोक्ष को प्राप्त करने के चार मार्ग बतलाए गए हैं, जिसमें **श्रीमद्भगवदगीता में वर्णित कर्मयोग, भक्ति और ज्ञान योग के साथ राजयोग या अष्टांग योग का अतुलनीय संगम दिखाई देता है।** बिना इनके सहयोग एवं संयम के संपूर्ण जीवन निरर्थक लगता है।

वर्तमान परिदृश्य में जिस तरीके से भौतिकतावादी वस्तुओं को सर्वोपरि मानकर आध्यात्मिकता के स्थान पर भौतिकता प्रखर रही हैं कहीं-न-कहीं संपूर्ण विश्व में मानसिक असंतुलन का सबसे बड़ा कारण भी दिखाई दे रहा है। वर्तमान परिदृश्य इसको ही संपूर्णता में एक लालायित प्यासी आंखों से अपनी मानसिक एवं भौतिक समस्याओं के समाधान के रूप में देखकर प्राप्त करने का प्रयास कर रहा है। कहीं-न-कहीं यह बात स्पष्ट करती है कि संपूर्ण विश्व भौतिकता के

ऐसे जाल में फंस चुका है।

जहां उसका संपूर्ण जीवन भौतिक विषय वस्तुओं में बंध कर रह गया है, वह अपने यथार्थ स्वरूप को भूल चुका है। वर्तमान परिदृश्य को देखते हुए यह कहा जा सकता है कि इस तरीके के विकास उस स्तर पर हमें ले जाकर छोड़ेगी जहां एक बार फिर मनुष्य जानवरों की श्रेणी में आ जाएगा, क्योंकि संपूर्ण मानवता से मानवीय मूल्यों का दिन-प्रतिदिन हास्यमय होता जा रहा है। जिस प्रकार की प्रवृत्तियां जानवरों में पाई जाती है, जहां अपने भूख-प्यास को संतृप्त करने के लिए जानवर किसी हद तक जाते हैं, वही प्रवृत्ति आज मानव में दिखाई पड़ रही है।

जहां विवेकशीलता का अभाव दिखाई पड़ रहा है, कहीं-न-कहीं यह अविवेकशीलता ही उसे पशुता की तरफ अग्रसर कर रही है। सृष्टि निर्माण एवं विनाश की चक्रीय प्रक्रिया अतुलनीय संगम में फंस गई है। जिस प्रकार से आधुनिक समय में मनुष्य अपनी भौतिक आवश्यकताओं के लिए एक दूसरे का हनन कर अपनी भौतिक जिज्ञासा को संतृप्त कर उसे कहीं-न-कहीं यह भाव आज फिर से पशुता का आधार बन गया है।

इस मानवीय पशुता को समाप्त करने के लिए संपूर्ण विश्व में एक बार फिर से मानवीय मूल्यों के साथ नैतिक मूल्यों को तर्क एवं विवेकशीलता के आधार पर विकसित करना होगा, जिससे लोगों के बीच नैतिक गुणों का विकास हो सके, धर्म की यथार्थता का सही तरीके से समझ विकसित किया जा सके, साथ ही साथ लोगों में भौतिक जीवन, आध्यात्मिक जीवन के पीछे जिस प्रकार से आधुनिक समय में अनेक धर्म संप्रदाय ने संपूर्ण मानव जीवन को जटिलता के बंधन में बांध दिया है उससे ऊपर उठकर मानवीय धर्म कि यथार्थ स्वरूप को पहचान सके, समझ सके।

आधुनिक परिप्रेक्ष्य की आवश्यकताओं के अनुसार भौतिक जगत आध्यात्मिक जगत की विषय वस्तुओं में तर्क-बुद्धि के आधार पर उसके भाव-गुण-अवगुण का मूल्यांकन कर सके तथा आने वाली पीढ़ियों को प्रकृति के प्रति उसके वास्तविक गुण के प्रति ज्ञानबोध करा सके जिससे

प्रकृति एवं मानवीयता के बीच उचित सामंजस्य स्थापित रहे, क्योंकि वर्तमान परिदृश्य में जिस तरीके से प्रकृति के साथ अत्याचार हो रहे हैं, उसके दुष्परिणाम स्वरूप है अनेक प्रकार की समस्या जैसे बाढ़, कोरोना वायरस, मानव निर्मित अनैतिक कर्म इस बात का मूल्यांकन कर रहे हैं कि आज लोग भौतिक हित को अपने जीवन का सर्वहित मानकर अनेक प्रकार के अनैतिक कार्य कर सकते हैं। इससे मनुष्य न केवल स्वयं बंधन में फंसते जा रहे हैं, बल्कि संपूर्ण विश्व को प्राणी, जीव, जंतु सभी के लिए कष्ट दे रहा है।

इसका सबसे उत्कृष्ट उदाहरण वर्तमान परिदृश्य में फैली वैश्विक महामारी कोरोना वायरस दिखाई पड़ रही है। यह भावनाएं कहीं-न-कहीं इस बात का स्पष्टीकरण करती है कि संपूर्ण विश्व में मानवीय मूल्यों का हनन हुआ है। लोगों के अंदर से मानवीयता नाम का धार्मिक गुण ही समाप्त हो गया है। इस प्रकार की भावनाएं कहीं-न-कहीं हमें यह सोचने के लिए मजबूर कर रही है कि एक बार **फिर से बाहरी दुनिया से आंतरिक दुनिया की तरफ देखने का प्रयास करना चाहिए** जिससे हमारे अंदर मानसिक क्रियाकलापों के साथ मानवीय गुणों का सृजन हो सके, तथा विश्वबंधुत्व, स्वतंत्रता, समानता के साथ मानव कल्याण की भावना का विकास हो सके, हम एक दूसरे के साथ वैमनस्य के स्थान पर सौहार्दपूर्ण वातावरण की परिकल्पना कर सकें। यहां लोग एक दूसरे को नीच अमीर-गरीब न दिखाते हुए उदार दृष्टिकोण अपनाते हुए संपूर्ण मानव जाति के साथ प्रकृति के सर्वांगीण विकास की परिकल्पना को परिवर्तित करते हुए आगे बढ़े यथार्थता में यही धर्म का वास्तविक उद्देश्य है।

यही पुस्तक सृजनता का वास्तविक उद्देश्य है जिसके अंतर्गत धर्म-दर्शन से संबंधित सभी आयाम का स्पष्टीकरण करते हुए संघ लोक सेवा आयोग, राज्य लोक सेवा आयोग परीक्षा प्रणाली एवं UGC नेट को आधार बनाते हुए भारत के संपूर्ण विश्व विद्यालयों में सेमेस्टर प्रणाली की विषय वस्तुओं को देखते हुए संकलन करने का प्रयास किया गया

है, तथा छात्रों की उपयोगिता के अनुसार यथासंभव सभी प्रकार के प्रश्नों को स्थापित कर उनके भाव को भी स्पष्ट करने का प्रयास किया गया है, जो कहीं-न-कहीं पूर्व से चली आ रही धर्म-दर्शन के सभी आयाम को एक नए रूप में संयोजित कर मूल्यांकन किया जा सके। यदि आपको किसी भी प्रकार की अन्य सहायता की आवश्यकता हो तो YouTube चैनल Dr. Awadhesh sir के माध्यम से सम्पर्क कर सकते हैं। अन्ततोगत्वा उन समस्त ईश्वरीय अंश पाठकगण के उज्जवल भविष्य की कामना करते हुए कुछ पंक्तियाँ समर्पित करना चाहता हूँ।

वक्त, मुकद्दर और जज्बात बदल जाएंगें
तू तहज्जुद से पढ़, ऐ-मेरे दोस्त हालात बदल जाएंगें
यूं तो सुनता फिरता हूँ, बहुत फसाने जमाने का
बस यही रब को सुना हालात बदल जाएंगे।

डॉ. अवधेश यादव
(असिस्टेंट प्रोफेसर)
लक्ष्मीबाई महाविद्यालय
दिल्ली विश्वविद्यालय
अशोक विहार-110052

अध्याय 1
धर्म का स्वरूप

धर्म की परिभाषा

यदि संपूर्ण वैदिक परंपरा का अवलोकन किया जाए तो यह परलक्षित होता है, कि धर्म शब्द संस्कृत भाषा के **धृ** धातु से मिलकर बना है जिसका अर्थ **धारण करना** होता है। अर्थात् ऐसे नैतिक नियम जिसके आधार पर संपूर्ण समाज को एक सूत्र में सूत्रधार किया जा सके, इसलिए धर्म शब्द की व्यापक व्याख्या वैदिक परंपरा में दिखाई पड़ती है। यह संपूर्ण नैतिक नियमों के साथ मनुष्य के अंदर तप, दान, सत्य अहिंसा जैसे सभी गुणों को उत्पन्न करने का आधार प्रदान करता है, यह मनुष्य के अंदर **कर्तव्य पालन के नियम** को करने का कार्य करता है। यह मनुष्य को एक आध्यात्मिक शक्ति प्रदान करता है ।

जिससे वह अपने सामाजिक जीवन के साथ आध्यात्मिक जीवन में उचित सामंजस्य स्थापित कर सके। वर्तमान परिदृश्य में जिस प्रकार से धर्म की परिभाषा को निकृष्ट के आधार पर मूल्यांकन करने का प्रयास किया गया है, उससे स्पष्ट होता है कि कहीं-न-कहीं धर्म की व्यापकता को समेटने का कार्य किया जा रहा है।

जिस प्रकार से हमारी वैदिक परंपरा में धर्म की व्यापकता में संपूर्ण सृष्टि के नैतिक, सामाजिक, आर्थिक, राजनैतिक, नियमों को व्यवस्थित करने की शक्ति है। उससे यह प्रतीत होता है कि धर्म से ही सभी प्रकार

की विचारधाराएं, धर्म संप्रदाय, मान्यताएं निकल कर सामने आती हैं। इनको स्पष्ट करने के लिए संप्रदाय का जन्म हुआ जिसमें जैन धर्म संप्रदाय, बौद्ध धर्म संप्रदाय, इस्लाम धर्म संप्रदाय, हिन्दू धर्म संप्रदाय आदि है। जिस प्रकार से सभी नदियां अंत में समुद्र में जाकर विलीन हो जाती हैं, ठीक उसी प्रकार धर्म भी अत्यंत व्यापक है जिसमें समस्त धर्म संप्रदाय जाकर समाहित हो जाते हैं, और अंततोगत्वा यह कहा जाता है कि यह धर्म के ही नैतिक नियम हैं जिसको स्पष्टीकरण करने का कार्य किया गया है।

मजूमदार और मदन के अनुसार धर्म किसी भय की वस्तु अथवा शक्ति का मानवीय परिणाम है, जो पारलौकिक है, इन्द्रियों से परे है। यह व्यवहार की अभिव्यक्ति तथा अनुकूलन का रूप है, जो लोगों को अलौकिक शक्ति की धारणा से प्रभावित करता है।

1. डॉ. राधाकृष्णन् धर्म की अवधारणा के अन्तर्गत हिन्दू धर्म के उन स्वरूपों और प्रतिक्रियाओं को लाते है, जो मानव-जीवन का निर्माण करती है और उसको धारण करती है।
2. गिलिन ने धर्म के समाजशास्त्रीय क्षेत्र के अन्तर्गत एक समूह में अलौकिक शक्ति से सम्बंधित उद्देश्यपूर्ण विश्वास को माना है, तथा इन विश्वासों से सम्बंधित बाहरी व्यवहार, भौतिक वस्तुएँ और प्रतीक को समर्पित किया है।
3. फ्रेजर महोदय का धर्म से तात्पर्य मनुष्य के श्रेष्ठ उन शक्तियों की संतुष्टि अथवा आराधना करना है। जिनके बारे में व्यक्तियों का विश्वास है कि वे प्रकृति और मानव-जीवन को नियंत्रित करती है, तथा उनको निर्देश देती हैं।
4. टेलर महोदय के अनुसार धर्म का अर्थ किसी **आध्यात्मिक शक्ति में विश्वास करना** है। अर्थात् धर्म पवित्र वस्तुओं से सम्बंधित विश्वासों और आचरणों की समग्रता है, जो इन पर विश्वास करने वाले को एक नैतिक समुदाय के रूप में संयुक्त करती है।

5. होबेल महोदय धर्म को एक अलौकिक शक्ति के ऊपर विश्वास आधारित मानते हैं, जो आत्मवाद और मानवता को सम्मिलित करता है।
6. मैलिनोवस्की महोदय धर्म क्रिया का एक रूप मानते हैं, और साथ ही विश्वासों की एक व्यवस्था के रूप में स्वीकार करते हैं। धर्म एक समाजशास्त्रीय घटना के साथ-साथ एक व्यक्तिगत अनुभव भी है, जहाँ मनुष्य की प्रत्येक मनोवृत्ति इस विश्वास पर आधारित या इस विश्वास से सम्बंधित हैं कि इसमें अलौकिक शक्तियों की अस्तित्व को स्वीकार किया गया है और उनसे सम्बन्ध स्थापित करना सबसे महत्वपूर्ण है, धर्म कहलाती है।
7. ऑगबर्न और निमकॉक ने धर्म मानवोपरिक शक्तियों के प्रति अभिवृत्तियाँ के रूप में स्वीकार किया है। जॉनसन महोदय धर्म प्राणियों, शक्तियों, स्थान, अथवा अन्य वस्तुओं की अलौकिक व्यवस्था से सम्बंधित विश्वासों एवं व्यवहारों की अधिक या कम साम्यपूर्ण व्यवस्था है।
8. पॉल टिलिक महोदय ने **धर्म वह है, जो अन्ततः हमसे सम्बंधित है**।

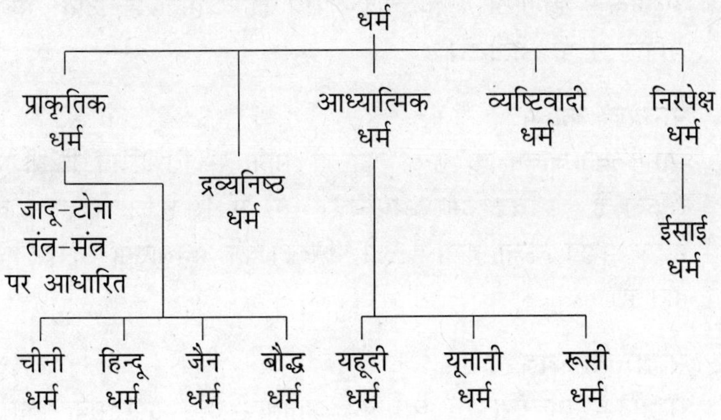

धर्म की विशेषताएं या लक्षण

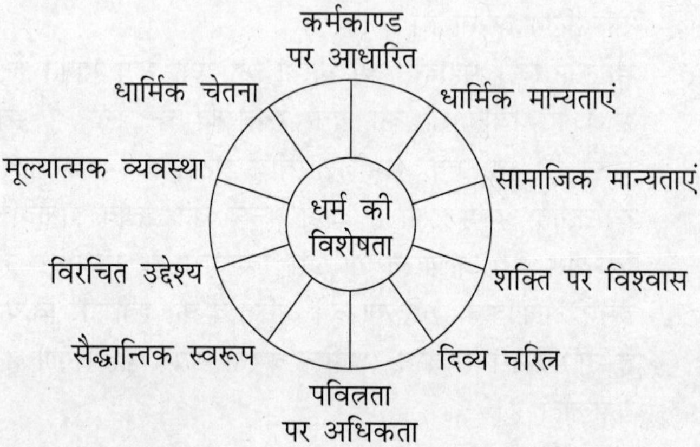

1. शक्ति में विश्वास

धर्म की पहली विशेषता यह है कि यह शक्ति में विश्वास करता है। धर्म शक्ति पर आधारित है, वह मनुष्य निर्मित न होकर प्राकृतिक निर्मित होता है।

2. दिव्य चरित्र

धर्म से जिस शक्ति में विश्वास किया जाता है, उसकी प्रकृति अलौकिक होती है, चूंकि यह चरित्र दिव्य होता है, अतः मानव समाज से परे होती है।

3. पवित्रता का पत्र

सामाजिक जीवन के तत्वों को दो भागों में विभाजित किया जा सकता है- **पवित्र** और **अपवित्र।** धर्म में सिर्फ उन्ही तत्वों को महत्व प्रदान किया जाता है, जो पवित्रता की अवधारणा से सम्बंधित होते हैं।

4. सैद्धांतिक व्यवस्था

सैद्धांतिक व्यवस्था भी धर्म का अनिवार्य तत्व है, इसका कारण यह है कि प्रत्येक धर्म की एक सैद्धांतिक व्यवस्था होती है। इस

सैद्धान्तिक व्यवस्था की सहायता से धर्म को व्यावहारिक स्वरूप प्रदान किया जाता है।

5. निश्चित प्रतिमान

प्रत्येक धर्म के कुछ निश्चित प्रतिमान होते हैं। ये प्रतिमान ईश्वरीय रक्षा का प्रतिनिधित्व करते हैं। यही कारण है कि व्यक्ति इन प्रतिमानों का आदर करता है, तथा इन प्रतिमानों के आधार पर अपने व्यवहार का निर्धारण करता है।

6. मूल्यात्मक व्यवस्था

धर्म समाज में मूल्यों की एक व्यवस्था का निर्धारण करता है। यही कारण है कि धर्म को मूल्य और भावनाओं के आधार पर समझने का प्रयास किया जाता है। तर्क और विवेक का धर्म में कोई स्थान नहीं है।

7. धार्मिक चेतना

प्रत्येक धर्म अपने में धार्मिक चेतना को विकसित करता है। धार्मिक चेतना के कारण ही व्यक्ति धर्म का आदर करता है। आज संसार में जो अनेक धर्म पाए जाते हैं, उनका जन्म और विकास धार्मिक चेतना के कारण ही हुआ है।

8. कर्मकांड

धर्म से संबंध की अभिव्यक्ति पूजा-पाठ, प्रार्थना या कर्मकांड के रूप में होती है। प्रत्येक धर्म की मान्यताएं, विश्वास एवं पौराणिक गाथाओं के अनुसार कर्मकांड होता है, यही वजह है कि विभिन्न धर्मों के कर्मकांडों में भिन्नता दिखाई पड़ती है।

9. धार्मिक मान्यताएं

प्रत्येक समाज के धर्म की अपनी अलग-अलग मूल्य एवं मान्यताएं हैं, यही मान्यताएं धर्म को एक विशिष्ट स्वरूप प्रदान करती हैं। यही कारण है कि लोग समस्याओं एवं कठिनाइयों में भी धर्म पर विश्वास करके साहस व धैर्य से कार्य करते हैं।

धर्म के प्रकार

सामान्य धर्म का स्वरूप

जैसा कि इसके नाम से स्पष्ट है, इसका तात्पर्य धर्म के उस स्वरूप से है, जो सभी के द्वारा अनुसरण करने योग्य होता है। इस धर्म के पालन में आयु, लिंग, सम्पत्ति पर किसी प्रकार का भेद नहीं होता। सामान्य धर्म इस सत्य पर आधारित है कि सभी धर्म समान है तथा सभी धर्मों का उद्देश्य मानव समाज का कल्याण करना है। मनुष्य सर्वश्रेष्ठ प्राणी है, और सामान्य धर्म का उद्देश्य मानव की इसी श्रेष्ठता को बनाए रखना है। सामान्य धर्म सभी प्राणी मात्र के लिए है। इसे सर्वव्यापी मानव धर्म कहा जा सकता है।

मनुस्मृति में मनु ने सामान्य धर्म की विवेचना करते हुए लिखा है–

धृतिः क्षमा दमोऽस्तेयं शौचमिन्द्रियनिग्रहः।
धीर्विद्या सत्यमक्रोधो दशकं धर्मलक्षणम्॥

सामान्य धर्म अथवा मानव धर्म के रूप में मनु ने उन मानवीय गुणों का उल्लेख किया है, जो सभी के लिए अनुकरणीय है। इन गुणों की संख्या दस है–

1. **धृतिः** धृति का तात्पर्य जीभ अथवा जननेन्द्रियों को संयमित रखना है, जो व्यक्ति इस गुण को विकसित कर लेता है, वह धीर कहलाता है।
2. **क्षमाः** सबल होते हुए भी उदार कार्य करना क्षमा कहलाता है, किन्तु कायरता क्षमा नहीं है।
3. **संयमः** शारीरिक और मानसिक वासनाओं को रोककर अपने को शुद्ध और नियमित बनाना संयम है।
4. **अस्तेय-सामान्यतयाः** अस्तेय का तात्पर्य चोरी न करना है, जो इसे अपना लेता है उसे सारी सद्‌बुद्धि अपने आप मिल जाती है।

5. **शुचिताः** शुचिता का तात्पर्य पवित्रता है। शुचिता मन, जीवात्मा और बुद्धि की पवित्रता का नाम है।
6. **इन्द्रियः** निग्रहमानव का एक निश्चित लक्ष्य होता है। उस लक्ष्य की प्राप्ति तभी संभव है, जब वह इन्द्रियों पर नियंत्रण रखे। इन्द्रिय निग्रह का तात्पर्य इन्द्रियों को नियंत्रित रखना है।
7. **धीः** धी का अर्थ बुद्धि है। मानव बुद्धि का समुचित विकास करना धर्म का महत्वपूर्ण लक्षण है।
8. **विद्याः** वेदों में विद्या को अत्यंत ही महत्व प्रदान किया गया है। वास्तव में विद्या प्राप्त कर लेने से मनुष्य काम, क्रोध, लोभ, मोह और मन की क्षुद्र प्रवृत्तियों से छुटकारा प्राप्त कर लेता है।
9. **सत्यः** सत्य धर्म का एक महत्वपूर्ण लक्षण है। **सत्यं वद् धर्मम् चर** अर्थात् सत्य का अनुसरण ही धर्म का अनुसरण है। सत्य की पहचान और सत्य के अनुसरण के समान दूसरा कोई धर्म नहीं है।
10. **अक्रोधः** जैसा गीता में कहा गया है कि कामनाओं की पूर्ति में विघ्न पड़ने से क्रोध उत्पन्न होता है जिससे व्यक्ति असामान्य व्यवहार करने लगता है। क्रोध संयम रहित हो जाता है। संयम रहित होने से वह धर्म और अधर्म में भेद करने में समर्थ नहीं होता। क्रोध न करना भी मानव धर्म है। अक्रोध के द्वारा ही मनुष्य अपने कर्तव्यों का पालन कर सकता है।

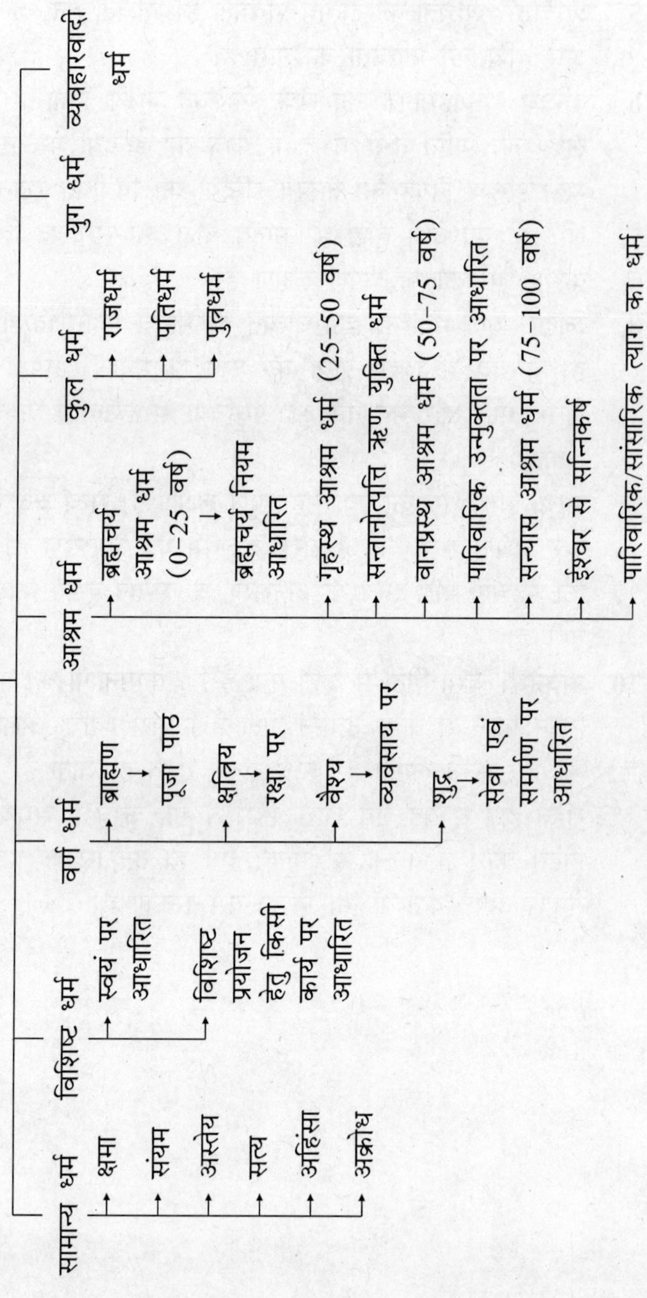
धर्म के प्रकार
सामान्य धर्म
क्षमा
संयम
अस्तेय
सत्य
अहिंसा
अक्रोध
विशिष्ट धर्म
स्वयं पर आधारित
विशिष्ट प्रयोजन हेतु किसी कार्य पर आधारित
वर्ण धर्म
ब्राह्मण → पूजा पाठ
क्षत्रिय → रक्षा पर
वैश्य → व्यवसाय पर
शूद्र → सेवा एवं समर्पण पर आधारित
आश्रम धर्म
ब्रह्मचर्य आश्रम धर्म (0–25 वर्ष) → ब्रह्मचर्य नियम आधारित
गृहस्थ आश्रम धर्म (25–50 वर्ष)
सन्तानोत्पत्ति ऋण युक्ति धर्म
वानप्रस्थ आश्रम धर्म (50–75 वर्ष)
पारिवारिक उन्मुक्तता पर आधारित
सन्यास आश्रम धर्म (75–100 वर्ष)
ईश्वर से सन्निकर्ष
पारिवारिक/सांसारिक त्याग का धर्म
कुल धर्म
राजधर्म
पतिधर्म
पुत्रधर्म
युग धर्म
व्यवहारवादी धर्म

विशिष्ट धर्म का स्वरूप

भारतीय सांस्कृतिक योजना में जीवन के दो पक्ष होते हैं- सामान्य और विशिष्ट। सामान्य कार्य व्यवहारों के सफलतापूर्वक सम्पादन और व्यक्तित्व के सर्वतोन्मुखी विकास की दृष्टि से व्यक्ति में कतिपय सामान्य गुणों का होना जरूरी होता है जिसे धर्म के सामान्य लक्षण के रूप में निरूपित किया गया है, किन्तु जीवन में अपने हितों के साधन में व्यक्ति को विशिष्ट स्थितियों के अनुरूप कतिपय विशिष्ट भूमिकाएँ करनी होती है, जिसे विशिष्ट धर्म या स्वधर्म कहा जाता है।

स्वधर्म निर्दिष्ट स्थितियों के सन्दर्भ में व्यक्ति की भूमिका को परिभाषित करता है, जिससे एक तो व्यक्ति को कार्य करने में आसानी होती है, दूसरे पारस्परिक आदान-प्रदान में संशय व अनिश्चितता की स्थिति नहीं बनती और समाज में निजी हितों की पूर्ति में अनावश्यक प्रतिस्पर्धा और संघर्ष से बचा जाता है। विशिष्ट धर्म के प्रमुख स्वरूप निम्न है-

1. वर्ण धर्म

वर्ण-व्यवस्था में विभिन्न वर्ण के व्यक्तियों के लिए जिन कर्तव्यों की विवेचना की गई है, उनका विवरण इस प्रकार है-

(अ) ब्राह्मण

चारों वर्णों में ब्राह्मण श्रेष्ठ है। उसकी श्रेष्ठता का आधार उसकी सात्विक प्रवृत्ति और निश्छल स्वभाव है। ब्राह्मण को निम्न धर्मों का पालन करना चाहिये-

1. अध्ययन
2. अध्यापन
3. यज्ञ करना
4. यज्ञ कराना
5. दान देना
6. दान लेना।

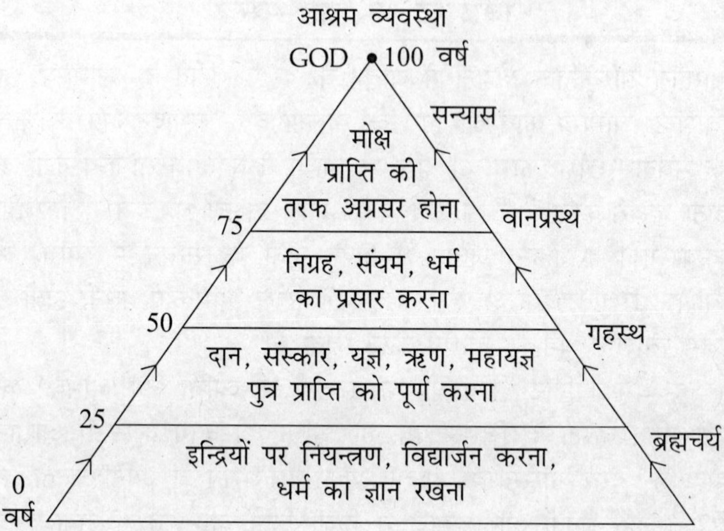

(ब) क्षत्रिय

इनके निम्म धर्म कर्तव्य थे-

1. प्रजा की रक्षा
2. कानून निर्माण
3. पढ़ना
4. दान देना
5. यज्ञ करना
6. स्वाभिमान
7. चातुर्य
8. धैर्य तथा तेज।

(स) वैश्य

वैश्यों के निम्न धर्म थे–

1. पशु पालन और कृषि
2. अध्ययन
3. दान देना
4. व्यापार।

(द) **शूद्र**

शुद्रों का धर्म इन द्विज वर्गों की सेवा एवं इनके प्रति समर्पित रहना था।

2. आश्रम धर्म का स्वरूप

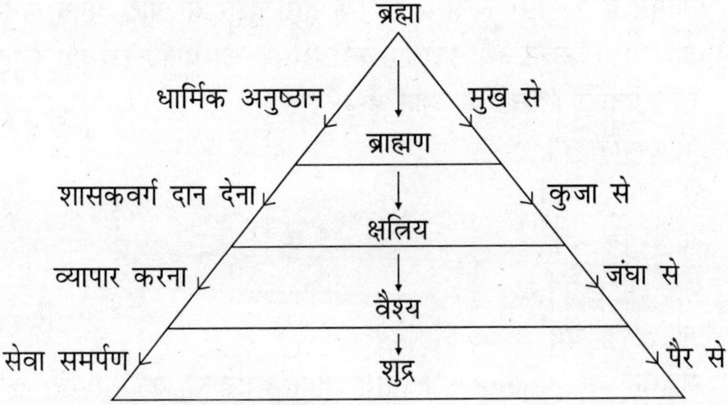

आश्रम व्यवस्था के अन्तर्गत मनुष्य की आयु 100 वर्ष की मानी गयी है। इन 100 वर्षों को चार बराबर भागों में विभाजित किया गया है। ये चार भाग इस प्रकार हैं–

1. ब्रह्मचर्य
2. गृहस्थ
3. वानप्रस्थ
4. सन्यास।

इन्ही चार भागों को चार आश्रमों की संज्ञा दी गयी है।

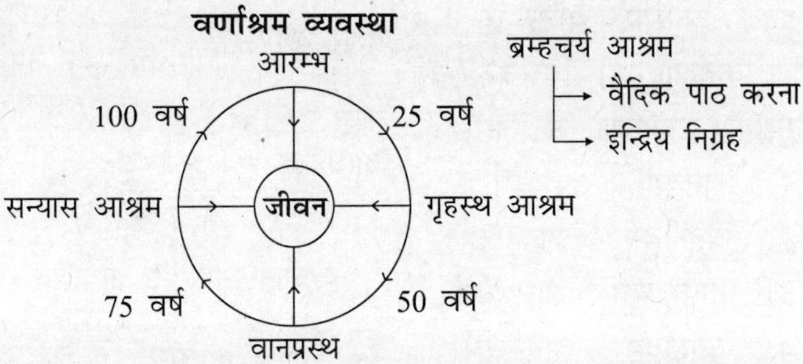

3. कुल धर्म

वर्ण धर्म और आश्रम धर्म के बाद तीसरा विशिष्ट धर्म कुल धर्म है। कुल का तात्पर्य परिवार से है। भारतीय संस्कृति में परिवार को अत्यंत ही महत्वपूर्ण स्थान प्रदान किया गया है। कुल धर्म का तात्पर्य है परिवार के सभी सदस्यों द्वारा दूसरे के प्रति अपने कर्तव्यों का पालन करना तथा परिवार की परम्परा को बनाए रखना। कुलधर्म के अन्तर्गत निम्न धर्म आते हैं–

1. पति धर्म
2. पत्नी धर्म
3. पुत्र धर्म
4. मातृ धर्म
5. राज धर्म

राजधर्म के अन्तर्गत राजा द्वारा दोषी व्यक्तियों को दण्डित करना सम्मिलित है। राजा को समाज और धर्म का रक्षक माना जाता है। सम्पूर्ण सामाजिक व्यवस्था को गति प्रदान करने में राजधर्म का महत्वपूर्ण स्थान है।

5. युग धर्म

यह धर्म परिवर्तन को स्वीकार करता है। हिन्दू धर्म में परिवर्तित परिस्थितियों के महत्व को स्वीकार किया गया है, तथा इनके अनुसार व्यक्ति के धर्म या कर्तव्यों की विवेचना की गई है। उदाहरण के लिए–

1. सतयुग = तप धर्म
2. त्रेता युग = ज्ञान धर्म
3. द्वापर युग = यज्ञ धर्म
4. कलियुग = दान-धर्म।

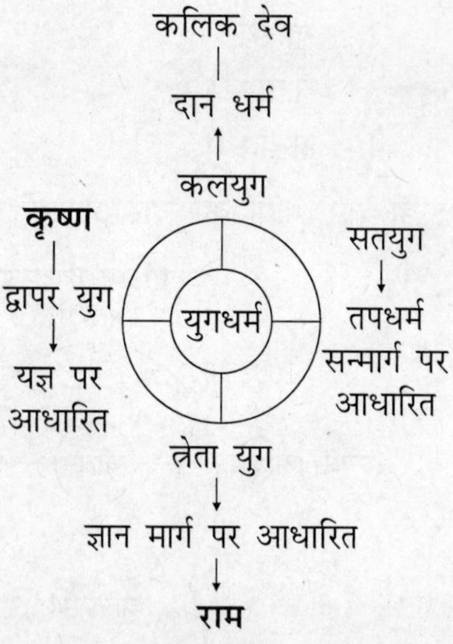

6. मित्र धर्म

एक मित्र द्वारा दूसरे मित्र के प्रति अपने कर्तव्यों का सम्पादन करना ही मित्र धर्म है। भारतीय धर्म में मित्रता को अत्यंत ही महत्व प्रदान किया गया है। मित्रता के कारण समाज में सामाजिक सम्बन्धों का विकास होता है तथा सामाजिक संगठन बनता है।

7. गुरू धर्म

विशिष्ट धर्म का एक अन्य महत्वपूर्ण स्वरूप गुरू धर्म है। भारतीय सांस्कृतिक परंपरा में गुरू को श्रेष्ठ स्थान प्रदान किया गया है। गुरू के सान्निध्य और गुरू की कृपा से ही व्यक्ति लौकिक कर्मों में सफलता और पारलौकिक सुखों की प्राप्ति करता है। इसलिए गुरू की तुलना ब्रह्मा, विष्णु और महेश से की गई है।

गुरूब्रह्मा गुरुर्विष्णु, गुरूर्देवो महेश्वरः ।
गुरु साक्षात् परब्रह्म तस्मैश्री गुरूवे नमः ॥

भारतीय मान्यता तो यह रही है कि यदि गुरू और ईश्वर दोनों खड़े हों तो गुरू के पाँव पहले छूना चाहिए, क्योंकि गुरू ही ईश्वर का ज्ञान कराता है।

गुरू गोविन्द दोऊ खड़े, काके लागूँ पाँय।
बलिहारी गुरू आपनो, जिन गोविन्द दियो बताय॥

धर्म का महत्व एवं कार्य

मनुष्य के सामाजिक जीवन में धर्म की उपयोगिता अथवा उसके महत्व से कोई इन्कार नहीं कर सकता। प्रत्येक समाज की संस्कृति में भिन्नता होने से धर्म के स्वरूप में भिन्नता हो सकती है, पर धर्म के द्वारा कुछ ऐसे सार्वभौमिक कार्य किये जाते हैं, जो कि प्रत्येक समाज में देखे जा सकते हैं। धर्म के द्वारा कई ऐसे कार्यों को व्यावहारिक धरातल पर किया जाता है, जो कि सामाजिक व्यवस्था एवं सामाजिक संगठन हेतु बहुत महत्वपूर्ण होते हैं। धर्म एक सामाजिक संस्था के रूप में कई महत्वपूर्ण

कार्य करता है। संक्षेप में, धर्म के महत्व को उसके कार्यों के रूप में निम्न तरह से स्पष्ट किया जा सकता है–

1. धर्म समाज को संगठित करता है

धर्म समाज के सभी सदस्यों को एकता के सूत्र में बाँधकर इन्हें संगठित करने का महत्वपूर्ण कार्य करता है। एक धर्म के सदस्य स्वभावतः समान मूल्यों को स्वीकार करने लगते हैं। समान मूल्य तथा विचारधारा के कारण ये एक-दूसरे के सुख-दुःख में सहयोगी बनते हैं। इस तरह इनमें एक प्रकार का संगठन-सा बन जाता है, जो कि समाज को संगठित करता है।

2. धर्म सामाजिक व्यवस्था करता है

धर्म का एक महत्वपूर्ण कार्य यह है कि यह सामाजिक व्यवस्था को स्थायित्व प्रदान करता है। कई समाजशास्त्रियों का मत है कि धर्म समाज तथा व्यक्ति को जीवित रखता है। धर्म अपने सदस्यों को सामाजिक सेवा की अनुमति देता है, एवं व्यक्तियों में यह भाव पैदा करता है कि उसे सामाजिक हितों हेतु अपना सर्वस्व समर्पित कर देना चाहिए। अगर कोई व्यक्ति सामाजिक व्यवस्था को छिन्न-भिन्न करने का प्रयत्न करता है, तो धर्म उसे अलौकिक अथवा ईश्वरीय शक्ति के दण्ड का भय दिखाता है। इस सन्दर्भ में रेडक्लिफ ब्राउन ने विचार दिये हैं कि **धर्म इस तरह सामाजिक व्यवस्था में सहयोगी बनता है।**

3. धर्म सामाजिक नियंत्रण में मददगार

धर्म समाज के सदस्यों में पाप-पुण्य की भावना को उत्पन्न करता है एवं सदस्यों के व्यवहारों, आचरण तथा कार्यों को नियंत्रित करता है। प्रत्येक धर्म का आधार पारलौकिक शक्ति होती है, जो कि व्यक्ति के प्रत्येक व्यवहार, आचरण तथा कार्यों को देखती रहती है, एवं अनुचित अथवा धर्म विरोधी कार्यों के लिए दण्ड भी दे सकती है। इसी भय से व्यक्ति धर्म से सम्बंधित नियमों का पालन करना ही श्रेयस्कर समझते हैं। प्रत्येक धर्म से सम्बंधित कुछ गाथाएँ अथवा कहानियाँ होती हैं, जिनके

माध्यम से पारलौकिक शक्ति की महिमा को स्पष्ट किया जाता है। यह बतलाया जाता है कि अच्छे तथा धर्मानुसार कार्य करने से पारलौकिक शक्ति प्रसन्न होती है, एवं व्यक्ति को सुख व मानसिक शांति प्राप्त होती है तथा समाज विरोधी व धर्म विरोधी कार्य करने से दु:ख, कष्ट व परेशानियों से मुक्त होगा एवं मानसिक तनाव होगा। इसलिए व्यक्ति धर्मानुसार चलना ही उचित समझता है, जिससे सामाजिक नियंत्रण बना रहता है।

4. धर्म व्यक्तित्व का विकास करता है

धर्म मानव के व्यक्तित्व का विकास करने का एक महत्वपूर्ण कार्य करता है। यह व्यक्ति में पारलौकिक शक्ति का भाव जागृत करता है, एवं किसी भी कार्य में सफलता-असफलता से परे कार्य करने को प्रेरित करता है। धर्म मनुष्य में जीवन के महत्व को स्पष्ट करता है, पवित्र भावनाओं को पैदा करता है, एवं मानसिक तनाव व चिन्ताओं से दूर रखकर गलत, समाज विरोधी व धर्म विरोधी कार्यों के प्रति घृणा को पैदा करता है। इस तरह धर्म व्यक्ति के व्यक्तित्व का विकास करता है एवं उसे सुख समृद्धि हेतु धार्मिक नियमों के अनुरूप आचरण के लिए प्रेरित करता है।

5. धर्म सुरक्षात्मक भावना का विकास करता है

प्रत्येक धर्म के द्वारा यह स्पष्ट किया जाता है कि अलौकिक शक्ति ही सर्वेसर्वा है, उस शक्ति की इच्छा के बगैर न तो कोई व्यक्ति किसी भी व्यक्ति को किसी भी तरह की हानि, नुकसान या अहित कर सकता है तथा न ही अलौकिक शक्ति से कोई व्यक्ति अपने स्वार्थों को पूरा कर सकता है। यह तो धर्मानुसार कार्य की भावना-जागृत करती है, वह दु:खों तथा कष्टों के समय भी निराश नहीं होता तथा इन्हें हल करने के लिए न ही असामाजिक या अधर्म के कार्यों का ही सहारा लेता है। इस संदर्भ में धर्म व्यक्तियों में सुरक्षा की भावना को पैदा करने का कार्य करता है।

6. धर्म समाज कल्याण का कार्य करता है

प्रत्येक धर्म अपने सदस्यों को समाज कल्याण के कार्य को करने की प्रेरणा देता है। धर्म व्यक्तियों में सहयोग, प्रेम, आपसी तालमेल तथा परोपकार जैसे गुणों को विकसित करता है। इन गुणों से प्रेरित होकर

व्यक्ति समाज कल्याण के कार्यों को करता है एवं उसमें दूसरे व्यक्तियों के प्रति सहयोग, त्याग तथा स्नेह के भाव पैदा होते हैं। वह वैयक्तिक स्वार्थों तथा हितों को ही महत्व नहीं देता, बल्कि समाज कल्याण के कार्यों को करके सन्तुष्ट होता है।

अतः स्पष्ट है कि धर्म समाज व व्यक्ति के लिए कई कार्यों को करता है। कर्म का अर्थ महर्षि वात्स्यायन के अनुसार–

श्रोत्रत्ववच्क्षुर्जिह्वा घ्राणानामात्म संयुक्ते नमन साधिष्ठितानां
स्वेषु स्वेषु विषयेष्जानुकूल्यतः प्रवृत्तिः कामः ।
स्पर्शविशेषविषयात्तवस्यामिमानिकसुखानुविद्धा ।
फलवत्यर्थप्रलीतिःप्राधान्यात्कामः
तंकामसूत्रान्नगरिकजनसमवियच्च प्रतिपद्येत।
एषां समवाये पूर्वः पूर्वो मरियान् अर्थस्व राज्ञः।
तन्मूलवाल्लोकयात्रायाः। वेश्यायाश्वेतित्रिवर्गप्रतिपत्तिः।

अर्थात् काम ज्ञान के माध्यमों का उल्लेख करते हुए कहा गया है कि आत्मा से संयुक्त मन से अधिष्ठित तत्व, चक्षु, जिह्वा, तथा घ्राण तथा इन्द्रियों के साथ अपने-अपने विषय–शब्द, स्पर्श, रूप, रस, तथा गंध में अनुकूल रूप से प्रवृत्ति 'काम' है। इसके अलावा स्पर्श से प्राप्त अभिमानिक सुख के साथ अनुबद्धफलव्रत अर्थ प्रतीति काम कहलाता है। इसके अलावा अर्थ, धर्म तथा काम की तुलनात्मक श्रेष्ठता का प्रतिपादन करते हुए कहा गया है कि त्रिवर्ग समुदाय में पर से पूर्व श्रेष्ठ है। काम से श्रेष्ठ अर्थ है तथा अर्थ से श्रेष्ठ धर्म है, परन्तु यह मनुष्यों के अनुसार यह अलग-अलग होता है।

माध्वाचार्य के अनुसार विषयभेद के आधार पर काम दो प्रकार का होता है। इनमें से प्रथम को सामान्य काम कहते हैं। जब आत्मा की शाब्दिक विषयों के भोगने की इच्छा होती है, तो उस समय आत्मा का प्रयत्न गुण उत्पन्न होता है, अर्थात् आत्मा सर्वप्रथम मन से संयुक्त होती है, तथा मन विषयों से। स्रोत, त्वचा, चक्षु, जिह्वा तथा घ्राण इन्द्रिय की क्रमशः स्पर्श, रूप, रस, गन्ध में प्रवृत्त होते हैं। काम की इस प्रकृति में

न्याय-वैशेषिक मत अधिक झलकता है। इसके अनुसार शब्दादि विषयणी बुद्धि ही विषयों के भोग के स्वभाव वाली बुद्धि होने के कारण उपचार से कम कही जाती है। अर्थात् आत्मा बुद्धि के द्वारा विषयों को भोगता हुआ सुख को अनुभव करता है, जो सुख है, सामान्य रूप से वही काम है।

शाब्दिक रूप से कर्म शब्द की उत्पत्ति **कृ धातु** से हुई है, जिसका अर्थ है, **क्रिया करना।** व्यक्ति द्वारा अर्थात् उसके शरीर, मन, वाणी द्वारा की गई कोई भी क्रिया-चलना, खाना-पीना, सोना, उठना, बैठना, लिखना, खेत जोतना, बोझा ढोना, सोचना, विचारना व इच्छा करना, बोलना, पढ़ना इत्यादि कर्म है, किन्तु धर्म-गंर्थों में कर्म शब्द का प्रयोग व्यक्ति के मन, वाणी और शरीर द्वारा लौकिक व पारलौकिक दायित्वों के निर्वाह हेतु किये गये कार्यों से है। कर्म अकर्म (अर्थात् निषिद्ध कर्म) से भिन्न है। कर्म का शास्त्रीय अर्थ अहंकार रहित कर्म से है (गीता 4-17)।

कर्म और पुनर्जन्म की धारणा को हिन्दू धर्म में एक व्यवस्थित सिद्धांत के रूप में स्थापित किया गया है। कर्म और पुनर्जन्म हिन्दू संस्कृति के आधारभूत तत्व हैं, जिन पर सम्पूर्ण हिन्दू सामाजिक वैचारिकी-वर्ण, आश्रम, धर्म, ऋण एवं संस्कार आधारित है। व्यक्ति का किस योनि या किस वर्ण में जन्म होगा अथवा उसे मोक्ष की प्राप्ति होगी, यह उसके द्वारा पूर्वजन्म (अथवा जन्मों) के संचित धर्म तथा वर्ण आश्रम, ऋण एवं संस्कार युक्त कर्म के निर्वाह पर निर्भर करता है।

धर्म-दर्शन की विधियाँ

धर्म-दर्शन के क्षेत्र के विषय में ऊपर जो कुछ कहा गया है उससे यह स्पष्ट है कि धर्म-दर्शन धर्म से संबंधित सभी मूल समस्याओं का अध्ययन, विवेचन तथा मूल्यांकन करता है। यहाँ यह प्रश्न उठाया जा सकता है कि इसके लिए धर्म-दर्शन किन विधियों का प्रयोग करता है और इन विधियों में से कौन-सी विधि उसके लिए सर्वाधिक उपयुक्त तथा प्रामाणिक मानी जा सकती है। हम देख चुके हैं कि धर्म-दर्शन का मुख्य उद्देश्य धार्मिक मान्यताओं, विश्वासों तथा सिद्धांतों का निष्पक्ष एवं

तर्कसंगत मूल्यांकन करना ही है। वह समस्त पूर्वाग्रहों से मुक्त होकर धर्म संबंधी सत्य का अन्वेषण करता है। यह स्पष्ट है कि वह अपने इस उद्देश्य की पूर्ति धार्मिक समस्याओं के निष्पक्ष एवं तार्किक विश्लेषण द्वारा ही कर सकता है। इस संबंध में किसी विशेष धार्मिक परंपरा या सिद्धांत से प्रभावित होना उसके उक्त उद्देश्य की पूर्ति में निश्चय ही बाधक सिद्ध होगा।

इसी कारण धर्म-दर्शन के लिए वही विधि सर्वाधिक उपयुक्त हो सकती है जिसका आधार विशुद्ध तार्किक विवेचन तथा विश्लेषण हो, परंतु धर्म-दर्शन के अंतर्गत धार्मिक समस्याओं की विवेचना के लिए सामान्यतः जिन विधियों का प्रयोग किया जाता है, वे सभी तर्क और अनुभव पर आधारित नहीं होतीं। कुछ विधियाँ तर्क तथा अनुभव के स्थान पर श्रुति और अंत:प्रज्ञा को ही महत्त्व देती हैं। उपर्युक्त तथ्यों को ध्यान में रखते हुए ई.ए. बर्ट ने अपनी पुस्तक, 'टाइप्स ऑफ रिलीजियस फिलॉसॉफी' (पृष्ठ 448) में धर्म-दर्शन की चार प्रमुख विधियों का उल्लेख किया है। ये चार विधियाँ निम्नलिखित हैं–

1. श्रुतिमूलक विधि

इस विधि के समर्थक धर्म के विषय में सत्य का अन्वेषण करने के लिए केवल श्रुति को ही प्रमाण मानते हैं जिसका स्रोत कोई पवित्र धार्मिक ग्रंथ होता है। धर्म-परायण व्यक्ति इस पवित्र धार्मिक ग्रंथ को ईश्वरीय वाणी के रूप में ग्रहण करते हैं और इसमें लिखी सभी बातों को असंदिग्ध रूप से सत्य तथा अंतिम प्रमाण मानते हैं। वेद, कुरान तथा बाइबल के विषय में क्रमशः हिंदुओं, मुसलमानों और ईसाइयों की यही मान्यता है। इन धर्मों के कट्टर और रूढ़िवादी समर्थक उक्त धर्मग्रंथों में वर्णित किसी बात को असत्य या अप्रामाणिक मानने के लिए उद्यत नहीं होते। अत: स्पष्ट है कि इस श्रुतिमूलक विधि का एकमात्र आधार धार्मिक परंपरा है, और इसमें मानवीय अनुभव एवं तर्क के लिए कोई स्थान नहीं है।

इस विधि के समर्थक केवल श्रुति को ही स्वत: सिद्ध सत्य मानते

हैं, अतः उनके मतानुसार उसके विषय में कोई प्रश्न उठाना या संदेह करना नितांत अनुचित है। इस विधि की सबसे बड़ी कठिनाई यह है कि यदि किन्हीं दो धर्म-ग्रंथों में परस्पर विरोधी बातें कही गई हों तो यह निर्णय करना असंभव हो जाता है कि उनमें से किसकी बात सत्य है, और किसकी मिथ्या। ऐसी स्थिति में तर्क पर आधारित धर्म-दर्शन के लिए यह विधि उपयुक्त नहीं हो सकती। धर्म के विषय में केवल सत्य का अनुसंधान करने वाला दार्शनिक ऐसी किसी बात को प्रामाणिक नहीं मान सकता जिसकी पुष्टि के लिए पर्याप्त एवं विश्वसनीय प्रमाण उपलब्ध न हों। इस प्रकार यह स्पष्ट है कि तर्क और अनुभव की उपेक्षा करने वाली श्रुतिमूलक विधि का धर्म-दर्शन में कोई स्थान नहीं हो सकता। यही कारण है कि अनेक दार्शनिक इस विधि को धर्म-दर्शन के लिए अस्वीकार करते हैं।

2. अंत:प्रज्ञात्मक विधि

जैसा कि इस विधि के नाम से ही स्पष्ट है, इसका मूल आधार कोई बाह्य तत्त्व न होकर मनुष्य की अपनी अंत:प्रज्ञा ही है। इस विधि के अनुसार मनुष्य अपनी अंत:प्रज्ञा द्वारा ही प्रत्यक्षतः आध्यात्मिक सत्य का साक्षात्कार कर सकता है। इसके लिए उसे इद्रिय अनुभव, तर्क आदि किसी बाह्य साधन की आवश्यकता नहीं होती। इसके द्वारा वह आध्यात्मिक सत्यों का जो अपरोक्ष ज्ञान प्राप्त करता है वह स्वतः प्रमाणित असंदिग्ध होता है। रहस्यवादी प्रायः इसी अंत:प्रज्ञात्मक विधि द्वारा विश्व की परम सत्ता साक्षात्कार प्राप्त करने का दावा करते हैं। उनका कथन है कि जब उनकी रहस्यात्मक अनुभूति अत्यंत तीव्र तथा गहन होती है तो वे अपनी अंत:प्रज्ञा द्वारा ऐसे आध्यात्मिक सत्यों का साक्षात ज्ञान प्राप्त करते हैं जिन्हें अन्य किसी साधन द्वारा नहीं जाना जा सकता।

इस श्रुतिमूलक विधि की भांति अंत:प्रज्ञात्मक विधि में भी इंद्रिय अनुभव और तर्क के लिए कोई स्थान नहीं है। रहस्यवादी स्वयं स्पष्ट रूप से कहते हैं कि वे अपनी अंत:प्रज्ञा द्वारा आध्यात्मिक सत्यों का जो अपरोक्ष ज्ञान प्राप्त करते हैं। उसे अनुभव और तर्क द्वारा प्रमाणित

नहीं किया जा सकता। ऐसी स्थिति में इस विधि के विरुद्ध भी दार्शनिक दृष्टि से वही आपत्ति उठाई जा सकती है, जो श्रुतिमूलक विधि के विरुद्ध उठाई गई है।

तर्क और अनुभव पर आधारित न होने के कारण इस विधि द्वारा प्राप्त ज्ञान भी धर्म-दार्शनिक के लिए प्रामाणिक तथा असंदिग्ध रूप से सत्य नहीं हो सकता। इसके अतिरिक्त स्वार्थी व्यक्ति दूसरों पर अपना आधिपत्य जमाने और उनसे अपनी बात मनवाने के लिए भी इस विधि का दुरूपयोग कर सकते हैं, क्योंकि इसके द्वारा प्राप्त ज्ञान की प्रामाणिकता के लिए एकमात्र प्रमाण अंत:प्रज्ञा ही है, जिसे अन्य किसी आधार पर चुनौती नहीं दी जा सकती। वस्तुत: इन्हीं आपत्तियों के कारण बहुत-से दार्शनिक उक्त अंत:प्रज्ञात्मक विधि को धर्म-दर्शन के लिए उपयुक्त तथा प्रामाणिक विधि नहीं मानते हैं।

3. बौद्धिक विधि

उपर्युक्त दोनों विधियों से असंतुष्ट होने के कारण अनेक दार्शनिक धर्म-दर्शन के लिए बौद्धिक विधि का प्रयोग करना आवश्यक समझते हैं। श्रुतिमूलक तथा अंत:प्रज्ञात्मक विधियों के विपरीत यह विधि केवल तर्क के आधार पर धर्म विषयक सत्य का अन्वेषण करती है। इस विधि के समर्थक उपर्युक्त दोनों विधियों के निष्कर्षों को प्रामाणिक नहीं मानते, क्योंकि ये निष्कर्ष तर्क पर आधारित नहीं होते। इन दार्शनिकों का निश्चित मत है कि केवल तार्किक विश्लेषण पर आधारित बौद्धिक विधि के निष्कर्ष ही धर्म संबंधी समस्याओं का समुचित समाधान कर सकते हैं। वस्तुत: तर्कों अथवा प्रमाणों के बिना केवल श्रुति या अंत:प्रज्ञा द्वारा धर्म विषयक सत्य का अन्वेषण संभव नहीं है। किसी भी क्षेत्र में सत्यान्वेषण की प्रक्रिया अत्यंत जटिल तथा कठिन होती है, जो केवल तर्क द्वारा भलीभाँति संपन्न की जा सकती है। इस प्रकार बौद्धिक विधि के समर्थक धर्म संबंधी निष्कर्षों को स्वीकार करने से पूर्व विश्वसनीय तथा पर्याप्त प्रमाणों द्वारा उनका प्रमाणित किया जाना अनिवार्य मानते हैं। इसी कारण यह विधि धर्म-दर्शन के लिए बहुत सहायक सिद्ध हो सकती है।

4. अनुभवात्मक विधि

इस विधि का समर्थन करने वाले दार्शनिक सभी क्षेत्रों में ज्ञान प्राप्ति के लिए मानवीय अनुभव-विशेषतः इंद्रिय अनुभव-को सर्वोच्च स्थान देते हैं। इन दार्शनिकों का मत है कि व्यापक अर्थ में अनुभव ही हमारे ज्ञान का मूल आधार है, क्योंकि अनुभव के अभाव में हम किसी प्रकार का प्रामाणिक ज्ञान प्राप्त नहीं कर सकते। जो ज्ञान हम अपने अनुभव द्वारा तथ्यों के निरीक्षण के फलस्वरूप प्राप्त करते हैं उसे ही वस्तुतः यथार्थ एवं प्रामाणिक ज्ञान माना जा सकता है। धार्मिक ज्ञान के विषय में भी यही बात कही जा सकती है। अनुभववादी ऐसे ज्ञान को प्रामाणिक नहीं मानते जिसे श्रुतिमूलक तथा अंतःप्रज्ञात्मक विधियों द्वारा प्राप्त किया गया है और अनुभव द्वारा जिसकी प्रामाणिकता की पुष्टि करना संभव नहीं है।

इस प्रकार वे धर्म-दर्शन के लिए इन दोनों विधियों को पूर्णतः अस्वीकार करते हैं। वे कुछ धर्मपरायण व्यक्तियों के इस दावे को तर्कसंगत नहीं मानते कि उन्हें इन विधियों द्वारा अनुभवनिरपेक्ष धार्मिक ज्ञान प्राप्त होता है, परंतु अनुभववादी दाशनिक धर्म-दर्शन के लिए अनुभवात्मक विधि के साथ-साथ बौद्धिक विधि के महत्त्व को अवश्य स्वीकार करते हैं। वे यह मानते हैं कि धार्मिक ज्ञान की प्रामाणिकता के लिए अनुभव तथा निरीक्षण द्वारा प्राप्त तथ्यों का तार्किक विश्लेषण आवश्यक है जो बौद्धिक विधि द्वारा ही किया जा सकता है। इस प्रकार अनुभववादी दार्शनिक धर्म-दर्शन के लिए अनुभवात्मक विधि तथा बौद्धिक विधि दोनों के समुचित प्रयोग को महत्त्व देते हैं, क्योंकि उनके विचार में इन दोनों विधियों की सहायता से ही किसी भी क्षेत्र में यथार्थ एवं प्रामाणिक ज्ञान प्राप्त किया जा सकता है।

इसके विपरीत कुछ अन्य दार्शनिक धार्मिक ज्ञान को पूर्णतः अनुभवनिरपेक्ष ज्ञान मानते हैं, अतः उनके अनुसार इस ज्ञान को केवल श्रुतिमूलक विधि तथा अंतःप्रज्ञात्मक विधि के मिश्रित प्रयोग द्वारा ही प्राप्त किया जा सकता है। इस प्रकार यह स्पष्ट है कि धार्मिक ज्ञान की प्राप्ति के लिए धर्म-दर्शन के अंतर्गत या तो प्रथम दो विधियों का अथवा अंतिम दो विधियों का एक साथ प्रयोग किया जाता है, और

विभिन्न दार्शनिक अपनी-अपनी विचारधारा के अनुरूप इन सभी विधियों का प्रयोग करते हैं। यही कारण है कि इन सभी विधियों को धर्म-दर्शन की विधियों के रूप में स्वीकार किया जाता है।

धर्म तथा सामाजिक नियंत्रण

धर्म मनुष्य के जीवन का एक अनिवार्य तत्व है। यह मानव जीवन के अनेक पक्षों एवं आयामों को प्रभावित करती है, साथ ही मानव के व्यवहारों को नियंत्रित करता है। इसलिए धर्म सामाजिक नियंत्रण का महत्वपूर्ण साधन है।

धर्म समाज द्वारा मान्य व्यवहार न करने पर समाज के साथ-साथ भगवान भी नाराज हो जायेगा। इस विचार से नियंत्रण में सहायता देते हैं।

धर्म की संस्थाएं और उनके संगठन मंदिर, मस्जिद, गुरूद्वारा और उनसे संलग्न धार्मिक व्यक्ति विभिन्न स्तर पर अपने सदस्यों के व्यवहार को नियंत्रण करते रहते हैं।

संस्कारों, समारोह, प्रार्थना, पुजारियों की सत्ता, धार्मिक प्रवचनों, उपदेशों के माध्यम से भी सदस्यों के व्यवहारों पर संस्थागत नियंत्रण रखते हैं।

प्रत्येक धर्म में किसी न किसी रूप में पाप और पुण्य की धारणा का समावेश होता है। पाप और पुण्य उचित और अनुचित, अच्छाई और बुराई तथा सद्कर्म और दुष्कर्म की धारणाएं शैशवकाल से ही व्यवहार के अंग बन जाती हैं, जो जीवनपर्यन्त व्यक्ति का निर्देशन करती रहती है। धर्म व्यक्ति में पाप और पुण्य की भावना को विकसित कर व्यक्तियों में यह प्रेरणा भरता है कि धर्म के अनुसार आचरण करने से उसे पुण्य होगा और धर्म के विरूद्ध आचरण करने से उसे पाप होगा। इसलिए व्यक्ति धार्मिक आचरणों का उल्लंघन नहीं करते। अतः यह कहा जा सकता है कि धर्म के द्वारा भी समाजीकरण होता है।

धर्म व्यक्तियों में नैतिकता की भावना तथा आत्म नियंत्रण पैदा करता है क्योंकि धार्मिक नियमों का पालन करने से यह होता है कि इसका फल उनको अच्छा मिलेगा।

धर्म एक ऐसा तरीका है जिसमें व्यक्तिगत स्वार्थ के स्थान पर सामूहिक स्वार्थ का महत्व हो जिस कारण सामाजिक एकीकरण को बढ़ावा मिलता है। वे परस्पर सहयोग करते हैं, उनमें समान भावनाएं, विश्वास एवं व्यवहार पाए जाते हैं। धर्म व्यक्ति को कर्तव्यों के पालन की प्रेरणा देता है। सभी व्यक्ति अपने कर्तव्यों का पालन करके सामाजिक संगठन एवं एकता को बनाये रखने में योग देते हैं।

धर्म-दर्शन की आवश्यकता

इस अध्याय को समाप्त करने से पूर्व यहाँ संक्षेप में धर्म-दर्शन की आवश्यकता और उपादेयता पर भी विचार कर लेना प्रासंगिक होगा। पिछले खंडों में हम देख चुके हैं कि धर्म-दर्शन का प्रमुख उद्देश्य धर्म विषयक समस्त अवधारणाओं, प्रत्ययों, मान्यताओं, विश्वासों तथा सिद्धांतों का तार्किक विश्लेषण करके उनकी आलोचनात्मक परीक्षा करना है। इसका अर्थ यह है कि धर्म-दर्शन मनुष्य की धार्मिक क्रियाओं तथा उसके धार्मिक अनुभवों के निष्पक्ष मूल्यांकन के लिए तार्किक आधार खोजने का प्रयास करता है। धर्म-दर्शन के इस कार्य से यह स्पष्ट है कि मानव-जीवन में धर्म की व्यापक भूमिका के बौद्धिक आधार की दृष्टि से उसका विशेष महत्त्व है।

धर्म-दर्शन ही तार्किक आधार पर धर्म की आलोचनात्मक परीक्षा करके हमारे इस प्रश्न का उत्तर दे सकता है कि क्या धर्म वास्तव में जादू-टोने और अंधविश्वास से भिन्न है। किसी भी धार्मिक मान्यता या विश्वास को स्वीकार करने तथा उसके अनुरूप आचरण करने से पूर्व हमारे लिए यह जानना आवश्यक है कि क्या वह सत्य और तर्कसंगत है। हमारे इस प्रश्न का संतोषप्रद उत्तर खोजने में केवल धर्म-दर्शन ही हमारी सहायता कर सकता है। यदि हम तार्किक आधार पर समुचित परीक्षा किए बिना प्रचलित धार्मिक मान्यताओं तथा विश्वासों को स्वीकार कर लेते हैं, तो उनमें और तर्करहित अंधविश्वासों में कोई अंतर नहीं रह जाता। ऐसी स्थिति में हम किसी भी अंधविश्वास अथवा जादू-टोने को धार्मिक मान्यता या विश्वास के रूप में स्वीकार करने के लिए

प्रेरित हो सकते हैं, जो हमारे व्यक्तिगत और सामाजिक जीवन के लिए अत्यंत घातक है। इस हानिकारक स्थिति से केवल धर्म-दर्शन ही हमें बचा सकता है।

वस्तुतः प्राचीन काल से अब तक धर्म के नाम पर मनुष्यों में जो दुःखद रक्तरंजित संघर्ष होते रहे हैं और जो आज भी हो रहे हैं उनका मूल कारण यही है कि धर्म के संबंध में कोई संदेह करना, प्रश्न पूछना या तर्क करना घोर अपराध माना जाता है। धर्म के विषय में धर्मपरायण व्यक्तियों की यह तर्कहीन मनोवृत्ति मानव-समाज के लिए अत्यधिक घातक सिद्ध हुई है, और यदि मनुष्य इस अंधविश्वासपूर्ण हानिकारक मनोवृत्ति से मुक्त न हो सका तो इसके फलस्वरूप उसके संपूर्ण सामाजिक जीवन के विघटित होने की आशंका है।

यह समझना कठिन नहीं है कि तर्कबुद्धि पर आधारित धर्म-दर्शन ही मनुष्य को धर्म के विषय में इस हानिकारक मनोवृत्ति से मुक्त कर सकता है। इसके अतिरिक्त धर्म के स्वरूप को भलीभांति समझने तथा उसके संबंध में सत्य का अन्वेषण करने में भी केवल धर्म-दर्शन ही हमारे लिए सहायक सिद्ध हो सकता है। वस्तुतः धर्म-दर्शन के अभाव में धर्म का निष्पक्ष मूल्यांकन संभव नहीं है। इस प्रकार संक्षेप में हम यह कह सकते हैं कि उपर्युक्त सभी तथ्य व्यक्ति तथा समाज दोनों के लिए धर्म-दर्शन की आवश्यकता और उपादेयता को असंदिग्ध रूप से प्रमाणित करते हैं।

यही कारण है कि वर्तमान वैज्ञानिक युग में दर्शन की अन्य शाखाओं की भाँति धर्म-दर्शन को भी बहुत महत्त्वपूर्ण माना जाता है, परंतु यह अत्यधिक आश्चर्य तथा खेद की बात है कि कुछ धर्मपरायण विचारक धर्म-दर्शन की इस उपादेयता को अस्वीकार करते हैं, और उसे धर्म के लिए अनावश्यक मानते हैं। इन विचारकों में कार्ल बार्थ, ऐमील बनर, रीनोल्ड नीबर आदि पाश्चात्य धर्मशास्त्रियों के नाम विशेष रूप से उल्लेखनीय हैं। ये धर्मशास्त्र धर्म के लिए तर्कबुद्धि के महत्त्व का पूर्णतः निषेध करते हैं। उनका मत है कि मनुष्य अनुभव और तर्कबुद्धि द्वारा धार्मिक सत्यों को जानने में नितांत असमर्थ है, अतः उसे इनके

अन्वेषण के लिए प्रयास नहीं करना चाहिए। धार्मिक सत्यों के ज्ञान के लिए उसे पूर्ण रूप से ईश्वर की कृपा तथा श्रुति पर ही निर्भर रहना चाहिए। कार्ल बार्थ को धर्म संबंधी इस निषेधात्मक विचारधारा का प्रमुख प्रतिनिधि माना जा सकता है। उन्होंने 'डॉक्ट्रिन ऑफ दि वर्ड ऑफ गॉड' 'दि वर्ड ऑफ गॉड ऐंड दि वर्ड ऑफ मैन', 'दि नॉलेज ऑफ गॉड ऐंड दि सर्विस ऑफ गॉड' आदि अपनी पुस्तकों में इस परंपरागत निषेधात्मक विचारधारा की सविस्तार व्याख्या की गयी है।

वे धर्म के संबंध में दर्शन और तर्कबुद्धि की भूमिका को पूर्णतः अस्वीकार करते हैं। उनका निश्चित मत है कि मनुष्य स्वभावतः पापी और पतित प्राणी है। अतः वह ईश्वरीय धार्मिक सत्यों को कभी नहीं जान सकता। उसे अपने अत्यंत सीमित अनुभव तथा अपनी नितांत भ्रष्ट तर्कबुद्धि द्वारा इन पवित्र सत्यों को जानने का गर्वपूर्ण दावा कभी नहीं करना चाहिए। अपनी पतित तर्कबुद्धि द्वारा धार्मिक मान्यताओं तथा विश्वासों की परीक्षा का प्रयास करना मनुष्य के लिए नितांत अनधिकार चेष्टा, धृष्टता एवं पापपूर्ण अभियान के अतिरिक्त और कछ नहीं है। वह केवल ईश्वर के अनुग्रह तथा श्रुति की सहायता से ही पवित्र धार्मिक सत्यों को जान सकता है। इस प्रकार के दैवी ज्ञान के लिए अनुभव एवं तर्कबुद्धि पूर्णतः व्यर्थ है। जिस व्यक्ति पर स्वयं ईश्वर की कृपा होती है केवल वही यह पवित्र धार्मिक ज्ञान प्राप्त कर सकता है। अन्य सभी व्यक्तियों को इस ज्ञान के लिए उसी पर निर्भर रहना पड़ेगा। यह दैवी ज्ञान प्रदान करने के लिए ईश्वर किस व्यक्ति पर कृपा करेगा, इस संबंध में कुछ भी नहीं कहा जा सकताः यह पूर्ण रूप से ईश्वर की अपनी इच्छा पर ही निर्भर है।

धार्मिक ज्ञान के विषय में अपनी इसी मान्यता को व्यक्त करते हुए बार्थ ने स्पष्ट कहा है किः "ईश्वर के वचनों को मानवीय तर्कबुद्धि द्वारा नहीं, अपितु स्वयं ईश्वर के अनुग्रह द्वारा ही समझा जा सकता है जिसका आधार केवल आस्था है और यह आस्था भी ईश्वर स्वयं अपनी इच्छानुसार किन्हीं विशेष व्यक्तियों को उपहार के रूप में प्रदान करता है। ईश्वर सभी मनुष्यों को दैवी ज्ञान प्रदान नहीं करता है, वह किन्हीं

विशेष व्यक्तियों को यह ज्ञान प्रदान करता है" बार्थ यह मानते हैं कि ईश्वर ने उन्हें ही दैवी ज्ञान प्रदान किया है।

अतः वे धर्म के विषय में जो कुछ कहते हैं, उसे असंदिग्ध रूप से सत्य मानकर पूर्णतः स्वीकार किया जाना चाहिए। उसके विरुद्ध किसी प्रकार का तर्क देना अथवा कोई प्रश्न करना केवल पापपूर्ण निंदनीय अभिमान है। इस प्रकार यह स्पष्ट है कि बार्थ तर्कबुद्धि पर आधारित दर्शन को धर्म का विरोधी मानकर उसका पूर्ण रूप से निषेध करते हैं, अतः उनके अनुसार 'धर्म-दर्शन' नामक विधा का धर्म के लिए कोई महत्त्व नहीं है। बनर, नीबर आदि कुछ अन्य पाश्चात्य धर्मशास्त्री भी धर्म-दर्शन के संबंध में बार्थ की इस मान्यता का पूर्णतः समर्थन करते हैं, परंतु मेरे विचार में धर्म तथा धर्म-दर्शन के विषय में उपर्युक्त रूढ़िवादी निषेधात्मक विचारधारा कुछ अभिमानी धर्म-प्रचारकों का स्वार्थपूर्ण दुराग्रह मात्र है जिसका कोई तर्कसंगत आधार नहीं है। हम देख चुके हैं कि बार्थ ईश्वरीय धार्मिक ज्ञान की विवेचना के प्रयास को मनुष्य का पापपूर्ण गर्व मानते हैं, किंतु अपनी धार्मिक विचारधारा को असंदिग्ध रूप से सत्य मानने का दावा करके स्वयं उन्होंने इसी निंदनीय अभिमान को ही अभिव्यक्त किया है। मानवीय अनुभव और तर्कबुद्धि की अनिवार्य सीमाओं को ध्यान में रखते हुए कोई भी विवेकशील व्यक्ति यह दावा नहीं कर सकता कि केवल उसी का मत पूर्णतः सत्य है। इस प्रकार का गर्वयुक्त दावा करना केवल अविवेकपूर्ण धृष्टता है, जो बार्थ के धर्म संबंधी विचारों में स्पष्ट रूप से परिलक्षित होती है। उनके इन विचारों का सतर्क अध्ययन करने से ऐसा प्रतीत होता है कि उन्हें इन के मिथ्या प्रमाणित हो जाने का अत्यधिक भय है। इसी कारण वे अपनी धार्मिक विचारधारा के विषय में किसी व्यक्ति द्वारा कोई प्रश्न उठाना नितांत अनुचित और निंदनीय मानते हैं, परंतु जो विचारधारा निष्पक्ष तार्किक परीक्षा से इतनी अधिक भयभीत है। उसके सत्य होने की कोई संभावना प्रतीत नहीं होती।

वस्तुतः बार्थ और उनके समर्थक इस आधारभूत तथ्य की उपेक्षा करते हैं कि वर्तमान वैज्ञानिक युग में किसी भी विवेकशील व्यक्ति को ऐसी कोई विचारधारा मान्य नहीं हो सकती। जिसकी सत्यता एवं प्रामाणिकता

के संबंध में तार्किक परीक्षा का पहले से ही निषेध कर दिया गया हो। यह स्पष्ट है कि धर्म को भी इस महत्त्वपूर्ण तथ्य का अपवाद नहीं माना जा सकता, जो धर्म-प्रचारक धर्म को तार्किक विश्लेषण और आलोचनात्मक परीक्षा से बचाने का प्रयास करते हैं, वे वास्तव में उसे भारी हानि पहुँचाते हैं। इसका कारण यह है कि यदि उनके मत को स्वीकार कर लिया जाए, तो धर्म तथा अंधविश्वास में कोई भेद नहीं रह जाता और अंधविश्वास की भाँति वह भी हमारे लिए त्याज्य हो जाता है। धर्म को विवेक और तर्क से काट देना उसकी स्थिति को अत्यधिक दुर्बल बना देता है, क्योंकि तर्कबुद्धि से असंबद्ध धर्म विवेकशील व्यक्तियों के लिए ग्राह्य नहीं रह जाता।

आज का विचारशील मानव-समाज केवल ऐसे धर्म को स्वीकार कर सकता है, जो कम से कम तर्कबुद्धि के विरुद्ध तथा असंगतिपूर्ण न हो और जिसे बौद्धिक आधार पर जादू-टोने एवं अंधविश्वास से पृथक् किया जा सके। केवल धर्म-दर्शन ही ऐसे धर्म के लिए मार्ग प्रशस्त कर सकता है, बार्थ जैसे रूढ़िवादी धर्म-प्रचारकों की निषेधात्मक विचारधारा नहीं। धर्म-दर्शन ही हमें यह बता सकता है कि कौन-सा धार्मिक विश्वास-तर्कबुद्धि के अनुरूप होने के कारण हमारे लिए ग्राह्य है और कौन-सा अयुक्तिसंगत तथा नैतिकता के विरुद्ध होने के कारण वास्तव में त्याज्य है।

इस दृष्टि से धर्म-दर्शन अंततः धर्म के लिए सहायक सिद्ध हो सकता है। परंतु, जैसा कि हम पहले ही स्पष्ट कर चुके हैं, धर्म-दर्शन का उद्देश्य धर्म का समर्थन या खंडन करना नहीं, अपितु उसे भलीभाँति समझना और उसके संबंध में सत्य का अनुसंधान करना ही है, जो मान्यता या विचारधारा धर्म-दर्शन के इस उद्देश्य की पूर्ति में बाधक सिद्ध होती है, वह न तो धर्म के लिए सहायक हो सकती है और न ही कोई विवेकशील व्यक्ति उसे स्वीकार कर सकता है। इस प्रकार बार्थ और उनके समर्थक धर्मशास्त्रियों की उपर्युक्त निषेधात्मक विचारधारा तर्कबुद्धि के नितांत विरुद्ध होने के कारण आज के विचारशील मानव-समाज के लिए त्याज्य तथा स्वयं धर्म के लिए भी घातक है।

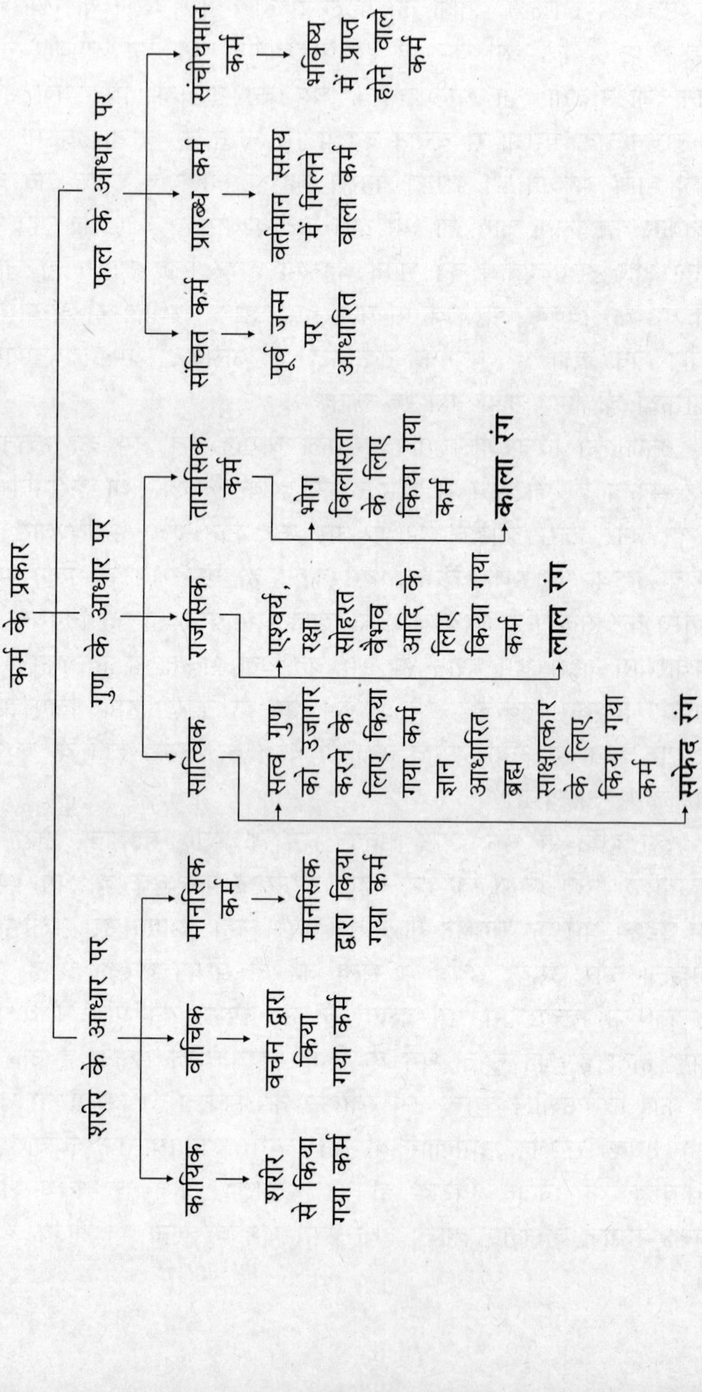
कर्म के प्रकार
शरीर के आधार पर
कायिक
शरीर से किया गया कर्म
वाचिक
वचन द्वारा किया गया कर्म
मानसिक कर्म
मानसिक द्वारा किया गया कर्म
गुण के आधार पर
सात्विक
सत्व गुण को उजागर करने के लिए किया गया कर्म ज्ञान आधारित ब्रह्म साक्षात्कार के लिए किया गया कर्म
सफेद रंग
राजसिक
ऐश्वर्य, रक्षा सोहरत वैभव आदि के लिए किया गया कर्म
लाल रंग
तामसिक कर्म
भोग विलासता के लिए किया गया कर्म
काला रंग
फल के आधार पर
संचित कर्म
पूर्व जन्म पर आधारित
प्रारब्ध कर्म
वर्तमान समय में मिलने वाला कर्म
संचीयमान कर्म
भविष्य में प्राप्त होने वाले कर्म

कर्म के प्रकार

कर्मों को एक वर्गीकरण के अनुसार तीन प्रकार का बताया गया है। ये तीन प्रकार हैं–

1. **कायिक**– कायिक कर्म उन कर्मों को कहा जाता है, जो काया या शरीर द्वारा किये जाते हैं।
2. **वाचिक**– जो कर्म वचन या वाणी द्वारा किये जाते हैं, उन्हें वाचिक कर्म कहा जाता है।
3. **मानसिक कर्म**– मन से सम्पन्न होने वाले कर्म मानसिक कर्म कहलाते है। इससे भिन्न गीता में क्रमशः 3 प्रकार के कर्म का उल्लेख किया गया है।

क. **सात्विक कर्म**– जो कर्म शास्त्र विधि से नियत किया हुआ और कर्तापन से अभिमान से रहित, फल को न चाहने वाले पुरुष द्वारा बिना राग द्वेष से किया हुआ है, वह कर्म सात्विक कर्म कहा जाता है।

ख. **राजस कर्म**– जो कर्म बहुत परिश्रम से युक्त है, तथा फल को चाहने वाले अहंकार युक्त पुरुष द्वारा किया जाता है, वह कर्म राजस कर्म कहलाता है।

ग. **तामसिक कर्म**– जो कर्म परिणाम हानि, हिंसा और सामर्थ्य को न विचारकर केवल अज्ञान से आरंभ किया जाता है, वह कर्म तमस कर्म कहा जाता है।

संक्षेप में धर्मानुकुल आचरण सद्कर्म है, जिसका फल अच्छा होता है। गीता में कहा गया है कि धर्म रूपी कर्म करने से अपकीर्ति और पाप होता है। कर्मों के फल के आधार पर भी कर्मों का वर्गीकरण किया गया है। इस आधार पर भी तीन प्रकार के कर्मों का उल्लेख मिलता है–

1. **संचित कर्म**– इस श्रेणी में वे सब कर्म आते हैं, जिन्हें व्यक्ति ने पूर्व जन्म में किया है।

2. **प्रारब्ध कर्म**– पूर्व जन्म के संचित कर्मों में जिन कर्मों का फल व्यक्ति वर्तमान जीवन में भोगता है, उसे प्रारब्ध कर्म कहा जाता है।
3. **क्रियमाण या संचीयमान कर्म**– व्यक्ति द्वारा इस जन्म में जो कर्म किया जाता है वह क्रियमाण कर्म कहलाता है। संचित कर्म का भाग जो प्रारब्ध कर्म भोगने के उपरांत शेष बचता है तथा क्रियमाण कर्म इन दोनों पर व्यक्ति का भावी जीवन निर्भर करता है।

कर्म के सिद्धांत के मुख्य तथ्य

कर्म के सिद्धांत का प्रतिपादन वेदों, उपनिषदों, महाभारत, गीता, स्मृतियों एवं अन्य ग्रन्थों में विस्तारपूर्वक किया गया है। विस्तृत विवेचन से बचते हुए यहां पर कर्म के सिद्धांत के मुख्य तथ्यों को संक्षेप में प्रस्तुत किया जा रहा है–

1. कर्म के सिद्धांत में कर्म तथा पुनर्जन्म का घनिष्ठ सम्बन्ध है। कर्मों के ही परिणामस्वरूप पुनर्जन्म होता है।
2. कर्म का प्रत्यय पर्याप्त व्यापक है। शरीर के अतिरिक्त मन तथा वचन द्वारा की गई क्रियायें भी कर्म के ही अन्तर्गत सम्मिलित मानी जाती हैं।
3. कर्म के सिद्धांत की यह मान्यता है कि व्यक्ति द्वारा किये गये किसी भी कर्म का प्रभाव समाप्त नहीं होता। कर्मों के फलों को अनिवार्य रूप से भोगना पड़ता है।
4. कर्म के चक्र को अनन्त माना गया है। कर्मों की समाप्ति एक जन्म में नहीं हो जाती। एक के बाद अनेक जन्म होते हैं तथा अनिवार्य नहीं कि प्रत्येक जन्म में मनुष्य योनि ही मिले। इसके अतिरिक्त कर्म की व्यापकता को स्पष्ट करते हुए माना गया है कि व्यक्ति के वंशजों पर भी कर्म का प्रभाव पड़ सकता है।
5. कर्मों के ही कारण पुनर्जन्म होता है। वास्तविकता यह है कि व्यक्ति एक जन्म में अपने समस्त कर्मों के फल को नहीं भोग

पाता अतः अपने कर्मों के फलों को भोगने के लिये बार-बार जन्म लेना पड़ता है। इस प्रकार पुनर्जन्म का चक्र अनन्त काल तक चलता रहता है।

6. यह अनिवार्य नहीं कि इस जन्म में इसी जन्म के कर्मों के फल प्राप्त हो, बल्कि पहले के जन्मों के संचित कर्मों के फल भी भोगने पड़ते हैं। इसी सिद्धांत के आधार पर वर्तमान में अच्छे कर्म करने वालों द्वारा दुःख एवं कष्ट पाने की स्थिति देखी जाती है।

कर्म के तत्व

कर्म कुछ तत्व या विशेषताएं होती हैं। ये सभी तत्व कर्म की व्याख्या को स्पष्ट करते है। इन तत्वों के अभाव में कर्म की कल्पना सम्भव नही हैं। कर्म में निहित प्रमुख तत्व इस प्रकार हैं—

1. कर्म का अटल सिद्धांत फल से सम्बंधित है। मनुष्य जो भी करता है, वही उसका कर्म है। इस कर्म का कुछ न कुछ फल या परिणाम होना चाहिए। कर्म-फल को टाला नहीं जा सकता है। मनुष्य कर्म करता है। इस कर्म का कुछ फल होता है, वह इस फल का भुगतान करता है और इन भुगतानों के अनुसार पुनः उसके कर्मों का निर्माण होता है। कर्म और फल का यह चक्र निरन्तर चलता रहता है।
2. कर्म केवल भौतिक क्रिया नहीं है। इसके अन्तर्गत सामाजिक, मानसिक, आध्यात्मिक तथा भावात्मक सभी प्रकार की क्रियाओं का समावेश होता है।
3. कर्म-फल में कार्य-कारण का नियम काम करता है। कारण कार्य को उत्पन्न करता है और फिर कारण बन जाता है। प्रवाह अनन्त है, कभी इसका अन्त नहीं होता है।
4. कर्म का फल नष्ट नहीं होता है और बिना कर्म किये फल की आशा करना व्यर्थ है।
5. कर्म में कार्य-कारण की आश्चर्यभाविता तथा चक्रपना पाया जाता है।

6. कर्म सिद्धांत के अनुसार आत्मा अमर है, और पुनर्जन्म होता है। इस जन्म में हम जो कुछ करते हैं, वह पिछले जन्म के कर्मों का फल है। अतः जन्म-जन्मान्तर और कर्म-फल के द्वारा हम यह स्वीकार करते हैं कि आत्मा अमर है।
7. जीवन की परिस्थितियाँ कर्मों का फल है। सभी परिस्थितियाँ समान नहीं होती, अतः सभी के कर्म समान नहीं होते है।

धर्म एवं विज्ञान में संबंध

भारतीय संस्कृति चाहे वैदिक परंपरा हो या श्रमण परंपरा एवं पाश्चात्य संस्कृति में धर्मवादी दार्शनिक परंपरा के अनुसार धर्म और विज्ञान के समस्त पहलुओं का अवलोकन करने के बाद यह दृष्टिगोचर होता है कि धर्म का संबंध जहां **आस्था विश्वास श्रद्धा एवं नैतिक नियमों** से है, जबकि विज्ञान का संदर्भ **तर्क परीक्षण** एवं **अनुभव के आधार** पर व्यवहारिक स्तर पर किया जाता है। इन दोनों विषयों के सैद्धांतिक एवं व्यावहारिक पक्ष का अलग-अलग महत्व एवं अस्तित्व है। धर्म और विज्ञान का विरोध बतलाते हुए कहा जाता है कि धर्म **मनोवृति व्यक्तिगत** होती है। जहां प्रत्येक व्यक्ति का धर्म के प्रति अपना एक दृष्टिकोण होता है।

धर्म में हम सिर्फ वास्तविकता का ज्ञान ही नहीं अपनाना चाहते हैं, बल्कि वास्तविकता का मूल्यांकन करते हैं। इसके विपरीत विज्ञान वैज्ञानिक प्रगति प्रवृत्ति व्यक्तित्व रहित होता है। वैज्ञानिक दृष्टिकोण में संवेग का कोई स्थान नहीं होता है। एक वैज्ञानिक को विज्ञान के निष्कर्ष को मानने में किसी प्रकार का संकोच नहीं होता है। धर्म का उद्देश्य **कार्य कारण सिद्धांत** के द्वारा वस्तुओं के बीच एकता कायम करना है। विज्ञान विश्व की विभिन्न अनुभव के बीच कार्य कारण संबंध को अनुभव के आधार पर मूल्यांकन करता है। विज्ञान के अनुसार प्रत्येक दृश्य वस्तु एक दूसरे से संबंधित है। जिसके फलस्वरूप विश्व में आकस्मिकता और सहयोग का कोई स्थान नहीं है, परंतु विज्ञान से जब

पूछा जाता है कि कार्य कारण श्रृंखला एक व्यवस्था का निर्माण किस रूप में होता है तो विज्ञान मौन रहता है।

इसके लिए हमें धर्म की शरण में जाना पड़ता है। जहां धर्म मनुष्य की एक स्वतंत्र अनुभूति के रूप में कार्य करता है। धर्म का संबंध मनुष्य के आंतरिक जीवन से है, जबकि विज्ञान का संबंध मनुष्य के बाहरी दुनिया से है, अर्थात् विज्ञान का संबंध मनुष्य के अनुभव के बाद होता है।

मनुष्य के आंतरिक अनुभव की उपेक्षा विज्ञान सदैव करता है। इसके अतिरिक्त विज्ञान और धर्म में भी कई भेद हैं। विज्ञान जहां **भौतिक शास्त्र का संबंध रखता है।** मनोविज्ञान मन से संबंध रखता है। धर्म का संबंध मूल्यों को प्राप्त करना है। यह आध्यात्मिक मूल्यों को प्राप्त करने का कार्य करता है। मूल्य को दुनिया जिसे धर्म अत्यधिक प्रधानता देता है। विज्ञान को अज्ञात प्रतीत होता है। व्यक्तिगत सदैव एवं समान मूल्यों की दुनिया में जो धर्म का आधार है।

विज्ञान के लिए आन्तरिक धार्मिक मूल्य अज्ञानता का संबंध है। विज्ञान और धर्म एक दूसरे के विरोधी हैं। धर्म के कुछ विशेष उदाहरण सामान्य नियमों के आधार पर आधारित होते हैं, जबकि विज्ञान का नियम सदैव परिवर्तित होते रहते हैं। वह अपने किए हुए पूर्व के ज्ञान पर भी संदेह करता है। विज्ञान का संबंध प्राकृतिक जगत से है, जबकि धर्म का संबंध **अति प्राकृतिक सत्ता** से है। कांट ने भी धर्म और विज्ञान को एक दूसरे के विरुद्ध बतलाते हुए कहते हैं कि धर्म का संबंध **हृदय जगत** से है, जबकि विज्ञान का संबंध उन तथ्यों से है जो लौकिक सत्ता से परे है।

धर्म और विज्ञान में मूल भेद

धर्म एवं विज्ञान में मूलतः भेद यह है कि धर्म का प्रधान उद्देश्य **मुक्ति की प्राप्ति** है, जबकि विज्ञान का **उद्देश्य की प्राप्ति** है। धर्म और विज्ञान में भेद यह है कि **धर्म सृष्टिवाद में विश्वास करता है**, जबकि **विज्ञान**

विकासवाद में विश्वास करता है। धर्म के अनुसार ईश्वर सृष्टि रचना कर्ता है। ईश्वर ने अपनी इच्छा मात्र से विश्व का निर्माण किया है। विज्ञान के अनुसार यह संसार **विकास का फल** है। प्रकृति की वस्तु के परिवर्तन एवं विकास के फलस्वरूप नए नए विषयों का प्रादुर्भाव होता है यह परिवर्तनीय होता है। इस भेद के फलस्वरूप धर्म और विज्ञान में अन्य भेद भी परिलक्षित होते हैं। धर्म **नैतिक नियमों की व्याख्या** करता है। नैतिकता में विश्वास कर धर्म की बातों को स्पष्ट करता है, जबकि विज्ञान **यंत्रवाद का समर्थन** करता है, जबकि धर्म **अध्यात्मवाद का समर्थन** करता है। कुछ लोगों ने धर्म के विरुद्ध में कहा भी है कि धर्म सैद्धांतिक है जबकि विज्ञान व्यवहारिक है।

इसके साथ-साथ धर्म और विज्ञान में एक अंतर यह है कि धर्म जहां हृदय एवं आस्था का विषय है। वही विज्ञान **शोध एवं तर्क का विषय** है। धर्म में रागात्मक मूल्यों की प्रधानता होती है, जबकि विज्ञान में **बौद्धिक तत्वों का समावेश** होता है। इसीलिए विज्ञान को **हृदय विहीन** कहा जाता है। धर्म का क्षेत्र अत्यंत व्यापक है, जबकि विज्ञान का क्षेत्र **अत्यंत सीमित** है।

धर्म के अन्तर्गत अलौकिक जगत की बात होती है। जिसमें आत्मा, परमात्मा, जन्म-पुनर्जन्म पाप-पुण्य की विषय वस्तु शामिल होती है। जबकि विज्ञान के अंतर्गत व्यवहारिक जगत की विषय वस्तु का ज्ञान प्राप्त होता है। इसलिए कहा जाता है कि धर्म का चित्र अत्यंत व्यापक है जबकि विज्ञान का क्षेत्र धर्म से सीमित है। धर्म और विज्ञान में धर्म का चित्र एवं परिभाषा अत्यंत भावात्मक एवं भ्रम युक्त होती है, जबकि विज्ञान के अंतर्गत व्यवहारिक एवं शांति स्तर पर शुद्ध होती है।

निष्कर्ष: यह कहा जा सकता है कि धर्म और विज्ञान में अनेक विभेद होने के बावजूद भी अनेक समानता भी है। जिसके कारण धर्म का क्षेत्र व्यापक हो जाता है। यहाँ विज्ञान का क्षेत्र सीमित हो जाता है। दोनों का सृष्टि संचालन में महत्वपूर्ण योगदान दिखाई पड़ता है।

धर्म और कला में संबंध

यद्यपि दोनों ही मानव की आंतरिक अभिव्यक्ति का विषय है। इसके बावजूद भी धर्म का क्षेत्र कला के क्षेत्र से अत्यंत व्यापक हो जाता है। यह मनुष्य के आंतरिक अभिव्यक्ति के परिणाम माने जाते हैं। जहां धर्म मानव जीवन को आनंदित करने के लिए नियम और भाव प्रकट करता है। वही कला उसको पूर्व प्रदान करने का कष्ट करता है। भौतिक वस्तुओं के परिप्रेक्ष्य में देखा जाए तो उसको बाहर ऊपर प्रदान करना कला का कार्य है जबकि उसके आंतरिक स्वरूप को मूल्यांकित करना धर्म का कार्य है। इस प्रकार हम देखते हैं कि धर्म और कला में घनिष्ठ संबंध है, फिर भी दोनों के बीच विभिन्नताएं दिखाई पड़ती हैं।

धर्म जहाँ आध्यात्मिकता को बढ़ावा देता है, वहीं कला भौतिकवाद के साथ आध्यात्मिकता की कुछ झलक को बढ़ावा देता है। यद्यपि धर्म और कला में घनिष्ठ संबंध है, फिर भी इनमें अनेक प्रकार की विविधता भी देखने को मिलती है। धर्म और कला दोनों का उद्देश्य आध्यात्मिक मूल्यों को अपनाना है। धर्म आध्यात्मिक है। धर्म की तरह कला को भी आध्यात्मिक होना नितांत आवश्यक माना जाता है।

धर्म और कला दोनों ही व्यक्ति के भाव से जुड़े हुए हैं, तथा विश्व के लिए संवेगात्मक दृष्टिकोण को बढ़ावा देते हैं। कला के द्वारा व्यक्ति अपने संबंधों को प्रकाशित करता है। धर्म के द्वारा ही व्यक्ति ईश्वर के प्रति अपनी भावनाओं को स्पष्ट करता है। यथार्थ में कहा जाए तो धर्म और कला दोनों के द्वारा शक्ति का प्रकाशन किया जाता है।

धर्म और कला व्यक्ति को साधारण स्तर से हटाकर सत्य और आनंद के स्तर पर ले जाते हैं। कला मानव की सौंदर्य चाह की अभिव्यक्ति करता है। हेगल के अनुसार कला मूलतः **एक आध्यात्मिक अनुभव है**, जो सुंदर है।

हेगल के मतानुसार कला आध्यात्मिक है। धर्म भी आध्यात्मिक दृष्टिकोण को प्रस्तावित करता है। इस प्रकार कला और धर्म में गहरा संबंध दिखाई पड़ता है। वहीं धर्म द्वारा कला की प्रेरणा मिलती है। कला

का प्रिय एवं आकर्षक रूप में जीवन से कला का परिमार्जन हुआ है। धर्म के प्रभाव को व्यक्त करता है। दूसरी ओर कला ही धर्म की सेवा करता है। यहां कला का ही प्रभाव है कि धर्म चमत्कार पूर्ण दिखता है। इसका उद्‌भव उपासना और आराधना जैसी धार्मिक क्रिया के माध्यम से ही होती है। कला और धर्म एक दूसरे को प्रभावित करते हुए आगे बढ़ते हैं।

धर्म और धर्म दर्शन में संबंध

धर्म शब्द से विश्व धर्म का जैसे हिंदू धर्म, ईसाई धर्म, बौद्ध धर्म, इस्लाम धर्म आदि के स्वरूप का स्पष्टीकरण होता है। यह विश्व की प्रमुख धर्म सम्प्रदाय है। अत: धर्म शब्द से विश्व के विभिन्न धर्मों का ज्ञान होता है। इसके विपरीत धर्म दर्शन उस विद्या को कहा जाता है। जिसके द्वारा धर्म का विवेचन धार्मिक रूप से किया जाता है। धर्म-दर्शन दार्शनिक जीवन एवं धार्मिक प्रवृत्तियों का बोध कराता है। धर्म दर्शन का क्षेत्र व्यापक है, जबकि धर्म का क्षेत्र संकुचित है, क्योंकि धर्म दर्शन धर्म का दार्शनिक विवेचन करता है। इसलिए सभी प्रकार के धर्म एवं उसके विषय धर्म दर्शन की विषय वस्तु है, परंतु धर्म विशेष रूप में ईश्वर शास्त्र पर केंद्रित रहता है।

प्रत्येक धर्म का अलग-अलग स्वरूप दिखाई पड़ता है। जिसका अध्ययन प्रत्येक धर्म अलग-अलग करता है। धर्म की अपेक्षा धर्म दर्शन का स्थान अधिक है। ऐतिहासिक धर्म एवं धर्म दर्शन की समान परिधि ईश्वर को माना जाता है। जिसके आधार पर वह धर्म का दार्शनिक मूल्यांकन करता है। धर्म का स्थान धर्म दर्शन की तुलना में प्रथम माना जाता है, क्योंकि धर्म दर्शन इसके अभाव में धार्मिक विषयों पर विचार नहीं कर सकता। धर्म में ईश्वर की भावना के आधार को स्वीकार किया जाता है। धर्म में ईश्वर को मानव की पूर्व मान्यता के रूप में स्वीकार किया जाता है।

साधारण धर्मावलंबी ईश्वर को आस्था के आधार पर मान लेते है,

परंतु धर्म दर्शन में ईश्वर के अस्तित्व को तर्क बुद्धि के द्वारा प्रमाणित करने का प्रयास किया जाता है। यही कारण है कि धर्म दर्शन में ईश्वर के अस्तित्व संबंधी प्रमाण की विवेचना होती है। धर्म दर्शन को बौद्धिक और तार्किक कहा गया है, क्योंकि धर्म दर्शन तर्क के आधार पर विकसित हुआ है।

धर्म इसके विपरीत बुद्धि भावना तथा भाव क्रिया पर आधारित है। इसलिए धर्म ज्ञानमूलक, भावनामूलक तथा क्रियात्मक माना जाता है। धार्मिक चेतना के द्वारा धर्म के तीन पक्ष **ज्ञानात्मक, भावनात्मक, क्रियात्मक** पक्षों पर अधिक बल दिया जाता है।

धर्म दर्शन धर्म की तुलना में अत्यंत व्यापक है। धर्म दर्शन में निराशावादी धर्मों का भी विवेचन किया जाता है, जबकि **धर्म केवल ईश्वर पर आधारित है।** इसके अभाव में धर्म की कल्पना नहीं की जा सकती है। इसीलिए फिलिन्ट महोदय ने **धर्म को ईश्वरवाद का पर्यायवाची कहा है।** ऐसे धर्म जो बाहर से देखने पर निराशावादी प्रतीत होते हैं।

धर्म दर्शन को बौद्धिक और तार्किक कहा गया है, क्योंकि धर्म दर्शन तर्क के आधार पर ही विकसित हुआ है। इसके अतिरिक्त भक्ति भावना भाव पर आधारित है। धर्म दर्शन की तुलना में धर्म का क्षेत्र सीमित एवं संकुचित हो जाता है, क्योंकि दोनों का मूल उद्देश्य आध्यात्मिकता को मानव जीवन के अंदर उपस्थित कर आंतरिक अभिव्यक्ति के रूप में प्रखर करना है।

निष्कर्ष: यह कहा जा सकता है कि धर्म एवं धर्म दर्शन में एक प्रकार से तादात्म्य संबंध पाया जाता है। जिसे किसी भी दशा में अलग नहीं किया जा सकता है। दोनों मनुष्य के आंतरिक अभिव्यक्ति के भाव को स्पष्ट करने का कार्य करते हैं। सम्पूर्ण संसार में मानवता के यथार्थ अभिव्यक्ति को उजागर करने का प्रयास करते हैं। जिससे सम्पूर्ण संसार के सभी धार्मिक सम्प्रदायों में से रूढ़िवादी एवं कर्मकाण्डीय विचारधारा का खण्डन किया जा सके।

धर्म के विरुद्ध आपत्तियाँ

1. धर्म के विरुद्ध विज्ञान की आपत्तियाँ
2. धर्म का आधार विश्वास है, अन्धविश्वास, रुढ़िवाद फैलाता है।
3. धर्म मानव को पारलौकिक जगत की तरफ अग्रसर करता है।
4. धर्म में निषेध के ऊपर अधिक बल दिया जाता है।
5. धर्म में ईश्वर का बोल-बाला है।
6. धर्म पर वर्ग भेद का आरोप लगाया जाता है। धर्म केवल डर/भय उत्पन्न करता है। इससे धार्मिकता से मानवीय मूल्यों का लगातार पतन हो रहा है। इसका स्थान विज्ञान लेता जा रहा है।

■■■■

अध्याय 2

धर्म दर्शन के विभिन्न आयाम

प्रस्तावना

भारतीय संस्कृति का समग्रता से अवलोकन किया जाए तो यह दृष्टिगोचर होता है कि संपूर्ण धर्म दर्शन के आलोक में दर्शन परंपरा संस्कृति, राजनीतिक परंपरा, आर्थिक परंपरा, परिलक्षित होती है। आरंभ में भारतीय दर्शन को धर्म दर्शन के अंतर्गत ही समाहित कर मूल्यांकन करने का प्रयास किया जाता रहा है। आरम्भ से ही दर्शन और धर्म में एक तादाम्य संबंध रहा है। जिसे कभी भी भारतीय संस्कृति के परिप्रेक्ष्य में अलग करके मूल्यांकित नहीं किया जा सकता है। उसी परंपरा के **तत्वमीमांसीय** एवं **ज्ञानमीमांसीय** स्वरूप का अवलोकन किया जाए तो यह दृष्टिगोचर होता है कि दर्शन की दोनों विधियां कहीं न कहीं धर्म के आलोक में आलोकित होती हैं। अर्थात् धर्म दर्शन में धर्म तथा दर्शन का एक उचित सामंजस्य दिखाई पड़ता है। धर्म का दार्शनिक विवेचन ही धर्म दर्शन कहलाता है। इसके अंतर्गत धार्मिक अनुभूतियों, मान्यताओं के सत्य तथा प्रामाणिकता का तार्किक एवं बौद्धिक विवेचन किया जाता है। धर्म दर्शन में धार्मिक क्रियाकलापों विश्वास अथवा आस्था की अनुभूतियों तथा धार्मिक गतिविधियों का विवेचन होता है। धर्म दर्शन किसी विशेष धर्म का परीक्षण नहीं करता है, बल्कि धर्म मात्र के स्वरूप का तात्विक तथा दार्शनिक मूल्यांकन करता है।

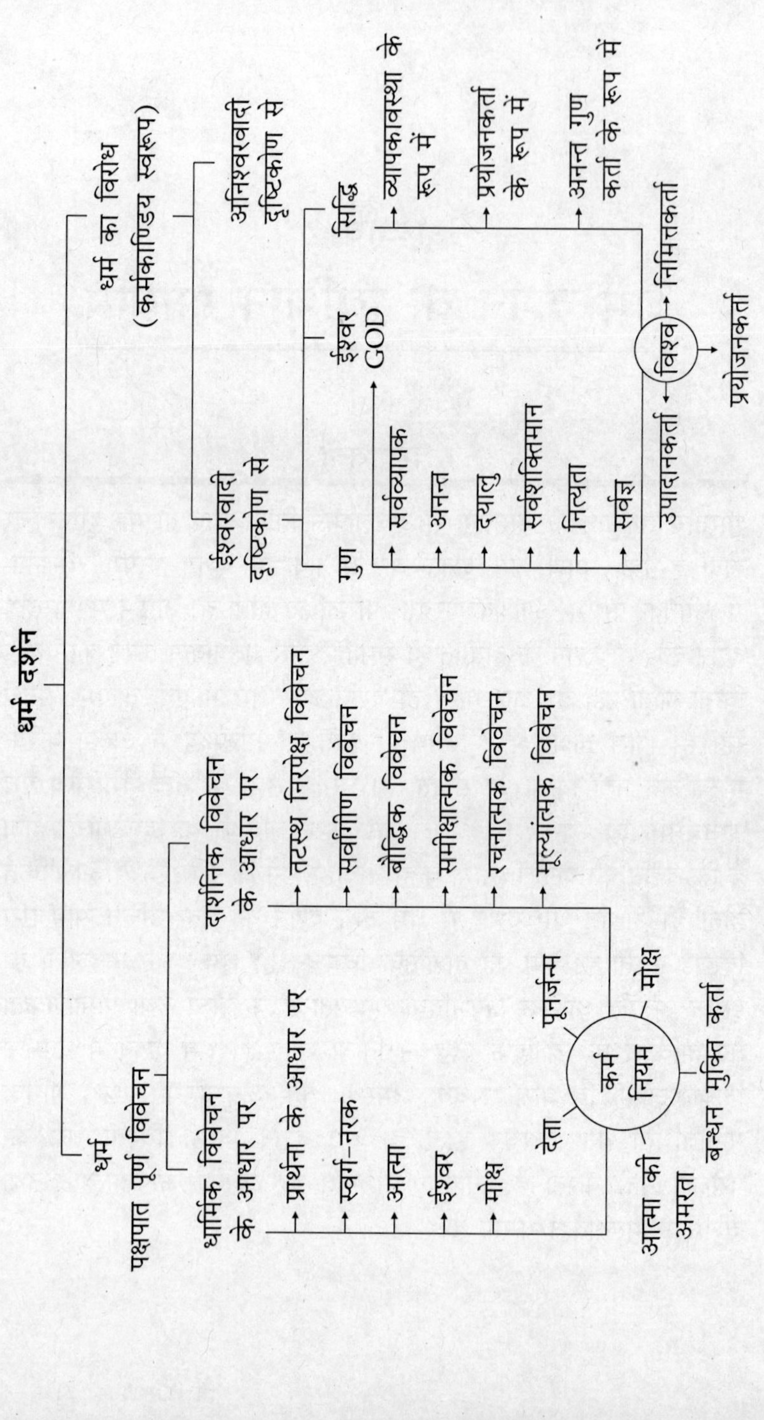
धर्म दर्शन
धर्म पक्षपात पूर्ण विवेचन
धर्म का विरोध (कर्मकाण्डिय स्वरूप)
धार्मिक विवेचन के आधार पर
दार्शनिक विवेचन के आधार पर
ईश्वरवादी दृष्टिकोण से
अनिश्वरवादी दृष्टिकोण से
प्रार्थना के आधार पर
स्वर्ग–नरक
आत्मा
ईश्वर
मोक्ष
तटस्थ निरपेक्ष विवेचन
सर्वांगीण विवेचन
बौद्धिक विवेचन
समीक्षात्मक विवेचन
रचनात्मक विवेचन
मूल्यांत्मक विवेचन
कर्म नियम
देता
पुनर्जन्म
मोक्ष
आत्मा की अमरता
बन्धन मुक्ति कर्ता
गुण
ईश्वर GOD
सिद्धि
सर्वव्यापक
अनन्त
दयालु
सर्वशक्तिमान
नित्यता
सर्वज्ञ
व्यापकावस्था के रूप में
प्रयोजनकर्ता के रूप में
अनन्त गुण कर्ता के रूप में
विश्व
उपादानकर्ता
निमित्तकर्ता
प्रयोजनकर्ता

इस प्रकार धर्म दर्शन में धर्म के व्यवस्थित रूप को समझने का प्रयास किया जाता है। धर्म-दर्शन धर्म और दर्शन दो शब्दों से मिलकर बना है। इसमें धर्म शब्द **धृ धातु में मन प्रत्यय** लगाकर उत्पन्न होता है। जिसका साधारण अर्थ **धारण करना** होता है। धर्म की उत्पत्ति के संदर्भ में तीन प्रकार की मान्यताएं सामान्यतः दिखाई पड़ती हैं।

1. ध्रियते लोकः अनेन इति धर्म
2. धरित धारयति वा लोकम
3. ध्रियते य:सः धर्म

धर्म शब्द अंग्रेजी भाषा के **रिलीजन** शब्द से प्रचलित हुआ है। रिलीजन शब्द सामान्यता एक लैटिन भाषा के "Religio" शब्द से बना है। जो दो शब्द **रेली** तथा जियो के सहयोग से बना है। जिसका अर्थ बांधना या विचार करना है। इस प्रकार शाब्दिक दृष्टि से रिलीजन का अर्थ **मनुष्य तथा ईश्वर में संबंध जोड़ने वाला नैतिक नियम का समूह है।** धर्म शब्द का विविध अर्थों में प्रयोग किया जाता है, लेकिन मूल रूप से **धर्म एक मनोवृत्ति है**, जो मानव जीवन के सभी पक्ष को प्रभावित करती है, तथा परम मूल्यवान एवं परम पवित्र आदर्श के प्रति आस्था की **मनोभावना** से उत्पन्न होकर मानव आचरण के द्वारा अभिव्यक्त होती है।

इस मनोवृत्ति के अंतर्गत भावना संवेग कर्मकांड मानव आचरण के द्वारा पूजा उपासना आदि को समावेश किया जाता है। धर्म में नैतिक चेतना एवं रहस्यात्मक तत्व भी समाहित होते हैं। धर्म वास्तविक सत्ता का एक निरपेक्ष बोध एवं असीम आनन्द है। धर्म एक सामाजिक क्रिया भी है, और उससे अधिक व्यक्तिगत अनुभव भी है। भारतीय दर्शन में धर्म बुद्धि के सैद्धांतिक रूप ज्ञान, विराग एवं ऐश्वर्य है। यह धर्म यम नियम है। ऐसा माथुर आदि व्याख्याकार कहते है। अन्य व्याख्याकार कहते हैं कि विवेक ज्ञान के साक्षात साधन भूत कर्म तथा यज्ञ आदि कर्म को धर्म के दो भेद के रूप में स्वीकार किया गया है। यज्ञ आदि कर्म में यम आदि का पालन किया जाता है। वह अनुष्ठान की तुलना में अधिकतर सात्विक प्रतीत होता है। धर्म को अभ्यास से जोड़कर

मूल्यांकन करते हैं। दर्शन संस्कृत भाषा का वह शब्द है। जिसका तात्पर्य देखना या करना होता है।

धर्म के प्रकार

भूमिका

- → प्रकार
  - → सामान्य धर्म का स्वरूप → इसमें मनु ने 10 गुण बताया है, सत्य, अक्रोध, घृति, क्षमा, संयम, शुचिता, आदि
  - → विशिष्ट धर्म
    - → विश्व के विभिन्न धर्म सम्प्रदाय का स्वरूप
    - → वर्णाश्रम धर्म
    - → कुल धर्म पति, पत्नी, पुत्र, माता, पिता राजधर्म
    - → मित्र धर्म
    - → गुरु धर्म
    - → युग धर्म → सत, त्रेता, द्वापर, कलियुग
    - → स्वधर्म → सभी का अपना धर्म जो कर्म पर आधारित है।
- → धर्म का महत्व →
  1. समान को संगठित करना
  2. सामाजिक व्यवस्था बनाये रखना
  3. व्यक्ति का विकास
  4. समाज कल्याण

धर्म का अभिप्राय

धर्म दर्शन की प्राथमिक समस्याओं में से धर्म की परिभाषा निर्धारित करना अत्यंत कठिन कार्य है, क्योंकि एक तो धर्म सतत परिवर्तनशील है। दूसरे विभिन्न धर्मों में समानता कम विभिन्नताएं अधिक दिखाई पड़ती हैं। सभी धर्मों में निहित इस विविधता को समेटे हुए विभिन्न चिंतकों ने धर्म की परिभाषा देने का प्रयास किया था जिसमें से जेम्स ने अपनी पुस्तक धर्म का एक मनोवैज्ञानिक अध्ययन में धर्म की 50 से अधिक परिभाषा का मूल्यांकन किया है। इसके बावजूद अनेक चिंतक

हुए जिन्होंने धर्म की अलग-अलग परिभाषा देने का प्रयास किया है। जिसमें से विभिन्न धर्मों का विश्लेषण किया जाए तो उनके कुछ लक्षण इस प्रकार दिखाई पड़ते हैं।

1. धर्म एक व्यापक अभिवृत्ति है। जिसमें ज्ञानात्मक, भावनात्मक व क्रियात्मक पक्ष निहित रहते हैं।
2. धर्म व्यक्ति के संपूर्ण जीवन को गहराई से प्रभावित करता है न कि आंशिक रूप से प्रभावित करता है।
3. प्रत्येक धर्म अपने ज्ञानात्मक पक्ष में किसी न किसी अलौकिक सत्य की अवस्था को स्वीकार करता है। यह सत्य ही ईश्वर है। ईश्वर, आत्मा, स्वर्ग या मुक्ति जैसी धारणा इसमें शामिल रहती है।
4. भावनात्मक पक्ष के अंतर्गत प्रत्येक धर्म दु:ख मुक्ति का आश्वासन देता है।
5. धर्म के अनुयायी विश्वासों के प्रति अखंड तथा नैतिक एवं बौद्धिक आस्था रखते हैं। जिस पर वह कभी संशय नहीं करते हैं।
6. धर्म के अनुयायी अपने धार्मिक प्रतीक की पवित्रता की भावना को महसूस करते हैं, तथा उन्हें अन्य सभी वस्तुओं से उच्च मानते हैं।
7. धर्म व्यक्ति के जीवन में नित्य असुरक्षा की भावना को दूर करता है।
8. क्रियात्मक पक्ष के अंतर्गत प्रत्येक धर्म प्रार्थना तथा कर्मकांड की निश्चित व्यवस्था करता है, ताकि धर्म के अनुयायी अपनी आस्था व श्रद्धा को अभिव्यक्त कर सके।
9. प्रत्येक धर्म अपने अनुयायियों हेतु निश्चित आचरण या विधि को प्रस्तावित करता है, जो धर्म की दृष्टि में नैतिक व्यवस्था कहलाती है।

समग्रता में देखा जाए तो धर्म के अनेक आयाम दिखाई पड़ते हैं। कभी धर्म-कर्म के आधार पर, कभी नैतिक आयाम के आधार पर, तो कभी संप्रदाय के आधार पर मूल्यांकित किया गया है। संक्षेप में कहा जाए तो धर्म की कोई निश्चित परिभाषा नहीं प्रतीत होती है, क्योंकि सभी ने सामाजिक आर्थिक राजनीतिक धार्मिक अन्य पहलुओं के अनुसार धर्म की अलग-अलग परिभाषा दी है। सभी परिभाषा को समेटे हुए संक्षेप में कहा जाए कि **धर्म नैतिक नियमों का समूह है।** जो सदैव मनुष्य को नैतिक पूर्ण एवं शुभ के साथ उचित आचरण करने का ज्ञान प्रदान करता है। एक बार हम कह सकते हैं कि धर्म मनुष्य की आन्तरिक अभिव्यक्ति है, जो उसे समाज में जीवन निर्वहन करने तथा संपूर्ण संसार को एक सूत्र में जोड़कर सृष्टि संचालन में सहायता प्रदान करता है। इसमें किसी भी प्रकार की अतिश्योक्ति नहीं होगी इस प्रकार हम देखते हैं कि भारतीय दर्शन में वर्णित धर्म की अभी अन्य परिभाषाएं अनेक धर्म संप्रदाय द्वारा दी गई जिसमें बौद्ध संप्रदाय, जैन संप्रदाय, ईसाई संप्रदाय जैसे अनेक मतानुयायी के साथ विचारधारा रखने वाले लोग धर्म के उसी नैतिक नियमों को अपने तरीके से मूल्यांकन करने का प्रयास करते हैं। इस प्रकार हम देखते हैं कि **धर्म की कोई निश्चित परिभाषा नहीं दी जा सकती है।**

धर्म दर्शन का इतिहास

भारतीय संस्कृति एवं पाश्चात्य संस्कृति में जिस प्रकार से धर्म की परिभाषा को लेकर विविधता दिखाई पड़ती है। उसी तरीके से धर्म के इतिहास के संदर्भ में भी अनेक आयाम दिखाई पड़ते हैं। यदि भारतीय संस्कृति के परिप्रेक्ष्य में देखा जाए तो **धर्म एक सनातन नैतिक नियमों का स्वरूप है।** जो सृष्टि निर्माण से ईश्वर द्वारा नैतिक नियमों को संचालित करने के लिए बनाया गया था जिसको लिखित रूप में वैदिक पुराणों में किया गया है।

भारतीय आयाम में देखा जाए तो ईश्वर के आलोक्य में धर्म को अवलोकन करने का प्रयास किया गया है, लेकिन पाश्चात्य दर्शन की

दृष्टि से धर्म दर्शन का इतिहास लगभग 1755 के आरंभ में ह्यूम द्वारा लिखी पुस्तक **द नेचुरल हिस्ट्री ऑफ रिलीजन** में मिलता है। जिसको आगे बढ़ाने में तथा पाश्चात्य धर्म-दर्शन को एक व्यवस्थित रूप प्रदान करने में अनमोल भूमिका अदा करती है। 1799 में प्रकाशित हुई यह **डायलॉग्स कंसर्निंग नेचुरल ए रिलिजन** के नाम से विख्यात है। इन दोनों पुस्तकों में धार्मिक विश्वासों की आलोचनात्मक व्याख्या हुई है।

इस परंपरा को आगे बढ़ाने में कांट जैसे महान समीक्षावादी दार्शनिक का उत्कृष्ट योगदान परिलक्षित होता है। कांट की प्रसिद्ध पुस्तक **क्रिटिक्स ऑफ प्योर रीजन** जो 1781 में हुई ईश्वर को सिद्ध करने के लिए परंपरागत युक्तियों का खंडन करती है, परंतु कांट की दूसरी पुस्तक **क्रिटिक्स ऑफ प्रैक्टिकल रीजन** ईश्वर को प्रमाणित करने के लिए नैतिक तर्क को आधार प्रदान करती है। जिसको उन्होंने अपनी पुस्तक **Religion within the limits of reason alone** में संग्रहित करने का प्रयास किया था इस पुस्तक का प्रकाशन के बाद धर्म और दर्शन के विभिन्न सिद्धांतों का अनेक रूप में वर्णन दिखाई पड़ता है। जिसको आगे बढ़ाने में निरपेक्ष प्रतिवादी दार्शनिक हेगल के साथ अन्य समकालीन दार्शनिकों का उत्कृष्ट योगदान दिखाई पड़ता है जिसमें सेलिंग योगदान को विशेष महत्व दिया जा सकता है।

उनकी पुस्तक Lecture on Mythology and Revelation के साथ अनेक दार्शनिकों ने धर्म दर्शन के कार्य आगे बढ़ाने में पाश्चात्य संस्कृति के साथ धर्म दर्शन क्षेत्र की मूल समस्याओं को भी तर्क के आधार पर मूल्यांकित करने का प्रयास किया था, जो आगे चलकर समाजवाद, साम्यवाद जैसी विचारधारा में धर्म के ऊपर एक प्रकार से कुठाराघात का आक्षेप नहीं लगने दिया था या जिनके आश्रितों के फलस्वरूप धर्म-दर्शन का इतिहास सारगर्भित रूप से समृद्ध दिखाई पड़ता है।

ग्रीक दर्शन का अवलोकन किया जाए तो दृष्टिगोचर होता है कि प्रथम फिलॉसफी शब्द का प्रयोग पाइथागोरस ने किया था तथा विशेष विज्ञान के रूप में उसे प्लेटो ने विकसित किया था। दर्शन एक स्वतंत्र

विज्ञान के रूप में यहीं से प्रतिष्ठित हुआ था जगत के विषय में सामान्य दृष्टिकोण का विशद वर्णन करने, उसके सामान्य मूल्य तथा नियमों का अध्ययन करने, यथार्थ विषय में चिंतन की तर्क संगत विधि तथा संज्ञान के सिद्धांत को विकसित करने की आवश्यकता से दर्शन का विज्ञान के रूप में जन्म हुआ। इस प्रकार दर्शन और विज्ञान की निकटता तथा उनमें सामंजस्य दिखाई पड़ता है। यही पाश्चात्य दर्शन की प्रमुख देन मानी जाती है। पाश्चात्य दर्शन का दृष्टिकोण सदैव से वैज्ञानिक एवं प्रकृतिवादी दिखाई पड़ता है। इस प्रकार हम देखते हैं कि पाश्चात्य जगत में दर्शन हो या न हो धर्म दर्शन में सभी को वैज्ञानिक एवं तर्क के आधार पर मूल्यांकित करने का प्रयास किया जाता रहा है।

जहां मनुष्य की क्रिया का लाभ विश्वास आस्था को भी बौद्धिक स्तर पर चिंतन का विषय मानकर उसकी मूल स्वरूप की व्याख्या करने का प्रयास किया गया है। जिससे धार्मिक सिद्धांत के नियमों में सत्य एवं मिथ्या का तार्किक विश्लेषण किया जाता है, और धर्म दर्शन को भी मनुष्य के धार्मिक जीवन के नियमों को तार्किक पूर्ण से व्यवस्थित किया जाता है। धार्मिकता की स्थापना किसी मनुष्य के व्यक्तिगत अनुभूतियों, आस्तिकता और नास्तिकता को प्रमाणित करना धर्म दर्शन का कार्य नहीं है और न ही किसी विशेष धर्म पर विचार स्थापित करना, बल्कि धर्म दर्शन का कार्य निष्पक्ष रूप से मूल्यांकन करना है। उनके सिद्धांतों को बौद्धिक स्तर पर उनमें व्याप्त रूढ़िवादी विचारधारा विश्वास का उन्मूलन कर उदारवादी दृष्टिकोण अपनाते हुए उसके सभी पहलू का तार्किक एवं वैज्ञानिक आधार पर दृष्टिगत करना है। इसी आलोक्य में यहां विभिन्न धर्म संप्रदाय हुए तथा वैदिक दर्शन से प्रारंभ होकर उपनिषदों के दर्शन से होते हुए जैन, बौद्ध, न्याय दर्शन, वैशेषिक दर्शन, मीमांसा दर्शन इत्यादि अनवरत श्रृंखला चली आ रही है।

इन सभी दर्शनों में विचार से संबंधित विभिन्न सम्प्रदाय प्रतीत होती हैं, लेकिन इन सबके बावजूद भी एक मौलिकता, समानता दिखाई पड़ती है। भारतीय दर्शन धर्म से सैद्धांतिक एवं व्यवहारिक दोनों रूप से प्रभावित रहा, क्योंकि यहां अध्यात्म से भौतिकवाद के तरफ जीवन

के सभी पहलुओं को देखने का कार्य किया जाता है। यहाँ दु:खों को दूर कर सुख के तरफ अग्रसर होने का मार्ग प्रशस्त किया जाता है। इसी संदर्भ में मैक्समूलर महोदय का कथन है **कि भारत में दर्शन का अध्ययन मात्र ज्ञान प्राप्त करने के लिए नहीं वरन् जीवन के चरम उद्देश्य की प्राप्ति के लिए किया जाता है।** भारत में धर्म को व्यवहारिक माना जाता है। इसलिए दर्शन ज्ञान के साधन रूप में प्रयुक्त होता है जिसके द्वारा ज्ञान की अनुभूति होती है।

भारतीय दर्शन में पाश्चात्य दर्शन की तरह धर्म एवं दर्शन में विरोध नहीं दिखाई पड़ता है, बल्कि यहां तो धर्म को एक साधन के रूप में अपनाया गया है। इसीलिए भारतीय दर्शन पर यह आरोप लगाया जाता है कि भारतीय दर्शन का दृष्टिकोण धार्मिक है। भारत के समस्त दर्शन धर्म सम्मत आचरण करते हैं। कहीं-न-कहीं वास्तविकता में भी यही प्रतीत होता है, क्योंकि धर्म दर्शन को भारतीय दर्शन से अलग करके नहीं देखा जा सकता है, बल्कि इसे एक साधन के रूप में देखा जा सकता है। इसके साथ-साथ पाश्चात्य जगत जहां सैद्धांतिक विषय वस्तु पर अधिक जोर देता है, वहीं भारतीय दर्शन उसके व्यवहारिक ज्ञान पर अधिक बल देता है। यह एक प्रकार की बौद्धिक प्रक्रिया है। जहां मानव तार्किक एवं बौद्धिक स्तर पर सत्य की अनुभूति तथा धार्मिक नियमों की व्याख्या करता है जहां से धर्म में व्याप्त रुढ़िवादिता समाप्त होती है। बौधिकता दर्शन में औषधि के रूप में काम करती है। जिससे अंधविश्वास, रूढ़िवाद, आस्था आदि को तर्क के आधार पर लाया जाता है। धर्म एक प्रकार से अनुशासित एवं बुद्धि उपयोगी मानव के नियंत्रण के अनुसार वर्तमान परिस्थितियों को देखते हुए उपयोगी है इसके साथ-साथ धर्म-दर्शन परम तत्व का विश्लेषण करने में सक्षम दिखाई पड़ता है।

जहां तक धार्मिक अनुभूतियों की बौद्धिक व्याख्या करने का सवाल है। इसके लिए आवश्यक है कि धर्म का विवेचन करने वाला दार्शनिक स्वयं भी धार्मिक हो, स्वयं व्यक्तिगत अनुभव किए बिना बौद्धिक मनन करने से धर्म की समझ नहीं आ सकती है। साधारण प्रत्यक्ष और

विश्लेषण के द्वारा धर्म के अनुभव की व्याख्या करने के सभी प्रयत्नों में मनोवैज्ञानिक भ्रांति का दोष दिखाई पड़ता है। यद्यपि **दर्शन के बिना धर्म बिना पतवार की नौका के समान है,** फिर भी पतवार नौका का काम नहीं दे सकती है।

धर्म के दर्शन का आधार अनुभव है, क्योंकि समस्त धार्मिक क्रियाएं, आस्था, उपासना, अमरत्व इत्यादि अनुभव के अंतर्गत आती है। जब बिना किसी यथार्थ अनुभव के सहायता के तर्क धर्म की आलोचना करने लगता है, तभी धर्म-दर्शन में गड़बड़ी पैदा होने लगती है। इस प्रकार सभी की धार्मिक मान्यताएं बच्चों की खेल की तरह है। जो वयस्क लोगों के कार्य का मूल्यांकन नहीं कर सकते है। केवल निरीक्षण वर्गीकरण तथा सामान्यकरण पर आधारित एक सरल पथ बनाने के सारे प्रयत्न निष्फल है, क्योंकि धार्मिक ज्ञान के उन अंशों में भी जहां की बौद्धिक क्रियाएं अधिकाधिक समान होते हैं। प्रकाश देने वाली शक्तियां, कल्पना, तर्क और बौद्धिक निर्णय नहीं है, बल्कि अनुभव प्रेरणा सहज ज्ञान है और शायद प्रत्यक्ष इत्यादि होते हैं, जो चेतना के उच्चतम स्तर से हमारे पास आते हैं।

यही कारण है कि कभी-कभी धर्म के दर्शन को असंभव करार दिया जाता है, क्योंकि मानवीय बुद्धि उस परम सत्य को कभी नहीं समझ सकती है कि उसकी सीमा कितनी है। डॉक्टर राधाकृष्णन् का मत है कि **धर्म दर्शन का अर्थ धर्म का आत्म बोध करना है।** धर्म दर्शन एक मानसिक समस्याओं का समाधान करती है जो प्रत्यक्ष रूप से किसी धार्मिक व्यक्ति की समस्या नहीं है, बल्कि सभी धार्मिक समस्याओं का बौद्धिक विश्लेषण है।

धर्म की उत्पत्ति एवं विकास

प्रस्तावना

धर्म का वास्तविक स्वरूप क्षेत्र और उसका मानव जीवन में स्थान आदि विषयों का निरूपण तब-तक पूर्ण नहीं हो पाता जब-तक कि

यह न जान लिया जाए कि धर्म की उत्पत्ति और विकास कैसे और किन-किन परिस्थितियों में हुआ। धर्म की उत्पत्ति और विकास की समस्या धर्म और दर्शन की समस्याओं में से एक प्रमुख समस्या है। धर्म दर्शन उन प्रश्नों पर विचार करता है कि मनुष्य क्यों और कैसे धार्मिक बना? धर्म का यह आधुनिक एवं सर्वोच्च रूप क्यों और कैसे प्राप्त हुआ? किन-किन रूपों में धर्म इस स्थिति तक पहुंच सका? आदिम और अविकसित धर्म तथा आधुनिक प्रगतिशील विश्व धर्म में क्या अंतर है? वे कौन-कौन से तत्व हैं जिनके कारण मनुष्य धार्मिक बनता है? इसी परिप्रेक्ष्य में यदि हम इस विषय की चर्चा का शुभारंभ आदिम समाज में धर्म एवं उसकी विशेषताओं के साथ करें तो यह ज्यादा सार्थक होगा।

आदिमानव के मन में एक प्रश्न रहा होगा कि निद्रावस्था या मृतावस्था में पर्याप्त समानता होने पर भी निद्रावस्था मृत्यु जैसी क्यों नहीं है? स्वप्न में शरीर से कोई शक्ति निकलकर विभिन्न स्थानों पर जाती है, विभिन्न मृत एवं जीवित व्यक्तियों से मिलती है और नींद टूटने पर पुनः लौट आती है। मृत अवस्था में भी शरीर से कोई शक्ति निकलती है, जो शरीर को निष्क्रिय कर देती है, परन्तु वह पुनः नहीं लौटती है। इससे आदिम मानव ने यह निष्कर्ष निकाला होगा कि प्रथम मुक्त आत्मा जो मनुष्य के शरीर से बाहर जा सकती है और हर तरह के अनुभव करके पुनः लौट आती है। दूसरी शरीर आत्मा (body soul) जो एक बार शरीर छोड़कर चली जाती है, पुनः लौटकर नहीं आती और मनुष्य मर जाता है और उसकी आत्मा भूत या प्रेतआत्मा बन जाती है-यह आत्मा अमर है, यदि ऐसा नहीं होता, तो बहुत समय पूर्व मरे व्यक्ति स्वप्न में कैसे और क्यों दिखाई देते? इस प्रकार टॉयलर (1871) के उपर्युक्त मतानुसार इन अमूर्त और अभौतिक प्रेतात्माओं के प्रति भय एवं श्रद्धा ही आदिम धर्म का मूल है। अतः यह धारणा विकसित हुई कि आत्माएं मानव नियंत्रण से परे हैं, परन्तु ये मनुष्य से संबंध रखती हैं। इसके अच्छे कार्यों से ये प्रसन्न होती हैं, तथा बुरे कार्यों से अप्रसन्न होती हैं।

धर्म के उत्पत्ति का मुख्य कारण मनुष्य का सत्य को जानने की प्रवृत्ति के कारण हुआ, चूंकि सत्य को समझने की मानववृत्ति एक

जन्मजात वृत्ति है, इसलिए यह जानने का कोई कारण दिखाई नहीं देता कि उसका प्रारंभ मानव इतिहास में काफी समय बाद हुआ। आदिम काल में मनुष्य ने प्रकृति के कार्यो को समझने का प्रयास किया होगा। यदि आज विज्ञान का युग है, तो इसका यह अर्थ कदापि नहीं कि विज्ञान आदिम काल में रहा नहीं होगा। बिना बीज के वृक्ष कैसे उत्पन्न हो सकता है? पुरातन युग में भी कोई दार्शनिक या वैज्ञानिक रहे होंगे जिन्होने प्रकृति के विभिन्न कार्य-कलापों को समझने का प्रयास किया होगा। सही बात तो यह है कि धर्म मानव जीवन की सहजवृत्ति है। धर्म की उत्पत्ति के किए हमें मानव प्रकृति को ही आधार मानना होगा, क्योंकि परिवर्तन होने के बाद भी मानव प्रकृति में एक अविच्छिन्नता की जाती है। जिस तरह आज का मानव सुख-दु:ख का अनुभव करता है, क्रोध और द्वेष का शिकार है, भूख और प्यास को अनुभव करता है, उसी तरह आदिमानव भी करता था।

इसलिए जिस तरह आज मनुष्य ईश्वर को या ईश्वर के समकक्ष किसी सिद्धांत को सहज रूप से स्वीकार करने के लिए तत्पर रहता है। उसी प्रकार की तत्परता आदिम काल के मानव में भी विद्यमान रही होगी। धर्म की उत्पत्ति के विषय में धर्म दर्शन एवं मानवशास्त्र की दृष्टि से उन बातों का पता लगाते हैं कि मानव समाज में धर्म कब और किस प्रकार उत्पन्न हुआ? इस तथ्य का पता लगाने के साथ ही निश्चित रूप से आदिम मानव का समाज के विषय में विचार करना आवश्यक होता है।

धर्म दर्शन एवं मानव शास्त्र इन प्रश्नों पर निम्नलिखित विषयों से विचार करता है-

1. प्राचीन सिद्धांत
2. मानव शास्त्र की दृष्टि से
3. मनोवैज्ञानिक दृष्टि से
4. ऐतिहासिक विधि द्वारा

मनोवैज्ञानिक विवेचना द्वारा इस बात का पता लगाया जाता है कि मानव मन में धर्म की उत्पत्ति कैसे और किन-किन कारणों से हुई?

मानव में सर्वप्रथम किन प्रवृत्तियों, इच्छाओं, संवेगों तथा प्रेरणाओं के कारण धर्म की भावना जागी जिसके कारण मनुष्य धर्म की ओर उन्मुख हुआ। इसी प्रकार ऐतिहासिक दृष्टिकोण से इस बात का पता लगाया जाता है कि धर्म का प्रादुर्भाव कब और किन-किन रूपों में हुआ था तथा इसके विकास की क्या गतिविधि रही? इसमें संदेह नही कि धर्म की उत्पत्ति एवं विकास का वैज्ञानिक अध्ययन आधुनिक विज्ञानों जैसे-मानव शास्त्र, मनोविज्ञान तथा ऐतिहासिक पर्यवेक्षण द्वारा सम्भव हुआ और इन अध्ययनों के आधार पर ही कुछ सिद्धांतों का प्रतिपादन भी हुआ, परन्तु इन सिद्धांतों के पहले भी कुछ सिद्धांत प्रचलित थे जो कि अब इतने प्रचलित नहीं हैं। इन प्राचीन सिद्धांतों से भी धर्म की उत्पत्ति पर पर्याप्त मात्रा में प्रकाश डाला गया था। सर्वप्रथम इन प्राचीन सिद्धांतों पर भी विचार कर लेना ठीक होगा।

धर्म के उत्पत्ति के प्राचीन सिद्धांत

(अ) दैवीय प्रकाशन का सिद्धांत (Theory of divine revelation): इस मत के अनुसार स्वयं ईश्वर ने ही अपने विशेष कृपा से मानव हितों के लिए धर्म का प्रकाशन अवतार एवं पैगम्बर इत्यादि के माध्यम से किया है। इसलिये मानव जीवन में धर्म का आरंभ हो गया। धर्म की उत्पत्ति के विषय में अधिकांश रूप से यह सिद्धांत यहूदी एवं ईसाई तथा इस्लाम में पाया जाता है। इसका प्रमाण इन धर्मों के शास्त्रों के रूप में मिलता है।

(ब) मानवीय विवेक सिद्धांत (Theory of human reason):- इस सिद्धांत के अनुसार धर्म की उत्पत्ति मानवीय विवेक से हुई है। इसका अर्थ यह है कि मानवीय विवेक या बुद्धि में धर्म जन्म-जात रूप में होता है। चूंकि इस बात के पोषक 18वीं शताब्दी के कुछ ब्रिटिश बुद्धिवादी जैसे- हर्बर्ट और जान हालैण्ड (1855) आदि थे। इसलिए इन्होंने धर्म को बुद्धिगत माना और गणित के प्रत्ययों के समान धर्म के प्रत्ययों जैसे-ईश्वर की सत्ता, आत्मा की अमरता तथा नैतिक नियमों की शक्ति की सत्यता को तर्क पर आश्रित माना। ये बुद्धिवादी देववाद के

पोषक थे। इनके मत में दैवीय प्रकाशनों का सिद्धांत सार्थक है।

इनके अनुसार सभी धर्म प्रारंभिक अवस्था में बौद्धिक होने के कारण शुद्ध थे। अब प्रश्न यह है कि यदि प्राकृतिक या प्रारंभिक अवस्था में बौद्धिक होने के कारण धर्म पूर्ण रूप से मानवीय बुद्धि या विवेक पर ही आधारित था तो धर्म में आडंबर, अंधविश्वास, कर्मकाण्ड और रूढ़ियां क्यों दृष्टिगोचर होती हैं? इसके उत्तर में विचारकों का कहना है कि पुरोहितों ने जब समूह को अपने नियंत्रण में रखने हेतु तथा उनका शोषण करने के लिए ही शुद्ध और तर्कपूर्ण धर्म में अंधविश्वास, कर्मकाण्ड आदि का अनुप्रवेश कराया।

इस आधार पर धर्म का दो रूपों में विकास हो गया- प्रथम शुद्ध प्राकृतिक ऐतिहासिक धर्म। इस ऐतिहासिक धर्म और दूसरा पुरोहितों की इच्छानुसार प्रचलित धर्म में पाए जाने वाले, विश्वास एवं व्यवहार मिथ्या एवं निरर्थक प्रतीत होते हैं। क्योंकि इन विकसित धर्मों में पाए जाने वाले समस्त विश्वास और कर्मकाण्ड मानवीय स्वार्थ में आरोपण मात्र है। धर्म का वास्तविक रूप तो प्राथमिक धर्म है जो तर्क के प्रारंभ से ही तर्क के विवेक पर आधारित है। धर्म के वास्तविक रूप के समर्थन में 18वीं शताब्दी के अंत में फ्रांस के कुछ विचारक लेमेंडुै, डी. एलेम्बर्ट तथा वाल्टेयर भी थे। अपने युग में यह सिद्धांत चाहे बहुत ही प्रचलित रहा हो परन्तु इस समय यह लुप्तप्राय ही है क्योंकि इनमें अनेक दोष थे।

धर्म की उत्पत्ति संबंधी मानवशास्त्री सिद्धांत (Anthropological Theory)- जहां मनोविज्ञान धर्म के आंतरिक पक्ष को अभिव्यक्त करता है वहीं मानव शास्त्र धर्म के बाह्य पक्ष को उजागर करता है। धर्म का इतिहास उतना ही पुराना है, जितना मानव का इतिहास। मानव की सभ्यता और संस्कृति का विवरण प्रस्तुत करना मानव शास्त्र का प्रमुख विषय है। सभ्यता और संस्कृति के विकास के साथ-साथ धार्मिक भावना भी विकसित होती रही है। धार्मिक भावना की उत्पत्ति किन परिस्थितियों में हुई? मानव शास्त्र ही इसका समुचित उत्तर दे सकता है। प्राचीन और आधुनिक धर्मों की प्रकृति में अंतर स्पष्ट करने

का श्रेय मानवशास्त्र को है। धर्म की उत्पत्ति के संबंध में मानव शास्त्र निम्नलिखित 'मत' प्रस्तुत करता है-

1. जीववादी सिद्धांत
2. प्रेतवादी सिद्धांत
3. मानववाद या पूर्व जीववादी सिद्धांत
4. टोटमवाद सिद्धांत
5. जादू सिद्धांत
6. फेतिशवाद सिद्धांत

जीववादी सिद्धांत (Animistic Theory)- मानवशास्त्री दृष्टि से जीववादी सिद्धांत का प्रतिपादन ई.बी. टॉयलर (1871) ने किया। उसने आदिम संस्कृति (Primitive culture) नामक एक महान् ग्रंथ की रचना की। आदिम मानव की बुद्धि स्वभाव का वैज्ञानिक अध्ययन करके उसने जीववाद का प्रतिपादन किया। इस सिद्धांत के अनुसार विश्व की समस्त वस्तुओं में आत्मा जीव का निवास है। मानव सब वस्तुओं में आत्मा के अस्तित्व को स्वीकार करने लगता है। अपने ही चेतना का आरोपण संसार की समस्त वस्तुओं में करने लगता है। टॉयलर (1871) का यह विचार है कि संस्कृति में जिस स्तर पर जीववाद दृष्टिकोण का उद्भव होता है। उसी समय धर्म की उत्पत्ति उसी स्तर पर होती है। ऐसी अवस्था में मानव अपने और जगत में व्याप्त जीवों के मध्य सामन्जस्य स्थापित करता है। कुछ शक्तिशाली जीवों की आराधना वह अपनी सुरक्षा और कल्याण के लिए करना प्रारंभ करता है।

प्रेतवादी सिद्धांत (Spiriticism Theory)- प्रेतवादी सिद्धांत का समर्थक हरबर्ट स्पेन्सर (1855) है। स्पेन्सर का यह मत है कि आदिम मानव प्रारंभ में अपने पूर्वजों की उपज की कल्पना परमात्मा के कारण करता था और उसी के फलस्वरूप धर्म की उत्पत्ति हुई। आदिम युग के मानव में यह धारणा थी कि उसके पूर्वजों का अस्तित्व मृत्यु के पश्चात् प्रेतात्मा के रूप में रहता है। उसकी यह भी धारणा थी कि प्रेतात्मा के रूप में उनके पूर्वजों की शक्ति बहुत अधिक बढ़ जाती है

और वे अप्रसन्न होकर क्षति पहुंचा सकते हैं।

इन पूर्वजों को प्रसन्न रखने के लिए ही आदिम मानव यज्ञ, बलि, पूजा आदि की क्रियाएं करता था। उसके इन कार्यकलापों के फलस्वरूप ही पूजा पद्धति और कर्मकाण्ड का विकास हुआ इस संबंध में यह प्रमाण दिया जाता है कि आज के अनेक समुदाय प्रेतात्मा में विश्वास करते हैं और उसे प्रसन्न करने के लिए पूजा, हवन आदि क्रियाएं की जाती हैं। स्पेन्सर का यह विचार है कि प्रेतात्मा की पूजा ही धर्म का आदिम प्राचीनतम् रूप है। धार्मिक प्रार्थना एवं पूजा में भय की साधना कार्य करती थी। पूर्वजों में अपनी कामना की सिद्धि प्राप्त करना भी आदिम मानव का लक्ष्य माना जाता है। स्पेन्सर का विचार है कि जीववाद धर्म का आरंभिक रूप नहीं है, बल्कि वास्तव में जीववाद प्रेत सिद्धांत पर आधारित है क्योंकि जीववाद में सर्वात्मभाव उसी प्रेत सिद्धांत से प्रकट हुआ प्रतीत होता है। यह बात इस तथ्य से भी स्पष्ट है कि जीववाद में किसी विशेष प्रेतात्मा की पूजा इस हेतु होती थी कि उस आत्मा में विशेष शक्ति है और वह मानव को क्षति पहुंचा सकता है।

प्रेतवाद का अस्तित्व लगभग सभी प्राचीनतम् धर्मों में प्राप्त होता है। हिन्दू धर्म में तो आत्मा की अमरता की चर्चा सर्वत्र की गई है। कल्पनाओं के आधार पर कालांतर में इन प्रेतों (आत्माओं) को स्वामी के रूप में मानकर सर्वशक्तिमान ईश्वर की कल्पना कर की गई होगी। इस्लाम और ईसाई धर्म में भी प्रेतात्माएं (रूहों) के रूप में दिखाई पड़ती है। बौद्ध धर्म की जातक कथाओं में इस बात का उल्लेख है कि गौतम बुद्ध की प्रेतात्मा विभिन्न योनियों में उत्पन्न होकर अनुभव प्राप्त करती है।

मानवाद या पूर्व जीववादी सिद्धांत (Manavism Theory)- इस सिद्धांत के अनुसार "मान" नामक रहस्यवादी शक्ति की आराधना या उपासना का विषय माना जाता है। अत्यंत प्राचीन काल से मनुष्य "माना" को सबसे अधिक शक्तिशाली आदि सत्ता के रूप में स्वीकार करता रहा है। इसकी कल्पना वैदिक धर्म "परमब्रम्ह" की कल्पना जैसी ही है। "मान" को मानव जीवन के सुख-दुःख, हर्ष-विग्रह,

विजय-पराजय का स्वामी माना जाता है। मानव के कार्यों का शुभ या अशुभ उस पर ही आधारित था। माना एक ऐसी रहस्यमयी शक्ति है जिसकी व्याख्या करना संभव नहीं है। वह एक सर्वव्यापी अद्‌भुत अतिन्द्रीय शक्ति है तथा भौतिक वस्तुओं के माध्यम से प्रगट होता है।

यह रहस्यमयी अलौकिक शक्ति भौतिक न होकर मानसिक या आत्मिक है। उसकी शक्ति सभी वस्तुओं में व्याप्त है परन्तु कुछ पदार्थों में वह विशेष रूप से निहित है। यह शक्ति शुभाशुभ के सभी कार्यों में कार्य करती है उसका उपयोग शत्रुओं को हानि पहुंचाने और मित्रों के कल्याण हेतु किया जाता हैं। 'माना में गतिशीलता है क्योंकि उसे एक शक्ति माना गया है, जैसे बिजली एक शक्ति है और उसका संचार होता है, वैसे ही "माना" का संचार एक वस्तु से दूसरी वस्तु ईश्वरीय श्रद्धायुक्त, भय, स्तब्धता आदि का स्पष्ट संकेत मिलता है। "माना" को अधिक संवेगशील माना गया है, और उसके संबंध में यह किवदंती प्रचलित है कि जिस डाल पर "माना" की शक्ति से युक्त पक्षी बैठती है उसमें फल आते हैं। "माना" का ताबीज पहनने वाले के पास कोई दु:ख नहीं आता। जिस फुलवाड़ी में माना का निवास होता है उसमें फूलों की भरमार होती है। "माना" के प्रभाव से समुद्र में नौकाओं की गति तीव्र हो जाती है और मछुआरा आराम से मछली पकड़ता है।

इस प्रकार "माना" आदिममानव की आराधना का केंद्र बन गया। "माना" का कोई मानवीय अस्तित्व नहीं है और उसके प्रतिनिधि पुजारी और पादरी आदि हैं। इन व्यक्तियों में "माना" शक्ति का निवास रहता है और वह शक्तिशाली पुरुष माना जाता है। प्रारंभिक धर्म के दो भावात्मक और निषेधात्मक पहलु हैं। जिसमें "माना" भावात्मक 'टैबू' निषेधात्मक है। "माना" के आधार पर 'टैबू' की उत्पत्ति हुई। "माना" रहस्यमयी, अलौकिक और विलक्षण शक्ति माना जाता था। इसका प्रयोग बड़ी सावधानी से करना होता है, और इस हेतु आदिममानव ने कुछ निषेध का प्रचलन किया जिन्हें 'टैबू' की संज्ञा दी गई। टैबू के फलस्वरूप ही मानव ने व्यक्ति को बहुत से पशुओं से अलग रखने का विधान किया है। शव, नवजात शिशु, राजा और मुखिया टैबू माने जाते थे, और इनके

स्पर्श का निषेध था। शव स्पर्श करने वाले को भी अदृश्य माना जाता था। शुद्धि कर्म के पश्चात् अंतिम क्रिया करने वाले को ही समाज में प्रवेश की अनुमति थी। राजा और पुजारी तथा मुखिया या योद्धाओं को अदृश्य इसलिए माना जाता था कि उसमें "माना" नामक शक्ति नहीं रह जाएगी।

टोटमवाद सिद्धांत (Totetmism Theory)- "टोटमवाद" के प्रवर्तकों में सिगमण्ड फ्रायड (1938) डब्लू. राबर्टसन् स्मिथ और एफ.बी. जेवन्स (1913) के नाम विशेष रूप से उल्लेखनीय है। इन लोगों की मान्यता है कि टोटमवाद आदिम धर्म है और इससे धर्म की उत्पत्ति हुई है। "टोटम" के प्रति मानव आदर और श्रद्धा का भाव प्रकट करता था। इन लोगों की धारणा थी कि उनका विकास टोटमवाद के फलस्वरूप हुआ है। "टोटम" को आदिममानव अपने वंशजों का प्रतीक मानते थे। टोटम का बोध विकास से नहीं बल्कि जाति से होता था। आदिममानव की प्रत्येक टोली अपनी टोटम से आबद्ध रहती थी और यह टोटम उस टोली का प्रतीक होता था। इसी से उसका विशिष्ट काम भी पड़ता था। यह टोटम जातियां टोटम को अपनी टोली का संरक्षक मानते थे। यदि किसी जाति या टोली का सांप टोटम होता तो वह जाति "सर्प टोटम" होती थी और यह मान्यता थी कि सांप उसे कभी भी नहीं कांटता उस जाति के व्यक्तियों की रक्षा करता है।

टोटमवाद में यह भी देखा जाता है कि प्रत्येक जाति के सदस्य (Member) अपने को एक सामान्य पूर्वज की संतति मानते थे और उस जाति के व्यक्तियों के बीच भ्रातृभाव की भावना रहती थी। उस जाति के प्रत्येक सदस्य अपने टोटम को पवित्र मानता था। अधिकतर वे अपनी जाति के पशु का मांस भक्षण नहीं करते थे, परन्तु जब विशेष उत्सवों में टोटम पशुओं की बलि दी जाति थी, तो उस पशु का मांस प्रसाद के रूप में भक्षण होता था। बलि के समय टोटम पशु से क्षमा मांगना और बलि के पश्चात् शोक प्रकट करने की भी मान्यता प्रचलित थी। यह मान्यता थी कि पशु का मांस भक्षण करने के पश्चात् मनुष्य में उस टोटम पशु की शक्ति आ जाति थी। इस दंत कथा के आधार

पर ही कुछ विचारकों ने यह सिद्ध करने का प्रयास किया है कि उससे धार्मिक अनुभूति का विकास हुआ है। इसी फलस्वरूप अंतः शोधन और प्रायश्चित की भावना उत्पन्न हुई। कुछ विद्वानों ने टोटम को सामाजिक व्यवस्था की अपेक्षा धार्मिक व्यवस्था माना है और इसी आधार पर यह धर्मों को टोटमवाद की स्थिति से गुजरना पड़ता है।

जादू सिद्धांत (Magic Theory)- अनेक मानवशास्त्रीयों का विचार है कि धर्म की उत्पत्ति जादू से हुई है। जादू एक विशेष प्रकार का चमत्कार है जिसके द्वारा लोगों को अपनी ओर प्रभावित किया जा सकता है। विद्वान जादू को धर्म मानते हैं परन्तु अन्य उसे धर्म का विकृत रूप मानते हैं। उस संबंध में निश्चित रूप से कुछ भी नहीं कहा जा सकता कि जादू पहले हुआ या धर्म, परन्तु इतना अवश्य माना जा सकता है कि जादू किसी न किसी रूप में धर्म के अंग के रूप में अवश्य विद्यमान रहता है। फ्रेजर का मत है कि जादू से धर्म का विकास हुआ है। धर्म और जादू का संबंध अति प्राचीन है। प्राचीन धर्मों में धार्मिक चमत्कारों पर अधिक बल दिया जाता था। मानव को अपनी ओर खींचने के लिए विभिन्न सम्प्रदायों के सिद्ध, फकीर, आदि चमत्कारियों का सहारा या आश्रय लेते थे ।

फेटिशवाद सिद्धांत (Fatishism Theory)- फेटिश एक जड़ पदार्थ है, जिसमें आत्मा या शक्ति का वास है। फेटिश पुर्तगाली भाषा के फाइटिको शबद से बना है जिसका अभिप्राय है आकर्षण या रमणीयता। फेटिशवाद का सर्व प्रथम प्रयोग 15वीं शताब्दी में पुर्तगाल के निवासियों द्वारा किया गया। नाविक अपनी समुद्री यात्रा प्रारंभ करने के पूर्व शक्तिमान 'फेटिश' की आराधना करते थे। उनके विचार से यदि फेटिश की आराधना करते हैं, तो मार्ग में किसी तरह के तूफान की बाधा उत्पन्न नहीं होती। वे लोग अपने लिए जिसे शक्तिशाली समझते थे, उसे फेटिश कहकर उसकी पूजा करते थे। फेटिशवाद के अंतर्गत गुफा, कन्दरा, पर्वत, नदी आदि की पूजा उन्हें शक्तिशाली मानकर की जाती थी। प्रकृति की 'माना' शक्तियों तथा इन्द्रधनुष, बिजली, नदी, तूफान, बाढ़, भूकंप आदि को फेटिश मानकर आराधना की जाती थी

और उसकी उपासना की जाती थी। फेटिशवाद का चमत्कार समाप्त हो जाने पर उसकी शक्ति समाप्त समझ ली जाती थी और उसकी उपासना बन्द कर दी जाती थी।

धर्म की उत्पत्ति का मनोवैज्ञानिक सिद्धांत- धर्म की उत्पत्ति संबंधी मनोवैज्ञानिक अवधारणा के अंतर्गत मनोवैज्ञानिक सिद्धांत पर प्रकारान्तर में प्रकाश डालते हुए विभिन्न विद्वानों ने धर्म की उत्पत्ति को मनोवैज्ञानिक-जैविक प्रक्रियाओं द्वारा समझाने का प्रयास किया है। कुछ लोगों के अनुसार धर्म का उद्‌भव मनुष्य को भय के कारण हुआ। इस संदर्भ में प्रसिद्ध मानवशास्त्री मैलीनोवस्की (1926) के अनुसार धर्म भाव विशिष्ट भावात्मक परिस्थितियों में जन्मा और सक्रिय हुआ। पर फ्रॉयड के अनुसार धर्म ग्लानि की भावनाओं के कारण उत्पन्न होता है। आज का मानव आदिम मानव के ही मन, बुद्धि तथा शरीर को धारण करता है। प्राचीन से नवीन का विकास होता है। बुद्धि तथा शरीर के साथ धार्मिक विचार भी पीढ़ी-दर-पीढ़ी संक्रमित होते रहते हैं। हमारे आधुनिक धार्मिक मूल्य, संस्कार, प्रवृत्तियां और व्यवहार आदिम धर्म के ही परिमार्जित रूप हैं। मानव को धार्मिक बनाने में निम्नलिखित मनोवैज्ञानिक तत्व की प्रमुख भूमिका देखी जा सकती है:

1. धार्मिक प्रवृत्ति जन्मजात है। मनुष्य में जन्म से ही धर्म की ओर प्रवृत्त होने की महती उत्कण्ठा देखी जाती है। अन्य मूल प्रवृत्तियों की तरह मानव मन में धर्म की मूल प्रवृत्ति भी सहज रूप में विद्यमान है, जो मनुष्य को धार्मिक आचरण करने की प्रेरणा देती रहती है। जैसे भूख लगने पर भोजन और प्यास लगने पर पानी आवश्यक है, वैसे ही आध्यात्मिक भूख को शांत करने के लिए धर्म अपेक्षित है।
2. मानसिक क्रिया बिना शक्ति के प्रकाश में नहीं आ सकती है। संवेग, संकल्प, ध्यान, स्मृति, कल्पना, अनुभूति आदि मन की शक्तियां हैं। धर्म भी मानव-मन की एक शक्ति है, जिसके आधार पर मनुष्य धार्मिक बनता है।

3. धर्म के उत्पत्ति के मूल में कोई विशिष्ट मानसिक तत्व नहीं है, जो ज्ञान भाव और क्रिया से पृथक् किया जा सके। मानव-मन ज्ञान भाव और क्रिया से युक्त है। धार्मिक व्यवहार में भी उक्त तीन तत्व कार्य करते हैं। धार्मिक अनुभूति भाव प्रधान है। ज्ञान और क्रिया की अपेक्षा धर्म के संदर्भ में भाव की महत्वपूर्ण भूमिका है। मानसिक भाव ही धर्म की उत्पत्ति का एकमात्र कारण है। अतः धर्म की उत्पत्ति के मूल में मनोवैज्ञानिक भाव को देखता है।
4. धर्म की उत्पत्ति भय-भावना से हुई- टॉयलर (1871) का विश्वास था कि आत्मा की धारणा "जीव" की धारणा से उत्पन्न होती है, और आत्मा में विश्वास ईश्वर की अवधारणा में परिवर्तित हो जाता है। टायलर के समकालीन विचारकों ने धर्म के इस दृष्टिकोण को स्वीकार किया। ह्यूम भय को ही धार्मिक क्रियाओं का प्रेरक-तत्व स्वीकार करता है। आदिम काल में व्यक्ति अशुभ प्रेतात्माओं से भयभीत होकर उनकी पूजा-आराधना करता था और उनकी कृपा प्राप्त करने के लिए वह धार्मिक क्रियाओं का संपादन करता था। उसे विश्वास था कि प्रेतात्मा के संतुष्ट होने पर उसकी प्रवृत्तियां शांत होंगी और वह सुखमय जीवन बीता सकेगा।
5. आध्यात्मिक असंतोष से धर्म की उत्पत्ति हुई। आदिम मानव अनेक आवश्कताओं और समस्याओं से घिरा हुआ था। पग-पग पर उसे खतरा, असुरक्षा और अपूर्णता की अनुभूति होती थी। अपने आवश्यकताओं को संतुष्ट करने हेतु वह अतिन्द्रिय शक्ति 'माना' में विश्वास करता था और उसकी पूजा आराधना करके अपनी मूल प्रवृत्तियों को शांत करने का प्रयास करता था। आज भी धार्मिक व्यवहार के पीछे मानव की यही भावना कार्यरत है।
6. यह मनोवैज्ञानिक तथ्य है कि संवेग इसलिए उत्पन्न होता है कि वह क्रिया में प्रगट हो। निष्क्रिय संवेग अर्थहीन है। धर्म

वह संवेग है, जो बाह्य अभिव्यक्ति की मांग करता है। धार्मिक पंथ, संस्था, संस्कार, कर्मकाण्ड और देवालय इत्यादि धार्मिक संवेग की बाह्य अभिव्यक्तियां। मनोवैज्ञानिक के अध्ययन का विषय है। इस प्रकार धर्म की उत्पत्ति को बताने में मनोविज्ञान की सशक्त भूमिका है।

7. 'जीने की इच्छा' से जानने की इच्छा उत्पन्न हुई। प्रकृति की विचित्र घटनाओं और जीवन में परिव्याप्त दु:ख को सर्वत्र देखकर मानव में अनायास ही जानने की इच्छा उत्पन्न हो जाती है। यही इच्छा धर्म को जन्म देती है। धर्म यह दु:ख दर्द में पिसते हुए अस्तित्व को कायम रखने का उपक्रम है। मानव मन में ज्ञान-जिज्ञासा कैसे उदीप्त होती है इस समस्या का समाधान मनोविज्ञान करता है। अत: धर्म की उत्पत्ति को समझाने में मनोविज्ञान का विशेष योगदान रहा है।

धर्म की उत्पत्ति एवं विकास की ऐतिहासिक विधि- मानव-संस्कृति के उत्थान में धर्म की प्रमुख भूमिका रही है। प्रो. एटकिन्सन ली (1951) के अनुसार, धर्म के विकास की चार अवस्थाएं है: 1. प्रारंभिक धर्म, 2. प्राकृतिक धर्म, 3. मानवीय धर्म, 4. आध्यात्मिक धर्म। प्रो. गैलवे (1922) ने धर्म के विकास क्रम में केवल तीन अवस्थाओं को स्वीकार किया है यथा- 1. जातीय धर्म या आदिम धर्म, 2. राष्ट्रीय धर्म, 3. विश्वव्यापी धर्म। ज्यों-ज्यों मानव की वैचारिक शक्ति समुन्नत और समृद्ध होती गई, त्यों-त्यों धर्म का स्वरूप भी उत्तरोत्तर निखरता गया। आदिम धर्म जंगली जातियों की देन है। इसलिये यह धर्म विवेक-शून्य हैं, अंधविश्वास और रूढ़ियों का जमघट है।

आदिमकाल में मनुष्य पशुवत, जीवन-यापन करता था। जानवरों का शिकार करके वह अपना पेट भरता था। दैनिक आवश्यकताओं की संतुष्टि के अलावा उसके पास सोचने-विचारने की कोई विषय-वस्तु नहीं थी। हिंसक पशुओं, खूंखार मनुष्यों आदि से बचने के लिए वह टोली अथवा समूह में रहना पसंद करता था। जैसे उनका रहन-सहन

था, वैसे उसका धर्म भी था। प्राकृतिक प्रकोपों का वह भुक्तभोगी था। शिकार न मिलने पर उसे पूरा दिन उपवास में काट देना पड़ता था। इन सबके मूल में वह एक ऐसी शक्ति की कल्पना करने के लिए मजबूर हो गया जो उसके-नियंत्रण से बाहर थी। जादू-टोना के माध्यम से वह उस शक्ति पर अधिकार जमा न सका। असफलता की स्थिति में मजबूर होकर उसे अद्भूत शक्ति के प्रतीक के रूप में किसी वस्तु को स्वीकार करना पड़ा।

टोटमवाद में टोटम-शक्ति के रूप में पशु या वृक्ष को स्वीकार किया गया। मानावाद में माना-शक्ति से युक्त ताबीज या किसी धातु में आस्था पैदा की गई। प्रेतवाद में प्रेतात्मा को अद्भूत शक्ति से युक्त प्रतीक माना गया। कालांतर में चलकर टोटम, माना, फिटिश और भूत-प्रेत के स्थान पर अनेक दैवी देवताओं की कल्पना की गई। चमत्कार जादू-टोना, व्यक्तिगत शक्ति आदि के प्रति उपेक्षा का भाव जागा। बाद में चलकर देवी-देवता की धारणा तथा अनेकेश्वरवाद भी तथ्यहीन लगा। समस्त कल्पित देवी-देवताओं को एक ही सत् (परमसत्) की विविध अभिव्यक्तियों के रूप में लोगों ने स्वीकार किया। धीरे-धीरे धर्म को विज्ञान के प्रकाश में आगे बढ़ने का सुअवसर मिला। अंधविश्वास और रूढ़ियां टूटती गईं। विश्व के लोग एक-दूसरे के करीब आते गये। धर्म के नाम होने वाली हिंसात्मक घटनाएं भी कम होने लगीं। इस प्रकार एकेश्वरवार का जन्म हुआ। यह तो उपासनामूलक धर्म की एक ऐतिहासिक झांकी है। समाज में सांस्कृतिक उत्थान के साथ-साथ समाधि-मूलक धर्म का भी तेजी से प्रसार होने लगा। आध्यात्मिक मूल्यों को ईश्वर का स्थान दिया गया। समाज में मानवीय मूल्यों और नैतिक गुणों को सर्वोपरि स्थान दिया गया। ईश्वर के स्थान पर महामानव पूज्य बन गया। जैन-धर्म, बौद्ध-धर्म और अद्वैतवाद इसी कोटि के धर्म हैं। धर्म के विध्वंसात्मक रूप को देखकर समाज-वैज्ञानिकों (मार्क्स आदि) को साम्यवाद को धर्म की कोटि में रखा और ईश्वर को मृतक घोषित कर दिया। गैलवे (1922) के अनुसार धर्म के विकास का क्रम निम्नलिखित रूप से हुआ-

1. जातीय धर्म या आदिम धर्म- जातीय धर्म असभ्यकालीन धर्म है जो आज भी असभ्यों के बीच प्रचलित है। आदिमकाल में व्यक्ति की अपेक्षा जाति को अधिक महत्व दिया जाता था। जाति अथवा टोली द्वारा निर्धारित नियम के विरुद्ध आचरण करने वालों के लिए दण्ड का विधान था। आदिम धर्म को धर्म का आदि रूप माना जाता है। यही धर्म विकसित होने पर बाद में उपयोगी सिद्ध हुआ। पूर्वज आराधना से लोगों में नैतिक गुणों का विकास हुआ। प्राणवाद से आध्यात्मवाद का विकास हुआ और जादू-टोना से स्वाभिमान की भावना बलवती हुई। बौद्धों के हीनयान का यह विचार है कि अपनी प्रगति स्वयं करो। "आत्मदीपों भव" इसी भावना का विकसित रूप है। जातीय धर्म में अंधविश्वास की प्रधानता थी। यह धर्म जादू-टोना के साथ मिला-घुला था और चमत्कार एवं अहंकार का अड्डा बन गया था। आदिमकाल में घटनाओं की व्याख्या का आधार वैज्ञानिक न होकर धार्मिक था। उस समय आदिमानव हिंसक, स्वार्थी और नैतिक गुणविहीन था और उसका इष्ट भी नैतिक गुण विहीन था। व्यक्तित्वपूर्ण नैतिक गुण सम्पन्न ईश्वर का सर्वथा अभाव था।

2. राष्ट्रीय धर्म- टोलियों के परस्पर सहयोग एवं संगठन से राष्ट्रीय चेतना का उदय हुआ। धर्म के विकास के इतिहास में वह धर्म के मध्य की कड़ी है। इसी भावना से एकेश्वरवाद का विकास हुआ। देवताओं को प्राकृतिक शक्तियों का अधिष्ठाता माना गया और प्राकृतिक शक्तियों में मानवीय गुणों का आरोप हुआ। समस्त देवताओं के मूल में एक ही ईश्वर को स्वीकारा गया और राष्ट्र में व्याप्त मतभेद समाप्त कर दिया गया। ईश्वर की पूजा-अभ्यर्थना प्रारंभ हुई। लोगों में श्रद्धा, विनम्रता, प्रेम और कृतज्ञता के भाव जगे। अहंकार और चमत्कार का विनाश हुआ। नैतिक गुणों की अभिवृद्धि हेतु ईश्वर की प्रार्थना प्रारंभ हुई। बहुजीववाद के स्थान पर देववाद, अहंकार के स्थान पर विनम्रभाव, पूर्वजपूजा के स्थान पर ईश्वर पूजा प्रतिष्ठित हुई। ईश्वर को सर्वव्यापी, विश्वव्यापी और विश्वातीत माना गया। नैतिकता और आध्यात्मिकता की जड़ मजबूत हुई और नैतिक व्यवस्था के प्रति लोगों में आस्था जागी।

3. विश्व धर्म- यह आध्यात्मिक धर्म के विकास का चरम है। विश्व-धर्म जाति या राष्ट्र की सीमा से स्वतंत्र है और विश्व के समस्त प्राणियों को समान दृष्टि से देखने का प्रयास है। यह बाह्य आडम्बर और पाखण्ड से सर्वथा मुक्त है। यह धर्म व्यक्तिगत स्वतंत्रता को महत्व देता है और मानवीय मूल्यों का साझा करता है। विश्व में जहाँ कहीं जो कुछ भी अच्छा है, उसे बेहिचक ग्रहण कर लेता है। यह धर्म विश्व के प्रतिभा सम्पन्न महापुरुषों की नैतिकदृष्टि से समर्थित धर्म है, जो देश-काल की सीमा से परे प्राकृति का सार्वभौम है। यही विश्व धर्म है। यह धर्म व्यक्ति को स्वावलम्बी बनाता है और उन्हें व्यक्तिगत शक्ति का सदुपयोग करके स्वयं आगे बढ़ने का उपदेश देता है। अतः विश्व धर्म प्रत्येक व्यक्ति को समानता के उच्च शिखर पर स्थान देता है।

निष्कर्ष- धर्म की उत्पत्ति का मुख्य आधार मानव जीवन से है अर्थात् जब से मनुष्य की उत्पत्ति हुई है इसके साथ-साथ ही धर्म की उत्पत्ति हुई है। यह मानना उचित है कि धर्म मानव जीवन में ही पाया जाने वाला एक मानवीय गुण है। ऐतिहासिक एवं प्राकृतिक दृष्टिकोण से धर्म की उत्पत्ति हुई है। धीरे-धीरे इनका विकास हुआ। शुरूआत में प्राकृतिक घटनाओं और विचित्रता के रहस्यों ने मानव जीवन को प्रभावित किया और धीरे-धीरे वे अपने अस्तित्व की रक्षा और जीवन की सुरक्षा के लिए ईश्वर रूपी अलौकिक शक्ति की कल्पना की। बाद में यही विषय धर्म बना और धर्म का विकास मानवीय घटनाओं एवं विचारों का प्रतिफल है। धर्म की उत्पत्ति एवं विकास के संबंध में वर्णित समस्त विचारों से यह स्पष्ट होता है कि आदिमानव में आदिमधर्म का प्रचलित रूप हिंसक एवं डरावना था। बाद में पूर्वज पूजा, देवपूजन, जादू-टोना आदि के रूप में व्याप्त हुई।

इस प्रकार धीरे-धीरे 'धर्म' का विकास मानव के सभ्य जीवन के साथ होता गया। जिसका विकसित रूप राष्ट्रीय धर्म बना। जहां अनेक प्रकार की रूढ़ियां, परंपराएं एवं बुराईयां थी। बाद में नैतिक गुणों के साथ आध्यात्मिकता की आस्था जगी, तत्पश्चात् लोगों में नैतिक व्यवस्था के प्रति आस्था जगी। अंततः आदिम धर्म से राष्ट्रीय धर्म तथा सर्वोच्च

रूप से वर्तमान में विश्व धर्म के विकास का चरम रूप है। विश्व धर्म को पहचानने की क्षमता सब में नहीं है। जिसकी नैतिक-दृष्टि अथवा दिव्यदृष्टि विकसित है। वही विश्व धर्म को पहचान सकता है और उसका सदस्य बन सकता है। उपरोक्त लेख से यह ज्ञात होता है कि धर्म की उत्पत्ति एवं विकास एकाएक नहीं हो गया बल्कि समय के साथ मानव के व्यवहार एवं सभ्यता में धीरे-धीरे बदलाव के साथ होता गया। जो आज धर्म के वास्तविक अर्थ को व्यापक रूप में मानवीय कल्याण हेतु विकसित रूप में प्रकट हुआ, जिसका मुख्य उद्देश्य मानवीय प्रेम का संदेश है।

धर्म दर्शन का क्षेत्र और धर्म दर्शन की विधियाँ

1. श्रुतिमूलक विधि
2. अंत:प्रज्ञात्मक विधि
3. बौद्धिक विधि
4. अनुभवात्मक विधि

धर्म और नैतिकता में क्या संबंध है? क्या धर्म ही नैतिकता का आधार है? अथवा क्या धर्म स्वयं नैतिकता पर आधारित है? मानव के जीवन का अंतिम लक्ष्य क्या है? क्या यह लक्ष्य मुक्ति अथवा मोक्ष है? यदि हाँ, तो इस मोक्ष का वास्तविक स्वरूप क्या है और इसे किन उपायों द्वारा प्राप्त किया जा सकता है? क्या धर्म और विज्ञान में अनिवार्य विरोध है? अथवा क्या ये दोनों परस्पर परक हैं? श्रद्धा, आस्था एवं श्रुति का क्या अर्थ है और मनुष्य के धार्मिक जीवन में इनका क्या स्थान है? क्या आस्था और तर्कबद्धि अनिवार्यत: परस्पर विरोधी है? अथवा क्या इन दोनों को एक-दसरे का पूरक माना जा सकता है? क्या तथ्यात्मक ज्ञान की भांति धार्मिक ज्ञान भी संभव है? यदि हाँ, तो इस धार्मिक ज्ञान का स्वरूप क्या है और इसकी प्रामाणिकता के लिए कौन-से प्रमाण प्रस्तुत किए जा सकते हैं? धार्मिक भाषा का स्वरूप क्या है? क्या यह भाषा अन्य सभी प्रकार की भाषाओं से भिन्न होती है? क्या मानव-जीवन

के लिए संसार के सभी धर्मों का मूल्य अथवा महत्त्व समान है? क्या इन सभी धर्मों में किसी प्रकार के समन्वय की कोई संभावना है? क्या मानवतावाद को वास्तविक अर्थ में 'धर्म' माना जा सकता है और क्या यही मनुष्य के लिए सर्वोच्च धर्म है? इन सभी तथा ऐसे ही अन्य अनेक प्रश्नों पर धर्म-दर्शन के अंतर्गत तार्किक दृष्टि से विचार किया जाता है। धर्म-दार्शनिक पूर्वाग्रहों से मुक्त होकर इन सभी प्रश्नों के तर्कसंगत उत्तर खोजने का प्रयास करता है। प्रस्तुत पुस्तक के अगले अध्यायों में धर्म-दर्शन संबंधी इन सभी प्रश्नों पर विस्तारपूर्वक विचार किया जाएगा। यहाँ इतना कह देना ही पर्याप्त है कि ये सभी प्रश्न धर्म-दर्शन के क्षेत्र की व्यापकता को स्पष्ट रूप से प्रमाणित करते हैं।

उपर्युक्त सभी प्रश्नों पर निष्पक्ष रूप से विचार करने तथा उनके तर्कसंगत उत्तर खोजने के लिए धर्म-दर्शन उन सभी नियमों का प्रयोग करता है जो दर्शन के आधारभूत नियम हैं और जिनका उल्लेख हम इस अध्याय के दुसरे खंड में कर चुके हैं। इन नियमों की सहायता से धर्म-दर्शन प्रत्येक प्रश्न से संबंधित सभी तथ्यों की निष्पक्ष रूप से परीक्षा करके पर्याप्त एवं विश्वसनीय प्रमाणों के आधार पर उसका तर्कसंगत उत्तर देने का प्रयास करता है। धर्म-दर्शन धर्म संबंधी समस्याओं की विवेचना के लिए इन नियमों का प्रयोग किस प्रकार करता है, इस प्रश्न पर हम पिछले खंड में विचार कर चुके हैं, अतः यहाँ इस संबंध में अधिक विस्तार से कुछ कहने की आवश्यकता नहीं है। वस्तुतः दर्शन विषयक ये मूल नियम धर्म-दर्शन की विवेचना-प्रक्रिया के अनिवार्य अंग हैं। इन नियमों के अतिरिक्त धर्म संबंधी समस्याओं की विवेचना के लिए धर्म-दर्शन इतिहास, मनोविज्ञान तथा समाजशास्त्र से भी सहायता लेता है।

हम इतिहास और मनोविज्ञान में धर्म से संबंधित कुछ विशेष तथ्यों पर विचार करते हैं। इन तथ्यों का समुचित ज्ञान धर्म-दर्शन के लिए धर्म संबंधी समस्याओं की विवेचना में सहायक हो सकता है। उदाहरणार्थ धर्म विषयक इतिहास से वह यह जान सकता है कि धर्म की उत्पत्ति तथा उसके विकास के मूल कारण क्या थे और विभिन्न युगों में धर्म ने

मानव-समाज को किस प्रकार प्रभावित किया। इससे धर्म-दार्शनिको को यह ज्ञात हो सकता है कि प्राचीन काल से वर्तमान युग तक मनुष्य के धार्मिक जीवन में कौन-कौन-से परिवर्तन हुए, इन परिवर्तनों के प्रमुख कारण क्या थे और इन्होंने उसके व्यक्तिगत तथा सामाजिक जीवन पर क्या प्रभाव डाला। ये ऐतिहासिक तथ्य धर्म-दार्शनिक के लिए धर्म के निष्पक्ष मूल्यांकन में बहुत सहायक हो सकते हैं।

इसी प्रकार धर्म संबंधी मनोविज्ञान से धर्म-दार्शनिक यह जान सकता है कि धार्मिक अनुभूति का स्वरूप क्या है और इसका मानव के व्यवहार पर क्या प्रभाव पड़ता है। इससे वह यह भी जान सकता है कि धार्मिक अनुभूति का उदय कैसे होता है, यह अनुभूति धर्मनिरपेक्ष अनुभूतियों से किस प्रकार भिन्न होती है और यह मनुष्य के संपूर्ण जीवन को किस सीमा तक प्रभावित करती है। ये तथा ऐसे ही अन्य मनोवैज्ञानिक तथ्य उसके लिए मानव-जीवन में धर्म की भूमिका की तथ्यपरक विवेचना करने में बहुत सहायक हो सकते हैं।

धर्म विषयक इतिहास तथा मनोविज्ञान के अतिरिक्त धर्म संबंधी समाजशास्त्र से भी धर्म-दार्शनिक को मनुष्य के सामाजिक जीवन में धर्म की भूमिका को समझने में पर्याप्त सहायता प्राप्त होती है। इससे उसे यह ज्ञात होता है कि ईश्वर, आत्मा, प्रार्थना, आस्था, पाप, पुण्य आदि धार्मिक अवधारणाओं का मनुष्य के सामाजिक जीवन में क्या महत्त्व है। वस्तुतः समस्त धार्मिक अवधारणाओं की समाजशास्त्रीय व्याख्या ने धर्म-दार्शनिक के समक्ष धर्म का एक ऐसा नवीन आयाम प्रस्तुत कर दिया है जिसकी ओर अभी तक कोई विशेष ध्यान नहीं दिया गया था। धर्म विषयक समाजशास्त्र की सहायता से धर्म-दार्शनिक मानव के सामाजिक जीवन में धर्म की उस अच्छी या बुरी भूमिका को भलीभाँति जान सकता है जो वह एक सामाजिक संस्था के रूप में प्राचीन काल से अब तक निभाता आ रहा है और जिस के कारण उसकी प्रशंसा अथवा निंदा की जाती रही है। इस प्रकार धर्म-दर्शन के लिए धर्म विषयक इतिहास तथा मनोविज्ञान की भाँति धर्म संबंधी समाजशास्त्र का भी बहुत महत्त्व है। वास्तव में धर्म-दर्शन अनेक मूल समस्याओं के विवेचन तथा

मूल्यांकन के लिए इन तीनों से उन प्रासंगिक तथ्यों का संकलन करता है। जिनका किसी न किसी रूप में धर्म के साथ संबंध है। संक्षेप में यह कहा जा सकता है कि धर्म संबंधी तथ्यों के संकलन की दृष्टि से इतिहास, मनोविज्ञान तथा समाजशास्त्र ये तीनों धर्म-दर्शन के लिए पर्याप्त सीमा तक सहायक सिद्ध होते हैं।

धर्म दर्शन का क्षेत्र

किसी भी विषय की पूर्ण जानकारी के लिए उस विषय के काल स्थिति तथा उसके सिद्धांतों का इतिहास, उसकी उत्पत्ति, विषय का विज्ञान अति आवश्यक माना जाता है, तभी उसके तार्किक व बौद्धिक विवेचना में सरलता आती है। इसी तरह धर्म दर्शन भी धर्म की उत्पत्ति, इतिहास मनोवैज्ञानिक विचार तथा उसका करीबी प्रत्येक क्षेत्र का पुनर्मूल्यांकन करता है। इसलिए धार्मिक तथ्यों को दो पक्षों में बैठकर देखा जा सकता है–

1. अनुभूति के विषय के रूप में
2. बाह्य निरीक्षण के विषय के रूप में

अतः धर्म दर्शन को इन विषयों को जानने तथा उनकी व्याख्या को करना पड़ता है। स्पष्टतः यह कार्य अकेले धर्म दर्शन नहीं कर सकता है। इसके लिए विभिन्न विषयों के विशेषज्ञों की आवश्यकता पड़ती है। धर्म तथ्यों की मनोवैज्ञानिक, ऐतिहासिक अध्ययन के लिए उसके कालक्रम का ज्ञान आवश्यक होता है। इसे धर्म दर्शन का कार्य तथा उसके संतुलन के रूप में लक्ष्य को भी दो भागों में बांट कर तथा कार्यों को दो भागों में बांट कर देखा जा सकता है–

1. धर्म का तथ्यात्मक अध्ययन
2. धार्मिक अनुभूतियों का यथार्थ मूल्य अर्थात् यह दोनों धर्म दर्शन के सन्दर्भ में एक दूसरे का पूरक दिखाई पड़ता है। पाश्चात्य दर्शन में यद्यपि दोनों को अलग-अलग करके भी मूल्यांकन किया गया है।

कांट के अनुसार केवल तथ्यात्मक अध्ययन स्वयं में निरुद्देश है। तत्वविहीन अशुद्ध बौद्धिक चिंतन अपने आप में खोखले हैं। दार्शनिक विवेचन के बिना धार्मिक इतिहास तथा धर्म का तथ्यात्मक ज्ञान अंधा है।

इतिहास व धर्म का तथ्यात्मक विज्ञान के बिना दर्शन भी पंगु है। धार्मिक तथ्यों के ज्ञान के बिना दर्शन धार्मिक तथ्य पर आधारित दिखाई पड़ता है। इस प्रकार प्रत्यक्ष अनुभूति रहित विचार निरर्थक होगा उसी प्रकार धर्म के वास्तविक स्वरूप की अपेक्षा करके, जो तथ्यात्मक अध्ययन किया जाएगा, विचार रहित प्रत्यक्ष का उदाहरण होगा। निस्संदेह तथ्यात्मक ध्यान से रहित धर्म-दर्शन काल्पनिक चिंतन मात्र है तथा दार्शनिक मीमांसा रहित ज्ञान अंधे एवं नीरूउद्देश्य है।

धर्म दर्शन सर्वप्रथम धर्म विज्ञान से धर्म के संबंध में आवश्यक जानकारी प्राप्त करता है। धर्म इतिहास से यह धर्म की उत्पत्ति और विकास के बारे में जानकारी प्राप्त करता है। तुलनात्मक धर्म के अध्ययन से धर्म दर्शन को विभिन्न धर्मों संप्रदायों की जानकारी मिलती है। जिससे वह उनकी समानता पर भी मान्यताओं को स्पष्ट करने में समर्थ होता है।

फेनामिनालॉजी तथा अन्य संबंधित धर्म विषयक विषय धार्मिक तथ्यों के आधार पर संकलन एवं वर्गीकरण संभव नहीं हो पाता है, किंतु तथ्यों के संकलन मात्र से कार्य को पूर्णता नहीं मिलती है, क्योंकि तथ्य स्वयं में कुछ नहीं होता है। तत्वों के बौद्धिक विश्लेषण से ही धार्मिक तथ्यों का अर्थ निर्धारित किया जा सकता है। इसलिए धर्म के आंतरिक स्वरूप के ज्ञान को मनोवैज्ञानिक विवेचन पूर्ण करता है तथा बाह्य स्वरूप का ज्ञान धर्म की ऐतिहासिकता से प्राप्त होता है।

अतः स्पष्ट है कि उपर्युक्त कारणों से धर्म दर्शन धर्म का इतिहास तथा धर्म का मनोविज्ञानिक अध्ययन करता है। धर्म का मनोविज्ञानिक व तात्विक अध्ययन धार्मिक समस्याओं का विवेचन करता है, क्योंकि तात्विक पृष्ठभूमि इंद्रियों धार्मिकता पर आधारित होती है। इसलिए धर्म आत्मनिष्ठ नहीं होता है। इसमें विश्व अतीत परम सत्य का ज्ञान एवं उससे पवित्र संबंध होने का साक्ष्य निहित है। कभी-कभी यह आर्थिक स्वरूप को स्पष्ट करने का भी कार्य करता है।

अतः धर्म-दर्शन वहां से प्राप्त ज्ञान के स्वरूप व उसकी प्रामाणिकता का मूल्यांकन करता है, जहाँ से धर्म की व्यवहारिकता को प्रमाणित किया जा सके। इस कार्य के संपादन में ज्ञान के विभिन्न आयाम बुद्धिवाद अनुभववाद समीक्षावाद के संदर्भ में परिणित है। वस्तुतः धार्मिक ज्ञानों का अर्थ जानना उतना महत्वपूर्ण नहीं है। जितना कि उनके सत्य-असत्य का निर्धारण करना अनिवार्य हो जाता है। विश्व के सभी धार्मिक मान्यताएं विचारधारा आदि तार्किक रूप पर आधारित न होकर सभी श्रद्धा, आस्था पर आधारित प्रतीत होते हैं। अतः यह सभी विश्वास एवं आस्था धार्मिक कोटि के व्यक्ति के लिए काल्पनिक न होकर वास्तविक होती है।

धर्म दर्शन श्रद्धा एवं ज्ञान के विषय का विवेचन करता है। क्या श्रद्धा वास्तविक ज्ञान का साधन है। इसका कोई वैज्ञानिकता तथा तार्किक ज्ञान से कोई संबंध नहीं है। इसलिए धर्म दर्शन का क्षेत्र अत्यंत व्यापक एवं विस्तृत हो जाता है। इसके अंतर्गत नीतिशास्त्र, धर्म विज्ञान के सभी पहलुओं का अनुभव बुद्धि के साथ अन्य साधनों के द्वारा मूल्यांकन किया जाता है। इसके अंतर्गत धार्मिक तथ्यों का वर्गीकरण विश्लेषण कर उनके अनुरूप तार्किक एवं धार्मिक विश्लेषण के द्वारा उचित सामंजस्य स्थापित करना है। जिससे सभी के बीच उचित संबंध स्थापित हो सके। अर्थात् धर्म-दर्शन सामाजिक मान्यताओं धार्मिक परंपराओं लौकिक एवं वैज्ञानिक मान्यताओं से मुक्त रहने का प्रयास करता है। साथ ही साथ धर्म दर्शन विभिन्न धार्मिक एवं दार्शनिक परंपराओं से प्राप्त परमार्थिक सत्य एवं मूल्य संबंधी अवधारणा को भी ग्रहण नहीं करता है, बल्कि उनका बौद्धिक विवेचन करता है। वह हमेशा उन परंपराओं मान्यताओं को प्रमाणिक विवेचन करने का प्रयास करता है। जिस तरह कमल कीचड़ पर पोषित होता है। अपनी सुंदरता को उससे विरक्त रूप में बनाये रखता है। अतः धर्म संबंधी सभी उपलब्ध तथ्यों का दार्शनिक विवेचन धर्म दर्शन का विषय है। इसलिए धर्म दर्शन को धार्मिक अनुभूतियों का दार्शनिक विवेचन कहा जाता है। धर्म दर्शन का विषय धर्म के तथ्यात्मक, तात्विक स्वरूप का आध्यात्मिक एवं

तार्किक विवेचन है। धर्म दर्शन के क्षेत्र एवं विधियों की विवेचन के पश्चात् धर्म-दर्शन की आवश्यकता पर विचार करना अतिआवश्यक एवं प्रासंगिक प्रतीत होता है। जिससे धर्म दर्शन के स्वरूप और उसके अंदर व्याप्त जटिलता का स्पष्टीकरण एवं पारदर्शिता प्राप्त हो सके। धर्म-दर्शन तार्किक एवं बौद्धिक आधार पर धर्म की आलोचनात्मक व्याख्या है। धर्म की मौलिकता को स्पष्ट करने का प्रयास करता है। धर्म दर्शन धर्म में व्याप्त अंधविश्वास जादू-टोना धर्म संबंधी भ्रांतियों के विषय में निष्पक्ष मूल्यांकन करता है।

जिससे मनुष्य के विचार एवं क्रिया का लाभ जीवन के उद्देश्य के अनुरूप बने रहे। वह धार्मिक मान्यताओं, परंपराओं, अंधविश्वासों की तार्किक परीक्षा न करने पर जो सबसे बड़ी समस्या उत्पन्न होती है। धर्म के सही स्वरूप को न जान पाना तार्किक विश्लेषण के फलस्वरूप धर्म दर्शन को ऐसे विचारों से मुक्त करता है, जो इसकी आवश्यकता को महसूस करता है।

धर्म के सत्य अन्वेषण के लिए धर्म दर्शन की आवश्यकता हुई, परंतु कुछ धर्म परायण विचारक धर्म दर्शन की उपाय देन को स्वीकार करते हैं। उसे धर्म के लिए अनावश्यक मानते हैं। इन विचारकों में कालवर्थ एमिल रूनर रोनाल्ड का नाम उल्लेखनीय है। उनका विचार है कि **ईश्वर की वचनों को मानवीय तर्क बुद्धि द्वारा नहीं बल्कि स्वयं ईश्वर की अनुग्रह द्वारा ही समझा जा सकता है** जिसका आधार केवल आस्था है। यह आस्था भी स्वयं ईश्वर अपनी इच्छा अनुसार किसी विशेष व्यक्ति को उपहार स्वरूप प्रदान करता है।

ईश्वर सभी मनुष्यों को दैविक ज्ञान प्रदान नहीं करता है। वह किन्हीं विशेष व्यक्तियों को यह ज्ञान प्रदान करता है। ऐसे विचारों के कारण ऐसे विचारक धर्म दर्शन को परिष्कृत करते हैं। वस्तुतः धर्म दर्शन का कार्य धर्म का खंडन या मंडन करना नहीं है, बल्कि धर्म की बौद्धिक एवं तार्किक विवेचन करना है। अतः जो मान्यताएं विचारधारा एवं परंपराएं धर्म-दर्शन के क्षेत्र व उद्देश्य की पूर्ति के लिए बाधक सिद्ध होती है।

वह न तो धर्म के लिए सहायक हो सकती है, और न ही विवेकशील प्राणी के लिए सहायक हो सकती है।

निष्कर्ष: संक्षेप में कहा जा सकता है, धर्म दर्शन का कार्य एवं क्षेत्र अत्यंत व्यापक इसलिए हो जाता है, क्योंकि इसके अंतर्गत विश्व के सभी धर्म के नैतिक नियम के साथ मान्यताओं एवं संस्कृति का समावेश होता है।

धर्म दर्शन और धर्म शास्त्र में संबंध

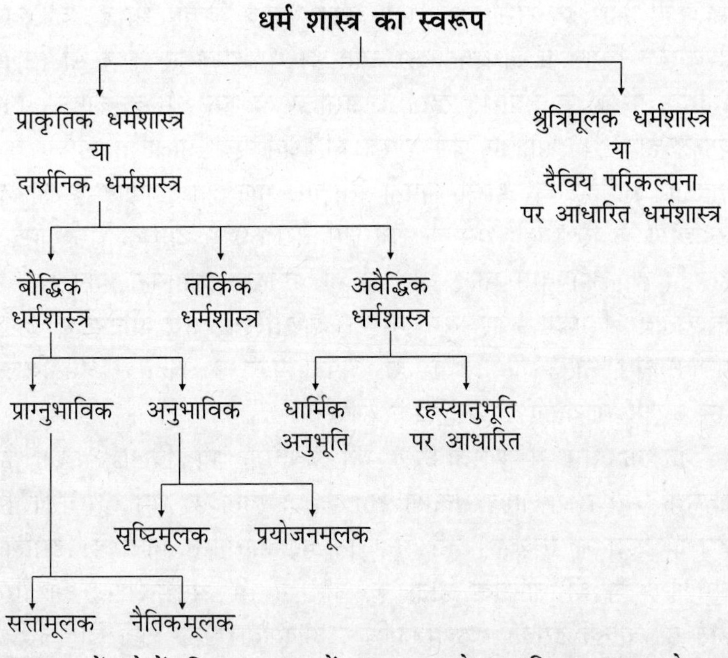

समग्रता में दोनों विषय वस्तुओं का अवलोकन किया जाए तो यह दृष्टिगोचर होता है कि धर्म दर्शन एवं धर्म शास्त्र में बहुत ही गहरा संबंध है। धर्महीनता की अनुपस्थिति में धर्म दर्शन का विवेचन करना उस तरह होगा जिस तरह बिना रोग के निवारण करना, बिना समस्या के समाधान ढूंढ़ना धर्मशास्त्र ही धर्म दर्शन के विषय को विचार प्रदान करता है जिसका धर्म-दर्शन मूल्यांकन एवं विश्लेषण करता है। अंग्रेजी

में धर्मशास्त्र शब्द **थियोलॉजी** का समानार्थी माना जाता है। जिसका शाब्दिक अर्थ **ईश्वर शास्त्र** है। शास्त्रीय विधि से धर्म का अध्ययन ही धर्म शास्त्र का कहलाता है। धर्म शास्त्र में धर्म दर्शन का अत्यंत निकट संबंध है, जो यह सिद्ध करता है कि धर्म शास्त्र विज्ञान से मेल खाता है। हर युग के प्रगतिशील चिंतक ने धर्म शास्त्र के बदले स्वरूप के अनुसार उसकी आलोचना की है।

धर्मशास्त्र का आलोचक वैज्ञानिक अनिश्वरवाद का अभिन्न अंग है। धर्मशास्त्र के अपने प्रमुख लक्षण यथार्थवादी सत्तावादी इत्यादि हैं, साथ ही साथ इन सभी के अपने-अपने स्वतंत्र विचार भी हैं, जो स्वयं ईश्वर के विषय में अध्ययन कर आते हैं। धर्मशास्त्र सदैव किसी विशेष धार्मिक परंपरा से संबंधित रहता है। इसलिए प्रत्येक धर्म के अपने-अपने शास्त्र होते है। इसीलिए धर्म शास्त्र की धर्म एवं आधारित अपनी कई शाखाएं भी हैं, जो अपनी-अपनी विशिष्ट गुण का गुणगान करती है। उदाहरण के लिए हिंदू धर्म के शैव धर्म जैसे 60 से अधिक धर्म शाखाएं इत्यादि हैं। इसी तरह बौद्ध धर्म के भी हीनयान, महायान, जैन धर्म में विश्वेतांबर-दिगंबर ईसाई धर्म में भी **कैथोलिक एवं प्रोटेस्टेंट** आदि प्रत्येक धर्म का आधार विचार का अपना मूल्य है। जहां से धर्म विशेष की अलग मान्यताएं उत्पन्न होती हैं।

प्रत्येक धर्म में शास्त्रीकरण की प्रवृतियां भी दिखाई पड़ती हैं। जिसके कारण धर्मशास्त्र संकीर्ण रूप में बंद रहता है। धर्म संबंधी परंपरा हमेशा श्रद्धा व विश्वास की मनोवृति पर आधारित होती है। इसलिए धर्मशास्त्र न ही तार्किक होता है, और न ही अनुभव पर आधारित होते हैं, बल्कि इसका स्वरूप अधिक आदर्शवादी हो जाता है। जिसको व्यवहार में लाना अत्यन्त कठिन हो जाता है। धर्म शास्त्र की विधियां श्रद्धा और विश्वास आस्था पर आधारित होती हैं। धर्म शास्त्र में धर्म की स्थापना होती है, तो धार्मिक प्रवृत्तियों का भी समावेश होता है। जिसे धार्मिकता के लिए ठोस प्रमाण व विचारों का सृजन होता है, अर्थात् धर्म या धर्म शास्त्र में सब कुछ धार्मिक न होकर कुछ कर्मकाण्डीय हो जाता है। जो समाज के लिए पूरी तरह सात्विक नहीं रह जाता है।

ऐतिहासिकता की दृष्टि से धर्मशास्त्र के दो रूप दृष्टिगोचर होते हैं–

1. प्राकृतिक धर्मशास्त्र
2. प्रकाशित धर्मशास्त्र

अर्थात् प्राकृतिक धर्मशास्त्र में धर्म का **बौद्धिक या दार्शनिक विवेचन** होता है। यह दूसरे रूप में धर्मदर्शन के वास्तविक स्वरूप को स्पष्ट करता है। यह धर्म दर्शन के नियमों का पालन करते हुए धर्म शास्त्र का यथार्थ विवेचन करता है। भारत में उपनिषदों का दर्शन इसका मुख्य एवं उत्कृष्ट उदाहरण प्रतीत होता है। जबकि प्रकाशित धर्मशास्त्र इसके विपरीत श्रद्धा एवं आस्था से दूर होते है। ऐसे धर्मशास्त्र का धर्म के प्रति विचार वैश्विक न होकर व्यक्तिपरक होता है। यह एक प्रकार से युक्तिगत धर्म माना जाता है।

कुछ विचारक इस विभेद को अस्वीकार करते हुए तर्क देते हैं, कि धर्मशास्त्र धर्म का शास्त्रीय विवेचन है, तो धर्मदर्शन धर्म का बौद्धिक विवेचन है। इन दोनों में परस्पर भिन्नताएं भी प्रतीत होती हैं। उनमें अनेक संबंध भी हैं। वास्तव में धर्मदर्शन एवं धर्मशास्त्र में अनेक असमानता उनके क्षेत्र विस्तार, लक्ष्यविधि एवं दृष्टिकोण इत्यादि के कारण आता है जो इस प्रकार प्रतीत होते हैं।

धर्मशास्त्र एवं धर्मदर्शन में अन्तर

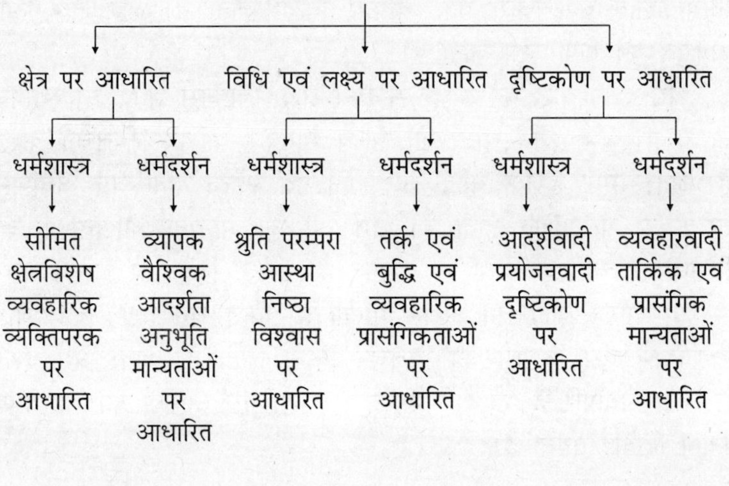

1. क्षेत्र विस्तार के आधार पर

धर्म शास्त्र का क्षेत्र धर्म विशेष व चरित्र विशेष तक ही सीमित होता है। वह किसी विशिष्ट परंपरा से संबंधित होता है। इसलिए धर्म के संदर्भ में धर्म शास्त्रियों का विचार सिद्धान्त सीमित एवं धर्म की परिधि में घूमता रहता है। वह धर्म के अर्थ को स्वयं के धार्मिक विचार के रूप में प्रकट करते हैं। धर्मशास्त्र अपने द्वारा निर्दिष्ट विचार, चरित्र मान्यता एवं परंपरा इत्यादि गुण का गुणगान करता है तथा उन्हें ही जीवन संदर्भित आवश्यकताओं का आधार मान लेता है।

इसके विपरीत धर्म-दर्शन का क्षेत्र **वैश्विक आदर्श** को दर्शाता है तथा धर्म की परिभाषा निष्पक्ष व **बौद्धिक तार्किक** रूप से करता है। वह किसी विशिष्ट धर्म का मूल्यांकन धर्म के साथ निष्पक्ष एवं बौद्धिक तार्किक रूप से करता है। वह किसी विशिष्ट धर्म का मूल्यांकन न करके धर्म के साथ भी ग्रुप को वर्णित करता है। धर्म संबंधी अनुभूतियों मान्यताओं आदि का दार्शनिक विवेचन करता है।

2. लक्ष्य और विधियों में विभिन्नताएं

धर्म शास्त्र व धर्म दर्शन दोनों का विषय धर्म ही है, परंतु इनके लक्ष्य एवं विधि अलग-अलग हैं। धर्म शास्त्र में श्रुति परंपरा निष्ठा विश्वास आस्था इत्यादि को धार्मिक ज्ञान का उत्तम स्रोत मानकर धार्मिक क्रियाकलाप व विचारों को स्वीकार किया जाता है। जहां तर्क और अनुभव को गौण रखा जाता है।

धर्म दर्शन बुद्धि को साधन मानकर श्रद्धा विश्वास आदि की स्थापना करता है। धर्म दर्शन बुद्धि को साध्य मानकर बौद्धिक विवेचन करता है। अतः स्पष्ट है कि बुद्धि का स्थान एवं महत्व दोनों जगह विभिन्न तरीके से परिलक्षित होता है। धर्म की जो मान्यता बौद्धिक विचार विरोधी है। बौद्धिक दृष्टि से असंगत है। उसके विषय में निर्णय करने में धर्म शास्त्र बुद्धि को अक्षम मानता है, किंतु धर्म दर्शन वह विधि है जिसमें ऐसे विचारों का विवेचन किया जाता है। अतः धर्म दर्शन में बुद्धि सर्वोपरि है, तो धर्म शास्त्र में श्रद्धा एवं आस्था का महत्वपूर्ण स्थान दिखाई पड़ता है।

3. दृष्टिकोण विभिन्नता

जब क्षेत्र लक्ष्य और विधियों में विभिन्नता रहती है, तो दृष्टिकोण और समानताएं होना तर्कसंगत है। धर्म शास्त्र धर्म का वर्णन **आदर्शवादी एवं प्रयोजनवादी** दृष्टि से करता है, जबकि धर्म दर्शन धर्म की विवेचना स्वतंत्र तार्किक चिंतन एवं व्यवहारिकता के आधार पर करता है। एकाग्रचित्त होकर इस पर दृष्टिगत करें तो विश्व के सभी धर्म शास्त्रों जैसे गीता, महाभारत, रामायण, बाइबल, कुरान अवस्था इतिहास ईश्वर की मीमांसा की विवेचना करते हैं। जैसा कि बाइबिल में बताया गया है कि हर एक पवित्र शास्त्र परमेश्वर की प्रेरणा से रचा गया है। इसका उद्देश्य समझाने और सुधारने तथा धर्म की शिक्षा के लिए लाभदायक माने गए हैं। ताकि परमेश्वर का जन्म सिद्ध रहे। हर एक समाज के लिए तत्पर धर्म शास्त्रों की दृष्टि स्वतंत्र चिंतन पर न होकर प्रयोजनवादी होता है। जीवन के मूल्यों के आधार स्वरूप में सभी धर्म शास्त्र स्वयं के विचारों को ही विशेष रूप में मान्यता प्रदान करते हैं।

धर्म दर्शन का दृष्टिकोण व्यवहारिकता तक सीमित नहीं होता है और न ही धर्म दर्शन का विचार किसी परंपरा विशेष के हित में या प्रचार के रूप में होता है। वह तो धर्म के सतत मूल्यों का बौद्धिक वर्णन करता है। इन सभी विचारों में धर्म दर्शन का दृष्टिकोण तार्किक एवं अनुभव पर आधारित माना जाता है। यद्यपि धर्म दर्शन एवं धर्म शास्त्र अनेक विभिन्नताओं एवं दृष्टिकोण पर आधारित हैं। इसीलिए इन के पारस्परिक संबंधों को भी नकारा नहीं जा सकता है।

वस्तुत: दार्शनिकों के पास ईश्वरीय ज्ञान की संभावना का निषेध करने का कोई आधार नहीं होता है। इस तरह धर्म दर्शन भीं धर्म की आलोचनात्मक विवेचना को अस्वीकार नहीं कर सकता है। अत: दोनों के सामंजस्य से ही विषय पर सकारात्मक विचार की संभावना जागृत होती है। एक ही अनुभूति में ही एक दूसरों की स्थिति स्पष्ट रहती है। श्रेष्ठ धर्मशास्त्री बौद्धिक विवेचन से ही धार्मिक कथनों को

स्पष्ट व प्रमाणित करता है, तथा तर्कसंगत तात्विक विवेचन से ही धर्म को पुष्ट करता है। अतः धर्म शास्त्र को बौद्धिक विवेचन का महत्व तथा दर्शन को प्रज्ञाजन्य ज्ञान की महत्ता को अस्वीकार करके स्थिति को सारगर्भित एवं स्पष्ट किया जा सकता है। धर्म दर्शन धर्म के मूल आधार से पृथक् होकर किसी भी प्रकार का विवेचना नहीं कर सकता है।

धर्म दर्शन सामान्य धार्मिक अनुभूतियों का अध्ययन करता है। धर्म शास्त्र किसी विशिष्ट प्रकार की धार्मिक अनुभूति का अध्ययन करता है। इस तरह राइट महोदय के अनुसार **"धर्म दर्शन धर्म शास्त्र के विपरीत सभी अथवा अनेक धर्मों में समाविष्ट सामान्य सिद्धांतों की खोज करता है।"** वास्तव में यह अंतर सापेक्षिक होता है। धर्म की सीमित अथवा विशिष्ट अनुभूति संपूर्ण धार्मिक अनुभूति से संबंधित है। संपूर्ण धार्मिक अनुभूति मानव से संबंधित है।

निष्कर्ष: हम कह सकते हैं कि धर्म दर्शन एवं धर्म शास्त्र एक दूसरे के विरोधी नहीं, बल्कि एक दूसरे के पूरक है। इनकी स्थिति दिन रात शुभ-अशुभ भला-बुरा इत्यादि जैसी है, जो एक दूसरे की अनुपस्थिति में स्वयं की उपस्थिति दर्ज नहीं कर पाते हैं।

जिस तरह दिन की महत्ता अंधकार रात के कारण ही है। यदि प्रकाश की महत्ता को जानना है, तो अंधकार को अनुभव करना होगा नहीं तो इस स्थिति का पता नहीं चल पाएगा इस तरह धर्म दर्शन और धर्म शास्त्र एक दूसरे के सहायक एवं पूरक हैं। अतः धर्म दर्शन से अलग होकर दार्शनिक तटस्थता एवं दार्शनिक विश्लेषण के बिना धर्मशास्त्र को अधिक महत्व देना दोनों स्थितियां व्यवस्था विरोधी एवं अस्पष्टता प्रदान करने वाली होती हैं।

इसलिए धार्मिक परंपरा के मूल्यांकन शक्तियों को धर्म दर्शन द्वारा सरल एवं पारदर्शी बनाया जा सकता है। निकोलसन की दृष्टि में **"धर्म दर्शन का प्रयोजन धार्मिक विश्वासों का उन सभी मूल्य विश्वास से समन्वय स्थापित करना है, जो मानव जीवन को नवीन दिशा एवं लक्ष्य प्रदान करने में सहायता करते है।"** अतः धर्म दर्शन का

कार्य धर्म का तात्विक विवेचन एवं दार्शनिक सिद्धांतों का धार्मिक संदर्भ में चिंतन माना जा सकता है।

सर्वार्थ → ईश्वर
↑
स्व ← मनुष्य
↓
स्वार्थ → पशु

अवतार → प्रकृति → व्यक्तिपूर्ण

शुरु में जल इत्यादि बाद में परशुराम → राम → कृष्ण → बुद्ध → कल्वि

धर्म दर्शन की समस्याएं

किसी भी विषय की समस्या उससे संबंधित विचार सिद्धांत महत्व आदि में से उत्पन्न होती है, अर्थात् विषय विशेष की समस्या उसके स्वयं के विवेचन से उलझी टीका-टिप्पणी से होती है। धर्म दर्शन की समस्या भी उसके स्वरूप व सिद्धांतों पर निर्भर है। धर्म दर्शन की मूल समस्या उसके द्वारा प्रदत्त विचार विवेचन से अवतरित होती है। विलियम क्रिश्चियन ने तीन प्रकार धर्म दर्शन की विवेचना करते हैं–

1. विश्लेषणात्मक धर्म दर्शन
2. रचनात्मक धर्म-दर्शन
3. धार्मिक दर्शन

1. विश्लेषणात्मक धर्म दर्शन का स्वरूप

विश्लेषणात्मक धर्म स्वरूप में धार्मिक विश्वासों का अर्थ जानने की चेष्टा करता है। उसकी सत्यता असत्यतता का परीक्षण करता है। यद्यपि विश्लेषण साधन रूप में प्रयुक्त होता है, तथापि विश्लेषक विषय की सत्यता के बारे में निर्णय मूर्त रूप से विद्यमान होता है। अतः इसकी प्रमुख समस्या होती है कि सत्य प्रमाणिकता की अनुपस्थिति में धार्मिक कथन का विश्लेषण संभव है या विश्लेषण किसी सत्ता संबंधी पूरी मान्यताओं से प्रभावित तो नहीं है।

2. रचनात्मक धर्म दर्शन का स्वरूप

धर्मनिरपेक्ष दार्शनिक दृष्टिकोण से धार्मिक विश्वासों के सत्य का निर्णय करने का प्रयत्न करता है। इसमें धर्मनिरपेक्ष मान्यताओं अथवा तर्क वाक्यों के आधार पर धार्मिक समस्याओं का वर्णन किया जाता है। यह तर्क वाक्य उन सभी व्यक्तियों को मान्य होंगे, जो कि हम किसी धार्मिक मान्यताओं से बांधे नहीं हैं। अतः हम कह सकते हैं कि ऐसे व्यक्ति सभी प्रकार की धार्मिक मान्यताओं एवं परंपराओं से मुक्त होते हैं। ब्राइट मैन ट्रैनेट आदि ने रचनात्मक धर्म-दर्शन को अस्वीकार किया है। उनका मानना है **"कि यह निर्णय करना कठिन है कि तर्क विशेष का प्रयोग धर्म दर्शन में किया गया है।"** यह धर्म दर्शन के रूप में वर्तमान में तत्व मीमांसा की तरह धर्म दर्शन के कई आलोचनात्मक सिद्धांत प्रतीत होते हैं। जिसमें प्रत्यक्षवाद, विश्लेषणवाद, मनोवैज्ञानिक विश्लेषणवाद, अस्तित्ववाद आदि इस धर्म दर्शन की प्रमुख समस्याओं को उत्पन्न करते हैं।

सर्वप्रथम जब यह तात्विक निर्णय लेते हैं, तो इसके प्रश्न जैसे सैद्धान्तिक, दार्शनिक, तत्व मीमांसा विरोधी विचारों के द्वारा उठाई गई समस्याओं पर विचार करना पड़ता है। यह प्रमाणित करना होता है कि तत्व संबंधित मान्यताएं एवं तर्क, अर्थपूर्ण एवं सिद्ध हैं। दूसरा इस प्रश्न पर विचार करना कि यदि तार्किक निष्कर्ष धार्मिक समस्याओं का उत्तर है तो क्या प्रारंभ में ही धार्मिक प्रश्न पूछा जा सकता है। अतः स्पष्ट है कि धार्मिक उत्तर केवल धार्मिक प्रश्न पूछने पर मिलता है, किंतु धार्मिक प्रश्न की सार्थकता पहले महत्व देने पर रचनात्मक धर्म-दर्शन धर्मनिरपेक्ष आधार समाप्त हो जाता है।

3. धार्मिक दर्शन का स्वरूप

इसमें धार्मिक समस्याओं का विवेचन धार्मिक चेतना के संदर्भ में दार्शनिक विवेचन द्वारा किया जाता है। धार्मिक दर्शन में श्रद्धा तथा विश्वास के संबंध में प्रस्तुत तर्कमूलता धार्मिक होते हैं। यह तार्किकता तो धार्मिक रूचि पैदा करने के लिए दिए जाते हैं अथवा धार्मिक

रूचि पर आधारित होते हैं। धार्मिक दर्शन की समस्या धर्म की बौद्धिक स्पष्टता एवं सर्वमान्यताओं पर विचार करना होगा। धर्म दर्शन के तीन रूपों को अलग-अलग समस्याओं के साथ सामान्य रूप में विवेचन किया जायेगा।

धर्म दर्शन की प्रमुख समस्या मानव जीवन में धर्म को स्पष्ट करना तथा मानव और समाज के अस्तित्व के लिए धर्म का क्या महत्व है। धर्म-दर्शन इस तथ्य को भी स्पष्ट करने का प्रयास करता है। इन्हीं समस्याओं के समाधान के प्रयास में वह अन्य विविध क्षेत्रों को स्पर्श करता है। जिसके फलस्वरूप धर्म दर्शन के समक्ष और कई समस्याएं प्रगट हो जाती हैं।

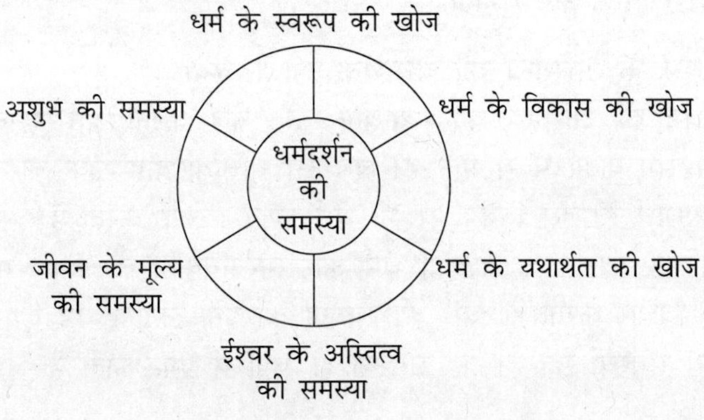

1. धर्म के स्वरूप का अन्वेषण

धर्म मानव जीवन का एक अभिन्न पहलू है। धर्म समाज में इतना व्यापक है कि इसके विविध रूप प्रचलित हो गए हैं। धर्म दर्शन की प्रथम समस्या ईश्वर है। धर्म के अन्तर्गत ईश्वर के विभिन्न पहलुओं का अन्वेषण करना है। धर्म के विविध रूप मान्यताएं एक दूसरे का विरोध करती हैं जिसके कारण धर्म का स्वरूप अत्यंत जटिल हो जाता है। धर्म दर्शन की अन्य समस्यायों में यह भी है कि वह नीति शास्त्र, मनोविज्ञान, इतिहास, कला, विज्ञान, इतिहास से धर्म के संबंध को स्पष्ट करता है, तथा इन विषयों की आवश्यकताओं को निर्धारित करता है।

2. धर्म के उद्भव विकास की खोज

धर्म के उद्भव व विकास की प्रक्रिया की खोज करना धर्म दर्शन का कार्य है। यह दर्शन का आवश्यक अंग है। मनुष्य कब कैसे धार्मिक हुआ, धर्म नामक पद किस देश काल से प्रारंभ हुआ, इसकी आवश्यकता क्यों हुई, धर्म के विकास में किसने सहयोग दिया, कौन-कौन से कारक इसकी उत्पत्ति में विद्यमान हैं जैसे प्रश्न धर्म दर्शन की प्रमुख समस्या हैं। साथ ही धर्म दर्शन की नेतृत्व संबंधी समस्या है। जिससे वह धर्म विकास क्रम उत्पत्ति, अभिव्यक्ति साधन पर प्रकाश डालता है। इस सन्दर्भ में यह तर्कपूर्ण व्याख्यान उपलब्ध करा पाने में समर्थ होता है। इस तरह धर्म दर्शन को प्रत्येक ऐसे विषय की आवश्यकता होती है, जो धर्म संबंधी ज्ञान दिलाने में समर्थ होता है।

3. धर्म के अस्तित्व की यथार्थता की समस्या

धर्म के अस्तित्व की यथार्थता की खोज करना धर्म दर्शन की प्रमुख समस्याओं में से एक है। धर्म की युक्तियां कहां तक वास्तविक एवं यथार्थ हैं। इस विषय पर भी धर्म दर्शन विचार करता है। धर्म के वास्तविक स्वरूप के पश्चात धर्म और वास्तविकता के संबंध में धर्म दर्शन विचार करता है। धर्म की सत्यता का पता लगाना धर्म दर्शन का केंद्रीय समस्या रहा है। यह समस्या दो रूपों में प्रगट होती है–

1. यह ज्ञान की समस्या के रूप में होती है।
2. यह सत्य संबंधी प्रश्न के रूप में होती है।

ज्ञान संबंधी समस्या पर विचार करते समय कई प्रश्न उठते हैं–

1. क्या मानव बुद्धि वास्तविकता का ज्ञान प्राप्त करने में समर्थ है?
2. क्या अतिंद्रीय तत्व का ज्ञान संभव है?
3. क्या अनुभव का अतीत सत्य अनुभव का विषय बन सकता है?

इन प्रश्नों के साथ-साथ धार्मिक ज्ञान की विशेष समस्या होती है–

1. जैसे धार्मिक ज्ञान क्या है?
2. तथा यह सामान्य ज्ञान से किस प्रकार भिन्न है?
3. क्या धर्म में तर्क के अतिरिक्त और भी कोई प्रमाण है?
4. इन प्रमाणों का तर्क से क्या संबंध है?
5. क्या यह प्रमाण तर्क से ऊपर है?
6. यदि यह तर्क से ऊपर है तो इस मान्यता का कोई तार्किक आधार है या नहीं?
7. श्रद्धा, प्रज्ञा, तर्क का धार्मिक अनुभूति में क्या स्थान है?

धार्मिक व्यक्ति का यह दावा कहां तक सार्थक हो सकता है कि उससे सतत श्रेष्ठ, अंतिम एवं सहज ज्ञान उपलब्ध हो। सत्य संबंधी समस्या में धार्मिक मान्यताओं के वास्तविक स्वरूप का विवेचन किया जाता है जो दो रूप में विभक्त है–

1. क्या धर्म के अध्ययन द्वारा विश्व के स्वरूप का विवेचन हो सकता है?
2. क्या विश्व संबंधी धार्मिक विश्वास या अन्य दृष्टिकोण इससे समानता रखते हैं?

यह तात्विक समस्याएं कई अन्य प्रकार के प्रश्नों को जन्म देती है। हम अनुभूति के मूलाधार तक कैसे पहुंच सकते हैं। मानव अनुभूति में प्रगट होने वाली पूर्व मान्यताएं क्या हैं? इन प्रश्नों के अतिरिक्त एक और समस्या यह है कि धार्मिक अनुभूति के मूल आधार का निर्णय कैसे करना है। मानव के धर्म आधारित परमार्थिक मूल्य की व्यवहारिक अभिव्यक्ति क्या है, जिसे वह विश्व एवं स्वयं में देखता है। धर्म दर्शन को उन सभी मान्यताओं को स्पष्ट करना होगा जो व्यावहारिक धर्म में निहित है। इसी कारण धर्म दर्शन को मनोवैज्ञानिक समस्या पर विचार करना होगा।

4. ईश्वर की अस्तित्व संबंधी एवं मूल्य संबंधी समस्या

धर्म दर्शन की महत्वपूर्ण समस्या ईश्वर विचार को माना जाता है। प्राचीन काल से धर्म दर्शन पर ही नहीं, बल्कि मनुष्य के जीवन पर ईश्वर के अस्तित्व संबंधी विचार पर आधारित दिखाई पड़ता है। कुछ थोड़े से चिंतकों, दार्शनिकों को छोड़कर लगभग सभी ने ईश्वर की सत्ता में प्रत्यक्ष या अप्रत्यक्ष रूप में विश्वास करते आए हैं। इतना ही नहीं संसार के बहुत से दार्शनिक सिद्धांत व धर्म के विचारपूर्ण रूप से ईश्वरवादी ही रहे हैं।

ऐसी स्थिति में धर्म दर्शन की मूल समस्या यह है कि ईश्वर अस्तित्व संबंधी विचारों में यह तय करें कि उनके लिए दिए गए प्रमाण कहां तक सत्य एवं तर्कपूर्ण हैं–

1. क्या इसकी अस्तित्व प्रमाणित किया जा सकता है?
2. ईश्वर का स्वरूप क्या है?
3. वह सगुण है या निर्गुण है?

इत्यादि सभी समस्याएं भी धर्म दर्शन में विद्यमान हैं। इस प्रकार धार्मिक मूल्यों व स्वरूप एवं उनके तार्किक दृष्टिकोण की प्रमाणिकता को तय करना ही दर्शन का कार्य है क्योंकि धर्म बुद्धि का लक्ष्य विवेचन विश्लेषण की अपेक्षा परम शुभ की प्राप्ति है। इसलिए वहां एक समस्या यह उत्पन्न होती है कि उनके वास्तविक तत्व एवं मूल्यों में क्या संबंध है। उनके मूल्यों का अंतर क्या है।

5. अशुभ की समस्या

जगत में अशुभ की समस्या पर विचार करना धर्म दर्शन का परम कर्तव्य माना जाता है, जो धर्म की समस्या को और भी कठिन बना देता है। अशुभ की समस्या इसमें विश्वासों की स्पष्टीकरण संगति समन्वय का द्योतक है। यहाँ दार्शनिक अशुभ की 4 समस्यों की परिस्थितियों का वर्णन करते हैं। यह धार्मिक न होकर तार्किक व दार्शनिक समस्या है। इसमें विश्वासों की स्पष्टीकरण संगति समन्वय आदि का प्रश्न उठता है।

1. जो आत्मसुरक्षात्मक दृष्टि में है।
2. इसे प्रकृति की आवश्यकता एवं नियम बाध्यता के रूप में भी विचित्र किया जाता है।
3. इसके अस्तित्व संबंधी आवश्यकता रूप में है।
4. अपूर्ण चेतना को पूर्णता देने के रूप में है।

इसी क्रम में विभिन्न विचारकों ने अशुभ की समस्या को भिन्न-भिन्न रूपों में व्यक्त किया है। जहां तक इसके महत्व की समस्या तो उठती ही है, साथ ही साथ इसकी आवश्यकताओं का प्रश्न भी तर्कसंगत होता है, फिर इसका अस्तित्व क्यों है।

परम शुभ की उपस्थिति में अशुभ क्यों आवश्यक समस्या रूप में धर्म दर्शन की विवेचना के लिए उत्प्रेरण देते हैं। शुभ का तार्किक एवं दार्शनिक समाधान कैसे, किन परिस्थितियों में हो सकता है। यह धर्म दर्शन की प्रमुख समस्याओं में से एक माना जाता है।

6. धर्म एवं नैतिकता की समस्या

धर्म और नैतिकता के संबंध की व्याख्या करना ही धर्म दर्शन का प्रमुख कार्य है। भिन्न पदों के अर्थ को उनके सिद्धांतों व विचारों को क्रमबद्ध तथा एक दूसरे की आवश्यकता की व्यापकता पर वर्णन करना धर्म दर्शन की मूल समस्या है।

धर्म सामान्य भाषा में मानव जीवन के सभी पक्ष को प्रभावित करने वाली एक व्यापक अभिवृत्ति है, जो सर्वाधिक मूल्यवान पवित्र तथा शक्तिशाली समझे जाने वाले आदर्श व अलौकिक समस्याओं, विषयों के प्रति अखंड आस्था एवं पूर्ण प्रतिबद्धता के फलस्वरूप उत्पन्न होती है, जो मनुष्य के दैनिक आचरण में पूजा-पाठ के रूप में कर्मकांड में अभिव्यक्त होती है। नैतिकता जो रीति-रिवाजों प्रथा नैतिक नियम, सिद्धांत, मूल्यों एवं आचरण से संबंधित हैं। जिसका उद्देश्य मनुष्य के व्यक्ति कल्याण तथा सामाजिक हित में है। जिससे स्थिति अनुसार सामाजिक दबाव अथवा स्वयं की इच्छा के कारण स्वीकार करता है।

धर्म दर्शन इन दोनों धर्म एवं नैतिकता के वास्तविक आधार व तर्कपूर्ण स्थिति की खोज करता है। वह इस बात को भी तय करता है कि क्या धर्म नैतिकता का अनिवार्य आधार है या नैतिकता धर्म का आधार है? अथवा दोनों का अनिवार्य आधार क्या है? इन्हें धर्म माना जाए या इनकी मूल आवश्यकता की खोज करना भी धर्म दर्शन की प्रमुख समस्या है।

7. धार्मिक भाषा की समस्या

धार्मिक भाषा की समस्या धर्म-दर्शन की एक महत्वपूर्ण समस्या है। पाश्चात्य जगत में भी धार्मिक भाषा पर गहन अध्ययन हुआ कुछ दार्शनिकों ने तत्वमीमांसा तथा नैतिक भाषा के समान धार्मिक भाषा का विश्लेषण किया जिसका स्पष्ट वर्णन भारतीय प्रत्यक्षवाद में दिखाई पड़ता है जिसे आस्ट्रिया के बियाना शहर में ए.जी. एयर रूडोल्फ कार्नैप जैसे प्रत्यक्षवादी दार्शनिक ने इसका वर्णन किया है। इसकी भाषा की सुक्ष्मता से विश्लेषण कर इसमें व्याप्त रूढ़िवादी उन्माद को समाप्त करने का प्रयास करते हैं।

8. मुक्ति की समस्या

समग्रता में देखा जाए तो भारतीय संस्कृति में मोक्ष का स्थान सबसे महत्वपूर्ण एवं अनिवार्य माना गया है। हिंदू धर्म में चार पुरुषार्थ धर्म, अर्थ, काम, मोक्ष है। अतः इसे जीवन के आदर्श रूप में परिभाषित किया जाता है। माना जाता है कि धर्म की परिणति मुक्ति में होनी चाहिए ताकि आध्यात्मिकता की पुण्यावस्था में प्रवेश किया जा सके। मुक्ति संबंधी पाश्चात्य दर्शन में भी मिलता है। भारतीय दर्शन में अनेक धर्म संप्रदाय इसके महत्व को स्वीकार करते हैं। बृहदारण्यक उपनिषद, याज्ञवल्क्य अपनी पत्नी मैत्री को मोक्ष की अवस्था समझाते हुए कहते हैं कि मोक्ष अज्ञानता के उपरान्त जीव एवं ब्रह्मा का भेद पूर्णतया समाप्त की अवस्था को माना जाता है।

मुंडक उपनिषद में **"मोक्ष की उपमा उस नदी रूपी पूर्व से की गई है, जो अपने स्वरूप आदि को भूल कर सागर रूपी ब्रह्म में विलीन हो जाती है।"** यह उल्लेखनीय है कि अधिकतर भारतीय दार्शनिक अज्ञानता,

अविद्या आदि को मोक्ष का बाधक मानते हैं, किंतु सभी उसके स्वरूप पर विभक्त है। प्रत्येक धर्म संप्रदाय व्यक्ति चिंतक दार्शनिक अलग-अलग तरीके से इसके मूल स्वरूप को स्पष्ट करते हैं। इसलिए धर्म दर्शन के अंतर्गत यह एक महत्वपूर्ण समस्या के रूप में माना जाता है।

नैतिक मूल्य और आध्यात्मिक मूल्य में अन्तर

नैतिक मूल्य	आध्यात्मिक मूल्य
उचित-अनुचित की बात - इहलौकिकता होती है। - मानव विवेक पर आधारित होता है। - समय के साथ परिवर्तनशील होता है। **मनुष्य विकास सन्दर्भ में प्राकृतिक संसाधन के सन्दर्भ में** - आन्तरिक बाध्यता का तत्व नहीं रहता है।	- पाप-पुण्य की बात **पारलौकिकता के सन्दर्भ में** - ईश्वर पर आधारित होता है। - परिवर्तन सम्भव नहीं होता है। आन्तरिक बाध्यता का तत्व होता है।

धर्म की उपयोगिता

मनुष्य के जीवन में धर्म की उपयोगिता अत्यंत व्यापक दृष्टिकोण में प्रतीत होती है, क्योंकि धर्म का तात्पर्य नैतिक नियमों के साथ मनुष्य के कर्म से भी है। जीवन निर्वाहन करने के तरीकों से भी लिया जाता है। किसी आधार पर धर्म की उपयोगिता को मनुष्य के जीवन में मूल्यांकन करना निराधार प्रतीत होता है। इसलिए प्रत्येक व्यक्ति का धर्म की परिभाषा एवं धर्म की उपयोगिता का अपना अलग महत्त्व होता है।

आदिम समय में धर्म की उपयोगिता एवं धर्म का मूल स्वरूप अलग था जहां लोग अपने जीवन निर्वहन के लिए पेट की तृप्ति के लिए भोजन को जुटाना ही सबसे बड़ा धर्म समझते थे। समय परिस्थितियों के अनुसार धर्म की परिभाषा बदल गई जब मनुष्य साक्षर हुआ तो उसे भोजन के साथ ज्ञान एवं नैतिक गुणों का आभास हुआ उस समय

नैतिकता के साथ धर्म को जोड़कर देखा जाने लगा आरम्भ से अब तक धर्म का जिस प्रकार से विकास हुआ है। उसमें मनुष्य ने धर्म को अपनी सुरक्षा एवं आवश्यकता के अनुरुप आत्मार्पित किया है। अपने अनुसार अपने कार्य विधि का समापन किया है। समग्रता में देखा जाए तो धर्म के इतिहास एवं मानव के ऐतिहासिक पृष्ठभूमि के साथ धर्म की परिभाषा एवं उपयोगिता बदलती रही है।

वैदिक संस्कृति का अवलोकन किया जाए तो यह दृष्टिगोचर होता है कि यहां धर्म के कई आयाम दिखाई देते हैं। एक ऐसा आयाम जिसमें ईश्वर की उपासना के संदर्भ में मनुष्यों द्वारा जो भी नैतिक आचरण किया जाता है। उसे सही तरीके से मनुष्य के जीवन में लागू करना धर्म की उपयोगिता है। वहीं श्रीमद्भगवतगीता के मूल भावों का अवलोकन किया जाए तो यह परिलक्षित होता है कि यहां धर्म का तात्पर्य **कर्म के आधार पर देखा गया है अर्थात् निष्काम भाव से किया गया कर्म ही मनुष्य का वास्तविक धर्म है।** मनुष्य निष्काम भाव से जब आचरण करता है तो इस प्रकार का आचरण ही उसे मुख्य मार्ग के तरफ ले जाता है। जहां उसे मुक्ति मिलती है।

इस प्रकार हम देखते हैं कि वैदिक संस्कृति में भी धर्म की उपयोगिता का व्यापक अर्थ दिखाई देता है, जबकि पाश्चात्य संस्कृति का अवलोकन किया जाए तो वहां भी धर्म के विकास के अनुसार मनुष्य के अस्तित्व को जोड़कर देखा जाने लगा है। उसी के अनुरूप धर्म का विकास एवं धार्मिक कर्मकाण्ड का विकास हुआ। धर्म में मुख्य रूप से आस्था को विशेष रूप से रखा जाता है। इसीलिए कुछ **विद्वान मनुष्य को धार्मिक पशु कह कर संबोधित करते हैं।** धर्म को मनुष्य का विभेदक गुण कहा जा सकता है। मनुष्य और पशु में अनेक असमानताओं के बावजूद भी मूल अंतर यह है कि मनुष्य धार्मिक है, जबकि पशु अधार्मिक है। मनुष्य ने धर्म की आवश्यकता पर अधिक बल दिया धर्म में मानव एक महान शक्ति के प्रति आत्मसमर्पित रहता है। उसके पास पशु से असीम शक्ति है, जबकि मानव से सीमित है। वह शक्ति निरपेक्ष है, जबकि मानव सापेक्ष है। वह शक्ति व्यापक है, जबकि मानव संकुचित है।

मानव जीवन का लक्ष्य उस महान शक्ति के साथ संबंध स्थापित करना है। मनुष्य को अपनी मानसिक अनुभूति को ही चेतना कहा जाता है, परंतु वह सर्वदा इसके ऊपर उठना चाहता है। वह वर्तमान से असंतुष्ट रहता है, परंतु वह सर्वदा इसकी मूल चेतना की तरफ अग्रसर होना चाहता है।

धर्म में विश्वास करने से मनुष्य में शक्ति का संचार होता है। मनुष्य स्वयं को हर स्थिति में अपूर्ण एवं असहाय पाता है। सामाजिक, आर्थिक, राजनीतिक व्यवस्था में वह अपने को पूर्ण और सफल बनाने में सफल नहीं हो पाता है। ऐसी स्थिति में धर्म में विश्वास रखकर वह अपनी अदा व असहाय अवस्था को दूर करने के लिए प्रयत्नशील होता है। इस प्रकार धर्म मनुष्य को उसकी कमियों को दूर करने का प्रयत्न करता है। इसकी कुछ विशेषता इस प्रकार है–

1. यह विभिन्न लोगों के बीच एकात्मकता का भाव सृजित करता है।
2. धर्म हमारी प्रवृत्ति और आचार को पवित्र बनाता है।
3. यह मनुष्य की महत्वाकांक्षाओं को बल प्रदान करता है।
4. यह हमारी सभ्यता और संस्कृति के विकास में सहायक सिद्ध होता है।
5. धर्म मनोवैज्ञानिक दृष्टि से समाज के लिए लाभप्रद प्रतीत होता है।
6. धर्म मानव में परोपकार की भावना को जन्म देता है।
7. धर्म अदृश्य ईश्वर की आराधना के द्वारा मानव में संक्षेप में इसके कारण की योग्यता का प्रदर्शन करता है।

उपर्युक्त विवेचना से यह प्रमाणित होता है कि धर्म मानव के लिए अत्यंत आवश्यक है। धर्म मनुष्य के जीवन में आकस्मिक रूप से नहीं है बल्कि आवश्यक एवं अविभाज्य रूप से संबंध है। धर्म की आवश्यकता मनुष्य के स्वरूप में अंतर्निहित है। मनुष्य असहाय एवं अपूर्ण होने के कारण किसी न किसी शक्ति की उपेक्षा करता है। जिससे उसकी कठिनाई दूर हो सके इस उद्देश्य की पूर्ति के लिए व धर्म का हृदयंगम करता है।

धर्म दर्शन का स्वरूप

- भूमिका → धर्म की परिभाषा → एक प्रकार की दार्शनिक क्रिया का नाम है जो सम्पूर्ण धर्म का बौद्धिक विवेचन करता है। धर्म दर्शन सभी धर्मों की समीक्षा करता है। इसके अन्तर्गत आस्तिक एवं नास्तिक लोग आते हैं।
- धर्म का स्वरूप →
  1. मान्यता के आधार पर
  2. कर्म के आधार पर
     → प्राकृतिक धर्म का स्वरूप
     → प्रकाशित धर्म का स्वरूप
  3. गुण के आधार पर
  4. परम्परा के आधार पर
     → भारतीय परम्परा में धर्म का स्वरूप
     → पाश्चात्य परम्परा में धर्म का स्वरूप

  प्रो. मैक्समूल → मनुष्य का इतिहास धर्म का इतिहास है।
- धर्म का अभिप्राय →
  1. धर्म एक व्यापक अभिवृति है–ज्ञानात्मक, भावात्मक, क्रियात्मक।
  2. धर्म मानव के जीवन के भावात्मक पहलू को जोड़ने का कार्य करता है।
  3. धर्म नैतिक नियमों को क्रियाम्वित करने का कार्य करता है।
  4. धर्म आचारण व्यवहार आधार है।
- धर्म विशेषता →
  1. यह आस्था एवं विश्वास का विषय है।
  2. नैतिक प्रखरता का विषय है।
- धर्म विशेषता →
  - इसमें कुछ मौलिक गुण, न्याय, गुण, स्वभाव, संस्कृति, सभ्यता
  - सदाचरण मूल्य धारणा का भाव निहित रहता है।
- धर्म एवं दर्शन में अंतर →
  1. धर्म आस्था एवं दर्शन तर्क का विषय
  2. धर्म कर्मकाण्ड का विषय दर्शन ज्ञान का विषय
  3. धर्म अंधविश्वास और अलौकिक में अधिक विश्वास पर दर्शन तर्क एवं लौकिक जगत में आस्था रखता है।
- धर्म की समस्याएं →
  1. अशुभ की समस्या
  2. धर्म एवं नैतिकता की समस्या
  3. ईश्वरीय मान्यता की समस्या
  4. धर्म की पर्यायता की समस्या
  5. लौकिक पारलौकिक विषय की समस्या
- धर्म की उपयोगिता →
  1. यह सम्पूर्ण मानवजाति के उद्भव का आधार माना जाता है।
  2. धर्म दर्शन धर्म में व्याप्त रुढ़िवादी मान्यताओं को परिष्कृत करने का कार्य करता है।
  3. यह सभी प्रकार की धार्मिक अनुभूतियों की समीक्षा करता है।
  4. धर्म दर्शन मानवीय एवं नैतिक गुण धर्मों की समीक्षा करता है।
  5. धर्म दर्शन लौकिक जगत एवं पारलौकिक जगत के बीच उचित सामंजस्य रखता है।
  6. मानव महत्वाकांक्षा को बल प्रदान करना।
  7. हमारी सभ्यता और संस्कृति को विकसित करना।
  8. धर्म मनोवैज्ञानिक दृष्टि से समाज के लिए लाभप्रद होता है।
- धर्म का विभिन्न क्षेत्र में महत्व →
  1. धर्म दर्शन एवं धर्मशास्त्र में
  2. क्षेत्र विस्तार में

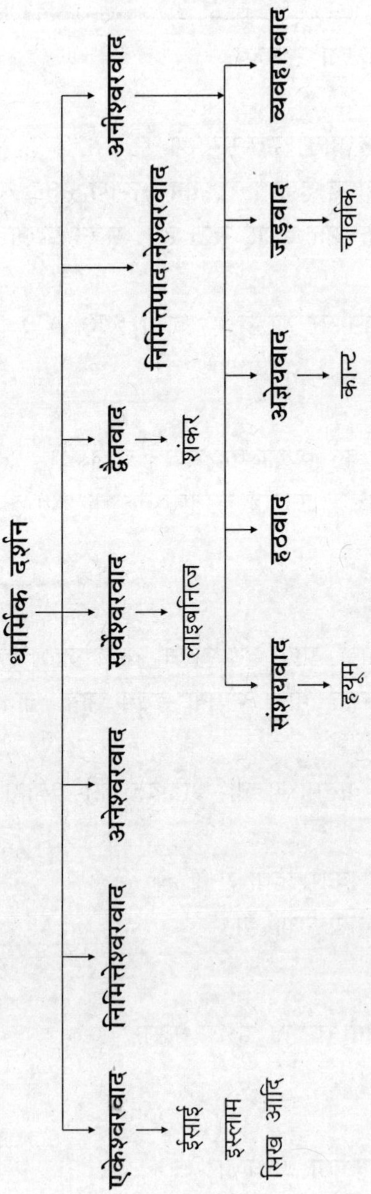
धार्मिक दर्शन
एकेश्वरवाद
ईसाई
इस्लाम
सिख आदि
निमित्तेश्वरवाद
अनेश्वरवाद
सर्वेश्वरवाद
लाइबनित्ज
द्वैतवाद
शंकर
निमित्तेपादानेश्वरवाद
अनीश्वरवाद
संशयवाद
ह्यूम
हठवाद
अज्ञेयवाद
कान्ट
जड़वाद
चार्वाक
व्यवहारवाद

विश्व के विभिन्न धर्म सम्प्रदाय

इस्लाम धर्म का स्वरूप

ऐतिहासिक पृष्ठभूमि

1. इस्लाम - अर्थ "ईश्वर के प्रति आत्मसमर्पण है"। 622 ई. में मक्का से मदीना की यात्रा में हजारी सं. का निर्माण हुआ था उस समय मक्का में यहूदी और ईसाई रहते हुए, सबने इस्लाम ग्रहण किया था।
2. संस्थापक - हजरत मु. पैगम्बर साहब – जन्म 570 AD
3. पवित्र ग्रन्थ - कुरान-अरबी 114 अध्याय हैं।
4. धर्म का विभाजन-

   सुन्नी - पूर्णतः मु. साहब की शिक्षा को मानने वाले हैं।

   शिया - जो अली की शिक्षा मानते हैं ये परिवर्तन के रूप को मानते हैं।

विशेषताएं

1. मदिरा, जुआ को हराम माना, पापों की जननी कहा जाता है।
2. जमात अर्थात् दान देना, यहाँ भीख मांगना हराम माना जाता है।
3. पांच आधारभूत कर्तव्य- कल्मा पढ़ना, शहादत की गवाही, नमाज, रोज़ा, हज।
4. स्त्रियों को सम्पत्ति में अधिकार दिया गया है।
5. मानव सेवा को सर्वोपरि माना गया है।

कयामत-परलोक के दिन

6. स्त्रियों को पुरुषों के समान सम्पति में अधिकार
7. बहुविवाह के समर्थक
8. कठोर दंड का विधान
9. सामूहिक नमाज अदा करने का अधिकार

इस्लाम धर्म में ईश्वर का स्वरूप

(वह एक है प्रबल है, शक्तिमान, विजय नरेश, दंड देने वाला शासक, कृपालु)

1. धर्म का केंद्र बिंदु, अल्लाह को माना जाता है।
2. अल्लाह एक ओर पूर्ण है।
3. अल्लाह = God one and only
4. मूर्ति पूजा और बहुदेवता का खंडन
5. सूर्य एवं चन्द्रमा की आराधना व्यक्ति पूर्ण रूप में
6. अहं शाश्वत माना जाता है।

कमियां

1. एक हाथ में तलवार दूसरे हाथ में कुरान लेकर जबरदस्ती कबूल करवाना
2. कुरान में असंगतियों एवं विरोधाभास का समावेश
3. बौधिक जिज्ञासा का अभाव
4. स्त्रियों की निम्न अवस्था

हिंदू धर्म में ईश्वर का स्वरूप

भूमिका

1. हिन्दू धर्म में ईश्वर केन्द्र बिन्दू कण-कण में अस्तित्व का स्वरूप
2. सवैश्वरवाद की अवधारणा
3. प्रकृतिवाद में पूर्ण आस्था

प्रस्तावना

- परमेश्वर, भगवान, पवित्र आत्मा

विशेषता

- विश्वव्यापी विश्वातीत
- उपासना के देवता
- शक्ति के पूँज
- सृष्टि के निर्माणकर्ता

GOD

G – ब्रह्मा

O – विष्णु

D – महेश

- सृष्टि के पालनकर्त्ता
- सृष्टि के संहारकर्ता

मार्ग

- कर्मयोग
- भक्तियोग
- ज्ञानयोग
- राजयोग

कमियाँ

1. बहुदेववाद का वर्चस्व
2. रूढ़िवादी विचारधारा का पिटारा
3. पुजारी एवं कर्म काण्डों का समागम

अन्य स्वरूप

- एकेश्वरवादी
- बहुदेववादी
- सर्वेश्वरवादी
- अन्य मान्यताएं

निष्कर्ष

- इसमें अनेक विविधता होने के बावजूद सृष्टि में सभी धर्मों में व्यापक पारलौकिक सत्ताओं का सम्मानकर्ता के रूप में विश्व की झलक दिखाई पड़ती है।

हिन्दू धर्म का स्वरूप

इसका उद्भव पारसीयों द्वारा सिन्धु के उच्चारण

भूमिका धर्म

1. सबसे प्राचीन धर्म आधार पर हिन्दू किया गया था।
2. इसका न तो कोई प्रर्वतक है और न कोई मूल ग्रन्थ है।
3. सबसे अधिक उदार एवं साधु संतों को समागम वाला।
4. बौद्धधर्म एवं जैन धर्म का उपज कर्ता के रूप में जाना जाता है।
5. मूर्तिपूजा बहुदेववाद का समर्थक धर्म सम्प्रदाय है।
6. यह धर्म न होकर जीवन जीने की एक पद्धति माना जाता है।
7. जेहबर ने

   "Hinduism is infact both a way of life and a high and a height organized social and religion system."

उपनाम

- सनातन धर्मः सदा भाव, नित्य अर्थात् जो सदा बना रहे जिसका न तो आदि है और न अन्त उसे सारी मानवता का धर्म कहा जाता है।

आधार

- वेद
- उपनिषद
- पुराण
- श्रीमद्‌भगवतगीता (जिसे ईश्वरीय संगीत कहा जाता है)।

विशेषता

- उदार एवं मानवीय धर्म
- ईश्वर विचार केन्द्र बिन्दू/बहुदेववाद का समर्थक
- विश्व के सभी धर्मों का समुह

कमियाँ

- वर्णव्यवस्था जाति व्यवस्था का जटील स्वरूप
- बहुदेववाद का बोलबाला
- कर्मकाण्डों की विविधता
- मूर्ति पूजा एवं धार्मिक रूढिवादिता संगम
- छुआ-छुत एवं अन्य निकृष्ट मानसिकता

निष्कर्ष

- सर्वांगिण विकास का स्वरूप
- सदा व्याप्त रहने वाला दृष्टिकोण
- व्यापक एवं उदार होने के कारण सभी के लिए व्याप्त है।
- अनेक धर्म एवं सम्प्रदाय के उद्‌भव नहीं के रूप में माना जाता है। इसी कारण इसे सनातन धर्म कहा जाता है।

हिन्दू धर्म में आत्मा का स्वरूप

भूमिका

- सृष्टि का संचालनकर्ता एवं ईश्वरीय अंश।
- ईश्वर का सुक्ष्मतम रूप जिसमें व्याख्या दिखाई देती है।

हिंदू धर्म

प्रस्तावना

भारतीय संस्कृति में उठती धार्मिक मर्मज्ञता के स्वरूप में जिस धर्म का उद्‌भव हुआ उसे सनातन धर्म कहा जाता है, अर्थात् ऐसा धर्म जो सदियों युगों से चला आ रहा है। उसी सनातनी धर्म के भाव को आगे चलकर अनेक लोग हिंदू धर्म के रूप में स्वीकार कर लिया हिंदू धर्म सभी धर्मों में सबसे पुरातन माना जाता है। यह किसी व्यक्ति विशेष की शिक्षा पर आधारित नहीं है।

इसलिए इस के प्रवर्तक या संस्थापक के रूप में किसी एक व्यक्ति विशेष को स्थापित करना उचित एवं तार्किक नहीं लगता है, बल्कि यह धर्म विभिन्न ऋषि मुनि विचारकों द्वारा सिंचित ज्ञान की

परंपरा का एक रूप है, जिसमें अनेक साधु-संतों ने अपने ज्ञान रूपी साधन की अमूल्य शिक्षाओं को संग्रह कर हिंदू धर्म रूपी वृक्षारोपण को समय-समय पर सिंचित एवं सुधार करते हुए आगे बढ़ाने का प्रयास किया है।

विश्व के सभी धर्मों का अवलोकन किया जाए तो यह दृष्टिगोचर होता है कि लगभग सभी धर्म के प्रवर्तक के रूप में किसी न किसी व्यक्ति विशेष को स्वीकार किया जाता है, बल्कि हिंदू धर्म में कोई न होने के कारण इसे सनातन धर्म भी कहा जाता है, उसे किसी एक व्यक्ति विशेष के रूप में नहीं स्वीकार किया गया है, क्योंकि जिस प्रकार से इस्लाम धर्म में **मोहम्मद पैगंबर साहब** के शिक्षा पर बल दिया जाता है।

वही ईसाई धर्म में **ईसा मसीह** की शिक्षा पर बल दिया जाता है। सिख धर्म में गुरु नानक देव के साथ अन्य सिख गुरुओं द्वारा प्रतिपादित शिक्षा पर अधिक अमल किया जाता है। जैन एवं बौद्ध धर्म में भगवान बुद्ध तथा महावीर स्वामी द्वारा प्रतिपादित शिक्षा पर अधिक बल दिया जाता है। सभी में किसी न किसी व्यक्ति विशेष की महत्वपूर्ण भूमिका दिखाई पड़ती है ।

विश्व का एकमात्र हिन्दू धर्म है, जिसमें किसी एक व्यक्ति विशेष की संप्रभुता न होकर अनेकों संत, महात्माओं, ऋषि-मुनियों, देवी देवताओं के तुल्य महापुरुषों का अतुलनीय योगदान रहा है। समग्रता में देखा जाए तो भारतीय संस्कृति में हिंदू धर्म संप्रदाय या सनातन धर्म संप्रदाय के धार्मिक मान्यताओं का सर्वत्र वर्चस्व दिखाई पड़ता है, यद्यपि भारत धर्मनिरपेक्ष राष्ट्र है, इसके बावजूद भी कहीं-न-कहीं **सर्वे भवंतु सुखिनाः** की भावना को उजागर करना है। संपूर्ण विश्व के धर्म को अपने अंदर समाहित कर चिरकाल से अनवरत संपूर्ण मानव जाति को सभ्यता के मार्ग पर प्रशस्त करने का कार्य को हिन्दू धर्म में सम्मिलित किया गया है। सामान्यतः हिंदू धर्म या सनातन धर्म के रूप में जाना जाता है, यद्यपि हिंदू धर्म के संदर्भ में अनेक विदेशी विचारकों ने अपने तरीके से विचार स्पष्ट करने का

कार्य किया। इसके साथ ही साथ भारत के कुछ महान् विचारकों ने भी हिंदू धर्म की उत्पत्ति एवं विचारधारा पर अपनी अभिव्यक्ति को उजागर कर स्पष्ट करने का प्रयास किया है। जिसमें डॉक्टर राधाकृष्णन् का नाम सर्वोपरि से लिया जाता है। जिन्होंने कहा था कि **हिन्दू धर्म जीवन का सार है।**

उन्होंने हिंदू धर्म की भावना की इसी शिक्षा को स्वीकार करके इसके रंग में रंगे और इसकी उन्नति में महत्वपूर्ण योगदान दिया था भारतीय इतिहास का अवलोकन किया जाए, तो यह दृष्टिगोचर होता है कि यद्यपि भारत पर अनेक विदेशी तानाशाही शासक, मुगल, तुर्क, फारसी जैसे विदेशी आक्रांताओं ने अनेक बार आक्रमण किया तथा अपने धर्म संस्कृति को अध्यारोपित करने का प्रयास किया है।

आधुनिक काल में अंग्रेज, डच, फ्रांसीसी, पुर्तगाली जैसे अनेक यूरोपीय देशों की लोगों ने भी भारत पर आक्रमण कर भारतीय तथा हिंदू धर्म की संस्कृति में अपने वर्चस्व को स्थापित करने का प्रयास किया, लेकिन इन विविधताओं के बावजूद भी यह कहा जा सकता है कि हिंदू धर्म की मान्यता एवं भावपूर्ण विचारधारा में कोई अंतर नहीं पड़ा, बल्कि उसने विश्व की सभी धर्म संस्कृति को अपने अंदर आत्मर्पित करते हुए उदारवादी दृष्टिकोण अपनाते हुए संपूर्ण विश्व को विश्व बंधुत्व समानता स्वतंत्रता का मार्गदर्शक बनकर जीवन जीने की कला सिखाया है।

इसलिए हिंदुत्व को किसी जाति तथ्य पर आधारित नहीं किया जा सकता है, भारत में रहने वालों को साधारणतः हिंदू कहा जाता है। यह मान्यता सामान्यतः प्राचीन काल में गंगा-सिंधु मैदान में रहने वाले लोगों को पारसी समुदाय के लोगों ने सिंधु नाम से पुकारा करते थे, जो आगे चलकर सिंधु नाम ही हिंदू नाम में परिवर्तित हो गया। इसी के आधार पर इस धर्म का नाम हिंदू धर्म पड़ गया। यह बात इस आधार पर भी सिद्ध होती है कि वेद पुराणों में कहीं भी हिंदू शब्द का प्रयोग नहीं किया गया है ।

यद्यपि हिंदू सभ्यता का मूल ग्रंथ वैदिक ग्रंथ माने जाते हैं, जो सामान्यत संपूर्ण हिंदू धर्म के आध्यात्मिक ग्रंथ एवं मार्गदर्शक या पथ प्रदर्शक माने जाते हैं। जिन्होंने समय-समय पर हिंदू धर्म में व्याप्त संपूर्ण जटिलताओं को परिष्कृत कर कुछ उदारवादी विचारकों ने अपने दृष्टिकोण एवं संपूर्ण समाज को एक सूत्र में जोड़ने का कार्य किया था, जिस के पद चिन्हों पर आज भी संपूर्ण वैदिक संस्कृति विराजमान है। यद्यपि हिंदू सभ्यता एक उदारवादी दृष्टिकोण लेकर हिंदू धर्म की स्थापना की इसके बावजूद भी इसमें तमाम रूढ़िवादी मान्यताओं ने धार्मिक जटिलताओं को दो नए धर्म को जन्म दिया। जिसमें बौद्ध धर्म तथा जैन धर्म का नाम सर्वोपरि रूप से लिया जाता है।

जिन्होंने हिंदू धर्म में व्याप्त सभी प्रकार की रूढ़िवादिताओं को दूर कर वर्ण व्यवस्था, वर्ग व्यवस्था तथा जाति व्यवस्था की जटिलताओं को दूर करने के साथ ही हिंदू धर्म में व्याप्त हत्या पशु बलि, नरबलि, जैसी कुप्रथा को समाप्त कर एक उदारवादी दृष्टिकोण अपनाने का कार्य किया था। इन दोनों धर्मों के प्रसंग में यद्यपि हिंदू धर्म का क्षेत्र केवल भारत तक सीमित ही नहीं रहा, बल्कि प्राचीन काल में बर्मा, कंबोडिया, जावा जैसे सुदूर देश में फैला दिखाई पड़ता है। आज भी संपूर्ण विश्व में इस धर्म की अमिट छाप फैली हुई है। हिंदू धर्म के मानने वाले लोग हिंदू कहलाते हैं। राधा कृष्णनन् के शब्दों में **ऐसा कोई कारण नहीं है, जो इसके हिंदुत्व के पृथ्वी के दूरतम भागों तक फैलाने में बाधक हो भारत एक परंपरा एक भावना एक प्रकाश है।**

इसकी भौतिक एवं आत्मिक सीमाएं एक नहीं हैं, बल्कि पृथक्-पृथक् दिखाई पड़ती है। विश्व का एकमात्र ऐसा धर्म जिसमें धर्म-सहिष्णुता की प्रबल भावना दिखाई पड़ती है। यह किसी अन्य धर्म का विरोध नहीं करता है। इतिहास इस बात की साक्षी है कि कभी किसी मुसलमान ईसाई या अन्य धर्मावलंबी को जबरदस्ती हिंदू या हिंदुत्व को अपनाने के लिए बाध्य नहीं किया गया। यह दूसरी बात है कि अन्य धर्मावलंबियों ने हिंदुओं को प्रलोभन देकर या बलपूर्वक अपने धर्म को ग्रहण करवाया

मध्य काल में इसका प्रसंग देखा जाए तो मुगल काल में ऐसी अनेक छवियां दिखाई पड़ती हैं।

जहां पर लाखों-करोड़ों हिंदू परिवारों को मुसलमान धर्म अपनाने के लिए बाध्य किया गया था। वही आधुनिक काल के परिप्रेक्ष्य में देखा जाए तो जितने भी यूरोपीय आए सभी ने अपने धर्म को सर्वश्रेष्ठ बताकर हिंदू धर्म के करोड़ों लोगों को ईसाई धर्म में परिवर्तित होने के लिए अन्य प्रकार के प्रलोभन दिए इन सब व्यवस्थाओं को देखते हुए यह कहा जा सकता है कि विश्व का एकमात्र ऐसा धर्म है। जहां पर किसी भी प्रकार की वैचारिक विकार नहीं दिखाई पड़ते हैं।

हिंदू धर्म के अंतर्गत अनेक धार्मिक संप्रदाय पाए जाते हैं। इन विभिन्न विचारधाराओं में समन्वय स्थापित कर इन्हें एक साथ रखना हिंदू धर्म की एक अतुलनीय विशेषता मानी जाती है। इसके अतिरिक्त अन्य धर्मावलंबियों के साथ भी हिंदू धर्म शत्रुता का भाव नहीं रखता है, बल्कि सर्वधर्म समभाव की उदारवादी सर्वमान्य भावना इसी धर्म में दिखाई पड़ती है, तो वह एकमात्र विश्व का धर्म है जिसे हिंदू धर्म कहा जाता है। हिंदू धर्म किसी भी कर्म को बेकार नहीं मानता है। इसकी कुछ विशेषताएं इस प्रकार हैं–

1. इसके अनुसार विश्व के विभिन्न धर्म एक ही ईश्वर तक पहुंचने के विविध मार्ग स्पष्ट करते हैं। अतः सभी धर्म अच्छे तथा अनुकरणीय हैं। भारत में अनेक धर्मावलंबी आए, किंतु हिंदू धर्म ने किसी भी धर्म का विरोध नहीं किया। हिंदू धर्म के साए में विविध धर्म सुख चैन की सांस ले रहे हैं। इससे इनका संबंध समन्वयवादी दृष्टिकोण भी नजर आता है।
2. सहिष्णुता, सहनशीलता हिंदू धर्म की दूसरी विशेषता मानी जाती है।
3. हिंदुओं पर समय-समय पर अनेक बार अत्याचार किए गए, किंतु, हिंदू धर्म ने असीम धैर्य के साथ जालिमों का जुल्म सहन

किया। अत्याचार का बदला भलाई से देना हिंदू धर्म की तीसरी विशेषता मानी जाती है। जिन धर्मों को इसने यहां शरण दी उनके अत्याचारों को बर्दाश्त करने में इसने असीम सहिष्णुता का परिचय दिया। यह हिंदू धर्म की उदारवादी दृष्टिकोण का सर्वश्रेष्ठ परिचायक भाव दिखाई पड़ता है, क्योंकि जिस प्रकार से विश्व के अनेक ऐसे धर्म हैं, जैसे इस्लाम धर्म, ईसाई धर्म किसी एक मान्यता या किसी एक विचारधारा पर आधारित होकर, विश्व के अनेक धर्मों को दृष्टि से देखने का कार्य करता है। अतः इसमें किसी प्रकार की भावना हिंदू धर्म में नहीं दिखाई पड़ती है। हिंदू धर्म का कोई एक सर्वमान्य ग्रंथ नहीं माना गया है, बल्कि हिंदू धर्म में अनेक धर्म ग्रंथ माने गए हैं। जिसमें वेद, उपनिषद, गीता, स्मृति पुराण, रामायण, महाभारत विशेष रूप से उल्लेखनीय माने गए हैं। इन सब में सबसे पवित्र एवं प्राचीन ग्रंथ के रूप में **चारों वेदों को स्वीकार** किया गया है, जहां पर ऋग्वेद, यजुर्वेद, सामवेद, अथर्ववेद में सबसे प्राचीन वेद के रूप में ऋग्वेद को माना जाता है। जिसमें धार्मिक एवं दार्शनिक ज्ञानमय दृष्टिकोण सबसे अधिक महत्वपूर्ण रूप से दिखाई पड़ता है।

वेद को मैक्समूलर ने विश्व का सबसे प्राचीन ग्रंथ मानकर स्वीकार किया है। इसमें विभिन्न प्राकृतिक वस्तुओं के रूप में ईश्वर की पूजा का वर्णन किया गया है। वेद के शब्द सरल, सारगर्भित महत्वपूर्ण एवं प्राचीन है जो श्रद्धा और भक्ति के विश्वास से परिपूर्ण नजर आते हैं। जिनकी रचना अनेक ऋषियों ने अपनी विद्वत्ता, गंभीरता एवं हृदयंगम की अपार ज्ञान में विचारधारा से परिष्कृत किया था जिनके होठों से सर्वप्रथम यह निकला था कि अवास्तविकता से हटकर मुझे वास्तविकता की ओर ले चलो, अंधकार से हटकर मुझे प्रकाश की ओर ले चलो, मृत्यु से हटकर मुझे शाश्वत जीवन की

ओर ले चलो। वेदों में धर्म का सुव्यवस्थित इसी भाव को जीवन का नैतिक आधार और व्यवहारिक ज्ञान मानकर विश्व के सभी प्राणियों को एक सूत्र में जोड़ने की शिक्षा को प्रदान किया गया है विश्व के दूसरे पवित्र एवं मुख्य स्तंभ के रूप में उपनिषदों का भी उत्कृष्ट योगदान दिखाई पड़ता है।

जहां पर आत्मा-परमात्मा के बीच उचित संबंध को उजागर करने का प्रयास किया गया है। आत्मा जो मनुष्य के शरीर में निवास करती है। वह संपूर्ण विश्व के संचालनकर्ता ईश्वर का ही आंशिक अंश माना जाता है। इस संदर्भ में आदि गुरु शंकराचार्य का प्रसिद्ध कथन **अहम् ब्रह्मास्मि** सबसे अधिक कारगर दिखाई पड़ता है, क्योंकि यह पूर्ण वाक्य **आत्मा-परमात्मा** के संपूर्ण समर्पण भाव को उजागर एवं स्पष्ट करने का कार्य करता है। उपनिषदों का कहना है कि धर्म नैतिकता के लिए प्रोत्साहन देता है। धर्म के अभाव में नैतिकता कभी न समाप्त होने वाला युद्ध है, परंतु धर्म के प्रोत्साहन से यह जीवन के परम लक्ष्य की स्थिति में सहायक है।

हिंदू धर्म के अधिकांश सैद्धांतिक एवं व्यवहारिक ज्ञान उपनिषदों में दिए गए हैं। इसलिए हिंदू धर्म में ज्ञान की दृष्टिकोण से सबसे महत्वपूर्ण ग्रंथ उपनिषदों को स्वीकार किया जाता है। जिनकी संख्या लगभग 108 मानी जाती है, तथा हिंदू धर्म का सबसे पवित्र एवं सैद्धांतिक तथा व्यवहारिक स्तर पर सभी धर्म संप्रदाय समूह विचारधारा द्वारा स्वीकार ग्रंथ के रूप में श्रीमद्भगवद्गीता को माना जाता है।

यदि श्रीमद्भगवद्गीता का समग्रता में अवलोकन किया जाए तो यह दृष्टिगोचर होता है कि गीता कोई ग्रंथ नहीं है, बल्कि विश्व के सभी धर्म तथा नैतिक साधनों का सार है। जिसमें विश्व के सभी धर्म के आदर्श नैतिक ज्ञान दिखाई पड़ते हैं। यह न केवल आध्यात्मिक क्षेत्र में लोगों के सर्वांगीण उन्नति का मार्ग प्रशस्त करती है, बल्कि व्यावहारिक दृष्टिकोण में संपूर्ण विश्व को निष्काम कर्म करते हुए हृदय में भक्ति के भाव को उजागर कर ज्ञान मार्ग पर बढ़ते हुए मोक्ष की अवस्था तक पहुंचाने का मार्ग प्रशस्त करती है।

विश्व के सभी प्रकार की सामाजिक, धार्मिक, सांस्कृतिक, व्यावहारिक समस्याओं का समाधान इसमें निहित है। जिसके संदर्भ में महात्मा गांधी का प्रसिद्ध कथन उनकी प्रसिद्ध पुस्तक **गीतामाता** की प्रस्तावना में मिलता है कि गांधी जी कहते हैं कि **मैं गीता माता की शरण में उसी प्रकार से जाता हूं जिस प्रकार से एक नन्हा-सा बालक अपनी मां को देखकर उसकी तरफ जाता है, तथा मां उसे दूध पिला कर उसकी भूख को संतुष्ट कर देती है।** ठीक उसी प्रकार गीतामाता हमारे जीवन की सभी प्रकार की समस्याओं का निवारण कर उसका समाधान प्रस्तुत करती है। यह भाव वास्तविकता में यह उजागर करता है कि कहीं न कहीं गीता एक धर्म विशेष का कोई ग्रंथ नहीं है, बल्कि विश्व के जितने भी धर्म ग्रंथ हैं उनके नैतिक आयाम का समूह दिखाई पड़ता है।

यद्यपि इसे महाभारत के एक अनिवार्य भाग के रूप में स्वीकार किया गया है जिसमें 18 अध्याय हैं। इसमें मुख्य रूप से कर्मयोग, भक्तियोग तथा ज्ञानयोग के साथ अष्टांग योग के माध्यम से मोक्ष प्रप्ति अर्थात् ईश्वर के यथार्थ स्वरूप का दर्शन करने की शिक्षा मिलती है, क्योंकि महाभारत के समय में जिस प्रकार से अर्जुन अपने कर्तव्य पथ से विचलित हो गए थे, उनको सही मार्ग दिखाने के लिए भगवान कृष्ण ने जो उपदेश दिया जो सदा संपूर्ण समाज के संपूर्ण जाति धर्म के लिए सर्वमान्य एवं चिरकाल से यथार्थ रूप से पथ प्रदर्शन का कार्य करते हुए आज भी उतना ही प्रासंगिक दिखाई पड़ता है।

इसके साथ-साथ श्रीमद्भगवद्गीता में संपूर्ण वेद-पुराण उपनिषद का समग्र ज्ञान मिलता है। वैदिक ग्रंथों के प्रसंग में देखा जाए तो पुराणों का भी उत्कृष्ट महत्व दिखाई पड़ता है, क्योंकि पुराणों में जिस प्रकार की शिक्षा दी गई है। उससे समाज में जीवन जीने एवं अलौकिक तथा पारलौकिक विषय वस्तुओं के साथ उचित सामंजस्य स्थापित करने की शिक्षा दिखाई पड़ती है।

यथार्थता में पुराण वह पथ प्रदर्शक ग्रंथ है, जो सामाजिक, धार्मिक सांस्कृतिक समस्याओं के साथ लौकिक एवं पारलौकिक समस्याओं के बीच उचित सामंजस्य स्थापित कर जीवन निर्वहन करने की कला सिखाते हैं। इसके साथ-साथ स्मृतियों में भी धर्म शास्त्र का विधिवत वर्णन मिलता है, क्योंकि सभी स्मृतियों में अलग-अलग तरीके से सामाजिक, धार्मिक, राजनैतिक प्रसंग में कार्य करने एवं जीवन-निर्वहन करने की शिक्षा मिलती है। उसी क्रम में मनुस्मृति का विशेष रूप से वर्णन किया जाता है, जहां पर हिंदू धर्म में 4 वर्ग को स्थापित किया गया है, जो वैदिक धर्म ग्रंथ में व्याप्त वर्ण व्यवस्था की विचारधारा से असंगत दिखाई पड़ती है। इसके बावजूद भी वर्तमान परिदृश्य में संपूर्ण भारत में मनुस्मृति की स्पष्ट छाप दिखाई पड़ती है।

यद्यपि हिंदू धर्म की सबसे बड़ी कमी या आलोचना का कारण यही ग्रंथ माना जाता है, क्योंकि जिस प्रकार से यहां पर वर्ण जाति व्यवस्था का मूल्यांकन किया गया है। वह कहीं न कहीं वर्तमान परिदृश्य में अप्रासंगिक दिखाई पड़ता है। संपूर्ण भारतीय संस्कृति में धार्मिक एवं कर्मकांडी जटिलताओं का आधार बन कर यह ग्रंथ रह गया है। इन्हीं जटिलताओं के कारण जैन धर्म तथा बौद्ध धर्म का उद्‌भव हुआ।

वर्तमान परिदृश्य में अनेक हिंदू धर्म के धर्मावलंबी किसी भी विषय वस्तु को वर्ण व्यवस्था तथा जाति व्यवस्था के आयाम में स्थापित कर देखने का प्रयास करते हैं, जो पूरी तरीके से गलत दिखाई पड़ता है। भारत में वर्तमान परिदृश्य में जितनी प्रकार की जटिलताएं हैं। इन्हीं जटिलताओं के कारण ही जैन धर्म तथा बौद्ध धर्म का उद्‌भव हुआ। वर्तमान परिदृश्य में यदि मनुस्मृति में स्थापित हिंदू धर्म की जटिलताओं को उदारवादी दृष्टिकोण अपनाते हुए श्रीमद्‌भगवद्‌गीता द्वारा स्थापित वर्ण व्यवस्था तथा वेदों में स्थापित वर्ण व्यवस्था के अनुरूप कर दिया जाए, तो यथार्थता में यह स्पष्ट हो जाएगा कि विश्व का एकमात्र हिन्दू धर्म है जिसमें उदारवादी दृष्टिकोण अधिक दिखाई पड़ता है। जिसके कारण विश्व के सभी धर्मों के नैतिक नियमों का समूह आ जाएगा तथा विश्व के सभी धर्म संप्रदाय में सबसे सर्वश्रेष्ठ रूप प्राप्त कर लेगा।

समग्रता में देखा जाए तो कहीं श्रुति और स्मृति में दिये गये प्रमाण आज के समय के प्रमाणित सुधार द्वारा किया जाना चाहिए, क्योंकि यह स्मृतियां मानव रचनाओं के किसी विशेष कालखण्ड से निकली है। यह वेदों के समान शाश्वत नहीं है। इसलिए शाश्वत प्रमाण नहीं माना जा सकता है, फिर भी इन स्मृतियों का हिंदू धर्म में महत्वपूर्ण स्थान दिखाई पड़ता है। रामायण और महाभारत हिंदू धर्म के महान् धार्मिक ग्रंथ माने जाते हैं। इसमें कथाओं के माध्यम से सत्य पर प्रकाश डाला गया है। रामायण में राम और रावण के युद्ध का वर्णन किया गया है।

जहां धर्म और अधर्म के बीच उचित संतुलन स्थापित करने का मार्ग दिया गया, क्योंकि रावण उच्च कोटि का विद्वान् तथा ज्ञानी होने के बावजूद भी अधर्म का पक्ष लिया था। वहीं राम अपने नैतिक कर्तव्यों से संपूर्ण मानव को मानवीय आचरण सिखाते हुए रावण का वध कर अधर्म पर धर्म की विजय का मार्ग प्रशस्त कर संपूर्ण विश्व में धार्मिक एवं नैतिक कल्याण की बीज रूपी दीपक का वृक्षारोपण किए। जिसका प्रकाश आज भी हिंदू धर्म पर प्रकाशित दिखाई पड़ता है। इसमें धर्म और अधर्म के बीच उचित सामंजस्य स्थापित करने के लिए भगवान कृष्ण ने संपूर्ण पाण्डवों का सर्वनाश रोककर धर्म की रक्षा की। उसी कुरुक्षेत्र के माध्यम से संपूर्ण विश्व के जनमानस को नैतिक आयाम से संचालित करने की शिक्षा दिया था। वास्तव में यह ग्रंथ संपूर्ण विश्व के लिए मार्गदर्शक, पथ प्रदर्शक का कार्य करती है। जहां अंत: करण को अनुशासित एवं शुद्ध कर मनुष्य अपने मन और हृदय पर उचित सामंजस्य स्थापित करते हुए आत्मा को परमात्मा से मिलाने का मार्ग प्रशस्त कर सकता है।

शायद यही हिंदू धर्म की सबसे बड़ी खासियत है कि यह निराशावाद से आशावाद के तरफ प्रज्वलित करने का मार्ग प्रशस्त करता है।

निष्कर्ष: यह कहा जा सकता है कि हिंदू धर्म विश्व के सभी पुराने धर्म में सनातन धर्म से चली आ रही धार्मिक प्रवृत्तियों का परिचय रूप है, जो आज भी विश्व के सभी धर्मों को अपने अंदर समाहित कर संपूर्ण विश्व को प्रकाशित एवं प्रज्वलित करने का कार्य करता है।

हिन्दू धर्म में ईश्वर का स्वरूप

प्रस्तावना

समग्रता में संपूर्ण सनातन धर्म का अवलोकन किया जाए तो यह दृष्टिगोचर होता है कि यह केंद्र बिंदु के रूप में ईश्वर का सर्वोच्च स्थान होने के कारण विश्व की सभी विषय वस्तु है। इसी के आसपास घूमती है यही संपूर्ण सृष्टि का संचालन करता है। इसी की कृपा दृष्टि से सूर्य, चंद्रमा, तुफान, भूकंप सभी विषय वस्तु में संचालित एवं सब का सर्वनाश होता रहता है।

यह विश्व का सबसे सर्वशक्तिशाली सर्वज्ञ व्याप्त, आकर्षक तथा विश्व की संपूर्ण शक्तियां इसी में निहित हैं, जो अपने अनुसार विश्व की रचना करता है। यह आवश्यकता अनुसार सभी को अपने कर्म बंधन एवं कर्म से उन्मुक्ति के मार्ग को प्रशस्त करता है; बिना इसके आदेश के प्रकृति में कोई घटना नहीं घटती है। आरंभिक समय में मंदिर मठारदेव स्थल का सर्वथा अभाव दिखाई पड़ता है। इसलिए ईश्वर का स्थान प्रकृति में दिखाई पड़ता है। वैदिक काल में आकर ईश्वर को मानवीय रूप में परिवर्ती दिखाई पड़ता है।

प्राचीन भारतीय विचारकों के अनुसार धर्म और दर्शन अनादि अनंत सर्वव्यापक सच्चिदानंद परम तत्व ईश्वर की खोज का साधन है धर्म एवं दर्शन में ईश्वर संबंधी विचार से पूर्व धर्म और दर्शन में संबंध पर विचार करना आवश्यक प्रतीत होता है। धर्म की उत्पत्ति मनुष्य की ओर आध्यात्मिक बिपाशा से होती है, जो उसे अपूर्णता संख्या का अभाव आदि को दूर कर पूर्णता तथा सांसारिक दु:खों से मुक्ति प्राप्त करने के लिए अंत: प्रेरणा प्रदान करती है। पूर्णता की प्राप्ति भौतिक समृद्धि से संभव नहीं होती है अत: मनुष्य आध्यात्मिक मूल्यों का आविष्कार कर उन्हें प्राप्त करने के लिए धर्म आचरण करता है।

धर्माचरण के अंतर्गत शारीरिक व मानसिक शुद्धि कर्मकांड ईश्वर चिंतन आदि से आते हैं वैदिक दर्शन का समग्रता में अवलोकन किया जाए तो यह दृष्टिगोचर होता है कि यहां पर ईश्वर के अनेक रूप भी

दिखाई पड़ते हैं, क्योंकि यहाँ प्रकृति के समस्त वस्तुओं को देवतुल्य विषय वस्तुओं से जोड़कर देखने का प्रयास किया गया है।

इससे यह स्पष्ट हो जाता है कि वैदिक धर्म दर्शन के अंतर्गत बहुत देर बाद की प्रकृति दिखाई पड़ती है। यहां पर सूर्य-चंद्रमा-पृथ्वी आदि समस्त विषय वस्तुओं को प्रकृति से जोड़कर देखने का प्रयास किया जाता है। समग्रता में देखा जाए तो यह दृष्टिकोण कहीं न कहीं ईश्वर के विभिन्न रूपों को एकेश्वरवाद से अनेकेश्वरवाद के तरफ ले जाने का कार्य करता है। इससे यह स्पष्ट हो जाता है कि वैदिक धर्म दर्शन में ईश्वर के अनेक स्वरूप की भी झलक स्पष्ट रूप से दिखाई पड़ती है। इसके साथ-साथ समग्र भारतीय दर्शन का अवलोकन किया जाए तो यही स्पष्ट हो जाता है कि ईश्वर का स्वरूप कुछ इस प्रकार दिखाई पड़ता है।

"वह तेजस्वियों का तेज, बलियों का बल, ज्ञानियों का ज्ञान, मुनियों का तप, कवियों का रस, ऋषियों का गाम्भीर्य और बालक की हंसी विराजमान है। ऋषि के मन्त्र गान और बालक की निष्कपट हंसी उसे एक जैसे ही प्रिय हैं। वह शब्द नहीं भाव पढ़ता है, होंठ नहीं हृदय देखता है, वह मंदिर में नहीं, मस्जिद में नहीं, प्रेम करने वाले के हृदय में रहता है। बुद्धिमानों की बुद्धियों के लिए वह पहेली है पर एक निष्कपट मासूम को वह सदा उपलब्ध है। वह कुछ अलग ही है। पैसे से वह मिलता नहीं और प्रेम रखने वालों को कभी छोड़ता नहीं। उसे डरनेवाले पसंद नहीं, प्रेम करने वाले पसंद हैं। वह ईश्वर है, सबसे अलग पर सबमें रहता है।

"यही वैदिक हिन्दू धर्म है। इसी धर्म पर हमें गर्व है।" यहाँ 'ईश्वर' से हमारा तात्पर्य है **"परम सत्ता" न कि 'देवता'**। **'देवता'** एक अलग शब्द है। जिसका अशुद्ध प्रयोग अधिकतर 'परमसत्ता' के लिए कर लिया जाता है, हालाँकि ईश्वर भी एक 'देवता' है। कोई भी पदार्थ, जड़ व चेतन, जो कि हमारे लिए उपयोगी हो व सहायक हो, उसे 'देवता' कहा जाता है, किन्तु उसका अर्थ यह नहीं कि हर कोई ऐसी सत्ता जो ईश्वरमय है उसकी उपासना की जाये। कोई भ्रम न हो इसलिए इस लेख में हम 'ईश्वर' शब्द का प्रयोग करेंगे।

वह परम पुरुष जो निस्वार्थता का प्रतीक है, जो सारे संसार को नियंत्रण में रखता है, हर जगह मौजूद है और सब देवताओं का भी देवता है, एक मात्र वही सुख देने वाला है। जो उसे नहीं समझते वो दुःख में डूबे रहते हैं, और जो उसे अनुभव कर लेते हैं, मुक्ति सुख को पाते हैं। (ऋग्वेद 1.164.39)

वेदों में स्पष्ट कहा है कि एक और केवल एक ईश्वर है, और वेद में एक भी ऐसा मंत्र नहीं है जिसका अर्थ निकाला जा सके कि ईश्वर अनेक हैं। सिर्फ इतना ही नहीं वेद इस बात का भी खंडन करते हैं कि आपके और ईश्वर के बीच में अभिकर्ता (एजेंट) की तरह काम करने के लिए पैगम्बर, मसीहा या अवतार की जरूरत होती है। मोटे तौर पर यदि समानता देखी जाये तो इस्लाम में शहादा का जो पहला भाग है उसे लिया जाये : **ला इलाहा इल्लल्लाह** (सिर्फ और सिर्फ एक अल्लाह के सिवाय कोई और ईश्वर नहीं है) और दूसरे भाग को छोड़ दिया जाये : **मुहम्मदुर रसूलल्लाह** (मुहम्मद अल्लाह का पैगम्बर है), तो यह वैदिक ईश्वर की ही मान्यता के समान है।

इस्लाम में अल्लाह को छोड़कर और किसी को भी पूजना शिफ (सबसे बड़ा पाप) माना जाता है। अगर इसी मान्यता को और आगे देखें और अल्लाह के सिवाय और किसी मुहम्मद या गब्रेइल को मानने से इंकार कर दें, तो आप वेदों के अनुसार महापाप से बच जायेंगे।

यहाँ पहले भी कहा जा चुका है, जो पदार्थ हमारे लिए उपयोगी होते हैं वो देवता कहलाते हैं, लेकिन वेदों में ऐसा कहीं नहीं कहा गया कि हमें उनकी उपासना करनी चाहिए। ईश्वर देवताओं का भी देवता है और इसीलिए वह महादेव कहलाता है, सिर्फ और सिर्फ उसी की ही उपासना करनी चाहिए ।

वेदों में 33 कोटि का अर्थ 33 करोड़ नहीं बल्कि 33 प्रकार (संस्कृत में कोटि शब्द का अर्थ प्रकार होता है) के देवता हैं और ये शतपथ ब्राह्मण में बहुत ही स्पष्टतः वर्णित किये गए हैं, जो इस प्रकार है 8 वसु (पृथ्वी, जल, वायु, अग्नि, आकाश, सूर्य, चन्द्रमा, नक्षत्र), जिनमें सारा संसार निवास करता है। 10 जीवनी शक्तियां अर्थात् प्राण (प्राण,

अपान, व्यान, उदान, समान, नाग, कूर्म, कृकल, देवदत्त, धनञ्जय), ग्यारह रूद्र कहलाते हैं।

वैदिक साहित्य का स्वरूप

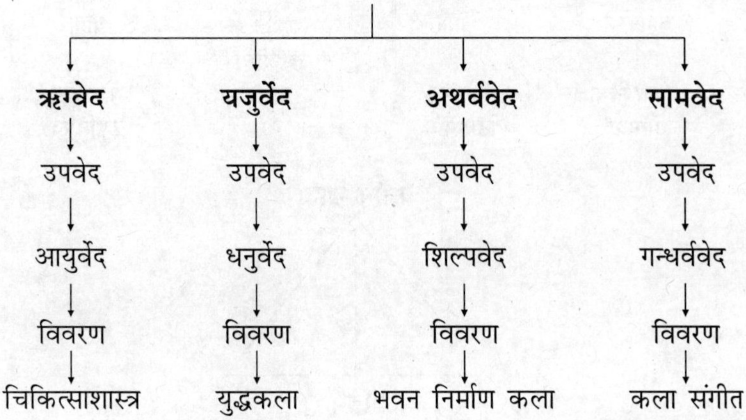

वेदांग का स्वरूप

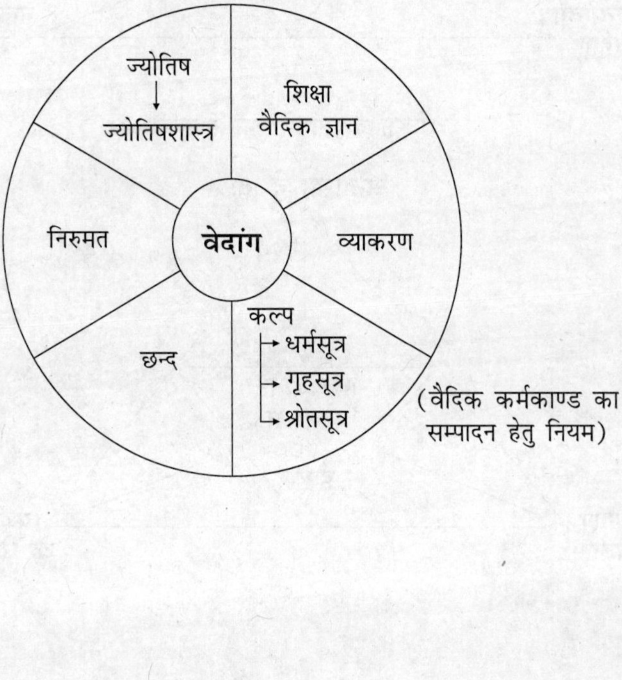

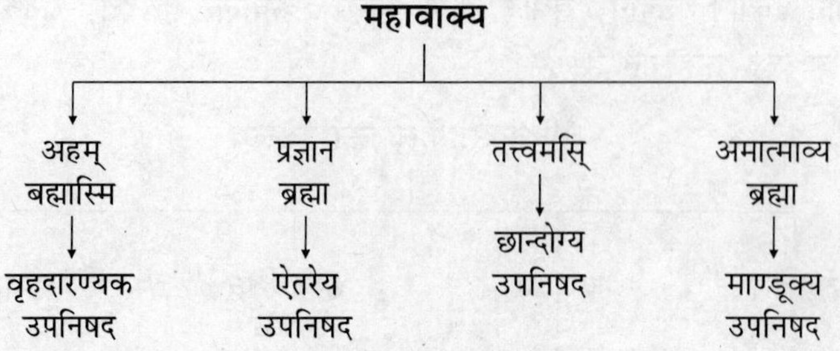

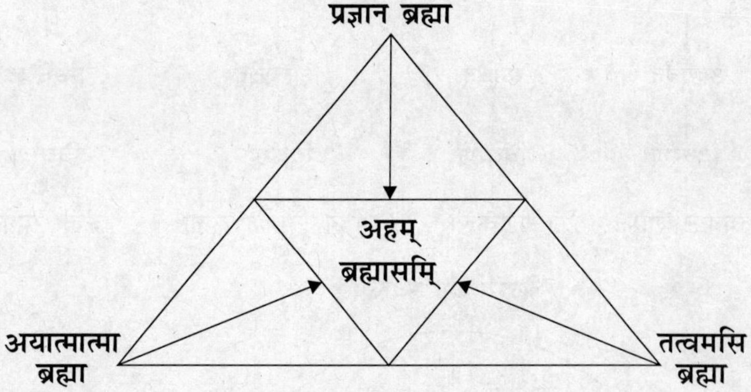

वैदिक देवताओं का स्वरूप

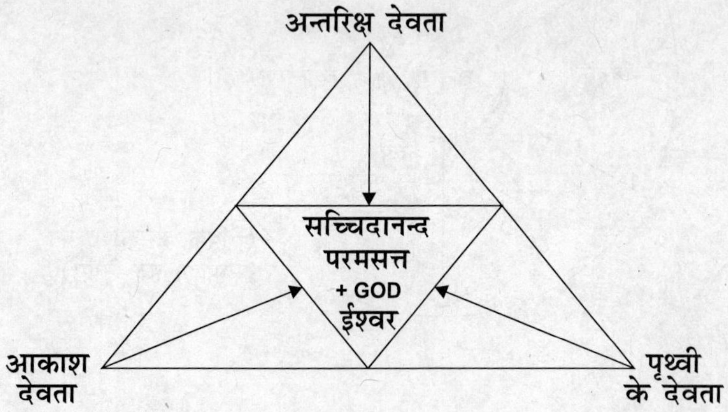

- 12 आदित्य अर्थात् वर्ष के 12 महीने।
- विद्युत् जो कि हमारे लिए अत्यधिक उपयोगी है।
- यज्ञ अर्थात् मनुष्यों के द्वारा निरंतर किये जाने वाले निस्वार्थ कर्म।

शतपथ ब्राह्मण के 14वें कांड के अनुसार इन 33 देवताओं का स्वामी महादेव ही एकमात्र उपासनीय है। 33 देवताओं का विषय अपने आप में ही शोध का विषय है जिसे समझने के लिए सम्यक् गहन अध्ययन की आवश्यकता है, लेकिन फिर भी वैदिक शास्त्रों में इतना तो स्पष्ट वर्णित है कि ये देवता ईश्वर नहीं हैं, और इसलिए इनकी उपासना नहीं करनी चाहिए।

ईश्वर अनंत गुणों वाला है। अज्ञानी लोग अपनी अज्ञानतावश उसके विभिन्न गुणों को विभिन्न ईश्वर मान लेते हैं।

ऐसी शंकाओं के निराकरण के लिए वेदों में अनेक मंत्र हैं जो ये स्पष्ट करते हैं कि सिर्फ और सिर्फ एक ही ईश्वर है और उसके साथ हमारा सम्पर्क कराने के लिए कोई सहायक, पैगम्बर, मसीहा, अभिकर्ता (एजेंट) नहीं होता है। यह सारा संसार एक और मात्र एक ईश्वर से पूर्णतः आच्छादित और नियंत्रित है। इसलिए कभी भी अन्याय से किसी के धन की प्राप्ति की इच्छा नहीं करनी चाहिए, अपितु न्यायपूर्ण आचरण के द्वारा ईश्वर के आनंद को भोगना चाहिए। आखिर वही सब सुखों का देने वाला है। एक मात्र ईश्वर ही सर्वव्यापक और सारे संसार का नियंता है। वही सब विजयों का दाता और सारे संसार का मूल कारण है। सब जीवों को ईश्वर को ऐसे ही पुकारना चाहिए जैसे एक बच्चा अपने पिता को पुकारता है। वही एक मात्र सब जीवों का पालन पोषण करता और सब सुखों का देने वाला है।

ईश्वर सारे संसार का प्रकाशक है। वह कभी पराजित नहीं होता और न ही कभी मृत्यु को प्राप्त होता है। वह संसार का बनाने वाला है। सभी जीवों को ज्ञान प्राप्ति के लिए तथा उसके अनुसार कर्म करके सुख की प्राप्ति के लिए प्रयत्न करना चाहिए। उन्हें ईश्वर की मित्रता

से कभी अलग नहीं होना चाहिए।

केवल एक ईश्वर ही सत्य की प्राप्ति के लिए प्रयत्न करने वालों को सत्य का ज्ञान देने वाला है। वही ज्ञान की वृद्धि करने वाला और धार्मिक मनुष्यों को श्रेष्ठ कार्यों में प्रवृत्त करने वाला है। वही एकमात्र इस सारे संसार का रचयिता और नियंता है। इसलिए कभी भी उस एक ईश्वर को छोड़कर और किसी की भी उपासना नहीं करनी चाहिए। सारे संसार का एक और मात्र एक ही निर्माता और नियंता है। एक वही पृथ्वी, आकाश और सूर्यादि लोकों का धारण करने वाला है। वह स्वयं सुखस्वरूप है। एक मात्र वही हमारे लिए उपासनीय है। वह न दो है, न ही तीन, न ही चार, न ही पाँच, न ही छः, न ही सात, न ही आठ, न ही नौ, और न ही दस है। इसके विपरीत वह सिर्फ और सिर्फ एक ही है। उसके सिवाय और कोई ईश्वर नहीं है। सब देवता उसमें निवास करते हैं, और उसी से नियंत्रित होते हैं। इसलिए केवल उसी की उपासना करनी चाहिए और किसी की नहीं। मात्र एक ईश्वर ही सबसे महान् है और उपासना करने के योग्य है। वही समस्त ज्ञान और क्रियाओं का आधार है।

ईश्वर संसार के कण-कण में व्याप्त है। कोई भी स्थान उससे खाली नहीं है। वह स्वयंभू है, और अपने कर्मों को करने के लिए उसे किसी सहायक, पैगम्बर, मसीहा या अवतार की जरूरत नहीं होती है। जो जीव उसका अनुभव कर लेते हैं उसके बंधनरहित मोक्ष सुख को भोगते हैं।

वेदों में ऐसे असंख्य मंत्र हैं, जो कि एक और मात्र एक ईश्वर का वर्णन करते हैं। हमें अन्य किसी अवतार, पैगम्बर या मसीहा की शरण में जाये बिना सीधे ईश्वर की उपासना का निर्देश देते हैं।

ईश्वर की विशेषताएं

1. आप ईश्वर के अस्तित्व को कैसे सिद्ध करते हैं?

प्रत्यक्ष और अप्रत्यक्ष प्रमाणों के द्वारा।

2. ईश्वर में प्रत्यक्ष प्रमाण नहीं घट सकता, तब फिर आप उसके अस्तित्व को कैसे सिद्ध करेंगे?

प्रमाण का अर्थ होता है ज्ञानेन्द्रियों के द्वारा स्पष्ट रूप से जाना गया निर्भ्रांत ज्ञान परन्तु यहाँ पर ध्यान देने की बात यह है कि ज्ञानेन्द्रियों से गुणों का प्रत्यक्ष होता है गुणी का नहीं। उदाहरण के लिए जब आप इस लेख को पढ़ते हैं, तो आपको सैनिक के होने का ज्ञान नहीं होता बल्कि पर्दे (कंप्यूटर की स्क्रीन) पर कुछ आकृतियाँ दिखाई देती हैं जिन्हें आप स्वयं समझकर कुछ अर्थ निकालते हैं। यह "अप्रत्यक्ष" प्रमाण है हालाँकि यह "प्रत्यक्ष" प्रतीत होता है। ठीक इसी तरह पूरी सृष्टि, जिसे कि हम, उसके गुणों को अपनी ज्ञानेन्द्रियों से ग्रहण करके, अनुभव करते हैं, ईश्वर के अस्तित्व की ओर संकेत करती है।

3. जब किसी इन्द्रिय गृहीत विषय से हम किसी पदार्थ का सीधा सम्बन्ध जोड़ पाते हैं, तो हम उसके "प्रत्यक्ष प्रमाणित" के होने का दावा करते हैं। उदाहरण के लिए जब आप आम खाते हैं, तो मिठास का अनुभव करते हैं, और उस मिठास को अपने खाए हुए आम से जोड़ देते हैं। यहाँ महत्वपूर्ण यह है कि आप ऐसा प्रत्यक्ष प्रमाण केवल उस इन्द्रिय से जोड़ सकते हैं जिसे कि आपने उस विषय का अनुभव करने के लिए प्रयोग किया है।

इस प्रकार पूर्वोक्त उदाहरण में आम का 'प्रत्यक्ष' 'कान' से नहीं कर सकते हैं, बल्कि 'जीभ', 'नाक' या 'आँखों' से ही कर सकते हैं, हालाँकि समझने में सरलता हो इसलिए हम इसे 'प्रत्यक्ष प्रमाण' कह रहे हैं लेकिन वास्तव में यह 'अप्रत्यक्ष प्रमाण' है, क्योंकि ईश्वर सबसे सूक्ष्म पदार्थ है।

इसलिए स्थूल इन्द्रियों 'आँख', 'नाक', 'कान', 'जीभ' और 'त्वचा' से उसका प्रत्यक्ष असंभव है। जैसे कि हम सर्वोच्च क्षमता वाले सूक्ष्मदर्शी के होते हुए भी अत्यंत सूक्ष्म कणों को नहीं देख सकते हैं। अत्यंत लघु तथा अत्यंत उच्च आवृत्ति की तरंगों को नहीं सुन सकते, प्रत्येक अणु के स्पर्श का अनुभव नहीं कर सकते हैं।

दुसरे शब्दों में कहें तो जैसे हम कानों से आम का प्रत्यक्ष नहीं कर सकते और यहाँ तक कि किसी भी इन्द्रिय से अत्यंत सूक्ष्म कणों को नहीं अनुभव कर सकते, ठीक ऐसे ही ईश्वर को भी स्थूल और क्षुद्र इन्द्रियों से प्रत्यक्ष करना असंभव है।

4. एक मात्र इन्द्रिय जिससे ईश्वर का अनुभव होता है, वह है मन। जब मन पूर्णतः नियंत्रण में होता है, तब किसी भी प्रकार के अनैच्छिक विघ्नों (जैसे कि हर समय मन में आने वाले विभिन्न प्रकार के विचार) से दूर होता है। जब अध्ययन और अभ्यास के द्वारा ईश्वर के गुणों का सम्यक् ज्ञान हो जाता है, तब बुद्धि से ईश्वर का प्रत्यक्ष ज्ञान ठीक उसी प्रकार होता है जैसे कि आम का अनुभव उसके स्वाद से। यही जीवन का लक्ष्य है। इसी के लिए योगी विभिन्न प्रकार के उपायों से मन को नियंत्रण में करने का प्रयास करता है। इन उपायों में से कुछ इस प्रकार के हैं: अहिंसा, सत्य की खोज, सद्भाव, सबके सुख के लिए प्रयास, उच्च चरित्र, अन्याय के विरुद्ध लड़ना, एकता के लिए प्रयास इत्यादि।

5. एक प्रकार से देखा जाये तो अपने दैनिक जीवन में भी हमें ईश्वर के होने के प्रत्यक्ष संकेत मिलते हैं, जब भी कभी हम चोरी, क्रूरता, धोखा आदि किसी बुरे काम को करने की शुरुआत करते हैं। तभी हमें अपने अन्दर से एक भय, लज्जा या शंका के रूप में एक अनुभूति होती है। जब हम दूसरों की सहायता करना आदि शुभ कर्म करते हैं, तब निर्भयता, आनंद, संतोष, और उत्साह का अनुभव, ये सब ईश्वर के होने का प्रत्यक्ष संकेत है। यह **'अंतरात्मा की आवाज'** ईश्वर की ओर से है। अधिकतर हम अपनी मूर्खतापूर्ण प्रवृत्तियों के छद्म आनंददायी गीतों के शोर से दबाकर इस आवाज को सुनने की क्षमता को कम कर देते हैं, लेकिन जब कभी हम अपेक्षाकृत शांत होते हैं, तब हम सभी इस 'अंतरात्मा की आवाज' की तीव्रता को बढ़ा हुआ अनुभव करते हैं।

6. जब आत्मा अपने आप को इन मानसिक विक्षोभों, हलचलों, तरंगों से छुड़ाकर इन छद्म आनंददायी गीतों की दुनिया से दूर कर लेता है, तब वह स्वयं तथा ईश्वर दोनों का प्रत्यक्ष अनुभव कर पाता है। इस प्रकार प्रत्यक्ष तथा अप्रत्यक्ष दोनों प्रकार के प्रमाणों से ईश्वर के होने का

उतना ही स्पष्ट अनुभव होता है, जितना कि उन सब पदार्थों के होने का जिनको हम स्थूल इन्द्रियों के द्वारा अनुभव करते हैं।

ईश्वर के स्वरूप का आलोचनात्मक वर्णन

1. ईश्वर सर्वव्यापक है, अर्थात् सब जगह रहता है। यदि वह किसी विशेष स्थान जैसे किसी आसमान या किसी विशेष सिंहासन पर रहता तो फिर सर्वज्ञ, सर्वशक्तिमान, सबका उत्पादक, नियंत्रक और विनाश करने वाला नहीं हो सकता है। आप जिस स्थान पर नहीं हैं उस स्थान पर आप कोई भी क्रिया कैसे कर सकते हैं?

2. यदि आप यह कहते हैं कि ईश्वर एक ही स्थान पर रहकर सारे संसार को इसी प्रकार नियंत्रण में रखता है, जैसे कि सूर्य आकाश में एक ही स्थान पर रहकर सारे संसार को प्रकाशित करता है या जैसे हम रिमोट कन्ट्रोल का प्रयोग टीवी देखने के लिए करते हैं, तो आपका यह तर्क अनुपयुक्त है, क्योंकि सूर्य का पृथ्वी को प्रकाशित करना और रिमोट कन्ट्रोल से टीवी चलना ये दोनों ही तरंगों के आकाश में संचरण के द्वारा होते हैं। हम उसे रिमोट कन्ट्रोल सिर्फ इसलिए कहते हैं क्योंकि हम उन तरंगों को देख नहीं सकते। इसलिए ईश्वर का किसी भी चीज को नियंत्रित करना खुद ये सिद्ध करता है कि ईश्वर उस चीज में है।

3. यदि ईश्वर सर्वशक्तिमान है, तो वह स्वयं को छोटी सी जगह में करके क्यूँ रखेगा? ईसाई कहते हैं कि गॉड चौथे आसमान पर है और मुसलमान कहते हैं कि अल्लाह प्रथम स्थान पर हैं। और उनके अनुयायी अपने आपको सही करने के लिए आपस में लड़ते रहते हैं। क्या इसका मतलब ये न समझा जाये कि अल्लाह और गॉड अलग-अलग आसमानों में इसलिए रहते हैं कि कहीं वो भी अपने क्रोधी अनुयायियों को न लग जाएँ? वास्तव में ये एकदम बच्चों जैसी बातें हैं। जब ईश्वर सर्वशक्तिमान् और सारे संसार को नियंत्रण में रखता है तो फिर कोई कारण नहीं है कि वह खुद को किसी छोटी सी जगह में सीमित कर के रखे और अगर ऐसा है तो फिर उसे सर्वशक्तिमान् नहीं कहा जा सकता।

4. पूरा संसार ईश्वर में है, क्योंकि ईश्वर इन सब के बाहर भी है, लेकिन ईश्वर के बाहर कुछ भी नहीं है। इसलिए संसार में सब कुछ ईश्वर से अभिव्याप्त है। मोटे तौर पर अगर इसकी समानता देखी जाये तो हम सब ईश्वर के अन्दर वैसे ही हैं जैसे कि जल से भरे बर्तन में कपड़ा। उस कपड़े के अन्दर-बाहर हर ओर जल ही जल है। उस कपड़े का कोई भाग ऐसा नहीं है, जो जल से भीगा न हो लेकिन उस कपड़े के बाहर भी हर ओर जल ही जल है।

5. कोई वस्तु हमारे लिए स्वच्छ या अस्वच्छ है। यह इस बात पर निर्भर करता है कि हमारे लिए उस वस्तु की क्या उपयोगिता है। जिस आम का स्वाद हमको इतना प्रिय होता है। वह जिन परमाणुओं से बनता है, वही परमाणु जब अलग-अलग हो जाते हैं और अन्य पदार्थों के साथ क्रिया करके मल का रूप ले लेते हैं, तो वही हमारे लिए अपवित्र हो जाते हैं।

6. वास्तव में ये सब प्राकृतिक कणों के योग से बने भिन्न-भिन्न सम्मिश्रण हैं। हम सब का इस संसार में होने का कुछ उद्देश्य है, हम हर चीज को उस उद्देश्य की तरफ बढ़ने की दृष्टि से देखते हैं और कुछ को स्वीकार भी करते हैं जो कि उस उद्देश्य के अनुकूल हों और बाकि सब को छोड़ते चले जाते हैं। जो हम छोड़ते हैं वो सब हमारे लिए अपवित्र या बेकार होता है, और जो हम स्वीकार करते हैं। मात्र वही हमारे लिए उपयोगी होता है, लेकिन ईश्वर के लिए इस संसार का ऐसा कोई उपयोग नहीं है इसलिए उसके लिए कुछ अपवित्र नहीं है। इसके ठीक विपरीत उसका प्रयोजन हम सबको न्यायपूर्वक मुक्ति सुख का देना है इसलिए पूरी सृष्टि में कोई भी वस्तु उसके लिए अस्पृश्य नहीं है।

7. दूसरी तरह से अगर समानता से देखी जाये तो ईश्वर कोई ऐसे समाजसेवी की तरह नहीं है, जो कि अपने वालानुकूलित कार्यालय में बैठकर योजनायें बनाना तो पसंद करता है, लेकिन उन मलिन बस्तियों में जाने से गुरेज करता है जहाँ कि समाज-सेवा की वास्तविक आवश्यकता है। इसके विपरीत ईश्वर संसार के सबसे अपवित्र पदार्थ में भी रहकर उसे हमारे लाभ के लिए नियंत्रित करता है।

8. क्योंकि एक मात्र वही शुद्धस्वरूप है इसलिए उसके हर वस्तु में होने और हर वस्तु के उसमें होने के बावजूद भी वह सबसे भिन्न और पृथक् है।

ईश्वर से सम्बन्धित कुछ महत्वपूर्ण प्रश्न

प्रश्न 1. लेकिन यह दोनों गुण तो एक दूसरे के विपरीत हैं। दया का अर्थ है किसी का अपराध क्षमा कर देना और न्याय का अर्थ है अपराधी को दंड देना। ये दोनों गुण एक साथ कैसे हो सकते हैं?

उत्तर- दया और न्याय वास्तव में एक ही हैं, क्योंकि दोनों का उद्देश्य एक ही है।

1. दया का अर्थ अपराधी को क्षमा कर देना नहीं है, क्योंकि अगर ऐसा है तो बहुत से निर्दोष लोगों के प्रति अत्याचार होगा। इसलिए जब तक अपराधी के साथ न्याय नहीं किया जायेगा, तब तक निर्दोष लोगों पर दया नहीं हो सकती। अपराधी को क्षमा करना, यह अपराधी के प्रति भी दया नहीं होगी क्योंकि ऐसा करने से उसे आगे अपराध करने के लिए बढ़ावा मिलेगा। उदाहरण के लिए, अगर एक डाकू को बिना दंड दिए छोड़ दिया जाये तो वह अनेक निर्दोषों को हानि पहुंचाएगा, किन्तु यदि उसे कारागर में रखा जाये तो इससे वह न सिर्फ दूसरों को हानि पहुँचाने से रुकेगा, बल्कि उसे खुद को सुधारने का एक मौका मिलेगा और वह आगे अपराध नहीं कर पायेगा। इसलिए न्याय में ही सबके प्रति दया निहित है।

2. वास्तव में दया ईश्वर का उद्देश्य है। न्याय उस उद्देश्य को पूरा करने का तरीका है। जब ईश्वर किसी अपराधी को दंड देता है, तो वास्तव में वह उसे आगे और अपराध करने से रोकता है। निर्दोषों की उनके अत्याचारों से रक्षा करता है। इस प्रकार न्याय का मुख्य उद्देश्य सबके प्रति दया करना है।

3. वेदों के अनुसार जो कुछ हम संसार में देखते हैं। उसके अनुसार भी दु:ख का मूल कारण अज्ञान है। यही अज्ञान दुष्कर्मों को

जन्म देता है। जिन्हें हम अपराध कहते हैं। इसलिए जब कोई जीव दुष्कर्म करता है, तो ईश्वर उसकी दुष्कर्म करने की स्वतंत्रता को बाधित कर देता है। उसे अपनी अज्ञानता और दु:खों को दूर करने का मौका देता है।

4. माफी मांग लेने भर से ईश्वर अपराधों को क्षमा नहीं कर देता है। पापों और अपराधों का मूल कारण अज्ञानता का होना है, जब तक वो नहीं मिट जाता तब तक जीव कई जन्मों तक निरंतर अपने अच्छे और बुरे कर्मों के फल को भोगता रहता है। इस सब न्याय का उद्देश्य जीव के प्रति दया करना है, जिससे कि वह परम आनंद को भोग सके।

प्रश्न 2. तो क्या इसका अर्थ ये है कि ईश्वर मेरे पापों को कभी भी क्षमा नहीं करेगा? इससे तो इस्लाम और ईसाइयत अच्छे हैं। वहाँ अगर मैं अपने अपराध कुबूल कर लूँ या माफी माँग लूँ तो मेरे पिछले सारे गुनाहों के दस्तावेज नष्ट कर दिए जाते हैं और मुझे नए सिरे से जीने का अवसर मिल जाता है।

उत्तर- 1. ईश्वर तुम्हारे पापों को वास्तव में क्षमा तो करता है। ईश्वर की माफी तुम्हारे कर्मों का न्यायपूर्वक फल देने में ही निहित है न कि पिछले कर्मों के दस्तावेज नष्ट कर देने में।

2. अगर वह तुम्हारे गुनाहों के दस्तावेज नष्ट कर दे, तो यह उसका तुम्हारे प्रति घोर अन्याय और क्रूरता होगी। यह ऐसा ही होगा जैसे कि तुम्हे तुम्हारी वर्तमान कक्षा की योग्यता प्राप्त किये बिना ही अगली कक्षा के लिए प्रोन्नत कर देना। ऐसा करके वह तुमसे जुड़े हुए अन्य व्यक्तियों के साथ भी अन्याय करेगा।

3. क्षमा करने का अर्थ होता है, एक नया अवसर देना न कि 100% अंक दे देना जबकि आप 0 की पात्रता रखते हैं। ईश्वर यही करता है। याद रखिये कि योग्यता का बढ़ना कोई एक पल में नहीं हो जाता, न ही माफी मांग लेने से योग्यता बढ़ जाती है। इसके लिए लम्बे समय तक समर्पण के साथ अभ्यास करना पड़ता है। केवल प्रमादी व्यक्ति ही बिना पूरा अध्ययन किये 100% अंक लेने के तरीके खोजते हैं।

4. यह दुर्भाग्य की बात है कि जो लोग ईश्वर से अपराध क्षमा कराने के नाम पर लोगों को अपने मतध्या सम्प्रदायों की ओर आकर्षित करते हैं, वो खुद को और दूसरों को बेवकूफ बना रहे हैं। मान लीजिये किसी को मधुमेह की समस्या है, क्या वह माफी माँगने से ठीक हो सकती है? जब एक शारीरिक समस्या का उपचार करने के लिए माफी माँगना पर्याप्त नहीं है, तो फिर मन जो कि मनुष्य को ज्ञात संसार का सबसे जटिल तंत्र है उसका उपचार मात्र एक माफी माँग लेने से कैसे हो सकता है।

5. वास्तव में इनके सिद्धांतों में एक स्पष्ट त्रुटि/दोष है और वह ये है कि ये सिर्फ एक जन्म में विश्वास रखते हैं पुनर्जन्म में नहीं। इसलिए वो लोगों को आकर्षित करने के लिए ईश्वर तक पहुँचने के झूठे तरीके गढ़ना चाहते हैं। अगर कोई उनकी बात न माने तो उसे नरक की झूठी कहानियाँ सुनाकर डराते हैं।

6. वैदिक दर्शन अधिक सहज, वास्तविकता के अनुरूप और तार्किक है। उसमें कोई नरक नहीं है जहाँ माँ के समान प्रेम करने वाला ईश्वर आपको हमेशा के लिए आग में जलने के लिए डाल देगा और न ही वो आपको अपने प्रयासों के द्वारा अपनी योग्यता बढ़ाने और अपनी योग्यता के अनुरूप उपलब्धियां प्राप्त करने के अवसरों से वंचित करेगा। आप खुद ही देखिये कि अधिक संतोषप्रद क्या होगा।

इसलिए वेदों में सफलता के लिए कोई आसान या कठिन रास्ते नहीं हैं, वहाँ तो केवल एक ही सही मार्ग है! सफलता उन सबसे अधिक संतोष दायक है जो कि इन छद्म आसान रास्तों पर चलने से प्राप्त होता हुआ प्रतीत होता है।

प्रश्न 3. ईश्वर साकार है या निराकार?

उत्तर- वेदों के अनुसार और सामान्य समझ के आधार पर भी ईश्वर निराकार है।

1. अगर वो साकार है, तो हर जगह नहीं हो सकता, क्योंकि आकार वाली वस्तु की अपनी कोई न कोई तो परिसीमा होती है। इसलिए अगर वो साकार होगा तो वह उस परिसीमा के बाहर नहीं होगा।

2. हम ईश्वर के आकार को देख पायें यह तभी संभव है, जब वह स्थूल हो क्योंकि प्रकाश को परावर्तित करने वाले पदार्थों से सूक्ष्म पदार्थों को देखा नहीं जा सकता है, किन्तु वेदों में ईश्वर को स्पष्ट रूप से सूक्ष्मतम, छिद्रों से रहित तथा एकरस कहा है (यजुर्वेद 40.8), इसलिए ईश्वर साकार नहीं हो सकता।

3. ईश्वर साकार है तो इसका अर्थ यह है कि उसका आकार किसी ने बनाया है, लेकिन ये कैसे हो सकता है, क्योंकि उसी ने तो सबको बनाया है, तो उससे पहले तो कोई था ही नहीं, फिर उसे कोई कैसे बना सकता है। अगर ये कहें कि उसने खुद अपना आकार बनाया है तो इसका अर्थ हुआ कि उसके पहले वो निराकार था।

4. अगर आप ये कहें कि ईश्वर साकार और निराकार दोनों है, तो यह कैसे भी संभव नहीं है, क्योंकि ये दोनों गुण एक ही पदार्थ में नहीं हो सकते हैं।

5. अगर आप ये कहें कि ईश्वर समय-समय पर दिव्य रूप धारण करता है, तो कृपया ये भी बता दें कि किसका दिव्य रूप लेता है, क्योंकि अगर कहें कि ईश्वर मनुष्य का दिव्य रूप धारण करता है, तो आप ईश्वरीय परमाणु और अनीश्वरीय परमाणु की सीमा कैसे निर्धारित करेंगे? क्योंकि ईश्वर सर्वत्र एकरस (एक समान) है तो फिर हम मानवीय-ईश्वर और शेष संसार में अंतर कैसे करें? और यदि हर जगह एक ही ईश्वर है तो फिर हम सीमा कैसे देख रहे हैं?

6. वास्तव में जो मानव शरीर हम देख रहे हैं। ये द्रव्य और ऊर्जा का शेष संसार के साथ निरंतर स्थानान्तरण है। किसी परमाणु विशेष के लिए यह निश्चित रूप से नहीं कहा जा सकता कि ये मानव शरीर का है या शेष संसार का। इसलिए मानवीय-ईश्वर के शरीर तक को अलग नहीं किया जा सकता है।

7. वेदों में कहीं पर भी साकार ईश्वर की अवधारणा नहीं है। फिर ऐसा कोई काम नहीं है, जो कि ईश्वर बिना शरीर के न कर सके जिसके लिए उसे शरीर में आने की आवश्यकता हो।

8. जिन्हें हम ईश्वर के दिव्य रूप मानते हैं, जैसे कि राम और कृष्ण, वास्तव में वो दिव्य प्रेरणा से कर्म करने वाले थे। याद कीजिये कि हमने 'अंतरात्मा की आवाज' के बारे में बात की थी। ये महापुरुष ईश्वर भक्ति तथा पवित्र मन का साक्षात् उदाहरण थे। इसलिए साधारण व्यक्तियों की दृष्टि में वे स्वयं ही ईश्वर थे, किन्तु वेद, ईश्वर के अतिरिक्त अन्य किसी की भी उपासना का निषेध करते हैं। इसलिए बजाय उनकी पूजा करने के, हमें अपने जीवन में उनके आदर्शों का अनुकरण करना चाहिए, यही उनके प्रति हमारी सच्ची श्रद्धांजलि होगी।

9. यदि ईश्वर अवतार लेता है, तो उन अवतारों की पूजा से मुक्ति हो जाती तो वेदों में इस विषय का विस्तृत वर्णन अवश्य ही होता। लेकिन वेद में ऐसे किसी विषय का संकेत तक नहीं है।

प्रश्न 4. क्या ईश्वर सर्वशक्तिमान है?

उत्तर- हाँ, वह सर्वशक्तिमान है, लेकिन इसका यह अर्थ नहीं है कि वह जो चाहे वो कर सकता है। अपनी इच्छा से कुछ भी करते जाना तो अनुशासनहीनता का संकेत है। इसके विपरीत ईश्वर तो सबसे अधिक अनुशासनपूर्ण है। सर्वशक्तिमत्ता का अर्थ यह है कि उसे अपने कर्तव्य कर्मों, सृष्टि की उत्पत्ति, स्थिति और प्रलय को करने के लिए अन्य किसी की सहायता की आवश्यकता नहीं होती। वह स्वयं ही अपने सब कर्तव्य कर्मों को करने में समर्थ है, लेकिन वह केवल अपने कर्तव्य कर्मों को ही करता है। उदाहरण के लिए, वह दूसरा ईश्वर बनाकर खुद को नहीं मार सकता है। वह खुद को मूर्ख नहीं बना सकता है। वह चोरी, डकैती आदि नहीं कर सकता है।

प्रश्न 5. क्या ईश्वर का कोई आदि (आरम्भ) है?

उत्तर- ईश्वर का न कोई आदि है और न ही कोई अंत। वह हमेशा से था, है और हमेशा रहेगा। और उसके सभी गुण हमेशा एक समान रहते हैं जीव और प्रकृति अन्य दो अनादि, अनंत वस्तुएं हैं।

प्रश्न 6. क्या ईश्वर की सीमायें ज्ञात हैं?

उत्तर- ईश्वर सर्वज्ञ है। इसका अर्थ है कि जो कुछ भी सत्य है वह सब जानता है, क्योंकि ईश्वर असीमित है। इसलिए वह जानता है कि वह असीमित है। यदि ईश्वर अपनी सीमाओं को जानने का प्रयास करेगा जो कि है ही नहीं तब वह अज्ञानी हो जायेगा।

प्रश्न 7. कृपया ईश्वर के मुख्य गुणों को संक्षेप में बताएं।

उत्तर- उसके गुण अनंत हैं और शब्दों में वर्णन नहीं किये जा सकते। फिर भी कुछ मुख्य गुण इस प्रकार हैं:

1. उसका अस्तित्व है।
2. वह चेतन है।
3. वह सब सुखों और आनंद का स्त्रोत है।
4. वह निराकार है।
5. वह अपरिवर्तनीय है।
6. वह सर्वशक्तिमान है।
7. वह न्यायकारी है।
8. वह दयालु है।
9. वह अजन्मा है।
10. वह कभी मृत्यु को प्राप्त नहीं होता।
11. वह अनंत है।
12. वह सर्वव्यापक है।
13. वह सब से रहित है।
14. उसका देश अथवा काल की उपेक्षा से कोई आदि अथवा अंत नहीं है।
15. वह अनुपम है।
16. वह संपूर्ण सृष्टि का पालन करता है।
17. वह सृष्टि की उत्पत्ति करता है।
18. वह सब कुछ जानता है।
19. उसका कभी क्षय नहीं होता, वह सदैव परिपूर्ण है।

20. उसको किसी का भय नहीं है।
21. वह शुद्धस्वरूप है।
22. उसके कोई अभिकर्ता (एजेंट) नहीं हैं। उसका सभी जीवों के साथ सीधा सम्बन्ध है।

महात्मा बुद्ध का जीवन

उत्तरी बिहार में एक जनपद था, जिसका नाम शाक्य गण था। इसकी राजधानी कपिलवस्तु थी। वहाँ के गणराजा का नाम शुद्धोदन था। इनकी पत्नी का नाम था महामाया। इन्हीं के घर कुमार सिद्धार्थ का जन्म हुआ, जो आगे चलकर महात्मा बुद्ध के नाम से प्रसिद्ध हुए। सिद्धार्थ का दूसरा नाम गौतम था, यह नाम सम्भवतः गौतम गोत्र के कारण था। जन्म के एक सप्ताह बाद ही कुमार सिद्धार्थ की माता का देहान्त हो गया। माया की बहिन महाप्रजापती थी। सिद्धार्थ का उसी ने पालन किया है।

कपिलवस्तु का शाक्यगण वज्जिसंघ के समान शक्तिशाली नहीं था। क्षत्रियों के लिए उचित वीरता की शाक्यों में कमी नहीं थी। शाक्य कुमारों की शिक्षा में उस समय शारीरिक उन्नति की ओर अधिक ध्यान दिया जाता था। सिद्धार्थ को भी इसी प्रकार की शिक्षा दी गई। तीरन्दाजी, घुड़सवारी और मल्लविद्या में उसे बहुत प्रवीण बनाया गया।

सिद्धार्थ का बाल्यकाल बड़े सुख और ऐश्वर्य से व्यतीत हुआ। सर्दी, गर्मी और वर्षा इन ऋतुओं में उसके निवास के लिए अलग-अलग महल बने हुए थे। इनमें ऋतु के अनुसार ऐश्वर्य तथा भोग-विलास के सब सामान एकत्र किये गये थे। सिद्धार्थ एक सम्पन्न शाक्य राजा का पुत्र था। उसके पिता की इच्छा थी कि सिद्धार्थ भी शाक्यगण में खूब प्रतिष्ठित तथा उन्नत स्थान प्राप्त करे। युवा होने पर सिद्धार्थ का विवाह यशोधरा नाम की कुमारी के साथ किया गया। विवाह के अनन्तर सिद्धार्थ का जीवन बड़े आनन्द के साथ व्यतीत होने लगा। सुख-ऐश्वर्य की उन्हें कमी ही क्या थी? कुछ समय बाद उन्हें एक पुत्र उत्पन्न हुआ, जिसका नाम राहुल रखा गया।

एक बार की बात है कि कुमार सिद्धार्थ कपिलवस्तु का अवलोकन करने के लिए निकले। उस दिन नगर को खूब सजाया गया था। कुमार सिद्धार्थ नगर की शोभा को देखता हुआ चला जा रहा था, कि उसका ध्यान सड़क के एक ओर लेटे हुए एक बीमार की ओर गया, जो अन्तिम श्वास ले रहा था। सारथी ने पूछने पर बताया कि यह एक बीमार है, जो कष्ट के कारण भूमि पर पड़ा हुआ तड़प रहा है, और थोड़ी देर में इसका देहान्त हो जाएगा। ऐसी घटना सभी आदमी देखते हैं, पर सिद्धार्थ पर इसका गहरा प्रभाव पड़ा।

इसके बाद उसे क्रमशः लाठी टेककर जाता हुआ एक बूढ़ा, श्मशान की ओर जाती हुई एक अर्थी और एक शान्तमुख संन्यासी दिखाई दिया। पहले तीनों दृश्यों को देखकर सिद्धार्थ का दबा हुआ वैराग्य एकदम प्रबल हो गया। उसे भोग-विलासमय जीवन अत्यन्त तुच्छ और क्षणिक जान पड़ने लगा। संन्यासी को देखकर उसमें भी उमंग जगी, कि मैं भी इसी प्रकार संसार से विरक्त हो जाऊँ।

इसके बाद लगभग 6 साल तक सिद्धार्थ ज्ञान और सत्य की खोज में इधर-उधर भटकता रहा। शुरू-शुरू में उन्होंने दो तपस्वियों को अपना चेला बनाया। इन्होंने उसे मोक्ष प्राप्ति के लिए खूब तपस्या करवाया। शरीर की सब क्रियाओं को बन्द कर घोर तपस्या करना ही इनकी दृष्टि में मोक्ष का उपाय था। सिद्धार्थ ने घोर तपस्याएँ कीं। शरीर को तरह-तरह से कष्ट दिए। पर इन साधनों से उसे आत्मिक शान्ति नहीं मिली। उसने यह मार्ग छोड़ दिया।

मगध का भ्रमण करता हुआ सिद्धार्थ उरुवेला पहुँचे। यहाँ के मनोहर प्राकृतिक दृश्यों ने उनके हृदय पर बड़ा प्रभाव डाला। इस प्रदेश के निस्तब्ध और सुंदर जंगलों और मधुर शब्द करने वाले स्वच्छ जल के झरनों को देखकर उनका चित्त बहुत प्रसन्न हुआ। उरुवेला के इन जंगलों में सिद्धार्थ ने फिर तपस्या प्रारम्भ की। यहाँ पाँच अन्य तपस्वियों से भी उनकी भेंट हुई। ये भी कठोर तप द्वारा मोक्ष प्राप्ति में विश्वास रखते थे।

सिद्धार्थ लगातार पद्मासन लगाकर बैठे रहते थे। भोजन तथा जल का उसने सर्वथा परित्याग कर दिया। इस कठोर तपस्या से उनका शरीर

निर्जीव सा हो गया, फिर भी उन्हें सन्तोष नहीं हुआ। उसने अनुभव किया कि उसकी आत्मा वहीं पर है, जहाँ पहले थी। इतनी घोर तपस्या के बाद भी उसे आत्मिक उन्नति के कोई चिन्ह दिखाई नहीं दिये। उसे विश्वास हो गया, कि शरीर को जान-बूझकर कष्ट देने से मोक्ष प्राप्त नहीं हो सकता है।

सिद्धार्थ ने तपस्या के मार्ग का परित्याग कर फिर से अन्न ग्रहण करना प्रारम्भ कर दिया। उसके साथी तपस्वियों ने समझा, कि सिद्धार्थ मार्ग-भ्रष्ट हो गया है, और अपने उद्देश्य से च्युत हो गया है। उन्होंने उसका साथ छोड़ दिया और अब सिद्धार्थ फिर अकेला ही रह गया। तपस्या के मार्ग से निराश होकर सिद्धार्थ उस स्थान पर पहुँचा जहाँ वर्तमान समय में बोधगया है।

वहाँ एक विशाल पीपल का वृक्ष था। थक कर सिद्धार्थ उसकी छाया में बैठ गये। इतने दिनों तक वह सत्य को ढूँढ़ने के लिए अनेक मार्गों को ग्रहण कर चुका था। अब उसने अपने अनुभवों पर विचार करना प्रारम्भ किया। सात दिन और सात रात वह एक ही जगह पर ध्यानमग्न दशा में बैठा रहा। अन्त में उसे बोध हुआ। उसे अपने हृदय में एक प्रकार का प्रकाश सा जान पड़ा। उसकी आत्मा में एक दिव्य ज्योति का आविर्भाव हुआ। उसकी साधना सफल हुई। वह अज्ञान से ज्ञान की दशा को प्राप्त हो गया। इस बोध या सत्य ज्ञान के कारण वह सिद्धार्थ से 'बुद्ध' बन गया। बौद्धों की दृष्टि में इस पीपल के वृक्ष का बड़ा महत्त्व है। यही बोधिवृक्ष कहलाता है। इसी के कारण समीपवर्ती नगरी गया भी 'बोधगया' कहलाती है। इस वृक्ष के नीचे ध्यानमग्न दशा में जो बोध कुमार सिद्धार्थ को हुआ था, वही "बौद्ध-धर्म" है। महात्मा बुद्ध उसे आर्यमार्ग व मध्यमार्ग कहते थे। इसके बाद सिद्धार्थ व बुद्ध ने अपना सम्पूर्ण जीवन इसी आर्य मार्ग का प्रचार करने में लगा दिया।

बौद्ध-साहित्य में सिद्धार्थ की इस ज्ञान-प्राप्ति की दशा का बड़ा विस्तृत और अतिरंजित वर्णन किया गया है। इसके अनुसार ज्ञान-प्राप्ति के अवसर पर मार (कामदेव) आदि राक्षसों ने अपनी सेना सहित सिद्धार्थ पर चढ़ाई की। उसके सामने नाना प्रकार के प्रलोभन व कँपा

देने वाले भय उपस्थित किये गये। पर सिद्धार्थ ने इन सब पर विजय पायी। सम्भवतः, ये वर्णन महात्मा बुद्ध के हृदय के अच्छे-बुरे भावों के संघर्ष को चित्रित करने के लिए किये गए थे। बुद्ध ने अपने हृदय में विद्यमान बुरे भावों पर विजय प्राप्त की, और सत्य-ज्ञान द्वारा धर्म के आर्य मार्ग का ग्रहण किया।

बुद्ध के समकालीन

बुद्ध के प्रमुख गुरु थे- आदिगुरु, अलारा, कलम, उद्दाका रामापुत्त, सूरज आजाद आदि। उनके प्रमुख शिष्य थे- आनन्द, अनिरुद्ध, महाकश्यप, रानी खेमा (महिला), महाप्रजापति (महिला), भद्रिका, भृगु, किम्बाल, देवदत्त, उपाली, अंगुलिमाल आदि।

गुरु अलारा कलम और उद्दाका रामापुत्तः ज्ञान की तलाश में सिद्धार्थ घूमते-घूमते अलारा कलम और उद्दाका रामापुत्त के पास पहुंचे। उनसे उन्होंने योग-साधना सीखी। कई माह तक योग करने के बाद भी जब ज्ञान की प्राप्ति नहीं हुई, तो उन्होंने उरुवेला पहुंच कर वहां घोर तपस्या की। छः साल बीत गए तपस्या करते हुए। सिद्धार्थ की तपस्या सफल नहीं हुई। तब एक दिन कुछ स्त्रियां किसी नगर से लौटती हुई वहां से निकलीं, जहां सिद्धार्थ तपस्या कर रहे थे। उनका एक गीत सिद्धार्थ के कान में पड़ा- **'वीणा के तारों को ढीला मत छोड़ दो। ढीला छोड़ देने से उनका सुरीला स्वर नहीं निकलेगा। पर तारों को इतना कसो भी मत कि वे टूट जाएं।'** बात सिद्धार्थ को जंच गई। वह मान गए कि नियमित आहार-विहार से ही योग सिद्ध होता है। अति किसी बात की अच्छी नहीं। किसी भी प्राप्ति के लिए मध्यम मार्ग ही ठीक होता है। बस फिर क्या था कुछ ही समय बाद ज्ञान प्राप्त हो गया।

आनन्दः यह बुद्ध और देवदत्त के भाई थे और बुद्ध के दस सर्वश्रेष्ठ शिष्यों में से एक थे। यह लगातार बीस वर्षों तक बुद्ध की संगत में रहे। इन्हें गुरु का सर्वप्रिय शिष्य माना जाता था। आनंद को बुद्ध के निर्वाण के पश्चात् प्रबोधन प्राप्त हुआ। वह अपनी स्मरण शक्ति के लिए प्रसिद्ध थे।

महाकश्यपः महाकश्यप मगध के ब्राह्मण थे, जो तथागत के नजदीकी शिष्य बन गए थे। इन्होंने प्रथम बौद्ध अधिवेशन की अध्यक्षता की थी।

रानी खेमा : रानी खेमा सिद्ध धर्मसंघिनी थीं। यह बिंबिसार की रानी थी और अति सुन्दर थी। आगे चलकर खेमा बौद्ध धर्म की अच्छी शिक्षिका बनी।

महाप्रजापतिः महाप्रजापति बुद्ध की माता महामाया की बहन थी। इन दोनों ने राजा शुद्धोदन से विवाह किया था। गौतम बुद्ध के जन्म के सात दिन पश्चात् महामाया की मृत्यु हो गई। तत्पश्चात् महाप्रजापति ने उनका अपने पुत्र जैसे पालन-पोषण किया। राजा शुद्धोदन की मृत्यु के बाद बौद्ध मठ में पहली महिला सदस्य के रूप में महाप्रजापति को स्थान मिला था।

बुद्ध की शिक्षाएँ

भगवान् बुद्ध की मूल देशना (शिक्षा) क्या थी, इसपर प्रचुर विवाद है। स्वयं बौद्धों में कालान्तर में नाना सम्प्रदायों का जन्म और विकास हुआ और वे सभी अपने को बुद्ध से अनुप्राणित मानते हैं। अधिकांश आधुनिक विद्वान् पालि त्रिपिटक के अन्तर्गत विनयपिटक और सुत्तपिटक में संगृहीत सिद्धान्तों को मूल बुद्धदेशना मान लेते हैं। कुछ विद्वान् सर्वास्तिवाद अथवा महायान के सारांश को मूल देशना स्वीकार करना चाहते हैं। अन्य विद्वान् मूल ग्रंथों के ऐतिहासिक विश्लेषण से प्रारंभिक और उत्तरकालीन सिद्धांतों में अधिकाधिक विवेक करना चाहते हैं, जिसके विपरीत कुछ अन्य विद्वान् इस प्रकार के विवेक के प्रयास को प्रायः असम्भव समझते हैं। आर्यसत्य, अष्टांगिक मार्ग, दस पारमिता, पंचशील आदि के रूप में बुद्ध की शिक्षाएँ समझी जा सकतीं हैं।

चार आर्य सत्य

तथागत बुद्ध का पहला धर्मोपदेश, जो उन्होंने अपने साथ के कुछ साधुओं को दिया था, इन चार आर्य सत्यों को बुद्ध ने चार आर्य सत्य बताये हैं।

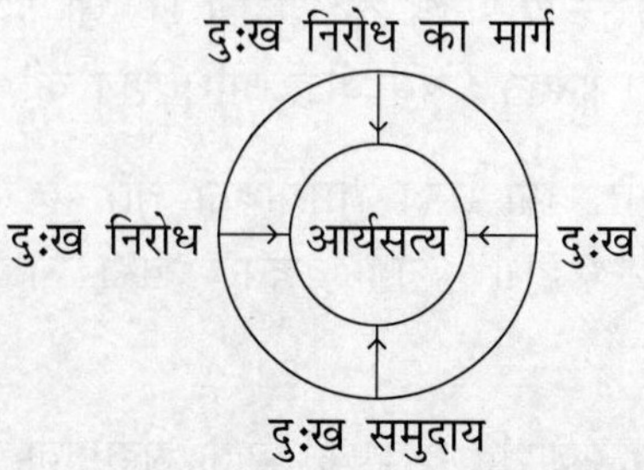

1. **दु:ख**– इस दुनिया में दु:ख है। जन्म में, बूढ़े होने में, बीमारी में, मौत में, प्रियतम से दूर होने में, नापसंद चीजों के साथ में, चाहत को न पाने में, सब में दु:ख है।
2. **दु:ख कारण**– तृष्णा, या चाहत, दु:ख का कारण है फिर से शरीर धारण करके संसार को जारी रखती है।
3. **दु:ख निरोध**– दु:ख-निरोध के आठ साधन बताये गये हैं जिन्हें 'अष्टांगिक मार्ग' कहा गया है। तृष्णा से मुक्ति पाई जा सकती है।
4. **दु:ख निरोध का मार्ग**– तृष्णा से मुक्ति अष्टांगिक मार्ग के अनुसार जीने से पाई जा सकती है।

अष्टांगिक मार्ग

बौद्ध धर्म के अनुसार, चौथे आर्य सत्य का आर्य अष्टांग मार्ग है दु:ख निरोध पाने का रास्ता। गौतम बुद्ध कहते थे कि चार आर्य सत्य की सत्यता का निश्चय करने के लिए इस मार्ग का अनुसरण करना चाहिए

अष्टांगिक मार्ग

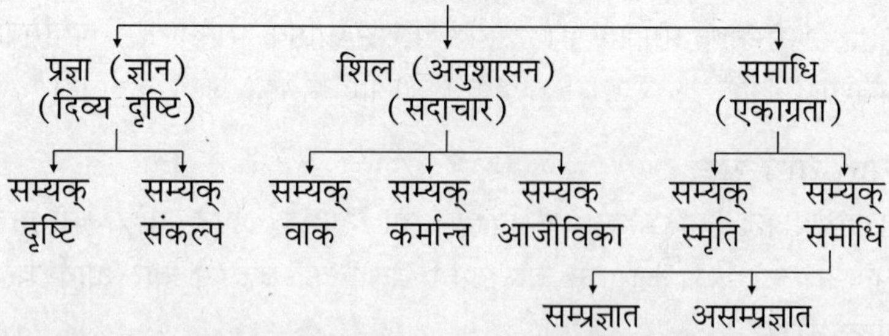

1. **सम्यक् दृष्टि**- वस्तुओं के यथार्थ स्वरूप को जानना ही सम्यक् दृष्टि है।
2. **सम्यक् संकल्प**- आसक्ति, द्वेष तथा हिंसा से मुक्त विचार रखना ही सम्यक् संकल्प है।
3. **सम्यक् वाक**- सदा सत्य तथा मृदु वाणी का प्रयोग करना ही सम्यक् वाक है।
4. **सम्यक् कर्मान्त**- इसका आशय अच्छे कर्मों में संलग्न होने तथा बुरे कर्मों के परित्याग से है।
5. **सम्यक् आजीव**- विशुद्ध रूप से सदाचरण से जीवन-यापन करना ही सम्यक् आजीव है।
6. **सम्यक् व्यायाम**- अकुशल धर्मों का त्याग तथा कुशल धर्मों का अनुसरण ही सम्यक् व्यायाम है।
7. **सम्यक् स्मृति**- इसका आशय वस्तुओं के वास्तविक स्वरूप के संबंध में सदैव जागरूक रहना है।
8. **सम्यक् समाधि**- चित्त की समुचित एकाग्रता ही सम्यक् समाधि है।

कुछ लोग आर्य अष्टांग मार्ग को पथ की तरह समझते हैं, जिसमें आगे बढ़ने के लिए, पिछले के स्तर को पाना आवश्यक है और लोगों को लगता है कि इस मार्ग के स्तर सब साथ-साथ पाए जाते हैं। मार्ग को तीन हिस्सों में वर्गीकृत किया जाता है: प्रज्ञा, शील और समाधि।

पंचशील

भगवान बुद्ध ने अपने अनुयायिओं को पांच शीलों का पालन करने की शिक्षा दी है।

पंचशील का स्वरूप

1. **अहिंसा**-पालि में,
   पाणातिपाता वेरमणी सीक्खापदम् सम्मादीयामी
   अर्थ- मैं प्राणि-हिंसा से विरत रहने की शिक्षा ग्रहण करता हूँ।
2. **अस्तेय**- पालि में,
   आदिन्नादाना वेरमणी सिक्खापदम् समादियामी
   अर्थ- मैं चोरी से विरत रहने की शिक्षा ग्रहण करता हूँ।
3. **अपरिग्रह**- पालि में,
   कामेसूमीच्छाचारा वेरमणी सिक्खापदम् समादियामी
   अर्थ- मैं व्यभिचार से विरत रहने की शिक्षा ग्रहण करता हूँ।
4. **सत्य**- पालि में,
   मुसावादा वेरमणी सिक्खापदम् समादियामी
   अर्थ- मैं झूठ बोलने से विरत रहने की शिक्षा ग्रहण करता हूँ।
5. **सभी नशा से विरत**- पालि में,
   सुरामेरय मज्जपमादठटाना वेरमणी सिक्खापदम् समादियामी
   अर्थ- मैं पक्की शराब (सुरा) कच्ची शराब (मेरय), नशीली चीजों (मज्जपमादठटाना) के सेवन से विरत रहने की शिक्षा ग्रहण करता हूँ।

बोधि

गौतम बुद्ध ने जिस ज्ञान की प्राप्ति की थी उसे 'बोधि' कहते हैं। माना जाता है कि बोधि पाने के बाद ही संसार से छुटकारा पाया जा सकता है। सारी पारमिताओं (पूर्णताओं) की निष्पत्ति, चार आर्य सत्यों की पूरी समझ और कर्म के निरोध से ही बोधि पाई जा सकती है। इस समय, लोभ, दोष, मोह, अविद्या, तृष्णा और आत्मां में विश्वास सब गायब हो जाते हैं। बोधि के तीन स्तर होते हैं: श्रावकबोधि, प्रत्यकबोधि और सम्यकबोधि। सम्यकबोधि बौध धर्म की सबसे उन्नत आदर्श मानी जाती है।

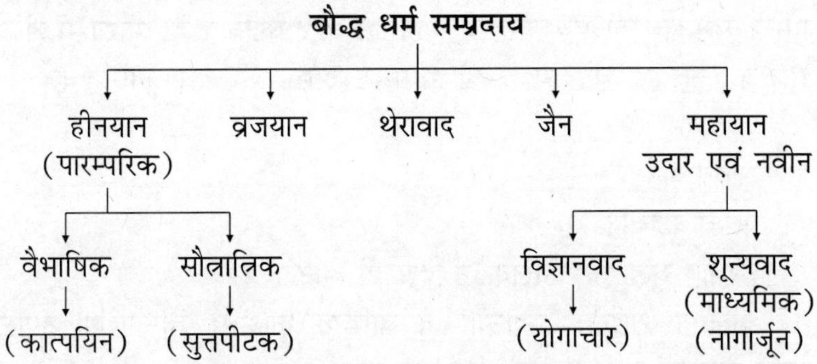

सम्प्रदाय

बौद्ध धर्म में संघ का बड़ा स्थान है। इस धर्म में बुद्ध, धम्म और संघ को 'त्रिरत्न' कहा जाता है। संघ के नियम के बारे में गौतम बुद्ध ने कहा था कि छोटे नियम भिक्षुगण परिवर्तन कर सकते हैं। उन के महापरिनिर्वाण के पश्चात् संघ के आकार में व्यापक वृद्धि हुई।

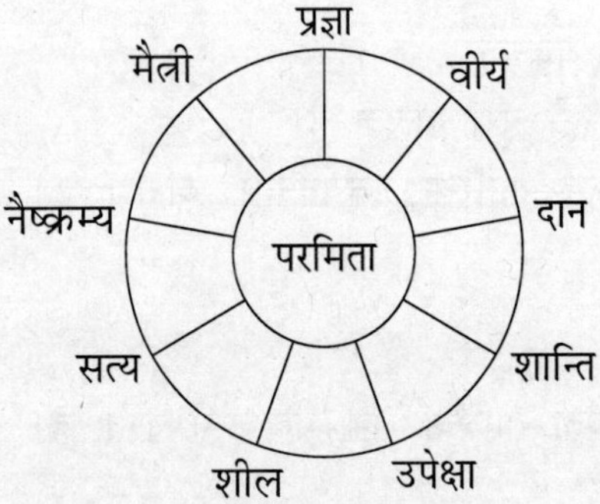

इस वृद्धि के पश्चात् विभिन्न क्षेत्र, संस्कृति, सामाजिक अवस्था, दीक्षा, आदि के आधार पर भिन्न लोग बुद्ध धर्म से आबद्ध हुए और संघ का नियम धीरे-धीरे परिवर्तन होने लगा। साथ ही अंगुत्तर निकाय के कालाम सुत्त में बुद्ध ने अपने अनुभव के आधार पर धर्म पालन करने की स्वतन्त्रता दी है। अतः, विनय के नियम में परिमार्जन/परिवर्तन, स्थानीय सांस्कृतिक/भाषिक पक्ष, व्यक्तिगत धर्म की स्वतन्त्रता, धर्म के निश्चित पक्ष में ज्यादा या कमी जोड़ आदि कारण से बुद्ध धर्म में विभिन्न सम्प्रदाय या संघ में परिमार्जित हुए। वर्तमान में, इन संघ में

प्रमुख सम्प्रदाय या पंथ थेरवाद, महायान और वज्रयान है। भारत में बौद्ध धर्म का नवयान संप्रदाय है जो भीमराव अम्बेडकर द्वारा निर्मित है।

थेरवाद

श्रावकयान

प्रत्येकबुद्धयान

थेरवाद बुद्ध के मौलिक उपदेश ही मानता है।

श्रीलंका, थाईलैंड, म्यान्मार, कम्बोडिया, लाओस, बांग्लादेश, नेपाल आदि देशों में थेरवाद बौद्ध धर्म का प्रभाव है।

महायान का

महायान बुद्ध की वास्तविक शिक्षाओं का पालन नहीं करता है।

बुद्ध के अलावा हजारों बोधिसत्व की पूजा करता है।

बोधिसत्त्वयान

बोधिसत्त्वसुत्रयान

बोधिसत्त्वतन्त्रयान/वज्रयान

महायान में बुद्ध की पूजा करता है।

चीन, जापान, उत्तर कोरिया, वियतनाम, दक्षिण कोरिया आदि देशों में प्रभाव है।

वज्रयान

वज्रयान को तिब्बती तांत्रिक धर्म भी कहा जाता है।

भूटान में राष्ट्रधर्म

भूटान, तिब्बत और मंगोलिया में प्रभाव

नव्ययान

डॉ.भीमराव अम्बेडकर के सिद्धांतों का अनुसरण

महायान, वज्रयान, थेरवाद से भिन्न सिद्धांत

भारत में (मुख्यत: महाराष्ट्र में) प्रभाव

मूल पालि साहित्य या पिटक

मूल पालि साहित्य तीन भागों में विभक्त है, जिन्हें पिटक कहा गया है–

"विनयपिटक", "सुत्तपिटक" और "अभिधम्मपिटक"। इनमें से प्रत्येक पिटक के भीतर अपने अपने विषय से संबंध रखने वाली अनेक छोटी-बड़ी रचनाओं का समावेश है। पालि के इन तीन पिटकों में ई. पूर्व छठी शदी में हुए भगवान बुद्ध के विचारों और उपदेशों का एक विशेष शैली में संकलन किया गया है।

तीनों पिटकों में परस्पर तारतम्य है। विषय का मूलाधार सुत्तपिटक है जिसमें भगवान के उपदेशों को श्रोताओं को हृदयंगम कराने के लिए सरल से सरल, रोचक कथात्मक शैली का आलंबन लिया गया है। यहाँ वस्तु को संक्षेप में कहने का प्रयत्न नहीं किया गया है। उद्देश्य है नई-नई बातों को सामान्य श्रोताओं के ग्रहण योग्य बनाना और इसीलिए यहाँ उपदेश के मुख्य भाग की बार-बार पुनरावृत्ति की गई है। प्रसंगवश इन सुत्तों में तत्कालीन धार्मिक, सामाजिक एवं राजनीतिक परिस्थितियों का चित्रण भी आ गया है जो प्राचीन इतिहास की दृष्टि से बड़ा महत्वपूर्ण है।

उदाहरणार्थ, दीर्घ निकाय के समञ्ञफल सुत्त, ब्रह्मजाल सुत्त एवं महापरिनिब्बान सुत्त में बुद्ध के समसामयिक धर्मप्रवर्तकों जैसे मंखलिगोसाल, पकुधकच्चायन, अजित केस कंबलि, संजय बलठिपुत्त निगंठनातपुत्त, आदि के आचार-विचारों तथा उनके द्वारा प्रवर्तित धर्म संप्रदायों की बौद्ध दृष्टि से आलोचना पाई जाती है। साथ ही उन विषयों पर बौद्ध मान्यता का प्रतिपादन भी पाया जाता है। सामाजिक चित्रण सुत्तपिटक में बिखरा पड़ा है, तथापि खुद्दक निकाय के अंतर्गत जातकों में इसकी प्रचुर सामग्री उपलब्ध है।

सुत्तों में स्थान-स्थान पर बुद्धकालीन मगध, विदेह, कोशल, काशी आदि 16 जनपदों के राजाओं उनके परस्पर संबंधों एवं लड़ाई-झगड़ों और दाँव-पेंचों के उल्लेख भरे पड़े हैं। सुत्तों के उपदेशों में जिस बौद्ध आचार के संकेत पाए जाते हैं, उन्हीं की भिक्षुओं के योग्य सदाचार के नियमों के रूप में विधि-निषेध-प्रणाली व्यवस्था विनय पिटक में भी की गई है।

इसी प्रकार सुत्तों में जिस तत्वचिंतन के बीज सन्निहित हैं, उनका दार्शनिक शब्दावली में सैद्धांतिक रूप से प्रतिपादन और विवेचन अभिधम्म

पिटक में किया गया है। इस परस्पर आनुषंगिकता के कारण बौद्धधर्म का पूरा सांगोपांग एवं सुव्यवस्थित परिज्ञान बिना त्रिपिटक के अवलोकन के नहीं हो सकता है।

यह पालि त्रिपिटक विषय की दृष्टि से स्वयं बुद्ध भगवान के उपदेशों पर आधारित है। उपलब्ध ग्रंथ रचना की दृष्टि से ई. पूर्व तृतीय शताब्दी से पश्चात् का सिद्ध नहीं होता है। बौद्ध परंपरानुसार अशोक सम्राट् के काल में ही उनके पुत्र महेंद्र स्वयं बौद्ध भिक्षु बनकर इस साहित्य को लंका ले गए और वहाँ प्रथम शती ई. में राजा बट्टगामणी के राज्यकाल में उसे वह लिखित रूप प्राप्त हुआ जिसमें वह आज हमें मिलता है। तथापि उसमें ऐसी कोई बात हमें नहीं मिलती, जो बीच की दो तीन शताब्दियों के काल में लंका की परिस्थितियों के प्रभाव के कारण उसमें आई कही जा सके।

1. **विनयपिटक**- अपने नामानुसार विनयपिटक का विषय भिक्षुओं के पालने योग्य सदाचार के नियम उपस्थित करना है। इसके तीन अवांतर विभाग हैं- सुत्तविभंग, खंधक और परिवार। खंधक के पुनः दो उपविभाग हैं- महावग्ग और चुल्लवग्ग। इस प्रकार अपने इन उपविभागों की अपेक्षा विनयपिटक पाँच भागों में विभक्त है।
2. **सुत्तपिटक**- सुत्तपिटक अपने विषय, विस्तार तथा रचना की दृष्टि से त्रिपिटक का सबसे महत्वपूर्ण भाग है। इसमें ऐसे सुत्तों का संग्रह किया गया है जो परंपरानुसार या तो स्वयं भगवान बुद्ध के कहे हुए हैं या उनके साक्षात् शिष्य द्वारा उपदिष्ट हैं और जिनका अनुमोदन स्वयं भगवान बुद्ध ने किया है। सुत्त का संस्कृत रूपांतर सूत्र में किया जाता है। किंतु प्रस्तुत सुत्तों में सूत्र के वे लक्षण दृष्टिगोचर नहीं होते जो संस्कृत की प्राचीन सूत्र रचनाओं, जैसे वैदिक साहित्य के श्रौत सूत्र, गृह्य एवं धर्मसूत्र आदि में पाए जाते हैं।

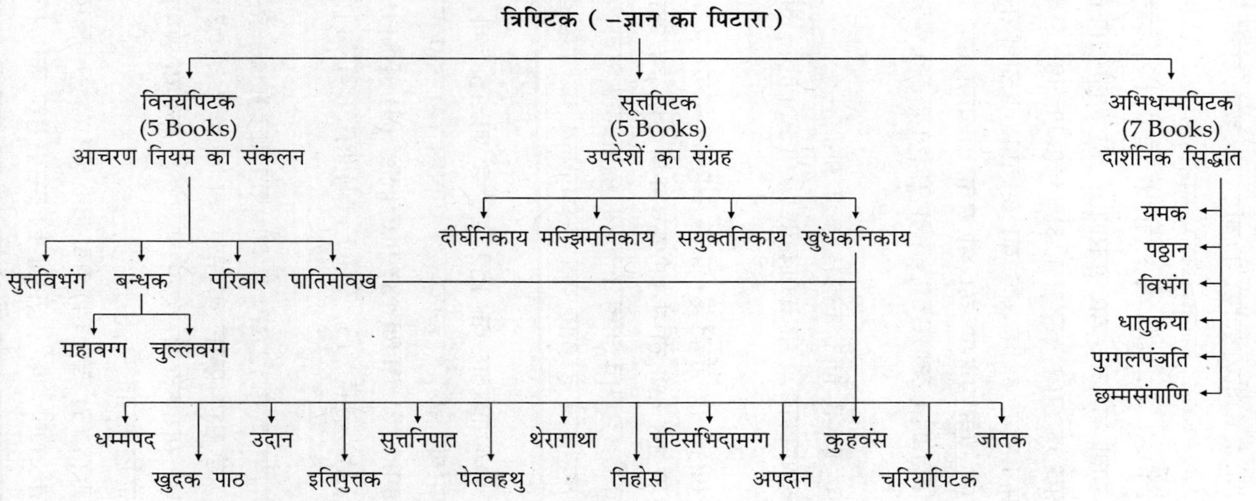

नोट: (i) धम्मपदः इसको बौद्ध धर्म का गीता कहा जाता है।

(ii) जातकः इसमें भगवान बुद्ध के पूर्व जन्म की कहानियों का संग्रह मिलता है।

(iii) चैत्य पूजा स्थान, विहार भिक्षुओं का निवास स्थान।

(iv) सुत्तपिटक को बौद्ध धर्म का Encyclopedia कहा जाता है।

(v) बुद्ध संघ और धर्म को त्रिरत्न कहा जाता है।

सूत्र का विशेष लक्षण है अति संक्षेप में कम से कम शब्दों में अधिक से अधिक अर्थ व्यक्त करना। उसमें पुनरुक्ति का सर्वथा अभाव अविद्यमान है। किन्तु यहाँ संक्षिप्त शैली के विपरीत सुविस्तृत व्याख्यान तथा मुख्य बातों की बार-बार पुनरावृत्ति की शैली अपनाई गई है। इस कारण सुत्त का सूत्र रूपांतरण उचित प्रतीत नहीं होता। विचार करने से अनुमान होता है कि सुत्त का अभिप्राय मूलतः सूक्त से रहा है। वेदों के एक-एक प्रकरण को भी सूक्त ही कहा गया है। किसी एक बात के प्रतिपादन को सूक्त कहना सर्वथा उचित प्रतीत होता है।

सुत्तपिटक के पाँच भाग हैं जिन्हें निकाय कहा गया हैं-

दीर्घनिकाय, मज्झिमनिकाय, संयुक्तनिकाय, अंगुत्तरनिकाय और खुद्दकनिकाय।

दीर्घनिकाय तीन वर्गों में विभाजित है। प्रथम सीलक्खंधवग्ग में 13 सुत्त हैं, दूसरे महावग्ग में 10 तथा तीसरे पाटिकवग्ग में 11। इस प्रकार दीर्घनिकाय में 34 सुत्त हैं। ये सुत्त अन्य निकायों में संग्रहीत सुत्तों की अपेक्षा विस्तार में अधिक लंबे है और यही इस निकाय के नाम की सार्थकता है।

मज्झिमनिकाय में मध्यमविस्तार के 152 सुत्त हैं जो 15 वर्गों में विभक्त हैं- (1) मूलपरियाय (2) सीहनाद (3) ओपम्म (4) महायमक (5) चूलयमक (6) गहपति (7) भिक्खू (8) परिव्वाजक (9) राज (10) ब्राह्मण (11) देवदह (12) अनुपद (13) सुञ्ञता (14) विभंग और (15) षडायतन।

इनमें से 14वें वर्ग विभंग में 12 सुत्त हैं और शेष सब में दस-दस। संयुक्तनिकाय में छोटे बड़े सभी प्रकार के सुत्तों का संग्रह है और यही इस निकाय के नाम की सार्थकता है। इसमें कुल 56 सुत्त या संयुक्त हैं जो इन पाँच वर्गों में विभाजित हैं-

(1) सगाथ (2) निदान (3) खंध (4) षडायतन और (5) महावग्ग।

अंगुत्तर निकाय की अपनी एक विशेषता है। इसमें सुत्तों का संग्रह एक व्यवस्था के अनुसार किया गया है। आदि में ऐसे सुत्त हैं जिनमें

बुद्ध भगवान के एक संख्यात्मक पदार्थ विषयक उपदेशों का संग्रह है, तत्पश्चात् दो पदार्थों विषयक सुत्तों का और फिर तीन, चार आदि इसी क्रम से इस निकाय के भीतर एककनिपात, दुकनिपात एवं तिक, चतुवक, पंचक, छक्क, सत्तक, अट्ठक, नवक, दसक और एकादसक इन नामों के ग्यारह निपातों का संकलन है।

खुद्दक निकाय में विषय तथा रचना की दृष्टि से प्रायः सर्वथा स्वतंत्र 15 रचनाओं का समावेश है, जिनके नाम हैं–

(1) खुद्दक पाठ (2) धम्मपद (3) उदान (4) इतिवुत्तक (5) सुत्तनिपात (6) विमानवत्थु (7) पेतवत्थु (8) थेरगाथा (9) थेरीगाथा (10) जातक (11) निद्देस (12) पटिसंभिदामग्ग (13) अपादान (14) बुद्धवंस और (15) चरियापिटक।

3. **अभिधम्मपिटक**– पालि त्रिपिटक के तीसरे भाग अभिधम्मपिटक में भगवान बुद्ध के दर्शनात्मक विचारों का विश्लेषण और वर्गीकरण किया गया है तथा तात्विक दृष्टि से उनकी सूचियाँ और परिभाषाएँ उपस्थित की गई हैं। इस पिटक में निम्न सात ग्रंथों का समावेश है–

   (1) धम्मसंगणि (2) विभंग (3) कथावत्थु (4) पुग्गलपञ्त्ति (5) धातुकथा (6) यमक और (7) पठ्ठान।

प्रतीत्यसमुत्पाद का सिद्धांत

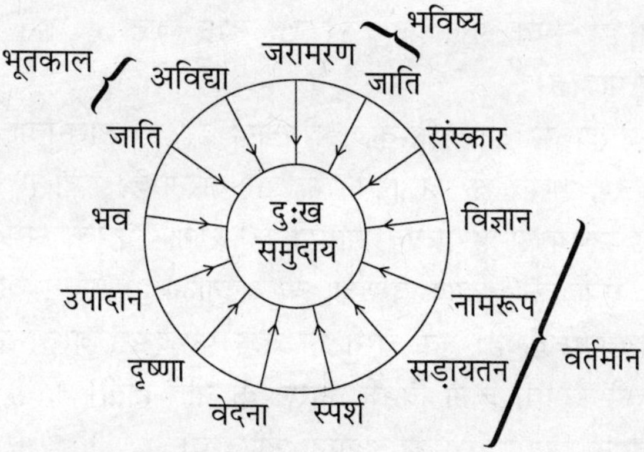

बौद्ध धर्म के मूल सिद्धांतों में से एक है। बुद्ध ने इसका साक्षात्कार सम्यक् संबोधि प्राप्त करते समय किया था। कार्य कारण का यह महत्त्वपूर्ण नियम बुद्ध की अपनी खोज है। बोधि प्राप्ति के समय भगवान् बुद्ध ने सर्वप्रथम चार आर्यसत्यों, अष्टांगिक मार्ग व प्रतीत्यसमुत्पाद का साक्षात्कार किया था, तभी बुद्ध ने सोचा था कि साधारणजन के लिए प्रतीत्यसमुत्पाद जैसा गंभीर सिद्धांत समझना आसान नहीं है। अतः भगवान् बुद्ध पहले लोगों को इसका उपदेश देने से हिचकिचाते थे।

प्रतीत्यसमुत्पाद का अर्थ प्रायः सापेक्ष कारणतावाद है। यद्यपि बुद्ध कार्यकारण के अविच्छिन्न प्रवाह को नहीं मानते फिर भी वे मानते हैं कि एक के होने पर दूसरे की उत्पत्ति होती है। बौद्ध धर्म में प्रत्यय का अर्थ हेतु है तथा प्रतीत्यसमुत्पाद अविच्छिन्न प्रवाह को दर्शाता है। आगे चलकर नागार्जुन का शून्यवाद यहीं से विकसित हुआ है।

प्रतीत्यसमुत्पाद या कार्यकारणवाद का सिद्धांत ऐसा मानवीय सिद्धांत है जो बौद्ध दर्शन की आधार पीठ कहलाती है। प्रतीत्यसमुत्पाद का अर्थ है सापेक्ष कारणतावाद। प्रतीत्य (प्रति+इ गतो+लय्य् प्रत्यय) अर्थात् **किसी वस्तु की उत्पत्ति होने पर समुत्पाद (सम्+उत्पाद) अर्थात् अन्य वस्तु की उत्पत्ति दूसरे शब्दों में किसी वस्तु की उत्पत्ति होने पर अन्य वस्तु की उत्पत्ति।** इसलिये प्रतीत्यसमुत्पाद को कार्य कारण का सिद्धांत कहते हैं। इसके होने से यह होता है और इसके उत्पन्न होने से यह उत्पन्न हो जाता है, तथा इसके नहीं होने से यह नहीं होता है। इसके रूक जाने से यह रूक जाता है। इसे जानना ही प्रतीत्यसमुत्पाद है।

कार्यकारण से ओघ निस्तरण सिखाना ही प्रतीत्यसमुत्पाद है। यहाँ ओघ निस्तरण संसार के अज्ञानता को पार करना है। इसलिए कहा गया है कि जो प्रत्यय समूह प्रत्यय सामग्री की उपेक्षा करके सम एवं साथ प्रत्योत्पन्न धर्मों का उत्पाद वस्तुओं या घटनाओं में सर्वत्र कार्य कारण का नियम जागरूक है। एक वस्तु के रहने पर दूसरी वस्तु उत्पन्न होती है। वस्तु की उत्पत्ति बिना किसी कारण के नहीं होती। कार्य कारण का यह महत्त्वपूर्ण नियम बुद्ध की अपनी खोज है।

इस प्रकार प्रतीत्यसमुत्पाद का अर्थ एक के होने पर दूसरे का होना, उत्पत्ति प्रत्ययों से उत्पत्ति का नियम है, में कार्य कारण भाव के नियम का पूरा अनुकरण है। अतः प्रतीत्यसमुत्पाद कार्य कारण सिद्धांत को ही कहा जाता है। यह सिद्धांत प्राचीन बौद्धों का अपना सिद्धांत है। एक वस्तु के नष्ट होने के पश्चात् ही अन्य वस्तु अपने अस्तित्त्व में दिखाई देती है। जैसे मृत्पिंड के नष्ट होने पर ही घर अपने अस्तित्त्व में आता है। इस स्थिति में यह कहना ठीक नहीं कि घर की मृत्पिंड से ही उत्पत्ति हुई है।

इस स्थिति में घर का मिट्टी को कारण क्यों माना जाय? उत्पाद उत्पादन भाव के अभाव में कार्य कारण भाव का नियम क्या होगा? इस प्रश्न का उत्तर बौद्ध सिद्धांत में प्रतीत्यसमुत्पाद द्वारा किया गया है। इस सिद्धांत के अनुसार एक वस्तु दूसरी वस्तु से ही उत्पन्न होती तथापि अन्य वस्तु की अपेक्षा रखती है। मिट्टी थी, अतः घर है।

इसी सापेक्ष कार्य कारण का सिद्धांत प्रतीत्यसमुत्पाद है। यह सिद्धांत बौद्धों की अपनी विशेषता है। इसीलिये प्रतीत्यसमुत्पाद को कार्य कारण का सिद्धांत कहते हैं। इसके होने से यह होता है और इसके उत्पन्न होने से यह उत्पन्न हो जाता है तथा इसके नहीं होने से यह नहीं होता है और इसके रूक जाने से यह रूक जाता है। इसे जानना ही प्रतीत्यसमुत्पाद है।

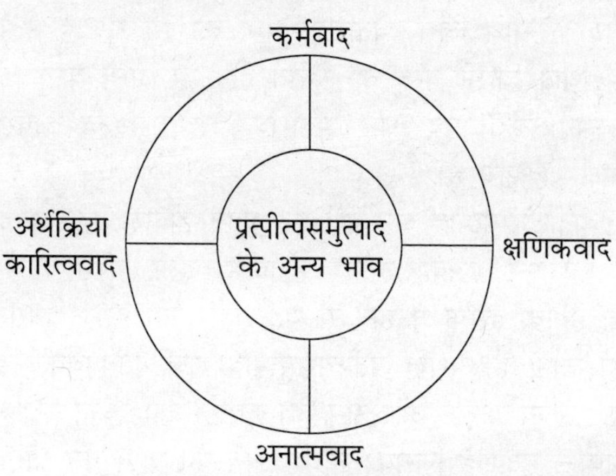

प्रतीत्यसमुत्पाद बौद्ध धर्म दर्शन की आधारशिला है। चार आर्य सत्य में प्रतीत्यसमुत्पाद 'समुदय सत्य' के अंतर्गत आ जाता है। इसका एक मात्र कारण है कि दु:ख का समुदय कैसे होता है। यही प्रतीत्यसमुत्पाद बतलाता है। रात्रि के प्रथम याम में बोधिवृक्ष के नीचे बुद्ध ने जब प्रथम बार बोधि प्राप्त की थी। तब उन्होंने प्रतीत्यसमुत्पाद का अनुलोम और प्रतिलोम रूप से साक्षात्कार किया था।

दु:ख समुदाय में अविद्या तृष्णा और संस्कार (कर्म) आ जाते हैं, किन्तु इसका स्वरूप क्या है? यही प्रतीत्यसमुत्पाद दर्शाता है। शाब्दिक अर्थ- प्रतीत्यसमुत्पाद का अर्थ इस प्रकार किया गया है। प्रतीत्य + समुत्पाद = प्रतीत्यसमुत्पाद अत: प्रतीत्यसमुत्पाद का अर्थ है **'सापेक्ष कारणवाद'** अर्थात् प्रतीत्यसमुत्पाद शब्द प्रतिपूर्वक 'इण' धातु से ल्यय प्रत्यय करके और सम् उत् पूर्वक 'पद' धातु से 'घ' प्रत्यय करके निष्पन्न हुआ है। जिसका अर्थ प्रत्यय को प्राप्त कर प्रादुर्भाव होता है।

अविद्या द्वारा संस्कार उत्पन्न करते समय अविद्या मात्र संस्कार का ही उत्पाद नहीं करती, अपितु संस्कार के साथ-साथ उत्पन्न चित्त एवं चैतसिकों का सम्पूर्ण और समरूप से उत्पाद करती है। सह का अर्थ है युगपत् उत्पाद पृथक्-पृथक् नहीं। यहाँ अविद्या द्वारा संस्कार के उत्पादन में संस्कार के साथ चित्त, चैतसिक धर्मो का भी युगपद् उत्पाद किया जाता है अर्थात् किसी वस्तु की प्राप्ति होने पर अन्य वस्तु की उत्पत्ति सम्बन्धी ज्ञान। यहाँ 'पद' धातु सत्तार्थक है। 'सम+उत्' उपसर्ग पूर्वक इसका अर्थ प्रादुर्भाव है।

अत: प्रतीत्यसमुत्पाद का अर्थ है- प्राप्त होकर प्रादुर्भाव है। प्रत्ययों का प्रतिगमन कर उसका उत्पाद होता है। इसी परिभाषा में यह भी सम्मिलित है कि इसके न होने से यह नहीं होता इसके निरोध से यह निरुद्ध हो जाता है अर्थात् प्रतीत्यसमुत्पाद शब्द प्रतिपूर्वक 'इण' धातु से 'ल्य्य्' प्रत्यय करके और सम् उत् पूर्वक 'पद' धातु से 'ध' प्रत्यय करके निष्पन्न हुआ है जिसका अर्थ प्रत्यय को प्राप्त कर प्रादुर्भाव होता है।

यहाँ प्रत्यय का अर्थ है कारण। जो सापेक्ष होता है निरपेक्ष नहीं। इसलिये प्रतीत्यसमुत्पाद को सापेक्ष कारणतावाद कहा गया है। अतः प्रत्यय का अर्थ है सापेक्ष कारण। यह निरपेक्ष नहीं हो सकता है जैसे उत्पत्ति का निरोध और निरोध को उत्पत्ति की अपेक्षा होती है। अतः दोनों में अनुनाश्रय का सम्बन्ध है। इसलिये कहा गया है कि हेतु प्रत्यय जनित है। हेतु का अर्थ लोभ, द्वेष, मोह है। लोभ, द्वेष व मोह के कारण व्यक्ति कुशल व अकुशल कर्म करने की ओर प्रवृत्त होता है। कुशल, अकुशल कर्मों के द्वारा ही जन्म ग्रहण करता है।

अतः प्रत्येक कार्य बिना कारण के नहीं हो सकता है तथा कारण के नाश के बिना कार्य का अन्त नहीं हो सकता। प्रतीत्यसमुत्पाद के 12 अंगों को जानकर दुःख के कारण को जानना व उनके नाश का उपाय ढूंढ़ना चाहिये। इस प्रकार जो धर्म जिसकी उत्पत्ति में या निर्वृत्ति में उपकारण होता है। वह उसका प्रत्यय कहलाती है। इस प्रकार कर्म क्लेश, प्रत्ययवश उत्पत्ति, उत्पत्तिवश कर्म क्लेश पुनः अन्य कर्म क्लेश प्रत्यय वश उत्पत्ति होती है। इस प्रकार भव चक्र को अनादि माना गया है। यह स्कन्ध सन्तत्ति तीन भवों में वृद्धि को प्राप्त होती है। यह प्रतीत्यसमुत्पाद है जिसमें 12 अंग व 3 काल हैं।

प्रतीत्यसमुत्पाद में प्रत्यय शब्द अत्यन्त सार्थक है। अतः प्रतीत्यसमुत्पाद का अर्थ मात्र उत्पत्ति नहीं है **'न उप्पादमत्तों पटिच्च समुपादो'**। केवल उत्पत्ति मात्र का ज्ञान प्रतीत्यसमुत्पाद नहीं है। प्रत्येक उत्पाद (उत्पत्ति) का कोई प्रत्यय (कारण) अथवा हेतु है। यही प्रतीत्यसमुत्पाद का अर्थ है जिसके होने से जो अन्य वस्तु हो, तो वह प्रथम वस्तु उस दूसरी वस्तु का प्रत्यय कहलाती है अथवा जो वस्तु किसी दूसरी वस्तु का अनिवार्य रूप से आश्रय देकर अवस्थित होती है या उत्पन्न होती है। तो वह दूसरी वस्तु प्रथम वस्तु का प्रत्यय कहलाती है।

उपकारक या सहायक होना ही प्रत्यय होने का लक्षण है। अतः वस्तु किसी दूसरी वस्तु की स्थिति या सहायक होना ही प्रत्यय होने का लक्षण है। अतः जो वस्तु किसी दूसरी वस्तु की स्थिति या उत्पत्ति में उपकारक हो, तो वह उसका प्रत्यय कहलाती है।

अर्थात् जो प्रत्यय समूह प्रत्यय सामग्री की उपेक्षा करके सम और साथ प्रत्ययोत्पन्न धर्मों का उत्पाद करता है। वह प्रत्यय समूह प्रतीत्यसमुत्पाद है। इसलिये प्रत्यय सामग्री के हेतु से ही, उसके बिना नहीं, धर्मों (पदार्थों) का स्थिति में आना है, वह प्रतीत्यसमुत्पाद है। उत्पत्ति न स्वतः होती है और न बिना हेतुओं के, बल्कि वह प्रत्ययों के आश्रय से ही या उनके साथ ही होती है। यही प्रतीत्यसमुत्पाद सम्बन्धी सिद्धांत का प्रस्थान बिन्दु है।

प्रत्यय शब्द यहाँ हेतु, कारण, निदान, समुदाय और उत्पाद आदि शब्द इस अर्थ में ही प्रयुक्त है। सम्बोधि को प्राप्त करने के समय ही भगवान् बुद्ध को इस महान सत्य का साक्षात्कार हुआ था। अभिसम्बोधि प्राप्त करते हुए बुद्ध ने रात्रि के अंतिम याम में प्रतीत्यसमुत्पाद का साक्षात्कार किया था। प्रतीत्यसमुत्पाद का चिन्तन ही उस पूर्ण ज्ञानी पुरुष का सर्वप्रथम ध्यान (विहार) था। अतः भगवान् बुद्ध का प्रथम चिन्तन प्रतीत्यसमुत्पाद ही था और इसका अनुचिंतन उन्होंने अनुलोम तथा प्रतिलोम विधि से किया था।

प्रतीत्यसमुत्पाद का सिद्धांत अत्यन्त गहन तथा गम्भीर है जैसा कि स्वयं भगवान् बुद्ध ने कहा था। प्रतीत्यसमुत्पाद के अज्ञान के कारण ही वर्तमान भव में मनुष्य संसरित होता है। अनेक कष्टों से आपन्न हो दुर्गति को प्राप्त होता है। वास्तव में कारणवाद सम्बन्धी ज्ञान ही भगवान् बुद्ध के सम्पूर्ण मन्तव्य का विश्लेषण है। बौद्ध दार्शनिक भाषा में कहें तो "हेतु का ज्ञान ही धर्म प्रतिसंभिंदा है" हेतु ही धर्म है।

वस्तुतः हेतु की अभिज्ञा ही धर्म प्रतिसंभिंदा है। हेतु ही धर्म है हेतु और धर्म की एकात्मकता के व्याकरण में भगवान् बुद्ध ने कहा है- जो कोई प्रतीत्यसमुत्पाद को देखता है वह धर्म को देखता है, और जो धर्म को देखता है वह प्रतीत्यसमुत्पाद को देखता है। वस्तुतः धर्म प्रतीत्यसमुत्पाद है। कहने का तात्पर्य यह है कि धर्मविद् ही प्रतीत्यसमुत्पाद के गहन दर्शन का बोधक हो सकता है और प्रतीत्यसमुत्पाद का ज्ञाता ही धर्म का यथाभूत ज्ञाता हो सकता है। दोनों में पारस्परिक सम्बन्ध था।

पालि परम्परा में प्रतीत्यसमुत्पाद

1. बुद्ध ने कहा है- 'अस्मिन् सति इंद भवति' अर्थात् इस चीज के होने पर यह चीज होती है। उदाहरण के लिये एक वृक्ष की उत्पत्ति बीज के कारण होती है। जिसमें बीज उस वृक्ष का हेतु होता है और वृक्ष उस बीज का प्रत्यय होता है। संक्षेप में इस प्रकार किसी वस्तु के कारण ही किसी अन्य वस्तु की उत्पत्ति होती है। यह प्रत्ययों से उत्पत्ति का नियम है। भगवान् ने अविद्या से प्रारम्भ कर जरामरण पर्यन्त प्रतीत्यसमुत्पाद की देशना की है।

भगवान् बुद्ध ने प्रतीत्यसमुत्पाद की देशना भी की है जैसे इसके होने पर यह होता है और इसके न होने पर यह नहीं होता है। इससे यह सिद्ध होता है कि अविद्या के होने पर संस्कार आदि होते हैं, और संस्कार के होने पर विज्ञान होता है, न होने पर नहीं होता है अर्थात् एक अंग के होने पर दूसरा अंग होता है। अर्थात् पूर्वभव के होने पर प्रत्युत्पन्नभव होता है और प्रत्युत्पन्नभव के होने पर अनागत भव होता है, ऐसे जन्म परम्परा सिद्ध होती है।

2. आचार्य अनुरुद्ध- 'अभिधम्मत्थसंगहो' में प्रतीत्यसमुत्पाद की एक विशेष व्याख्या करते हैं। उनका कहना है कि जो प्रत्यय समूह प्रत्यय सामग्री की अपेक्षा करके साथ-साथ प्रत्ययोत्पन्न धर्मों का उत्पाद करता है। वह प्रत्यय समूह ही प्रतीत्यसमुत्पाद है। प्रत्यय समूह प्रत्यय धर्मों को उत्पन्न करते हैं। अविद्या से केवल संस्कार मात्र ही उत्पन्न नहीं होता बल्कि संस्कार के साथ-साथ अन्य चैतसिकों का भी समान रूप से युगपत् उत्पाद होता है।

3. आचार्य बुद्धघोष- 'विसुद्धिमग्ग' में प्रतीत्यसमुत्पाद के अनेक अर्थों को लेकर स्पष्ट समझाते हैं कि

1. प्रत्ययता से प्रवृत्त यह धर्म समूह है। यह प्रत्यय (पटिच्च) जानने योग्य है। एक साथ सम्यक् उत्पाद होता है, पृथक्-पृथक् नहीं और न निर्हेतुक ही जो 'पटिच्च' और 'समुत्पाद' है। वही 'प्रतीत्यसमुत्पाद' है।

2. सहोत्पाद 'समुत्पाद' है। 'प्रत्यय' सामग्री वश होता है। जैसे- बुद्धों का उत्पाद सुख है। तब अभिप्राय है कि उत्पाद सुख का हेतु है। वैसे ही 'प्रतीत्यसमुत्पाद' फलोपचार से यहाँ कहा गया है।
3. यह 'हेतु' समूह है, जो संस्कारादि के प्रादुर्भाव के लिए अविद्यादि एक-एक हेतु निर्दिष्ट है, वह साधारण फल की निष्पत्ति हेतु प्रत्यय सामग्री के अंगों के अन्योन्य 'प्रतिमुख' है। अतः वह 'पटिच्च' है और 'समुत्पाद' भी है, क्योंकि वह अकेला उत्पन्न न होने से युगपत् पारस्परिक स्वभाव वाले धर्मों अविनिर्भोगवृत्ति धर्म को ही उत्पन्न करता है तथा साथ ही उत्पन्न होता है।

इस प्रकार प्रतीत्यसमुत्पाद शब्द का अर्थ बुद्धघोष एक सूत्र में यों ज्ञापित करते हैं- हेतु प्रत्यय की अपेक्षा करके भावों का 'उत्पाद' या 'प्रादुर्भाव' अर्थात् इसके होने पर **'इमस्मिं सत्ति'** यह होता है। 'इदं होति', इसके उत्पाद से यह उत्पन्न होता है। आचार्य बुद्धघोष कहते हैं कि यहाँ केवल उत्पत्ति मात्र का ज्ञान प्रतीत्यसमुत्पाद नहीं है। बल्कि इससे यह भी प्रकट होता है कि इसके न होने पर यह नहीं होता है।

अर्थात् इसके निरोध से यह भी निरूद्ध हो जाता है। यही हेतु फल-परम्परा है। इसे ही प्रत्ययाकार या प्रच्चयाकार निदान भी कहा जाता गया है। जिसका सम्बन्ध अनित्यत्त्व और अनात्मत्त्व से है। कोई भी संस्कृत पदार्थ शाश्वत नहीं है, सभी अनित्य एवं क्षणिक है तथा हेतु प्रत्यय जनित है। इसी से यह प्रतीत्यसमुत्पाद का बुद्ध देशना में सर्वोपरि उच्च स्थान है, जो इसे देखता है वह धर्म को देखता है। अतः जो प्रतीत्यसमुत्पाद को जानता है वह धर्म को जानता है, जो धर्म को जानता है, वह प्रतीत्यसमुत्पाद को जानता है।

4. **पालि ग्रंथों में**- प्रतीत्यसमुत्पाद को तथता, अवितथता, अनन्यथता और इदम्प्रत्ययता कहा गया है। तथता, इसका अर्थ होता है कि "उन प्रत्ययों से उन-उन धर्मों की उत्पत्ति होती

है, उनसे कम या अधिक नहीं इसलिए तथता है। अवितथता इसलिए है कि प्रत्यय सामग्री उपस्थित होने पर उसमें उत्पन्न होने वाले धर्म भी अवश्य ही उपस्थित होते हैं। 'अनन्यथता' का अर्थ है कि किन्हीं अन्य प्रत्ययों से किन्हीं अन्य पदार्थों की उत्पत्ति नहीं हो सकती और 'इदमप्रत्ययता' इसलिए कि सभी पदार्थ प्रत्ययों या प्रत्यय समूहों के द्वारा ही उत्पन्न होते हैं। अतः कारण से कार्य का उत्पाद तथा कारण के अभाव में कार्य का अनुत्पाद बतलाने वाले नियम का नाम ही प्रतीत्यसमुत्पाद है।

5. **चार आर्य सत्य और प्रतीत्यसमुत्पाद**- इसलिए कहा गया है कि प्रतीत्यसमुत्पाद बुद्ध दर्शन की आधारशिला है। इसे जाने बिना बुद्ध धर्म को समझ सकना संभव नहीं है। यदि चतुरार्य सत्यों को हम बुद्ध धर्म के मूल उपादान माने और अनता या अनात्मवाद के सिद्धान्त को बुद्ध शासन का तात्विक प्रतिष्ठा, तो हम निश्चय ही कह सकते हैं कि प्रतीत्यसमुत्पाद इन दोनों की मध्यस्थता करता है।

अपने एक स्वरूप में यह नियम द्वितीय और तृतीय आर्य सत्यरूप दुःख समुदय और दुःख निरोध के हेतु सम्मत व्याख्या करता है। अविचल कार्य कारण भाव सम्बन्धी नियम के आधार पर दुःख निरोध की सम्भावना दिखाता है, तो अपने दूसरे रूप में यह सभी बाह्य और आन्तरिक पदार्थों या धर्मों का क्षणिक, अनित्य और प्रतीत्यसमुत्पाद दिखाकर उनमें अनात्म बुद्धि का स्फुरण करता है, जो दुःख और वेदनाओं के निरोध का एक मात्र उपाय है। वह न शाश्वत अस्तित्त्व कहता है और न उच्छेद। इस प्रकार यह मध्यवर्ती मार्ग का अवलोकन करता है। चतुरार्य सत्यों में आर्य अष्टांगिक मार्ग दोनों अन्तर्भावित है।

शरीर पीड़ा और भोगवाद की अतियों से बचकर जिस प्रकार भगवान् ने आर्य अष्टांगिक मार्ग के रूप में समन्वित जीवन विधि का विकास किया उसी प्रकार विचार के क्षेत्र में भी उन्होंने समन्वय विधान किया।

इस प्रकार उनके द्वारा साक्षात् कृत मध्यमप्रतिपदा अपने पूर्ण अर्थ में अत्यंत व्यापक और विस्तृत दृष्टि लिये हुए बुद्ध के सम्पूर्ण शासन की मध्यम मार्ग के रूप में व्याख्या की जा सकती है। **'मज्झेन तथागतो धम्मों देसेति'** अर्थात् मध्यम मार्ग के द्वारा तथागत धर्म का उपदेश करते हैं। यह बात केवल आर्य अष्टांगिक मार्ग पर ही लागू नहीं है। बुद्ध की संपूर्ण तात्त्विक स्थिति की व्याख्या इसी दृष्टि से करनी चाहिये जिस तात्त्विक आधार को उन्होंने स्वीकार किया वह भी उनके काल में प्रचलित नाना दार्शनिक मतवादों की भूल भुलईया और उनके अतिवादों से बचकर मौन साधना करने के लिये था जिससे सत्य प्राप्त होता है।

6. **प्रतीत्यसमुत्पाद और मध्यम मार्ग**– प्रतीत्यसमुत्पाद को मध्यम मार्ग भी बतलाया गया है। बौद्धधर्म में मध्यम मार्ग दो अन्तो अर्थात् शाश्वत दृष्टि और उच्छेद दृष्टि से दूर रहना बतलाया गया है। आचार्य बुद्धघोष का कथन है कि 'प्रतीत्य' शब्द से शाश्वत दृष्टि का और 'समुत्पाद' शब्द से उच्छेद दृष्टि का प्रहाण हो जाता है तथा दोनों पदों के सामूहिक शब्द प्रतीत्यसमुत्पाद से शाश्वत और उच्छेद के बीच का सही रास्ता (न्याय) प्रतिपादित होता है।

यदि चार आर्य सत्यों को बुद्ध देशना के मूल उपादान मानें और अनित्य और अनात्म को बुद्ध शासन की तात्विक प्रतिष्ठा स्वीकार करें तो निश्चित रूप से कहा जा सकता है कि प्रतीत्यसमुत्पाद एक और दुःख समुदय और दुःख निरोध की संभावना को दर्शाता है। वहाँ दूसरी ओर वह समस्त बाह्य एवं आंतरिक धर्मों को अनित्य, प्रतीत्य समउत्पन्न दिखाकर उनमें अनात्म का प्रतिपादन करता है। प्रतीत्यसमुत्पाद न तो शाश्वतवाद का प्रतिपादक है और न ही उच्छेदवाद का। वह तो मध्यवर्ती मार्ग का अवलंबन करता है। इस प्रकार प्रतीत्यसमुत्पाद को मध्यम प्रतिपदा के द्वारा भी जाना जा सकता है।

'संयुक्त निकाय' में भगवान् बुद्ध ने कहा है कि मध्यमाप्रतिपदा आस्तिकता और नास्तिकता दोनों अंतों से परे है। जिससे संसार पूर्णतः

आशक्त है। पुनः भगवान् बुद्ध ने कहा है कि दु:ख न स्वयंकृत, है और न परकृत और न आधिक्य समउत्पन्न है। परन्तु शाश्वत व उच्छेद से बचने के लिए मध्यमाप्रतिपदा का अवलंबन किया गया है, और वही प्रतीत्यसमुत्पाद है। सुख और दु:ख संवेदन न तो संवेदक से भिन्न है न तो अभिन्न, क्योंकि वह भिन्न होने पर परकृत हो जाते हैं, और अभिन्न होने पर स्वयंकृत। प्रतीत्यसमुत्पाद में संवेदन को न स्वतंत्र माना गया है और न परतंत्र ही तथागत का धर्म जीव और शरीर के भेद तथा अभेद के विषय में अंतः परिवर्तन का ज्ञापक है। कर्म के कर्ता को उसके फल के अनुभविता से न तो भिन्न और न अभिन्न ही कहा गया है।

इस प्रकार तथागत ने दोनों अंतों से बचकर मध्य स्थित सत्य की देशना की है, किन्तु कुछ मनीषियों की धारणा है कि मध्यमाप्रतिपदा के आस्तिक और नास्तिक के परिणाम संबंध की तरह है, जो शाश्वत और उच्छेद की अतियों से बचकर जीवन की सतत् प्रवाहशीलता का उपदेश करती है, किन्तु यह धारणा मान्य न होने के कारण सर्वथा ग्राह्य नहीं है। तथागत संसार प्रवाह में पदार्थ के सत् तथा असत् का कथन नहीं करते हैं, अपितु वह प्रवाह को न तो सत् कहते हैं और न असत् ही, क्योंकि मध्यमाप्रतिपदा अस्ति और नास्ति का समन्वय नहीं है।

वह अतिक्रमण कर मात्र सत्य का कथन करती है। अतः भगवान् ने प्रतीत्यसमुत्पाद की देशना अनेक बार और भिन्न-भिन्न रूप से की है। इसका कारण तथागत की कल्याणकारी भावना है। इस सिद्धान्त की विभिन्नता का एक कारण यह भी है कि भगवान् ने इसका उपदेश भिन्न-भिन्न स्थानों पर भिन्न व्यक्तियों को उनकी रूचि के अनुसार दिया है। यद्यपि प्रतीत्यसमुत्पाद का शनैः शनैः दार्शनिक विकास हुआ है। फिर भी इसका मूल रूप सुत्त पिटक में विद्यमान है, जो अस्वीकृत नहीं किया जा सकता है। प्रतीत्यसमुत्पाद का सिद्धांत अमिट और अटल है। लोक के समस्त सत् इस नियम के वशीभूत ही नहीं हैं, बल्कि रूप और अरूप के धातु लोक के देव आदि भी इस नियम के आगे मस्तक झुकाते हैं। भूत, वर्तमान व भविष्य इन तीनों कालों में यह नियम

लागू होता है। बौद्धों के अनुसार यह भव चक्र का नियम अनंत और अनादि है।

प्रतीत्यसमुत्पाद के साक्षात्कार से मनुष्य संसार से निस्सार पा सकते है, क्योंकि दुःख समुदय, दुःख निरोध के हेतु सम्मत व्याख्या है। कार्य कारण भाव नियम के आधार पर यह दुःख समुदय को सम्भवतः यह निर्देश करता है कि सभी बाह्य आंतरिक पदार्थ को क्षणिक, अनित्य और प्रतीत्य समुत्पन्न दिखाकर अनात्म बुद्धि स्फूर्त करता है, जो दुःख निरोध की एक मात्र युक्ति है। जैसे दुःख के स्वरूप में द्वैत है, उसी प्रकार प्रतीत्यसमुत्पाद भी द्वैतात्मक है।

प्रतीत्यसमुत्पाद का विवेचन दो रूपों में किया जाता है। इसका एक व्यापक रूप है, जिसमें दुःख की परम् कारणता की अविद्या प्राप्त होती है। दूसरे रूप में पुनर्जन्म और दुःख अनुभूति के आसन्न कारणों का ज्ञान प्राप्त होता है। अविद्या के स्वरूप का निर्देश करता हुआ ये परमार्थ का ज्ञापन करता है, क्योंकि कार्य-कारण से नियम का व्यापार अविद्या ग्रस्त जगत् में ही क्रियमान होता है। स्वयं ही गौण रूप में यह अविद्या-विजटित जीवन के अभ्यन्तर दुःख के चक्राकार विकसित रूप का निरूपण करता है।

प्रतीत्यसमुत्पाद में कार्य को कारण का परिणाम नहीं माना जाता है, और न उसे असत् से उद्भूत ही। कारण न तो कार्य का उत्पादन है और न आरम्भ, तथापि कारण और कार्य की सत्ता में सापेक्षता विद्यमान है। अतः हेतुवाद का यह सिद्धांत परिणामवाद और आरम्भवाद से सर्वथा भिन्न एवं विलक्षण है।

7. **प्रतीत्यसमुत्पाद के दो पक्ष हैं**- प्रतीत्यसमुत्पाद के दो पक्ष हैं- पारमार्थिक पक्ष और व्यावहारिक पक्ष।
    1. प्रथम पक्ष परमार्थ को सत् तथा असत् से परे बताता है।
    2. द्वितीय पक्ष कार्यकारण नियम के वैशिष्ट्य का प्रतिपादन करता है।

इससे यह पूर्णतः स्पष्ट है कि संसार को सत् तथा असत् मानना ही दुःख का मूल कारण है। इसे ही अविद्या कहते हैं। अविधाग्रस्त चित्त ही दुःखात्मक संसार चक्र में कर्म एवं तृष्णा आदि से परिचालित होता है।

प्रतीत्यसमुत्पाद के दो पक्ष वस्तुतः दुःख के अर्थ में द्वैत है। एक ओर दुःख का अर्थ है दुःखात्मक अनुभव, दूसरी ओर उसका हेतु भूत अनित्य जगत् दुःख के इन दोनों मुख्य और गौण अर्थों के अनुरूप। प्रतीत्यसमुत्पाद के भी दो रूप हैं–

1. एक व्यापक रूप जिसमें कि दुःख की परमकारणता उभर आती है।
2. दूसरा सीमित रूप जो कि पुनर्जन्म और दुःख संवेदन के आसन्न कारणों का निर्देश करते हुए पहले का एक विशिष्ट उपयोग है। एक ओर प्रतीत्यसमुत्पाद दुःखमय संसार को परमार्थ की भूमि से निरूपित करता है, दूसरी ओर व्यवहार की अन्तर्गत कार्य प्रणाली की ओर इंगित करता है।

दुःख का मूल आधार अविद्या है। प्रतीत्यसमुत्पाद वस्तुतः अविद्या का स्वरूप प्रकट करता हुआ परमार्थ की ओर संकेत करता है। अविद्या रूपी जगत् के अन्दर ही कार्य कारण नियम का व्यापार रहता है। प्रतीत्यसमुत्पाद का गौण रूप अविद्या कुंडलित जीवन के अन्दर समुत्पाद दुःख का चक्राकार विकास प्रदर्शित करता है। जिस एक विचार के अर्थ पर तथागत का सम्पूर्ण धर्मचक्र घूमता है जिसके द्वारा वह अपनी विशेषता और मौलिकता प्राप्त करता है वह प्रतीत्यसमुत्पाद है। केवल उसकी यह मान्यता कि संसार नन्दी (तृष्णा) के स्कन्दों से बुरी तरह दुःख में फंस गया है, एक दुःख से ही दूसरे दुःख में निरन्तर प्रवेश करता है। वह उसके निस्सरण को नहीं जानता, और उसे इसका एक मार्ग बतलाता है। तथागत को सदा ही यह चिन्ता सताती रहती "यह संसार बहुत कष्ट में पड़ा है, जन्म लेता है, वृद्ध होता है, मरता है, च्युत होता है और फिर उत्पन्न होता है।"

वह इस दु:ख से जरा और मृत्यु से निस्सरण को नहीं जानता है। वह किस तरह इससे निस्सरण को जानेगा किस तरह यह प्राणी इस तृष्णा रूपी जटा से जिससे वह बाहर-भीतर बुरी तरह जकड़ा हुआ है, अपने को सुलझा पायेगा? इसी चिन्ता का समाधान तथागत के द्वारा विशुद्धि मार्ग के रूप में दिया गया और इसी की वैज्ञानिक और मनोवैज्ञानिक व्याख्या स्वरूप प्रतीत्यसमुत्पाद भी मनुष्य जाति को विरासत रूप में मिला है। अत: बौद्धधर्म का सिद्धांत है कि इस जगत् का व्यापार कार्यकारण नियम के अनुसार चल रहा है। प्रत्येक घटना अपनी पूर्ववर्ती घटना के कारण होती है और वह घटना अपने परवर्ती अर्थात् आगे होने वाली घटना का कारण होती है।

प्रत्येक मनुष्य का व्यक्तित्त्व भी कार्य कारण नियम के अधीन है। इस कार्यकारण नियम को बौद्धशास्त्रों में "प्रतीत्यसमुत्पाद" नियम कहा गया है। "अस्मिन् सति इदं भवति" अर्थात् इसके होने से यह होता है।

प्रतीत्यसमुत्पाद के बारह अंग हैं। इसे द्वादशांग कहते हैं। जिसमें एक दूसरे के कारण उत्पन्न होता है। इसे "भवचक्र" कहते हैं। इस चक्र के कारण इस संसार की सत्ता प्रमाणित होती है। इन अंगों की संज्ञा निदान भी कहलाती है। यह भवचक्र अनादि है। ऐसा कोई आदि नहीं है जिसका हेतु उसके पूर्व नहीं।

8. भव चक्र या द्वादशांक- प्रतीत्यसमुत्पाद के नियम को मानव पर लगाते हुए बुद्ध ने इसके बारह अंग 'द्वादशांग प्रतीत्यसमुत्पाद' बतलाए हैं। इसे इस प्रकार समझना चाहिए:

1. अविद्या -अविज्जा 12-जरा - मरणादि
2. संस्कार - संखार 11- जाति - जाति
3. विज्ञान - विञ्ञाण 10 - भव - भव
4. नामरूप - नामरूप 9 - उपादान -उपादान
5. षडायतन - षडायतन 8 - तृष्णा - तण्हा
6. स्पर्श - फस्स 7- वेदना - वेदना

1-2 अविद्या के प्रत्ययों से संस्कार उत्पन्न होते हैं।
2-3 संस्कारों के प्रत्ययों से विज्ञान उत्पन्न होते हैं।
3-4 विज्ञान के प्रत्ययों से नामरूप उत्पन्न होते हैं।
4-5 नामरूप के प्रत्ययों से षडायतन उत्पन्न होते हैं।
5-6 षडायतन के प्रत्ययों से स्पर्श उत्पन्न होते हैं।
6-7 स्पर्श के प्रत्ययों से वेदना उत्पन्न होते हैं।
7-8 वेदना के प्रत्ययों से तृष्णा उत्पन्न होते हैं।
8-9 तृष्णा के प्रत्ययों से उपादान उत्पन्न होते हैं।
9-10 उपादान के प्रत्ययों से भव उत्पन्न होते हैं।
10-11 भव के प्रत्ययों से जाति उत्पन्न होते हैं।
जाति के प्रत्ययों से जरामरण आदि उत्पन्न होते हैं।

शोक, परिदेव, दुःख दौर्मनस्य, परेशानी और हैरानी इस सम्पूर्ण दुःख स्कन्ध से उत्पन्न होते हैं अर्थात् समुदय होता है, यही कहा जाता है भिक्षुओं प्रतीत्यसमुत्पाद इस प्रकार का है।

पुनः अविद्या के रुक जाने से संस्कार रुक जाते हैं।
संस्कार के रुक जाने से विज्ञान रुक जाते हैं।
विज्ञान के रुक जाने से नामरूप रुक जाते हैं।
नामरूप के रुक जाने से षडायतन रुक जाते हैं।
षडायतन के रुक जाने से स्पर्श रुक जाते हैं।
स्पर्श के रुक जाने से वेदना रुक जाते हैं।
वेदना के रुक जाने से तृष्णा रुक जाते हैं।
तृष्णा के रुक जाने से उपादान रुक जाते हैं।
उपादान के रुक जाने से भव रुक जाते हैं।
भव के रुक जाने से जाति रुक जाते हैं।

जाति के रुक जाने से जरामरण रुक जाते हैं। जाति के रुक जाने से जरा-मरण, शोक, परिदेव, दुःख, दौर्मनस्य, हैरानी व परेशानी रुक जाते हैं। इस प्रकार यह सम्पूर्ण दुःख स्कन्ध रुक जाते हैं। यही प्रतीत्यसमुत्पाद कहलाता है।

भगवान् बुद्ध द्वारा कहा गया अनुलोम और प्रतिलोम के मार्ग से क्रमशः यह समुदय और निरोध का निरूपण करता हुआ यह कार्यकारण भावरूप नियम है। विशेषतः दुःख के समुदय और निरोध को समझाने के लिए ही सिखाया गया है। दुःखों का मूल कारण अविद्या है। अविद्या से संस्कार उत्पन्न होता है। संस्कार से विज्ञान, विज्ञान से नामरूप, नामरूप से षडायतन, षडायतन से स्पर्श, स्पर्श से वेदना, वेदना से तृष्णा, तृष्णा से उपादान, उपादान से भव, भव से जाति और जाति से जरा व रोग उत्पन्न होते हैं। बुढ़ापा व रोग, मरण से शोक उत्पन्न होता है। शोक से शारीरिक व मानसिक दुःख; संस्कार और विज्ञान आदि सारे दुःख स्कन्धों की उत्पत्ति होती है।

इन पाँच तत्त्वों में रूप और विज्ञान मुख्य है, शेष तीन (वेदना, संज्ञा, संस्कार) रूप और विज्ञान के सम्पर्क की भिन्न-भिन्न स्थितियाँ या क्रियाएँ हैं। रूप भौतिक तत्त्व है और विज्ञान, वेदना वास्तविकता के ये दो रूप हैं और दोनों क्षण-क्षण परिवर्तनशील हैं, वास्तविकता नदी की एक धारा है। यह ऐसी नदी है। जिसमें एक क्षण भी एक जगह गोता नहीं लगाया जा सकता है। जल के परमाणु बदलते और भागते चले जाते हैं।

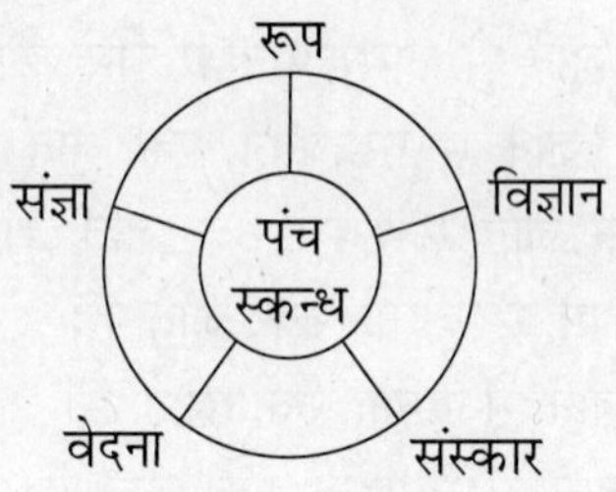

इस सिद्धांत के अनुसार मनुष्य हर क्षण मर रहा है और हर क्षण पहले की जगह एक नया व्यक्ति उत्पन्न हो रहा है। यह परिवर्तन इतनी तेजी से होता है कि इस काल को हम पकड़ नहीं सकते हैं, परन्तु इस परिवर्तन में पहले का दृश्य प्रवाह रूप में चलता है। जिससे हम समझ नहीं पाते कि यह परिवर्तित रूप है, पहले वाला नहीं। मनुष्य बच्चे से जवान और जवान से बूढ़ा होता है, केवल यही परिवर्तन नहीं है, वह हर क्षण मरता है और दूसरा उसी के समान आ जाता है।

बुद्ध का प्रतीत्यसमुत्पाद वस्तुतः ऐसा कार्यकारण वाद है जिसमें कार्य के बाद कारण विलुप्त हो जाता है। तात्पर्य यह है कि एक की प्रतीति होने पर दूसरे का उत्पाद होता है। कारण होकर कार्य उत्पन्न होता है इस श्रृंखला में पूर्व कारण 'रूप' है तथा पर कार्य विज्ञान। जरामरण की उत्पत्ति जाति से होती है।

यदि जीव का जन्म ही नहीं होता तो जन्म मरण का अवसर ही नहीं आता, यह जाति भव कर्म का परिणामस्वरूप है। इस प्रकार व्यक्ति की सत्ता के लिए 'अविधा' ही मूलकारण है। यह प्रथम निदान है। अविद्या फिर अपने चक्र को बारह अंगों में दुहराती है। इसे ही द्वादशांग प्रतीत्यसमुत्पाद कहते हैं।

1. अविद्या (अविज्जा)– यह पूर्वजन्म की वह क्लेश दशा है जिसमें अज्ञान, मोह तथा लोभ के वश में हो प्राणी क्लेशबद्ध रहता है। यहाँ पूर्वजन्म की संतति की जो क्लेशावस्था होती है, वही अभिप्रेत है। अविद्या का अर्थ है अज्ञान। यहाँ अविद्या का अर्थ प्रायः आर्य सत्यों का अज्ञान है। प्रतीत्यसमुत्पाद सम्बन्धी अज्ञान अविद्या भी स्वयं उत्पन्न नहीं होती, अपितु कामासव, भवासव, दृष्टयासव तथा अविद्यासव से उत्पन्न होती है। आसवों के कारण अविद्या उत्पन्न होती है। आसवों के समुदाय से अविद्या का समुदय होता है और अविद्या की उत्पत्ति से आसवधर्म प्रत्यय होते हैं। प्रतीत्यसमुत्पाद में अविद्या तथा तृष्णा ये दोनों शीर्षस्थानीय धर्म कहे गए हैं। शीर्ष स्थानीय दोनों धर्मों में अविद्या प्रधानभूत होती है, क्योंकि अविद्या से आवृत्त होने पर तृष्णा परिगत पुद्गल उन संस्कार धर्मों को करता है, अतः अविद्या प्रत्यय में संस्कार उत्पन्न होते हैं।

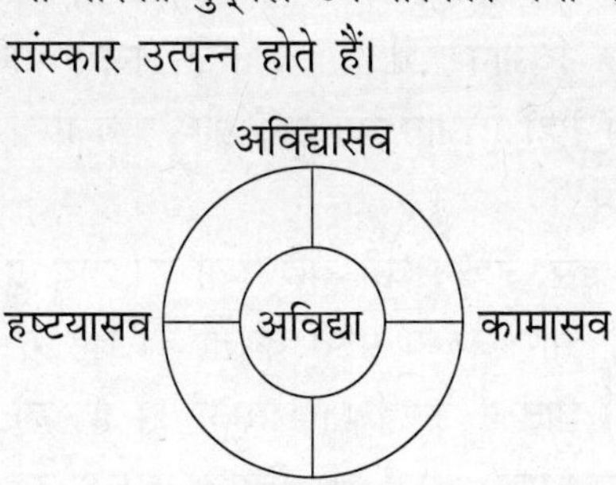

2. संस्कार (संखार)– यह पुनर्जन्म की कर्मावस्था है, जिसमें अविद्या के कारण प्राणी भला या बुरा कर्म करता है तात्पर्य भले बुरे कर्मों का सूक्ष्म अंग है। संस्कार का संबंध "चित्त" से है। कुशल और अकुशल–कायिक, वाचिक एवं मानसिक–चेतनाओं का नाम संस्कार है जो पुनर्जन्म का कारण बनती है। प्रतीत्यसमुत्पाद में संस्कार का प्रयोग कर्म के अर्थ में ही लिया गया है, अर्थात् पुनर्जन्म के कर्म ही संस्कार कहलाते हैं। अतः जो संस्कृत प्रत्युत्पन्न धर्मों को अभिसंस्कृत करते हैं उन्हें संस्कार कहते हैं। संस्कार भी द्विविध है- कारण संस्कार तथा कार्य संस्कार। कारण संसार में कुशलाभिज्ञा एवं औद्धत्य चेतना सम्मिलित नहीं होती है। कार्य संस्कार में कुशलाभिज्ञा चेतना तथा औदत्य चेतना सम्मिलित रहती है। संस्कार के प्रत्यय से ही विज्ञान की उत्पत्ति होती है।

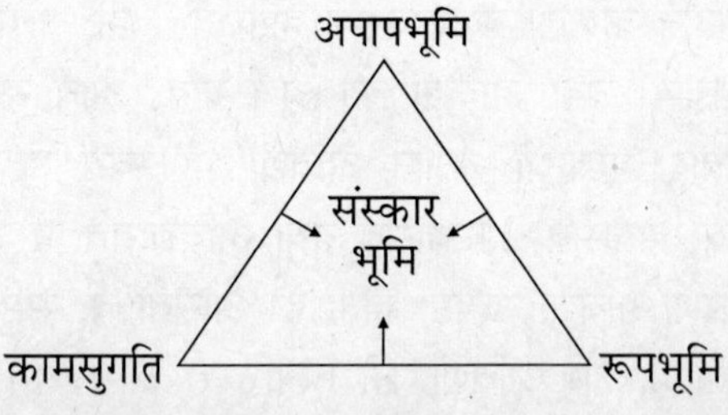

3. विज्ञान (विञ्ञाण)– यह प्रतिसन्धि स्कन्ध है। प्रतिसन्धि-क्षण (उत्पत्ति क्षण) में कुक्षि के जो पंच स्कन्ध होते हैं, वह विज्ञान है। अतः संस्कार से विज्ञान उत्पन्न होने का अर्थ चित्त सन्तति का जन्मान्तर में आ जाना है। इस तरह विज्ञान गर्भ का क्षण है। जिसे प्रतिसन्धि या उत्पत्ति क्षण भी कहते हैं। यहाँ विज्ञान का अभिप्राय प्रतिसन्धि विज्ञान है "सन्धि स्कन्धास्तु विज्ञानम्"।

अतः विज्ञान इस जीवन की वह दशा है। जब प्राणी माता के गर्भ में प्रवेश करता है और चैतन्य प्राप्त करता है। वह गर्भ का क्षण विज्ञान है। विज्ञान से यहाँ तात्पर्य उन चित धाराओं से है, जो पूर्वजन्म के किए हुए कुशल या अकुशल कर्मों के विपाकस्वरूप यहाँ प्रकट होती है।

जिनके कारण ही मनुष्य को अपने विषय में पाँच ज्ञानेन्द्रियाँ विषयक अनुभूति होती है।

यदि अविद्या और तृष्णा के निरोध से कुशल-अकुशल अथवा अव्याकृत संस्कार उत्पन्न न हो तो फिर माता के गर्भ में पुनः विज्ञान का बीज पड़ता ही नहीं, पुनर्जन्म होता ही नहीं। विज्ञान के प्रत्यय से नामरूप होता है। संस्कार के प्रत्यय से ही विज्ञान की उत्पत्ति होती है। पूर्व पूर्वभव में कृत पुण्याभिसंस्कार से प्रत्युत्पन्न भव की कामसुगति भूमि एवं रूपभूमि में प्रतिसंधि विज्ञान की उत्पत्ति होती है। अपुण्याभिसंस्कार से अपायभूमि में प्रतिसन्धि विज्ञान की उत्पत्ति होती है तथा आनेजयाभिसंस्कार से अरूपभव में प्रतिसन्धि विज्ञान की उत्पत्ति होती है। इन पुरोवर्ती भव के संस्कारों से इस प्रत्युत्पन्न भव के प्रवृत्ति काल में भी चक्षुविज्ञान आदि विज्ञानों की उत्पत्ति होती है। सर्वास्तिवाद में पूर्वजन्म के क्लेश और कर्म के कारण उत्पन्न नयी चेतना विज्ञान कही गयी है।

4. नामरूप (विज्ञान)– इस क्षण से लेकर षडायतन की उत्पत्ति तक नामरूप है। विज्ञान अर्थात् चित्त सन्तति का जन्मांतर होने से नामरूप की उत्पत्ति होती है। नाम रूप से तात्पर्य मानसिक या मौलिक अवस्था का अथवा जड़ चेतन की स्थिति का भेदभाव होता है। इस तरह विज्ञान प्रत्यय से नाम रूप होता है। नामरूप जन्म लेने वाले प्राणी (भ्रूण) की मानसिक तथा शारीरिक अवस्था है। जब वह गर्भ में कुछ सप्ताह बिता चुका होता है। यह गर्भ में भ्रूण का कलवल या बुद-बुद आदि अवस्था है।

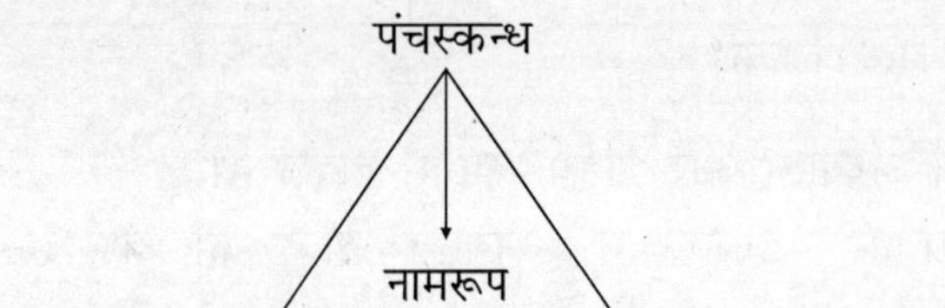

नामरूप पञ्चस्कन्ध का द्योतक है। रूप वेदना, संज्ञा संस्कार और विज्ञान रूप में चार महाभूत तथा 24 उपादायरूप सम्मिलित हैं। चार महाभूतों के आश्रय से उत्पन्न होने के कारण उत्पन्न रूपों को उपादायरूप कहते हैं। रूप से रूप-स्कन्ध का ग्रहण होता है तथा नाम से वेदना, संज्ञा, संस्कार और विज्ञान का। इस प्रकार नामरूप पञ्चस्कन्ध का पर्याय है। मिलिन्द पञ्हो के अनुसार जितनी स्थूल चीजें हैं सभी रूप हैं और जितने सूक्ष्म मानसिक धर्म हैं, सभी नाम हैं। नाम और रूप दोनों सापेक्ष तथा परस्पराश्रयी हैं। जब प्रतिसन्धि विज्ञान होता है तब उन विज्ञानों से सम्प्रयुक्त तीन नाम स्कन्ध एवं कर्मज रूपकलापों की उत्पत्ति भी युगपत् होती है। उन युगपत् उत्पन्न विज्ञान से नामरूपों की उत्पत्ति होती है। विज्ञान से उत्पन्न नामरूप ही जन्म-मरण का कारण है।

5. षडायतन (सडायतन)– इन्द्रियों के प्रादुर्भाव काल से इन्द्रिय विषय और विज्ञान के सन्निपात काल तक 'षडायतन' है अर्थात् नाम रूप के होने से षडायतन अर्थात् चक्षु, श्रोत, घ्राण, जिह्वा, त्वक् (काय) और मन ये छः इन्द्रियाँ उत्पन्न होती है। इनके विषय रूप, शब्द, गन्ध, रस, स्पर्श और धर्म ब्राह्य षडायतन कहलाते हैं। षडायतन उस अवस्था का मूलक है। जब भ्रूण माता के उदर से बाहर आता है। उसके अंग प्रत्यय बिल्कुल तैयार हो जाते हैं, परन्तु अभी तक वह उन्हें प्रयुक्त नहीं करता है। अतः इन्द्रियाँ और उसके विषय यह दो ज्ञान के मुख्य द्वार हैं। इस ज्ञान के द्वार को ही आयतन कहते हैं। आयतन दो प्रकार की होती है।

1. बाह्य
2. आध्यात्मिक।

ये आयतन अध्यात्म और बाह्य रूप से द्वादश हैं।

इस प्रकार षडायतन में 'आयतन' शब्द का अर्थ है- आयद्वार या उत्पत्ति द्वार। इस संसार में जो भी वस्तु हम जानते हैं। उसमें दो वस्तुएँ प्रमुख होती हैं–एक इन्द्रियाँ और दूसरे उनके विषय। यही दो हर तरह के ज्ञान के मुख्य द्वार हैं। इन्हीं के दरवाजों से प्रवेश

कर चक्षुविज्ञान, श्रोतविज्ञान आदि होता है। अतः ज्ञान के द्वार को ही आयतन कहते हैं।

1. नामरूप से ही इन्द्रिय अनुभूतियाँ होती हैं अर्थात् यदि चारों महाभूत (रूप) वेदना, संज्ञा और संस्कार नहीं होते तो इन्द्रिय अनुभूतियों का होना असम्भव है।
2. नामरूप के प्रत्यय से षडायतन की उत्पत्ति होती है। षडायतन पाँच इन्द्रियों और ज्ञानेन्द्रियों से उत्पन्न मन का अभियान है अर्थात् चेतना के विभिन्न स्वरूप अपने संग्रहात्मक रूप में षडायतन है। जब नामरूपों में आने वाले कर्मजरूपों की उत्पत्ति होती है, तब चक्षुरायतन आदि की उत्पत्ति संभव नहीं है। नाम से समागत चैतसिक धर्मों द्वारा मन आयतन नामक विपाक विज्ञान सहजात आदि शक्तियों से उपकारक होता है।

6. स्पर्श (फस्स)– षडायतन के प्रत्यय से स्पर्श होता है। इन्द्रिय और विषय का संयोग ही स्पर्श है। यह सुख-दुःख आदि के कारण ज्ञान की शक्ति के उत्पन्न होने से पूर्व अवस्था 'स्पर्श' है। अतः षडायतन के होने से स्पर्श होता है। यह छः प्रकार की होती है। आँख का स्पर्श, कान का स्पर्श, नाक का स्पर्श, जीभ का स्पर्श, शरीर का स्पर्श, मन का स्पर्श अर्थात् रूप, शब्द, गन्ध, रस, स्पर्श और मन का धर्म या चित्तवृतियाँ, इन छः इन्द्रियों का स्पर्श करती हैं। इसे पालि में **'फस्स'** कहते हैं या संस्पर्श, ये सभी कुशल या अकुशल कर्म के विपाक हैं। यह शैशव की वह दशा है। जब नवजात सत्व बाह्य जगत के पदार्थों के साथ सम्पर्क में आता है। वह ऊपरी इन्द्रियों के प्रयोग से बाहरी जगत् को समझने का उद्योग करता है, परन्तु उसका वह समय वेदना की पूर्व अवस्था है।

अतः जो धर्म आलम्बन का स्पर्श करता है, उसे स्पर्श कहते हैं। अथवा जिसके द्वारा सम्प्रयुक्त चित्त चैतसिक आलम्बन का स्पर्श करते हैं वह स्पर्श है। स्पर्श षड्विध है यथा- चक्षुसंस्पर्श, श्रोतसंस्पर्श, घ्राण ासंस्पर्श, जिह्वासंस्पर्श, कायसंस्पर्श एवं मनः संस्पर्श, ये सभी कुशल

या अकुशल कर्म के विपाक हैं। स्पर्श के प्रत्यय से वेदना उत्पन्न होती है।

7. वेदना– इन्द्रिय और विषय के संयोग से उत्पन्न मन पर प्रथम प्रभाव का नाम वेदना है। स्पर्श के होने से सुख-दुःख आदि वेदनाएँ उत्पन्न होती हैं। यह शिशु की वह दशा जब वहाँ पांच छः वर्षों के अनन्तर सुख-दुःख की भावना से परिचित होता है। स्पर्श में बाह्य जगत का ज्ञान, (धुंधला ही सही) उत्पन्न होता है, और वेदना में अन्तर्जगत का ज्ञान जागृत होता है। दस वर्ष तक बालक के शरीर मन की प्रवृत्तियाँ बढ़ती हैं, परन्तु अभी तक उसे विषय सुखों का ज्ञान नहीं रहता है। मैथुन से पूर्व यावत् मैथुन राग का समुदाचार नहीं होता है। जब तक कि अवस्था वेदना है इस प्रकार स्पर्श प्रत्यय से वेदना होती है। वेदना सुख-दुःख और न सुख न दुःख अनुभव रूप से त्रिविध होती है।

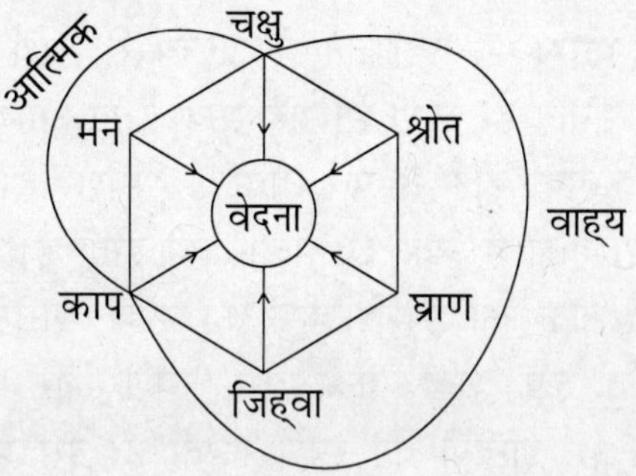

आचार्य बुद्धघोष ने इसे ही 89 चित्तों के साथ होने से 89 प्रकार की बतलायी है। भगवान बुद्ध कहते हैं कि– संस्कारों की अनित्यता और विपरिणामिता को लेकर ही यह कहा गया है कि जो कुछ वेदनीय है, वह दुःख है, क्योंकि हर वस्तु अनित्य, सुखरूप, प्रतिभासित होने पर भी अंततोगत्वा दुःख रूप ही है।

अतः अभिप्राय विशेष से ही भगवान ने वेदना को दुःख रूप बतलाया है। वैसे स्वभावतः जो वेदना सुख, दुःख और सुख-दुःख रूप से है। उसका खण्डन नहीं किया है। अतः स्पर्श के प्रत्यय से वेदना उत्पन्न होती है। इन्द्रिय और विषय के संयोग से उत्पन्न मन पर प्रथम

प्रभाव का नाम वेदना है। जब छह स्पर्श उत्पन्न होते हैं। तब छः वेदनाएँ भी उनके साथ युगपत् होती हैं। स्पर्श के अभाव में वेदना नामक अनुभव की उत्पत्ति असम्भव है। वेदनाएँ छः हैं, यथा- चक्षुसंस्पर्शजा वेदना, श्रोतसम्पर्शजा वेदना, घ्राणसंस्पर्शजा वेदना, जिह्वासंस्पर्शजा वेदना, कायसंस्पर्शजा वेदना तथा मनसंस्पर्शजा वेदना। चक्षुः संस्पर्शजा वेदना से उत्पन्न वेदना चक्षुसंस्पर्शजा वेदना होती है।

इसी प्रकार अन्य वेदनाएँ भी अवघेय है।

8. तृष्णा (तण्हा)– विषयों के प्रति प्रबल चाह को तृष्णा कहते हैं। वेदना के उत्पन्न होने से तृष्णा उत्पन्न होती है। तृष्णा भोग और मैथुन की कामना करने वाले जीव की अवस्था है। रूपादि कामगुण और मैथुन के प्रति राग का समुदय 'तृष्णा' की अवस्था है। इसका अंत तब होता है, जब इस राग के प्रभाव से जीव भोगों की पर्येष्टि आरम्भ करता है। इस प्रकार वेदना प्रत्यय से तृष्णा होती है।

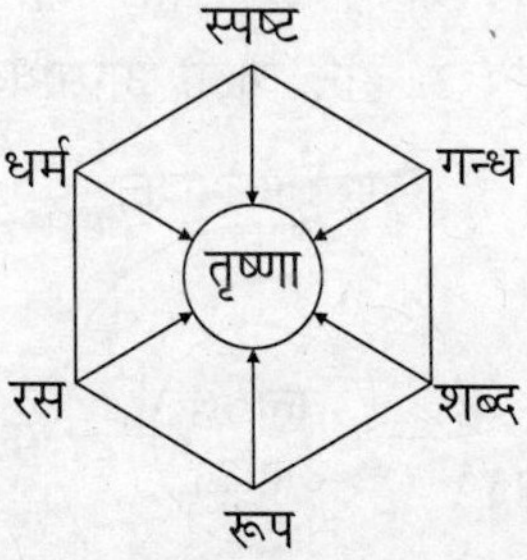

छः प्रकार के विषयों के प्रति तृष्णा छः प्रकार की होती है- रूपतृष्णा, शब्दतृष्णा, गन्धतृष्णा, रसतृष्णा, स्पृष्टव्यतृशणा, धर्मतृष्णा। उन षडविध तृष्णाओं का काम तृष्णा, भव तृष्णा एवं विभवतृष्णा इन तृष्णाओं से गुणा करने पर अठारह हो जाती है। त्रिविध तृष्णा ही सम्पूर्ण दुःखों का मूल है। वेदना के कारण ही तृष्णा की उत्पत्ति होती है। इसलिए वेदना पच्चया तण्हा कहा गया है। 'विसुद्धिमग्ग' में कहा गया है कि प्रयास का होना तृष्णा है। 'परितस्मती ति तण्हा' कुछ कहते हैं कि जिस प्रकार अंधेरे में चोर अपने हाथ फैलाता है उसी प्रकार अप्राप्यविषयों को पाने की इच्छा तृष्णा है।

9. उपादान– तृष्णा के उत्पन्न होने से उपादान उत्पन्न होता है। उपादान का तात्पर्य है विषयों के ग्रहण करने की प्रवृत्ति या आसक्ति यह उस जाति की अवस्था है, जो भोगों की पर्येष्टि में दौड़-धूप करता है। वह भोगों की प्राप्ति के लिए सब ओर दौड़ता है। इस प्रकार तृष्णा प्रत्यय से उपादान होता है। उपादान का अर्थ है- ग्रहण करना और उप का अर्थ है दृढ़तापूर्वक अथवा आसक्तिपूर्वक। दृढ़तापूर्वक ग्रहण करना उपादान है।

'उप' शब्द अतिरेक अर्थ में भी लिया गया है, जिससे उपादान का अर्थ होता है। अपने में सम्प्रयुक्त विषयालम्बन का अतिशरूप से ग्रहण करने वाला धर्म विशेष। अतः सम्बन्ध में दृढ़तापूर्वक ग्रहण करने वाले धर्मों को उपादान कहते हैं। उपादान चतुर्विध है। कामोपादान, दृष्ट्युपादान शीलव्रतोपादान एवं आत्मवादोपादान।

1. कामोपादान– (स्त्री में आसक्ति) आसक्ति ही तृष्णा है। अतः सामान्यतया अतिरेक रूप से होने वाली आसक्ति कामोपादान है।

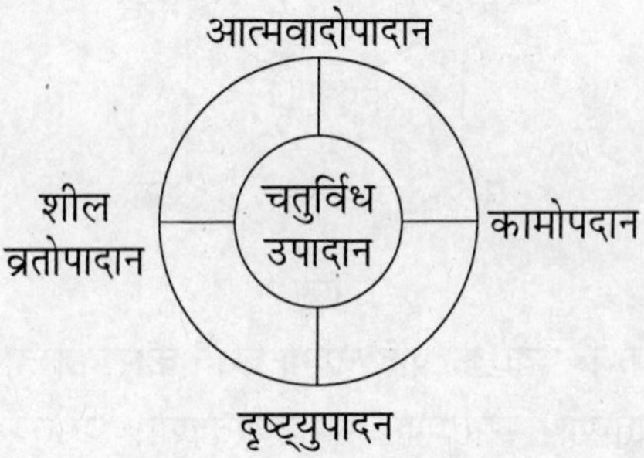

तृष्णा सामान्य आसक्ति है, तथा कामोपादान आसक्ति बलवती आसक्ति है। सभी प्रकार की दृष्टियाँ चाहे छोटी हों या बड़ी, दृढ़तापूर्वक ग्रहण करने से उपादान कहलाती है। अतः अतिरेक रूप से कामादि सेवन की आसक्ति (तृष्णा) कामोपादान है। काम तृष्णा और कामोपादान में एक मात्र यही अन्तर है कि क्षीण कार्यवर्ती (काम) तृष्णा होती है और उत्कृष्ट बलवती आसक्ति (काम) उपादान कहलाती है। आलम्बन के प्रति प्रथम अभिलाषा तृष्णा और उसके प्राप्त होने पर पुनः-पुनः उसकी

इच्छा 'कामोपादान' है। आलम्बन की अभिलाषा, उनका अन्वेषण आदि दु:ख स्कन्ध का मूल कारण तथा प्राप्तालम्बन का अनुचिन्तन रागादि दु:ख स्कन्ध का कारण 'कामोपादान' है।

2. दृष्ट्युपादान (दृष्टि उपादान)– इसके चार भेद हैं–

1. सत्यकाय दृष्टि,
2. अन्तर्ग्राहीदृष्टि,
3. मिथ्यादृष्टि,
4. दृष्टि परमार्थ।

मैं, मेरा और मेरी की जो दृष्टि है। वह सत्काय दृष्टि है, क्योंकि पंचोपादानस्कन्ध ही सत्काय कहे गये हैं। इन्हीं पंचोपादान स्कन्धों की विद्यमानता की दृष्टि ही सत्काय दृष्टि कहलाती है। तृष्णा द्वारा आसक्ति के कारण सत्कायदृष्टि द्वारा आत्मग्रह एवं आत्मीय ग्रह का उपादान होता है। आत्मसंज्ञा एवं परसंज्ञा होने पर रागद्वेष उत्पन्न होते हैं। पाँच उपादान स्कन्धों में आत्मस्वरूप या आत्मीयस्वरूप से गृहित विषय में उच्छेद और शाश्वत दर्शन करना 'अन्तर्ग्राहीदृष्टि' है।

ये पंचोपादान स्कन्ध शाश्वत रूप हैं, अथवा उच्छेद को प्राप्त होने वाले हैं। ऐसा देखना ही **'अन्तर्ग्राहीदृष्टि'** कही गयी है। जो उस समय दृष्टि, दृष्टिगत्, दृष्टिगहन दृष्टिकान्तर, दृष्टिविसुकायिक, मिथ्यापथ, मिथ्यातत्त्व आदि ही मिथ्या दृष्टि है। जो पाँच उपादान स्कन्ध है। उन्हें अग्र श्रेष्ठ परम् रूप से देखता है। वह भी 'दृष्टिपरामर्श' है। यह दृष्टि परामर्श चार दृष्टिगतसम्प्रयुक्त चित्तोत्पादों से उत्पन्न होता है। धर्मों का जैसा स्वरूप अनित्यादिरूप आकार है, इसका अतिक्रमण कर ये नित्य है, ऐसा आदि से प्रवर्तित परत: स्वीकार करना भी 'दृष्टिपरामर्श' कहलाता है।

3. शीलव्रतोपादान (व्रतों से आसक्ति)– शील आदि का आचरण 'शीलव्रतोपादान' है।

संक्षेपत: यह कहा जा सकता है कि सभी दोषों का मूल बीज तृष्णा ही है। अनागत भव में सुख प्राप्ति के लिए शीलाचार आदि व्रतों का

अनेक प्रकार से पालना अथवा आचरण करना 'शीलव्रतोपादान' है। शीलव्रतोपादान मार्ग (आर्यअष्टांगिक मार्ग) का प्रतिद्वन्दी है। इसी से उसे दृष्टि से पृथक् रखा गया है।

4. आत्मवादोपादान (आत्मा को नित्य मानने में आसक्ति)– आत्म दृष्टि आत्मवाद कहलाता है। आत्मा है। ऐसा मानना आत्मवाद है। इसे नित्यवाद भी कहा जा सकता है। आत्मदृष्टि को अस्मिमान भी कहा गया है। आत्मा में प्रेम रखना आत्मस्नेह है, और यही आत्मदृष्टि है। इसी आत्मदृष्टि के कारण जो चित्त की उन्नति होती है। वह अस्मिमान है। आत्मदृष्टि और अस्मिमान के कारण ही आत्मवाद होता है, क्योंकि आत्मा आसत् है। इसलिए आत्मवादोपादान कहा जाता है। इस प्रकार इन चारों उपादानों से संयुक्त विषयालम्बन का अतिशयरूप से ग्रहण करने वाला धर्म विशेष उपादान है।

10. भव (भव अर्थात् पुनर्जन्म को करने वाला कार्य)– उपादान के होने से 'भव' होता है। 'भव' का तात्पर्य है विषयों की प्राप्ति के लिए जीवन का प्रवाह। जीव उपादानवश सत्य कर्म करता है, जिसका फल अनागतभव है, 'भवकर्म' है। जिसके कारण जन्म होता है। यह 'भवकर्म' है। जिस अवस्था में जीव कर्म करता है। वह भव है। इस प्रकार उपादान प्रत्यय से भव होता है। पुनर्जन्म को करने वाले कार्य को भव कहते हैं। अतः होना मात्र ही भव है। भव दो प्रकार का कहा गया है- कर्मभव, उत्पत्ति भव। सभी कर्म जो पुनर्जन्म के कारक (करने वाला) हैं, कर्मभव कहलाते हैं। इसी से कर्मभव पुनर्जन्मकारों चेतना की संग्रहात्मक संज्ञा है। जिस-जिस उपादान को लेकर सत्त्व जिस-जिस लोक में जन्म पाता है, उसे उत्पत्तिभव कहते हैं। कर्म से ही फल की उत्पत्ति होती है।

अतः कर्म को भव कहा गया है। कर्म ही चेतना है। **"चेतनाहं भिक्खवे कम्मं वदामि** और जो अनागतकाल में उत्पाद है। वह उत्पत्ति है। जो होना है वह भव है तथा जो उत्पाद, उत्पत्ति या होना है, यही उत्पत्तिभव है। मतलब यह है कि वर्तमान में किये गए कुशलाकुशल कर्मों से अनागत में उत्पन्न होने वाला फल विपाक ही 'उत्पत्ति भव' है।

भव वह अवस्था है, जब शक्ति के वश में होकर मनुष्य नाना प्रकार के भले-बुरे कार्यों को करता है। कर्मों के कारण मनुष्य को नया जन्म मिलता है। नवीन जन्म के कारण इस वर्तमान जीवन में सम्पादित कार्यकलाप होता है। पूर्वजन्म के संस्कार के समान ही भव होता है। दोनों में पर्याप्त सादृश्य है। अतः जिस कर्म से फल का उत्पाद होता है उसे भव कहते हैं। भव की उत्पत्ति में संक्षेपतः उपादान ही मूल कारण कहे जा सकते हैं।

11. जाति- भव के प्रत्यय से जाति होती है। जब भव है, तभी तो जाति है। अन्यथा माता के पेट में शयन क्यों होता है? जाति से तात्पर्य है, बच्चे का माँ के कोख में आने पर रूप, वेदना, संज्ञा, संस्कार और विज्ञान रूप पंचस्कन्धों का प्रस्फुरण किया जा सकता है। भव के होने से जाति अर्थात् जन्म और जन्म की सन्तति प्रवाह चालू रहता है। यह पुनः प्रतिसन्धि है। मरणान्तर प्रतिसन्धि काल के पंचस्कन्ध जाति है। प्रत्युत्पन्न भव की समीक्षा में जिन अंगों को विज्ञान का नाम देते हैं, उसे अनागत भव की समीक्षा में 'जाति' की संज्ञा मिलती है। इस प्रकार भव के प्रत्यय से जाति की उत्पत्ति होती है। सुत्तपिटक के अनुसार माता के गर्भ की स्थिति को जाति कहा गया है। जाति का अभिप्राय माता की कुक्षि में आने पर रूप, वेदना, संज्ञा, संस्कार और विज्ञान रूप पंचस्कन्ध का प्रस्फुरण होता है। सामान्यतया पूर्व भव में विपाक विज्ञान तथा कर्मजरूपों के उत्पाद को जाति कहते हैं। जाति कर्मभव तथा उत्पत्ति से प्रादुर्भूत होती है। दोनों के अभाव में जाति का होना सर्वथा असम्भव है।

सत्व का माता की कोख में आने पर पंचस्कन्धों का **'प्रस्फुरण'** जाति है। पालि टीका में बतलाया गया है।

1. यह जाति विकार सहित स्कन्धों की प्रथम अभिनिवृत्ति है।
2. अट्टकथा तथा विभंगमूलटीका में कहा गया है कि उन-उन भवों में विपाक विज्ञान तथा कर्मजरूपों का उत्पाद ही जाति है।
3. भव के कारण जाति संभव है, इसलिए भव पच्च या जाति कहा गया है। यह भविष्य जन्म को मनुष्य की दुःखकृत या सुखकृत फल भोगने की योग्यता की दशा है।

12. जरामरण-भविष्य जन्म में मनुष्य की दशा, जब वह वृद्धता को पाकर मरण को प्राप्त करता है। उत्पन्न स्कन्धों के परिपाक का नाम जरा और नाश का नाम मरण है। जाति (जन्म) होने से जरा, मरण रोग आदि शारीरिक दु:ख, मानसिक दु:ख चक्र में यह प्राणी असहय् दु:खों को सहता है। इस प्रकार वेदनांग तक जरामरण है। प्रत्युत्पन्न भव के चार अंग-नामरूप, षडायतन, स्पर्श, वेदना, अनागत भव के सम्बन्ध में जरामरण कहलाते हैं। जाति प्रत्यय से जरामरण और जरामरण से शोक परिदेव दु:ख, दौर्मनस्य, उपायास आदि दु:ख स्कन्ध का प्रादुर्भाव होता है। सात स्कन्धों का परिपाक 'जरा' है और जीर्ण स्कन्धों का विनाश 'मरण' है। स्वजनों एवं सम्पत्ति के नाश से उत्पन्न अनुताप 'शोक' है। 'शोक' से उत्पन्न विलाप 'परिदेव' है। शारीरिक पीड़ा दु:ख है अथवा पंच विज्ञान काय का अरूचिकर अनुषय दु:ख है। मानसिक वेदना ही दौर्मनस्य है। जाति का फल जरा-मरण है और जरा-मरण से शोक आदि समूह होता है। शोक, परिदेव और उपायास को एक उपमा द्वारा ऐसे समझाया जा सकता है, जैसे किसी कड़ाही में तेल की पाकक्रिया हो, यह पाकक्रिया, शोक सदृश है, उसमें बुलबुले उठना, ऊान आना तथा खटकने की आवाज का होना 'परिदेव' है और उस तेल के जल कर खाक होते ही, समाप्त होने की अवस्था 'उपायास' है।

अत: मातृगर्भ से निष्क्रमण के पश्चात् मरणपर्यन्तकाल को जरा तथा उत्पन्न भव से च्युत होने को मरण कहते हैं। जरा भी द्विविधा है- प्रकट जरा तथा प्रतिच्छन्न जरा। जब जरा के लक्षण प्रत्यक्ष हो जाते हैं तो उसे प्रकट जरा और जब तक जरा के लक्षण पूर्णत: दृष्टिगोचर नहीं होते तब तक उसे प्रतिच्छन्न जरा कहते हैं। स्पष्टत: लक्षणोपेत नहीं होने से नाम धर्मों की जरा को प्रतिच्छन्न 'जरा' कहते हैं। प्राकृतिक दृश्यमान तत्त्वों (सूर्य, चन्द्र, पृथ्वी आदि) में भी 'जरा' होती है, किन्तु दुर्ज्ञेयता के कारण अभिज्ञान के लिए बीच में अवकाश नहीं होने से उसे अवी जरा कहते हैं।

इसकी स्थिति भी प्रतिच्छन्न जरा की तरह होती है। मरण भी प्रकट रूप में द्विविध है। जीवन के अन्तिम क्षण में विपाक, नाम एवं रूपों

के च्युतिकाल को प्रकट मरण कहते हैं। इसके पूर्व की स्थिति को अप्रकटमरण कहते हैं। जाति के अभाव में किसी भी प्रकार का जरामरण संभव नहीं है।

अतः जाति से जरामरण की उत्पत्ति का स्वरूप दृष्टिगत होता है। इस प्रकार उपर्युक्त द्वादश कड़ियाँ का प्रत्यय अपने आप स्वतंत्र नहीं है परन्तु एक दूसरे से प्रत्यय (कारण-हेतु) है। अविद्या के प्रत्यय से संस्कार होते हैं, अर्थात् जब अविद्या रहती है, तब संस्कार उत्पन्न होते हैं। यदि अविद्या न हो तो संस्कार भी नहीं होते हैं। ऐसे ही संस्कार के रहने से विज्ञान आदि समस्त स्कन्धों का प्रादुर्भाव होता है। अतः बुद्ध का प्रतीत्यसमुत्पाद वस्तुतः ऐसा ही कार्यकारणवाद है। एक जिसमें कार्य के बाद कारण विलुप्त हो जाता है, तात्पर्य यह है कि एक की प्रतीति होने पर दूसरे का उत्पाद होता है। कारण नष्ट होकर कार्य उत्पन्न होता है।

इस प्रकार बुद्ध धर्म के अनुसार प्रतीत्यसमुत्पाद की कारणता का यह चक्र अनन्त तथा अनादि है। यह तीनों कालों (भूत, वर्तमान, भविष्य) और सब विषयों पर चलता है, समस्त संस्कृत धर्म रूप, चित्त, चैतसिक या चित्तविप्रयुक्त हों, हेतु प्रत्ययों के कारण उत्पन्न होते हैं।

अतः बारह अंगों की व्याख्या में प्रथम दो अंगों (अविधा एवं संस्कार) का संबंध अतीत जन्म से है। उसके अनन्तर आठ निदानों (3-10) का सम्बन्ध वर्तमान जीवन से है, तथा अन्तिम दो भविष्य जीवन से है, तथा अन्तिम जीवन में अविद्या के कारण सत्व ने भले बुरे कर्म किए और संस्कार की ये कड़ियां अतीत भव की मानी जाती हैं। उक्त कर्मों के फलस्वरूप सत्त्व जन्म लेता है। जिसे विज्ञान कहते हैं।

विज्ञान के बाद 'नामरूप' और 'षडायतन' होते हैं। पुनः स्पर्श और इसके प्रत्यय से वेदना है। अतः विज्ञान नामरूप षडायतन स्पर्श और वेदना ये पाँच प्रत्युत्पन्न उत्पत्ति भव कहलाते हैं। फिर वेदना के कारण तृष्णा होती है। तृष्णा के बढ़ने से उपादान और उपादान के कारण ही कुशलाकुशल कर्म होते हैं। जिसे 'भव' की संज्ञा दी गई है। इस प्रकार तृष्णा, उपादान भव, प्रत्युत्पन्न कर्मभव कहे जाते हैं। जब ये कर्म विपाक उत्पन्न होते हैं, तो सत्त्व जन्म ग्रहण करता है। जिसे जाति की संज्ञा से

पुकारते हैं। इसके बाद जरा एवं मरण होता है, अतः जाति एवं जरामरण अनागत उत्पत्तिभव है।

इस प्रकार प्रतीत्यसमुत्पाद में ये चार भाग जिसे संक्षेप कहा गया है। यह तीन काल और तीन सन्धियां हैं। अतीत कर्मभव में यद्यपि अविद्या और संस्कार ये दो निदान कहे जाते हैं, परंतु वास्तव में तृष्णा, उपादान, भव का भी समावेश हो जाता है। विज्ञान, नामरूप, षडायतन, स्पर्श और वेदना प्रत्युत्पन्न विपाक भव है अर्थात् जिसकी उत्पत्ति भव जन्मों में किए गए हैं।

तृष्णा उपादान और भव को 'प्रत्युत्पन्न कर्मभव' कहा गया है। जो दूसरे भविष्य जन्म के कारण भूत है, परन्तु इनमें भी अविद्या और संस्कार का समावेश है। जाति और जरामरण अनागतविपाक भव है। परन्तु इनमें भी विज्ञान, नामरूप, षडायतन, स्पर्श और वेदना का समावेश है। यही भवचक्र कहलाता है।

तीन सन्धियां हैं–

1. अतीत कर्मभव से वर्तमान विपाक की
2. वर्तमान विपाकभव से वर्तमान कर्मभव की और
3. वर्तमान कर्मभव से अनागत विपाक भव की। बीस आकार भी तब हो जाते हैं। ऐसे ही अनागत विपाक भव में विज्ञान, नामरूप, षडायतन, स्पर्श और वेदना को भी जोड़ते हैं।

अतः इस प्रकार किन कारणों या प्रत्ययों से दुःख की उत्पत्ति होती है। प्रतीत्यसमुत्पाद इसी तथ्य का निरूपण करता है। प्रतीत्यसमुत्पाद का प्रधान उद्देश्य दुःख का सम्यक् निर्वचन एवं निरूपण अथवा कार्य-कारण नियम का प्रतिपादन है। यद्यपि इसमें मतैक्य नहीं है, किंतु यह निर्विवाद रूप से कहा जा सकता है कि कार्य कारण नियम के सम्यक् प्रतिपादन के द्वारा दुःख की द्वैत धर्मिता का संचारण होता है। एक ओर दुःख का अर्थ दुःखात्मक अनुभूति है; दूसरी ओर हेतुप्रत्यय-संभूत अनित्य जगत्। इसी प्रकार प्रतीत्यसमुत्पाद भी दो रूपों से दृष्टिगत होता है। जिसके एक पक्ष में दुःख की सापेक्षकारणता निर्वाचित है। दूसरे पक्ष में पुनर्जन्म

एवं दुःखानुभव है। जिसमें प्रथम का एक विशिष्ट उपयोग विनियोजित है। पर्यालोचनतः यह अवघेय हैं कि प्रतीत्यसमुत्पाद दुःखमय संसार को परमार्थ की भूमि पर निरूपित कर व्यवहार के अन्तर्गत कार्यप्रक्रिया का सम्यक् संकेत करता है।

दुःख का प्रथम कारण अविद्या है। प्रतीत्यसमुत्पाद अविद्या के स्वरूप की मीमांसा कर परमार्थ का संकेत करता है। अविद्या-विघटित जगत् के अभ्यन्तर ही कार्य कारण नियम की प्रक्रिया विद्यमान रहती है। प्रतीत्यसमुत्पाद अविद्या विघटित जीवन के भीतर दुःख के चक्राकार चैतसिक रूप का वाख्यान करता है। इसके होने पर यह होता है- **"इमस्मिंसति इदं होति"** इसके उत्पाद से यह होता है **"इमस्स उप्पादा इदं उप्पजति"** इसके न होने पर यह नहीं होता है।

"इमस्मि असति इदं न होति" इसके न होने से यह नहीं होता **"इमस्स निरोधा इदं निरूजझति"** का सिद्धांत ही प्रतीत्यसमुत्पाद है। इस सिद्धांत से सांसारिक वस्तुओं की परतंत्रता तथा सापेक्षता सिद्ध होती है अर्थात् सत्ता परतन्त्रय ही प्रतीत्यसमुत्पाद का अभिप्रेत अर्थ है किंतु सत्ता परतन्त्रय के सिद्धांत को कार्य कारण नियम के रूप से संचालित करने की अपेक्षा कारिय परतंत्रय का नियम मानना अधिक समीचीन प्रतीत होता है, क्योंकि प्रतीत्यसमुत्पाद से द्विविध संकेत उपलब्ध होता है।

रीज् डेविड्स के अनुसार बौद्ध दर्शन के इतिहास में अंतिम भाग में कुछ ऐसा पाया जाता है। जिसमें प्रतीत्यसमुत्पाद के प्रति पूरी आस्था नहीं रह पाती है। कुछ स्थलों पर इस नियम की पूरी उपेक्षा भी की गई है। परंतु स्वयं बुद्ध ने इसके महत्त्व को कभी कम नहीं होने दिया है।

प्रतीत्यसमुत्पाद का महत्त्व

बुद्ध इस प्रतीत्यसमुत्पाद के सिद्धांत के आधार पर ही दुःखों के कारण तथा उसके नाम की संभावना की खोज करते हैं। इसलिए बौद्ध दर्शन में इसे अत्यंत महत्त्वपूर्ण सिद्धांत माना जाता है। स्वयं बुद्ध इसका अत्यंत मान करते थे। वे इसे धर्म कहते थे। वे कहते थे जो प्रतीत्यसमुत्पाद

को देखता है, वह धर्म को देखता है। जो धर्म को देखता है, वह प्रतीत्यसमुत्पाद को देखता है। बाद के बौद्ध विचारक नार्गाजुन बुद्ध की वंदना करते हैं। जिन्होंने प्रपंच को समाप्त कर आनंद देने वाले इस सिद्धांत को स्थापित किया है। इस सिद्धांत के महत्त्व का एक कारण यह भी है कि बौद्ध दर्शन के अन्य सिद्धांत यथा–कर्म का सिद्धांत, **क्षणिकवाद, अनात्मवाद, अनित्यक्रियावाद** आदि इसी पर आधारित है। इसलिए इसे बौद्ध दर्शन का आधार स्तंभ कहा जाता है।

प्रतीत्यसमुत्पाद के "अविद्या, संस्कार, विज्ञान, नामरूप, षडायतन, स्पर्श, वेदना, तृष्णा, उपादान, भव, जाति, जरा, मरण" इन बारह अंगों को तीन भागों में विभाजित किया गया है। अविद्या और संस्कार का इन दोनों का सम्बन्ध अतीत जन्म से है।

जाति और जरा-मरण इनका सम्बन्ध अनागत जन्म से है। अतीत और अनागत भव चक्र के मध्य विज्ञान, नामरूप, षडायतन, स्पर्श, वेदना, तृष्णा, उपादान और भव इन आठ अंगों का सम्बन्ध प्रत्युत्पन्न भव से है। तात्पर्य यह है कि प्रतीत्यसमुत्पाद के अतीत भव और अनागत भव के जो हेतु हैं, उनके कारण जन्म ग्रहण तथा मृत्यु हुआ करती है। अविद्या पुनर्जन्म की क्लेश दशा का द्योतक है। इसलिए अविद्या से सभी प्रकार के क्लेश उत्पन्न होने का यह अभिप्राय प्रदर्शित होता है, और अविद्या के निरोध होने से सबका निरोध हो जाता है। 'दीर्घ निकाय' में यथाभूत विदित्वा शब्द की व्याख्या करते हुए आचार्य बुद्धघोष ने लिखा है–

"अविज्जासमुदया वेदनासमुदयो ति तण्हासमुदया, कम्मसमुदया, फस्ससमुदया, वेदनासमुदयो ति पच्चयसमुदयट्टेन वेदनाक्खन्धस्स उदयं पस्सति"।।

इसी प्रकार संस्कार पुनर्जन्म की कर्मावस्था का द्योतक है अर्थात् पुनर्भव की सन्तति पुण्य व अपुण्य आदि कर्म करती है, जिसके कारण पुण्य आदि कर्मावस्था को संस्कार माना गया है। इसके तत्पश्चात् विज्ञान को पटिसन्धि स्कन्ध कहा गया है। पटिसन्धि क्षण-क्षण में होती है और पंचस्कन्धजनित विज्ञान का समुदय हो जाता है। इस प्रकार

प्रतीत्यसमुत्पाद के विवेचन से यह निश्चित है कि कर्म एवं कर्मफल के कारण तृष्णा है। तृष्णा से उपादान होता है और पुनः-पुनः जन्म ग्रहण होता रहता है। सापेक्ष कारणतावाद की सैद्धान्तिक प्रक्रिया से यह निश्चय है कि अविधा क्लेश का मूल कारण है। मज्झिम निकाय के एक सूत्र में कहा गया है कि अविद्या का कारण आसव है। "आसव समुदया अविद्या समुदयो होति"। इस प्रकार 'मज्झिम निकाय' में कहा गया है कि आसव का अर्थ चित्त विकार है।

अविद्या आसव, काम आसव, भव आसव, टिट्ठिआसव है, जिससे संसार में अस्तित्त्व ग्रहण होता है, जिसका कारण कर्म ही है। इसलिये कर्म और पुनर्भव होता है। कर्म कुछ ऐसे होते हैं, जिनके परिणाम की घोषणा कालान्तर में होती है। इसलिए पुनर्भव कई जन्मों तक होता रहता है। अविद्या और तृष्णा ये सभी जन्म की पूर्व कोटि से सम्बन्धित हैं। इसलिए अनागत और प्रति उत्पन्न अवस्था में जन्म ग्रहण करता हुआ व्यक्ति सुगति और दुर्गति के चक्र में भ्रमण करता रहता है।

'अंगुत्तर निकाय' में यह कहा गया है कि अविद्या की पूर्वकोटि नहीं जानी जाती, यह नहीं कह सकते हैं कि इसके पूर्व अविद्या थी और इसके पश्चात् हुई। केवल इतना ही कह सकते हैं कि इस प्रत्यय के कारण अविद्या उत्पन्न होती है अर्थात् कर्म व क्लेश के कारण अविद्या उत्पन्न होती है। पुनः 'अंगुत्तर निकाय' में भगवान् बुद्ध कहते हैं कि भवतृष्णा की पूर्वकोटि नहीं जानी जाती, केवल इतना ही कह सकते हैं कि इस प्रत्यय के कारण भव तृष्णा होती है।

"अविज्जा, भिक्खवे, पुब्क्तगमा अकुसलानं धम्मानं समापत्तिया, अन्वदेव अहिरिकं अनोत्तप्पं। अविज्जागतस्य, भिक्खवे, अविछसुनो मिच्छादिट्ठि पहोति, मिच्छादिट्टिकस्स मिच्छासक्तकप्पो पहोति।"

'मज्झिम निकाय' व 'अंगुत्तर निकाय' के उपर्युक्त विवेचनों से यह सिद्ध हो जाता है कि क्लेश के कारण अविद्या और अविद्या के कारण भव होता है। यह परम्परा सतत् प्रवाहित होती रहती है। पुनर्जन्म के विवेचनों में प्रतीत्यसमुत्पाद की व्याख्या अत्यंत महत्त्वपूर्ण है। इसमें यह

निश्चित हो जाता है कि पुनर्जन्म के कारणों में क्लेश प्रमुख कारण है, जिसके फलस्वरूप अविद्या उत्पन्न होती है, और यह अविद्या तृष्णा को जन्म देती है, जिससे जन्म ग्रहण बार-बार इस लोक में होता रहता है।

स्थविरवादी बौद्ध परम्परा के सैद्धान्तिक विवेचन से यह स्पष्ट रूप से सिद्ध हो जाता है कि जन्म ग्रहण की परम्परा कभी अवरूद्ध नहीं होती; किन्तु सतत् प्रवाह रूप में जन्म ग्रहण का कारण परम्परा चलती है, जिसका प्रमाण भगवान् बुद्ध के पूर्व निवास स्मरण से सिद्ध हो जाता था। 'पुब्बे निवासानुसति' का सिद्ध विवेचन पालि त्रिपिटकों तथा 'विसुद्धिमग्ग' में प्रतिपादित है। 'दीघ निकाय' की 'सुमंगलविलासिनी अट्टकथा' में "विपस्सनाञाण, मनोमञांणं इद्विविघञांणं, दिब्बसोत्ञांणं, चेतोपरियञांणं, पुब्बे निवासञांणं, दिब्ब चक्खुवसेन निप्फन्नं" इत्यादि उदाहरणों से पूर्व निवास का ज्ञान हो जाता है, जिसके आधार पर जन्म जन्मांतरों की संतति प्रवाह सतत् प्रवाहित होती रहती है। पुनः 'दीघ निकाय' में 'पुब्बेनिवासानुसति' तथा 'परचित वि्आण' अर्थात् दूसरे के चित्त को जान लेना ये सभी साधना के बल पर हुआ करता था, ऐसा उल्लेख है। इस प्रकार पालि त्रिपिटक पर लिखी हुई 'अट्ठकथाओं' में पुनर्जन्म का विवेचन सर्वत्र किया गया है।

बौद्ध कर्मवाद का विवेचन पुनर्जन्म के प्रतिपादन में अत्यन्त महत्त्वपूर्ण माना गया है। कर्म की व्याख्या सर्वप्रथम करते समय कायकर्म व वाक् कर्म इन दो प्रकार के कर्मों का विभाजन किया गया है। काय और वाक् इन दोनों कर्मों का सम्बन्ध परस्पर स्पष्ट है। कर्म भी अकुशल व कुशल रूप में विभाजित है, जिनके कारण विपाक होता है और विपाक फलस्वरूप पुनर्जन्म तथा आपायगति, सुगति, दुर्गति इत्यादि विपाक भी 'पालि त्रिपिटक' में सर्वत्र उल्लिखित है। कर्मफल की व्याख्या करने लगते हैं, तो विभिन्न प्रकार के नियत एवं अनियत विपाक की चिन्ता होने लगती है, फलस्वरूप कर्मवाद स्पष्ट हो जाता है, जिसके कारण पुनर्जन्म निश्चित होता है। ऐसा थेरवादी बौद्धमत का विवेचन है। इन उपर्युक्त तथ्यों से कर्मवाद और पुनर्जन्म ये दोनों विषय परस्पर सम्बन्धित

है तथा पुनर्जन्म का आश्रय कर्म ही है, यह सिद्ध हो जाता है।

भगवान् बुद्ध स्वयं भिन्न-भिन्न योनियों में जन्म ग्रहण करते हैं। बोधिसत्त्व के रूप में भिन्न-भिन्न प्रकार के कर्मों का सम्पादन करते हुए फल का उपभोग करते हैं। सिद्धार्थ गौतम के रूप में प्रादुर्भाव होने से पूर्व अतीत जन्म में भगवान् बुद्ध के पूर्ववर्ती छः बुद्ध की जीवनी का वर्णन है। दीघ निकाय के महापदान सूत्र में इसका उल्लेख है। पूर्ववर्ती बुद्धों के नाम विपस्सि, सिकिख, बेसबु, भद्रकल्प कावगन्धव और कोणागमन के रूप में छः बुद्ध हुए।

दीघ निकाय के दूसरे भाग में इनकी जीवनी का संक्षिप्त रूप में वर्णन है अतीत बुद्धों की कल्पना से यह सिद्ध हो जाता है कि पुनर्जन्म नियत भाव से होता ही है। इसी प्रकार गौतम बुद्ध के अनागत जन्म की एक कथा है, जिसमें मैत्रेय बुद्ध के रूप में अनागत जन्म में जन्म ग्रहण करते हैं। अनागत बुद्ध की कथाओं से यह निश्चित रूप से सिद्ध हो जाता है कि जन्म जन्मांतरों में कुशल और अकुशल कर्मों के विपाक से कुशल और अकुशल योनियाँ ग्रहण होती रहती हैं।

'दीघ निकाय' के लक्षणसुत्त में महापुरुष के लक्षणों का विवरण है। इसी सुत्त में यह भी निर्देश प्राप्त होता है कि किस-किस कर्म विपाक से किन-किन शुभ लक्षणों की प्राप्ति होती है। लक्षणसुत्त के अध्ययन से भी पुनर्जन्म का सिद्धान्त प्रतिष्ठित है, ऐसा सिद्ध होता है। न केवल दीघ निकाय में, किन्तु 'मज्झिम निकाय' में भी कई प्रकार के ऐसे सुत्त हैं, जिनसे पुनर्जन्म सिद्ध हो जाता है। महासीहनाद सुत्त में भगवान बुद्ध ने स्वयं अपनी पूर्व तपस्याओं का वर्णन किया है। सारिपुत्र यह मेरे जीवन का कठोर आचरण था जो दुष्कर तपस्या के कारण उत्तम मनुष्य के धर्म को नहीं प्राप्त कर सका। मज्झिम निकाय के अन्य कई सुत्तों में पुनर्जन्म सम्बन्धी सिद्धान्त की व्याख्या प्रस्तुत की गई है। जिसमें पुनर्जन्म का विवेचन स्पष्ट हो जाता है।

'अभिधर्मकोश' में स्पष्ट बताया गया है कि अविद्यायुक्त स्पर्श से वेदना उत्पन्न होती है, अविद्या युक्त वेदना से तृष्णा उत्पन्न होती है। यहाँ

दु:ख के कारण को इच्छा, शांत (सुख) काम, तृष्णा, छन्द (संकल्प), स्पर्श और संज्ञा कहा गया है। यही प्रतीत्यसमुत्पाद के विकास की पहली अवस्था है। दूसरी अवस्था में विभिन्न दु:ख के निदानों को जोड़कर कारण श्रृंखलायें प्रस्तुत की गयी हैं। प्रतीत्यसमुत्पाद की तीसरी अवस्था उसके द्वादश निदानों की श्रृंखला के रूप में परिनिष्ठत होने पर सम्पन्न हुई है।

अत: अविद्या के प्रत्यय से संस्कार (चेतना) की उत्पत्ति, संस्कार (चेतना) के प्रत्यय से विज्ञान की उत्पत्ति विज्ञान के प्रत्यय से नाम और रूप की उत्पत्ति, नाम और रूप के प्रत्यय से छह आयतनों की उत्पत्ति, छह आयतनों के प्रत्यय से स्पर्श की उत्पत्ति। स्पर्श के प्रत्यय से वेदना की उत्पत्ति, वेदना के प्रत्यय से तृष्णा की उत्पत्ति, तृष्णा के प्रत्यय से भव की उत्पत्ति, भव के प्रत्यय से जन्म की उत्पत्ति होती है, जन्म के प्रत्यय से जरा-मरण, दु:ख, शोक आदि की उत्पत्ति होती है।

यही प्रतीत्यसमुत्पाद के निदानों की व्याख्या है। इस प्रकार प्रतीत्यसमुत्पाद की कार्य कारण परम्परा में 12 कड़ियाँ हैं, जो एक दूसरे से प्रत्ययों के आधार पर जुड़ी है। जिसके आश्रय से वे पैदा होती है निरूद्ध होती रहती है। पट्ठान में इस प्रकार के 24 प्रत्ययों का विवेचन है। 'महाभारत' में भी प्रतीत्यसमुत्पाद की इसी अवस्था का उल्लेख है।

बुद्ध का दर्शन अपने मौलिक रूप अर्थात् प्रतीत्यसमुत्पाद के रूप में भारी क्रान्तिकारी था। उन्होंने जगत समाज और मनुष्य को परिवर्तन के अनुसार अपने व्यवहार एवं अपने समाज के परिवर्तन के लिये हर वक्त तैयार रहने की शिक्षा देता था, फिर भी क्रान्तिकारी दर्शन ने अपने भीतर के उन तत्त्वों को हटाया नहीं था, जो समाज की प्रगति को रोकने का काम करते थे।

बुद्ध ने आत्मा को नित्य नहीं माना तो भी दूसरे रूप में परलोक और पुनर्जन्म को माना था। पुनर्जन्म के दार्शनिक पहलू को दृढ़ता प्रदान करते हुए चित्त-सन्तति की प्रतिसन्धि के माध्यम से पुनर्जन्मों के चलते रहने को बताया। आवागमन में धनी, निर्धन आदि के भेद में कर्म को कारण

माना। महापंडित राहुल सांकृत्यायन जी कहते हैं कि इस प्रकार भगवान् बुद्ध के प्रतीत्यसमुत्पाद को देखने पर जहां तत्काल प्रभुत्त्व वर्ग भयभीत हो उठता था, वहां प्रतिसंधि और कर्म का सिद्धान्त उन्हें निश्चिन्त कर देता था। यही वजह थी जो भगवान् बुद्ध के झंडे के नीचे हम बड़े-बड़े राजाओं, सम्राटों और सेठ साहुकारों को आते देखते हैं और भारत के बाहर लंका, चीन, जापान, तिब्बत में तो उनके धर्म को फैलाने में राजा सबसे पहले आगे बढ़े।

वह समझते थे कि यह धर्म सामाजिक विद्रोह के लिए नहीं, बल्कि सामाजिक स्थित को स्थापित रखने में बहुत सहायक साबित होगा। जातियों, देशों की सीमाओं को तोड़कर भगवान बुद्ध के विचारों ने राज्य विस्तार करने में प्रत्यक्ष या अप्रत्यक्ष रूपेण भारी मदद की। समाज में आर्थिक विषमता को अक्षुण्ण रखते हुए भगवान् बुद्ध ने वर्ण व्यवस्था, जातीय, ऊंच-नीच के भाव को हटाना चाहा था जिससे वास्तविक विषामता तो नहीं हटी किन्तु निम्न वर्ग का सद्भाव जरूर बौद्ध धर्म की ओर बढ़ गया। वर्ग-दृष्टि से देखने पर बौद्ध धर्म हिंसक वर्ग के एजेंट की मध्यस्थता जैसा था। वर्ग के मौलिक स्वार्थ को बिना हटाये न्याय का पक्षपाती दिखलाना चाहता है।

क्षणिकवाद का स्वरूप

बौद्ध दर्शन में सब से महत्वपूर्ण बात क्षणिकवाद की है। यह कहा जाता है कि इस नश्वर संसार में कुछ भी स्थायी नहीं है, जो भी है वह केवल पल भर के लिये ही है। उस का कोई स्थायीत्व होना सम्भव ही नहीं है। इस सिद्धांत का मूल महात्मा बुद्ध द्वारा दिये गये चार सत्यों पर आधारित है। यह चार सत्य थे–

1. संसार दु:खों का घर है।
2. इस दु:ख का कारण हैं।
3. यह दु:ख समाप्त किये जा सकते हैं।
4. इन दु:खों को समाप्त करने का मार्ग है।

इन को इस प्रकार भी प्रस्तुत किया गया है।

1. सर्वं दुःखम्
2. सर्वं क्षणिकम्
3. सर्वं नैरात्मम
4. सर्वं शून्यं

यह संसार दुःखों का घर है, क्योंकि हर बात का आदि है अन्त है। हर वस्तु जिस में मनुष्य भी है, उत्पन्न होती है, परिवर्तित होती है और समाप्त हो जाती है। इसी की बौद्ध दार्शिनिकों ने व्याख्या की है कि संसार में कुछ भी स्थायी नहीं हो सकता है, क्योंकि वह परिवर्तित होता रहता है।

इस के लिये नदी का उदाहरण दिया जाता है। कोई भी व्यक्ति दूसरी बार उसी जल में प्रवेश नहीं कर सकता है, क्योंकि पहले वाला जल तो जा चुका है। इसी प्रकार जब मोमबत्ती जलती है, तो उस की लौ स्थायी नहीं है। वह भले ही स्थायीत्व का भ्रम पैदा करे परन्तु दो क्षणों में एक ही लौ नहीं होती है। एक लपट समाप्त होती है, तो दूसरी उस के स्थान पर आ जाती है। नदी में जल जाता है, तो दूसरा जल उस का स्थान ग्रहण कर लेता है।

बौद्ध दार्शनिकों का कहना है कि कोई वस्तु क्षण भर ही रहती है। उस का आदि है और उस का अन्त है, पर उस का अस्तित्व नहीं है। वह केवल समाप्त होने के लिये ही अस्तित्व में क्षण भर के लिये आती है। आदि तथा अन्त में क्षण भर का जो अन्तर है। वही उस का जीवन है। इसीलिये इसे क्षणिकवाद या क्षणभंगुरवाद कहा जाता है। स्थायीत्व केवल माया है। भ्रम है। निरन्तरता का जो भाव बनता है, वह वास्तव में एक जैसा रूप के होने का कारण है।

अपना रूप अगले क्षण दूसरी घटना को देकर प्रथम घटना समाप्त हो जाती है। मनुष्य विभिन्न भागों का बना हुआ है। अन्ततः हर भाग अस्थायी है अर्थात् घटना क्षणिक है, पर रूप क्षणिक नहीं है। यह रूप ही वह स्थान लेता है, जो सांख्य या योग में जाति को दिया जाता है।

उपरोक्त सिद्धांत का अर्थ यह है कि आत्मा भी स्थायी नहीं हो सकती है। आत्मा केवल कुछ समूहों का नाम है यह समूह है- रूप स्कन्ध (भौतिक शरीर), वेदना स्कन्ध (भाव तथा संवेदन समूह), समज्ञ स्कन्ध (विचार समूह), संस्कार स्कन्ध (निर्माण बल समूह), तथा विज्ञान स्कन्ध (चित्त समूह)। यदि व्यक्तित्व को इन स्कन्धों में विग्रह किया जाये तो ऐसा शेष कुछ नहीं बचता जिसे आत्मा कहा जा सके। जब तक यह समूह विद्यमान है, तब तक शरीर, मन इत्यादि है। अहं इनसे अलग नहीं है। जब विग्रह किया जायेगा और कुछ नहीं बचेगा तो दु:ख समाप्त हो जायेंगे। यही निर्वाण है।

इसी प्रकार भौतिक शरीर भी कई भागो में बाँटा जा सकता है, जिन्हें **आयतन** कहते हैं। इन की संख्या बारह है और वह है- आँख, कान, नाक, जीह्वा, चर्म, मन तथा उन के प्रतीक रूप, ध्वनि, गंध, स्वाद, छूना, तथा समग्रता (जो मन द्वारा जानी जाती है)। इन्हीं के साथ छह प्रकार के संयोग दृष्टि इत्यादि को मिला कर अट्ठारह धातु बनती है। जब इन में भौतिक शरीर को बाँटा जाता है, तो कुछ भी नहीं बचता है।

इस अनात्मा तथा नि:स्वभावता के सिद्धांत को संसार की सभी वस्तुओं के लिये विकसित किया गया है। किसी भी वस्तु का अपने भागों के अतिरिक्त कोई अस्तित्व नहीं है। रथ केवल अपने हिस्सों से मिल कर बना है। वह स्वयं कुछ भी नहीं है। इन भागों के अपने भाग हैं और अन्त में कुछ भी शेष नहीं रहता है। यही शून्यवाद है।

इस सिद्धांत से कई प्रश्न उठते हैं। यदि कुछ है ही नहीं तो फिर दु:खों से पार पाने के लिये क्यों कहा जा रहा है, और इन से पार पाने के बाद क्या होगा। बुद्ध निर्वाण के पश्चात् कहाँ गये। इसी का उत्तर ढूंढने में बौद्ध दार्शिनिकों ने अलग अलग उत्तर दिये जिस से कई दर्शन उत्पन्न हुए। कुछ लोग जो सभी का अस्तित्व मानते हैं। सर्वास्तित्ववादी कहलाये। कुछ जो कहते हैं कि केवल भूतकाल का कुछ भाग ही वर्तमान में आता है। क्षणिकवादी कहलाये। महायान के एक सम्प्रदाय भूततथा कहलाता है जिस का कहना है कि अन्ततः सब कुछ है पर

अवर्णनीय है। उसे केवल 'तथा' कह कर ही सम्बोधित किया जा सकता हैं जैसे बुद्ध अन्ततः तथागत हो गये।

प्रश्न यह उठता है कि यदि कोई वस्तु उत्पन्न होते ही समाप्त हो जाती है, तो वह अपने कर्मफल या संस्कार कैसे सौंप सकती है। जिस मार्ग पर चलने से निर्वाण प्राप्त होता है। उस का फल एक क्षण से दूसरे क्षण में कैसे जाता है। फिर यदि सभी क्षण भर में समाप्त हो जाता है तो स्मृति कैसे काम करती है। यदि वह अलग-अलग है, तो उन का एक दूसरे से क्या सम्बन्ध है, क्यों हमें दूसरे की देखते परन्तु याद नहीं आते। केवल अपनी देखी वस्तु ही स्मरण आती है।

एक प्रकार से क्षणिकवाद में चार्वाक दर्शन की बात याद आ जाती है। उस का कहना है कि आत्मा केवल भूतों का समूह है। मृत्यु पर्यन्त वह फिर भूतों में ही मिल जाती है। मृत्यु उपरान्त कुछ है ही नहीं। पर चार्वाक जहाँ इस आधार पर विषयों का आनन्द लेने की बात कहता है, बौद्ध दर्शन का सार यह है कि संसार दुःखालय है।

इस कठिनाई का समाधान संस्कार को केवल अचौतन्य शक्ति के स्थान पर चौतन्य युक्त शक्ति मान कर किया जा सकता है। यह संस्कार परिवर्तनशील व्यक्तित्व के बीच कड़ी का कार्य करते हैं। क्षणिकवाद बौद्ध दर्शन के लिये महत्वपूर्ण है। यधपि उस की अपनी सीमायें हैं पर नश्वरता का सिद्धांत समझाने के लिये वह उपयुक्त है।

1. अनीश्वरवाद

अनीश्वर शब्द का अर्थ है- ईश्वर की सत्ता पर विश्वास न करना। अन् . ईश्वर शब्द से मिलकर बना है- अनीश्वर। ईश्वर की सत्ता पर विश्वास न करना अनीश्वरवाद कहलाता है। भगवान बुद्ध के अनुसार ईश्वर की सत्ता नहीं है। उनका कहना है कि दुनिया प्रतीत्यसमुत्पाद के नियम पर चलती है। प्रतीत्यसमुत्पाद का मतलब होता है कि एक कार्य से कारण जुड़ा होता है। इसे कार्य-कारण सिद्धांत कहा जाता है। उनके अनुसार इस ब्रह्मांड का संचालन करने वाला कोई नहीं है। प्रतीत्यसमुत्पाद एक चक्र है। इस श्रृंखला में कार्य कारण का प्रभाव है।

यह चक्र (cycle) 12 भागों में बंटा हुआ है। अगर उत्पत्ति कर्ता (ईश्वर) को मान लिया जाए तो उसके अंत के बारे में जानना होगा, इसलिए कार्य-कारण सिद्धांत अनीश्वरवाद दर्शन का मुख्य आधार है।

2. अनात्मवाद

अनात्मवाद शब्द का अर्थ है जहां आत्मा नहीं है। अन्‌आत्म = अनात्मवाद। जिसे हम आत्मा कहते हैं वह चेतना का न टूटने वाला प्रभाव होता है, लेकिन यह प्रभाव कभी भी बिखर सकता है। यह अंधकार में विलीन हो जाता है। खुद को जब इंसान जानता है, तभी वह आत्मवान हो सकता है। बुद्ध ने स्पष्ट कहा है कि हम इस जीवन में निर्वाण की अवस्था में ही स्वयं को जान सकते हैं। यानि इस जीवन में ही सब कुछ प्राप्त कर सकते हैं। मृत्यु के पश्चात् आत्मा सुषुप्ति में खो जाती है (यानि चेतना प्रज्ञा खो चुकी होती है)।

उनका मानना है कि आत्मा अनंतकाल तक अंधकार में पड़ी रह सकती है या मरने के तुरंत बाद ही उसका दूसरा जन्म हो सकता है, संसार के चक्र में फिर से शामिल हो सकती है। आत्मा तब तक आत्मा नहीं है, जब तक बुद्धत्व (दिव्य-ज्ञान) हासिल न कर ले। इसलिए जो जानकार होते हैं वह स्वयं को जानने की कोशिश में अध्यात्म की ओर उन्मुख होते हैं।

जैन-धर्म का प्रादुर्भाव

प्रस्तावना

छठी सदी ई॰पू॰ के लगभग भारत में जो नये धार्मिक आन्दोलन प्रारम्भ हुए, उनमें दो प्रधान हैं: (1) जैन धर्म, और (2) बौद्ध धर्म। जैन लोगों के अनुसार उनके धर्म का प्रारम्भ बौद्ध काल में महावीर स्वामी द्वारा नहीं हुआ था। वे अपने धर्म को सृष्टि के समान ही अनादि मानते हैं। उनके मतानुसार वर्धमान महावीर जैन धर्म का अन्तिम तीर्थंकर था। उनसे पहले 23 अन्य तीर्थंकर हो चुके थे। पहला तीर्थंकर राजा ऋषभ

था। वह जम्बूद्वीप का प्रथम चक्रवर्ती सम्राट था, और वृद्धावस्था में अपने पुत्र भरत को राज्य देकर स्वयं तीर्थंकर हो गया था। यहाँ यह सम्भव नहीं है, हम सब तीर्थंकरों के सम्बन्ध में लिख सकें, यद्यपि जैन ग्रन्थों में उनके विषय में अनेक कथाएँ उल्लिखित हैं। पर तेईसवें तीर्थंकर पार्श्वनाथ का कुछ विवरण इस इतिहास के लिये उपयोगी होगा।

तीर्थंकर पार्श्वनाथ महावीर स्वामी के प्रादुर्भाव से 250 वर्ष पूर्व तीर्थंकर पार्श्व का समय है। वह बनारस के राजा अश्वसेन का पुत्र था। उसका प्रारम्भिक जीवन एक राजकुमार के रूप में व्यतीत हुआ। युवावस्था में उसका विवाह कुशस्थल देश की राजकुमारी प्रभावती के साथ हुआ। तीस वर्ष की आयु में राजा पार्श्वनाथ को वैराग्य हुआ, और उसने राजपाट छोड़कर तापस का जीवन स्वीकृत किया। 83 दिन तक वह घोर तपस्या करता रहा। घोर तपस्या के अनन्तर चौरासीवें दिन पार्श्वनाथ को ज्ञान प्राप्त हुआ, और उसने अपने ज्ञान का प्रचार करना आरम्भ किया। उसकी माता और धर्मपत्नी सबसे पहले उसके धर्म में दीक्षित हुई। सत्तर वर्ष तक पार्श्वनाथ निरंतर अपने धर्म का प्रचार करता रहा। अन्त में पूरे सौ साल की आयु में एक पर्वत की चोटी पर, जो कि अब पार्श्वनाथ-पर्वत के नाम से प्रसिद्ध है, उसने मोक्ष पद को प्राप्त किया। पार्श्वनाथ के जीवन की ये ही थोड़ी-सी बाते हैं, जो जैन ग्रन्थों के अनुशीलन से एकत्रित की जा सकती हैं।

वर्तमान महावीर वज्जि राज्य-संघ के अन्तर्गत ज्ञातृक गण में महावीर उत्पन्न हुए थे। ज्ञातृक लोगों के प्रमुख राजा का नाम सिद्धार्थ था। सिद्धार्थ का विवाह वैशालिक राजकुमारी त्रिशला के साथ हुआ था। त्रिशला लिच्छिवि राजकुमारी थी, और लिच्छवियों के प्रमुख राजा चेटक की बहन थी। इसी चेटक की कन्या का मगध के प्रसिद्ध सम्राट बिम्बिसार के साथ विवाह हुआ था, जिससे कि अजातशत्रु उत्पन्न हुआ था। ज्ञातृक राजा सिद्धार्थ और लिच्छिवि कुमारी त्रिशला के तीन सन्तानें हुईं, एक कन्या और दो पुत्र। छोटे लड़के का नाम वर्धमान रखा गया। यही आगे चलकर महावीर बना।

इस बालक का जन्म का नाम वर्धमान था। वीर, महावीर, जिन, अर्हत, भगवत आदि भी उसके नाम के रूप में जैन-ग्रन्थों में आते हैं, पर ये उसके विशेषण मात्र हैं। वर्धमान का बाल्य-जीवन राजकुमारों की तरह व्यतीत हुआ। वह एक समृद्ध क्षत्रिय सरदार का पुत्र था। वज्जि राज्य-संघ में कोई वंशक्रमानुगत राजा नहीं होता था, वहाँ गणतंत्र शासन प्रचलित था। परन्तु विविध क्षत्रिय घरानों के बड़े-बड़े कुलीन सरदारों का जो कि 'राजा' कहलाते थे स्वाभाविक रूप से इस गणराज्य में प्रभुत्व था।

वर्धमान का पिता सिद्धार्थ भी इन्हीं 'राजाओं' में से एक था। वर्धमान को छोटी आयु से ही शिक्षा देनी प्रारम्भ की गई। शीघ्र ही वह सब विद्याओं और शिल्पों में निपुण हो गया। अपने पूर्वजन्म के संस्कारों की प्रबलता के कारण उसे विद्या-प्राप्ति में जरा भी परिश्रम नहीं करना पड़ा। वर्धमान की बाल्यावस्था के सम्बन्ध में बहुत-सी कथाएँ जैन-ग्रन्थों में लिखी गयी हैं। ये कथाएँ उसके अद्‌भुत पराक्रम, बुद्धि तथा बल को सूचित करती हैं। उचित आयु में वर्धमान का विवाह यशोदा नामक कुमारी के साथ किया गया। उनके एक कन्या भी उत्पन्न हुई। आगे चलकर जमालि नामक क्षत्रिय के साथ इसका विवाह हुआ जो कि वर्धमान महावीर के प्रधान शिष्यों में से एक था।

यद्यपि वर्धमान का प्रारम्भिक जीवन साधारण गृहस्थ के समान व्यतीत हुआ पर उसकी प्रवृत्ति सांसारिक जीवन की ओर नहीं थी। वह 'प्रेय' मार्ग को छोड़कर 'श्रेय' मार्ग की ओर जाना चाहता था। जब वर्धमान तीस वर्ष की आयु के थे, तो उनके पिता की मृत्यु हो गई। ज्ञातृक लोगों का राजा अब सिद्धार्थ का ज्येष्ठ पुत्र नन्दिवर्धन बना।

वर्धमान की प्रवृत्ति पहले ही वैराग्य की ओर थी। अब पिता की मृत्यु के अनन्तर उन्होंने सांसारिक जीवन को त्यागकर भिक्षु बनना निश्चित किया। नन्दिवर्धन तथा अन्य निकट सम्बन्धियों से अनुमति ले वर्धमान ने घर का परित्याग कर दिया। उसके परिवार के लोग पहले से ही पार्श्वनाथ द्वारा प्रतिपादित जैन-धर्म के अनुयायी थे, अतः वर्धमान ने स्वाभाविक रूप से जैन-भिक्षुओं की तरह अपने केशश्मश्रु का परित्याग कर तपस्या करनी आरम्भ कर दी।

आचारांग सूत्र में इस तपस्या का बड़ा सुन्दर वर्णन किया गया है। वर्धमान ने भिक्षु बनते समय जो कपड़े पहने हुए थे, वे तेरस मास में बिल्कुल जर्जरित हो गये और फटकर स्वयं शरीर से उतर गये। उसके बाद उसने फिर वस्त्रों को धारण नहीं किया। वह छोटे बच्चे के समान नग्न ही विचरण करने लगा, जब वह समाधि लगाकर बैठा हुआ था, तो नानाविध जीव-जन्तु उसके शरीर पर चलने-फिरने लगे।

उन्होंने उसे अनेक प्रकार से काट लिया, परन्तु वर्धमान ने इसकी जरा भी परवाह नहीं की। जब वह ध्यान-मग्न हुआ इधर-उधर परिभ्रमण करता था तो लोग उसे चारों ओर से घेर लेते थे, वे उसे मारते थे, शोर मचाते थे पर इसका जरा भी ख्याल नहीं करता था। जब कोई उससे पूछता था तो वह जवाब नहीं देता था। जब लोग उसे प्रणाम करते थे तब वह प्रणाम का भी उत्तर नहीं देता था। बहुत से दुष्ट उसे डण्डों से पीटते थे, परन्तु उसे इसकी जरा भी परवाह नहीं थी। बारह वर्ष तक घोर तपस्या कर अन्त में तेरहवें वर्ष में वर्धमान महावीर को अपनी तपस्या का फल प्राप्त हुआ। उन्हें पूर्ण सत्य ज्ञान की उपलब्धि हुई और उन्होंने 'केवलिन' पद प्राप्त कर लिया। जिस समय मनुष्य संसार के संसर्ग से सर्वथा मुक्त हो जाता है, सुख-दु:ख के अनुभव से वह ऊपर उठ जाता है, वह अपने को अन्य सब वस्तुओं से पृथक 'केवलरूप' समझने लगता है, तब यह 'केवलिन' की दशा आती है।

वर्धमान महावीर ने इस दशा को पहुँच कर बारह वर्ष के तपस्या काल में जो सत्य-ज्ञान प्राप्त किया था, उसका प्रचार करना प्रारम्भ किया। महावीर की ख्याति शीघ्र ही दूर-दूर तक पहुँच गई। अनेक लोग उनके शिष्य होने लगे। महावीर ने इस समय जिस सम्प्रदाय की स्थापना की, उसे 'निग्रन्थ' नाम से कहा जाता है, जिसका अभिप्राय 'बन्धनों से मुक्त' लोगों के सम्प्रदाय से है। महावीर के शिष्य भिक्षु लोग 'निर्ग्रन्थ' या 'निगन्थ' कहलाते थे। इन्हें 'जैन' भी कहा जाता था, क्योंकि ये 'जिन' (वर्धमान को केवलिन-पद प्राप्त करने के पश्चात् वीर, महावीर, जिन, अर्हत आदि सम्मानसूचक शब्दों से कहा जाता था) के अनुयायी होते थे। निर्ग्रन्थ महावीर के विरोधी इन्हें प्राय: 'निर्ग्रन्थ ज्ञातृपुत्र' (निग्रन्थ

नाट्पुत्त) के नाम से पुकारते थे। ज्ञातृपुत्र उन्हें इसलिये कहा जाता था, क्योंकि वे ज्ञातृक-जाति के क्षत्रिय थे।

वर्धमान महावीर ने किस प्रकार अपने धर्म का प्रचार किया, इस सम्बन्ध में भी अनेक बातें प्राचीन जैन-ग्रन्थों से ज्ञात होती है। महावीर का शिष्य गौतम इन्द्रभूति था। जैन-धर्म के इतिहास में इस गौतम इन्द्रभूति का भी बड़ा महत्त्व है। आगे चलकर इसने भी 'केवलिन' पद को प्राप्त किया। महावीर का यह ढंग था, कि वह किसी एक स्थान को केन्द्र बना कर अपना कार्य नहीं करते थे, अपितु अपनी शिष्य-मंडली के साथ एक स्थान से दूसरे स्थान पर भ्रमण करते हुए अपने धर्म-सन्देश को जनता तक पहुँचाने का उद्योग करते थे। स्वाभाविक रूप से सबसे पूर्व उन्होंने अपनी जाति के लोगों-ज्ञातृक क्षत्रियों में ही अपनी शिक्षाओं का प्रसार किया। वे शीघ्र ही उसके अनुयायी हो गये। उसके बाद लिच्छवि तथा विदेह-राज्यों में प्रचार कर महावीर ने राजगृह (मगध की राजधानी) की ओर प्रस्थान किया। वहाँ उस समय प्रसिद्ध सम्राट श्रेणिक राज्य करता था। जैन-ग्रन्थों के अनुसार श्रेणिक महावीर के उपदेशों से बहुत प्रभावित हुआ, और उसने अपनी सम्पूर्ण सेना के साथ महावीर का स्वागत किया।

अपनी आयु के 72वें वर्ष में महावीर स्वामी की मृत्यु हुई। मृत्यु के समय महावीर राजगृह के समीप पावा नामक नगर में विराजमान थे। यह स्थान इस समय भी जैन लोगों का बड़ा तीर्थ है। वर्तमान समय में इसका दूसरा नाम पोखरपुर है, और यह स्थान बिहार शरीफ स्टेशन से 6 मील की दूरी पर स्थित है।

जैन दर्शन में अनेकान्तवाद और स्याद्वाद

इसके अर्न्तगत कुछ मूल प्रश्नों का विश्लेषण किया जाता है।

1. इसके अनंत पदार्थों और उनके स्वभावों में भी क्या-क्या विशेषताएँ हैं?
2. यह सब कृत्रिम है या अकृत्रिम?
3. इनका सृष्टा कौन है?

4. आत्माएँ सुखी-दु:खी क्यों होती हैं?
5. इनको सुख-दु:ख कौन देता है?
6. क्या ये सुखमयी संसार से कभी मुक्त हो सकती हैं?
7. ये जिज्ञासाएँ विचारशील मानव के मन में सदा से ही जन्म लेती रही है।

यद्यपि इनके समाधान करने के प्रयास भी मनीषियों द्वारा अपनी अपनी समझ और शक्ति के अनुसार समय-समय पर किए जाते रहे हैं, किन्तु सीमित ज्ञान और एकांगी अनुभवों द्वारा किये गए प्रयास और निष्कर्ष पूर्ण सत्य की खोज में अपूर्ण रहने तथा उन्हें ही पूर्ण सत्य मानने और निरूपण करने के कारण वे सर्वमान्य नहीं बन सके, फलस्वरूप विश्व में नये-नये मत-मतांतरों की सृष्टि होती रही। जिससे सांप्रदायिकता ने जन्म लेते हुए मानव समाज को विभाजित कर उनको अनेक कठघरों में बंद कर दिया।

यदि ऐतिहासिक दृष्टि से देखा जाये तो मत और पंथ निर्माताओं ने अल्पज्ञ होते हुए भी स्वयं को सर्वज्ञ मान अपनी प्रभावशाली वक्तृत्व कला से समाज को मोहित ओर आकृष्ट कर अपने एकांगी तथा काल्पनिक विचारों एवं मान्यताओं को ही पूर्ण सत्य घोषित कर नवीन मतों और पंथों की स्थापना की है। जिससे एकांगी और परस्पर विरोधी उनके सिद्धांतों तथा मान्यताओं में कितनी विसंगति हुई, यह विचारणीय विषय हो जाता है।

इस संदर्भ में भगवान महावीर ने 12 वर्ष पर्यंत अनवरत तपस्या करते हुए तत्व चिंतन में निरत रहकर एक महान दार्शनिक जीवन जिया और आत्म साधना के बल पर अपने ज्ञान को उत्कर्ष की चरम सीमा पर पहुँचाकर महात्मा बुद्ध की मान्यतानुसार सर्वज्ञता को प्राप्त किया। तत्पश्चात् अनेकांतात्मक वैज्ञानिक सत्य को वीतराग भाव से स्याद्वाद की मौलिक प्रणाली द्वारा प्रकट किया साथ ही विश्व के समस्त प्राणियों के हित में विश्वधर्म का शुभ संदेश भी प्रदान किया।

उन्होंने सर्वप्रथम विश्वधर्म की व्याख्या की तथा संसार के सभी प्राणियों के प्रति बिना किसी भेद-भाव के समदृष्टि रखकर उनके दु:ख

दूर करने हेतु उन्हें समदृष्टि बनने का उपदेश दिया। साथ ही यह बताया कि उनके दु:ख का प्रमुख कारण उनकी भ्रम बुद्धि (मिथ्यादर्शन) अज्ञान (मिथ्याज्ञान) और असंयम (मिथ्याचरित्र) है। समदृष्टि बनने के लिये वस्तुस्वरूप का यथार्थ ज्ञान (तत्वज्ञान) आवश्यक है। तत्वज्ञान की प्राप्ति हेतु जिज्ञासु मात्र होने से काम नहीं होगा, बल्कि तत्त्वों (पदार्थों) एवं उनके साथ आत्मा के परस्पर संबंधों को जानना आवश्यक ही नहीं अनिवार्य भी है। तत्वज्ञानी मोह माया से निवृत्त हो दुराचरण का त्याग कर सदाचार पालन करते हुए यदि आत्मनिष्ठ हो जावे तो वह पूर्ण सुखी (परमात्मा) बन सकता है।

इस विश्व के सभी पदार्थ अविनश्वर हैं, न तो वे कभी अभावरूप में रहकर उत्पन्न हुए थे और न कभी समूल नष्ट ही होंगे। उन्हें किसी ने नहीं बनाया और न कोई उनका सर्वथा नाश ही कर सकता है वे सदा कायम रहते हुए भी अपने परिणमन शील स्वभाव के कारण परिवर्तित भी होते रहते हैं, अर्थात् अपने पर्यायों (दशाओं) को निरन्तर बदलते भी रहते हैं। प्रत्येक पदार्थ अपने अनेक गुणों (शक्तियों) का अखंड पिंड होता है जिसमें वे सदा सहभावी होते हैं तथा उसकी पर्यायें क्रमभावी होती हैं जो एक के बाद एक उत्पन्न और नष्ट होती रहती हैं फिर भी पदार्थ कायम रहते हैं।

इस प्रकार अनेक गुणों और पर्यायमय 'गुण धर्मों वाली' प्रत्येक वस्तु स्वभावत: अनेकांतात्मक (गुण धर्मात्मक) है जिसका ज्ञान प्रमाण एवं नयों के द्वारा होता है। वस्तु के सर्वांगीण ज्ञान को प्रमाण तथा एकांगी ज्ञान को नय कहते हैं। ये एकांगी ज्ञान भी प्रमाण के अंश हैं परन्तु इन्हें परस्पर सापेक्ष होना चाहिये, क्योंकि वस्तु के अंश भी अपनी परस्पर एकता को लिये हुए हैं।

इस प्रकार ढाई हजार वर्ष पूर्व दिये हुए महावीर के तथ्य और सत्य पर आधारित वैज्ञानिक उपदेशों एवं मान्यताओं को सिद्धांत मर्मज्ञ स्वामी समन्तभद्राचार्य ने तत्कालीन विद्यमान मतमतांतरों की अन्वीक्षा कर भगवान की स्तुति करते हुए अपने एक ग्रंथ में लिखा कि–

दया दम त्याग समाधि निष्ठं नय प्रमाण प्रकृतार्थ सार्मथ।
अघृष्यमन्मैरखिलैः प्रवादै जिनं त्वदीयं मतमद्वितीयम

अर्थात् हे! भगवान् आपका मत (सिद्धांत) अद्वितीय है, क्योंकि वह जीव दया से परिपूर्ण है, दम (आत्म नियंत्रण) और त्याग की गरिमा से मंडित होता हुआ समाधि (सम्यग्दर्शन, ज्ञान और चारित्रमयी) धर्मनिष्ठ है। तथा नयों और प्रमाणों द्वारा अनेकांतात्मक यथार्थ वस्तु स्वरूप का प्रतिपादक होकर सत्य ज्ञान की ठोस नींव पर प्रतिष्ठित है व समस्त दोषों से रहित (निष्कलंक) है। इस प्रकार वह सचमुच ही अद्वितीय सिद्ध होता है।

भगवान महावीर ने धर्म-अधर्म, पुण्य-पाप, जीव-अजीव आदि सभी तत्वों एवं विद्याओं का उपदेश देकर सत्य अहिंसा आदि सिद्धांतों का विशद विवेचन किया ही था, किन्तु वस्तु विज्ञान की पूर्णता एवं यथार्थता की चरम सीमा तक पहुँचने की (वस्तु के अनेकांतात्मक स्वभाव के कारण) जानकारी हेतु स्याद्वाद द्वारा जो अनुपम विधान किया था वह आज भी समझदार मनीषियों द्वारा सराहा जाता है, फिर आधुनिक भौतिक विज्ञान के मनीषियों का तो अनेकांत सिद्धांत प्रमुख रूप से श्रद्धेय और उपादेय भी बन चुका है, क्योंकि प्रत्येक वस्तु में व्यक्त गुणों और विशेषताओं के अतिरिक्त अव्यक्त अनंत शक्तियों की अनेक संभावनाओं को प्रकट होने, स्वीकार किये बिना उनके आविष्कार करने के प्रयत्न करने का प्रश्न ही नहीं उठता। इसी अनेकांत सिद्धांत की विशेषता एवं क्षमताओं पर मुग्ध होकर पुरुषार्थसिद्धमुपाय ग्रंथ में मंगलाचरण के रूप में उसे नमन करते हुए परम आध्यात्मिक संत आचार्य अमृतचन्द लिखते हैं-

परमागमस्य जीवं निषिद्ध जात्यंध सिन्धुरविधानम् ।
सकलनय विलसितानं विरोधमधनं नमाम्यनेकांतम् ।।

अर्थात् जो परमागम (जिनवाणी) का प्राण है, तथा जन्मांध मनुष्यों के एकांगी भ्रमपूर्ण हस्ति विज्ञान के कथन का निषेधक है, जो कि केवल

पूँछ, सूंड आदि हाथी के एक अंश को ही हाथी मानकर कथन कर रहे हैं। जिससे सम्पूर्ण अर्थात् परस्पर विरोधी कथन करने वाली वस्तु स्वरूप संबंधी दृष्टियाँ मैत्रीभाव पूर्वक क्रीड़ा करती हैं तथा जो उनके विरोधी मतों का समन्वयात्मक मार्ग प्रशस्त करता है उस मंगलमय अनेकांत को मैं नमन करता हूँ।

विशेषताएँ

उल्लिखित मंगलाचरण में अनेकांत की विशेषताओं एवं क्षमताओं का समावेश कर उसके स्वरूप का बोध कराया गया है। जिसका संक्षिप्त विवरण निम्न प्रकार है–

1. प्रत्येक वस्तु अपने द्रव्य गुण एवं पर्यायों से सदा सम्पन्न रहा करती है। यही उसकी अनेक धर्मात्मकता दूसरे शब्दों में अनेकांतात्मकता है, तब ही वह नयों और प्रमाणों द्वारा अपने स्वरूप का यथार्थ ज्ञान करा सकेगी, जबकि वस्तु को एकांगी प्रतिपादन और उसके ही पूर्ण सत्य होने की घोषणा सत्य से परे हो जाने के कारण पाठक को भ्रमित करती है। अतः सत्य स्वरूप वस्तु के प्रतिपादक अनेकांत को आगम का प्राण कहा गया है।
2. अनेकांत का दूसरा विशेषण जन्मांधों के एकांगी हस्तिविज्ञान के पूर्ण सत्य होने की मान्यता का निषेधक होना दर्शाता है। यद्यपि हाथी की पूँछ उसका एक अंग अवश्य है, किन्तु पूँछ ही हाथी नहीं हैं जिसे अंधों ने हाथी मान लिया। इसी प्रकार विश्व के जो मत मतांतर वस्तु में केवल एक धर्म-विशेषता के सिवाय अन्य गुणधर्मों का निषेध करते हैं, उन्हें वस्तु का सर्वांगीण प्रतिपादन कर अनेकांत यथार्थ ज्ञान प्रदान कर उनके भ्रम को समाप्त करने की उदार दृष्टि प्रदान करता है।
3. तीसरी विशेषता अनेकांत का सर्व नयों (दृष्टियों) की क्रीड़ा भूमि का होना है। एक नय वस्तु के एक अंश को ही जानता और उसका प्रतिपादन करता है, जबकि अन्य नय वस्तु में

विद्यमान अन्य अनेक विशेषताओं को जानते और प्रतिपादन करते हैं। अन्य वस्तु के एकांश का प्रतिपादन करने से सभी नयों में सत्यांश विद्यमान है। इस कारण अनेकांत दर्शन सभी परस्पर सापेक्ष नयों की क्रीड़ा भूमि सिद्ध हो जाता है। एक ही वस्तु में अस्तित्व, नास्तित्व, नित्यत्व, अनित्यत्वादि परस्पर विरोधी धर्म सहज भाव से विराजते हैं, जैसे जीव में स्वरूप से (अनेक द्रव्य क्षेत्र काल भाव अपेक्षा) अस्तित्व है तो उसी में अन्य अजीव द्रव्य का उसी समय नास्तित्व भी है।

इसीलिये उसे जीवत्व की दृष्टि से अस्ति और अजीवत्व की दृष्टि से नास्ति स्वरूप जाना जाता है। दोनों की दृष्टियाँ सत्य हैं, और परस्पर सापेक्ष रहकर जीव का यथार्थ ज्ञान कराती हैं। दूसरे शब्दों में जीव जीव है, और वह अजीव नहीं है यह बतलाती है। सो ठीक ही है। इस संदर्भ में आचार्य समंतभद्रस्वामी का कथन बड़ा ही महत्वपूर्ण है। वे अपने आप्तमीमांसा नामक ग्रंथ में लिखते हैं।

सदैव सर्व को नेच्छेत् स्वरूपादि चतुष्टयात् ।
असदैव विपर्यासान्न चेन्न व्यवतिष्ठते ॥

अर्थात् ऐसा कौन मनीषी है, जो वस्तु को स्वरूप से सत् और पररूप से असत् स्वीकार न करेगा, जबकि प्रत्येक वस्तु अपने द्रव्य वस्तुओं के द्रव्य गुण पर्यायों (काल भावादि) से भिन्नता भी बनाए हुए है। जैसे सोना सोना है, चाँदी नहीं है अर्थात् सोने में चाँदी आदि भिन्न पदार्थों का नास्तित्व भी अवश्य है, अन्यथा वह सोना, चाँदी, पीतल तथा अन्य द्रव्य भी हो जायेगा जो संभव नहीं है और जो वस्तु की व्यवस्था के विपरीत है। इसी प्रकार चाँदी, चाँदी है, सोना नहीं है। यही प्रत्यक्ष सिद्ध व्यवस्था है। इसी से अनेकांत परस्पर सापेक्ष सभी नयों की क्रीड़ा भूमि सिद्ध है।

4. विरोध मंथन की शक्ति अनेकांत की चौथी विशेषता है जिसका अभिप्राय सभी मतमतांतरों के परस्पर विरोधी ऐकान्तिक

मान्यताओं की खींच तान को समन्वय के राजमार्ग द्वारा समाप्त कर उन्हें एकता के सूत्र में पिरोने एवं एकांगी साम्प्रदायिक दृष्टि के साथ अन्य दृष्टियों में विद्यमान सत्य को उदारतापूर्वक स्वीकार कराने से संबंधित है।

उदाहरण के लिये जैसे सांख्य दर्शन वस्तुओं में सर्वथा कूटस्थ नित्यता का प्रतिपादन कर अपने मत को ही पूर्ण सत्य मानता है। बौद्ध दर्शन क्षणिकवाद का आश्रय लेकर सभी वस्तुओं को सर्वथा क्षणिक मानकर उनमें नित्यतमा को किसी भी प्रकार से स्वीकार नहीं करता है। तब वही अनेकांत दर्शन अपनी विशाल और सर्वधर्म समभाव की उदार दृष्टि द्वारा सर्वथा नित्य और सर्वथा क्षणिक सिद्धांतों का समन्वय कर यह दर्शा देता है कि वस्तु का वस्तुत्व कभी नष्ट नहीं होता है।

5. इस दृष्टि से तो कथंचित नित्य है, किन्तु प्रत्येक वस्तु परिवर्तनशील भी है, अर्थात् अपनी पर्यायों (दशाओं) द्वारा वह प्रतिक्षण परिवर्तित भी होती रहती है। अतः वह कथंचित अनित्य भी है। जैसे आत्मा (जीव) का अस्तित्व अनादि होने से वह नित्य है, किन्तु वही आत्मा कभी मनुष्य, कभी देव, नारकी आदि रूपों को धारण करता रहता है अतः वह पर्याय दृष्टि से अनित्य भी है, क्योंकि जब जीव मनुष्य पर्याय का परित्याग कर देव नारकी का रूप धारण करता है, तब वह मनुष्य न रहकर देव ही होता है या नारकी बनकर नारकी। इस प्रकार पर्याय दृष्टि से उसमें अनित्यता भी स्वयं सिद्ध है।

निष्कर्ष: उल्लिखित विवेचन से स्पष्ट है कि अनेकांत सिद्धांत सांख्य और बौद्ध दर्शनों की एकांगी नित्यता एवं अनित्यता की मान्यताओं में दिखने वाले विरोध को अपनी समन्वय की निर्दोष और सत्यान्वेषण की न्यायोचित प्रणाली द्वारा दूर कर उन्हें एकता के सूत्र में निबद्ध कर सकता है, यदि दोनों उदारता पूर्वक अपर पक्ष की दृष्टि से भी वस्तु स्वरूप पर विचार करें, तो नित्यता के साथ अनित्यता का रहना यद्यपि

परस्पर विरोधी कथन जान पड़ता है, किन्तु वस्तु में जब नित्यता के साथ अनित्यता मैत्रीभाव से अविरोध रूप में स्वयं ही रह रही हो तो हमें उनके मानने में आपत्ति क्यों होना चाहिये? एक आचार्य के शब्दों में–

यदीदं स्वयमर्थेभ्यो रोचते तत्र के वयम्?

अर्थात् नित्यता के साथ अनित्यता, अस्तित्व के साथ नास्तित्व, इन परस्पर विरोधी धर्मों को यदि पदार्थ स्वयं ही अंगीकार किये हुए है तो हम क्या करें, और उन्हें स्वीकार न करने वाले भी हम कौन होते हैं?

नित्यता के साथ अनित्यता की मान्यता में विरोध तब आता है जब जिस दृष्टि से वस्तु को नित्य कहा या माना जाता है। उसी दृष्टि से अनित्य भी कहा जाता है, किन्तु वस्तु में द्रव्य दृष्टि से नित्यता ही निश्चित रूप से मान्य की गई है, उसी प्रकार उसमें परिणमनशीलता के होने से उसकी पर्यायों में परिवर्तन होने के कारण अनित्यता सी निश्चित मानी गयी है। ये दोनों धर्म (नित्यता और अनित्यता) कल्पित नहीं है, और न वस्तु पर ऊपर से लादे जा रहे हैं। वे वस्तु में स्वयं स्वाभाविक रूप से विद्यमान हैं। अतः उनका कथन भी परस्पर सापेक्षिक (अनेकान्तात्मक) होना चाहिये।

इसी प्रकार अन्य परस्पर विरोधी दिखने वाले गुण धर्मों के भी जो कि उसी वस्तु में विद्यमान हैं, कथन को स्वीकार करते हुए अनेकांत अनेकता में एकता स्थापित कर साम्प्रदायिक वैर विरोधों को दूर करता हुआ वस्तु का सम्यक् ज्ञान कराने में एक गुरु एवं न्यायाधीश का स्थान भी ग्रहण कर लेता है।

यहाँ प्रश्न हो सकता है कि एक ही वस्तु में एक समय में नित्यता और अनित्यता की कथनी क्या जिज्ञासु को संशय के भ्रम जाल में नहीं फंसायेगी और वस्तु स्वरूप के विषय में अनिश्चिय की भावना को जन्म नहीं देगी? समाधान यह है कि वस्तु में उसके गुण पर्यायात्मक स्वरूप को विचार किये बिना नित्यता और अनित्यता का अनिश्चय तो संशय में अवश्य डालेगा, किन्तु अनेकांतवाद में संशय और अनिश्चतता का कोई स्थान ही है, क्योंकि वस्तु स्वयं ही नित्यनित्यात्मक है।

वह द्रव्य दृष्टि से निश्चित रूप में नित्य ही है, और पर्याय परिवर्तन की दृष्टि से वही वस्तु अनित्य भी, क्योंकि वस्तु की पर्याय उससे भिन्न न होकर तादात्म्य संबंध से अभिन्न ही होती है। जैसे स्वर्ण कुण्डल कंकण आदि पर्यायों में व्याप्त रहकर भी स्वर्ण स्वर्णपने का परित्याग न कर अपनी स्वर्णमयी नित्यता को धारण किये रहता है, किन्तु जब वह कुण्डल से कंकण या मुद्रिका का रूप धारण किये रहता है, तब कुंडल न रहकर वह कंकण या मुद्रिका बन जाता है, तब वही स्वर्ण कुंडल कंकणादि रूप पर्यायों को धारण करने के कारण पर्याय संबंधी अनित्यता में भी समाविष्ट (समाहित) हो जाता है, अतः उसी स्वर्ण को अपनी अभिन्न पर्यायों में परिवर्तित होने से उसकी अनित्यता भी स्वयं सिद्ध हो जाती है। इसमें संशय या अनिश्चितता की कहाँ गुंजाइश है जबकि स्वर्ण द्रव्य और उसकी कुंडल कंकण पर्याय दोनों ही वास्तविकता को लिये है।

इसी प्रकार सोना अपने गुणपर्यायों को आत्मसात् किये हुए जैसे अपनी सत्ता के रूप में सद् रूप है, उसमें चाँदी आदि पर द्रव्यों के न होने की दृष्टि से उसी समय असद् रूप भी है। दूसरे शब्दों में सोना, सोना है चाँदी नहीं। इसमें भी संशय करने का या अनिश्चय की कोटि में जाने की गुंजाइश कहाँ है?

स्याद्ववाद का स्वरूप

जैन दर्शन में प्रत्येक वस्तु की सत्ता को इस प्रकार अनेकांतात्मक, स्वतंत्र एवं अनादिनिधन स्वीकार किया गया है। यही वस्तु का वस्तुत्व भी है। जब वस्तु विज्ञानी वक्ता किसी वस्तु के स्वरूप को शब्दों द्वारा व्यक्त करना चाहता है, तब वह वस्तु के सब गुणधर्मों को जानते हुए भी उनमें से एक को मुख्य और शेष को गौण कर ही शब्दों द्वारा व्यक्त कर पाता है, क्योंकि किसी भी शब्द में एक साथ अनेक गुण धर्मों को व्यक्त करने की क्षमता नहीं है। अतः एक धर्म को मुख्य और शेष को गौण करते हुए भी वक्ता का यह कथन स्याद्वाद कहलाता है। इस प्रकार अनेकांतमयी वस्तु वाच्य और स्याद्वाद उसका वाचक है।

स्यात् शब्द के अनेक अर्थ हैं, उनमें से यहाँ कथंचित् अर्थात् एक प्रकार या एक दृष्टि प्रधान कहने की मुख्यता ही अपेक्षित है। वाद शब्द का **अर्थ कथन** करना है। जब वक्ता वस्तु के नित्यता गुण को प्रधान कथन कहता है तब वह अनित्यता को गौण कर कथंचित् वस्तु नित्य है अर्थात् द्रव्य दृष्टि से तो नित्य है, किन्तु पर्याय दृष्टि से अनित्य है, जिसे वह अपने अभिप्राय में जानते हुए भी गौण किये हुए है और अभी उसे कहने की इच्छा नहीं है, फिर भी उसे स्वीकार अवश्य किये हुए है, जिसकी स्यात् पद लगाकर उसकी स्वीकारता प्रकट करता है इस प्रकार उसका एक धर्म प्रधान कथन स्याद्वाद कहा गया है।

वक्ता स्यात् शब्द का अपने कथन में नित्यता के साथ प्रयोग नहीं करते हुए अपने अभिप्राय को 'भी' लगाकर भी व्यक्त करता है अर्थात् वस्तु नित्य "भी" है। यदि **'स्याद'**, **'कथंचित'** या 'भी' जोडकर कथन न भी करें और अभिप्राय में नित्यता के साथ-साथ अनित्यता को भी स्वीकार किये रहे और यह कहे कि वस्तु नित्य है, तो भी कोई दोष नहीं है, किन्तु वह यदि अनित्यता का निषेध करते हुए जब यह कथन करने लगे कि 'वस्तु तो नित्य ही है' तब उसका कथन एकांतवाद कहलावेगा जो वस्तु के एकांगी या एकांशी कथन को ही पूर्ण सत्य कहकर अन्य अंशों का निषेध करता हुआ मिथ्यात्व की कोटि में चला जायेगा।

लौकिक व्यवहार में भी यही प्रक्रिया निर्दोष लागू होती है। जैसे एक व्यक्ति ने आम को देखा, चखा, सूँघा और स्पर्श किया, और वह आम कैसा है? इस प्रश्न के उत्तर में कहता है आम मीठा है तो उसका यह कथन आम के स्वाद की मुख्यता से मीठा बताते हुए भी उसे पीला या सुगंधित व कोमल स्पर्श वाला अंतरंग में स्वीकार किये हुए मिठास की दृष्टि की मुख्यता से मीठा कह कर यथार्थ ही कह रहा है, किन्तु यदि वह रूप, गंध, स्पर्शादि गुणों को गौण न कर उनका निषेध करने लगे और यह कहने लगे कि आम तो मीठा "ही" है तो उसका कथन आम की अन्य विशेषताओं को नकारने के कारण एकांगी और मताग्राही होकर सत्य से परे हो जायेगा।

इसी प्रकार एक व्यक्ति किसी का (पुत्र का) पिता और अपने पिता का पुत्र है तथा बहिन का भाई और भाभी का देवर है, किन्तु यदि पुत्र उसे सबका पिता ही मानने और कथन करते हुए अन्य रिश्तों का निषेध करने लगे तो वह भी मिथ्याभाषी और मूर्ख ही कहलायेगा। सच तो यह है कि अनेकांत के सिद्धांत का आश्रय न लेकर उसका स्याद्वाद द्वारा कथन किये बिना लोक व्यवहार भी निरापद नहीं चल सकता। इस सर्वोदयी अनेकांत की मुद्रा प्रत्येक वस्तु पर लगी हुई है, जिसे स्वीकार किये बिना न तो वस्तु की यथार्थता का ज्ञान हो सकता है और न ही लोक व्यवहार भलीभाँति संपादित हो सकता है। आचार्य सिद्धसेन दिवाकर का इस संबंध में यही कथन बड़ा ही महत्वपूर्ण है, वे लिखते हैं–

जेण विणा स्सवि व्यवहारो सस्व हाणत णिव्वाहइ ।
तस्स भुवनैक गुरुणो णमो अगेगौत वायस्स ॥

अर्थात् अनेकांतवाद विश्व तत्व प्रतिपादक एक मात्र सब का गुरु है जिसके बिना लोक का समस्त व्यवहार सर्वथा ही निर्वाह को प्राप्त नहीं होता। मैं उक्त अनेकांतमयी वाणी को नमस्कार करता हूँ। भगवान महावीर के इस अनेकांत सिद्धांत की निष्पक्षता और असांप्रदायिकता की प्रशंसा करते हुए आचार्य हेमचन्द्र स्याद्वादमंजरी नामक ग्रंथ में लिखते हैं–

अन्योन्य पक्ष प्रतिपक्ष भावात्, यथा परे मत्सरिणः प्रवादाः ।
नयानशेषानविशेषमिच्छन् न पक्षपाती समयस्तथा ते ॥

अर्थात् हे! भगवान् आपका अनेकांत सिद्धांत निष्पक्ष है, क्योंकि वह वस्तु में विद्यमान सभी गुण धर्मों को स्वीकार कर उसका स्याद्वाद द्वारा बिना किसी का पक्ष लिये प्रतिपादन करता है। वह उन मताग्रही जनों के समान नहीं है, जो पक्ष-विपक्ष का आश्रय लेकर एक-दूसरे से मात्सर्य रखते हुए विसंवादी बने हुए हैं। आचार्य समंतभद्र युक्त्यानुशासन में उन्हीं महावीर के इस अनेकांतवाद की प्रशंसा में लिखते हैं–

सर्वांतवत् तद्‌गुण मुख्य कल्पं सर्वांति शून्यं च मिथोऽनपेक्षम् ।
सर्वापदामंतकरं निरंतम् सर्वोदयीतीर्थमिदं तवैव ॥

अर्थात् हे भगवान्! आपका अनेकांत मयी शासन सर्वोदयी तीर्थ है, जो अनेकांतात्मक वस्तु के सभी गुणों को स्वीकार करते हुए उनमें एक को मुख्य और शेष को गौण कर स्याद्वाद द्वारा सापेक्ष कथन करता हुआ वस्तु की यथार्थता को स्वीकार किये हुए है, जबकि वस्तु में विद्यमान अन्य गुण धर्मों की सर्वथा उपेक्षा या निषेध करने वाला कथन सत्य से परे सर्वांश शून्य हो जाता है। आपकी तीर्थ स्वरूप वाणी सम्पूर्ण आपत्तियों को भी निरस्त कर देती है, जो मताग्रहियों के एकांत कथन से विवाद के रूप में उत्पन्न होती है। वास्तव में आपके स्याद्वादी कथन में वस्तु में विद्यमान अनन्त गुण धर्म एवं शक्तियों के व्यस्त होने की संभावनाएँ छिपी रहती है। अतः उनको स्वीकार किये रहने के कारण आपका अनेकांत शासन ही सर्वोदयी है। यदि गंभीरता से विचार किया जावे तो प्रामाणिक रूप से अनेक गुणधर्मी वस्तु को परस्पर सापेक्ष सभी दृष्टियों (नयों) से देखना ही सत्य की खोज का वैज्ञानिक स्रोत या प्रणाली कही जा सकती है, जिसका अनेकांत सिद्धांत के रूप में आविष्कार कर भगवान् ने हमें एक मौलिक दृष्टि प्रदान की है जो सार्वभौमिक और सार्वकालिक सत्य के रूप में सदा ही जयवंत होती रहेगी।

स्याद्वाद का सप्तभंगी प्रयोग

वस्तु की एक विशेषता को मुख्य कर विधिरूप में कथन करने पर विद्यमान अन्य गौण धर्म प्रतिषिद्ध जैसे हो जाते हैं, किन्तु उसका अस्तित्व समाप्त नहीं होता। अतः जब कोई व्यक्ति एक धर्म के विषय में अपना अभिप्राय व्यक्त कर रहा हो तब उससे कोई भी प्रश्नकर्ता अन्य गुण धर्मों के विषय में भी प्रश्न कर सकता है। उसका समाधान सात भंगों द्वारा हो सकता है। इसी प्रक्रिया को 'सप्तभंगी' के नाम से कहा गया है।

प्रश्नवशात् एकस्मिन वस्तुनि अविरोधेन विधि
प्रतिषेध कल्पना सप्तभंगी।

अर्थात् एक ही वस्तु में उसकी एक विशेषता के कथन करने पर उसकी अन्य विशेषता को जो सत् स्वरूप है स्वीकार करते हुए अविरोध रूप से कल्पना करना सप्तभंगी है, जैसे-

किसी प्रश्नकर्ता ने प्रश्न किया

1. यह क्या है? (स्यात् अस्ति)

यह (जीवतत्व दृष्टि से) जीव है।

2. और यह क्या है? (स्यात् नास्ति)

यह अजीव नहीं है।

3. क्या कहाँ? (स्यात् असित च नास्ति)

यह जीव है, अजीव नहीं है।

4. जीव में अन्य विशेषताएँ भी हैं क्या? (स्यात् अवक्तयम्)

अनंत है जो एक साथ किसी शब्द द्वारा व्यक्त नहीं हो सकती, अतः वह अवक्तव्य (अनिर्वचनीय) भी है।

5. इस विषय में कुछ और भी कहना है क्या? (स्यात् अस्ति च अवक्यतम्)

वह जीव होने के साथ ही अवक्तव्य है।

6. और वह क्या नहीं है? (स्यात् नास्ति च अवक्त्यम्)

वह अजीव नहीं है, साथ ही अवक्तव्य भी है।

7. वह अवक्तव्य है या नहीं? (स्यात् अस्ति च नास्ति च अवक्तव्यम्)

यह जीव है, अजीव नहीं है, साथ ही अवक्तव्य भी है।

सत्य एवं निष्पक्ष वक्ता का अभिप्राय वस्तु के विषय में किसी एक विशेषता को मुख्य तथा शेष को गौण कर कथन करने का होता है, किन्तु जब सब विशेषताओं का कथन एक साथ करना चाहता है तब न कर सकने से वक्तव्य मौन हो जाता है।

यही अनिर्वचनीयता है, किन्तु जब वस्तु की एक ही विशेषता को स्वीकार कर उससे ही पूर्ण सत्य के रूप में मानने और कथन करने

लगता है, तथा अन्य विद्यमान विशेषताओं की ओर से आँखें बंद कर उनका निषेध करने या उन्हें झुठलाने लगता है, तब वह सत्य से बहुत दूर चला जाता है और उसकी वह मान्यता एवं कथन एकांत मिथ्यात्व की कोटि में चली जाती है। अत: सत्य अनेकांतात्मक है।

अनेकान्तवाद और स्याद्वाद के संबंध में कुछ आधुनिक मनीषियों के उद्गार

जिन आधुनिक मनीषियों ने अनेकांत और स्याद्वाद प्रणाली पर मनन कर उनके संबंध में निष्पक्ष भाव से उनकी यथार्थता, उपयोगिता तथा महत्व पर जो अपने उद्गार समय-समय पर प्रकट किये हैं, उनमें से कुछ का संकलन उन्हीं के शब्दों में निम्नलिखित है–

'भारतीय दर्शन के इतिहास में जैन दर्शन की एक अनोखी देन (अनेकान्तवाद) है। यह स्पष्ट है कि किसी तत्व के विषय में कोई भी तात्विक दृष्टि एकान्तिक नहीं हो सकती, प्रत्येक तत्व में अनेकरूपता स्वाभाविक होनी चाहिये और कोई भी दृष्टि उन सबका एक साथ तात्विक प्रतिपादन नहीं कर सकती। इसी सिद्धांत को जैन दर्शन की परिभाषा में अनेकांतवाद दर्शन कहा गया है। जैनदर्शन का तो यह **आधार स्तम्भ** है, वास्तव में इसे प्रत्येक दार्शनिक विचारधारा के लिये भी आवश्यक मानना चाहिये।

बौद्धिक स्तर पर इस सिद्धांत के मान लेने पर मनुष्य के नैतिक और बौद्धिक व्यवहार में एक महत्वपूर्ण परिवर्तन आ जाता है। चरित्र ही मानव जीवन का सार है। चरित्र के लिये मौलिक आवश्यकता इस बात की हैं कि एक ओर तो मनुष्य अभिमान से अपने को पृथक् रखे साथ ही हीनभावना से भी अपने को बचाये। स्पष्टत: यह मार्ग कठिन है। वास्तविक अर्थों में जो अपने स्वरूप को या मान्यताओं को समझकर आत्मसम्मान करता है, और साथ ही दूसरे व्यक्तित्व को भी उतना ही सम्मान देता है। वही उपर्युक्त दुष्कर मार्ग का अनुगामी बन सकता है। इसी से सारे नैतिक समुत्थान में व्यक्तित्व का समादर एक मौलिक महत्व रखता है। जैनदर्शन के उपर्युक्त अनेकांत दर्शन का महत्व इसी सिद्धांत के आधार पर है कि उसमें एक व्यक्ति का उसके विचारों या अभिप्रायों

का सम्मान निहित है।

जहाँ व्यक्ति का समादर होता है, वहाँ स्वभावतः साम्प्रदायिक संकीर्णता संघर्ष या किसी भी छल, जाति, वितंडा जैसे असदुपाय आदि से पराजय की प्रवृत्ति बनी रह सकती। व्यवहारिक जीवन में भी खण्डन पर समन्वयात्मक निर्माण की प्रवृत्ति वहाँ रहती है। साध्य ही पवित्रता के साथ-साथ साधन की पवित्रता का महान् आदर्श भी उक्त सिद्धांत के साथ ही रह सकता है। इस प्रकार अनेकांत दर्शन नैतिक उत्थान के साथ-साथ व्यवहार शुद्धि के लिये भी जैन दर्शन की एक महान देन है।

'विचार जगत का अनेकांत दर्शन ही नैतिक जगत में आकर अहिंसा के व्यापक सिद्धांत का रूप धारण कर लेता है। इसीलिये जहाँ अन्य दर्शनों में परमत खण्डन पर बल दिया गया है, वहाँ जैन दर्शन का मुख्य ध्येय अनेकांत सिद्धान्त के आधार पर वस्तु स्थिति मूलक विभिन्न मतों का समन्वय रहा है।

वर्तमान जगत में विचारधारा की दृष्टि से जैनदर्शन के अहिंसा मूलक सिद्धांत का अत्यन्त महत्त्व है। आजकल के जगत की सबसे बड़ी आवश्यकता यह है कि अपने परम्परागत वैशिष्ट्य को रखते हुए भी विभिन्न मनुष्य जातियाँ एक दूसरे के समीप आवें और उनमें एक व्यापक मानवता की दृष्टि का विकास हो। अनेकांत दर्शन (समन्वय दृष्टि) से ही यह संभव हो सकता है।' इसमें संदेह नहीं कि न केवल भारतीय दर्शन के विकास का अनुगमन करने के लिये, अपितु भारतीय संस्कृति के स्वरूप के उत्तरोत्तर विकास को समझने के लिये भी जैन दर्शन का अत्यन्त महत्व है। भारतीय विचारधारा में अहिंसावाद के रूप में अथवा समन्वयात्मक भावना के रूप में जैन दर्शन और विचारधारा की यह देन है, इसको समझे बिना वास्तव में भारतीय संस्कृति के विकास को नहीं समझा जा सकता है।

'स्याद्वाद को कितने ही लोग संशयवाद कहते हैं, इसे मैं नहीं मानता हूँ। स्याद्वाद संशयवाद नहीं है, किन्तु वह एक दृष्टि बिन्दु हम को उपलब्ध करा देता है। विश्व का किस रीति से हमें अवलोकन करना चाहिये यह हमें सिखाता है। यह निश्चित है कि विभिन्न दृष्टि बिन्दुओं

द्वारा निरीक्षण किये बिना कोई भी वस्तु अपने संपूर्ण स्वरूप में नहीं आ सकती। अतः स्याद्वाद पर आक्षेप करना अनुचित है।'

आलोचना

1. यदि 'मैं आपको कहाँ तक कहूँ बड़े-बड़े आचार्यों ने जो अपने ग्रंथों में जैनमत का खण्डन किया है। उसे सुन और देख कर हँसी आती है। स्याद्वाद, यह जैन धर्म का अभेद्य किला है, उसके अन्दर वादी-प्रतिवादियों के माया मय गोले प्रवेश नहीं कर सकते। जैन धर्म के सिद्धान्त प्राचीन भारतीय तत्वज्ञान और धार्मिक पद्धति के अभ्यासियों के लिये बहुत महत्वपूर्ण है, इसके स्याद्वाद से संपूर्ण सत्य विचारों के द्वार खुल जाते हैं।'
2. यहाँ तक कि श्री शंकराचार्य ने इसे पागलों का प्रलाप के रूप में माना है। उन्होंने भी इस सिद्धांत के प्रति अन्याय किया। ऐसा जान पड़ता है कि उन्होंने इस धर्म के दर्शनशास्त्र के मूल ग्रंथों के अध्ययन करने की परवाह नहीं की।'

   'अनेकान्तवाद या सप्तभंगी न्याय जैन दर्शन का प्रमुख सिद्धांत है। प्रत्येक पदार्थ के जो सात अंग या स्वरूप शास्त्रों में कहे गये हैं, उनको ठीक रूप से स्वीकार करने में आपत्ति हो सकती है। कुछ विद्वान भी सात में से कुछ को गौण मानते हैं। साधारण मनुष्य को यह समझने में कठिनाई होती है कि एक वस्तु के लिये एक ही समय में "है और नहीं है" दोनों बातें कैसे कही जा सकती है? परन्तु कठिनाई के होते हुए भी वस्तु स्थिति तो ऐसी ही है।'
3. 'जैनाचार्यों की यह वृत्ति अभिनंदनीय है कि उन्होंने ईश्वरीय आलोक के नाम पर अपने उपदेशों में ही सत्य का एकाधिकार नहीं बनाया। इसके फलस्वरूप उन्होंने साम्प्रदायिकता और धर्मांधता के दुर्गुणों को दूर कर दिया। जिसके कारण मानव इतिहास भयंकर द्वंद और रक्तपात के द्वारा कलंकित हुआ। अनेकांतवाद और स्याद्वाद विश्व के दर्शनों में अद्वितीय है।

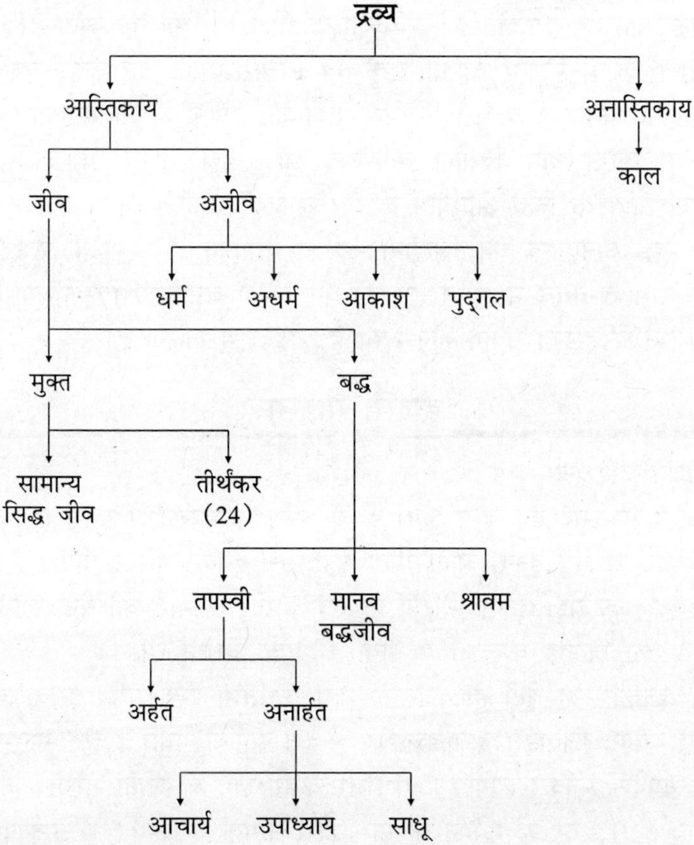

निष्कर्ष: स्याद्वाद सहिष्णुता और क्षमा का प्रतीक है। वह यह मानता है कि दूसरे व्यक्ति को भी कुछ कहना है। सम्यग्दर्शन और स्याद्वाद के सिद्धांत औद्योगिक पद्धति द्वारा प्रस्तुत की गई जटिल समस्याओं को सुलझाने में अत्यधिक कार्यकारी सिद्ध होंगे आदि।

महात्मा गाँधी ने तो स्याद्वाद और अनेकान्तवाद को अपने जीवन में उतार कर अहिंसा के महत्व को उत्कर्ष की चोटी पर पहुँचा दिया था।

इस प्रकार अनेकान्तवाद और स्याद्वाद वस्तु के स्वरूप को यथार्थ ज्ञान कराने में सहायक तो होता ही है, साथ ही विश्व के एकांतवादी दर्शनों में व्याप्त संकीर्ण वृत्तियों का समन्वय कर उन्हें एकता के सूत्र में

पिरोने की उदार पद्धति का अविष्कारक भी स्वयं सिद्ध हो जाता है। यदि विश्व के मतमतांतर अपनी संकुचित विचारधाराओं को उदार बनाकर अनेकांत की व्यापक और निष्पक्ष दृष्टि को अपना लें तो सांप्रदायिकता जन्य विद्वेषों और विवादों का अंत भी सहज संभव हो जाये जो विश्वशांति के लिये अनिवार्य है और आज जिसकी नितांत आवश्यकता है। यह अनेकान्त का सिद्धान्त अनेक वैज्ञानिक समस्याओं, उलझनों को समाप्त करने में भी सक्षम है। वर्तमान में वैज्ञानिक विसंगतियों को समझने में इसका प्रयोग होने लगा है, यह शुभ लक्षण है।

हजरत मोहम्मद

जीवन परिचय

हजरत मोहम्मद का जन्म 570 ई. में अरब में मक्का में हुआ था। जब ये छोटे थे तब इनके माता-पिता नहीं रहे। इनका पालन-पोषण इनके रिश्तेदार के यहाँ हुआ। सीरिया के एक अमीर व्यापारी की बेटी खदीजा से इनका निकाह करवा दिया गया। वे एक विधवा थीं।

इनकी एक बेटी हुई जिसका नाम **फातिमा** रखा गया। इसके बाद इन्हें देवदूत जिब्राईल द्वारा ईश्वरीय सन्देश सुनाया गया। हजरत मोहम्मद के उपदेश सुनकर लोग इन्हे **पैगम्बर** कहने लगे व इनका सम्मान करने लगे। 610 ई.वी. में मक्का के पास **हीरा** नामक गुफा में इन्हें ज्ञान प्राप्त हुआ। हजरत मोहम्मद की मृत्यु 8 जून 632 ई. में हुई थी। इन्हें मदीना में दफनाया गया था। इनकी मृत्यु के पश्चात् मुस्लिम दो वर्गों में बंट गया–शिया और सुन्नी।

इस्लाम धर्म के दो वर्ग

1. **सुन्नी**- सुन्ना में विश्वास रखने वाले लोगों को सुन्नी कहते हैं। सुन्ना से तात्पर्य मोहम्मद के उपदेश, कथन व कार्य से है।
2. **शिया**- शिया वर्ग के लोग अली की शिक्षा को मानते हैं और अली को हजरत मोहम्मद का उत्तराधिकारी मानते हैं। इनके दामाद अली थे।

इस्लाम धर्म का ग्रन्थ

इस धर्म का पवित्र ग्रन्थ 'कुरान' है, जो अरबी भाषा में लिखित है। इसमें कुछ शब्द उर्दू और फारसी के भी मिलते हैं। इसमें धार्मिक उपदेश, नियम कानून, शिक्षाओं को बताया गया है। कुरान शब्द से तात्पर्य परमात्मा की वाणी से है। कुरान में 114 सूरा हैं अर्थात् अध्याय हैं। हर एक सूरा में कई आयते हैं।

इस्लाम धर्म के विचार कुरान में बताया गया है कि सब कुछ खुदा के द्वारा ही होता है। पहले 'सूर' में लिखा है।

"अहमदु लिल्लाहि रब्बिल आलमीन . . .
अलैहिम व लज्जाल्लीन"

अर्थात् अल्लाह बड़ा मेहरबान है, सृष्टि का रचयिता है, हम आपसे मदद मांगते हैं। आप सब पर दया करते हैं, सभी को सही रास्ता दिखाते हैं। कुरान में बताया गया है कि ईश्वर एक ही है, वह अल्लाह हैं, इसके अलावा कोई नहीं हैं। जो अल्लाह के द्वारा बताये गए आदेशों का पालन नहीं करता उसको स्वयं दण्ड मिलता है। इस्लाम धर्म में 28 नबियों के बारे में बताया गया है। 'नबी' शब्द से आशय अल्लाह का सन्देश पहुंचाने वाले से है। अल्लाह ने वादा किया है कि वह आएगा और सबकी सुनेगा और मदद करेगा और सबकी मन्नत पूरी करेगा।

इस्लाम धर्म में सृष्टि की उत्पत्ति

कुरान के अनुसार अल्लाह ने सृष्टि की रचना की है। उन्होंने सृष्टि की रचना इसीलिए की कि मनुष्य तक ज्ञान पहुँच सके। कुरान में कहा गया है कि "अल्लाह ने इस धरती को ऐसे ही नहीं बनाया बल्कि मनुष्य के लिए धरती का निर्माण हुआ है। जिससे मनुष्य अपनी शक्ति और अल्लाह को जान सके और उसमें विश्वास रख सके। कुरान के अनुसार ही अल्लाह ने मनुष्य को बनाया है और उसमें आत्मा का समावेश किया है, रात-दिन का निर्माण किया है, वस्तुएं बनायीं हैं जिससे मनुष्य अपना जीवन-यापन कर सके।

इस्लाम की विशेषताएँ

1. **मदिरा की मनाही** (शराब) को हर प्रकार के पापों की जननी कहा है। अतः इस्लाम में केवल नैतिकता के आधार पर मदिरापान निषेध नहीं है, बल्कि घोर दंडनीय अपराध भी है, अर्थात् कोड़े की सजा। इस्लाम में सिद्धांततः ताड़ी, भांग, गांजा आदि सभी मादक वस्तुएँ निषिद्ध (हराम) हैं।
2. **जकात** अर्थात् **अनिवार्य दान।** यह श्रेय केवल इस्लाम को प्राप्त है कि उसके पाँच आधारभूत कर्तव्यों: कल्मा, शहादत की गवाही, नमाज, रोजा, हज (काबा की तीर्थ यात्र) में एक मुख्य कर्तव्य जकात भी है। इस दान को प्राप्त करने के पात्रों में निर्धन भी हैं और ऐसे कर्जदार भी हैं 'जो कर्ज अदा करने में असमर्थ हों या इतना धन न रखते हों कि कोई कारोबार कर सकें। नियमित रूप से धनवानों के धन में इस्लाम में मूलतः धनहीनों का अधिकार है उनके लिए यह आवश्यक नहीं है कि वह जकात लेने के वास्ते भिक्षुक बनकर धनवानों के पास जाएँ। यह शासन का कर्तव्य है कि वह धनवानों से जकात वसूल करे और उसके अधिकारियों को दे' जहां शासन न हो वहां जकात कमेटी यह कार्य करे धनहीनों का ऐसा आदर किसी धर्म में नहीं है।
3. इस्लाम में हर प्रकार का जुआ निषिद्ध (हराम) है।
4. **सूद** (ब्याज) एक ऐसा व्यवहार है, जो धनवानों को और धनवान तथा धनहीनों को और धनहीन बना देता है। समाज को इस पतन से सुरक्षित रखने के लिए किसी धर्म ने सूद पर किसी प्रकार की रोक नहीं लगाई है। इस्लाम ही ऐसा धर्म है जिसने सूद को अति वर्जित (हराम) ठहराया है। सूद को निषिद्ध घोषित करते हुए कुरआन में बाकी सूद को छोड़ देने की आज्ञा दी गई है और न छोडने पर अल्लाह और उसके पैगम्बर से युद्ध की धमकी दी गई है।

5. इस्लाम ही को यह श्रेय भी प्राप्त है कि उसने धार्मिक रूप से रिश्वत (घूस) को निषिद्ध ठहराया है। हजरत मुहम्मद साहब ने रिश्वत देने वाले और लेने वाले दोनों पर खुदा की लानत भेजी है।
6. इस्लाम ने ही सर्वप्रथम स्त्रियों को सम्पत्ति का अधिकार प्रदान किया। उसने मृतक की सम्पत्ति में भी स्त्रियों को भाग दिया। इस्लाम में विधवा के लिए कोई कठोर नियम नहीं है। पति की मृत्यु के चार महीने दस दिन बाद वह अपना विवाह कर सकती है।
7. इस्लाम ही ने अनिवार्य परिस्थिति में स्त्रियों को पति त्याग का अधिकार प्रदान किया है।
8. यह इस्लाम ही है जिसने किसी स्त्री के सतीत्व (चरित्र) पर लांछना (तोहमत) लगाने वाले के लिए चार साक्ष्य (गवाह) उपस्थित करना अनिवार्य ठहराया है, और यदि वह चार साक्ष्य उपस्थित न कर सके तो उसके लिए अस्सी कोड़ों की सजा नियुक्त की है।
9. इस्लाम ही है जिसे कम नापने और कम तौलने को वैधानिक अपराध के साथ धार्मिक पाप भी ठहराया और बताया कि परलोक (कयामत) में भी इसकी पूछ होगी।
10. इस्लाम ने अनाथों के सम्पत्तिहरण को धार्मिक पाप ठहराया है।
11. इस्लाम कहता है कि यदि तुम ईश्वर से प्रेम करते हो तो उसकी सृष्टि से प्रेम करो।
12. इस्लाम कहता है कि ईश्वर उससे प्रेम करता है, जो उसके बन्दों के साथ अधिक से अधिक भलाई करता है।
13. इस्लाम कहता है कि जो प्राणियों पर दया करता है, ईश्वर उस पर दया करता है।
14. दया ईमान की निशानी है, जिस में दया नहीं उसमें ईमान नहीं।

15. किसी का ईमान पूर्ण नहीं हो सकता जब तक कि वह अपने साथी को अपने समान न समझे।
16. इस्लाम के अनुसार इस्लामी राज्य, कुफर (अधर्म) को सहन कर सकता है, परन्तु अत्याचार और अन्याय को सहन नहीं कर सकता है।
17. इस्लाम कहता है कि जिसका पड़ोसी उसकी बुराई से सुरक्षित न हो वह ईमान नहीं लाया।
18. जो व्यक्ति किसी व्यक्ति की एक बालिश्त भूमि भी अनधिकार रूप से लेगा वह कयामत के दिन सात तह तक पृथ्वी में धंसा दिया जाएगा।
19. इस्लाम में जो समता और बंधुत्व है, वह संसार के किसी धर्म में नहीं है, जबकि हिन्दू धर्म में हरिजन घृणित और अपमानित माने जाते हैं। इस भावना के विरूद्ध है।

इस्लाम धर्म में ईश्वर का स्वरूप

इस्लाम धर्म बौद्ध धर्म ईसाई धर्म के समान व्यक्ति विशेष के द्वारा उत्पन्न हुआ है, इस्लाम धर्म के प्रवर्तक के रूप में मोहम्मद पैगंबर साहब को माना जाता है, जिनका जन्म अरब के मक्का नामक स्थान में हुआ था अंधविश्वास मूर्ति पूजा नरबलि व्यभिचार आदि कर्मों का दुनिया का सबसे बड़ा अड्डा बन गया था कर्मों से बचने और उन्हें सन्मार्ग दिखाने के लिए मोहम्मद साहब का उत्कृष्ट योगदान दिखाई पड़ता है।

मानवीय धर्म की स्थापना किए, उसे इस्लाम धर्म कहा जाता है, उन्होंने स्वयं को ईश्वर का दूत बताकर घोषणा किया कि अल्लाह ने उन्हें संपूर्ण मानव जाति को सन्मार्ग पर लाकर नैतिक मार्ग पर चलने के लिए ले जाए।

इस्लाम धर्म का समग्रता में अवलोकन किया जाए तो यह परिलक्षित होता है कि इस्लाम शब्द का शाब्दिक अर्थ ईश्वर के प्रति आत्मसमर्पण है, यह एक ही ईश्वर की आराधना है। इसीलिए एकेश्वरवाद की झलक दिखाई पड़ती है। अनेक देवी देवताओं की पूजा-पाठ विरोध के रूप में माना गया है। इस्लाम धर्म में सर्वदा मूर्ति-पूजा का खंडन किया गया है।

इस्लाम के सिद्धांत में मूल स्रोत कुरान सुन आदि को माना जाता है, इसमें कुरान सबसे सर्वश्रेष्ठ ग्रंथ माना जाता है। जिस प्रकार ईसाई धर्म के लिए बाइबल है, हिंदू धर्म के लिए वेद पुराण जैन धर्म आगम बौद्ध धर्म त्रिपिटक में विश्वास रखता है, ठीक उसी प्रकार इस्लाम धर्म जिसमें विश्वास करता है, उसी में ईश्वर द्वारा मोहम्मद साहब को दिए गए सभी आदेश और संदेश संग्रहित है।

इसमें कुल 144 अध्याय हैं। प्रत्येक अध्याय में अनेक आयत या खंड है विश्व के उत्तम साहित्य में कुरान की गणना की जाती है। मोहम्मद साहब पढ़े-लिखे नहीं थे, फिर भी उनकी रचनाएं विद्वता पूर्ण दिखाई पड़ती है। इसके साथ सुन इनका दूसरा महत्वपूर्ण ग्रंथ माना जाता है जिसके अंतर्गत मुसलमान धर्म के लिए नैतिक कर्मों का सुंदर चित्रण दिखाई पड़ता है, तथा रीति-रिवाजों मानवीय नैतिक गुणों का उचित संगम दिखाई पड़ता है।

इस्लाम धर्म एक विश्व का धर्म माना जाता है इसकी मुख्य विशेषता यह है कि यह एकेश्वरवाद का समर्थक है तथा बहू देववाद का खंडन करता है। अशिक्षित-सुशिक्षित, अमीर-गरीब सभी इसका बिना भेदभाव का पालन एवं ग्रहण कर इस के मार्ग पर चल सकते हैं।

इस धर्म में सभी प्राणियों के प्रति प्रेम दया सहानुभूति की शिक्षा दी जाती है। ईश्वर उसी व्यक्ति से संतुष्ट रहता है, जो उनकी संतान को प्यार करता है जो ईश्वर की रचनाओं में प्रेम नहीं रखते उन्हें ईश्वर का प्रयोग नहीं मिलता अल्लाह के सभी जीवों को अपने परिवार के सदस्य के रूप में मानना गरीब दुर्बल व्यक्ति की सहायता करना छुआ-छूत ऊंची-नीचे से ऊपर उठकर नैतिक आधार पर आचरण करते हुए अपने कर्म का पालन करना है। इस्लाम धर्म का महत्वपूर्ण उद्देश्य है। समग्रता में देखा जाए तो इस्लाम धर्म में हिंसा को साधारण अवांछनीय एवं त्याज्य माना गया है।

इसके बावजूद पैगंबर साहब कहते हैं, कि जब धर्म पर तथा अपने स्वविवेक पर खतरा आए अर्थात् आत्मरक्षा के लिए हथियार उठाना पाप नहीं माना जाता है। इस्लाम में हृदय की पवित्र तथा सत्य के पालन पर

अधिक बल दिया गया है, जो प्रायः सभी धर्मों में दिखाई पड़ता है, जो मनुष्य को बुरे कर्मों से निकलकर अच्छे कर्म की तरफ अग्रसर करने में सहायता प्रदान करता है, तथा मनुष्य के हृदय में दूसरों के प्रति दया सहानुभूति प्रेम स्नेह की भावना को उजागर करता है।

मोहम्मद साहब ने सत्य के पालन तथा असत्य से दूर रहने की सदा सलाह दिया था इनके अनुसार शुभ का प्रतीक हमें स्वर्ग ले जाता है। अशुभ का स्वरूप असत्य तथा लड़की की तरफ ले जाता है। इस्लाम धर्म में गाली, गलौज, क्रोध, चुकली, रक्तपात, घूसखोरी, बेईमानी मदिरापान, ईर्ष्या, द्वेष, लोभ, कंजूसी, आत्महत्या झगड़ा इत्यादि को अनुचित माना गया है। यह सभी अधर्म एवं पाप के प्रतीक है। इसलिए इनका सदैव बहिष्कार करना चाहिए यह इस्लाम का निषेधात्मक पक्ष है। यहां कई प्रकार के पुण्य को अपनाने की सलाह दी गई है। जिसमें भाईचारा, उदारता, दानशिलता, क्षमाशीलता, मित्रता, नम्रता, प्रेम, सत्य, विश्वास ईमानदारी को हृदय में धारण कर इस्लाम धर्म का अनुयाई बना जा सकता है। यही धर्म के महान तत्व माने जाते हैं यही कारण है कि यह अधिकतम लोगों को अपनी ओर आकृष्ट करने में समर्थ रहा है। इस्लाम धर्म का केंद्र बिंदु ईश्वर अर्थात् अल्लाह है जिसका वर्णन कुरान में भी मिलता है अल्लाह के अतिरिक्त दूसरा कोई ईश्वर नहीं है, क्योंकि यह एक से अधिक होने से अल्लाह सीमित हो जाएगा इस प्रकार इस्लाम धर्म एकेश्वरवाद का सुंदर उदाहरण है।

इस्लाम का एकेश्वरवाद अकेश्वरवाद के विरुद्ध प्रक्रिया स्वरूप दिखाई पड़ता है। मोहम्मद साहब के जमाने में मूर्ति-पूजा क्रिया प्रधान था सूर्य चंद्रमा तारे आदि सभी देवी देवता के रूप में पूजे जाते थे। मोहम्मद साहब अनेक देवताओं की आराधना एवं मूर्ति-पूजा का घोर विरोध किया करते थे केवल अल्लाह की आराधना का संदेश दिया करते थे।

उनका मानना था कि ईश्वर के स्वरूप की कल्पना मानव के बस में नहीं है। ईश्वर न तो स्वयं कोई द्रव्य है और ना इसमें कोई अन्य द्रव्य विद्यमान है। वह न तो स्वयं कोई आकस्मिक घटना है और न इसमें कोई घटना चित्र निर्मित होती है। ईश्वर विश्व की वस्तुओं से

भिन्न है। वह समय-समय पर उपस्थित होकर संपूर्ण समाज को नैतिक शिक्षा प्रदान करता रहता है। यह व्यक्तित्व कोड है। ईश्वर सर्वशक्तिमान, पवित्र और परिवर्तनशील है, वह दूसरों के गलतियों को क्षमा करता है, वह सर्वज्ञ है, वह समुद्र के समान संपूर्ण धरती पर विराजमान है वह अजेय और अविनाशी है।

ईश्वरवादी धर्मों के समान इस्लाम धर्म में ईश्वर को विश्व का रचयिता माना जाता है। एक कुशल निर्माता की तरह अपने संपूर्ण विश्व की रचना करता है। वह स्वर्ग और नरक का निर्माता है। विश्व की कोई वस्तु ऐसी नहीं है, जिसकी रचना उसने न की हो। ईश्वर सृष्टि का रचयिता होने के साथ-साथ विश्व का पालन करता है, एवं संहार करता है। कुरान में कहा गया है कि अल्लाह मारता भी है और जिलाता भी है। इस्लाम का ईश्वर अत्यंत दयालु एवं करुणामय है। वह मानव की सभी आवश्यकताओं पर सहानुभूति पूर्वक विचार करता है, वह पीड़ित तथा दलित का कल्याण करता है, मनुष्य की गलतियों को क्षमा कर देता है।

मनुष्य के लिए भोजन-पानी का प्रबंध करने वाला ईश्वर है। इसलिए मानव ईश्वर की पूजा अपना परम आदर्श मानता है। ईश्वर न्याय तथा अनुरागी है। यह कयामत के दिन सभी जीवों को उनके क्रमानुसार फल प्रदान करता है। वह किसी के प्रति अन्याय नहीं करता है वह सभी व्यक्तियों से प्यार करता है, जो अन्य व्यक्तियों के प्रति प्रेम भाव रखता है। उसे अधिक प्यार देता है इस्लाम के सृष्टि वाद के अनुसार ईश्वर बिना उपादान कारण के ही विश्व की रचना करता है; उन्हें यदि यह कहा जाए कि उसे अन्य उपादान कारण की आवश्यकता नहीं होती है। इसलिए इस्लाम के अनुसार ईश्वर सुनने से संपूर्ण विश्व का निर्माण करता है। कभी-कभी या सिद्धांत दोषपूर्ण भी लगता है, क्योंकि शून्य से सुन की उत्पत्ति होती है। सुनने से विश्व की उत्पत्ति कैसे संभव होती है।

ईश्वर और मानव के बीच वही संबंध है, जो स्वामी और दास के बीच होता है। ईश्वर स्वामी है, तथा मनुष्य उसका दास है, अब प्रश्न यह है कि मानव को ईश्वर का ज्ञान कैसे होता है। इस्लाम के अनुसार

ईश्वर के स्वरूप की कल्पना करना मानव बुद्धि के लिए असंभव है। इसका ज्ञान अनुभव तथा उपमा द्वारा संभव नहीं है। इसके समान विश्व में कोई वस्तु नहीं है। इसलिए उपमा या सादृश्य के आधार पर उसके विषय में कोई ज्ञान नहीं हो सकता है। अंतर्दृष्टि द्वारा ही मनुष्य को जाना जा सकता है। अंतर्दृष्टि भी तभी तक सहायक है जब ईश्वर मानव को अपने दर्शन देना चाहता है।

दूसरे शब्दों में ईश्वर की दया होने पर ही मानव उसका दर्शन कर सकता है, दूसरे शब्दों में ईश्वर को दया होने पर ही मानव दर्शन देता है, फिर भी वह ईश्वर की प्राप्ति के लिए मनुष्य को नमाज और आत्मसमर्पण के आधार पर सतत प्रयत्नशील रहना चाहिए इस्लाम धर्म में ईश्वर जीवन का प्रतीक माना गया है। वह सदैव जीवित है, एवं सभी जीवों का आधार माना जाता है, व सभ्यता में व्याप्त है बिना उसकी जानकारी के एक पत्ता भी नहीं हिल सकता है।

उसकी इच्छा से ही विश्व का संचालन होता है। वह जीवों के कर्मों का निर्णय देता है। ईश्वर भक्तों की पुकार सुनने में समर्थ है। संपूर्ण विश्व उसकी दृष्टि में रहता है, वह बाजी युक्त है, वह वचन के माध्यम से मानव को अपना संदेश देता रहता है। यहां दृष्टि और वचन को भौतिक अर्थ में नहीं लिया जाता है, बल्कि उसको आध्यात्मिक शक्ति के रूप में माना जाता है। समग्रता में संपूर्ण इस्लाम धर्म आध्यात्मिक प्रवृत्तियों का अवलोकन करने से यह स्पष्ट हो जाता है कि इस्लाम धर्म ईश्वर का स्वरूप वही है, जो अन्य धर्म में ईश्वर के स्वरूप के संदर्भ में समग्रता पूर्ण दृष्टिकोण दिखाई पड़ता है।

इस्लाम धर्म के आवश्यक सिद्धांत

समग्रता में इस्लाम धर्म का अवलोकन किया जाए तो इस्लाम धर्म के संपूर्ण सिद्धांत को दो खंडों में बैठकर देखा जा सकता है।

1. सैद्धांतिक पक्ष इसके अंतर्गत उन सिद्धांतों का वर्णन किया जाता है, जो सैद्धांतिक आधार पर संपूर्ण मानव को मुसलमान तथा इस्लाम धर्म की रक्षा करने के लिए नैतिक रूप से माने

गए इस खंड को **इमाम** कहा जाता है, तथा नैतिक नियमों को सभी मुसलमानों द्वारा स्वीकार करना अनिवार्य माना गया है।

2. व्यवहारिक पक्ष इसके अंतर्गत धार्मिक कर्तव्यों की व्याख्या की जाती है इस खंड को **दीन** कहते हैं। इसके अंतर्गत आधारभूत सिद्धांत इस प्रकार हैं–

    1. भाग्यवाद अथवा पूर्व नियतिवाद में विश्वास रखना समग्रता में देखा जाए तो इस्लाम धर्म में विश्वास रखने के कारण इसके अनुसार मनुष्य कार्य करने में पूर्ण स्वतंत्र नहीं है। शुभ-अशुभ, उचित-अनुचित, नैतिक-अनैतिक कर्मों के संपादन में ईश्वर की इच्छा काम आती रहती है। इसलिए व्यक्ति को उसके कर्मों के लिए जिम्मेदार नहीं ठहराया जा सकता है। भाग्य या पूर्व नियतिवाद नैतिकता के लिए कोई जगह नहीं रखता है। इससे व्यक्ति में निराशावाद का उदय होता है, यही कारण है कि आगे चलकर इस्लाम धर्म में भाग्यवाद को संशोधित करने का प्रयास किया गया था।

    2. कुरान मुसलमानों का सबसे पवित्र ग्रंथ माना जाता है। जिस प्रकार ईसाई धर्म के लिए बाहरी तथा हिंदू धर्म के लिए वेद पुराण हैं। ठीक उसी प्रकार इस्लाम धर्म के लिए कुरान महत्वपूर्ण माना जाता है, या अल्लाह की वाणी मानी जाती है, जो मोहम्मद पैगंबर साहब द्वारा संपूर्ण मानव जाति को नैतिकता सिखाने के लिए भेजी गई थी। सामान्यतः इसकी भाषा अरबी है। इसमें आत्मा परमात्मा स्वर्ग-नरक की विस्तृत व्याख्या दिखाई पड़ती है। इसकी भाषा अत्यंत सरल मधुर एवं आकर्षक है।

    3. देव में विश्वास है, समग्रता में देखा जाए तो अनेक धर्मों में यह पाया जाता है कि जब-जब पृथ्वी पर धर्म की हानि होती है, तो अधर्म पर विजय प्राप्त करने के लिए ईश्वर धरती पर आता है। एक संदेश वाहक के रूप में

जिसे देवदूत कहा जाता है। कुरान धर्म में भी इस प्रकार की अवधारणा दिखाई पड़ती है। सामान्यतः मोहम्मद पैगंबर साहब उसी प्रकार की इस देवता माने जाते हैं, जो संपूर्ण मानव जाति को नैतिक पाठ पढ़ाने के लिए आए थे। कुरान में लगभग 28 देवदूत का वर्णन मिलता है। जिसमें आदम इब्राहिम युसूफ मूसा मोहम्मद का नाम विशेष रूप से दिया जाता है।

4. **निर्णय दिवस स्वर्ग नरक में विश्वास–** इस्लाम धर्म पुनर्जन्म में विश्वास नहीं करता है। इसके अनुसार जीव बार-बार शरीर धारण नहीं करते हैं। यहां पर ईसाई धर्म तथा यहूदी धर्म अधिक मिलता-जुलता भी दिखाई पड़ता है। यहां भी इस्लाम धर्म हिंदू धर्म में अंतर को स्पष्ट कर देता है, क्योंकि हिंदू धर्म पुनर्जन्म में विश्वास रखता है, जबकि इस्लाम धर्म पुनर्जन्म में विश्वास नहीं रखता है। इस्लाम धर्म के अनुसार मरने के बाद मनुष्य का शरीर कपड़ों में रखा जाता है। मृत्यु का फरिश्ता कब्र में शरीर एवं आत्मा को अलग-अलग करता है। कयामत के दिन प्रत्येक जीव अपने पुराने शरीर के साथ कब्र से उठता है, और अपने किए कर्मों का निर्णय सुनाता है।

इस रोज कोई भी मदद नहीं कर पाता है। उसे अपने शुभ कर्मों के लिए पुरस्कार मिलता है, तथा गलत कर्मों के लिए दंड भोगना पड़ता है। कुरान में कहा गया है कि उस दिन न मित्र किसी मित्र का सहायक होगा और ना कोई सहायता कर पाएगा पुनः जो कुछ उसने अधिक किया है उसका फल अवश्य मिलेगा वह अन्याय से पीड़ित नहीं होगा यही कयामत का दिन निर्णय दिवस माना जाता है, अन्य धर्मों के समान कुरान में भी स्वर्ग नरक का विस्तृत वर्णन दिखाई पड़ता है।

जब जीव के कर्मों का मूल्यांकन हो जाता है, तो कुछ जीव को स्वर्ग भेजा जाता है, तथा दु:खियों को नर्क भेजा जाता है। ऐसे जीव जो सही एवं शुभ कर्म करते हैं स्वर्ग भेजा जाता है, जो आनंद प्राप्त करते हैं, जबकि जो लोग गलत कार्य करते हैं, दुराचारी होते हैं। उन्हें नरक भेजा जाता है। जिन का संपूर्ण जीवन दु:ख पूर्ण होता है। स्वर्ग में मधुशाला स्वच्छ जल दूध की नदियाँ बहती रहती है। यहां सुंदरबन उपवन भरे पड़े हैं।

यहां की हवा में मस्तिष्क को मस्त कर देने वाली पाई जाती है। यहां की शराब में नशा नहीं रहता है, इसके पीने से शरीर में दर्द होता है, ईश्वर भी स्वर्ग में रहता है। उसकी मधुर संगीत यहां सदा सुनाई पड़ती है। इसके ठीक विपरीत नर्क में पाया जाता है। स्वर्ग-नरक अवधारणा मनुष्य को सही कर्तव्य करने के लिए प्रेरित करती है।

5. **फरिश्ता में विश्वास–** जिस प्रकार वीर पुराण में आने की देवी देवताओं का वर्णन मिलता है। उसी प्रकार उड़ान में फरिश्ता का वर्णन दिखाई पड़ता है। फरिश्ता का स्थान मानव तथा ईश्वर के मध्य आता है। यह फरिश्ते दिन-रात ईश्वर का गुणगान करते रहते हैं। ईश्वरीय आदेश का पालन ही इनका कर्तव्य माना जाता है। सामान्यतया सूक्ष्म शरीर वाले माने जाते हैं, इन्हें न तो खाना-पानी की आवश्यकता होती है, और न ही स्त्री पुरुष में भेद किया जाता है।

अल्लाह के संदेश देने वाले फरिश्तों में जिब्राइल का नाम विशेष रूप से उल्लेखनीय माना जाता है। मानव के शुभ कर्मों का लेखा-जोखा रखने वाला **फरिश्ता** का मत है कि अशुभ कर्मों को लिखने वाला फरिश्ता ही उसके गुनाहों का परिणाम देता है। मनुष्य और फरिश्ते के

मध्य जीन आते हैं। कुछ जीन शुभ होते हैं, और कुछ जीन अशुभ होते हैं। फरिश्तों के अतिरिक्त कुरान में एक और प्रकार के जीव का वर्णन मिलता है, इन्हें शैतान कहा जाता है।

इनका काम मानव को बुरे मार्ग पर अग्रसर करना है। यह सभी बुराइयों की जड़ माने जाते हैं। यह किसी की सहायता तो नहीं करते हैं, बल्कि सबको गलत कार्य की तरफ पहुंचाते हैं। यह लोगों में भय उत्पन्न करते हैं इनसे बचने के लिए इस्लाम धर्म में ईश्वर की प्रार्थना को आवश्यक बतलाया गया है।

इस्लाम धर्म के पांच स्तंभ या धार्मिक कर्तव्य

समग्रता में संपूर्ण इस्लाम धर्म का अवलोकन किया जाए तो यहां पर श्रद्धा, खैरात, नमाज, उपवास, हज करना यह पांच धार्मिक स्तंभ हैं, जो संपूर्ण इस्लाम धर्म का मूल्यांकन सैद्धांतिक और व्यवहारिक स्तर पर संपूर्ण मानव जाति को नैतिक आचरण के साथ एक दूसरे के साथ प्रेम बंधुत्व की भावना से साथ रहते हुए आगे बढ़ने की शक्ति प्रदान करते हैं।

1. श्रद्धा– इस्लाम धर्म प्रत्येक मुसलमान को ही ईश्वर और उसके देवदूत मोहम्मद साहब में आस्था रखने का आदेश देता है। इसकी धार्मिक श्रद्धा अत्यंत सरल और स्पष्ट है, इसकी अभिव्यक्ति केवल एक वाक्य में हो जाती है। ला ईलालाइला मोहम्मद रसूल उल्ला अल्लाह के सिवा कोई दूसरा ईश्वर नहीं है। मोहम्मद उसके देवदूत माने जाते हैं। इस प्रकार अल्लाह और उसके देवदूत के रूप में मोहम्मद साहब में विश्वास रखना पड़ता है।

2. नमाज– नमाज पढ़ना जिस प्रकार अन्य धर्मों में प्रार्थना के रूप में स्वीकार किया गया है, ठीक उसी प्रकार इस्लाम धर्म में नमाज को प्रार्थना के रूप में स्वीकार किया गया है। प्रतिदिन प्रत्येक मुसलमान को 24 घंटे में 5 बार का नमाज पढ़ना अनिवार्य माना गया है–

1. सूर्य उदय से पूर्व
2. दोपहर को
3. संध्या को
4. शाम को
5. रात्रि को

नमाज पड़ने से पूर्व व्यक्ति को अपने शरीर और मन को शुद्ध कर लेने का प्रयास किया जाता है शरीर की पवित्रता दो प्रकार की होती है, **वजू** जिसमें शरीर के हाथ पैर मुंह खूब धोया जाता है। असाधारण ढंग से संपूर्ण शरीर को स्नान के द्वारा शुद्ध किया जाता है। इस्लाम केवल शारीरिक पवित्रता का उपदेश नहीं देता है, कुरान में चार प्रकार की पवित्रता का वर्णन मिलता है–

1. मिट्टी या पानी से संपूर्ण शरीर की सफाई करना।
2. शरीर के सभी अंग को दुष्टता एवं अनुचित कर्मों से मुक्त करना।
3. हृदय सभी प्रवृत्तियों एवं पूरे विचारों को निकाल फेंकना।
4. अन्य सभी वस्तुओं से प्रेम हटा कर एक अल्लाह में अपने मन को स्थिर रखना।

इस्लाम धर्म में नमाज भी दो प्रकार के बतलाए गए– **फर्द** और **सुन्नत। फर्द** को व्यक्तिगत नमाज कहा जाता है। जब अकेले नमाज़ की जाती है, तो उसे फर्द कहते हैं, जबकि समूह में पढ़े जाने वाले नमाज़ को **सुन्नत** कहा जाता है।

इस्लाम धर्म में सामूहिक नमाज का अत्यधिक महत्व दिखाई पड़ता है। इसीलिए शुक्रवार के दिन किसी मस्जिद में लोग एकत्र होकर साथ में नमाज पढ़ते हैं। यह बन्धुत्व एवं सहिष्णुता की भावना उजागर करने का प्रयास करती है। यहां न कोई अमीर है, न गरीब है, न ऊंचे, न नीचे, बल्कि अल्लाह की दरबार में सभी लोग एक समान हैं। नमाज पढ़ते समय शारीरिक स्थिति में परिवर्तन होता रहता है। लोग कभी खड़े होते हैं, कभी झुक कर तो कभी लेट कर नमाज पढ़ते हैं।

नमाज सदा पश्चिम में मक्का की ओर मुंह करके पढ़ी जाती है, नमाज के द्वारा व्यक्ति अल्लाह की दुआ प्राप्त करना चाहता है।

3. खैरात- नमाज के बाद खैरात का स्थान इस्लाम धर्म में सबसे महत्वपूर्ण माना जाता है। आवश्यकता के समय किसी भी व्यक्ति को भौतिक साधनों से मदद करना खैरात कहलाता है। विश्व में आर्थिक विषमता फैली हुई है, सब की आर्थिक हालत एक समान नहीं होती है। किसी के पास अधिक धनराशि तो किसी के पास खाने के लिए भी कुछ नहीं रहता है। ऐसी स्थिति में धनी वर्ग का पवित्र कर्तव्य हो जाता है कि वह अपने धन का एक निश्चित भाग गरीबों में वितरण करें इसे ही **खैरात** कहा जाता है।

खैरात आर्थिक विषमता को दूर करने का एक शांतिपूर्ण तरीका है। खैरात की प्रथा का आरंभ इस्लाम धर्म में कब हुआ यह अज्ञात है। इस्लाम के प्रसार से अनेक लोगों को अपने हाथ से जान होना पड़ा उनकी मृत्यु के बाद उनके परिवार वालों के सम्मुख कठिन आर्थिक विषमता उठ खड़ी हुई। इस्लाम के प्रचार में कुछ लोगों ने अपनी संपत्ति गंवानी पड़ी। मोहम्मद साहब ने इन समस्याओं को हल करने के लिए खैरात प्रथा का जन्म दिया। उन्होंने प्रत्येक मुसलमान को अपनी आर्थिक आय का एक निश्चित अंशदान करने को कहा। दान में प्राप्त रकम गरीब एवं जरूरतमंद लोगों में वितरण किया जाता है। जिससे समाज में आर्थिक विषमता कम हो जाती है। प्रारंभ में मोहम्मद साहब इसे कर के रूप में स्थापित किए थे, किंतु आगे चलकर इसका नाम खैरात पड़ गया कुरान में भी कहा गया है, जब तक अपनी प्रिय वस्तु में से कुछ खर्च न करोगे तब तक पुण्य नहीं मिलेगा।

कुरान का यह भी कहना है कि ऊपर वाले हाथ की अपेक्षा नीचे वाला हाथ अधिक अच्छा है, क्योंकि ऊपर वाला हाथ खैरात देता है, जबकि नीचे वाला हाथ खैरात लेता है।

4. रोजा या उपवास– तनुजा का अर्थ उपवास व्रत होता है। रोजा रखने का मुख्य अभिप्राय व्यक्ति में बेकार के समय उपवास रखने की क्षमता लाना है। जीवन में कभी-कभी ऐसे अवसर आते हैं, जब व्यक्ति को खाने पीने का मौका नहीं मिलता है। रोजा रखने वाले व्यक्ति को ऐसे अवसर पर कोई कठिनाई नहीं होती है। उन्हें उपवास करने का अभ्यास हो जाता है।

रमजान का महीना मुसलमानों के लिए अत्यंत पवित्र माना जाता है। इसी महीने में कुरान ईश्वर अर्थात् **अल्लाह** मुख्य देवदूत **मोहम्मद पैगंबर साहब** को दी गई थी। इसीलिए मुसलमान इस महीने में रोजा या उपवास रखते हैं। सूर्य के उगने से डूबने तक बिना अन्न जल के लोग रहते हैं। इस अवधि में धूम्रपान का निषेध किया गया है।

इसमें लड़ाई-झगड़ा अनैतिक कार्य सख्त मना किया गया है। साधारण तनुजा का अर्थ है अन्य जल ग्रहण न करना है, किंतु इस्लाम में रोजा को व्यापक अर्थ में लिया गया है। यहां मुख्यत: तीन प्रकार के उपवास का वर्णन किया गया है–

1. अन्न जल से परहेज रखना है, रोजा का साधारण अर्थ है।
2. आंख, नाक, कान इत्यादि शारीरिक अंग को पाप से बचाना।
3. आत्मा को शारीरिक आकर्षण की ओर नहीं जाने देना रोजा का यहां व्यापक अर्थ होता है। रोजा रखने वाला व्यक्ति इस्लाम धर्म में उच्च कोटि का माना जाता है।

मोहम्मद साहब का कहना है कि अल्लाह को फरिश्तों की अपेक्षा उपवास की अभिव्यक्ति के मुंह की सुगंध अधिक प्रिय है। रमजान के महीने में उपवास रखने से कई लाभ होते हैं। सर्वप्रथम व्यक्ति में उपवास करने की क्षमता बढ़ती है। जिससे वह आवश्यकता पड़ने पर आसानी से निजात के बिना भी कुछ समय तक रह सकता है। दूसरा लाभ यह है कि इससे भूखे-प्यासे के प्रति करुणा दया सहानुभूति के भाव उत्पन्न होते हैं। रोजा रखने पर व्यक्ति आसानी से दूसरों की भूख प्यास का कष्ट जान

सकता है। भूख का कष्ट कम करने पर व्यक्ति के हृदय में स्वाभाविक रूप से भूखे प्यासे के प्रति करुणा एवं शांति के भाव उठते हैं।

5. हज करना– जिस प्रकार हिंदू धर्म में तीर्थ स्थान की यात्रा धर्म के लिए आवश्यक मानी गई है। उसी तरह इस्लाम धर्म में मक्का मुसलमानों का सबसे पवित्र स्थल है। जहां पर काबा मस्जिद स्थित है। यात्रा करना भी आवश्यक माना गया है। प्रत्येक मुसलमान को जीवन में एक बार हज करना आवश्यक माना गया है। हज करने की कुछ शर्तें हैं जो इस प्रकार हैं–

1. अपने पापों का प्रायश्चित करना, कर्ज चुकाना और खैरात करना।
2. पवित्र एवं दानी व्यक्ति को साथ रखना।
3. यात्रा के पहले कुरान की मुख्य आयतों को पढ़ना।
4. यात्रा का अधिकांश समय रात में पूरा करना।
5. सवारी के पीछे नहीं पड़ना।
6. ऊपर चढ़ते के समय यह कहना कि अल्लाह ही सब कुछ है। मक्का पहुंचने पर सभी यात्री एकत्र होते हैं और कई नीतियों का पालन करते हैं। स्नान द्वारा शरीर को स्वच्छ बनाना पुराना वस्त्र उतारकर हज के निमित्त नया वस्त्र धारण करना मुंह को मक्का की ओर करके हज करना, जो लोग हज करने नहीं पहुंच पाते हैं। उनके लिए इस्लाम में कुर्बानी का आदेश दिया गया है। हज करने से मुसलमानों में प्रेम भाव बढ़ता है। यात्रियों का धर्म का ज्ञान बढ़ जाता है।

निष्कर्ष: समग्रता में देखा जाए तो यही पांच स्तंभ है जिन्हें प्रत्येक मुसलमान को सैद्धांतिक एवं व्यावहारिक स्तर पर पालन करना अनिवार्य माना गया है। यही उन्हें जीवन में नैतिक आचरण करने के बीच ज्ञान प्रदान करते हैं।

सिक्ख धर्म

परिचय

पंजाबी भाषा में 'सिख' शब्द का अर्थ **'शिष्य'** होता है। सिख ईश्वर के वे शिष्य हैं, जो दस सिख गुरुओं के लेखन और शिक्षाओं का पालन करते हैं। सिख एक ईश्वर में विश्वास करते हैं। उनका मानना है कि उन्हें अपने प्रत्येक काम में ईश्वर को याद करना चाहिये। इसे सिमरन (सुमिरण) कहा जाता है।

सिख धर्म 15वीं सदी में जिसकी शुरुआत गुरु नानक देव ने की थी। सिखों के धार्मिक ग्रन्थ **श्री आदि ग्रंथ या गुरु ग्रंथ साहिब** तथा **दसम ग्रन्थ** हैं। सिख धर्म में धार्मिक स्थल को गुरुद्वारा कहते हैं। आमतौर पर सिखों के दस सतगुरु माने जाते हैं, लेकिन सिखों के धार्मिक ग्रंथ में छः गुरुओं सहित तीस भगतों की बानी है, जिन के समान सिख्याओं को सिख मार्ग पर चलने के लिए महत्त्वपूर्ण माना जाता है।

1469 ईस्वी में पंजाब में जन्मे नानक देव ने गुरमत को खोजा और गुरमत की सिख्याओं को देश देशांतर में खुद जा कर फैलाया। सिख उन्हें अपना पहला गुरु मानते हैं। गुरमत का प्रचार बाकि 9 गुरुओं ने किया। 10वें गुरु गोबिन्द सिंह जी ने ये प्रचार खालसा को सौंपा और ज्ञान गुरु ग्रंथ साहिब की सिख्याओं पर अम्ल करने का उपदेश दिया। इसकी धार्मिक परम्पराओं को गुरु गोबिन्द सिंह ने 30 मार्च 1699 के दिन अंतिम रूप दिया। विभिन्न जातियों के लोगों ने सिख गुरुओं से दीक्षा ग्रहणकर खालसा पन्थ को सजाया। पाँच प्यारों ने फिर गुरु गोबिन्द सिंह को अमृत देकर खालसे में शामिल कर लिया। इस ऐतिहासिक घटना ने सिख पंथ के तकरीबन 300 साल इतिहास को तरतीब किया।

संत कबीर, धना, रामानंद, परमानंद, नामदेव इत्यादि जिन की बानी आदि ग्रंथ में दर्ज है। उन भगतों को भी सिख सत्गुरुओं के समान मानते हैं और उनकी शिक्षाओं पर अमल करने कि कोशिश करते हैं। सिख एक ही ईश्वर को मानते हैं, जिसे वे **एक-ओंकार** कहते हैं। उनका मानना है कि ईश्वर अनन्त और निरंकार है। विश्व भर में 25 मिलियन

से अधिक सिख आबादी है जिनमें से अधिकांश भारतीय राज्य पंजाब में निवास करते हैं।

सिख अपने पंथ को गुरुमत (गुरु का मार्ग- The Way of the Guru) कहते हैं। सिख परंपरा के अनुसार, सिख धर्म की स्थापना गुरु नानक (1469-1539) द्वारा की गई थी और बाद में नौ अन्य गुरुओं ने इसका नेतृत्व किया। सिख मानते हैं कि सभी 10 मानव गुरुओं में एक ही आत्मा का वास था। 10वें गुरु गोबिंद सिंह (1666-1708) की मृत्यु के बाद अनंत गुरु की आत्मा ने स्वयं को सिख धर्म के पवित्र ग्रंथ गुरु ग्रंथ साहिब (**जिसे आदि ग्रंथ भी कहा जाता है**) में स्थानांतरित कर लिया और इसके उपरांत गुरु ग्रंथ साहिब को ही एकमात्र गुरु माना गया।

पाँचवें गुरु, गुरु अर्जुन देव के समय तक सिख धर्म स्थापित हो चुका था। गुरु अर्जुन देव ने अमृतसर को सिखों की राजधानी के रूप में स्थापित किया था। सिख पवित्र लेखों की पहली प्रमाणिक पुस्तक के रूप में आदि ग्रंथ का संकलन किया।

दार्शनिक मान्यताएं

एक ओंकार अर्थात् ईश्वर एक है और सभी धर्मों के सभी लोगों के लिये वही एक ईश्वर है।

आत्मा मानव रूप को प्राप्त करने से पहले जरा और मरण के चक्र से गुजरती है। हमारे जीवन का लक्ष्य एक अनुकरणीय अस्तित्व का निर्वहन करना है, ताकि ईश्वर के साथ समागम हो सके।

सिखों को हर समय ईश्वर का सुमिरण करना चाहिये और अपने आध्यात्मिक एवं लौकिक दायित्वों के बीच संतुलन बनाए रखते हुए। सदाचारी एवं सत्यनिष्ठ जीवन जीने का अभ्यास करना चाहिये।

मोक्ष प्राप्त करने और ईश्वर के साथ समागम करने का सच्चा मार्ग संसार से विरक्ति या ब्रह्मचर्य के पालन में नहीं है, बल्कि एक गृहस्थ का जीवन जीने, ईमानदारी से आजीविका कमाने और सांसारिक प्रलोभनों एवं पापों से बचने में है।

सिख धर्म उपवास, तीर्थ यात्रा, अंधविश्वासों का पालन, मृतकों की पूजा, मूर्ति-पूजा जैसे अनुष्ठानों की निंदा करता है।

सिख धर्म का उपदेश है कि विभिन्न नस्ल, धर्म या लिंग के लोग ईश्वर की दृष्टि में एक समान हैं। यह पुरुषों और महिलाओं में समानता की शिक्षा देता है। सिख महिलाएँ किसी भी धार्मिक समारोह में भाग ले सकती हैं या कोई भी अनुष्ठान कर सकती हैं या प्रार्थना में मंडली का नेतृत्व कर सकती हैं।

इतिहास और धार्मिक आचरण

गुरु नानक जी ने प्रेम और ज्ञान का संदेश दिया तथा हिंदू एवं मुस्लिम धर्म में व्याप्त कुरीतियों की निंदा की। इस नए धर्म का प्रबुद्ध नेतृत्व गुरु नानक से लेकर गुरु गोबिंद सिंह तक दस गुरुओं ने किया।

सिख धर्म का प्रभाव

सिख धर्म का उद्भव एवं प्रसार भक्ति आंदोलन और हिंदू धर्म के वैष्णव मत से प्रभावित था। हालाँकि सिख धर्म केवल भक्ति आंदोलन का ही विस्तार नहीं था। सिख धर्म का प्रसार तब हुआ जब इस क्षेत्र पर मुगल साम्राज्य का शासन था। दो सिख गुरुओं–गुरु अर्जुन देव और गुरु तेग बहादुर द्वारा इस्लामिक धर्मांतरण से मना करने पर मुगल शासकों द्वारा उन्हें प्रताड़ित किया गया और मार डाला गया। इस्लामिक युग में सिखों के उत्पीड़न ने खालसा की स्थापना को प्रेरित किया जो अंतरात्मा और धर्म की स्वतंत्रता का पंथ है।

अंतिम गुरु, गुरु गोविंद सिंह ने खालसा (जिसका अर्थ है 'शुद्ध') पंथ की स्थापना की जो सैनिक-संतों का विशिष्ट समूह था। खालसा प्रतिबद्धता, समर्पण और सामाजिक चेतना के सर्वोच्च सिख गुणों को उजागर करता है।

खालसा ऐसे पुरुष और महिलाएँ हैं, जिन्होंने सिख बपतिस्मा समारोह में भाग लिया हो और जो सिख आचार संहिता एवं परंपराओं का सख्ती से पालन करते हैं, तथा पंथ के पाँच निर्धारित भौतिक वस्तुओं–**केश, कंघा, कड़ा, कच्छा और कृपाण** धारण करते हैं।

सिख धर्म में पुजारी या पुरोहित वर्ग नहीं होता है, इस प्रथा को गुरु गोबिंद सिंह ने समाप्त कर दिया था। गुरु गोबिंद सिंह मानते थे कि पुरोहित वर्ग भ्रष्ट एवं अहंकारी होता है।

सिख धर्म में केवल गुरु ग्रंथ साहिब का एक संरक्षक होता है जिसे **'ग्रंथी'** कहते हैं। कोई भी सिख गुरुद्वारा में या अपने घर में गुरु ग्रंथ साहिब के पाठ के लिये स्वतंत्र है। सभी धर्मों के लोग गुरुद्वारा जा सकते हैं। प्रायः प्रत्येक गुरुद्वारे में एक निःशुल्क सामुदायिक रसोई होती है जहाँ सभी धर्मों के लोगों को भोजन परोसा जाता है। गुरु नानक ने पहली बार इस संस्था की शुरुआत की थी जो सिख धर्म के मूल सिद्धांतों सेवा, विनम्रता और समानता को रेखांकित करती है।

चार अनुष्ठान

सिखों के कर्त्तव्यों को निर्दिष्ट करने वाली पुस्तिका "सिख रहत मर्यादा" चार अनुष्ठानों का प्रावधान करती है जिन्हें संस्कार मार्ग कहा जाता है–

1. अनुष्ठान जन्म और गुरुद्वारे में आयोजित नामकरण समारोह है।
2. अनुष्ठान आनंद करज (आनंदमय मिलन) या विवाह समारोह है।
3. अनुष्ठान जिसे सबसे महत्त्वपूर्ण माना जाता है, अमृत संस्कार है, जो खालसा में दीक्षा के लिये होने वाला समारोह है।
4. अनुष्ठान मृत्योपरांत होने वाला अंतिम संस्कार समारोह है।

तीन कर्त्तव्य जिनका पालन सिखों द्वारा किया जाना चाहिये- प्रार्थना, कृत्य या कार्य और दान।

1. **नाम जपना:** हमेशा ईश्वर का सुमिरन करना।
2. **कीरत करना:** ईमानदारी से आजीविका अर्जित करना। चूँकि ईश्वर सत्य है, एक सिख ईमानदारी से जीवन जीना चाहता है। इसका अर्थ केवल अपराध से दूर रहना नहीं है, बल्कि जुए, भीख, शराब व तंबाकू उद्योग में काम करने से भी बचना है।

3. **वंड छकना:** शाब्दिक रूप से इसका अर्थ है दूसरों के साथ अपनी कमाई साझा करना अर्थात् दूसरों को दान देना और उनकी देखभाल करना।

पाँच दोष– सिख उन पाँच दोषों से बचने की कोशिश करते हैं, जो लोगों को आत्म-केंद्रित बनाते हैं, और उनके जीवन के ईश्वरीय मार्ग में बाधाएँ पैदा करते हैं, ये हैं: काम, क्रोध, लोभ, मोह और अहंकार।

वस्तु पूजा का खंडन

सिखमत में भक्तों एवं सतगुरुओं ने निरंकार को आकार रहित कहा है, क्योंकि सांसारिक पदार्थ तो एक दिन खत्म हो जाते हैं, लेकिन परब्रह्म कभी नहीं मरता इसी लिए इसे अकाल कहा गया है। यही नहीं, जीव आत्मा भी आकर रहित है, और इस शरीर के साथ कुछ समय के लिए बंधी है। इसका वजूद शरीर के बगैर भी है, जो आम मनुष्य की बुद्धि से दूर है।

यही कारण है की सिखमत मूर्ति पूजा के सख्त खिलाफ है। सतगुरुओं एवं भक्तों ने मूर्ती पूजकों को अँधा, जानवर इत्यादि शब्दों से निवाजा है। उसकी तस्वीर बनायी नहीं जा सकती है। यही नहीं कोई भी संसारी पदार्थ जैसे कि कब्र, भक्तों एवं सतगुरुओं के ऐतिहासिक पदार्थ, प्रतिमाएं आदि को पूजना सिखों के बुनयादी उसूलों के खिलाफ है। धार्मिक ग्रंथ का ज्ञान निरंकार के की तरफ लेकर जाती है, जिसके समक्ष सिख नतमस्तक होते हैं, लेकिन धार्मिक ग्रंथों की पूजा भी सिखों के बुनयादी उसूलों के खिलाफ है।

अवतारवाद और पैगम्बरवाद का खंडन

सिखमत में हर जीव को अवतारी कहा गया है। हर जीव उस निरंकार का अंश है। संसार में कोई भी पक्षी, पशु, पेड़, इत्यादि अवतारी हैं। मनुष्य की योनि में जीव अपना ज्ञान पूरा करने के लिए अवतरित हुआ है। व्यक्ति की पूजा सिख धर्म में नहीं है **"मानुख कि टेक बिरथी सब जानत, देने, को एके भगवान"**। तमाम अवतार एक निरंकार की शर्त पर पूरे

नहीं उतरते कोई भी अजुबा नहीं है। यही कारण है की सिख किसी को परमेश्वर के रूप में नहीं मानते। अगर कोई अवतार गुरमत का उपदेश करता है, तो सिख उस उपदेश के साथ जरूर जुड़े रहते हैं। जैसा कि कृष्ण ने गीता में कहा है कि आत्मा मरती नहीं और जीव हत्या कुछ नहीं होती, इस बात से तो सिखमत सहमत है लेकिन आगे कृष्ण ने कहा है कि **कर्म ही धर्म है, जिस से सिख धर्म सहमत नहीं**। इसमें इस्लाम धर्म से भी अनेक समानतायें दिखाई पड़ती हैं, जहाँ सिख धर्म एवं इस्लाम धर्म ईश्वर अल्लाह के सम्बन्ध में अधिक साम्य दिखाई पड़ता है।

पैगम्बर वो है जो निरंकार का सन्देश अथवा ज्ञान आम लोग तक पहुंचाये। जैसा कि इस्लाम में कहा है कि मुहम्मद आखरी पैगम्बर है सिखों में कहा गया है कि "हर जुग जुग भक्त उपाया"। भक्त समे दर समे पैदा होते हैं और निरंकार का सन्देश लोगों तक पहुंचाते हैं। सिखमत **"ला इलाहा इल्ल अल्लाह (अल्लाह के सिवा और कोई परमेश्वर नहीं है)"** से सहमत है, लेकिन सिर्फ मुहम्मद ही रसूल अल्लाह है इस बात से सहमत नहीं। अर्जुन देव जी कहते हैं **"धुर की बानी आई, तिन सगली चिंत मिटाई"**, अर्थात् मुझे धुर से वाणी आई है और मेरी सगल चिंताएं मिट गई हैं क्योंकि जिसकी ताक में मैं बैठा था मुझे वो मिल गया है।

सिख धर्म के दस गुरु

1.	गुरु नानक	(1469-1539)
2.	गुरु अंगद	(1539-1552)
3.	गुरु अमर दास	(1552-1574)
4.	गुरु राम दास	(1574-1581)
5.	गुरु अर्जुन देव	(1581-1606)
6.	गुरु हरगोबिंद	(1606-1644)
7.	गुरु हर राय	(1644-1661)
8.	गुरु हरकिशन	(1661-1664)
9.	गुरु तेग बहादुर	(1665-1675)
10.	गुरु गोबिंद सिंह	(1675-1708)

सिख धर्म के महत्त्वपूर्ण गुरुद्वारे

पंज तख्त– ये सिखों के पाँच तख्त हैं और ये तख्त पाँच गुरुद्वारे हैं जिनका सिख समुदाय के लिये बहुत महत्त्व है–

1. अकाल तख्त साहिब का अर्थ है, अनंत सिंहासन। यह अमृतसर में स्वर्ण मंदिर परिसर का एक अंग है। इसकी नींव छठे सिख गुरु, गुरु हरगोबिंद जी ने रखी थी।
2. तख्त श्री केशगढ़ साहिब आनंदपुर साहिब, पंजाब में स्थित है। यह खालसा का जन्म स्थल है। जिसे वर्ष 1699 में गुरु गोबिंद सिंह जी ने स्थापित किया था। तख्त श्री दमदमा साहिब भटिंडा के पास तलवंडी साबो ग्राम में स्थित है। गुरु गोबिंद सिंह जी लगभग एक वर्ष तक यहाँ रहे और उन्होंने वर्ष 1705 में गुरु ग्रंथ साहिब के अंतिम संस्करण को संकलित किया था जिसे 'दमदमा साहिब बीर' के नाम से भी जाना जाता है।
3. तख्त श्री पटना साहिब बिहार की राजधानी पटना में स्थित है। गुरु गोबिंद सिंह जी का जन्म वर्ष 1666 में यहीं हुआ था और आनंदपुर साहिब जाने से पहले अपना बचपन उन्होंने यहीं बिताया था।
4. तख्त श्री हजूर साहिब महाराष्ट्र के नांदेड़ में स्थित है।
5. ननकाना साहिब (पाकिस्तान): गुरु नानक देव जी का जन्म स्थान। गुरुद्वारा दरबार साहिब (करतारपुर, पाकिस्तान): गुरु नानक देव जी ने अपने जीवन के अंतिम 18 वर्ष यहाँ बिताए थे।

सिक्ख धर्म के मौलिक सिद्धान्त

सिक्ख धर्म के प्रवर्तक गुरुनानक हैं। गुरु नानक के आगमन के पूर्व मनुष्य अन्धकार में भटक रहा था। धर्म में अन्ध विश्वास, रूढ़िवादिता एवं बाह्य आडम्बर का बोलबाला था, सच्चे धर्म की ओर किसी का झुकाव न था। धर्म के नाम पर अनेक कुरीतियाँ फैली हई थीं। गुरुनानक के ही शब्दों में **"न कोई हिन्दू था, न कोई मुसलमान"**।

सिक्ख उनके इस कथन का अर्थ यह लगाते हैं कि उस समय हिन्दू और मुसलमान दोनों ही अपने सच्चे धर्म को भूलकर अन्धकार में भटक रहे थे। हिन्दू धर्म अनेक जातियों में बँटकर बर्बाद हो रहा था। मुसलमानों में भी अनेक सम्प्रदाय परस्पर लड़-झगड़ रहे थे। ऐसी स्थिति में गुरुनानक ने एक ऐसे धर्म की स्थापना की, जो ईश्वर की प्राप्ति में सचमुच सहायक हो। यह धर्म **सिक्ख धर्म** कहलाता है। सिक्ख धर्म एकेश्वरवादी धर्म का सुन्दर उदाहरण है। इसमें अनेक देवी-देवताओं की पूजा का खण्डन किया गया है। गुरुनानक ने एक ही ईश्वर को परमसत्ता बतलाया। यह ईश्वर शक्तिशाली सर्वज्ञ एवं सर्वव्यापी है। सिक्ख धर्म में ईश्वर को सगुण और निर्गुण दोनों माना गया है। सिक्ख ईश्वर को व्यक्तित्वपूर्ण तो मानते हैं, किन्तु उसे मानव के रूप में नहीं मानते, गुरुनानक ने इसे निर्विकार कहा है। ईश्वर को सर्वत्र व्याप्त माना गया है।

इसलिए इसे हृदय के अन्दर खोजना चाहिए। इस धर्म के अनुसार धार्मिक रीति-रिवाजों एवं बाह्य आडम्बरों से ईश्वर की प्राप्ति नहीं हो सकती है। प्रेम, श्रद्धा, उसके नाम का स्मरण, पाठ एवं ध्यान के द्वारा ईश्वर का साक्षात्कार किया जा सकता है। उपनिषद् की भाँति गुरुनानक यह घोषणा करते हैं कि ब्रह्म एक है। यह विश्व उसकी माया है और सभी वस्तुएँ माया द्वारा उत्पन्न हुई हैं।

आत्मा और ब्रह्म में तादात्म्य सम्बन्ध पाया जाता है। व्यक्ति अज्ञान वश इस तादात्म्य सम्बन्ध को भूल जाता है। व्यक्ति को ईश्वर की इच्छा के अनुकूल रहना चाहिए।

उसके सम्मुख विनम्रता के साथ आत्म समर्पण करना चाहिए। सच्ची भक्ति एवं श्रद्धा के साथ ईश्वर की आराधना होनी चाहिए, तभी निर्वाण की प्राप्ति हो सकती है। ईश्वर एक अजन्मा, एवं अविनाशी है। वह स्वयंभू है। वह निर्विकार है। उसके समान कोई अन्य वस्तु नहीं है। वह अद्भुत एवं इन्द्रियातीत है।

नानक प्रथम गुरु और गुरु गोविन्द सिंह सबसे अन्तिम (दसवें) गुरु हैं। गुरु की आज्ञा का पालन करने वाले को पुनर्जन्म से छुटकारा मिलता है। शाश्वत आनन्द की प्राप्ति होती है। गुरु के आदेश मानने

पर व्यक्ति ईश्वर की सर्वव्यापकता का अनुभव करता है। इस धर्म में गुरु ही शिव है, गुरु ही विष्णु और ब्रह्मा है। गुरु ही पार्वती है, लक्ष्मी है, और सरस्वती है। सिक्ख धर्म वस्तुतः अनुशासन पर आधृत है। प्रत्येक सिक्ख से उम्मीद की जाती है कि वह नित्य तीन बजे सुबह उठ जाए और स्नान करने के बाद ईश्वर के नाम का उच्चारण एवं ध्यान करे।

मानवता की सेवा सिक्ख का आवश्यक कर्तव्य है। प्रेम और श्रद्धा के साथ मनुष्यों की सेवा करने से ईश्वर प्रसन्न होता है। प्रत्येक गुरुद्वारे में धर्म, जाति, वर्ण आदि का भेद-भाव किये बिना सभी आगन्तुकों को खाद्य पदार्थ मुफ्त दिया जाता है।

गुरु नानक ने अपने शिष्यों में समानता, भ्रातृत्व एवं प्रेम का पाठ पढाया। गुरुद्वारों में गुरु नानक के उपदेश को कार्यरूप में परिणत किया जाता है। पीड़ितों गरीबों एवं दुखियों की सेवा प्रत्येक सिक्ख का पवित्र धर्म है। ईश्वर की प्राप्ति में गुरु का महान व्यक्तित्व सहायक होता है। केवल ज्ञान रखकर व्यक्ति अन्धकार में भटकता रहता है जिसे गुरु का निर्देशन प्राप्त न हो।

गुरु ईश्वर एवं मनुष्य के बीच तथा मनुष्य-मनुष्य के बीच सम्बन्ध स्थापित करता है। गुरु की प्राप्ति आसान हो जाती 'गुरू' ज्ञानी, आत्मसंयमी, भक्त, तपस्वी, पवित्र, निष्पाप, नम्र एवं पूर्ण है। वह ईश्वर का काम करता है। उसकी आराधना करके व्यक्ति ईश्वर तक पहुँच सकता है। जो व्यक्ति गुरु के साथ तादात्म्य स्थापित कर लेता है, उसे 'खालसा' कहते हैं।

गुरु नानक ने शाश्वत आनन्द प्राप्त करने के लिए पाँच सेनाओं का वर्णन किया है। (1) धरमखण्ड, (2) ज्ञानखण्ड, (3) सरनखण्ड, (4) करमखण्ड, (5) सुचखण्ड।

1. **धरमखण्ड**- यह कर्तव्य एवं कर्म का क्षेत्र है। प्रत्येक व्यक्ति की परीक्षा उसके कर्मों के आधार पर होती है। इसलिए उसे अपने कर्तव्य भलीभाँति पूरे करने चाहिए।

2. **ज्ञानखण्ड**- यह ज्ञान का क्षेत्र है। सिक्ख इस ज्ञान के साथ कर्तव्य करता है कि राम कृष्ण की भाँति वह स्थायी शान्ति प्राप्त कर सकेगा।
3. **सरनखण्ड**- इस अवस्था में कर्तव्य मनुष्य के स्वभाव का अंग हो जाता है। यहाँ व्यक्ति स्वभावत: कर्तव्य करने लगता है।
4. **करमखण्ड**- सुचखण्ड से आत्मा करमखण्ड में पहुँचती है। करमखण्ड शक्ति का क्षेत्र है। यहाँ व्यक्ति को आध्यात्मिक शक्ति प्राप्त होती है। उसे मृत्यु का भय नहीं रहता, और वह जन्म-मरण के चक्कर से मुक्त हो जाता है।
5. **सुचखण्ड**- आत्मा इस अन्तिम अवस्था में पहुंचकर निराकार सत्य का दर्शन करती है। यह सत्य का क्षेत्र है। यहाँ व्यक्ति ईश्वर में विलीन हो जाता है और ईश्वर की प्राप्ति करता है। सर्वोच्च सत्ता की प्राप्ति के लिए गुरुओं ने मनुष्य के चरित्र पर अत्यधिक जोर दिया है। चरित्र निर्माण आध्यात्मिक प्रगति के लिए आवश्यक माना गया है।

चरित्र निर्माण की प्राप्ति के लिए ईश्वर के नाम का उच्चारण एवं श्रवण पर्याप्त है। नाम का श्रवण करने से व्यक्ति शिव या ब्रह्मा के समान हो जाता है। इससे सत्यता एवं सन्तोष की प्राप्ति होती है। नाम का श्रवण अड़सठ धार्मिक स्थानों में स्नान करने के बराबर है। नाम के श्रवण से व्यक्ति का ध्यान ईश्वर पर केन्द्रित होता है। इससे अन्धे व्यक्ति को भी मार्ग दीख पड़ता है। चरित्र निर्माण के लिए ईश्वर के सम्मुख आत्म-समर्पण भी आवश्यक माना गया है। ईश्वर की आज्ञा मानने से व्यक्ति मोक्ष प्राप्त करता है। अपने हृदय में आनन्द का अनुभव करता है। सिक्ख धर्म व्यक्ति को पुनर्जन्म और मुक्ति के लिए उत्तरदायी मानता है। ईश्वर ही सभी वस्तुओं का स्रोत है।

इसलिए व्यक्ति को ईश्वर की मर्जी के अनुसार चलना चाहिए। सिक्ख धर्म के अनुसार अशुभ व्यक्ति के तुच्छ अहं का फल है! हम अपने तुच्छ अहं को अधिक महत्व देकर अपने को ईश्वर से दूर कर देते हैं और यही अशुभ है। यदि हम समझ लें कि ईश्वर हमारे हृदय

में विद्यमान है तो हम उसके निकट चले जायेंगे, इस धर्म में शुभ और अशुभ की सरल व्याख्या दी गयी है।

ईश्वर के साथ संयोग होने से हम उसका आनन्द इस शरीर के रहते हुए भी प्राप्त सकते हैं। उससे सम्बन्ध विच्छेद कर लेने पर हम उससे दूर चले जाते हैं। नानक का कहना है कि पुनः हम ईश्वर से संयोग स्थापित कर सकते हैं। निश्चय ही यह एक आशावादी दृष्टिकोण है। इससे भूले-भटके लोगों को बहुत बल मिलता है।

सिक्ख धर्म में लोभ, क्रोध, घृणा आदि के परित्याग पर जोर दिया गया है। हृदय की शुद्धि एवं सच्चे गुरु की संगति बंधन से व्यक्ति को मुक्त करती है। असीम आनन्द की प्राप्ति कराते हैं। ईश्वर को प्यार करने वाला तीनों लोक में एक ही ईश्वर को व्याप्त देखता है। सिक्ख धर्म में ईश्वर को पिता-तुल्य माना गया है। मानव मात्र में भ्रातृत्व के भाव पर जोर दिया गया है। बुरे कर्म त्यागकर अच्छे कर्मों के सम्पादन से व्यक्ति को अच्छा फल मिलता है।

सिक्ख धर्म में 'प्रार्थना' एवं आत्म 'समर्पण' को धर्म का मूल माना गया है। ईश्वर की प्रार्थना के लिए किसी पुजारी की मदद लेना कोई आवश्यक नहीं है। सिक्खों के गुरुद्वारा में कोई विशेष धार्मिक उत्सव नहीं होते। वहाँ पवित्र मंत्रों के पाठ एवं गान का बहुत महत्व है। वहाँ उपदेश एवं वाद-विवाद का महत्व नहीं है। ईश्वर को पुकारने से पहले सिक्ख को प्रार्थना की स्थिति में आना पड़ता है। आत्मा को ईश्वर के साथ एकाकार करने के लिए प्रार्थना अत्यन्त आवश्यक है। सिक्ख धर्म के अनुसार मानवीय प्रयत्नों का चरम लक्ष्य ईश्वर में विलीन होना है। कुछ सिक्ख विचारक 'निर्वाण' और 'सुचखण्ड' को एक ही बतलाते हैं। दोनों में ही व्यक्तिगत चेतना का लोप हो जाता है और आत्मा का प्रकाश ईश्वरीय प्रकाश में मिल जाता है।

ईश्वर सम्बन्धी अवधारणा अथवा सिक्ख धर्म के ईश्वर एवं जगत सम्बन्धी अवधारणा

सिक्ख धर्म एकेश्वरवादी है अर्थात् इसमें एक ईश्वर की सत्ता स्वीकार किया गया है। इससे यह भी स्पष्ट होता है कि यह धर्म अनेकेश्वरवाद

का विरोध करता है। एक से अधिक ईश्वर को स्वीकार करना तो विरोध है। सर्वशक्तिमान, सर्वज्ञ परमात्मा एक से अधिक नहीं हो सकता है। सर्वशक्तिमत्ता और एकता के लिए एक ही परमात्मा हो सकता है। एक से अधिक ईश्वर सर्वशक्तिमान नहीं माना जा सकता है। स्वयं गुरुनानक ने ईश्वर के स्वरूप को बतलाते हुए कहा है कि ईश्वर एक है, जिसका नाम सत्य है। वह संसार का स्त्रष्टा है, अजर, अमर व दयालु है।

वह भय एवं शत्रुता से रहित है। वह काल और योनि के परे स्वयंभू और नित्य है। गुरु कृपा से उसकी प्राप्ति सम्भव है। इस कथन से स्पष्ट है कि गुरुनानक ईश्वर को मानते हैं। ईश्वर की एकता उसकी सत्यता से सिद्ध होती है। सत्य वह है जिसका कभी अभाव न हो। ऐसा सत्य केवल ईश्वर ही हो सकता है, क्योंकि उसका कभी अभाव नहीं होता है।

दूसरे शब्दों में, ईश्वर शाश्वत और अविनाशी है। वह आनन्द और अगोचर है। ये सब निर्गुण और सगुण दोनों मानते हैं। वह सर्वगुण सम्पन्न है। वह संसार का कर्ता है। वह किसी की सहायता के बिना सृष्टि की रचना करता है। इसलिए उसे कर्ता पुरुष कहा गया है। वह सर्वव्यापक सर्वज्ञ और साक्षी रूप है। वह निर्भय है, और शत्रु भाव से शून्य है। वह अभिमान से रहित है, तथा दयालु है। उसके हृदय में सबके प्रति करूणा का भाव रहता है। अतः वह शत्रु भाव शून्य है। ऐसे ईश्वर को प्राप्त करने के लिए गुरु कृपा आवश्यक है। इनके अतिरिक्त गुरु नानक देव ईश्वर को न्यायपूर्ण, सूत्रधार और दाता मानते हैं। ईश्वर पालक और रक्षक दोनों हैं।

ईश्वर मनुष्य की रक्षा माता के गर्भ में ही करता है। वह मानव अपराध को क्षमा करता है। इस प्रकार सिक्ख धर्म का एक ईश्वर निर्गुण और सगुण दोनों है। निर्गुण रूप का प्रतिपादन करते हुए कहा गया है कि ईश्वर का वाचक ओंकार शब्द है। इस ओंकार से ही जगत की सृष्टि होती है। सृष्टिकता होना ईश्वर का सगुण रूप है। वह एक है, परन्तु उसके रूप अनेक है, तथा नाम भी अनेक हैं। अल्लाह, खुदा, परम ब्रह्म, परमेश्वर, हरि, राम, गोविन्द, नारायण, आदि अनेक नाम हैं। इन विभिन्न नामों से एक ही परमात्मा का सम्बोधन किया जाता है। ये

सभी सम्बोधन संकेत हैं, नाम है, विशेषण है। मनुष्य अपनी सुविधानुसार परमात्मा को किसी नाम से पुकार सकता है।

प्रत्येक धर्म में ईश्वर के विभिन्न नाम बतलाए गये हैं, परन्तु परमात्मा एक ही है। विभिन्न विशेषण सम्बोधन के कई प्रकार हैं, परन्तु जिसे सम्बोधित किया जाता है, वह एक ही रहता है। वाणी भेद तो विकार है। इससे निर्विकार ईश्वर में भेद उत्पन्न नहीं होता। अतः गुरुनानक की विशेषता ईश्वर की एकता है। जो वाणी और भाषा भेद से परे है।

सिक्ख धर्म के अनुसार ईश्वर ही जगत का रचयिता है, अथवा संसार का स्रष्टा है। ईश्वर को जगत का निमित्त और उपादान कारण दोनों माना गया है, कैसे? इस धर्म के अनुसार एक समय ऐसा था कि जगत नहीं था, न पृथ्वी थी न आकाश था, न दिन था, न रात थी, केवल शुन्य था।

ईश्वर ने सृष्टि को हुक्म या आदेश दिया और सृष्टि हो गयी। ईश्वर पहले निर्गुण था, परन्तु सगुण रूप धारण कर सृष्टिकर्ता हो गया ईश्वर ही जगत के रूप में प्रकट हो गया। शून्यावस्था के पूर्व सभी शक्तियाँ परमात्मा में लीन थीं। परमात्मा का आदेश हुआ, शक्तियाँ सक्रिय हुई और संसार का निर्माण हो गया। गुरू ग्रन्थ में सृष्टि क्रम का भी उल्लेख है। सृष्टि का क्रम इस प्रकार है।

परम सत्य परमात्मा की निर्गुणावस्था है। इसे अंकुर ब्रह्म भी कहते हैं। परमात्मा की इच्छा से इस निर्गुण या अंकुर ब्रह्म में आदेश अवस्था का प्रादुर्भाव हुआ। इस आदेश अवस्था में क्रियाशीलता होती है। सभी पदार्थों और जीवों की उत्पत्ति होती है। सृष्टि का अनन्त विकास उसके एक आदेश से होता है। उसकी आज्ञा से प्रलय होता है और प्रलय के पश्चात् सृष्टि। ज्योंही आदेश होता है, त्योंही अहंकार की उत्पत्ति होती है। यही जगत का मूल कारण है।

इसके पश्चात् जीव (आत्मा) प्रकृति और उसके विकास, पंच तन्मात्राएँ, पंच ज्ञानेन्द्रियाँ, पंच कर्मेन्द्रियाँ, पंच महाभूत आदि। इस विवरण से स्पष्ट है कि इस धर्म के अनुसार सृष्टि ईश्वर के आदेश का परिणाम है।

सृष्टि का अन्त भी ईश्वर के आदेश के अनुसार होगा। संसार को इसमें अनादि माना गया है। इसकी रचना अनेकों बार हो चुकी है, परन्तु इस धर्म में जगत को सत्य माना गया है। संसार का स्त्रष्टा परमात्मा सत्य माना गया है। संसार का स्त्रष्टा परमात्मा सत्य है, अतः उसका कार्य (जगत) भी सत्य है। कई बार इसे झूठा या मिथ्या भी कहा गया है, जल बूंद-बूंद स्वप्नवत, बाल की भाँति, परन्तु इसका अर्थ है कि जगत् शाश्वत नहीं, क्षणिक तथा परिणामी है। इसमें सर्वदा परिवर्तन होता रहता है, परन्तु यह माया या मिथ्या नहीं है।

सिक्ख धर्म में मानव विचार

सिक्ख धर्म मानव जीवन को महत्वपूर्ण मानता है। यह जीवन असत् और निष्प्रयोजन नहीं, वरन् सत् और सप्रयोजन है। मानव सृष्टि का सर्वश्रेष्ठ प्राणी है। मनुष्य योनि में जन्म लेना सौभाग्य है। अनेक योनियों में भ्रमण करता हुआ मानव बडे पुण्य के प्रभाव से मानव योनि को प्राप्त करता है। मानव जन्म बार-बार नहीं प्राप्त होता है। जब हमें यह जन्म मिल गया है, तो इसके प्रयोजन को भी जान लेना चाहिए। इसका प्रयोजन है, मुक्ति साधना, अर्थात् जन्म प्राप्त कर मनुष्य को मुक्ति की साधना करना चाहिए। मानव चेतन प्राणी है, अचेतन जीव को इसका ज्ञान नहीं हो सकता है। हम चेतन है, इसलिए हमें अपने जीवन के प्रयोजन को अवश्य जानना चाहिए। हमें इस बात की भी चिन्ता होनी चाहिए कि हम अपने जीवन के लक्ष्य को प्राप्त करें। यह संसार मात्र मोक्ष मात्र है। इसका अन्तिम उद्देश्य मुक्ति की प्राप्ति है। हमने मानव रूप में जन्म ग्रहण किया है और जन्म से हमें शरीर मिला है।

शरीर में चेतन और अचेतन दोनों तत्व हैं। अचेतन जड़ है, अतः मानव चेतना और जड़ का संयोग है। हमारा लक्ष्य है, जड़ता का त्याग और चेतना की प्राप्ति। चेतना की प्राप्ति ही मुक्ति की प्राप्ति है।

इसे प्राप्त करना हमारा उद्देश्य है। अचेतन शरीर के कारण हम सांसारिक बन्धन से ग्रस्त हैं। चेतन तत्व के कारण इसका विनाश संम्भव है। गुरु नानक देव चेतन-अचेतन तत्व को कमल और मेंढ़क की उपमा

से स्पष्ट करते हैं। दोनों जल में रहते हैं, परन्तु कमल जल में रहकर भी जल से पृथक् रहता है। वह पंकज कहा जाता है। परन्तु पंक नहीं खाता, पंक में लिप्त नहीं होता।

इसलिए वह पंक में रहते हुए भी पंक से पृथक् रहता है। कमल सत्यवृत्ति सम्पन्न है। मेंढ़क जल में रहता है, गन्दे जल और कीचड़ को खाता है, अतः गन्दा जल उसका जीवन है, उसकी वृत्ति तामसिक है, सात्विक नहीं। इस प्रकार जो व्यक्ति सात्विक वृत्ति से सम्पन्न होता है। वह जल में रहते हए कमल के समान अछुता बना रहता है। इसी प्रकार शरीर में रहते हुए भी हमें शरीर से पृथक् रहकर मुक्ति का प्रयास करना चाहिए।

इसी सन्दर्भ में अशुभ की अवधारणा को भी स्पष्ट किया गया है। मनुष्य शुभ-अशुभ का संयोग है, उसे अशुभ का त्याग और शुभ को प्राप्त करना चाहिए। अशुभ अहंकार रूप है। यह तामसिक है। शुभ सात्विक है। यह परमात्मा की प्राप्ति या मुक्ति का साधक है। अशुभ इसका बाधक है। मनुष्य चेतन होने के कारण शुभ मार्ग पर चलना पड़ता है। परमात्मा को प्राप्त करना चाहता है, परन्तु अहंकार इसका विरोध करता है। इस पर विजय प्राप्त कर ही मानव शुभ को प्राप्त कर सकता है।

संक्षेप में हम कह सकते हैं कि अशुभ तामसिक अहंकार रूप है, जो ईश्वरीय मार्ग का विरोधी है। यह परमात्मा से दूर होने में सहायक है।

यदि हम परमात्मा के निकट जाना चाहते हैं, तो मनसुख या अहंकार पर विजय प्राप्त करना आवश्यक है। परमात्मा के मार्ग में सबसे बड़ी बाधा अशुभ है। यह अहंकार का रूप और अशुभ के कारण ही हम परमात्मा से विमुख होते हैं। अतः परमात्मा के सम्मुख होने के लिए हमें शुभ को ग्रहण करना होगा। यह सात्विक है, जो परमात्मा के पथ पर हमें अग्रसर करता है।

यही पुण्य पथ है, परमात्मा का पथ है। इस प्रकार यदि ईश्वर से पृथक् होना अशुभ है, तो परमात्मा के सम्मुख होना शुभ है। अशुभ का त्याग करना ही सतपथ है। इस विवरण से स्पष्ट होता है कि मनुष्य को आशावादी होना चाहिए। इसे विश्वास होना चाहिए कि वह परमात्मा को प्राप्त कर सकता है।

इसके लिए 'गुरुमुख' होना अनिवार्य है। जो मनसुख का विरोध है। गुरुमुख वह है, जो गुरु के निर्देश में कार्य करता है। वह सत्वगुण प्रधान है। इसके कारण ही प्रवृत्तियाँ नष्ट होती हैं, अहंकार के नष्ट होने पर अंह-बोध नहीं होता है, यही ईश्वर बोध है। इस बोध से मानव अपने शरीर को भगवान का मंदिर समझ जाता है और मरण धर्म शरीर से अमरत्व का लाभ करता है।

मुक्ति और उसके साधन

सिक्ख धर्म के अनुसार मानव की परमगति मुक्ति या मोक्ष है। इसे परम पुरुषार्थ कहते हैं, क्योंकि यह मानव का अंतिम उद्देश्य है। इसे परम प्राप्य कहते हैं, क्योंकि इसे प्राप्त करने पर कुछ पाना शेष नहीं रह जाता है। इसलिए यह अशेष लाभ या परम लाभ है। इसे जीव और ईश्वर में ऐकाकार की अवस्था कहा गया है। यह जन्म-मरण का सर्वथा विनाश है। मनुष्य और ईश्वर में एकाकार की दो व्याख्या की गयी है।

मनुष्य का ईश्वर के समान हो जाना और मनुष्य का ईश्वर में विलीन हो जाना ही है। जिस प्रकार नमक जल में मिलकर एकाकार हो जाता है अथवा जीवात्मा की ज्योति परमात्मा की ज्योति में मिलकर एक हो जाती है।

इसे शून्य या **सहज समाधि** भी कहा गया है। यह अवस्था सर्वथा असांसारिक या परमार्थिक है। इसमें सभी सांसारिक धर्म समाप्त हो जाते हैं। इस धर्म में संदेह और विदेह मोक्ष की कल्पना की गयी है जब व्यक्ति मोह-माया के बन्धन को समाप्त कर देता है, तो जन्म-मरण के बन्धन से छुटकारा पा लेता है। इसे आंशिक मुक्ति कहते हैं। इसमें बन्धन तो समाप्त हो जाता है, परन्तु वर्तमान शरीर चलता रहता है। जब शरीर का अंत हो जाता है, तो पूर्ण मुक्ति मिल जाती है। यही विदेह मुक्ति है। यही ईश्वर साक्षात्कार या ईश्वर में विलीन होना है।

सिक्ख धर्म में मुक्ति के उपाय भी बताए गये हैं। जिन्हें साधन या मार्ग कहते हैं। इस मार्ग की विशेषता यह है कि इसमें ज्ञान, भक्ति और कर्म तीनों का संयोग है। अतः मुक्ति मार्ग तीनों का समन्वित रूप है।

मनुष्य परमात्मा में तभी लीन हो सकता है। जब वह अपने आप पर विजय प्राप्त करे। परमात्मा के अनुसार कर्म करे और परमात्मा की शरण में जाए। दो या तीन मार्ग सुप्रसिद्ध हैं। सर्वप्रथम मार्ग मनोमारण है। इसे मन पर विजय प्राप्त करना भी कहते हैं। मन दो प्रकार का है- अहंकार युक्त और ज्योतिर्युक्त। प्रथम चंचल मन है। इसमें काम, क्रोध, लोभ, मोह आदि का वास है।

इन पर नियंत्रण आवश्यक है। इसके नियंत्रण के कुछ मार्ग है–

(क) अहंकार युक्त मन को ज्योतिर्मय मन बनाना।
(ख) सांसारिक विषयों में वैराग्य भावना।
(ग) दुष्ट की संगति का अनादर
(घ) साधु संगति का आदर
(ङ) सत्य आचरण का अभ्यास
(च) सद्‌गुण से शिक्षा
(छ) ईश्वर की शरण में जाना।

इन उपायों से मन नियंत्रित हो ईश्वर में लग जाता है। मन नियंत्रण के साथ कर्म नियंत्रण की भी आवश्यकता है। कर्म दो प्रकार के माने गये हैं–

(क) हरिकीरत कर्म- इनमें ईश्वर के नाम और यश का गान करना। इससे सभी जन्मों के पाप लुप्त हो जाते हैं।

(ख) हुकुम रजाई कर्म- यह ईश्वर के आदेश का पालन है। मानव ईश्वर की इच्छा से कार्य करता है। मन और कर्म नियंत्रण के पश्चात् ईश्वर की भक्ति ईश्वर से सम्बन्ध जोड़ता है। इसकी निम्नलिखित आवश्यकताएँ हैं-

1. सद्‌गुरू को प्राप्ति
2. नाम स्मरण
3. सत्संगति
4. ईश्वर का भय
5. ईश्वर का स्मरण और कीर्तन आदि।

सिक्ख धर्म में मुक्ति के लिए परमात्मा का ज्ञान और परमात्मा की भक्ति दोनों को आवश्यक माना गया है। परमात्मा के यथार्थ ज्ञान से मुक्ति की योग्यता प्राप्त करता है,परन्तु परमात्मा की भक्ति से मुक्ति प्राप्त करता है।

इन दोनों के लिए गुरू की आवश्यकता है। गुरू ही मनुष्य और ईश्वर के मध्य की कड़ी है। गुरू ही मनुष्य को ईश्वर का सच्चा ज्ञान प्राप्त कराता है। अतः गुरू मुक्ति प्राप्त कराने में सहायक है। श्री गुरुनानक देव जी ने अपने ग्रन्थ में मुक्ति के पाँच सोपानों का वर्णन किया है। ये उपाय या खण्ड निम्न हैं-

(क) **धर्म खण्ड**- यह कर्म का विश्लेषण है। इसके द्वारा कर्म-नियंत्रण बतलाया गया है।

(ख) **ज्ञान-खण्ड**- इसमें मानव को सम्यक् आचरण का बोध कराया गया है।

(ग) **सरण-खण्ड**- इसमें हर्ष और उन्माद की अवस्था का वर्णन है। कर्म स्वभावतः कर्म के लिए होते हैं, किसी बाह्य प्रेरणा की आवश्यकता नहीं।

(घ) **कर्म-खण्ड**- इसको शक्ति का धाम माना जाता है। इसमें साधक शक्ति प्राप्त करता है। मृत्यु के भय से मुक्त हो जाता है।

(ड) **सुच-खण्ड**- यहाँ साधक परमात्मा में विलीन हो जाता है। यही ईश्वर का साक्षात्कार है। गुरुनानक देव के विभिन्न सोपान, ज्ञान, कर्म, और भक्ति के समन्वित रूप प्रतीत होते हैं।

■■■■

अध्याय 3
ईश्वर का स्वरूप

प्रस्तावना

ईश्वर शब्द भारतीय दर्शन तथा अध्यात्म शास्त्रों में जगत् की सृष्टि, स्थिति और संहारकर्ता, जीवों को कर्मफलप्रदाता तथा दु:खमय जगत् से उनके उद्धारकर्ता के अर्थ में प्रयुक्त होता है। कभी-कभी वह गुरु भी माना गया है। न्यायवैशेषिकादि शास्त्रों का प्राय: यही अभिप्राय है–

एकोविभुरूसर्वविद् एकबुद्धिसमाश्रयरू शाश्वतईश्वराख्य:
प्रमाणमिष्टोजगतोविधातास्वर्गापवर्गादि।

पातंजल योगशास्त्र में भी ईश्वर परमगुरु या विश्वगुरु के रूप में माना गया है। इस मत में जीवों के लिए तर्कज्ञान प्रदाता ईश्वर ही है, परन्तु जगत् का सृष्टिकर्ता वह नहीं है। इस मत में सृष्टि आदि व्यापार प्रकृतिपुरुष के संयोग से स्वभावत: होते हैं। ईश्वर की उपाधि प्रकृष्ट सत्व है। यह षडिवंशतत्व (26) रूप पुरुष विशेष के नाम से प्रसिद्ध है। अविद्या आदि पाँच कलेश, शुभाशुभ कर्म, जाति, आयु और भोग का विपाक तथा आशय का संस्कार ईश्वर का स्पर्श नहीं कर सकते। पंचविंशतत्व रूप पुरुषतत्व से विलक्षण है। वह सदा मुक्त और सदा ही ऐश्वर्य संपन्न है। निरीश्वर सांख्यों के मत में नित्यसिद्धि ईश्वर स्वीकृत नहीं है, परंतु उस मत में नित्येश्वर को स्वीकार न होने पर भी कार्येश्वर की सत्ता मानी जाती है। पुरुष विवेकख्याति का लाभ किए बिना ही

वैराग्य के प्रकर्ष से जब प्रकृतिलीन हो जाता है। तब उसे कैवल्यलाभ नहीं होता है, और उसका पुनः उद्भव अभिनव सृष्टि में होता है। प्रलयावस्था के अनन्तर वह पुरुष उद्बुद्ध होकर सर्वप्रथम सृष्टि के ऊर्ध्व में बुद्धिस्थ रूप में प्रकाश को प्राप्त होता है। वह सृष्टि का अधिकारी पुरुष है। अस्मिता समाधि में स्थित रहता है।

योगी, अस्मिता नामक संप्रज्ञात समाधि में उसी के साथ तादात्म्य लाभ करते हैं। उसका ऐश्वरिक जीवन अधिकार संपद् रूपी जीवन्मुक्ति की ही एक विशेष अवस्था है। प्रारब्ध की समाप्ति पर उसकी कैवल्यमुक्ति हो जाती है। नैयायिक या वैशेषिकसम्मत ईश्वर आत्मरूपी द्रव्य है। वह सर्वज्ञ तथा सर्वशक्तिसंपन्न परमात्मा के नाम से अभिहित है। उसकी इच्छादि शक्तियाँ भी अनन्त है। वह सृष्टि का निमित्त कारण है। परमाणु पुंज सृष्टि का उपादान कारण है। मीमांसक ईश्वर का अस्तित्व स्वीकार नहीं करते है। वे भेद को अपौरुषेय मानते हैं। जगत् की सामूहिक सृष्टि तथा प्रलय भी स्वीकार नहीं करते हैं। उक्त मत में ईश्वर का स्थान न सृष्टिकर्ता के रूप में है, और न ज्ञानदाता के रूप में।

वेदान्त में ईश्वर सगुण ब्रह्म का ही नामांतर है। ब्रह्म विशुद्ध चिदानंदस्वरूप निरूपाधि तथा निर्गुण है। मायोपहित दशा में ही चैतन्य को ईश्वर कहा जाता है। चैतन्य का अविद्या से योग होने पर वह जीव हो जाता है। वेदांत में विभिन्न दृष्टिकोणों के अनुसार ब्रह्म, ईश्वर तथा जीवतत्व के विषय में अवच्छेदवाद, प्रतिबिंबवाद, आभासवाद आदि मत स्वीकार किए गए हैं। उनके अनुसार ईश्वर कल्पना में भी भेद है।

शैव मत में शिव को नित्यसिद्ध ईश्वर या महेश्वर कहा जाता है। वह स्वरूपतः चिदात्मक है, और चित-शक्ति संपन्न है। उनमें सब शक्तियाँ निहित हैं। बिंदुरूप माया को उपादान रूप में ग्रहण कर शिव शुद्ध जगत् का निर्माण करते हैं। इसमें साक्षात्कर्तृत्व ईश्वर का ही है।

तदुपरांत शिव माया के उपादान से अशुद्ध जगत् की रचना करते हैं, किंतु उसकी रचना साक्षात् उनके द्वारा नहीं होती, बल्कि अनन्त आदि विद्येश्वरों द्वारा परम्परा से होती है। ये विद्येश्वर सांख्य के कार्येश्वर के सदृश हैं, परमेश्वर के तुल्य नहीं। विज्ञानाकल नामक चिदणु माया तत्व

को भेद कर उसके ऊपर विदेह तथा विकरण दशा में विद्यमान रहते हैं। ये सभी प्रकृति तथा माया से आत्मस्वरूप का भेदज्ञान प्राप्त कर कैवल्य अवस्था में विद्यमान रहते हैं, परंतु आणव मल या पशुत्व के निवृत्त न होने के कारण ये माया से मुक्त होकर भी शिवत्व लाभ नहीं कर पाते। परमेश्वर इस मल के परिपक्व होने पर उसके अनुसार श्रेष्ठ अधिकारियों पर अनुग्रह का संचार कर उन्हें सदैव देह प्रदान कर ईश्वर पद पर स्थापित कर सृष्टि आदि पंचकृत्यों के संपादन का अधिकार भी प्रदान करता है। ऐसे ही अधिकारी ईश्वर होते हैं। इनमें जो प्रधान होते हैं, वे ही व्यवहार जगत् में ईश्वर कहे जाते हैं।

यह ईश्वर माया को क्षुब्ध कर मायिक उपादानों से ही अशुद्ध जगत् का निर्माण करता है। योग्य जीवों का अनुग्रहपूर्वक उद्धार करता है, ये ईश्वर अपना-अपना अधिकार समाप्त कर शिवत्व लाभ करते हैं। निरीश्वर सांख्य के समस्त कार्येश्वर और यहाँ के मायाधिष्ठाता ईश्वर प्रायः एक ही प्रकार के हैं। इस अंश में द्वैत तथा अद्वैत शैव मत में विशेष भेद नहीं है। भेद इतना ही है कि द्वैत मतों में परमेश्वर सृष्टि का निमित्त या कर्ता है।, उसकी चित्तशक्ति कारण है। बिंदु उपादान है। कार्येश्वर भी प्रायः उसी प्रकार का है- ईश्वर निमित्त रूप से कर्ता है, वामादि नौ शक्तियाँ उसकी कारण हैं तथा माया उपादान है। अद्वैत मत में निमित्त और उपादान दोनों अभिन्न हैं, जैसा अद्वैत वेदांत में है।

वैष्णव संप्रदाय के रामानुज मत में ईश्वर चित् तथा अचित् दो तत्वों से विशिष्ट है। ईश्वर अंगी है। चित् तथा अचित् उसके अंग है। दोनों ही नित्य हैं। ईश्वर का ज्ञान, ऐश्वर्य, मंगलमय, गुणावली तथा श्रीविग्रह सभी नित्य हैं। ये सभी अप्राकृत सत्वमय हैं। किसी मत में वह चिदानंदमय है। गौडीय मत में ईश्वर सच्चिदानंदमय है। उसका विग्रह भी वैसा ही है। उसकी शक्तियाँ अंतरंग, बहिरंग और तटस्थ भेद से तीन प्रकार की हैं। अंतरंग शक्ति सत आनंद के अनुरूप संधिनीसंवित तथा ह्लादिनीरूपा है। तटस्थ शक्ति जीवरूपा है। बहिरंगाशक्ति मायारूपा है। उसका स्वरूप अद्वय ज्ञानतत्व है, परंतु ज्ञानी की दृष्टि से उसे अव्यक्तशक्ति ब्रह्म माना जाता है।

योगी की दृष्टि से उसे परमात्मा कहा जाता है। भक्त की दृष्टि से भगवान् कहा जाता है, क्योंकि उसमें सब शक्तियों की पूर्ण अभिव्यक्ति रहती है। इस मत में भी कार्यमात्र के प्रति ईश्वर निमित्त तथा उपादान दोनों ही माना जाता है। ईश्वर चित, अचित्त, शरीरी और विभु है। उसका स्वरूप, धर्मभूत ज्ञान तथा विग्रह सभी विभु है। देश, काल तथा वस्तु का परिच्छेद, उसमें नहीं है। वह सर्वज्ञ तथा सर्वशक्ति संपन्न है। वात्सल्य, औदार्य, कारुण्य, सौंदर्य आदि गुण उसमें सदा वर्तमान हैं।

श्रीसंप्रदाय के अनुसार ईश्वर के पाँच रूप हैं- पर, व्यूह, विभव, अंतर्यामी और अर्चावतार। परमात्मा के द्वारा माया शक्ति में ईक्षण करने पर माया से जगत् की उत्पत्ति होती है। वासुदेव, संकर्षण, प्रद्युम्न तथा अनिरुद्व वस्तुतः परमात्मा के ही चार रूप हैं। ये चार व्यूह श्रीसंप्रदाय के अनुसार ही गौड़ीय संप्रदाय में भी माने जाते हैं। वासुदेव, षाड्गुण्य विग्रह है, परंतु संकर्षणादि में दो ही गुण हैं। इस मत के अनुसार भगवान् के पूर्ण रूप स्वयं श्रीकृष्ण हैं। उनके विलास नारायणरूपी भगवान् हैं। परंतु गुणों की न्यूनता रहती है। प्रकाश में स्वरूप तथा गुण दोनों ही समान रहते हैं।

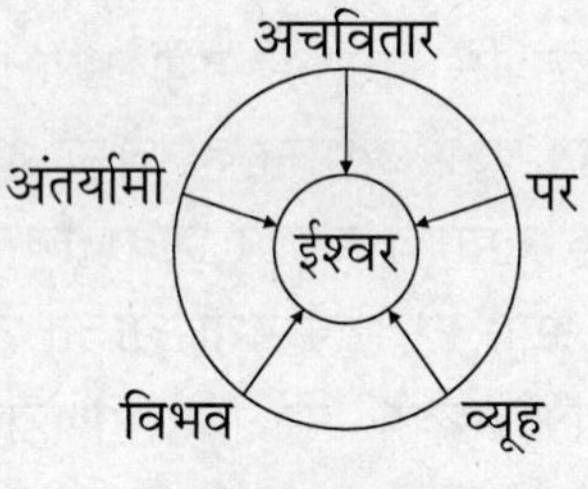

गीता के अनुसार ईश्वर पुरुषोत्तम या उत्तम पुरुष कहा जाता है। वही परमात्मा है। क्षर और अक्षर पुरुषों से वह श्रेष्ठ है। उसके परमधाम में जिसकी गति होती है। उसका फिर प्रत्यावर्तन नहीं होता। वह धाम स्वयं प्रकाश है। वहाँ चंद्र, सूर्य आदि का प्रकाश काम नहीं देता। सब भूतों के हृदय में वह परमेश्वर स्थित है और वही नियामक है।

प्राचीन काल से ही ईश्वरतत्व के विषय में विभिन्न ग्रंथों की रचना होती आई है। उनमें से विचारदृष्टि से श्रेष्ठ ग्रंथों में उदयनाचार्य की

न्यायकुसुमांजलि है। इस ग्रंथ में पाँच स्तवक या विभाग हैं। इसमें युक्तियों के साथ ईश्वर की सत्ता प्रमाणित की गई है। चार्वाक, मीमांसक, जैन तथा बौद्ध ये सभी संप्रदाय ईश्वरतत्व को नहीं मानते। न्यायकुसुमांजलि में नैयायिक दृष्टिकोण के अनुसार उक्त दर्शनों की विरोधी युक्तियों का खंडन किया गया है। उदयन के बाद गंगेशोपाध्याय ने भी तत्वचिंतामणि में ईश्वरानुमान के विषय में आलोचना की है।

रामानुज संप्रदाय में यामुन मुनि के सिद्धित्रय में ईश्वरसिद्धि एक प्रकरण है। लोकाचार्य के तत्वत्रय में तथा वेदांतदेशिक के तत्वमुक्ताकलाप, न्यायपरिशुद्धि आदि में भी ईश्वरसिद्धि विवेचित है। यह प्रसिद्ध है कि खंडनखंडकार श्रीहर्ष ने भी ईश्वरसिद्धि नामक कोई ग्रंथ लिखा था। शैव संप्रदाय में नरेश्वरपरीक्षा प्रसिद्ध ग्रंथ है। प्रत्यभिज्ञा दर्शन में ईश्वरप्रत्यभिज्ञाविमर्शिनी का स्थान भी अति उच्च है। इसके मूल में उत्पलाचार्य की कारिकाएँ हैं। उन पर अभिनवगुप्तादि विशिष्ट विद्वानों की टिप्पणियाँ तथा व्याख्याएँ हैं।

बौद्ध तथा जैन संप्रदायों ने अपने विभिन्न ग्रंथों से ईश्वरवाद के खंडन का प्रयत्न किया है। ये लोग ईश्वर को नहीं मानते थे, किन्तु सर्वज्ञ को मानते थे। इसीलिए ईश्वरतत्व का खंडन कर सर्वज्ञ सिद्धि के लिए इन संप्रदायों द्वारा ग्रंथ लिखे गए। महापंडित रत्नकीर्ति का ईश्वर-साधन-दूषण और उनके गुरु गौड़ीय ज्ञानश्री का ईश्वरवाददूषण तथा श्वार्तिक शतश्लोकी व्याख्यान प्रसिद्ध है। ज्ञानश्री विक्रमशील विहार के प्रसिद्ध द्वार पंडित थे।

जैनों में अकलंक से लेकर अनेक आचार्यों ने इस विषय की आलोचना की है। सर्वज्ञसिद्धि के प्रसंग में बौद्ध विद्वान् रत्नकीर्ति का ग्रंथ महत्वपूर्ण है। मीमांसक कुमारिल ईश्वर तथा सर्वज्ञ दोनों का खंडन करते हैं। परवर्ती बौद्ध तथा जैन पंडितों ने सर्वज्ञखंडन के अंश में कुमारिल की युक्तियों का भी खंडन किया है। क्रिया शैली भी दिनचर्या की भाषा का अध्ययन करने वाले व्यक्ति को अपनी तरफ आकर्षित करती है। यह एक नई दिशा प्रदान करने वाली युक्ति होती है। ईश्वर शब्द नई दिशा है। जो अपने घर से बाहर आकर पूरी पृथ्वी पर एक

ओर स्वयं की सोच पर और दूसरी विश्वसनीय कर्म करने की क्षमता, को बोल देती है। गीता में कई तरह के हर क्षेत्र युक्ति संगत ईश्वर को पा सकते हैं।

ईश्वर की धारणाः गुण, मनुष्य एवं विश्व से संबंध

ईश्वर की धारणा
- → Nauralistic Nature of God प्रकृतिवादी
- → व्यक्तिपूर्ण ईश्वर की अवधारणा
- → निवल्पाक्तिक ईश्वर की अवधारणा

व्यक्तित्वपूर्ण ईश्वर की अवधारणा ही सगुण ईश्वर की अवधारणा है।

ईश्वर की संख्या
- → अनेकेश्वरवाद
- → दो ईश्वरवाद
- → एकेश्वरवाद

एकेश्वरवादी अवधारणा प्रधान अवधारणा है।

संकल्प स्वातंत्र्य – free of will – अपनी इच्छानुसार कर्म करने की स्वतंत्रता

ईश्वर की धारणाः गुण, मनुष्य एवं विश्व से संबंध (भारतीय एवं पाश्चात्य)

धर्मदर्शन में दार्शनिक विवेचन का एक प्रमुख विषय 'ईश्वर' है। धर्मों में प्रायः ईश्वर को मानवेत्तर पराशक्ति के रूप में वर्णित किया गया है जो कि चेतन शक्ति है। इसे ही विभिन्न धर्मों में सर्वोच्च सत्ता के रूप में स्थापित किया गया है। धर्मदर्शन में इसे ईश्वर के संदर्भ में विभिन्न पक्षों की तर्कसंगत विवेचना की जाती है। इसे हम निम्नलिखित पक्षों में बाँटकर देख सकते हैं–

1. ईश्वर की सत्ता या अस्तित्व संबंधी समस्या

ईश्वरीय अस्तित्व के संदर्भ में तीन प्रमुख अवधारणाएँ दिखायी देती हैं। ये हैं–

1. निरीश्वरवाद
2. अज्ञेयवाद और
3. ईश्वरवाद

1. निरीश्वरवाद (Atheism): निरीश्वरवाद ईश्वर में विश्वास का विरोध करता है। इस रूप में यह ईश्वरवाद का पूर्ण विरोधी सिद्धान्त है। भारतीय दार्शनिक परंपरा में जहाँ चार्वाक, जैन, बौद्ध, सांख्य और मीमांसा दर्शन इस अवधारणा का समर्थन करते हैं, वहीं पाश्चात्य दर्शन में तार्किक भाववादी, सार्त्र, हाइडेगर एवं नित्से जैसे अस्तित्ववादी, मार्क्स आदि इसका समर्थन करते हैं मानववाद में ईश्वर के विरोध का भाव निहित है। एम.एन. राय के नवमानववाद में भी निरीश्वरवादी स्थिति दिखाई देती है।

यहाँ उल्लेखनीय है कि भारतीय निरीश्वरवाद भौतिकतावादी नहीं है (अपवाद चार्वाक)। जैन, बौद्ध आदि दर्शनों में मोक्ष, कर्म-नियम इत्यादि में विश्वास किया गया है। इनमें नैतिक एवं मानवीय मूल्यों की प्रधानता है।

एटकिन्सन ली का कथन है कि "अनीश्वरवाद अनिवार्यत: धर्म विरोधी अथवा अधार्मिक या धर्म का निषेधक नहीं है।" क्योंकि यहाँ पर भी नैतिकता एवं मूल्यों की बात स्वीकार की जाती है। जैसे- मानववाद जैन, बौद्ध आदि।

2. अज्ञेयवाद (Agnosticism): यहाँ अज्ञेय का आशय है। मानवीय ज्ञान की सीमा से परे होना। इसके अनुसार ईश्वर के सम्बन्ध में हम न तो पूर्ण ज्ञान का दावा कर सकते हैं और न ही पूर्णत: अज्ञानता का। दूसरे शब्दों में, न तो उसके अस्तित्व को सिद्ध किया जा सकता है, और न ही उसके अनस्तित्व को। इस रूप में अज्ञेयवाद सभी प्रकार के ज्ञान का निषेध नहीं करता। यह शब्द केवल परम तत्व या ईश्वर के ज्ञान की संभावना से इंकार करता है। काण्ट के दर्शन में यह स्थिति स्पष्ट रूप से दिखाई देती है।

टी.एच. हक्सले के अनुसार- "ईश्वर हमारे किसी भी ज्ञान का विषय नहीं हो सकता। न तो उसका मंडन संभव है और न ही खण्डन।

हर्बर्ट स्पेन्सर ने भी इसका समर्थन किया है। वे अपनी पुस्तक 'First Pinciples' में कहते हैं कि विज्ञान का क्षेत्र ज्ञेय जगत से सम्बन्धित है। वहीं धर्म 'अज्ञेय ईश्वर' से संबंधित है। इसलिए वह अज्ञेय है। संशयवादी निरीश्वरवाद में जहाँ ईश्वर के अस्तित्व पर संदेह किया जाता है, वहीं अज्ञेयवाद में ईश्वर को मानव बुद्धि से परे मानक से अज्ञेय मान लिया गया है।

अज्ञेयवाद के अनुसार ईश्वर का अस्तित्व हो सकता है, किन्तु तर्कबुद्धि न तो इसे प्रमाणित कर सकती है और न ही अप्रमाणित। इस प्रकार अनेक विचारक अज्ञेयवाद को ईश्वरवाद एवं निरीश्वरवाद के मध्यवर्ती सिद्धान्त के रूप में स्वीकार करते हैं। अज्ञेयवाद निरीश्वरवाद नहीं है। निरीश्वरवाद ईश्वर के अस्तित्व को अस्वीकार करता है, जबकि अज्ञेयवादी उसके अस्तित्व के विषय में अनभिज्ञता प्रकट करता है।

भारतीय दर्शन में बौद्ध धर्म में भी कई तत्वमीमांसीय प्रश्नों को अज्ञेय कहा गया है तथा उन्हें वाद-विवाद की परिधि से दूर रखा गया है। इन दार्शनिक प्रश्नों के उत्पन्न होने पर वे दार्शनिकता के साथ मौन हो जाते थे। बौद्ध पालि साहित्य में इन्हें अव्याक्तानि (अव्याकृत प्रश्न) कहा गया है। ऐसे प्रश्नों की संख्या दस मानी गयी है, ये हैं–

1. क्या यह लोक शाश्वत् है?
2. क्या यह अशाश्वत् है?
3. क्या यह (सान्त) है?
4. क्या यह अनन्त है?
5. क्या आत्मा और शरीर एक है?
6. क्या आत्मा शरीर से भिन्न है?
7. क्या मृत्यु के बाद तथागत का पुनर्जन्म होता है?
8. क्या मृत्यु के बाद तथागत का पुनर्जन्म नहीं होता है?
9. क्या पुनर्जन्म होता भी है और नहीं भी?
10. क्या पुनर्जन्म होना और न होना, दोनों ही बातें असत्य हैं?

बुद्ध के अनुसार इन प्रश्नों का उत्तर निरर्थक है। दार्शनिक दृष्टि से इनका संतोषजनक तार्किक ज्ञान नहीं मिल सकता। पुनः जीवन के दुःखों को दूर करने के संदर्भ में इन प्रश्नों के उत्तर जानने की आवश्यकता नहीं है।

ईश्वरवाद Theism: व्यापक अर्थ में प्रत्येक भय सिद्धांत जो ईश्वर की सत्ता को स्वीकार करता है, ईश्वरवाद कहलाता है। इस रूप में निमित्तेश्वरवाद, सर्वेश्वरवाद, अनेकेश्वरवाद आदि सभी ईश्वर संबंधी सिद्धान्त ईश्वरवाद के अंतर्गत आ जाते हैं। पाश्चात्य परम्परा में एक्विनास, ऑगस्टाइन, प्लेटो, अरस्तू, डेकार्ट, स्पिनोजा, लाइबनित्ज आदि ईश्वर की सता को स्वीकार करते हैं। जबकि भारतीय विचारधारा में न्याय-वैशेषिक दर्शन, रामानुज, मध्वाचार्य आदि इसका समर्थन करते हैं। संकीर्ण अर्थ में, ईश्वरवाद एकेश्वरवाद का एक रूप है। इस रूप में यह अनेकेश्वरवाद का विरोधी है। पुनः ईश्वरवाद में ईश्वर को व्यक्तित्वपूर्ण माना जाता है। इस रूप में यह सर्वेश्वरवाद का विरोधी है।

संक्षेप में,

ईश्वरवाद (व्यापक अर्थ):	ईश्वर की सत्ता में विश्वास
निरीश्वरवाद:	ईश्वरीय सत्ता में विश्वास नहीं।
अज्ञेयवाद:	ईश्वरीय सत्ता के विषय में ज्ञान की असंभावना का प्रकटीकरण।

ईश्वर की संख्या के संबंध में प्रमुख अवधारणाएँ

ईश्वर की संख्या के संदर्भ में तीन सिद्धान्त दिखाई देते हैं, ये हैं–

1. अनेकेश्वरवाद (Polytheism): इस सिद्धान्त के अनुसार ईश्वर एक नहीं है, बल्कि अनेक है। इन अनेक ईश्वरों को आमतौर पर देवी-देवताओं की संज्ञा दी जाती है। अनेकेश्वरवाद धार्मिक विश्वास का आदिम या प्रारम्भिक रूप है। प्रारम्भ में विभिन्न प्राकृतिक शक्तियों के संचालक एवं नियन्ता के रूप में ईश्वर की कल्पना की गई है। प्राचीन ग्रीस में जियूस अपोलो (Apollo), सर्व, मर्करी (Mercury) आदि अनेक देवता माने जाते थे। वैदिक धर्म में भी आरंभ में वरुण, अग्नि,

सूर्य, चन्द्र आदि देवी-देवताओं की कल्पना की गई।

2. द्वीश्वरवाद या द्वैतेश्वरवाद (Ditheism): द्वीश्वरवाद दो स्वतंत्र सत्ताओं अर्थात् दो ईश्वरों में विश्वास करता है। एक ईश्वर वह है जिसमें शुभ की प्रधानता है और दूसरा वह है जो शुभ का विरोध करता है। इस प्रकार इस मत के अनुसार जगत शुभ और अशुभ रूपी दो समान बलशाली शक्तियों के संघर्ष का परिणाम है। जगत में विद्यमान अशुभ की व्याख्या करने के लिए ही द्वीश्वरवाद का सिद्धान्त उत्पन्न हुआ है। एकेश्वरवाद को मानने पर जगत में विद्यमान अशुभ की संगत व्याख्या नहीं हो पाती, जबकि दो ईश्वर को मानने से संसार में विद्यमान शुभ-अशुभ, सुख-दुःख, अच्छाई-बुराई इत्यादि की व्याख्या आसानी से हो जाती है।

पारसी धर्म में द्वीश्वरवाद का साक्ष्य दिखाई देता है। यहाँ दो शक्तियों की कल्पना की गई है-

1. अहुरमज्दाह- जो कि संसार में शुभ और पूर्णता लाने का प्रयास करता है।

2. अहीरिमन- यह जगत में विद्यमान अशुभ और दुःख हेतु उत्तरदायी है। इन दोनों में संघर्ष होता है इसलिए जगत में कभी शुभ होता है तो कभी अशुभ। परन्तु पारसी धर्म यह मानता है कि एक दिन ऐसा आयेगा कि अहुरमज्दाह की विजय होगा और अंततः अहिरिमन का नाश होगा। इस प्रकार प्रारंभिक रूप में यहाँ द्वैतवादी स्थिति है, जबकि अंतिम रूप में एकेश्वरवादी स्थिति उभरती है।

3. एकेश्वरवाद (Monotheism): यह एक ईश्वर की सत्ता में विश्वास करता है। एकेश्वरवाद के अनुसार ईश्वर असीम और पूर्ण है और पूर्णतः उसी पर आश्रित है। यह अवधारणा धार्मिक विश्वास के विकसित स्तर को इंगित करती है। ईसाई, इस्लाम आदि एकेश्वरवादी हैं।

वैदिक धर्म का विकास

बहुदेववाद → एकाधिदेववाद → एकेश्वरवाद → एकत्ववाद

बहुदेववाद: इसका आशय है-अनेक देवताओं की सत्ता स्वीकार करना। यह वैदिक विचारधारा का प्रथम चरण है। चूंकि ऋग्वेद में विभिन्न देवी-देवताओं की स्तुति के लिए मंत्र दिए गए हैं। इससे देवताओं की अनेकता सिद्ध होती है। यहां विभिन्न देवी-देवताओं को प्रकृति के विभिन्न शक्तियों के स्वामी के रूप में स्वीकार किया गया है इसलिए यह अवधारणा प्रकृतिवादी बहुदेववादी कहलाती है।

समस्या

1. अनेक देवताओं को मानने पर इनकी स्वतंत्रता व असीमितता पर आघात होता है। साथ ही इनके मध्य सम्बन्ध की भी व्याख्या स्पष्ट नहीं हो पाती।
2. यहाँ विभिन्न देवता पूर्णत: एक दूसरे से पृथक् नहीं है तथा साथ ही इनमें परस्पर विरोध का भाव भी निहित है; जैसे- अग्नि जिसे जलाती है, जल उसे बुझा देता है। जल जिसे गीला करता है, वायु उसे सुखा देती है। स्पष्ट है कि अनेक ईश्वर को मानने पर उनके आपसी संबंध की व्याख्या नहीं हो पाती।
3. इन देवताओं का अपना कोई विशिष्ट व स्पष्ट व्यक्तित्व नहीं है।

एकाधिदैववाद (Henotheism): यह शब्द मैक्समूलर ने दिया है। अवसर विशेष पर उपासना के समय किसी एक देवता को सर्वोच्च या प्रमुख मानकर अन्य देवताओं को गौण स्थान प्रदान करने की प्रवृत्ति को ही एकाधिदैववाद (Henotheism) या कैथेनोथीज्म (Kathenotheism) कहते है। मैक्समूलर के अनुसार यह बहुदेववाद व एकेश्वरवाद के बीच की स्थिति है। यह इनके मध्य के विकास का एक निश्चित सोपान है। ब्लूमफील्ड ने इसे 'अवसरवादी एकेश्वरवाद' कहा है।

समस्या

1. देवताओं को प्रमुखता में परिवर्तन से उनके प्रति आस्था घटने लगती है।

2. कोई भी देवता पूर्णतः सदैव, सर्वोच्च एवं असीमित रूप से स्थापित नहीं हो पाता है।

एकदैववाद-एकेश्वरवाद Monotheisms-एक देवता की सत्ता में विश्वास एकदैववाद है।

कारण

1. प्रकृति के क्रिया-कलाप में एकता व व्यवस्था देखकर यह अवधारणा उभरी कि सभी देवता एक ही दिव्य शक्ति या परम शक्ति के प्रकाश हैं, विभिन्न रूप हैं अर्थात देवता एक है परन्तु उसके रूप अनेक हैं।
2. ऋग्वेद के कई मन्त्र एकेश्वरवाद का समर्थन करते हैं जैसे **"एक सद् विप्रा बहुधा वदन्ति। अग्निर्यमं मातरिश्वानमाहुः।** अर्थात् सत एक ही है, परन्तु लोग उसे अनेक मानते हैं। कोई उसे अग्नि कहता है, तो कोई यम और कोई मातरिश्वा अर्थात् वायु कहता है। आत्म व अनात्म का भेद विद्यमान है। ईश्वर आत्मरूप है, जबकि जगत अनात्मरूप है। परिणामस्वरूप द्वैत की स्थिति उत्पन्न हो जाती है।
2. एकेश्वरवाद को मानने पर जगत के साथ उसके संबंध की व्याख्या तार्किक एवं संतोषजनक रूप से नहीं हो पाती है।

एकत्ववाद (Monism): जीवन तथा जगत का मूल तत्व एक है। एक ही मौलिक तत्व विश्व के अनेक भौतिक तथा मानसिक पदार्थों के रूप में प्रकट होता है। सारी विविधता या तो उस एक तत्व की ही अभिव्यक्ति है या उसकी प्रतीति। इसीलिए एकतत्ववादी यह मानते हैं कि विविधता के आधार में एक मौलिक एकता है।

आत्म-अनात्म, ज्ञाता-ज्ञेय का भेद सही नहीं है। कहीं पर भी द्वैत का वास्तविक अस्तित्व नहीं है।

एकतत्ववाद के साक्ष्य

1. **अदिति सूक्त**- जो कुछ हो चुका है, जो कुछ होने वाला है वह सभी अदिति है। इस प्रकार सम्पूर्ण सत्ता तथा अदिति में अभेद है।
2. **पुरुष सूक्त**- इसमें पृथ्वी, अन्य ग्रह-नक्षत्र, चेतन व अचेतन सभी पदार्थों को परम पुरुष का अंश मानकर मूल सत्ता की एकात्मकता स्थापित की गई है।
3. **नासदीय सूक्त**- इसमें सत्-असत्, जीवन-मृत्यु, पाप-पुण्य, आदि सारे तत्वों को एक हो परम तत्व से विकसित व लय होना बताया गया है। यहाँ परम तत्व के लिए 'तदैकम्' शब्द का प्रयोग किया गया है तथा इस प्रकार यहाँ इसके एकात्मक स्वरूप को स्थापित किया गया है। एकतत्ववाद की सर्वोत्तम अभिव्यक्ति कालान्तर में शंकराचार्य के दर्शन में दिखायी देती है। शंकर द्वारा प्रतिपादित दर्शन अद्वैतवाद कहलाता है।

ईश्वरीय स्वरूप के सम्बन्ध में प्रचलित अवधारणाएँ

ईश्वरीय स्वरूप के संबंध में मुख्यतः तीन अवधारणाएँ प्रचलित हैं-

1. ईश्वर की प्रकृतिवादी अवधारणा (Naturalistic Notion or God)

ईश्वर के स्वरूप के सम्बन्ध में प्रचलित विभिन्न अवधारणाओं में ईश्वर की प्रकृतिवादी अवधारणा का महत्त्वपूर्ण स्थान है। यह ईश्वर के स्वरूप सम्बन्धी अवधारणाओं के प्रथम एवं आदिम चरण को इंगित करता है।

ईश्वर की प्रकृतिवादी अवधारणा का तात्पर्य प्राकृतिक शक्तियों के रूप में ईश्वर की कल्पना करना है। इसमें प्रकृति अथवा उसके अवयवों (सूर्य, चन्द्रमा, पृथ्वी, अग्नि आदि) को शक्ति सम्पन्न माना जाता है और उनके प्रति श्रद्धा पूजा आराधना इत्यादि की जाती है। विश्व की सभी प्राचीन संस्कृतियों में तथा आधुनिक काल में स्पिनोजा

के दर्शन के सन्दर्भ में ईश्वर की प्रकृतिवादी अवधारणा दिखाई देती है। स्पिनोजा स्पष्ट रूप से कहते हैं कि ईश्वर ही प्रकृति है और प्रकृति ही ईश्वर है। ईश्वर की इस प्रकृतिवादी अवधारणा का सम्बन्ध प्रकृतिवाद (Naturalism) से न होकर प्राकृतिक धर्म (Naturalistic Religion) से है। प्रकृतिवाद भौतिकवाद का एक प्रकार है जो विश्व की व्याख्या प्राकृतिक नियमों के आधार पर करता है। यह तर्क एवं अनुभव के आधार पर विश्व की व्याख्या करता है। परिणामस्वरूप प्रकृतिवाद अनीश्वरवाद का समर्थन करता है, जबकि दूसरी ओर प्राकृतिक धर्म धार्मिक विकास की प्रारम्भिक अवस्था को द्योतित करता है। साथ ही यह ईश्वर के अस्तित्व में विश्वास भी करता है।

ईश्वर की प्रकृतिवादी अवधारणा के उत्पत्ति के मूल में प्राय: प्राकृतिक घटनाओं को न समझ पाने के कारण उत्पन्न श्रद्धा और आश्चर्य को माना जाता है। मैक्समूलर के अनुसार- "प्राकृतिक धर्म ही धर्म का मूल रूप है। उनके अनुसार यह धर्म मानव की भावनाओं पर प्रकृति के आश्चर्यजनक प्रभाव का प्रतिफल है।"

आलोचना

1. यह अवधारणा अतार्किक एवं अविकसित है।
2. यह अवधारणा अनेकेश्वरवादी है। अनेक ईश्वर को मानने पर वे तर्कत: एक दूसरे को सीमित कर देते हैं। कोई भी सर्वशक्तिमान रूप में स्थापित नहीं हो पाता है। फलत: वह ईश्वर चरम रूप में स्वीकार्य नहीं किया जा सकता है।

महत्व: ईश्वर की प्रकृतिवादी अवधारणा प्रकृति-प्रेम एवं प्रकृति के प्रति मनुष्य के सहयोगात्मक प्रवृत्ति को प्रबल करती है। यह पर्यावरण अनुकूल अवधारणा है।

2. ईश्वर की व्यक्तित्वपूर्ण अवधारणा (Personalistic Notion of God)

अर्थ स्पष्टीकरण

ईश्वर के स्वरूप के सम्बन्ध में एक महत्त्वपूर्ण अवधारणा ईश्वर की व्यक्तित्वपूर्ण अवधारणा है। ईश्वर के व्यक्तित्वपूर्णता का तात्पर्य यह है कि ईश्वर आत्मचेतन (Self-conscious) सत्ता है और उसमें संकल्प स्वातंत्र्य (Freedom of will) के साथ-साथ तात्विक और नैतिक गुण असीमित मात्र में विद्यमान है। यहाँ तात्त्विक गुणों का आशय ईश्वर की सर्वशक्तिमत्ता सर्वव्यापकता, सर्वज्ञता, नित्यता. असीमितता आदि से है। ये गुण ईश्वर के मूल स्वरूप से संबंधित होते हैं। नैतिक गुणों के अन्तर्गत शुभभाव, करुणा, प्रेम, दया, न्याय आदि को समाविष्ट किया जाता है। ये नैतिक गुण ईश्वर के सद्‌गुणों का वर्णन करते हैं। मैक्टागार्ट के शब्दों में "ईश्वर की व्यक्तित्वपूर्णता का अर्थ है कि वह आत्मचेतन सत्ता है और उसे अपने अस्तित्व का ज्ञान उसी प्रकार है, जिस प्रकार हमें अपने अस्तित्व का ज्ञान है।" प्रो. गैलवे के अनुसार "ईश्वर को स्वचेतन एवं स्वनियन्त्रित सत्ता के रूप में स्वीकार करने पर ईश्वर को अनिवार्यतः व्यक्तित्वपूर्ण सत्ता के रूप में मानना पड़ता है।"

व्यक्तित्वपूर्ण ईश्वर की अवधारणा वस्तुतः सगुण ईश्वर की अवधारणा है। यह अवधारणा विभिन्न प्रचलित धर्मो में पैगम्बरवाद या अवतारवाद के रूप में दिखाई देती है।

पाश्चात्य दर्शन के समर्थकों में प्लेटो, डेकार्ट, लॉक, काण्ट आदि हैं, जबकि भारतीय दर्शन में न्याय-वैशेषिक, शंकर (व्यावहारिक दृष्टिकोण से) और वैष्णव वेदान्ती (रामानुज आदि) इस मत के समर्थक हैं।

ईश्वर मानवीय व्यक्तित्व से भिन्न कैसे?

ईश्वर की व्यक्तित्वपूर्णता सम्बन्धी उपरोक्त अर्थ मानवीय व्यक्तित्व के साधारण अर्थ से भिन्न है। सामान्यतः व्यक्तित्व का तात्पर्य व्यक्ति के शारीरिक और मानसिक गुणों के गत्यात्मक संगठन के रूप में लिया जाता है। मानव में व्यक्तित्व का आरोपण उसके इसी सीमित एवं अपूर्ण रूप में होता है। मानव एक अपूर्ण जीव है। उसकी चेतना आंशिक एवं

अपूर्ण है। देश-काल में होने के कारण वह सीमित है और शरीरधारी होने कारण यह अनित्य है। दूसरी ओर ईश्वर पर व्यक्तित्व का आरोपण उसकी पूर्णता में तथा विशिष्ट रूप में होता है। वह देश-काल से परे तथा शरीर रहित होने पर भी व्यक्तित्वपूर्ण है।

यहाँ उल्लेखनीय है कि भारतीय दर्शन में विशिष्टाद्वैतवाद के प्रतिपादक रामानुज ईश्वर को व्यक्तित्वपूर्ण मानने के साथ उसे शरीरी भी मानते हैं। परन्तु उनका यह ईश्वर (विष्णु) इस भौतिक संसार का निवासी न होकर बैकुण्ठ लोक का निवासी है।

ईश्वर को व्यक्तित्वपूर्ण मानने की आवश्यकता क्यों?

1. धार्मिक भावना की सजीवता और क्रियाशीलता के लिए ईश्वर का व्यक्तित्वपूर्ण रहना आवश्यक है क्योंकि व्यक्तित्वपूर्ण ईश्वर ही सर्वगुण सम्पन्न हो सकता है। एक व्यक्तित्वपूर्ण ईश्वर ही भक्तों के स्तुतिज्ञान, प्रार्थना, जप-तप, पूजा आदि के प्रति अनुक्रियाशील हो सकता है। यदि ईश्वर ऐसा न हो तो समस्त धार्मिक गतिविधियाँ ही निरर्थक एवं ठप्प हो जाएंगी। इस संदर्भ में जॉन गैलवे का कहना है कि- "धार्मिक अनुभूति की सत्यता ईश्वर के व्यक्तित्वपूर्ण होने पर निर्भर है। यदि ईश्वर में आत्मचेतना नहीं है तो धार्मिकता निरर्थक प्रतीत होती है।
2. धर्म के तीन पक्ष होते हैं- ज्ञानात्मक, क्रियात्मक और भावनात्मक। इसमें विशेष रूप से क्रियात्मक और भावनात्मक पक्ष का आधार एक व्यक्तित्वपूर्ण ईश्वर ही हो सकता है।
3. ईश्वर को सामान्यतः जगत का स्रष्टा माना जाता है। संपूर्ण विश्व उसकी सृष्टि है। मनुष्य उसकी सृष्टि का अत्यन्त महत्वपूर्ण जीव है। अब यदि ईश्वर व्यक्तित्वपूर्ण नहीं होता तो फिर उसके लिये इतना सुव्यवस्थित सृष्टि कर पाना संभव नहीं होता।

4. रविन्द्रनाथ टैगोर के अनुसार मनुष्य निरपेक्ष सत् में अभिरुचि तभी ले सकता है जब उसका मानवीयकरण हो जाए। प्रेम दो मानवीय सत्ताओं के बीच सम्भव है। यही कारण है कि टैगोर यह मानते हैं कि ईश्वर "परम व्यक्तित्व", "जीवन देवता" या "असीम आत्मपुरुष" है।

ईश्वरीय गुणों की स्थिति (Attributes of God)

व्यक्तित्वपूर्ण ईश्वर की अवधारणा सगुण ईश्वर की अवधारणा है। यहाँ ईश्वरीय गुणों को दो रूपों में वर्गीकृत किया जा सकता है-

1. तत्वमीमांसीय गुण (Metaphysical Attributes)
2. नैतिक गुण (Ethical Attributes)

1. तत्वमीमांसीय गुण (Metaphysical Attributes)

तत्वमीमांसीय गुण ईश्वर के मूल स्वरूप को विवेचित करते हैं। ईश्वर के मुख्य तत्वमीमांसीय गुण निम्नलिखित हैं-

a. सर्वशक्तिमत्ता (Omnipotence)
b. सर्वज्ञता (Omniscience)
c. सर्वव्यापकता (Omnipresent)
d. नित्यता (Eternity)
e. असीमितता या अपरिमितता (Infinity)

सर्वशक्तिमत्ता (Omnipotence)

इसका अभिप्राय है कि ईश्वर में सभी वस्तुओं को उत्पन्न करने उन्हें कायम करने और उन्हें नष्ट करने की क्षमता है। उसमें सब कुछ करने की क्षमता है। ऐसी स्थिति में ईश्वर की सर्वशक्तिमत्ता के संदर्भ में कुछ प्रश्न उभरने लगते हैं-

1. क्या ईश्वर वर्गाकार वृत्त बना सकता है?
2. क्या ईश्वर आत्महत्या कर सकता है?

3. क्या ईश्वर इतना भारी पत्थर बना सकता है कि जिसे वह स्वयं न उठा सके?

इस प्रकार के प्रश्नों को दार्शनिकों ने ईश्वर की सर्वशक्तिमत्ता के विरोधाभास के रूप में चित्रित किया है, क्योंकि ऐसे प्रश्नों का तर्कसंगत समाधान सम्भव नहीं है। उदाहरणस्वरूप- यदि ईश्वर आत्महत्या कर सकता है तो वह नित्य अथवा शाश्वत् नहीं है और यदि वह ऐसा नहीं कर सकता तो फिर वह सर्वशक्तिमान नहीं है।

यहाँ धार्मिक व्यक्ति ईश्वर की सर्वशक्तिमत्ता के संदर्भ में तीन अन्य महत्वपूर्ण पक्षों को प्रस्तुत करते हैं-

1. ईश्वर वही कर सकता है, जो तर्कसंगत हो।
2. ईश्वर को सर्वशक्तिमत्ता को उसके परम उद्देश्यों के अनुरूप होना चाहिए।
3. ईश्वर की शक्ति को अन्य ईश्वरीय गुणों (प्रेम, दया न्याय आदि) से संगत रहकर ही सोचा जा सकता है।

बर्टोक्सी (P.A. Bertocci) का भी कहना है कि सर्वशक्तिमान् होने का अर्थ यह नहीं है कि ईश्वर सब कुछ कर सकता है। बल्कि यह है कि ईश्वर वह सब कुछ कर सकता है, जो करने योग्य है। (Omnipotence does not mean doing all things, but the power of doing all that is worth doing.)

सर्वज्ञता (Omniscience) और अग्रज्ञान (Fore-knowledge)

ईश्वर की सर्वज्ञता का अर्थ है कि वह सब कुछ जानने वाला है। चूंकि उसने सभी वस्तुओं की सृष्टि की है इसलिए वह सर्वज्ञ है। उसे भूत, वर्तमान और भविष्य की सभी घटनाओं का पूर्ण ज्ञान है।

ईश्वर का यह गुण भी दार्शनिक कठिनाई उत्पन्न करता है।

1. ईश्वर की सर्वज्ञता और उसकी नित्यता में परस्पर संगति स्थापित करना संभव प्रतीत नहीं होता है।

2. ईश्वर की सर्वज्ञता का मानव के संकल्प स्वातंत्र्य के साथ संगति स्थापित नहीं हो पाती है।

नित्य होने के कारण ईश्वर अपरिवर्तनशील एवं निर्विकारी है। परन्तु ईश्वर को जिस विश्व का ज्ञान है वह विश्व अनित्य है निरन्तर परिवर्तनशील है। अब यदि ईश्वर इस परिवर्तनशील विश्व के बारे में सब कुछ जानता है तो फिर वह अपरिवर्तनशील कैसे हो सकता है? चूंकि ईश्वर विश्व का सतत परिवर्तनशील ज्ञान प्राप्त करता है, अतः हमें मानना होगा कि ईश्वर का ज्ञान भी परिवर्तित होता है अर्थात् उसके स्वरूप में भी परिवर्तन होना अनिवार्य है, परन्तु ऐसा मानना ईश्वर की नित्यता के विरुद्ध है।

पुनः ईश्वर को सर्वज्ञ मानने पर मनुष्य के संकल्प-स्वातंत्र्य की व्याख्या संगत रूप से नहीं हो पाती। यदि ईश्वर सर्वज्ञ है तो फिर उसे समस्त भावी घटनाओं का निश्चित एवं सत्य ज्ञान होगा। अतः यदि कोई मनुष्य भविष्य में कोई कर्म करता है तो ईश्वर निश्चित ही उससे पूर्व परिचित होगा। अब यदि ईश्वर यह जानता है कि कोई मनुष्य भविष्य में 'क' कर्म करेगा तो वह मनुष्य निश्चित रूप से अवश्य ही उस कर्म को करेगा। चूँकि ईश्वर का ज्ञान सत्य है, अतः ऐसी स्थिति में वह मनुष्य भविष्य में 'क' कर्म करने के लिए बाध्य होगा। इससे मनुष्य को संकल्प की स्वतंत्र्यता बाधित होगी।

इसके प्रत्युत्तर में आगस्टिन का कहना है कि यह ठीक है कि ईश्वर पहले से जानता है कि मनुष्य क्या करेगा और ईश्वर के इस पूर्व ज्ञान में कभी भी धोखा नहीं हो सकता है, परन्तु ईश्वर के इस पूर्व ज्ञान से नैतिक विकल्पों में से किसी एक विकल्प को स्वतंत्र रीति से चुनने की शक्ति मानवों के पास यथावत् बनी रहती है।

दूसरी तरफ बर्गसां, अलेक्जेंडर आदि के अनुसार ईश्वर को मानवों का स्वतंत्र क्रियाओं का पूर्व ज्ञान नहीं हो सकता इनके अनुसार स्वतंत्र प्रक्रिया का अभिप्राय है – पूर्णतः नवीनतम प्रक्रिया। अतः ऐसी स्थिति में जो प्रक्रिया अभी तक नहीं हुई है। उसे पहले से कोई नहीं जान

सकता। इस संदर्भ में बर्टौक्सी (R.A. Bertocci) का कहना है कि जब तक कोई व्यक्ति नैतिक प्रक्रिया में किसी विकल्प को स्वतंत्र रीति से चुन न ले। तब तक ईश्वर भी पहले से नहीं जान सकता कि वह किस विकल्प को अपनायेगा?

सर्वव्यापकता (Omnipresence)

सर्वव्यापकता का अर्थ है कि ईश्वर जगत में सर्वत्र व्याप्त है। वह ब्रह्माण्ड के कण-कण में उपस्थित है। ईश्वरवादी दृष्टिकोण से ईश्वर को सर्वव्यापक मानना आवश्यक है, क्योंकि ईश्वर को असीम और पूर्ण माना जाता है।

ईश्वर को सर्वव्यापक मानने पर निम्नलिखित कठिनाईयाँ उत्पन्न होती हैं-

1. ईश्वर को शरीर-रहित अभौतिक सत्ता माना जाता है। ऐसी स्थिति में वह भौतिक विश्व में किस प्रकार व्याप्त हो सकता है?
2. ईश्वर को सर्वव्यापक मान लेने पर भक्त एवं ईश्वर का अन्तर समाप्त हो जाता है। धार्मिक गतिविधियों को क्रियाशीलता के दृष्टिकोण से यह कठिनाई पैदा करता है।
3. ईश्वर को सर्वव्यापक मान लेने पर विश्व में विद्यमान अशुभ एवं घृणास्पद वस्तुओं की व्याख्या नहीं हो पाती है।

नित्यता (Eternity)

ईश्वर नित्य एवं शाश्वत् है। ईश्वर के संबंध में इस नित्यता शब्द का प्रयोग सामान्यत: दो अर्थो में किया जाता है-

1. ईश्वर की नित्यता का तात्पर्य है कि वह शाश्वत्, अनीश्वर, अपरिवर्तनशील एवं अनादि सता है।
2. ईश्वर कालातीत सत्ता है। वह अन्य वस्तुओं की भांति काल की भी सृष्टि करता है। अत: स्वयं काल का स्रष्टा होने के कारण वह कालातीत है।

यहाँ पहले अर्थ को स्वीकार करने पर हमें यह मानना पड़ेगा कि ईश्वर भक्त के प्रार्थना और उपासना आदि के प्रति अनुक्रियाशील नहीं हो सकता। यदि ईश्वर भक्त की प्रार्थना सुनकर भक्त की इच्छा को पूर्ण करता है तो इससे ईश्वर के स्वरूप में परिवर्तन आयेगा और इससे उसकी नित्यता खंडित होगी। दूसरी ओर यदि वह ऐसा नहीं करता तो इससे उसके नैतिक गुणों पर प्रहार होता है।

यदि ईश्वर को कालातीत माना जाए तो फिर वैसी स्थिति में उसका इस जगत के साथ कोई संबंध नहीं रह पाता। यह स्थिति ईश्वरवादी दृष्टिकोण से घातक है। ऐसा ईश्वर न तो भक्तों की प्रार्थना सुन सकता है और न ही उसके अनुरूप कोई कार्य कर सकता है।

2. नैतिक गुण (Ethical Attributes)

व्यक्तित्वपूर्ण ईश्वर समस्त नैतिक गुणों से युक्त होता है। ये नैतिक गुण हैं- प्रेम, शुभत्व, परोपकार, न्याय, करूणा आदि। ये नैतिक गुण व्यक्तित्वपूर्ण ईश्वर की अपनी विशिष्टता हैं जो कि उसमें असीमित मात्रा में पाये जाते हैं। ये ही गुण ईश्वर को पुरुषोत्तम का रूप प्रदान करते हैं। इन्हीं गुणों के कारण भक्त स्वयं को ईश्वर के निकट लाने का प्रयास करता है। ईश्वर के ये नैतिक गुण ही धार्मिक क्रियाकलापों को जीवन्त बनाते हैं।

आलोचना

1. ईश्वर को व्यक्तित्वपूर्ण मानने पर उसे अशुभों से प्रभावित मानना पडेगा। विश्व में अशुभ की उपस्थिति ईश्वर के तात्विक एवं नैतिक गुणों की असीमितता को खण्डित करती है।
2. कुछ आलोचकों के अनुसार नैतिक गुण मानव पर लागू होते हैं। अब यदि ईश्वर में भी इन गुणों का आरोपण किया जाए तो फिर इससे ईश्वर का मानवीकरण होगा। ईश्वर पर शुभत्व, दयालुता, न्यायशीलता प्रेम आदि मानवीय गुणों का आरोपण

का अर्थ होगा - ईश्वर को भी मानव के समान सीमित एवं अपूर्ण बनाना। परन्तु ऐसा मानने पर ईश्वर को सर्वोच्च सत्ता के रूप में स्थापित नहीं किया जा सकता।

3. ईश्वर पर तात्विक गुणों के आरोपण से नाना प्रकार की विसंगतियाँ उत्पन्न हो जाती हैं। उदाहरणस्वरूप यदि ईश्वर सर्वशक्तिमान है तो फिर यह प्रश्न उठता है कि 'क्या ईश्वर आत्महत्या कर सकता है?' क्या वह पाप कर सकता है? यदि इन प्रश्नों का उत्तर हाँ में दिया जाए तो फिर ईश्वर की नित्यता या शुभत्व खंडित होता है और यदि इनका उत्तर नकारात्मक रूप से दिया जाए तो फिर यहाँ आत्म-विरोधाभास उत्पन्न हो जाता है।

3. ईश्वर की अव्यक्तित्त्वपूर्ण अवधारणा (Impersonalistic Notion of God)

ईश्वरीय स्वरूप के संबंध में एक महत्वपूर्ण अवधारणा ईश्वर की निर्वैयक्तिक अवधारणा है। यहाँ ईश्वर की अव्यक्तित्वपूर्णता का तात्पर्य है कि ईश्वर में इच्छा, कल्पना, प्रयोजन आदि मानवीय व्यक्तित्व के तत्वों का पूर्णतः अभाव है। वह निर्गुण निर्विशेष निराकार और निर्वैयक्तिक है। यहाँ निर्गुण का आशय गुण रहितता से न होकर गुणातीत सत्ता से है। इस अवधारणा के समर्थकों में पाश्चात्य दार्शनिकों में स्पिनोजा, हीगल, ब्रैडले आदि हैं। भारतीय दार्शनिकों में शंकर पारमार्थिक दृष्टि से इसका समर्थन करते हैं।

मानने का आधार

ईश्वर को अवैयक्तिक न मानकर व्यक्तित्वपूर्ण माना जाए तो फिर

- ईश्वर तार्किक रूप से सीमित हो जाता है, और ऐसा सीमित ईश्वर न तो उपास्य हो पाता है और न ही चरम रूप में स्थापित।
- अशुभ की तर्कसंगत व्याख्या नहीं हो पाती।

- ईश्वर पर मानवत्व आरोपण का दोष उत्पन्न होता है।
- ईश्वर में विद्यमान गुण विरोधाभासों को जन्म देते हैं।

व्यक्तित्वपूर्ण ईश्वर में विद्यमान इन्हीं दोषों के कारण निर्वैयक्तिक ईश्वर की धारणा उभरकर सामने आयी। सर्वेश्वरवादी स्पिनोजा के अनुसार–ईश्वर या द्रव्य निर्गुण, निराकार, असीम एवं पूर्णतया व्यक्तित्व रहित सत्ता है। इनके अनुसार ईश्वर एक, असीम, पूर्ण, स्वंयभू एवं शाश्वत् सत्ता है। ऐसे ईश्वर पर यदि व्यक्तित्व का आरोपण किया जाए तो फिर ईश्वर सीमित हो जायेगा और सीमित होने पर ईश्वर का ईश्वरत्व खंडित होगा। इसीलिए स्पिनोजा कहते हैं- **Every determination is negations.**

स्पिनोजा के अनुसार जो सर्व है, उस पर किसी गुण या विषय का आरोपण नहीं किया जा सकता। मानव केवल सीमित गुणों की ही भावना कर सकता है, जो निषेधात्मक स्वरूप के होते हैं। अत: यदि ईश्वर पर इन गुणों का आरोपण किया गया तो उसकी पूर्णता खंडित होगी। इसलिए स्पिनोजा कहते हैं कि ईश्वर अवर्णनीय है।

हीगल के अनुसार निरपेक्ष प्रत्यय व्यक्तित्व रहित है। ईश्वर में विश्वरूप में या जगत के रूप में अभिव्यक्त होने की असीम संभावनाएँ विद्यमान हैं। यह विश्व ईश्वर की अभिव्यक्ति है, परन्तु ईश्वर विश्व में सीमित मात्र नहीं है।

भारतीय दर्शन में वेदों और उपनिषदों में अनेक स्थलों पर कहा गया कि ईश्वर निर्गुण एवं व्यक्तित्वरहित सत्ता है। इस मत का पूर्ण विकास शंकराचार्य के अद्वैत वेदान्त में होता है। अद्वैतवादी शंकराचार्य पारमार्थिक दृष्टिकोण से निर्गुण, निराकार, निर्विशेष ब्रह्म की सत्ता को स्वीकार करते हैं। इनके अनुसार ऐसे ब्रह्म का भावात्मक वर्णन नहीं किया जा सकता। इसी संदर्भ में शंकराचार्य **'नेति-नेति'** की बात करते हैं। यहाँ यह उल्लेखनीय है कि शंकराचार्य व्यावहारिक दृष्टिकोण से व्यक्तित्वपूर्ण ईश्वर की सत्ता को स्वीकार करते हैं। इनके अनुसार सगुण ब्रह्म अर्थात् ईश्वर उपासना का विषय है। उपासना से चित्त की शुद्धि होती है,

साधक का नैतिक एवं आध्यात्मिक उत्थान होता है। परिणामस्वरूप वह साधक निर्गुण, निराकार ब्रह्म के साक्षात्कार के योग्य हो जाता है, जहाँ वैयक्तिक ईश्वर की धारणा में भक्त और भगवान का पृथकत्व कायम रहता है, वहीं अवैयक्तिक ईश्वर की अवधारणा में समस्त भेद अन्ततः मिथ्या सिद्ध होते हैं। निर्वैयक्तिक ईश्वर को अवधारणा में प्रायः अंतिम स्तर पर बाह्य सम्बन्ध का अभाव हो जाता है। यहाँ अंततः भक्त और भगवान के बीच द्वैत समाप्त हो जाता है।

निर्वैयक्तिक ईश्वर की अवधारणा में ईश्वर और जगत के बीच तीन मत दिखाई देते हैं-

1. अरस्तू के अनुसार ईश्वर निर्वैयक्तिक है, परन्तु विश्वातीत है।
2. स्पिनोजा के अनुसार ईश्वर निर्वैयक्तिक है, और वह जगत् में पूर्णतः विद्यमान है।
3. हीगल के अनुसार ईश्वर जगत में विद्यमान होने के साथ-साथ उससे परे भी है।

आलोचना

1. यह अवधारणा धार्मिक संकेतों की संतुष्टि एवं धार्मिक जीवन की जीवंतता में बाधक है।
2. भक्ति मार्ग के लिए यह कठिनाई उत्पन्न कर देता है।
3. यह अवधारणा अस्पष्टता एवं रहस्यवादिता को बढ़ावा देती है।
4. स्पिनोजा के सर्वेश्वरवाद में ईश्वर विश्व में पूर्णतः व्याप्त हो जाता है। इससे मनुष्य के संकल्प स्वातंत्र्य पर आघात होता है।

महत्त्व

1. ज्ञान मार्ग के अनुयायी के लिए विशेष रूप से उपयोगी है।
2. चूँकि इस अवधारणा में ईश्वर के स्तर पर किसी बाह्य संबंध की बात नहीं होती। अतः इससे ब्रह्माण्ड की एकता की व्याख्या अधिक संगत रूप से हो जाती है।
3. इस अवधारणा में तार्किकता अधिाक व धार्मिकता कम है।

ईश्वर-जगत् संबंध (God-World Relation)

धार्मिक संदर्भ में ईश्वर और जगत के संबंध के बीच कई प्रकार के मत विद्यमान हैं। विभिन्न धर्मों एवं दर्शनों में ईश्वर और जगत के मध्य संबंध बताने का प्रयास किया गया है। हम यहाँ ईश्वर और जगत के मध्य संबंध और उससे संबंधित समस्याओं को विभिन्न प्रश्नों के संदर्भ में समझ सकते हैं –

1. ईश्वर और जगत में कैसा संबंध है?
2. ईश्वर जगत की रचना क्यों करता है?
3. ईश्वर जगत की रचना कब करता है? या जगत की रचना करते समय ईश्वर की क्या स्थिति थी?
4. अवतारवाद
5. ईश्वर और जगत में कैसा संबंध है तथा इसे किससे बनाया है (पक्ष एवं विपक्ष)?

एकेश्वरवाद के समक्ष यह समस्या उत्पन्न होकर आती है कि ईश्वर एवं जगत में कैसा संबंध है? इस संबंध के संदर्भ में तीन प्रमुख स्थितियाँ उभरती हैं–

1. या तो ईश्वर जगत से परे हो (विश्वातीत)
2. या तो ईश्वर जगत में पूर्णतः विद्यमान हो (विश्वव्यापी)
3. विश्वव्यापी और विश्वातीत दोनों हो।
4. केवल निमित्तेश्वरवाद या तटस्थेश्वरवाद या विश्वातीत ईश्वरवाद (deism)

केवल निमित्तेश्वरवाद एकेश्वरवादी सिद्धान्त है। इसके अनुसार ईश्वर जगत का केवल निमित्त कारण है, उपादान कारण नहीं है। यदि ईश्वर को केवल जगत का निमित्त कारण माना जाए, तो फिर वह विश्वातीत माना जाएगा। 16वीं-17वीं शताब्दी में जॉन टालैण्ड, टॉमस चब आदि ने इसका प्रतिपादन किया। न्यूटन, लैपलेस, डार्विन जैसे सुप्रसिद्ध वैज्ञानिकों

ने भी निमित्तेश्वरवाद का समर्थन किया है। इस सिद्धान्त की पृष्ठभूमि में वैज्ञानिक उत्थान एवं प्रभाव को देखा जा सकता है।

भारतीय दार्शनिक परंपरा में पाश्चात्य तटस्थेश्वरवादी मान्यताओं को स्वीकार नहीं किया गया है परन्तु न्याय-वैशेषिक एवं मधवाचार्य आदि ईश्वर को केवल निमित्त कारण के रूप में स्वीकार करते हैं। न्याय दर्शन में यह माना गया है कि ईश्वर नित्य परमाणुओं में गति का संचार कर जगत की रचना करते हैं।

विशेषताएं

1. ईश्वर व्यक्तित्वपूर्ण, अनन्त व पूर्ण है।
2. ईश्वर विश्व से परे या विश्वातीत (transcendent) माना जाता है।
3. ईश्वर विश्व का केवल निमित्त कारण है। वहीं विश्व का आदि कारण भी है।
4. विश्व की सृष्टि शून्य से हुई है।
5. ईश्वर एक बार संसार का निर्माण कर उससे तटस्थ हो जाता है। आवश्यकता पड़ने पर ईश्वर संसार की क्रियाशीलता में हस्तक्षेप करता है। यहाँ ईश्वर की तुलना कुशल घड़ीसाज से की जा सकती है जो घड़ी बनाकर, उसमें गति प्रदान कर उससे अलग हो जाता है। इसी प्रकार संसार भी ईश्वर से निर्मित होकर उसके नियमों द्वारा ही परिचालित होता रहता है। लाइबनित्ज का पूर्व स्थापित सामञ्जस्य के नियम में यह स्थिति दिखाई देती है।
6. ईश्वर और विश्व में बाह्य संबंध है। अतः संसार की अपूर्णता से वह अछूता है।
7. इस सिद्धान्त के अनुसार- जगत स्वतंत्र है और उसमें जड़ और चेतना निहित है। चेतन आत्माओं में स्वतंत्र इच्छा है अर्थात् वह स्वतंत्रतापूर्वक कार्य करती है।

कठिनाईयाँ

1. शून्य से संसार की सृष्टि की व्याख्या बोधगम्य नहीं है। शून्य से कुछ की भी उत्पत्ति संभव नहीं है।
2. ईश्वर को विश्व से बाह्य मानने पर धार्मिक भावनाओं, संवेगों एवं गतिविधियों की व्यर्थता सिद्ध होने लगती है।
3. ईश्वर में सीमितता एवं अपूर्णता का भाव उत्पन्न होता है, क्योंकि ईश्वर जब जगत से अलग हो जायेगा, तो फिर ईश्वर की सीमा जगत की सीमा से अलग हो जायेगी। ऐसी स्थिति में ईश्वर अपूर्ण हो जायेगा।
4. इससे ईश्वर के एकत्व भाव एवं सर्वव्यापकता का खंडन होता है, क्योंकि इसमें ईश्वर के साथ-साथ अन्य पदार्थों का भी सहअस्तित्व मानना पड़ता है।

सर्वेश्वरवाद (Pantheism)

जब ईश्वर को जगत का केवल उपादान कारण माना जाता है तो फिर ईश्वर, जगत में पूर्णतः व्याप्त हो जाता है। ऐसी स्थिति में जगत और ईश्वर में तादात्म्य संबंध माना जाता है। यह स्थिति स्पिनोजा के सर्वेश्वरवाद में दिखाई देती है। स्पिनोजा के अनुसार ईश्वर ही विश्व है और विश्व ही ईश्वर है। स्पिनोजा के अनुसार ईश्वर और विश्व में अनिवार्य, अकालिक, अवियोज्य एव अभेद संबंध है। यहाँ ईश्वर को अव्यक्तित्वपूर्ण माना गया है। सर्वेश्वरवाद के अनुसार ईश्वर और विश्व में बाह्य संबंध नहीं है। जिस प्रकार समुद्र का अपनी लहरों से संबंध है, उसी प्रकार का संबंध ईश्वर और विश्व में है।

समस्या

1. जगत में होने वाले परिवर्तन एवं विनाश की व्याख्या नहीं हो पाती।
2. पाप और पूण्य की अवधारणा निरर्थक हो जाती है।
3. मनुष्य की स्वतंत्रता खंडित होती है।
4. जगत में विद्यमान अशुभ की व्याख्या नहीं हो पाती।

निमित्तोपादानेश्वरवाद या आंतरातीत ईश्वरवाद (Pantheism)

इसके अनुसार ईश्वर जगत का निमित्त और उपादान कारण दोनों है। परिणामस्वरूप वह अनुभवातीत और विश्वव्यापी दोनों है। पाश्चात्य दर्शन में हीगल, बर्गसा इत्यादि इसके समर्थक हैं।

जब ईश्वर को जगत का निमित्त एवं उपादान कारण दोनों माना जाता है, तो फिर ईश्वर को विश्वातीत मानने के साथ-साथ विश्वव्यापी भी मानना पड़ता है। रामानुज और शंकर (व्यावहारिक दृष्टिकोण) के दर्शन में ऐसी स्थिति दिखाई पडती हैं। रामानुज के अनुसार यह जगत ईश्वर के सूक्ष्म रूपों का ही स्थूल अंशों में वास्तविक रूपांतरण है (ब्रह्म-परिणामवाद)।

आलोचना

1. जगत में होने वाले परिवर्तन और विकास की संगत व्याख्या नहीं हो पाती। हमें ईश्वरीय अंश में भी विनाश मानना पड़ेगा।
2. जगत में विद्यमान अशुभ ईश्वरीय गुणों में सामंजस्य की समस्या उत्पन्न करता है।
3. भक्तिमार्ग के लिए यहाँ स्थान शेष नहीं रह जाता।

जगत् मिथ्या है या वास्तविक?

भारतीय दार्शनिक परंपरा में वेदान्त दर्शन में शंकराचार्य पारमार्थिक स्तर पर जगत को मिथ्या बताते हैं। ऐसी स्थिति में ब्रह्म और जगत के बीच किसी वास्तविक संबंध को स्वीकार नहीं किया जा सकता। शंकराचार्य केवल व्यवहारिक दृष्टिकोण से माया शक्ति से युक्त ईश्वर के आधार पर जगत की व्याख्या करते हैं।

दूसरी ओर रामानुज ब्रह्म के अंश से जगत की वास्तविक रूपांतरण की व्याख्या कर जगत को सत् रूप में स्थापित करते हैं। इनके अनुसार ईश्वर और जगत में अपृथक् सिद्धि संबंध है। जगत की सत्ता ईश्वर से पृथक् और स्वतंत्र नहीं मानी जा सकती।

मध्वाचार्य के दर्शन में जगत यद्यपि ब्रह्म से पृथक् रूप में सत है, परन्तु वह अपनी सत्ता के लिए ईश्वर के ऊपर निर्भर है। ईश्वर ही एकमात्र स्वतंत्र सत्ता है।

2. ईश्वर जगत की रचना क्यों करता है?

इस संदर्भ में तीन समाधान दिखाई देते हैं–

1. जीवों के कर्मों का फल प्रदान करने हेतु
2. स्वार्थवश
3. करुणा से प्रेरित होकर

यदि ईश्वर जगत की सृष्टि जीवों के कर्मों के अनुसार करता है तो फिर इसका आशय यह होगा कि वह जगत की रचना करते समय जीवों के कर्मों के ऊपर निर्भर है। जैसा कि न्याय दर्शन में यह माना गया है कि ईश्वर रूप से जगत की सृष्टि करता है परन्तु ऐसा मानने पर ईश्वर की स्वतंत्रता खंडित हो जाती है। पुनः जब सृष्टि के पूर्व जीव था ही नहीं तो फिर उनके कर्मफल की बात करना भी संगत नहीं है।

यदि ईश्वर जगत की सृष्टि स्वार्थवश करता है तो फिर उस ईश्वर को पूर्ण नहीं माना जा सकता।

यदि ईश्वर जगत की रचना करुणावश करता है, तो फिर संसार में अभाव, कष्ट, बुराइयाँ इत्यादि क्यों आती है। इससे ईश्वर की पूर्णता, दयालुता एवं सर्वशक्तिमतता पर प्रहार होता है।

भारतीय दार्शनिक परंपरा में (रामानुज आदि) जगत की सृष्टि को ईश्वर की लीला बताते हैं जिसे पूरी तरह नहीं समझा जा सकता।

3. ईश्वर जगत की सृष्टि कब करता है?

यदि ईश्वर जगत की सृष्टि समय या काल में करता है, तो फिर हमें यह मानना पड़ेगा कि काल या समय भी ईश्वर क साथ-साथ सहअस्तित्ववान था। इससे ईश्वर का एकत्व भाव खंडित होगा।

यदि ईश्वर जगत की रचना काल के साथ-साथ करता है, तो फिर हमें यह मानना पड़ेगा कि 'एक समय ऐसा था जब कोई समय नहीं

था'। स्पष्ट है कि समय के अभाव की कल्पना समय के संदर्भ में ही की जा सकती है।

4. जगत की रचना करते समय ईश्वर की स्थिति

यदि ईश्वर जगत का सृष्टिकर्ता है तो फिर प्रश्न है कि वह सशरीरी है या अमूर्त। ईश्वर अमूर्त होकर जगत की सृष्टि नहीं कर सकता। अब यदि ईश्वर शरीरी है तो फिर-

- वह हाथ, पैर आदि से युक्त होगा और फिर वह विनाशकारी हो जायेगा।
- शरीर हमारे पाप और पुण्य कर्मों का फल होता है। यहाँ प्रश्न यह उठता है कि ईश्वर का शरीर किसका फल है। इसका संगत उत्तर यहाँ नहीं मिलता।

ईश्वरीय स्वरूप में विरोधाभास

जगत की रचना करना एक ऐच्छिक कार्य है। ईश्वर में विश्व की रचना करने को इच्छा उत्पन्न हूई। इच्छा का उत्पन्न होना परिवर्तन या अभाव को इंगित करता है। परिणामस्वरूप ईश्वर की नित्यता एवं पूर्णता पर प्रहार होता है। रामानुज आदि के अनुसार जगत ईश्वर की लीला है।

5. अवतारवाद

अवतार का अर्थ है- ऊपर से नीचे आना अर्थात् ईश्वरत्व से प्राणी जगत के धरातल पर आना। संक्षेप में, धरती पर भगवान का आगमन ही अवतार है। यह एक प्रकार से धरती पर भगवान का जन्म है, परन्तु चूँकि ईश्वर अज (अजन्मा) है, परन्तु वह अज होकर भी जन्म लेता है. इसीलिए उसके जन्म को जन्म न कहकर अवतार कहा जाता है। ईश्वर इस जगत में अवतार लेने के बाद जो कर्म करता है, उसे कर्म न कहकर ईश्वर की लीला का जाता है।

अवतार क्यों होता है?

- धर्म की रक्षा हेतु

- सज्जनों के हित के लिये
- अज्ञानता को दूर कर बंधन से मुक्ति हेतु
- दुष्टों के विनाश हेतु
- स्वधर्म के पालन के प्रेरणा प्रदान करने के लिए।

वस्तुतः धार्मिक संदर्भ में ईश्वर को जगत का नैतिक व्यवस्थापक माना जाता है। ऐसी स्थिति में जगत में नैतिक व्यवस्था की स्थापना हेतु या अनैतिकता के प्रभाव एवं प्रसार को समाप्त करने हेतु धरती पर उसके आगमन की बात कही जाती है। इस्लाम एवं ईसाई आदि परम्परा में ईश्वर अपने वचनों को देवदूतों के माध्यम से धरती पर भेज कर जगत में नैतिक व्यवस्था एवं मार्गदर्शन की बात करता है। वहीं हिन्दू परंपरा में ईश्वर के धरती पर सीधे-सीधे अवतरित होने की बात की गई है। हिन्दु परंपरा में इस संदर्भ में मुख्यतः दशावतार की बात की गई है।

अवतार के साक्ष्य

- सेमैटिक या नबीमूलक धर्मों में पैगम्बर की अवधारणा
- रामानुज के दर्शन में यह माना गया है कि ईश्वर भक्तों पर कृपा करने के लिये स्वंय को पांच रूपों में अभिव्यक्त करता है। रामानुज के अनुसार ईश्वर के पांच रूप ये हैं- पर, व्यूह, विभव, अंतर्यामी, अर्चावतार। इसमें ईश्वर का विभव रूप अवतार है। भारतीय परम्परा में दशावतार की कल्पना दिखाई देती है। यद्यपि भगवान के अनेक अवतार माने गये है, परन्तु उनमें ये दस प्रमुख हैं। ये हैं-

1. मत्स्य अवतार	2. कूर्म अवतार
3. वराह अवतार	4. सिंह अवतार
5. वामन अवतार	6. परशुराम अवतार
7. राम अवतार	8. कृष्ण अवतार
9. बुद्ध अवतार	10. कल्कि अवतार।

इन दस अवतारों में प्रथम नौ अवतार हो चुके हैं, जबकि अंतिम अवतार अर्थात कल्कि अवतार वर्तमान युग में अर्थात् कलियुग में होना है।

मत्स्य से परशुराम तक के अवतार में आधुनिक विकासवाद के अनुसार मानव की उत्पति के विकास का एक क्रम दिखाई देता है। परशुराम के बाद भी यह विकास क्रम देखा जा सकता है। परशुराम मर्यादा पुरुष नहीं थे। राम मर्यादा पुरुष थे। परशुराम से राम का विकास अधिक है। राम से कृष्ण में कलात्मक विकास अधिक है। कृष्ण से बुद्ध में धार्मिक या करुणात्मक विकास अधिक है।

कल्कि अवतार में सभी अवतारों से अधिक शक्ति होगी। ऐसा कहा गया है।

अवतारवाद क्यों? अवतारवाद को मानने के पीछे केवल निमित्तेश्वरवाद में विश्वास था। इस मतानुसार ईश्वर विश्वातीत है। ऐसी स्थिति में धार्मिक गतिविधियों की सार्थकता को बनाए रखने, धार्मिक व्यक्ति के संवेगों को संतुष्ट करने के लिए ईश्वर को धरती पर अवतरित होने की कल्पना की गई, जिसे अवतार कहा गया।

ईश्वर जब अवतरित होता है तो ईश्वर के संदर्भ में कहा जाता है कि न आदि है, न मध्य है, न अंत है।

ईश्वर बनाम मनुष्य

ईसाई मतानुसार ईश्वर ने अपने अनुरूप मानव को बनाया है। ईश्वर मनुष्य की श्रेष्ठ कृति है। मनुष्य ही धरती पर ईश्वर का वास्तविक उत्तराधिकारी है। ईश्वर ने मनुष्य की रचना सृष्टि को उदेश्यपूर्ण एवं सफल बनाने के लिए की है। अपनी विवेक बुद्धि के कारण मनुष्य अन्य प्राणियों में भिन्न एवं श्रेष्ठ है, परन्तु संकल्प स्वातंत्र्य (Freedom of will) के दुरूपयोग के कारण वह दुःखों और कष्टों से युक्त है। ईश्वर की कृपा से ही मनुष्य दुःखों से दूर हो सकता है। ईश्वर की कृपा प्राप्त करने के लिए धरती पर ईश्वर को प्रतिनिधि पोप के अनुसार आचरण करना आवश्यक है। इस संदर्भ में यहाँ बाइबिल में बताये गये मार्ग को

ही ईश्वरीय कृपा प्राप्ति, दु:ख के निदान एवं आनन्द की प्राप्ति का मार्ग माना गया है। इस मार्ग से अलग आचरण करने वाली लोगों को यहाँ अज्ञानी माना गया है। इस रूप में ईसाई मत यहाँ धार्मिक व्यावर्तकवादी है। वे परम सत्ता तक पहुंचने के अनेक मार्ग न मानकर एक मार्ग स्वीकार करते हैं। इस्लाम धर्म में भी परम सत्ता तक पहुँचने का एक ही मार्ग स्वीकार किया गया है।

पाश्चात्य परंपरा में विभिन्न दार्शनिक विचारकों के भी मत में मनुष्य एवं ईश्वर के मध्य संबंध की विवेचना दिखाई देती है, जैसे- डेकार्टय लाइबनित्ज आदि

डेकार्ट: डेकार्ट के अनुसार मनुष्य मन और शरीर का संयोग है और यह मन और शरीर दोनों अपनी सत्ता हेतु ईश्वर के ऊपर निर्भर है। इस रूप में यहाँ मनुष्य को ईश्वर सापेक्ष सत्ता के रूप में स्वीकार किया गया है।

स्पिनोजा: इसके अनुसार ईश्वर और विश्व में अनिवार्य आंतरिक तादात्म्य संबंध है। ऐसी स्थिति में मनुष्य की सत्ता ईश्वर से पृथक् रूप में स्थापित नहीं होती। मनुष्य ईश्वर के ही चित्त एवं अचित्त अंशों का योग है। ईश्वर और मनुष्य में आंतरिक संबंध है।

लाइबनित्ज: इसके अनुसार मनुष्य विभिन्न मोनेडों का समुच्चय है। शरीर के मोनेडों में कम मात्र में चेतना है जबकि आत्मा में अधिक चेतन मोनेड है। इन विभिन्न मोनडों में ईश्वर ही सामंजस्य की स्थापना करता है। इस रूप में यहाँ लाइबनित्ज के दर्शन में भी यद्यपि मनुष्य को ईश्वर से पृथक्, स्वतंत्र माना गया है, परन्तु उसे ईश्वर द्वारा प्रतिपादित पूर्व स्थापित सामंजस्य को नियम से संचालित माना गया है।

बर्कले: बर्कले के दर्शन में आत्मा के ही रूप में ईश्वर और मनुष्य दोनों को स्वीकार किया गया है। ईश्वर असीमित आत्मा है जबकि मनुष्य को सीमित आत्मा के रूप में स्वीकार किया गया है।

भारतीय परंपरा: इस परंपरा में ईश्वर और मनुष्य के मध्य संबंध के दो रूप दिखाई देते हैं-

1. ईश्वर साधन रूप में
2. ईश्वर साधन और साध्य दोनों रूपों में।

योग एवं अद्वैत वेदान्त में ईश्वर की स्थिति साधन के रूप में दिखाई देती है। योग दर्शन में पुरुष व प्रकृति के मध्य संबंध की स्थापना हेतु ईश्वर को स्वीकार किया गया है। अद्वैत वेदान्त में निर्गुण निराकार परम तत्व का साक्षात्कार हेतु व्यवहारिक दृष्टिकोण से ईश्वर की सत्ता को स्वीकार किया गया है ताकि जीवों का नैतिक विकास एवं आध्यात्मिक उत्थान हो सके और वे परम तत्व ब्रह्म के साक्षात्कार के योग्य हो जाए।

रामानुज एवं मधव आदि ईश्वर को चरम लक्ष्य के संदर्भ में साधन को साथ-साथ साध्य के रूप में भी स्वीकार करते हैं। ईश्वर के अनुरूप कार्य करने से (भक्ति प्रार्थना, उपासना) चरम लक्ष्य का मार्ग प्रशस्त होता है। यहाँ अंतिम स्तर (मोक्ष) पर भी ईश्वर की भक्ति की बात की गई है।

वेदान्त दर्शन में ईश्वर-जीव संबंध के संदर्भ में प्रधानतः तीन मत दिखाई देते हैं-

1. **शंकर के अनुसारः** इनके अनुसार पारमार्थिक दृष्टिकोण से ब्रह्म ही एकमात्र सत है, जगत मिथ्या है, जीव मूलतः ब्रह्म ही है, ब्रह्म से भिन्न नहीं है. केवल अविद्या के कारण जीव की ब्रह्म से पृथक् रूप में प्रतीति होती है। इसलिए कहा गया है कि अविद्या निवृत्ति के पश्चात् ब्रह्म की प्राप्ति कोई नवीन प्राप्ति नहीं है बल्कि यह प्राप्तस्य प्राप्ति है। यहां यह भी कहा गया है कि जो ब्रह्म को जानता है, वह ब्रह्म हो जाता है। इस प्रकार यहाँ ब्रह्म और जीव में अद्वैत संबंध माना गया है। यहाँ इस संदर्भ में यह कहा गया है कि अयम् आत्मा ब्रह्म अर्थात् यह आत्मा ही ब्रह्म है। इस रूप में यहाँ दोनों में तादात्म्य संबंध स्वीकार किया गया है।
2. **रामानुज के अनुसारः** रामानुज विशिष्टाद्वैतवाद के समर्थक हैं। इनके अनुसार ब्रह्म के चित्त एवं अचित्त रूपी सूक्ष्म अंशों का ही स्थूल रूप में रूपांतरण मनुष्य है। इस प्रकार यहाँ

मनुष्य को ईश्वरीय अंश के रूप में स्वीकार किया गया है। वह ईश्वर से भिन्न है, परंतु वह पृथक् एवं स्वतंत्र नहीं है।

3. **मधवाचार्य के अनुसार:** मधवाचार्य द्वैतवाद के समर्थक हैं। इनके अनुसार ब्रह्म स्वतंत्र तत्व है। जबकि चित्त और अचित्त परतंत्र तत्व है। इस रूप में मनुष्य की सत्ता ईश्वर से भिन्न एवं पृथक् हैं परन्तु उसकी ईश्वर से स्वतंत्र सत्ता नहीं है।

एक विशिष्ट सन्दर्भ

जब मनुष्य मोक्ष की प्राप्ति करता है तो फिर वैसी स्थिति में ईश्वर और मनुष्य के बीच चार प्रकार की स्थितियाँ उभरती है-

1. **सारूप्य:** मोक्ष प्राप्त जीव आकार एवं स्वरूप में ईश्वर के समान हो जाता है। गीता में मुक्त पुरुष की यही अवधारणा है।
2. **सामीप्य:** मोक्ष प्राप्त जीव ईश्वर की निकटता प्राप्त करता है। निम्बार्काचार्य, मधवाचार्य और वल्लभाचार्य की यही मान्यता है।
3. **सालोक्य:** मुक्त जीव ईश्वर के प्रकाशमय लोक (बैकुण्ठ) को प्राप्त हो उसके साथ रहने लगता है। रामानुजाचार्य इसी मत के समर्थक हैं।
4. **सायुज्य:** मुक्त जीव ईश्वर (ब्रह्म) के साथ तादात्म्य स्थापित कर लेता है। आचार्य शंकर इस मत के समर्थक हैं। उनके अनुसार ब्रह्म को जानने वाला ब्रह्म ही हो जाता है। आत्मा का अपने स्वरूप में अवस्थिति ही मोक्ष है।

कुछ अन्य पक्ष

एक धार्मिक प्रार्थना के क्रम में भक्त ईश्वर से यह भी कहता है कि- त्वमेव माता च पिता त्वमेव अर्थात् हे ईश्वर तू ही मेरी माँ और तू मेरा पिता है।

गीता में श्रीकृष्ण का कथन है कि-'ममैवांशो जीवलोके जीवभूती सनातन' अर्थात् मेरा ही अंश जीव लोक में जीवात्मा के रूप में सनातन है।

सर्वशक्तिमान

↓

व्यक्तित्वपूर्ण ईश्वर का एक महत्वपूर्ण तात्विक गुण

↓

क्या है

1. ईश्वर सब कुछ कर सकता है।
2. ईश्वर में सभी वस्तुओं को उत्पन्न, कायम रखने एवं नष्ट करने की क्षमता है।

↓

क्यों माना जाए

↓

ईश्वर की पूर्णता सर्वोच्चता एवं उपासना की व्याख्या करने के लिए

↓

स्मरण

↓

कुछ प्रश्न

1. क्या ईश्वर आत्महत्या कर सकता है?
2. क्या वह दो और दो पाँच बना सकता है?
3. क्या वह पाप कर सकता है?
4. क्या ईश्वर इतना बड़ा पत्थर बना सकता है जिसे वह खुद न उठा सके?

↓

समाधान

1. ईश्वर वही करेगा जो तार्किक होगा।
2. ईश्वर वही कर सकता है जो उसके अन्य गुणों से संगति रखता हो।
3. ईश्वर वही कर्म कर सकता है जो उसके चरम लक्ष्य के अनुरूप हो।
4. ईश्वर वही कर सकता है जो करने योग्य हो।

अशुभ की समस्या

↓

विस्तार तीसरे नं. के टॉपिक में

सर्वशक्तिमान बनाम जगत की रचना

ईश्वर को सर्वशक्तिमान मानने का संदर्भ यह भी है कि ईश्वर जगत का रचयिता है।

↓

जगत की रचना में विद्यमान विरोधाभास

1. जगत की रचना किससे करता है?
2. जगत की रचना क्यों करता है?
3. जगत की रचना कब करता है?
4. रचना करते समय ईश्वर की स्थिति
5. रचना करना एक ऐच्छिक कार्य है।

↓

उत्तर

↓

ईश्वर जगत संबंध

↓

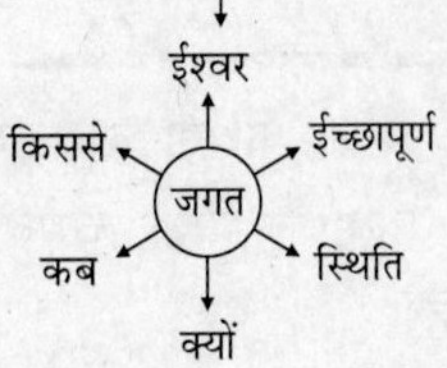

ईश्वर को नित्य मानने के साथ-साथ दयालु मानना विरोधाभासी है।

ईश्वर सर्वज्ञ → मनुष्य के संकल्प स्वातंत्र्य → अच्छा / बुरा — स्वतंत्र
ईश्वर सर्वज्ञ → ईश्वर की नित्यता

समस्त ज्ञान → भौतिक वस्तु का ज्ञान → परिवर्तनशील → ईश्वर नित्य नहीं है।

समस्त ज्ञान → भूत, वर्तमान, भविष्य → मनुष्य संकलप स्वातंत्र्य नहीं है।

प्रश्न- सगुण* ईश्वर की अधारणा विरोधाभासों से युक्त है।

उत्तर- ईश्वरीय स्वरूप के संबंध में एक महत्वपूर्ण अवधारणा व्यक्तित्वपूर्ण* अवधारणा

↓

यहाँ व्यक्तित्वपूर्णता का आशय है। → आत्मचेतना व freedom of will से युक्त / नैतिक व तात्विक गुणों से युक्त

↓

व्यक्तित्वपूर्ण मानना आवश्यक क्यों

↓

क्योंकि
- धार्मिक जीवंतता व गतिविधि की व्याख्या
- पूजा, वंदना, आराधना आदि की व्याख्या
- उपास्य की सार्थकता

↓

ईश्वर को व्यक्तित्वपूर्ण मानने पर नाना प्रकार की कठिनाइयाँ

1. व्यक्तित्वपूर्णता → अंततः सीमितता आ जाती है।
2. मानवत्व आरोपण का दोष
3. स्पिनोजा
4. सार्त्र
5. शंकराचार्य
6. सर्वशक्तिमान मानने पर कठिनाई
7. सर्वज्ञ मानने पर मनुष्य की स्वतंत्रता की व्याख्या नहीं
8. सर्वज्ञ मानने पर नित्यता की व्याख्या नहीं
9. नित्यता व दयालुता साथ-साथ स्वीकार्य नहीं

↓

महत्व

ईश्वर मनुष्य संबंध

ईसाई अवधारंणा

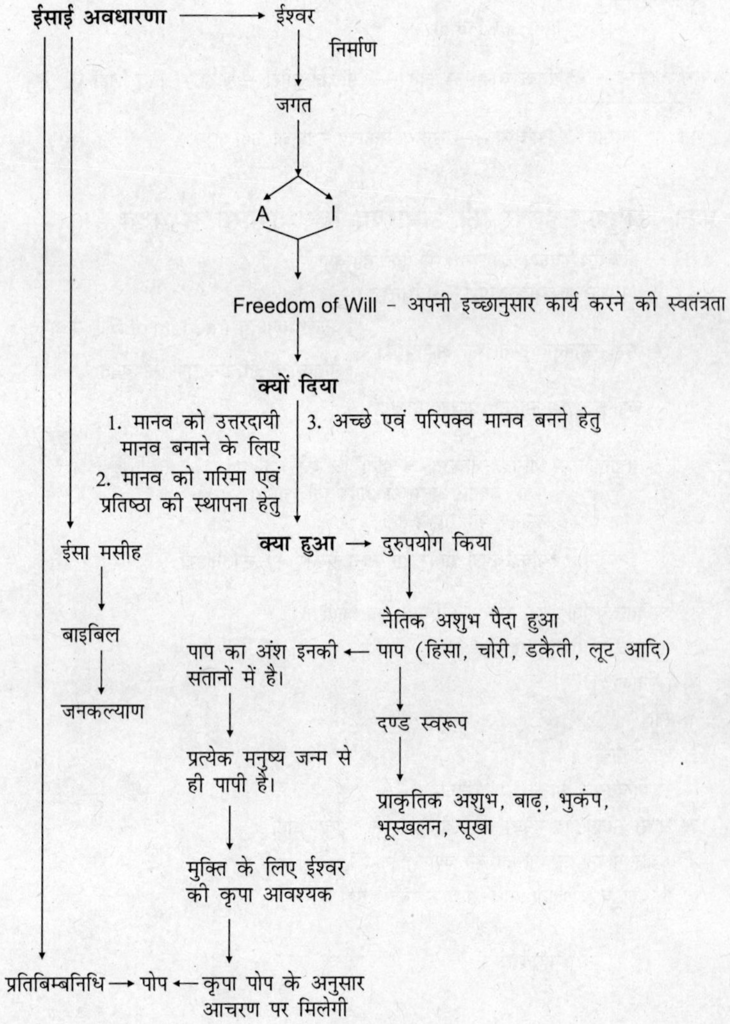

ईश्वर मनुष्य संबंध

भूमिका
1. धार्मिक सन्दर्भ में
2. जगत ईश्वर की सृष्टि है (सामान्यतः)
3. ईश्वर की सर्वश्रेष्ण कृति मनुष्य है।
4. मनुष्य धरती पर ईश्वर का वास्तविक उत्तराधिकारी है।

↓

ईसाई संदर्भ → 1. God → जगत → आदम, ईव → freedom of will → पाप → ईश्वर अपने दूत को भेजता है।

2. पाप से मुक्ति ईश्वर की कृपा से सम्भव।
3. ईश्वर की कृपा तभी संभव जब पोप के अनुसार आचरण
4. पोप धरती पर ईश्वर का प्रतिनिधि
5. स्पष्ट है कि ईश्वर से सीधा संबंध/संपर्क नहीं, पोप के माध्यम से

↓

कुछ प्रमुख दार्शनिक → डेकार्त, स्पिनोजा, लाइबन्तिज आदि

↓

डेकार्ट → 1. व्यक्ति मन व शरीर रूपी दो परस्पर भिन्न द्रव्यों का संयोग
2. मन व शरीर दोनों ईश्वर सापेक्ष, ईश्वर परतंत्र द्रव्य
3. इस रूप में व्यक्ति की सत्ता भी ईश्वर पर निर्भर
4. ईश्वर स्वतंत्र सत्ता है, मनुष्य ईश्वर पर निर्भर सत्ता

↓

स्पिनोजा → 1. मनुष्य और ईश्वर में आंतरिक व अनिवार्य संबंध
2. ईश्वर से पृथक् सत्ता (स्वतंत्र) नहीं
3. ईश्वर के चित्त एवं अचित्त रूपी गुणों का योग

↓

लाइबनित्ज → 1. मनुष्य अनेक मोनडों का समन्वय है।
2. मनुष्य की सत्ता ईश्वर से स्वतंत्र।
3. परंतु वह ईश्वर का संचालित पूर्व स्थापित सामंजस्य के नियम से संचालित है, तुलना घड़ीसाज से।

↓

भारतीय संदर्भ
- → साधन के रूप में
- → साध्य के रूप में

↓

भारतीय संदर्भ
- → योग → समाधि प्राप्ति में सहायक के रूप में
- → अद्वैत वेदान्त → व्यवहारिक दृष्टिकोण से → चित्त की शुद्धि एवं नैतिक उत्थान हेतु

↓

साध्य रूप → रामानुज, मध्वा — अंतिम स्तर पर ईश्वर की भक्ति

↓

अन्य दार्शनिक संदर्भ → न्याय-वैशेषिक, अद्वैत वेदान्त, रामानुज, महत्व

↓

न्याय वैशेषिक → ईश्वर जगत का केवल निमित्त कारण है, ईश्वर ही मनुष्यों को उसके कर्मों का फल प्रदान करता है। ईश्वर जगत में पृथक् एवं वाह्य है, इस रूप में मनुष्यों की सत्ता ईश्वर से पृथक् है।

↓

अद्वैत वेदान्त →
- i) जीव मूलतः ब्रह्म ही है।
- ii) अविधा के कारण ब्रह्म से पृथक् स्थिति
- iii) मूलतः अभेद की स्थिति

↓

विशिष्टाद्वैत →
- i) चित्त और अचित्त से विशिष्ट ब्रह्म को स्थिति स्वीकार्य
- ii) मनुष्य ईश्वरीय अंश से निर्मित
- iii) ईश्वर व मनुष्य में अपृथक् सिद्धि संबंद्ध

↓

मध्वाचार्य →
- i) ब्रह्म स्वतंत्र तत्व है।
- ii) चित्त और अचित्त से निर्मित मनुष्य की परतंत्र सत्ता है।
- iii) जीव का न तो ब्रह्म से अभेद है और न ही वह ब्रह्म का अंग है।
- iv) मनुष्य की सत्ता ईश्वर से भिन्न पृथक् है परनतु वह अपनी सत्ता के लिए ईश्वर पर निहित है।

↓

कुछ अन्य संदर्भ → i) **"त्वमेव मात व पिता त्वमेव"** -पिता-पुत्र का संबंध (धार्मिक संबंध है।)

ii) गीता में यह कहा गया है कि आत्मा ईश्वरीय अंग है। इस रूप में ईश्वर व मनुष्य का संबंध सदैव बनाया गया है।

डेकार्ट

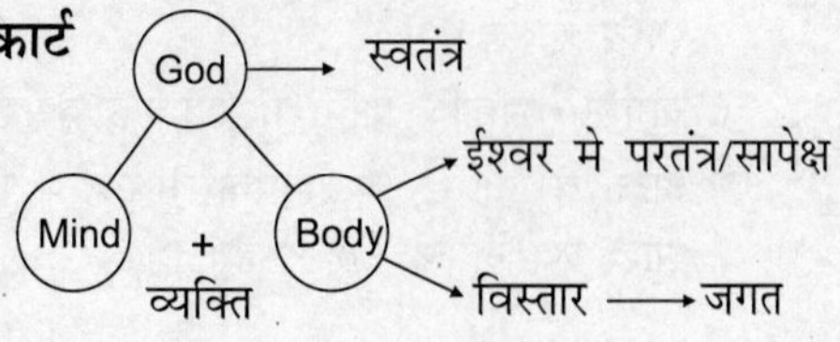

स्पिनोजा

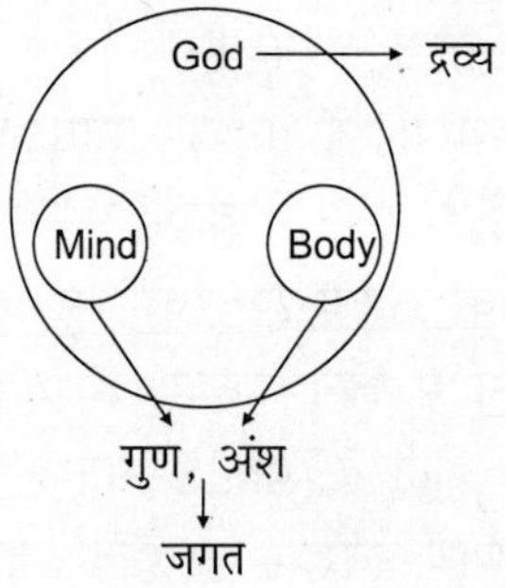

लाइबनित्ज

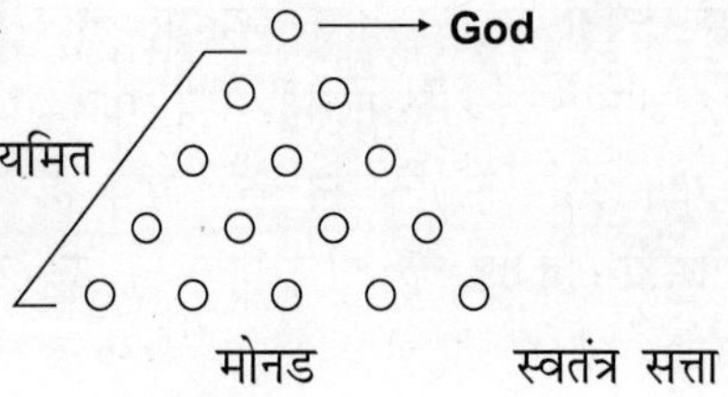

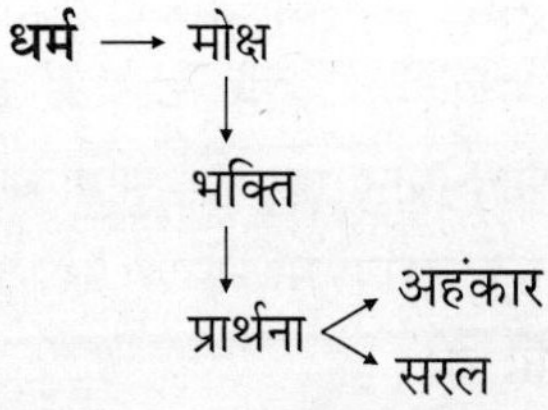

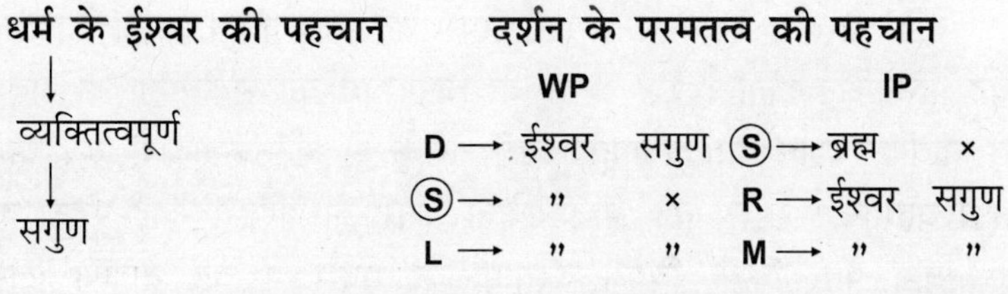

ईश्वरविहीन धर्म की संकल्पना

यदि संपूर्ण भारतीय दर्शन का एवं पाश्चात्य दर्शन का अवलोकन किया जाए, तो यह परिलक्षित होता है कि ईश्वर की संकल्पना सामान्यतया धर्म के आलोक में आलोक्य तो होती है, लेकिन इसके विपरीत ध र्म का वास्तविक एवं आध्यात्मिक उद्देश्य ईश्वर के यथार्थ स्वरूप की संकल्पना को प्रतिस्थापित करना माना गया है, क्योंकि धर्म का अंतिम

उद्देश्य मोक्ष को प्राप्त करना है।

मोक्ष की अवस्था में मनुष्यत सामान्यतया ईश्वर की यथार्थ स्वरूप को ही जान पाता है। इस दृष्टिकोण से देखा जाए तो धर्म का आध्यात्मिक उद्देश्य एवं धार्मिक उद्देश्य ईश्वर की संकल्पना को प्रतिस्थापित करना है, लेकिन इस प्रसंग में बिना ईश्वर के धर्म की संकल्पना कहीं-न-कहीं अतार्किक प्रतीत होती है, क्योंकि मनुष्य के अंदर व्याप्त धार्मिक चेतना ही ईश्वर के यथार्थ स्वरूप का अवलोकन करवाती है।

यही संकल्पना प्रकृति द्वारा स्थापित तीन गुणों से निकले चेतना के तीन पक्ष ज्ञानात्मक, क्रियात्मक एवं भावात्मक पक्ष सामान्यतः सत्व गुण, रजत गुण आदि से निकल कर आते हैं ईश्वर के बिना धर्म की संकल्पना भारतीय दर्शन के दृष्टिकोण से उन समस्त दर्शन संप्रदाय में दिखाई पड़ता है ।

जहां ईश्वर को सृष्टि का आधार नामांकन कर्म के आधार पर धर्म का सृजन किया गया है। उसमें चार्वाक दर्शन, जैन दर्शन, बौद्ध दर्शन सांख्य दर्शन इत्यादि माने गए हैं। सामान्यतया ईश्वर के बिना ध र्म की संकल्पना भारतीय दर्शन में श्रमण परंपरा के मानने वाले दर्शन संप्रदाय में दिखाई पड़ती है।

यदि भारतीय दर्शन में श्रमण परंपरा का अवलोकन किया जाए तो यह परिलक्षित होता है कि ईश्वर के बिना धर्म की संकल्पना के संदर्भ में चार्वाक दर्शन का दृष्टिकोण पूरी तरीके से भौतिकतावादी एवं कर्म तथा वर्तमान परिदृश्य की आवश्यकता ऊपर आधारित दिखाई पड़ता है।

जहां पारलौकिक विषय वस्तुओं के संदर्भ में वह ब्राह्मणों द्वारा जीवन जीने की पद्धति के रूप में स्वीकार कर अस्वीकार करता है इस तरह से चार्वाक दर्शन में ईश्वर के बिना धर्म की संकल्पना सामान्यतः कर्म सिद्धांत पर आधाारित दिखाई पड़ती है। इसी प्रसंग में यदि जैन दर्शन एवं बौद्ध दर्शन का अवलोकन किया जाए तो यह परिलक्षित होता है, लेकिन दोनों दर्शन सामान्यतः वैदिक दर्शन में व्याप्त रूढ़िवादी मान्यताओं के खिलफ़ प्रतिस्थापित हुए थे।

सामान्यतः यह माना जाता है कि वैदिक दर्शन में ईश्वर या वेदों में आस्था रखने वाले होते हैं, जो संपूर्ण विषय वस्तु को ईश्वर के आधार पर मूल्यांकन करने का काम करते हैं। इस प्रसंग में जैन दर्शन एवं बौद्ध दर्शन समस्त पारलौकिक विषय वस्तुओं का खंडन करते हुए अलौकिक प्राथमिकताओं के आधार पर सृष्टि की संपूर्ण विषय वस्तुओं का मूल्यांकन करने का प्रयास करते हैं ।

जहां जैन दर्शन में धर्म का स्वरूप अत्यंत व्यापक दिखाई पड़ता है। यहां धर्म को परम लक्ष्य की प्राप्ति का मार्ग बतलाया गया है। इसमें सम्यक् दर्शन समय ज्ञान तथा समय चरित्र की बात की गई है। संपूर्ण शिक्षा का आधार जैन दर्शन में वर्णित साहित्य को तीर्थंकर एवं केवल प्राप्ति के मार्ग के रूप में स्वीकार किया गया है। उसी प्रसंग में यदि बौद्ध दर्शन का अवलोकन किया जाए तो यह परिलक्षित होता है कि निर्वाण प्राप्ति के संदर्भ में कर्म एवं अलौकिक विषय-वस्तु को आधार बनाकर भगवान बुद्ध ने संपूर्ण पारलौकिक विषय-वस्तु का खंडन किया एवं अष्टांगिक मार्ग के माध्यम से धर्म की यथार्थ स्वरूप की संकल्पना को प्रतिस्थापित करने का कार्य किए थे। जहां ईश्वर आत्मा जैसी विषय वस्तु के संदर्भ में सदैव मौन रहते थे, क्योंकि इन विषय-वस्तु का स्पष्टीकरण करना उचित नहीं समझते थे, क्योंकि इनका यथार्थता से कोई संबंध नहीं होता है ।

हमारी वर्तमान परिदृश्य की आवश्यकताओं के लिए पारलौकिक विषय-वस्तु के स्थान पर अलौकिक विषय-वस्तु की आवश्यकता अत्यधिक दिखाई पड़ती है। इसके साथ-साथ यदि सांख्य दर्शन का अवलोकन किया जाए तो वहां भी ईश्वर की संकल्पना को अस्वीकार करते हुए पुरुष प्रकृति के आधार पर धर्म की व्यथा स्वरूप मूल्यांकन करने का प्रयास किया गया है।

प्रकृति का धर्म है कि पुरुष को अपनी तरफ आकर्षित करे संपूर्ण सृष्टि का सृजन करे जहां ईश्वर के बिना भी संपूर्ण सृष्टि का निर्माण एवं संपूर्ण कार्य संपन्न होता है। पुरुष प्रकृति का संबंध है पुरुष को

दुःख के बंधन में डालने का काम करता है, ज्ञान के माध्यम से अर्थात् धर्म एवं धार्मिक चेतना के ज्ञानात्मक पक्ष के माध्यम से हम धर्म यथार्थ स्वरूप का मूल्यांकन कर सकते हैं। यहां ईश्वर की संकल्पना को स्वीकार किया गया है, क्योंकि ईश्वर की संकल्पना कहीं-ना-कहीं संपूर्ण सृष्टि को आस्था या विश्वास रूढ़िवादी मान्यताओं की तरफ अग्रसर करती है।

इसी प्रसंग में यदि पाश्चात्य दर्शन का अवलोकन किया जाए तो यह परिलक्षित होता है कि पाश्चात्य दर्शन में इस संदर्भ में पाश्चात्य दार्शनिक गैलवे कहते हैं कि धर्म मनुष्य का अपने से परे शक्ति में विश्वास है। जहां मनुष्य अपनी भावात्मक आवश्यकताओं की संतुष्टि करता है तथा जीवन में स्थिरता को प्राप्त करने के लिए पूजा-पाठ सेवा के माध्यम से इस को अभिव्यक्त करने का प्रयास करता है।

वहीं दूसरे दार्शनिक जेम्स मार्टिनन्यू के अनुसार धर्म चिरंतन ईश्वर में विश्वास और उसकी आराधना है, यह धर्म अति मानस एवं दैवीय संकल्पना का स्वरूप है, जो अखंड ब्रह्मांड पर शासन करता है और मानवता को नैतिक सूत्रों से संबंध करने का काम करता है ।

धर्म की परंपरागत पाश्चात्य मान्यताओं से स्पष्ट है कि धर्म के लिए किसी अति प्राकृतिक सत्ता या ईश्वर का होना अति आवश्यक माना जाता है। यदि भारतीय दर्शन के दृष्टिकोण से देखा जाए तो जैन और बौद्ध दर्शन में भी इस संदर्भ में अपने नैतिक आचार्य के मूल्यों को अलौकिक विषय-वस्तु एवं व्यवहारिक तथा तार्किक दृष्टिकोण से मूल्यांकन करने का प्रयास किया गया था।

जहां ईश्वर की संकल्पना को अस्वीकार किया जाता है यदि आधुनिक समकालीन पाश्चात्य दर्शन का अवलोकन किया जाए तो यह परिलक्षित होता है कि अगस्त काम्टे, जॉन डीवी जैसे आधुनिक विचारक धर्म को नए रूप में संचारित करने का प्रयास करते हैं। उनके अनुसार प्रचलित धर्म में अलौकिक एवं धार्मिक सत्ता का कोई स्थान नहीं दिखाई पड़ता है, क्योंकि धर्म में अलौकिकता एवं धार्मिकता धर्म के लिए हमेशा घातक दिखाई पड़ती है।

इस आधार पर परंपरागत धर्म और प्रासंगिक दिखाई पड़ता है अलौकिक व्यक्ति के व्यक्तित्व को विभाजित करने का कार्य करती है। इसके माध्यम से मनुष्य के अंदर अंतर विरोध की भावना उत्पन्न होती है। दैनिक जीवन में विज्ञान और तार्किकता की बात बढ़ने के बाद धार्मिक जीवन में आस्था विश्वास जैसी विषय-वस्तु है। वर्तमान परिदृश्य में अधिक विसंगतियों को उत्पन्न कर रहा है। जिसके कारण मनुष्यों के बीच में विश्वास में संप्रदायिकता एवं वैमनस्य की भावनाएं बहुत तेजी से बढ़ रही हैं। यही भावना अलगाववादी कट्टरवादी, आतंकवादी जैसी निकृष्ट विचारधाराओं को भी जन्म दे रही है।

सामान्यतः जॉन डीवी मानववादी हैं इनके अनुसार मानव को आदि धर्म प्रकृतिवादी होता है। वह परंपरागत धर्मों में नित मूल्यों की पूर्ण रूप से सुरक्षा पर बोलते हुए दैवीय प्रकाश या श्रुति के स्थान पर रचनात्मक संकल्पना को स्थापित करने का प्रयास करता है ।

इनके अनुसार मनुष्य किसी दैवी शक्ति का आश्रय लिए बिना भी स्वयं अपनी तर्क बुद्धि के द्वारा अपने जीवन की समस्याओं का समाधान कर सकता है। वह परस्पर सहयोग के आधार पर मानव कल्याण की बात को स्वीकार करते हैं। जॉन डीवी के अनुसार सभी धर्मों के पालन में एक विशेष अभिवृत्ति पाई जाती है। जिसे हम धर्मनिष्ठता कहते हैं।

यह किसी भी धर्म या आदेश के पालन में दिखाई पड़ती है। यह बिना ईश्वर की धर्म की संकल्पना को अलौकिक शक्तियों के माध्यम से स्थापित करने का काम करती है। जिसमें दार्शनिक चिंतन कला जैसी विषय-वस्तु है उनको प्रकृतिवाद विषय-वस्तु से जोड़ने का काम करती है। आधुनिक समय में यह अवधारणा प्रबल रूप से उभर कर सामने आ रही है कि मानव अपनी समस्याओं का हल किए बिना भी संपूर्ण कार्य कर सकता है ।

विज्ञान, नैतिकता, कला जैसे सभी क्षेत्रों में ईश्वर का स्वरूप अत्यधिक उपयोगी नहीं दिखाई पड़ रहा है, अब धार्मिक जीवन भी ईश्वर के बिना किसी भी प्रकार से चल सकता है जैसे कि पहले ईश्वर से युक्त

होकर चलता था। इसमें नीत्शे, सार्त्र जैसे विचारक ईश्वर में विश्वास को अनावश्यक समझते हैं, इनका मानना है कि ईश्वर के विचार से वितृष्णा उत्पन्न होती है, तथा मनुष्य के स्वतंत्र अस्तित्व पर प्रहार होता है।

अतः हम कह सकते हैं कि बिना ईश्वर के भी धर्म की संकल्पना को वर्तमान परिदृश्य में नैतिक, तार्किक एवं वैज्ञानिक दृष्टिकोण से स्थापित किया जा सकता है। जिसमें किसी भी प्रकार की भावनाएं खंडित नहीं होती दिखाई पड़ रही हैं।

हम विभिन्न तर्क के आधार पर इस विषय-वस्तु का मूल्यांकन कर सकते हैं।

1. धर्म का मुख्य उद्देश्य नहीं है कि वह ईश्वर या किसी अन्य दैवी शक्ति की आराधना करने का गुण सिखाए बल्कि धर्म का वास्तविक उद्देश्य मानव कल्याण की संकल्पना को स्थापित करना है, अर्थात् हम कह सकते हैं कि धर्म नैतिक मूल्यों का सिद्धांत है, जो हमें शांति एवं आनंद के साथ जीवन जीने की कला सिखाने का काम करता है।
2. विभिन्न धर्मों में किसी आध्यात्मिक परम लक्ष्य को सर्वोच्च स्तर पर स्थापित किया गया है, जैसे जैन दर्शन में कैवल्य, बौद्ध दर्शन में निर्वाण इन समस्त मूल्यों को हम ईश्वर को न मानते हुए भी मोक्ष प्राप्ति का आधार मान सकते हैं।
3. प्रत्येक धर्म का कोई न कोई धर्म ग्रंथ अवश्य होता है जिसमें धर्म से संबंधित मान्यताएं विश्वास शिक्षा योग्य हैं क्योंकि संपूर्ण विवेचना दिखाई पड़ती है, जैसे जैन दर्शन में आगम साहित्य तथा बौद्ध दर्शन में त्रिपिटक साहित्य इन सभी में बिना ईश्वर के धर्म को नैतिक आधार पर जीवन जीने की कला के रूप में मूल्यांकित करने का प्रयास किया गया है।
4. डेनमार्क के प्रसिद्ध दार्शनिक हेराल्ड का मानना है कि जीवन में अच्छे और बुरे कर्मों के फल का विनाश नहीं होता है इस विधान में विश्वास का नाम है, धर्म माना जाता है। जिसका

समर्थन भारतीय दर्शन में बौद्ध दर्शन एवं जैन दर्शन के नैतिक मूल्यों में भी दिखाई पड़ता है।

यहां धर्म का संबंध मनुष्य की कर्म–उपासना भावना आदि को नैतिक आधार पर मूल्यांकित करने का है। जिससे संपूर्ण संसार में सत्य, अहिंसा, प्रेम स्वयं जैसे मानवीय मूल्यों को स्थापित किया जा सके, क्योंकि यही मानवीय मूल्य बिना ईश्वर के धर्म को मानव धर्म के रूप में मूल्यांकित करने का काम करते हैं, और यही धर्म विश्व के सभी धर्मों के बीच मानवता के धर्म का पाठ पढ़ाता है। जहां लोग एक दूसरे को कर्तव्य एवं नैतिक सौहार्द के साथ सामाजिक, राजनीतिक, आर्थिक, धार्मिक अर्थात् समस्त परिदृश्य में नैतिक मूल्यों के आधार पर धैर्य क्षमा अस्तेय सत्य आदि के अनुसार संपूर्ण कल्याण करने का काम करते हैं।

निष्कर्ष यह कहा जा सकता है कि ईश्वर के बिना धर्म नैतिक के सद्‌गुणों का समूह नजर आता है। इस प्रसंग में मनुष्य का संपूर्ण जीवन मानवीय धर्म के रूप में मानवता का पाठ पढ़ाने का कार्य करता है।

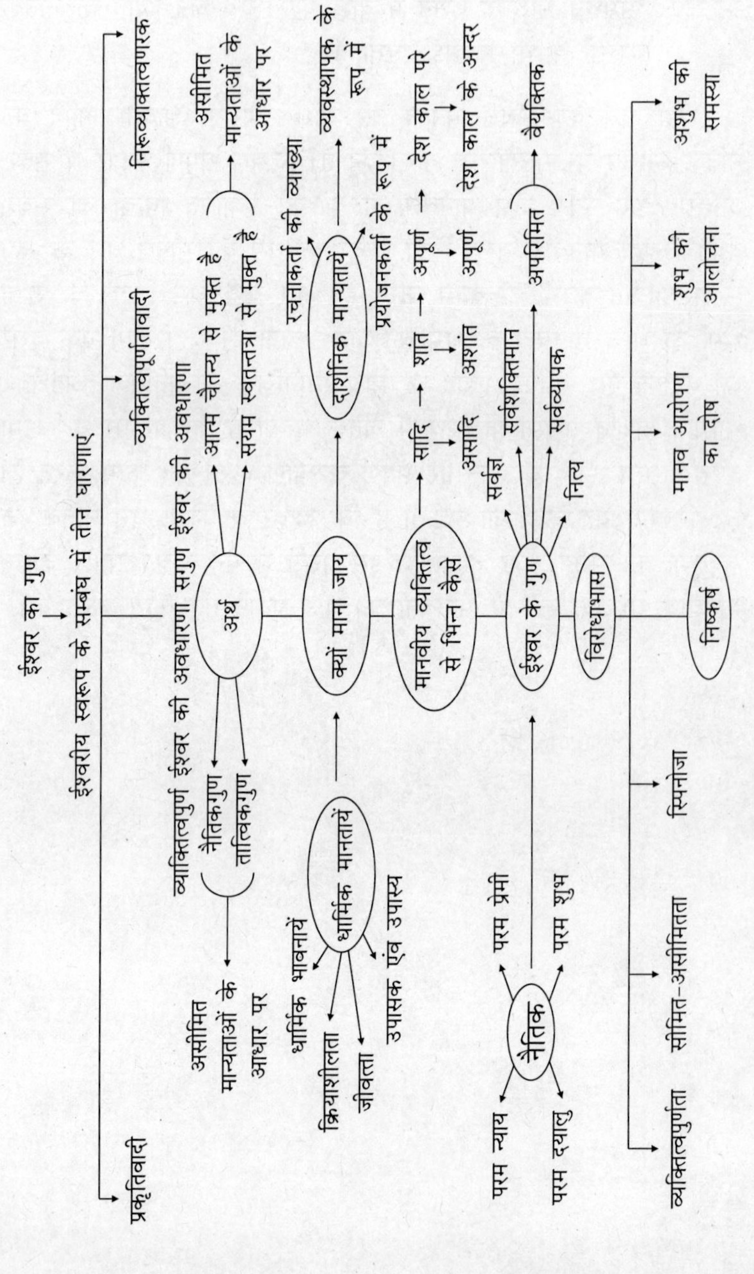
ईश्वर का गुण
ईश्वरीय स्वरूप के सम्बंध में तीन धारणाएं
प्रकृतिवादी
व्यक्तित्वपूर्णतावादी
निरुव्यक्तत्वणरक
व्यक्तित्वपूर्ण ईश्वर की अवधारणा सगुण ईश्वर की अवधारणा
अर्थ
नैतिकगुण
तात्विकगुण
असीमित मान्यताओं के आधार पर
आत्म चैतन्य से मुक्त है
संयम स्वतन्त्रा से मुक्त है
असीमित मान्यताओं के आधार पर
क्यों माना जाय
धार्मिक मानतायें
धार्मिक भावनायें
क्रियाशीलता
जीवत्ता
उपासक एवं उपास्य
दार्शनिक मान्यतायें
रचनाकर्ता की व्याख्या
व्यवस्थापक के रूप में
प्रयोजनकर्ता के रूप में
मानवीय व्यक्तित्व से भिन्न कैसे
सादि → शांत → अपूर्ण → देश काल पर
असादि
अशांत
अपूर्ण
देश काल के अन्दर
ईश्वर के गुण
सर्वज्ञ
सर्वशक्तिमान
अपरिमित
वैयक्तिक
नित्य
सर्वव्यापक
नैतिक
परम न्याय
परम दयालु
परम प्रेमी
परम शुभ
विरोधाभास
निष्कर्ष
व्यक्तित्वपूर्णता
सीमित-असीमितता
स्पिनोजा
मानव आरोपण का दोष
शुभ की आलोचना
अशुभ की समस्या

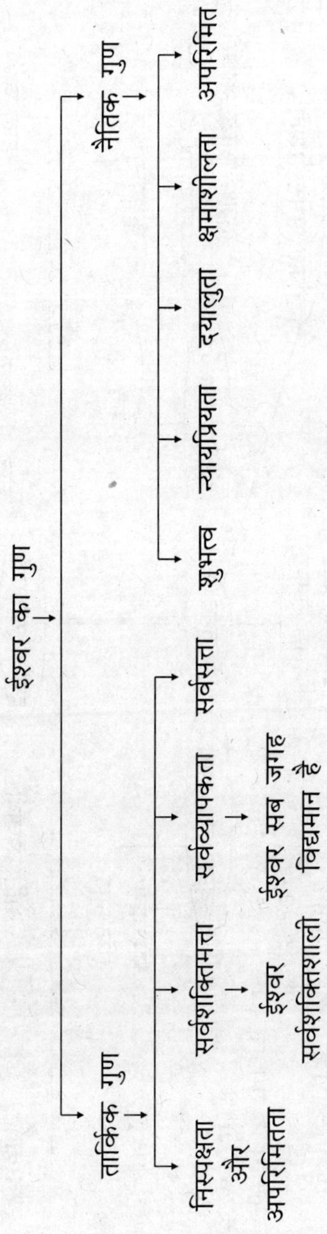
ईश्वर का गुण
तार्किक गुण
नैतिक गुण
निरपेक्षता और अपरिमितता
सर्वशक्तिमत्ता
ईश्वर सर्वशक्तिशाली
सर्वव्यापकता
ईश्वर सब जगह विद्यमान है
सर्वसत्ता
शुभत्व
न्यायप्रियता
दयालुता
क्षमाशीलता
अपरिमित

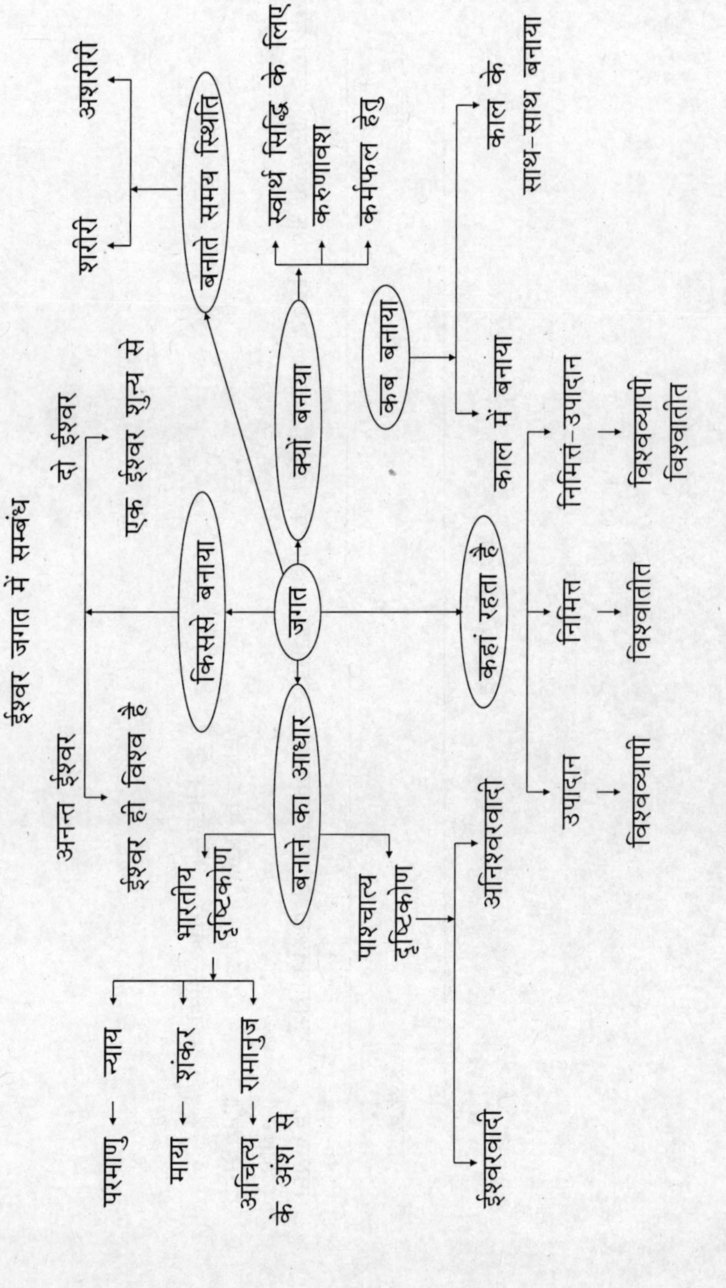
जगत
किससे बनाया
ईश्वर जगत में सम्बंध
अनन्त ईश्वर
दो ईश्वर
ईश्वर ही विश्व है
एक ईश्वर शून्य से
बनाते समय स्थिति
शरीरी
अशरीरी
क्यों बनाया
स्वार्थ सिद्धि के लिए
करुणावश
कर्मफल हेतु
कब बनाया
काल में बनाया
काल के
साथ-साथ बनाया
कहां रहता है
उपादान
निमित्त
निमित्त-उपादान
विश्वव्यापी
विश्वातीत
विश्वव्यापी
विश्वातीत
बनाने का आधार
भारतीय
दृष्टिकोण
परमाणु ← न्याय
माया ← शंकर
अचित्य ← रामानुज
के अंश से
पाश्चात्य
दृष्टिकोण
अनिश्वरवादी
ईश्वरवादी

ईश्वरविहीन धर्म का स्वरूप

- **भूमिका** → यहां एक प्रकार से प्रकृतिवादी अवधारणा के आधार पर हर विषय वस्तु का मूल्यांकन करने का प्रयास किया जाता है यहां दो पक्ष निकल कर सामने आते हैं कि क्या है ईश्वर का अस्तित्व बिना धर्म के सम्भव है भी या नहीं भी
- **शब्द का अर्थ** → Religion शब्द रिलियर से बना →
  - बांधना
  - जोड़ना
  - सुसंगठित
- **धर्म का सन्दर्भ** →
  - मानव → मानव
  - आन्तरिक → बाह्य
  - ससीम → असीम →
    - ससीम नहीं है।
    - देशकाल से परे है।
  - परम्परागत → अपरम्परागत
- **दो अर्थ** →
  - मानने के आधार पर → जैन, बौद्ध
  - न मानने के आधार पर → चावमि
- **परिणाम** →
  - मानने के आधार पर जैन, बौद्ध Religion को नहीं मानता है
  - नीतिशास्त्र की संज्ञा के आधार पर
- **स्पष्टीकरण** →
  - Religion ईश्वरवाद का पर्याय नहीं है।
  - ईश्वर के अलावा बहुत सारी चीजें हैं।
- **प्रमुख तत्व** →
  - मानव कल्याण करना
  - आध्यात्मिक चरम स्थिति
  - लक्ष्य प्राप्ति का मार्ग
  - धार्मिक ग्रन्थ के आधार पर
  - अनीश्वरवादी का एक रूप →
    - जड़ रूप → चार्वाक
    - अजड़ रूप → जैन बौद्ध
  - प्रविन विचार के आधार पर
  - नैतिक समुदाय के रूप में

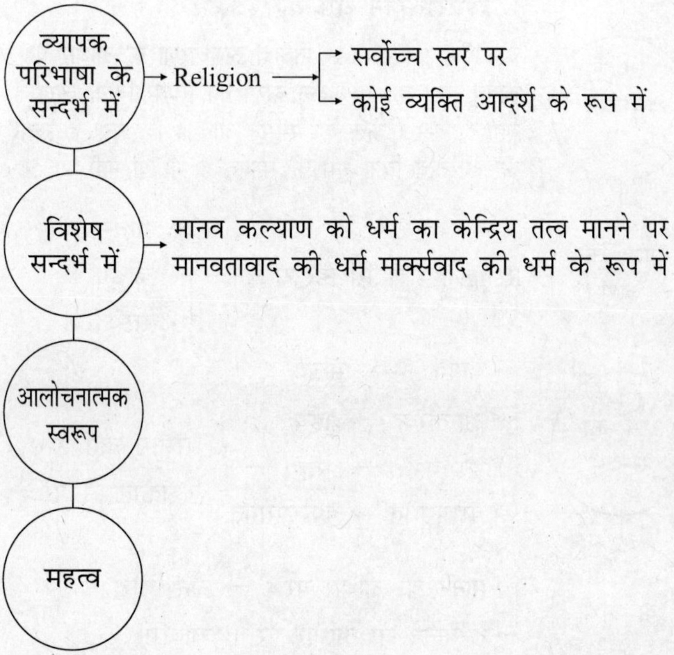

ईश्वर के गुण

समग्रता में भारतीय परंपरा एवं पाश्चात्य परंपरा का अवलोकन किया जाए तो यह दृष्टिगोचर होता है कि सृष्टिकर्ता ईश्वर के असीम गुण हैं। जिनका वर्णन करना असम्भव है, लेकिन मनुष्य अपने सुख-दुःख के सभी आयाम को ईश्वर से अभिव्यक्त करने के लिए ईश्वर के मानवीय गुणों का सृजन कर अपने हृदय भाव से अपने मानसिक भाव को ईश्वर को समर्पित करता है। इस संदर्भ में ईश्वर के कुछ प्रमुख गुण इस प्रकार हैं। ईश्वर को संसार के प्रत्येक कण में व्याप्त माना जाता है।

ईश्वरवादी ईश्वर के गुण को ज्ञात करने के अनेक प्रयास मुख्यतः मानवीय गुण के रूप में सृष्टि में सामाजिक, धार्मिक एवं मानसिक आयाम को संतुलित करने के लिए करते हैं। जहां से ईश्वर की सर्वशक्तिमान, सर्वज्ञ, सर्वव्यापक, दयालु, नित्य, अनादि, असीम, अनंत परिणामी सत्ता के रूप में स्वीकार करते हैं। यही इनके प्रमुख गुण

के रूप में जाना जाता है। दार्शनिक दृष्टिकोण से कुछ दार्शनिक ऐसे व्यक्तित्व रहित निराकार निर्गुण को मानते हैं। कुछ दार्शनिक इसे सगुण साकार व्यक्तित्व संपन्न सत्ता के रूप में स्वीकारते हैं। अनाज अनंत शाश्वत स्वयंभू है जो संपूर्ण ब्रह्मांड के अस्तित्व का आदि कारण माना जाता है।

वहीं भक्ति मार्ग के लोग अपनी आराधना के अनुसार ईश्वर को समस्त बुराइयों से मुक्त सद्‌गुण संपन्न सर्वशक्तिमान सर्वज्ञता सर्व व्यापक नित्यता पूर्ण शुभ प्रेम आदि गुणों से विभूषित कर उनमें असीम आस्था श्रद्धा के साथ उसकी आराधना-वंदना करते हैं।

पाश्चात्य दर्शन में भी देखा जाए तो कांट जैसे दार्शनिक ईश्वर को विश्व के साथ जोड़कर इसके स्वरूप एवं गुणों का मूल्यांकन करते हैं। मेरे विचार से भी ईश्वर एक ऐसी शक्ति है। ऊर्जा के समान है जिसका कोई आकार नहीं है। मनुष्य अपने हृदय में अंतर्भूत मनोभाव के द्वारा जिस रूप में जिन गुणों के साथ साक्षात्कार करना चाहता है। वह ऊर्जा उन गुणों से युक्त होकर उसी का रूप धारण कर लेती है। लोक में प्रत्येक व्यक्ति की भिन्न-भिन्न इच्छाएं हैं। उसी के अनुसार ईश्वर उसकी इच्छा की पूर्ति करता है।

ईश्वर के जिन गुणों का उल्लेख धर्म शास्त्र एवं धर्म दार्शनिकों ने किया है। उस को दो भागों में बांट कर मूल्यांकित किया जा सकता है–

1. तत्व मीमांसा गुण के आधार पर
2. नैतिक गुण के आधार पर

सर्वशक्तिमान, सर्वज्ञ, व्यापकता, अपरिमितता, नित्यता आदि तत्व मीमांसा गुण हैं, जबकि पूर्ण, शुभ, प्रेम, दयालु आदि नैतिक गुण माने जाते हैं। प्रो० वाइट मैन का कहना है कि if there is a personal God controlling the whole universe, it is obviously children to think of him as localised in any sort of body youthful or aged. अर्थात् ईश्वर उपासना उपास्य है, जबकि मानव उपासक है। उपास्य में उपासक के प्रति प्रेम करुणा, दया आदि होता है। उपासक में

उपास्य के प्रति श्रद्धा और भक्ति होती है। ईश्वर में कुछ निजी विशेषताएं होती है। उन्हें व्यैक्तिक विशिष्टता कहते हैं। व्यैक्तिक विशिष्टता के कारण ही प्रत्येक व्यक्ति एक दूसरे से भिन्न होता है। यही व्यक्तिक विशिष्टता ईश्वर में पाई जाती है। जिसके कारण वह मानव तथा पशु से भिन्न है। ईश्वर का अस्तित्व सिद्ध होने के आधार पर उसके कुछ गुण इस प्रकार हैं।

1. ईश्वर सर्वशक्तिमान है।

सर्वशक्तिमान का अर्थ है कि वह सभी कार्य को करने में सक्षम अथवा पूर्ण शक्ति रखता है। ईश्वर सृष्टि के समस्त कार्य करता है। श्रीमद्भगवतगीता में भगवान श्रीकृष्ण कहते हैं कि मैं सर्वशक्तिमान् ईश्वर हूँ इससे स्पष्ट होता है कि ईश्वर में समस्त शक्तियां निहित हैं। जो अपनी इच्छा अनुसार ऋतुका सृजन एवं विनाश करता रहता है। इसके साथ-साथ अनेक धर्म-ग्रंथों में भी ईश्वर को सर्वशक्तिमान के रूप में भी घोषित किया गया है। उसके चरित्र का एवं उसकी शक्ति का सर्वशक्तिमान् के रूप में वर्णन किया गया है। जो सभी प्रकार के शक्तियों से संपन्न होकर सृष्टि का संचालन करता है।

पाश्चात्य परंपरा में **संत आस्टिन** इस विचारधारा को स्वीकार करते है। सर्वशक्तिमान ईश्वरवादी ही हो सकता है।

1. थॉमस के अनुसार ईश्वर किसी रूप में सीमित नहीं है। यदि उनके द्वारा किया गया सृजन ऐसा कुछ नहीं है, जो भूतकाल में हुआ था, बल्कि जीवन की एक जारी प्रक्रिया है, तो इसका निहितार्थ यह है कि ईश्वर सृजन के लिए उपयोगी सामान द्वारा सीमित नहीं है, बल्कि वह किसी भी चीज का सृजन कर सकता है। इस अर्थ में ईश्वर के सर्वशक्तिमान होने का सृजन के सिद्धांत निहितार्थ होता है।
2. ईश्वर की सर्वज्ञता का शाब्दिक अर्थ यह है कि ईश्वर सभी जगहों पर उपस्थित है। वह अपनी इच्छा अनुसार किसी भी जीव में वास कर सकता है।

भारतीय परंपरा को देखा जाए तो श्रीमद्भगवतगीता में कहा गया है कि भगवान श्री कृष्ण अर्जुन से कहते हैं कि मैं सृष्टि के प्रत्येक कण में विद्यमान हूँ। इससे स्पष्ट हो जाता है कि ईश्वर प्रत्येक कण में या सृष्टि के प्रत्येक विषय-वस्तु में व्याप्त है। ईश्वरवाद के अनुसार समस्त शाश्वत से ईश्वर ने संपूर्ण ज्ञान तथा बुद्ध प्राप्त किया है। धर्म ग्रंथ भी ईश्वर की सर्वज्ञता तथा उसकी अनंत शक्ति के सर्वभौमिक भाव को स्पष्ट करते हैं। ईश्वर को सर्वज्ञ मानने के कुछ कारण इस प्रकार हैं।

1. ईश्वर पूर्णता संपूर्ण है। यदि उसमें ज्ञान का अभाव होता तो वह ऐसा नहीं हो सकता है। इसलिए इस ईश्वर सर्वज्ञाता है।
2. जगत की व्यवस्था ईश्वर को दिया जा सकता है जो सर्वज्ञ है।
3. ईश्वर सृष्टि का रचयिता है, लेकिन रचना करना बुद्धिमानी का कार्य है अतः ईश्वर ज्ञानवान है।
4. ज्ञान एक ऐसी चीज है, जो जगत में बनी रहती है ईश्वर उन सभी के लिए उत्तरदायी है, जो जगत में पाया जाता है और इससे पता चलता है कि ईश्वर है। अतः ज्ञान एक ऐसी चीज है जिसका श्रेय हम ईश्वर को दे सकते हैं। इससे यह सिद्ध होता है कि ईश्वर सर्वव्यापक है।

2. ईश्वर शाश्वत है

यदि भारतीय संस्कृति में धर्म दर्शन का अवलोकन किया जाए तो यह दृष्टिगोचर होता है कि ईश्वर को शाश्वत माना गया है अर्थात् एक ऐसी अलौकिक एवं पारलौकिक के साथ देश काल में पुरे समस्त व्यवस्थाओं में विराजमान हो दूसरे शब्दों में कहा जाए कि ईश्वर वह है, जो भूत, वर्तमान, भविष्य त्रिकालदर्शी हो तीनों कालों में विराजमान हो। पाश्चात्य दर्शन का अवलोकन किया जाए तो ईश्वर को कालातीत माना गया है, अर्थात् ईश्वर को देश काल से पर्याय माना गया है। वह अपरिवर्तनीय है। भाव शुन्य है। एक ऐसी शक्ति है जिसे किसी भी देश काल भाव में नहीं बांधा जा सकता है। समग्रता से देखा जाए तो ईश्वर को दिव्य सत्ता के रूप में मानने वाले दार्शनिकों का मत कुछ इस प्रकार है।

1. ईश्वर समस्त परिवर्तन का कारण है, लेकिन परिवर्तन और आकारिक रूप से एक दूसरे से जुड़े हैं। इसलिए ईश्वर कुछ ऐसा नहीं हो सकता, जो किसी काल में पाया जाता है।
2. ईश्वर सृष्टि करता है ब्रह्मांड के होने का कारण है लेकिन आप किसी काल में विद्यमान चीजों का अर्थ तभी निकाल सकते हैं। यदि वह ब्रह्मांड का भाग ईश्वर कोई ऐसी चीज नहीं है जो काल में पाई जाती है।
3. ईश्वर असीमित है, लेकिन काल में सीमित कोई भी वस्तु ऐसी नहीं हो सकती है।
4. ईश्वर एक है यह एक अनिवार्य रूप से सत्य है, क्योंकि ईश्वर की सबसे बड़ी विशेषता उसका अनिवार्य अस्तित्व है। ईश्वर वह सब है जो वह हो सकता है, क्योंकि कोई भी सत्यता जो उसमें नहीं है, लेकिन हो सकती है। उससे अन्यथा किसी चीज पर आधारित नहीं माना जा सकता है।
5. ईश्वर की स्तुति एकेश्वरवाद धार्मिक परंपरा की सतत पुष्टि करती है। यह दैवीय आवश्यकता का समर्थन करती है, क्योंकि यदि ईश्वर अनिवार्य अस्तित्व है। तभी उसकी सफलता का भाव प्रखर हो सकता है।

ईश्वर सरल है

यह दावा कि ईश्वर सरल है। बहुत ही प्राचीन है लेकिन ईश्वर सरल यह कहने का तात्पर्य दिव्य सरलता का प्रस्तुतीकरण है जिसका वर्णन संत अंगस्टीन की पुस्तक **द सिटी ऑफ गॉड** में मिलता है। यहाँ वह कहते हैं कि एक ही पूर्ण सुबह जो सरल है और इसलिए आप परिवर्तनीय है। इस शुभ सत्य से समस्त शुभ चीजों का निर्माण होता है। आगंस्टीन के अनुसार ईश्वर सरल है, क्योंकि वह अपरिवर्तनीय है, लेकिन आगंस्टीन यह भी सोचते हैं कि ईश्वर शरणशील इसलिए है क्योंकि उसमें भिन्न-भिन्न गुण एवं विशेषताएं नहीं पाई जाती हैं। वह कहते हैं कि दिव्य तत्वों में ईश्वर का ज्ञान या ईश्वर की शुभ जैसी

अभिव्यक्ति वास्तविक नहीं हो सकती है। ईश्वर के दिव्य सरलता के समर्थन में निम्नलिखित तर्क हैं:

1. ईश्वर के बारे में स्वयं से भिन्न परिवर्तनीय गुण वाले रूप पर विचार नहीं किया जा सकता है, क्योंकि ईश्वर समस्त परिवर्तन का स्रोत है।
2. ईश्वर के बारे में भिन्न सांसारिक गुणों से युक्त होने वाले के रूप पर विचार नहीं किया जा सकता है, क्योंकि ईश्वर सृष्टि के रचयिता के रूप अवश्य ही काल से परे है।
3. ईश्वर तात्विक वस्तु नहीं है। इसलिए उसके बारे में ऐसे भाग वाले के रूप में होने पर विचार नहीं किया जा सकता है।
4. उसके अस्तित्व के कुछ गुण वाले के रूप में माना जाता है उसके अस्तित्व के होने और उसमें उन गुणों के होने पर निर्भर करता है, लेकिन ईश्वर कोई भी ऐसी चीज नहीं है, जो अपने अस्तित्व के लिए किसी पर निर्भर हो ईश्वर वह कारण है जिसमें संपूर्ण सृष्टि में चीजों का अस्तित्व है।

ईश्वर की अनिवार्यता पाश्चात्य दर्शन में ग्रीक दार्शनिक अरस्तु ईश्वर की अनिवार्य सत्ता को स्वीकार करते हैं। ईश्वर को एक आवश्यक सत्य मानकर तथ्यात्मक अनिवार्यता की संकल्पना की पुष्टि करते हैं। जिस संकल्पना को समकालीन पाश्चात्य दर्शन के दार्शनिक भी पुष्टि करते हैं। मध्य युग के समय इस्लामिक परंपरा में ईश्वर की एक अधिक सशक्त धारणा अनिवार्य रूप में स्वीकार की गई। ईश्वर के अनिवार्य अस्तित्व के लिए **संत एन्सेलम के सत्तामुलक तर्क अधिक तार्किक लगते हैं**, जो संपूर्ण सृष्टि में नैतिक व्यवस्था को व्यवस्थापित्त करने का कार्य करता है। वहीं जब भारतीय दर्शन का अवलोकन किया जाता है, तो यह परिलक्षित होता है कि संपूर्ण वैदिक आस्तिक परंपरा ईश्वर की अनिवार्य सत्ता को स्वीकार करती है। ईश्वर सृष्टि निर्माण के समस्त गुणों में विद्यमान है। वही सृष्टि के प्रत्येक कण में विराजमान होकर सृष्टि के सभी वस्तुओं का संचालन एवं विनाश करता है।

ईश्वर जगत संबंध

भूमिका → i) धार्मिक संदर्भ में विवेचना
ii) ईश्वर जगत संबंध के संदर्भ में नाना प्रकार के प्रश्न

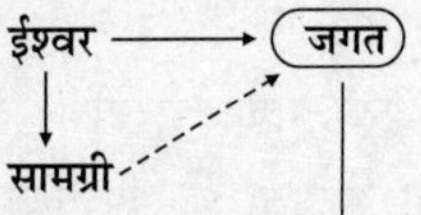

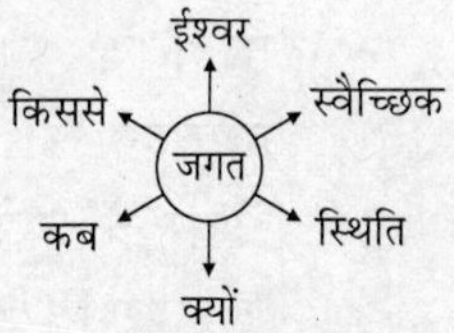

- केवल नमिन्नेश्वरवाद (Desim)
- केवलोपादानेश्वरवाद (Pantheism)
- निमित्तोपादानेश्वरवाद (Panantheism)

i) किससे बनाया → i) अन्य सामग्रियों से (केवल निमित्त कारण) → प्लेटो, डेकार्ट, न्याय, मध्व

ii) स्वयं जगत का उपादान कारण है। (Pantheism) → स्पिनोजा

iii) ईश्वर अपने अंग से जगत का निर्माण (निमित्त एवं उपादान दोनों) → रामानुज आदि

iv) जगत की सृष्टि शून्य से (nothingness) → एक्विनाश, अगस्टीन

परिणाम स्वरुप ईश्वर की स्थिति

i) केवल निमित्त कारण मानने पर ईश्वर विश्वातीत

ii) केवल उपादान कारण मानने पर ईश्वर विश्वव्यापी

iii) निमित्त व उपादान दोनों मानने पर ईश्वर विश्वातीत और विश्वव्यापी दोनों

समस्या → i) केवल निमित्त कारण मानने पर
a) ईश्वर की स्वतंत्रता खंडित
b) ईश्वर में परनिर्भरता का भाव
c) ईश्वर की सर्वव्यापकता खंडित

ii) यदि ईश्वर जगत से बाहर तो धार्मिक गतिविधियाँ निरर्थक

iii) केवल उपादान कारण मानने पर → जगत में होने वाले पाप पुण्य, अशुभ, परिवर्तन और विकास, मनुष्य की स्वतंत्रता की व्याख्या संभव नहीं।

iv) निमित्त व उपादान दोनों मानने पर; अशुभ की व्याख्या परिवर्तन व विकास की व्याख्या नहीं हो पायेगी।

v) शून्य से जगत की रचना मानने पर; यह व्याख्या बोधगम्य नहीं हो पायेगी।

ii) कब बनाया → समय में → जगत की उत्पत्ति के पूर्व .... ईश्वर के साथ मानना पड़ेगा। इससे ईश्वर की सह अस्तित्व एकता खंडित

→ समय के साथ-साथ → हमें यह कहना पड़ेगा कि "एक समय ऐसा था जब कोई समय नहीं ....."

↓

iii) क्यों बनाया →
- i) स्वार्थवश → ऐसा मानने पर ईश्वर अपूर्ण हो जायेगा।
- ii) करूणावश → जगत में अशुभ की व्याख्या नहीं।
- iii) जीवों के कर्मों के फल को प्रदान करने ...... यहाँ प्रश्न है कि जगत को प्रथम बार उत्पन्न करते समय कोई जीव नहीं था।
- iv) जगत ईश्वर की लीला → इसे पूरी तरह बनाया नहीं जा सकता।

↓

iv) ईश्वर की स्थिति → शरीरी → i) यदि शरीर तो विनाशी

ii) शरीर पूर्व जन्म के कर्मों ...... है।

→ अमूर्त → अमूर्त मानने पर जगत निर्माण की व्याख्या नहीं

↓

v) ईश्वरीय स्वरूप में विरोधाभास
- i) रचना करना ऐच्छिक कार्य है।
- ii) इच्छा का उत्पन्न होना अभाव का द्योतक है।
- iii) ईश्वर अपूर्ण हो जायेगा।

↓

अवतार →
- i) धरती पर ईश्वर का अवतरण।
- ii) एक प्रकार से धरती पर ईश्वर का जन्म।
- iii) क्योंकि ईश्वर अज (अजन्मा) है अत: इसके जन्म को जन्म न कहकर अवतार कहते हैं।
- iv) उसके द्वारा किए गए कर्म को कर्म न कहकर लीला कहते हैं।

↓

आवश्यकता क्यों →
- i) सज्जनों की रक्षा हेतु
- ii) दुर्जनों के विनाश हेतु
- iii) धर्म की रक्षा एवं उत्थान हेतु
- iv) दूसरों के मार्गदर्शन हेतु

↓

साक्ष्य →
- i) भारतीय संदर्भ में दशावतार की कल्पना
- ii) एक संदर्भ में नवीमूलक धर्मों में पैगंबरों की स्थिति

↓

लाभ →
- i) धार्मिक व्यक्ति के संवेगों की संतुष्टि
- ii) सत्कर्मों का प्रोत्साहन
- iii) दुष्कर्मों का हतोत्साहन

↓

पाश्चात्य दर्शन → डेकार्ट → i) तत्वमीमांसीय दृष्टिकोण से → ईश्वर → आत्मा → जगत
ii) ईश्वर की सत्यनिष्ठता के आधार पर जगत की सत्ता सिद्ध
iii) ईश्वर जगत का केवल निमित्त कारण है।

स्पिनोजा → i) ईश्वर व जगत में आंतरिक अभेद, अनिवार्य, अकालिक तादाम्य सम्बन्ध है।
ii) ईश्वर ही विश्व है, विश्व ही ईश्वर है।
iii) सर्वेश्वरवाद

लाइबनित्ज → i) जगत मोनडों से निर्मित है।
ii) जगत ईश्वर की सर्वोत्तम कृति है।
iii) यह जगत ईश्वर द्वारा प्रतिपादित पूर्व सीमित सामंजस्य के नियम से संचालित है।

भारतीय संदर्भ → शंकराचार्य → i) जगत व्यवहारिक दृष्टिकोण से सत् परन्तु पारमार्थिक दृष्टिकोण से मिथ्या।
ii) जगत सगुण ब्रह्म अर्थात् ईश्वर की रचना है।
iii) ईश्वर जगत का निमित्त व उपादान कारण दोनों है।
iv) ईश्वर विश्वव्यापी व विश्वातीत दोनों हैं।
v) परंतु जगत ब्रह्म का वास्तविक परिणाम न होकर उसका विवर्त है। (ब्रह्म विनर्दवाद)

रामानुज → i) ब्रह्म परिणामवाद की स्थिति स्वीकार्य।
ii) जगत ब्रह्म के सूक्ष्म अंशों का ही स्थूल रूपों में वास्तविक रूपांतरण
iii) ब्रह्म जगत का निमित्त व उपादान कारण दोनों
iv) ईश्वर विश्वव्यापी व विश्वातीत दोनों

मध्वाचार्य → i) जगत ब्रह्म एवं दृष्क है परंतु परतल है।
ii) ईश्वर जगत का केवल निमित्त कारण है।
iii) अतः ईश्वर विश्वातीत है।

ईश्वर के नैतिक गुण

धर्म और नैतिकता में प्रगाढ़ संबंध माना जाता है। यह दोनों ही एक दूसरे के पूरक तत्व एवं सहभागी तत्व के रूप में कार्य करते हैं। ईश्वर में तत्व मीमांसा गुणों के अलावा उसके कुछ नैतिक गुण भी पाए जाते हैं। धर्म और नैतिकता का प्रगाढ़ संबंध होने की स्थिति में ईश्वर पर आरोपित किए जाने वाले नैतिक गुण का महत्व और भी बढ़ जाता है क्योंकि यही नैतिक गुण मनुष्य को नैतिक आचरण करने के लिए प्रेरित करते है। जैसे-जैसे धर्म का विकास हुआ मानव नैतिक गुणों का ईश्वर

पर आरोपण करने लगा नैतिक गुणों से युक्त ईश्वर धर्म के लिए तनिक भी महत्व नहीं रखता है।

धर्म के उपासक ईश्वर की उपासना करता है, परंतु एक उपासक नैतिक मूल्यों से हीन ईश्वर की उपासना कदापि नहीं कर सकता है। उसके लिए नैतिकता से रहित ईश्वर की कल्पना भी करना संभव नहीं होता है, क्योंकि उपासना सदैव स्वयं से योग्य एवं सर्वगुण संपन्न व्यक्ति की होती है। ईश्वर पर नैतिक गुणों का आरोपण करना स्वाभाविक है। ईश्वर दार्शनिक सगुण परंपरा के लोग व्यक्तित्व संपन्न के रूप में स्वीकार करते है। यह मानते हैं कि ईश्वर के द्वारा ही हमारे अंदर प्रेम, करुणा, दया, परोपकार, उदारता क्षमाशील था। आज जैसे नैतिक गुणों का समावेश होता हैं। ईश्वर समस्त ब्रह्मांड का जनक है। वह सबसे नि:स्वार्थ असीम प्रेम करता है। पाश्चात्य दार्शनिक कुछ मान भी मानते है कि ईश्वर हमारे समस्त पापों को माफ भी करता है।

भारतीय दर्शन में ईश्वर की अवधारणा

भारतीय संस्कृति आलोक्य में धर्म दर्शन के सभी पहलू का जब हम अवलोकन करते हैं, तो यह दृष्टिगोचर होता है कि संपूर्ण धर्म दर्शन ईश्वर तक जाने का मार्ग प्रशस्त करता है। जिसकी व्याख्या नास्तिक परंपरा एवं आस्तिक परंपरा दोनों अलग-अलग तरीके से करते हैं। यदि नास्तिक परंपरा का समग्रता से अवलोकन किया जाए तो भौतिकवादी चार्वाक दर्शन ईश्वर जैसी सत्ता का पूर्णतः खंडन करता है। उसका मानना है कि ईश्वर जैसी कोई भी पारलौकिक सत्ता नहीं होती है।

यह केवल एक वर्ग विशेष ने जीवन यापन करने के लिए मनुष्य में व्याप्त ईश्वर डर का स्वरूप है। जिससे ब्राह्मणवाद अपने जीवन निर्वहन के लिए ईश्वर का डर दिखाकर अनेक प्रकार के कर्मकांड यज्ञ का अनुष्ठान करते है। अपना जीवन निर्वहन करता है, यथार्थता यह है कि यह प्रत्यक्ष के सिवाय कोई भी अलौकिक एवं पारलौकिक सत्ता में विश्वास नहीं करता है, जबकि जैन दर्शन और बौद्ध दर्शन का अवलोकन किया जाए तो वहां भी यह दृष्टिगोचर होता है कि दोनों धर्म संप्रदाय

ईश्वर के दो प्रकार के गुण

तात्विक गुण (स्वरूप)
- सर्वशक्तिमान
- सर्वव्यापक
- सर्वज्ञ
- नित्य
- असीमित (अपरिमित)

गुणों की स्थिति व समस्या
- किससे संबंधित
- क्या है
- क्यों माना जाए
- विभिन्न पक्ष
- समस्या
- समाधान

नैतिक गुण (स्वरूप)
- दया
- प्रेम
- न्याय
- शुभत्व आदि

आलोचना

1. ईश्वर व्यक्तित्वपूर्ण → स्वसंकल्प → उद्देश्यपूर्णता → अभी वह उद्देश्य पूरा नहीं → अपूर्णता → अभाव → सीमित
2. मानवत्व आरोपण का दोष
3. सार्व → चेतना और पूर्णता साथ-साथ नहीं
4. स्पिनोजा → गुणों का आरोपण करने पर ईश्वर सीमित
5. शंकराचार्य → निर्गुण, निराकार ब्रहम की सत्ता

महत्व

1. सर्वाधिक लोकप्रिय अवधारणा
2. नैतिकता की वस्तुनिष्ठ व सार्वभौम व्याख्या
3. भक्तिमार्ग के लिये अनुकूल

का उद्भव वैदिक परंपरा में व्याप्त कर्मकांडी स्वरूप की अवहेलना के संदर्भ में उत्पन्न हुआ है।

अतः हम यह कह सकते हैं कि यहां ईश्वर जैसी पारलौकिक सत्ता को न स्वीकार करते हुए तीर्थंकर के द्वारा दिए गए वचनों का अनुपालन करना है। यही जीवन का मूल उद्देश्य माना गया है। वहीं बौद्ध दर्शन में भगवान बुद्ध द्वारा कहे गए वचन को आत्मसात कर अपने जीवन का निर्वहन करना ही निर्वाण प्राप्ति का मार्ग है। यह विदित होता है कि आगे चलकर बौद्ध परंपरा में दो प्रकार की अवधारणा का प्रतिपादन हुआ। जिसमें महायान संप्रदाय भगवान बुद्ध को ईश्वर के रूप में मानकर पूजने लगा शायद यही बौद्ध धर्म के पतन का कारण भी बना। इसके साथ-साथ हीनयान संप्रदाय में भगवान बुद्ध को समाज सुधारक मानकर एक महापुरुष के रूप में स्वीकार किया गया है।

जब आस्तिक परंपरा में सांख्य और योग दर्शन का अवलोकन किया जाता है, तो यह दृष्टिगोचर होता है कि सांख्य दर्शन 25 तथ्यों के साथ ईश्वर के स्वरूप को स्वीकार नहीं करता है, जबकि योग दर्शन 26 में तत्व के रूप में ईश्वर के स्वरूप को स्वीकार ने को कारणसेश्वर भी कहा जाता है। जहां अंतिम तत्व के रूप में कैवल्य प्राप्ति का अंतिम तत्व ईश्वर को स्वीकार किया गया है।

यहां पंचमहाभूत, पंच कर्मेंद्रियां, पंच ज्ञानेंद्रियां, पंचतंत्र, बुद्धि, अहंकार के साथ मिलकर पुरुष और प्रकृति संपूर्ण सृष्टि का सृजन करती है। जहां पुरुष प्रकृति का उपयोग करते हुए संपूर्ण सृष्टि का संचालन करता है। प्रकृति के नाना प्रकार के तत्व के विचरण के कारण पुरुष उसके यथार्थ स्वरूप को न समझ पाने के कारण उसे अज्ञानता का आभास होता है। वह बंधन में फंसता है। जिसे तीन प्रकार के दुःखों से मुक्ति ही सांख्य योग दर्शन का अंतिम साध्य माना गया है।

इसके साथ-साथ जब न्याय-वैशेषिक दर्शन का अवलोकन किया जाए तो यह दृष्टिगोचर होता है कि दोनों दर्शन तत्ववादी तर्कवादी एवं परमाणुवादी होने के कारण संपूर्ण परमाणुओं में शक्ति सृजनकर्ता के रूप में ईश्वर स्वीकार करते हैं। मीमांसा दर्शन और वेदांत दर्शन

का अवलोकन किया जाए तो यह दृष्टिगोचर होता है कि यह दोनों दर्शन उपनिषदिक परंपरा में विश्वास रखते हैं। ईश्वर के समस्त गुणों को अपने मतानुसार स्वीकार करते हैं। प्रारंभ में मीमांसा दर्शन कर्म को आधार बनाकर समस्त विषय-वस्तु का मूल्यांकन करता था आगे चलकर मीमांसा दर्शन स्वर्ग-नरक का अंतिम निर्णयकरता के रूप में ईश्वर को विभूषित कर समस्त गुणों को संचालित करने वाले कर्ता के रूप में स्वीकार करते हैं।

वहीं वैदिक दर्शन का अवलोकन किया जाए तो वेदांत दर्शन में शंकराचार्य जैसे दार्शनिक ज्ञान में परंपरा के साथ निर्गुण ब्रह्म की उपासना पर बल देते हैं, जबकि रामानुज, माधवाचार्य जैसे दार्शनिक भक्ति मार्ग के कारण सगुण ब्रह्म की उपासना पर अधिक बल देते हैं। समग्रता में देखा जाए, तो शंकराचार्य जैसे विचारक जहां ईश्वर के प्राकृतिक गुण का वर्णन करते हैं, वहीं रामानुज एवं माधवाचार्य जैसे व्यक्ति नैतिक गुण के आधार पर ईश्वर की उपासना करते हैं।

इसके साथ-साथ समकालीन भारतीय दर्शन में भी गांधी जी, महर्षि अरविंद स्वामी विवेकानंद आदि जैसे दार्शनिक ईश्वरवाद की वेदांती प्रणाली को स्वीकार करते हैं।

निष्कर्षः यह कहा जा सकता है कि भारतीय दर्शन में ईश्वर का स्वरूप अत्यंत व्यापक है। जिसके कारण सभी दार्शनिक परंपरा ने ईश्वर के स्वरूप को अलग-अलग तरीके से अंतिम शब्द के रूप में स्वीकार कर मूल्यांकित करते हैं।

ईश्वर की अवधारणा
↓
सभी धार्मिक दृष्टिकोण से
↓
ईश्वर की सत्ता स्वीकार्य
↓
प्रश्न – उसका स्वरूप क्या है?

- ईश्वर की प्रकृतिवादी अवधारणा
  ↓ प्रकृति के अवयवों को ईश्वरीय शक्ति के रूप में स्वीकार
  ↓ जैसे–सूर्य, चन्द्रमा आदि
  ↓ आदिम अवधारणा

- व्यक्तित्वपूर्ण ईश्वर
  ↓ सगुण ईश्वर
  ↓ व्यक्तित्व का अर्थ
    1. आत्मचैतन्य सत्ता है।
    2. संकल्प स्वातंत्र्य से युक्त है।
    3. तात्विक गुण
    4. नैतिक गुण] अपनी पराकाष्ठा में विद्यमान हैं।
  ↓ मानवीय व्यक्तित्व से विभिन्न कैसे
    - सीमित → शान्त → अपूर्ण
    - असीमित → अनन्त → पूर्ण
  ↓ व्यक्तित्वपूर्ण क्यों माना जाए (सगुण ईश्वर को क्यों माना जाए)
    1. धार्मिक भावनाओं की जीवन्तता है।
    2. धार्मिक गतिविधियों की सार्थकता है।
    3. ईश्वर की उपास्य रूप में स्थापना हेतु
    4. कर्म नियम की व्याख्या हेतु
    5. पूजा, आराधना आदि तभी संभव जब आराध्य में श्रेष्ठ गुण हों।
    6. जगत की उत्पत्ति एवं प्रयोजन की व्याख्या हेतु

- निर्वैयक्तिक ईश्वर
  ↓ निर्गुण निराकार
  ↓ समर्थक
    - भारतीय–शंकराचार्य
    - पाश्चात्य–स्पिनोजा

■■■■

अध्याय 4

ईश्वर के अस्तित्व संबंधी प्रमाण

ईश्वर के अस्तित्व संबंधी प्रमाणों की समीक्षा करने के उपरांत भारतीय परंपरा में एवं पाश्चात्य परंपरा का समग्रता में अवलोकन किया जाए तो यह दृष्टिगोचर होता है कि वही दार्शनिक ईश्वर के अस्तित्व को प्रमाणित करते हैं, जो ईश्वर में आस्था रहते हैं, जबकि वह भी दार्शनिक ईश्वर के अस्तित्व के संदर्भ में खंडन करने के लिए प्रमाण को प्रस्तुत करते हैं, जो ईश्वर में आस्था नहीं रखते है, जिन्हें नास्तिक दार्शनिक भी कहा जाता है। समग्रता में देखा जाए, तो भारतीय दर्शन हो या पाश्चात्य दर्शन दोनों दर्शन परंपरा में ईश्वर के अस्तित्व एवं खंडन के पक्ष में अनेक तर्क दिए गए हैं। जिससे ईश्वर के अस्तित्व, शक्ति को सिद्ध किया जा सके। इस के संदर्भ में कुछ पारंपरिक होते हैं, तो कुछ ने तर्क के आधार पर भी प्रमाणित करने का कार्य किया है। ईश्वर के अस्तित्व संबंधी समग्रता में विवेचन यदि पाश्चात्य दर्शन की दृष्टि से देखा जाए तो मध्यकालीन दर्शन में दिखाई देता है। जहां सभी विषय वस्तु को ईश्वर के आलोक्य में आलोकित करने का प्रयास किया गया था।

वहां ईश्वर ही समस्त लौकिक एवं पारलौकिक विषय-वस्तुओं का कर्ताधर्ता, निर्माणकर्ता है। जहां संत अगस्टीन, संत एक्विनास तथा संत एन्सेलम जैसे विचारकों का विचार सर्वोपरि रूप से माना जाता है। जिन्होंने ईश्वर तथा जगत के बीच उचित सामंजस्य स्थापित करने के लिए अनेक प्रकार का तर्क प्रस्तुत किए तथा पाश्चात्य दर्शन में

अंधकार युग में धर्म दर्शन के आलोक में अवलोकन करने का प्रयास किया था। सारे संक्षेप में कहा जाए तो ईश्वर की सिद्धि के लिए चाहे भारतीय परंपरा हो या पाश्चात्य परंपरा सभी ने अपने मतानुसार तर्क दिया और सिद्ध करने का प्रयास किया जिनके कुछ सार्वभौमिक तर्क इस प्रकार हैं।

ईश्वर के अस्तित्व के लिए पारंपरिक प्रमाण

1. प्रयोजनवादी तर्कमूलक प्रमाण

इस तर्क का संबंध प्रयोजन या उद्देश्य से है। सामान्यतया यह माना जाता है कि विश्व के सभी विषय वस्तुओं के निर्माणकर्ता ईश्वर हैं। हमारे जीवन का अंतिम उद्देश्य तय करने वाले कर्ता के रूप में ईश्वर को स्वीकार किया जाता है। भारतीय परिप्रेक्ष्य में देखा जाए तो श्रमण परंपरा के सभी दार्शनिक इस अवधारणा को छोड़ दिये जबकि सभी आस्तिक दर्शन ईश्वर को विश्व का प्रयोजन कर्ता एवं उद्देश्य कर्ता के रूप में स्वीकार करते हैं।

यदि पाश्चात्य जगत का अवलोकन किया जाए तो यह दृष्टिगोचर होता है कि मध्यकाल में थॉमस एक्विनास जैसे धार्मिक दार्शनिक ने संपूर्ण विश्व के प्रयोजनकर्ता के रूप में ईश्वर को स्वीकार करते हैं। उनका मानना है कि उद्देश्य ईश्वर व्यवहार सभी जीवों में होता है। भले ही उन्हें इसकी जानकारी हो या न हो जिन जीवों में जानकारी का अभाव होता है। वह अपने लक्ष्य की ओर किसी ऐसे जीव द्वारा निर्देशित किए जाने पर आगे बढ़ते हैं। जिनमें वह जागरूकता और समझ होती है, जो उनमें स्वयं नहीं होती है। प्रकृति में सभी कुछ अपने लक्ष्य की ओर अग्रसर हैं।

इसके साथ-साथ पाश्चात्य जगत में अनेक ऐसे दार्शनिक हैं जो ईश्वर को प्रयोजनकर्ता के रूप में स्वीकार करते हैं। उनका मानना है कि विश्व संरचना एक गाड़ी के समान है। जिसमें विभिन्न भाग इस प्रकार कार्य करते हैं कि सभी एक जटिल प्रक्रिया के माध्यम से कार्य कर रहे

हैं जिसके संचालनकर्ता के रूप में ईश्वर को स्वीकार किया जाता है। सहज बुद्धि में धार्मिक अनुभूति लाकर ईश्वर सभी प्रकार के धार्मिक क्रियाकलापों को शांत करने का कार्य करता है। ऐसा कोई प्रमाण नहीं है, जो मानव रचनात्मक तथा दिव्य रचनाकार के विचार के मध्य किसी अनुरूपता को बनाए रख सके। प्रयोजनवाद अधिगम को एक तार्किक तर्क के रूप में स्वीकार करने का प्रयास करते हैं।

2. नैतिक मूल्य तर्क के आधार पर

भारतीय संस्कृति हो चाहे पाश्चात्य संस्कृति दोनों ही परिस्थितियों में सभी विचारक यह स्वीकार करते हैं कि विश्व में जितने भी नैतिक गुण जैसे प्रेम, दया, करुणा, सहनशीलता, सत्य, अस्तेय, अहिंसा, अपरिग्रह जैसे गुण हैं। ईश्वर द्वारा संचालित होते हैं। वही इन गुणों के माध्यम से हमारे संपूर्ण जीवन को नैतिक दृष्टि से शुद्ध बनाता है। इसके साथ-साथ नैतिकता के हनन के संदर्भ में पाप के कारण हमें दंड देने का भी प्रावधान करता है जिससे विश्व व्यवस्था बनी रहे। नैतिक नियम के आधार पर मानव प्रकृति जगत की समस्त विषय-वस्तु को एक सूत्र में जोड़ा जा सके। पाश्चात्य संस्कृति में अरस्तु जैसे विचारक इस प्रमाण को स्वीकार करते हैं। अरस्तु का मानना था कि हम वह करना चाहते हैं जिससे अधिकतम आत्मसंतुष्टि मिले जब हमें अपनी वास्तविक स्थिति का पता चल जाता है, तो हम उसी के अनुसार कार्य करना चाहते हैं।

इसी अधिगम से हम कह सकते हैं कि नैतिकता विवेक पूर्ण और वस्तुपरक होती है। यदि किसी को नैतिक दायित्व का अनुभव होता है, तो इसका अर्थ है कि वह कर्म करने के लिए स्वतंत्र है, और यह कि व्यक्ति को अपने सद्‌गुणों के फलस्वरूप प्रसन्नता का अनुभव होता है। इसके लिए यह भी संभव है कि कोई समग्र नियंत्रक संचालक है, जो सद्‌गुण का नाम प्रसन्नता रूप में प्रदान करता है, और इसे ईश्वर कहा जाता है। आधुनिक पाश्चात्य जगत में कांट जैसे समीक्षावादी दार्शनिक भी ईश्वर के अस्तित्व को प्रमाणित करने के संदर्भ में इस तत्व को स्वीकार करते हैं।

3. धार्मिक अनुभवमूलक तर्क के आधार पर

प्रत्येक व्यक्ति में अपने प्रत्येक अनुभव से आत्मा के उत्थान की क्षमता होती है। ऐसे व्यक्ति जिसे धार्मिक अनुभव होता है, उनके लिए ईश्वर के अस्तित्व के न होने को सिद्ध करना असंभव लगता है। आप उनके अनुभव के विरुद्ध तैयारी नहीं कर सकते हैं, लेकिन मुद्दा यह है कि जो अनुभव किया गया है, उसकी व्याख्या विभिन्न तरीकों से की जा सकती है। यदि कोई व्यक्ति जिसे ईश्वर कहता है उसकी किसी अन्य के लिए कोई अन्य पूर्णता की तार्किक व्याख्या हो सकती है, जबकि जब हम किसी अनुभव के लिए गलत भी हो सकते हैं।

यह भी संभव है कि हमें सही अनुभव हुआ हो और हमने वास्तव में ईश्वर को अनुभव किया हो यही बात हमारे धार्मिक अनुभव के बारे में सम्पादित होती है। यदि इसके लिए पूर्ण ज्ञान होना आवश्यक है जिससे हम यह कह सकें कि यह अनुभव सही है या गलत है। समस्या यह है कि ईश्वर के बारे में ऐसा ज्ञान संभव ही नहीं है, क्योंकि यदि ऐसा कोई ज्ञान होता तो ईश्वर के अस्तित्व पर कोई चर्चा नहीं होती, क्योंकि यदि ईश्वर है, तो उसका अस्तित्व सभी के लिए प्रमाणित होगा और ऐसी किसी बात की संभावना नहीं होगी।

अतः यदि धार्मिक अनुभव ईश्वर के ज्ञान का स्रोत है, तो केवल वही लोग इससे सहमत होंगे, जो इस प्रकार के अनुभव को स्वीकार किया या साझा करते हैं, लेकिन दार्शनिकों के लिए आधार वाक्य ईश्वर है। सत्य, असत्य अथवा अर्थहीन हो सकता है। अतः धार्मिक अनुभव ईश्वर के अस्तित्व के लिए तर्क का आधार तभी बन सकता है।

जब सभी लोग ईश्वर शब्द को एक परिभाषा में स्वीकार करें। यदि विभिन्न संस्कृतियों के अनुसार धार्मिक अनुभव का एक समान मूलाधार हो सकता है, तो ईश्वर शब्द के लिए एक समान समझने की आशा की जा सकती है, लेकिन यदि हम एक समान मूलक आधार पर सहमत नहीं होते हैं, तो अधिकांश व्यक्ति धार्मिक अनुभव के तर्क पर असहमत रहेंगे यह तर्क ईश्वर के अस्तित्व पर प्रकाश डालने और सहमत करने वाला हो सकता है, लेकिन यह तार्किक रूप से बाध्यकारी

नहीं हो सकता है। इसीलिए इस तर्क को दार्शनिकों द्वारा अधिक पसंद नहीं किया गया है, जबकि धार्मिक प्रवृत्त व्यक्ति के लिए ये सभी तर्क सबसे अधिक सहमति वाला होता है।

4. तथ्यमूलक तर्क के आधार पर

तथ्यमूलक तर्क ईश्वर के अस्तित्व को सिद्ध करने के लिए उपयोग किया गया है। पहले प्रकार का तर्क सत्तामूलक तर्क है। उसे ऐसा इसलिए कहते हैं, क्योंकि यह दिखाने का प्रयास करता है कि ईश्वर के विचार की संकल्पना का वास्तविक अर्थ क्या है? उसका अस्तित्व क्या है? ईश्वर महानतम सत्य है जिससे संपूर्ण सृष्टि की संरचना का संचालन होता है।

इस तर्क को लेकर अनेक प्रकार के विरोध भी हुए, क्योंकि इसमें दावा किया गया कि इसके अस्तित्व को मात्र उसकी परिभाषा से समझा जा सकता है। तथ्य के आधार पर ईश्वर के अस्तित्व को सिद्ध करने का प्रयास किया गया है। इसके साथ-साथ ईश्वर को सिद्ध करने की कुछ युक्तियां भी विद्यमान हैं जिसमें परंपरागत युक्ति कहा जाता है, जो इस प्रकार हैं–

1. तात्विक युक्ति
2. विश्व संबंधी युक्ति
3. प्रयोजनात्मक युक्ति

1. तात्विक युक्ति का स्वरूप

इस युक्ति को ध्यान में रखकर अनेक दार्शनिकों ने अपने-अपने मत के अनुसार ईश्वर के अस्तित्व को प्रमाणित करने का प्रयास किया है। जिसमें मध्य युग में सर्वप्रथम सन्त एन्सेलम ने इस युक्ति के आधार पर ईश्वर के अस्तित्व को प्रमाणित करने का प्रयास किया था इनके अनुसार ईश्वर की भावना सभी प्रत्ययों में सर्वोच्च है। जिसका अस्तित्व विचार और वास्तविकता दोनों में हो। वह सत्ता की अपेक्षा उच्चतर है जिसका अस्तित्व सिर्फ विचार में हो। अतः ईश्वर सर्वोच्च होने के कारण विचार और वास्तविकता दोनों में है। इसलिए ईश्वर के यथार्थ में

परम सत्ता है। उन्होंने कहा है कि consideration demonstrates the word God to mean that which must be hot as what is greatest but to be in actually as well as in thought it is greater than to be thought alone therefore God exist not only in the thought but in the fact.

इसके साथ-साथ इस युक्ति का आधार आधुनिक पाश्चात्य जगत में डेकार्ट जैसे दार्शनिक ने भी अपनाया था डेकार्ट ने बताया कि जिस प्रकार त्रिभुज के ज्ञान में ही यह ज्ञान भी निहित है कि उसके तीनों कोन मिल कर दो समकोण के बराबर होते हैं। उसी प्रकार ईश्वर की पूर्णता में ही निहित है, क्योंकि उसका अपना अस्तित्व है। यदि ईश्वर में अस्तित्व की कमी हो, तो उस अंत में वह पूर्ण होगा ईश्वर की पूर्णता में ही उसका अस्तित्व समाविष्ट है। डेकार्ट ने इस युक्ति को दूसरे रूप में व्यक्त करते हुए कहा है कि मेरी बुद्धि में पूर्ण अनंत ईश्वर का विचार है। इस विचार का कोई न कोई कारण अवश्य होगा उनका कहना है कि हम स्वयं इस विचार का कारण नहीं हो सकते। हम एक अपूर्ण जीव हैं, जो पूर्ण और अनंत ईश्वर के विचार का कारण नहीं हो सकते हैं। अतः इस विचार का दूसरा कोई कारण नहीं, बल्कि स्वयं ईश्वर है, जो पूर्ण और अनंत है। इसके साथ-साथ बुद्धिवादी दार्शनिकों ने इस युक्ति का स्पष्ट करने का कार्य किया था जिससे यह स्पष्ट हो जाता है कि ईश्वर ही सभी प्रकार के तात्विक नियुक्ति का प्रमाण है।

निरपेक्ष वादी दार्शनिक हेगल इस युक्ति का प्रतिपादन करते हैं जिससे ईश्वर के प्रत्यय का अस्तित्व निरूपित होता है। इसका कारण यह है कि ईश्वरीय प्रत्यय एक असाधारण एवं अनोखा प्रत्यय है, क्योंकि हेगल के अनुसार यह एक अनूठा प्रत्यय है। इसलिए ईश्वरीय विचार से ईश्वर का अस्तित्व सिद्ध होता है।

सार संक्षेप में कहा जा सकता है कि पाश्चात्य दार्शनिकों ने तात्विक युक्ति के आधार पर ईश्वर के अस्तित्व को सिद्ध करने का प्रयास किया था जहां से ईश्वर को पूर्णतः निरपेक्ष एवं स्वतंत्र सत्ता के रूप में माना जा सकता है।

तात्विक युक्ति की आलोचना

इस युक्ति के विरुद्ध आने की आलोचनाएं भी पेश की गईं जिसमें सर्वप्रथम गैलीलियो ने जो एन्सेलम के समकालीन थे। इस तर्क का खंडन करते हैं। उनका मत है कि ईश्वर की पूर्णता का विचार ईश्वर की सत्ता को कैसे सिद्ध करता है कि ईश्वर पूर्ण है। उसका अस्तित्व अनिवार्य है। अन्यथा वह पूर्ण हो जाएगा और इसमें केवल यह सिद्ध होता है कि यदि ईश्वर पूर्ण है, तो उसका अस्तित्व आवश्यक होगा इससे यह नहीं सिद्ध होता है कि ईश्वर की पूर्ण यथार्थ सत्ता है। वह कहते हैं कि इस प्रकार की युक्ति के द्वारा हम किसी भी वस्तु की सत्ता स्वीकार कर सकते हैं। उन्होंने इसे एक उदाहरण के द्वारा स्पष्ट किया था कि यदि कोई व्यक्ति एक पूर्ण प्रायद्वीप का विचार बुद्धि में करता है तो इस विचार मात्र से यह सिद्ध नहीं होता है कि वैसा कोई प्रायद्वीप है। कांट जैसे दार्शनिक ने भी इस तर्क की आलोचना एक उदाहरण से करते हैं कि यदि मान लीजिए कि हम कल्पना कर लेते हैं कि मेरे पॉकेट में 10 की नोट है तो इससे कभी स्पष्ट नहीं होता है कि हमारे पॉकेट में 10 की नोट हो जाएगी यह एकमात्र कोरी कल्पना जैसी चीज है।

तात्विक युक्ति की महत्व

इस युक्ति के द्वारा ईश्वर के विचार से ईश्वर का अस्तित्व प्रमाणित किया जाता है। विचार से ही किसी वस्तु के अस्तित्व को प्रमाणित किया जाता है। यदि विचार की प्राथमिकता को नहीं माना जाए तो किसी भी वस्तु का अस्तित्व प्रमाणित करना संभव नहीं है। प्रोफेसर केएर्ड ने इस महत्ता को स्वीकार किया। कहते हैं कि neither organisation nor anything else can be convinced to have any existence which doesn't presuppose thought to constitute the existence of the the outward world you must need pre-suppose concessions for which and in which all objective existence is.

इसके साथ-साथ इसकी दूसरी महत्ता इसमें है कि यह सभी परंपरागत युक्तियों का आधार माना जाता है। इसी पर प्रयोजनात्मक युक्ति

विश्व संबंधी युक्ति आधारित है। सर्वप्रथम मानव विश्व में व्यवस्था को देखकर व्यवस्थापक के रूप में ईश्वर को मानता है। आगे चलकर वह समस्त विश्व को कार्य मानकर कारण की खोज में ईश्वर को प्रतिस्थापित करता है। यह दोनों युक्ति है। तात्विक युक्ति पर ही आधारित है। इसके साथ-साथ इस युक्ति से धार्मिक भावना भी विकसित होती है।

इस दृष्टिकोण से यह विश्व संबंधी युक्ति से ऊंचा है। विश्व संबंधी युक्ति विश्व को एक कार्य मानकर इसके कारण को ढूंढ़ती है। इस प्रकार ईश्वर को विश्व के कारण के रूप में मानती है, परंतु धार्मिक दृष्टिकोण से मानव का मन नितांत आवश्यक है।

सार संक्षेप में कहा जा सकता है कि ईश्वर को सिद्ध करने के संदर्भ में समस्त युक्तियों की आधार के रूप में इस युक्ति को स्वीकार किया जाता है।

2. विश्व संबंधी युक्ति

समग्रता में ईश्वर के अस्तित्व के संदर्भ का अवलोकन किया जाए तो यह दृष्टिगोचर होता है कि यह यूक्ति संपूर्ण विश्व की व्याख्या करने में ईश्वर को निर्माणकर्ता के रूप में स्वीकार करती है। जिसका सर्वप्रथम वर्णन प्लेटो के दर्शन में दिखाई पड़ता है।

जिसे आगे चलकर अनेक पाश्चात्यवादी दार्शनिकों ने कारण-कार्य सिद्धांत के रूप में भी स्वीकार करते हैं। इस युक्ति के दो रूप दिखाई देते हैं–

1. विश्व की आकस्मिकता पर आधारित युक्ति
2. कार्यकारणी युक्ति

पहली युक्ति के आधार पर हम कह सकते हैं कि विश्व अच्छा है, ठीक है। इस सृष्टि की समस्त चीजें क्षणिक हैं। उनका नाश होना अनिवार्य है। इस प्रकार हम लोगों का जीवन भी क्षण मात्र के लिए है ऐसे विश्व की व्याख्या जो क्षणभंगुर है, स्वतंत्र नहीं हो सकती है। इसी कारण मानव ईश्वर की सत्ता को स्वीकार करता है, जो आवश्यक

स्वतंत्र तथा वास्तविक है। थॉमस एक्विनास ने विश्व की आकस्मिकता पर आधारित तर्क का प्रतिपादन किया है।

उनके अनुसार जब हम विश्व की वस्तुओं का विश्लेषण करते हैं तब उन्हें आकस्मिक पाते हैं। आकस्मिक वस्तु उसे कहते हैं, जो सर्वदा कायम नहीं रहता है जिसका अस्तित्व स्वतंत्र नहीं होता है। आकस्मिक वस्तु का एक समय जन्म होता है, दूसरे समय में वह विलीन हो जाती है। अब यदि संसार की प्रत्येक वस्तु आकस्मिक है। तब उन्हें एक-एक कर अब तक समाप्त हो जाना चाहिए था। यदि सभी वस्तुएं एक-एक कर विलीन हो जाती हैं। अब अंत में शून्य हो जाना चाहिए यदि 0 किसी समय हो जाता है। तब अब 200 की मात्रा बनी रहती है, क्योंकि 0 से 0 का ही प्रादुर्भाव होता है।

इसके साथ-साथ बुद्धिवादी दार्शनिक लाइबनित्ज ने भी इस युक्ति का समर्थन किया है। उनका भी मानना है कि विश्व की प्रत्येक वस्तु आकस्मिक है। इसके दूसरे भाग के अंतर्गत कारण-कार्य सिद्धांत का अवलोकन किया जाए तो स्पष्ट होता है कि इसकी शुरुआत अरस्तु से शुरू होकर मध्ययुगीन धर्म दर्शन होते हुए आधुनिक पाश्चात्य दर्शन में भी दिखाई पड़ता है।

जहां प्रत्येक कारण का अंतिम कारण के रूप में ईश्वर को स्वीकार किया जाता है। इस प्रकार हम कह सकते हैं कि विश्व संबंधी युक्ति संपूर्ण विश्व में व्यवस्था लाने में एक तार्किक दृष्टिकोण रखती है लेकिन ईश्वर के अस्तित्व को प्रमाणित करने में यह भी तात्विक के सामान एकाकी प्रतीत होती है।

विश्व संबंधी युक्ति की आलोचना

जिस प्रकार यह युक्ति विश्व के अस्तित्व को प्रमाणित करने में ईश्वर के यथार्थ स्वरूप को प्रमाणित करने में तर्क प्रस्तुत करती है। कहीं-न-कहीं उसमें अनेक विरोधाभास भी दिखाई पड़ता है। विश्व सम्बंधी युक्ति के अनुसार यह विश्व एक कार्य है। ईश्वर उसका आवश्यक कारण है। कांट इसका खंडन करते हैं, कार्य-कारण की भावना तो हमारे व्यावहारिक

जगत का संबंध है। यह हमारी बुद्धि का एक विकल्प है। यहां बुद्धि के विकल्प को ईश्वर पर लागू करना अनुचित है। इसके साथ-साथ दूसरी आलोचना रसेल ने किया है। उनका कहना है कि यह युक्ति सिर्फ अनावस्था दोष से बचने के लिए ईश्वर को मान लेती है। विश्वरूप कारण की व्याख्या ईश्वर को कारण मान कर किया जा सकता है।

इस युक्ति के अनुसार कारण कार्य-भाव ईश्वर पर आकर रुक क्यों जाता है। इससे स्पष्ट है कि अनेक दार्शनिकों की विश्व संबंधी युक्ति भी एकांकी है। विश्व संबंधी युक्ति विश्व को आकस्मिक मानती है। इसके कारण के सिलसिले में ईश्वर की स्थापना करती है। यदि किसी प्रकार यह मान भी लिया जाए तो कभी भी सिद्ध नहीं किया जा सकता है कि विश्व एक आकस्मिक सत्ता है। इस आकस्मिक विश्व का कारण ईश्वर को ठहराया जाता है, जो कि एक आवश्यक सत्ता है। यह एक प्रकार से अतार्किक युक्ति ही लगती है।

विश्व संबंधी यूक्ति का महत्व

समग्रता में इस युक्ति का अवलोकन किया जाए तो यह दृष्टिगोचर होता है कि विश्व व्यवस्था में कारण-कार्य का सिद्धांत को अंतिम कारण के रूप में ईश्वर को स्वीकार लेने से अनेक प्रकार की भ्रांतियाँ समाप्त हो जाती हैं। अनेक प्रकार के विवाद का समापन हो जाता है जिसको भारतीय दर्शन में भी अनेक दार्शनिकों ने स्वीकार किया है। इसके साथ-साथ विश्व आकस्मिक है। इस युक्ति को मान लेने से बौद्ध दर्शन का क्षणभंगुरवाद का सिद्धांत सार्थक प्रतीत होता है। वास्तविकता में देखा जाए तो विश्व व्यवस्था में जिस प्रकार से सृष्टि निर्माण की व्यवस्था होती है। उसमें कहीं-न-कहीं विश्व को क्षणिक मान कर सभी विषय वस्तु को जोड़कर मूल्यांकित किया जा सकता है।

3. प्रयोजन मूलक युक्ति

ईश्वर के अस्तित्व को सिद्ध करने की अंतिम युक्ति के रूप में सबसे प्राचीन नियुक्ति को माना जाता है। इसके अंतर्गत यह माना जाता

है कि संपूर्ण विश्व का प्रयोजन निर्धारित करने वाला निर्धारणकर्ता ईश्वर ही है। विश्व की सम्पूर्ण व्यवस्था को संचालित करने वाला ईश्वर ही है। प्रकृति में हम रोज जो देखते हैं। सब कुछ ईश्वर द्वारा निर्धारित है। ईश्वर की कृपा दृष्टि से ही ऋतु परिवर्तन, फल-फूल, जीव, कर्म, सूर्य-ग्रहण जैसी समस्त प्राकृतिक एवं भौतिक घटनाओं का संचालन होता है। हमारा जन्म-मरण भी ईश्वर द्वारा नीयत होता है।

डार्विन ने अपने विकास के सिद्धांत की व्याख्या करते हुए स्पष्ट रूप से इस बात की ओर संकेत किया है कि विश्व में एक व्यवस्था है और उसके पीछे एक प्रयोजन है। इन बात से स्पष्ट हो जाता है कि विश्व में एक व्यवस्था और उसके प्रयोजन को किसी बुद्धिमान व्यक्ति द्वारा निर्मित किया गया है। जिसको देखकर विश्व के प्रयोजक एवं युक्ति के यथार्थ का बोध किया जा सकता है।

विलियम जेम्स ने घड़ी का उदाहरण देकर परियोजनात्मक तर्क को स्पष्ट किया है। यदि कोई व्यक्ति किसी रेगिस्तान एवं निर्जन प्रदेश में घड़ी पाता है, तब वह घड़ी के निर्माता की कल्पना करता है। जिन्होंने घड़ी की रचना समय जानने के उद्देश्य से किया है। घड़ी जैसे छोटे यंत्र की व्याख्या के लिए यंत्रकार को मानना पड़ता है। यह विश्व एक विशाल यंत्र है। विश्व की जटिल विशालता का तथा अभिप्रयोजन की व्याख्या के लिए किसी महान बुद्धि युक्त व्यक्ति को मानना आवश्यक हो जाता है। उन्होंने कहा है कि जिस प्रकार आंख का निर्माण देखने के लिए हुआ है, उसी प्रकार विश्व का निर्माण प्रयोजन की पूर्ति के लिए हुआ है। ईश्वर ही वह व्यक्ति है, जिनके प्रयोजन की पूर्ति के लिए विश्व की रचना हुई है। अतः स्पष्ट हो जाता है कि प्रयोजनात्मक युक्ति विश्व संबंधी युक्ति का विस्तार रूप है। यह युक्ति विश्व की प्रकृति को निर्धारित करती है।

आलोचना

कांट ने प्रयोजनात्मक तर्क का खंडन किया है। ईश्वर को शिल्पकार मानती है। शारीरिक वस्तुओं को देखकर हम प्रयोजनकर्ता का विचार

अपनाते हैं। पर सच पूछा जाए तो हम इस विचार को ईश्वर पर लागू नहीं कर सकते हैं, क्योंकि ईश्वर एक हो सकता है। अतः इस प्रकार ईश्वर शक्तिशाली और असीम माना जाता है। उसे संस्कार कहना उसकी अश्लीलता का खंडन करना है। जिस प्रकार मानव शिल्पकार उपादान प्राकृतिक नियमों से सीमित है। उसी प्रकार ईश्वर भी ऊपर दोनों तरफ से सीमित हो जाता है। प्रोफेसर केयर ने इसे इस रूप में कहा है कि इस प्रकार का विचार एक ऐसा विचार है, जो असीम और पूर्व सत्ता के विचार को ठेस पहुंचाता है।

अगर एक मानव शिल्पकार प्राकृतिक नियमों से सजीव होता है, तो ईश्वर को भी एक बार संस्कारों को सजीव करना पड़ेगा। अतः यह युक्ति ईश्वर को सजीव बना डालती है। इस युक्ति के संबंध में त्रुटि बताते हुए कांट ने कहा है कि यह अधिक से अधिक सृष्टि के नितांत कारण को सिद्ध करती है अर्थात् सिर्फ इतना ही बता पाती है कि सृष्टि में एक निश्चित उद्देश्य या प्रयोजन है, जो किसी चेतन सत्ता से आया है। इससे यह सिद्ध होता है कि जगत कर्ता के रूप में ईश्वर की सत्ता है। इसकी आलोचना की जाती है कि विकास वादी दृष्टिकोण से इसका कोई महत्व नहीं रह जाता है।

प्रयोजनात्मक विश्व में व्यवस्था के लिए ईश्वर को व्यवस्थापक मानता है। विकासवादी अवस्था का स्थान अंतर व्यवस्था को प्रदान करता है। यह एक व्यवस्था है। उसका कारण वस्तुओं का आपस में मिलन और परिवर्तन है। इसकी व्याख्या के लिए आवश्यक नहीं कहा जा सकता कि जो ईश्वर की स्थापना करता है। धार्मिक जीवन के लिए अनुप्रयुक्त है। इस तर्क में ईश्वर को विश्वव्यवस्थापक के रूप में माना जाता है। यह धार्मिक भावना का आधार तभी हो सकती है, जब ईश्वर मानव के समीप स्थित ईश्वर के साथ धार्मिक संबंध नहीं कायम कर सकता है, जो ईश्वर हमसे दूरस्थ है। वह हमारी प्रणव को नहीं सुन सकता है। धार्मिक कार्यकलापों का आधार नहीं हो सकता है। यह तर्क धार्मिक भावना के विकास में बाधक प्रतीक होता है।

प्रयोजनात्मक तर्क का महत्व

समग्रता में प्रयोजनात्मक तर्क का अवलोकन करने पर यह दृष्टिगोचर होता है कि प्रयोजनात्मक युक्ति का महत्व तब बढ़ जाता है, जब संपूर्ण सृष्टि के निर्माणकर्ता के रूप में प्रयोग किया जाता है। इससे स्पष्ट होता है कि आधुनिक परिप्रेक्ष्य में संपूर्ण सृष्टि के प्रयोजनकर्ता के रूप में ईश्वर को स्वीकार किया जा सकता है। जिन्होंने संपूर्ण सृष्टि को निर्माण एवं विनाश का अंतिम कारण के रूप में माना है। ईश्वर की कृपा दृष्टि से ही संपूर्ण धार्मिक नैतिक नियमों का संचालन होता है। वही संपूर्ण सृष्टि के कर्मों का प्रयोजन तय करता है। उसी के अनुरूप हम आचरण करते हैं। भारतीय संस्कृति के परिप्रेक्ष्य में देखा जाए तो ईश्वर के अस्तित्व को सिद्ध करने में कहीं-न-कहीं एकांकी मत प्रतीत होता है, क्योंकि संपूर्ण सृष्टि के प्रयोजनकर्ता के रूप में ईश्वर को स्वीकार कर लिया जाए, तो कर्मवाद की अवधारणा की अवहेलना होगी। वर्तमान परिदृश्य में संपूर्ण सृष्टि कर्मवाद के आधार पर आधारित प्रतीत होती है।

4. नैतिक युक्ति के आधार पर ईश्वर का अस्तित्व

समग्रता में पाश्चात्य संस्कृति एवं भारतीय धर्म संस्कृति का अवलोकन किया जाए तो यह दृष्टिगोचर होता है। संपूर्ण सृष्टि में नैतिक नियमों के संचालनकर्ता के रूप में ईश्वर को माना जाता है। वही मनुष्य के सभी दुःख सुख का यथार्थ मूल्यांकन करता है। पाप-कर्म करने के उपरांत वही सभी प्रकार के दंड आरोपित करता है। ईश्वर आदर्श सत्ता है। जिसमें समस्त नैतिक गुणों का समावेश होता है।

समकालीन दार्शनिकों ने इस विचारधारा को स्वीकार किए हैं। उनके अनुसार व्यवहारिक स्तर पर समस्त नैतिक नियमों को लागू करने वाले निर्णयकर्ता के रूप में ईश्वर को माना जाता है। निर्माण एवं संचालनकर्ता के रूप में सभी धर्मों के नैतिक नियम के संचालन कर्ता ईश्वर है। उन्हीं के अनुरूप हमें आचरण करना चाहिए। सृष्टि में जो मनुष्य आदर्श नियमों का आचरण करता है। ईश्वर के गुण उसके अंदर समाहित होने

लगते है। भारतीय संस्कृति में इस प्रकार के स्पष्ट उदाहरण के रूप में भगवान बुद्ध, भगवान राम, भगवान कृष्ण का स्वरूप स्पष्ट होता है जिन्होंने एक मानव के रूप में नैतिक नियमों का आचरण करते हुए भगवान के सन्निकट पहुंचने का कार्य किया था। पाश्चात्य दार्शनिक कांट भी इस प्रकार के नैतिक नियमों की पुष्टि करते हैं। जिससे यह स्पष्ट हो जाता है कि नैतिक दृष्टिकोण से ईश्वर की यथार्थ सत्ता दिखाई पड़ती है।

सार संक्षेप में कहा जा सकता है कि ईश्वर के अस्तित्व को सिद्ध करने के लिए व समस्त उपर्युक्त कारण माने जाते हैं जो ईश्वर की यथार्थता को प्रमाणित करते हैं। इस प्रकार हम देखते हैं कि ईश्वर ने संपूर्ण सृष्टि की रचना में विभिन्न आयाम के माध्यम से सृष्टि का विनाश एवं संचालन करता है। निस्संदेह हम कहते हैं कि ईश्वरवाद की जो अवधारणा है चाहे भारतीय संस्कृति हो या पाश्चात्य संस्कृति कहीं-न-कहीं पारलौकिक सत्ता के स्वरूप को स्वीकार करती है जो लौकिक व्यवस्था को संयमित रूप से बनाए रखने में सहायक सिद्ध होती है।

धर्म की अवस्थाएं

भारतीय संस्कृति एवं पाश्चात्य संस्कृति का समग्रता से विवेचन किया जाए तो यह स्पष्ट होता है कि दोनों परिप्रेक्ष्य में धर्म के आने के प्रकार की आस्था दिखाई पड़ती है। सामान्यतया माना जाता है कि धर्म वह व्यापक नैतिक नियम है। जिसमें विश्व के समस्त धर्म के नैतिक नियम एवं आयाम संभावित होते हैं। इसके बावजूद भी सर्वप्रथम धर्म के वर्गीकरण का श्री गणेश हेगल महोदय को जाता है, परंतु उनका वर्गीकरण सैद्धांतिक होने के फलस्वरूप धर्म के विमुख अनेक आपत्तियां भी दिखाई पड़ने लगी सभी वैचारिक धर्म को मिलाकर देखा जाए तो धर्म के वर्गीकरण में तीन भेद दिखाई पड़ते हैं–

1. प्राकृतिक धर्म
2. नैतिक धर्म
3. मुक्तिदायक धर्म

यही वर्गीकरण का एक सैद्धांतिक आधार है, जो सभी प्रकार के विवादों को हटाते हुए बनाया गया है। प्रारंभिक धर्म के परिप्रेक्ष्य में यदि समग्रता से अवलोकन किया जाए तो यह स्पष्ट है कि आरंभ में संपूर्ण नैतिक सभ्यता अशिक्षित थी। जहां अंधविश्वास जादू-टोना धर्म आदि का वर्चस्व था आरंभ काल में धर्म को इन विषय एवं रूढ़िवादिता के आधार पर देखने का प्रयास किया जाता था।

इसके साथ-साथ वर्तमान परिप्रेक्ष्य में जिस प्रकार से धर्म को तार्किक दृष्टिकोण से मूल्यांकित करने का प्रयास किया जाता है। यज्ञ जैसे कर्मकाण्ड प्रारंभिक धर्म की कुछ रुढ़िवादी विचारधारा आज भी दिखाई पड़ती है। इसके बावजूद भी अनेक सुधारवादी दृष्टिकोण भी देखने को मिलते हैं।

1. प्राकृतिक धार्मिक स्वरूप

प्रारंभिक धर्म के समय जिस प्रकार से मनुष्य असभ्य अशिक्षित था उसमें धर्म की हानि के त्रुटियां विद्यमान थीं। समस्त वस्तुओं की ईश्वर की आराधना के स्वरूप को मूल्यांकन करने का प्रयास किया जाता था। मनुष्य अनेक विषय-वस्तुओं से उपस्थित थे। यथार्थता में कहा जाए तो नैतिकता का पूर्ण अभाव था। प्राकृतिक धर्म इस अभाव की पूर्ति को पूरा करने का कार्य किया। इस धर्म में समस्त प्रकृति विषय-वस्तु की पूजा होती थी। जिसमें सूर्य-चंद्रमा, तारे, पृथ्वी, जल इत्यादि को देवता के रूप में मानते तथा उनकी आराधना की जाती थी। अतः प्राकृतिक धर्म ईश्वर को प्रतिरूप में ग्रहण करता था।

इस धर्म से संपूर्ण विश्व एक नियम के अंतर्गत संचालित होता था जिस नियम से यह जगत संचालित होता है। उसे प्राकृतिक नियम कहा जाता है। यह नियम आंचल एवं अटल है। इस नियम के विरुद्ध भी अनेक अवधारणा दिखाई पड़ती है। जहां पाश्चात्य जगत के दार्शनिकों ने भी इस ईश्वर के स्वरूप को स्वीकार करने एवं मूल्यांकन का प्रयास किया है।

इसकी स्पष्ट छवि भारतीय संस्कृति में वैदिक परंपरा में जिस प्रकार से प्राकृतिक विषय-वस्तु को देवताओं के रूप में मानकर मूल्यांकन

करने का प्रयास किया गया है। वह संसार के समस्त धर्मों में अतुलनीय दिखाई पड़ता है। प्राकृतिक धर्म को कुछ विद्वानों ने राष्ट्रीय धर्म के रूप में स्वीकार किया है। इस धर्म को राष्ट्रीय धर्म इसलिए कहा जाता है क्योंकि इस धर्म का विकास किसी गिरोह या राष्ट्र में न होकर मनुष्य के सामने उपस्थित समस्त कठिनाइयों को देखकर मानव को एकमत होकर राष्ट्र निर्माण के गुण विकसित करने के कारण कहा गया है।

प्राकृतिक धर्म का स्वरूप

भूमिका →
1. यह सम्पूर्ण सृष्टि के संचालन का सामान्य नियम माना जाता है।
2. यह सभी धर्मों के नैतिक नियमों का समूह माना जाता है।
3. इसमें प्रकृति की विषय-वस्तुओं को जीवंतता के साथ हो गया है।

↓

प्रकार →
- **भारतीय परिप्रेक्ष्य में**-इस स्वभाववाद के आधार पर मनुष्य के स्वतः साध्यभाव से जोड़कर देखा जाता है।
- **पाश्चात्य परिप्रेक्ष्य में**-इसमें प्राकृतिक विषय वस्तुओं को वस्तु के रूप में मूल्यांकित करने का प्रयास किया गया है।

↓

भेद →
- **प्राकृतिक धर्म**-नैतिक/देवताओं के रुप में जोड़कर देखा जाता था।
- **प्रारम्भिक धर्म**-इसके देवताओं एवं अन्य विषय-वस्तुओं का अभाव था।

↓

विशेषताएं →
- शक्ति का प्रतीक
- संचालन का सार्वभौमिक नियम
- नैतिक व्यवस्था के रूप में
- बहुदेववाद का समर्थन करना

↓

आलोचना →
- अज्ञेयवाद के आधार पर
- भाग्यवाद के आधार पर
- धार्मिक भावनाओं के प्रबलता से

↓

महत्व →
- प्राकृतिक वस्तुओं से जुड़ाव
- सम्पूर्ण संसार में नैतिक भाव की पूर्णता
- प्राकृतिक वस्तु में जीवंतता

↓

निष्कर्ष → सार्वभौमिक एकरूपता एवं जीवंतता ही इस धर्म का सार है।

प्राकृतिक धर्म की कुछ विशेषताएं

1. यह समस्त विश्व को एक शक्ति का प्रतीक मानता है।
2. इस धर्म को मानने वाले संसार को व्यवस्था पूर्ण मानते हैं।
3. इनके मानने वालों ने लय के आधार पर संपूर्ण संसार की व्याख्या किए हैं अर्थात् गति के आधार पर संपूर्ण संसार की व्याख्या करते हैं।
4. इस धर्म में प्रार्थना पर अधिक जोर दिया गया है। जैसे प्राकृतिक विषय-वस्तु के साथ-साथ पशु-पक्षियों को भी देवता के रूप में स्वीकार कर मूल्यांकित करने का प्रयास किया गया है।
5. प्राकृतिक धर्म में नैतिकता की प्रधानता स्पष्ट रूप से दिखाई पड़ती है।
6. यह धर्म बहुदेववाद से पूर्ण रूप से प्रेरित है।

प्राकृतिक धर्म एवं प्रारंभिक धर्म में अंतर

1. इन दोनों धर्मों के बीच अनेक भिन्नता प्रतीत होती है, क्योंकि प्राकृतिक धर्म में देवताओं को भिन्न-भिन्न नामों से संबोधित किया गया है, परंतु प्रारंभिक धर्म में धर्म का नामांतरण नहीं किया गया था।
2. प्राकृतिक धर्म में देवताओं के नाम हैं, जबकि प्रारंभिक धर्म में देवताओं के नाम का अभाव था।
3. प्राकृतिक धर्म में देवताओं के गुणों की कल्पना की गई है जबकि प्रारंभिक धर्म में देवताओं को गुणहीन माना गया है।
4. प्राकृतिक धर्म में नैतिकता को अपनाया गया था, लेकिन प्रारंभिक धर्म में नैतिकता का अभाव था।
5. प्रकृतिवाद उस सिद्धांत को कहा जाता है, जो विश्व की व्याख्या प्राकृतिक नियमों द्वारा करता है, जबकि प्रारंभिक धर्म में किसी भी प्रकार के सैद्धांतिक नियमों का यथार्थ रूप नहीं दिखाई पड़ता है।

प्रकृति के धर्म के विरुद्ध आरोप

1. प्राकृतिक धर्म के ऊपर अनेक प्रकार के आरोप लगाए गए हैं, क्योंकि यह अज्ञेयवाद के आधार पर विश्व की समस्त वस्तुओं की व्याख्या करना शुरू करता है।
2. यह भाग्यवाद को स्वीकार करता है।
3. यह धार्मिक भावना के विकास में बाधक है, क्योंकि यहां बुद्धि और विचार का अभाव दिखाई पड़ता है।
4. यह अनेकेश्वरवाद के स्वरूप को स्वीकार करता है।

मानवीय धर्म का स्वरूप

विश्व के समस्त धर्मों का अवलोकन किया जाए तो यह दृष्टिगोचर होता है कि सभी धर्मों का सार इसी धर्म में मिलता है। जहां पर प्राकृतिक धर्म की त्रुटियों एवं अनेक धर्म संप्रदाय की धार्मिक त्रुटियों को दूर कर उदारवादी दृष्टिकोण अपनाते हुए मानव में दया, करुणा के भाव के साथ स्वतंत्रता, बंधुत्व, भाई-चारे के साथ नैतिकता के साथ बुद्धि-विवेक, करुणा, क्षमा, सहनशीलता के मानवीय गुणों को विकसित करने में सहायता प्रदान करता है। इस प्रकार हम कह सकते हैं कि मानवीय धर्म का जन्म मनुष्य के अंदर संपूर्ण संस्कृति राजनीति को एक सूत्र में धारित करने के साथ-साथ मनुष्य को केंद्र बिंदु मानकर समस्त नैतिक गुणों को विकसित करना ही मानव धर्म का यथार्थ उद्देश्य है।

इसी से मानववाद की विचारधारा निकल कर आती है जो प्रत्ययवाद से साम्य रखती है। संक्षेप में कहा जाए तो मानववाद प्रत्ययवाद के साथ नैतिक पूर्ण जीवन के साथ नैतिक आचरण को विकसित करने का सबसे उत्कृष्ट मार्ग माना जाता है।

यहां पर सभी विषय वस्तु को तर्क एवं बुद्धि के साथ वैज्ञानिक आधार पर देखकर मूल्यांकित करने का प्रयास किया जाता है। मानवीय धर्म ईश्वरवाद का विरोध करता है। ईश्वर की धारणा मनुष्य के अंदर

पारलौकिक सत्ता के रूप में आती है। जैसे मनुष्य उसके गुण एवं दोषों का आरोप-प्रत्यारोप करता है। उसमें व्याप्त रूढ़िवादी अंधविश्वास को दूर करने का प्रयास करता है। आज का वैज्ञानिक युग अंधविश्वास से पूर्ण ईश्वरवाद को बुद्धि के आधार पर मूल्यांकन कर मानवतावाद, नियतिवाद, भाग्यवाद, निराशावाद के सिद्धांत का खंडन करता है, क्योंकि यह सिद्धांत आशावाद की ओर लेकर जाते हैं। समग्रता में देखा जाए तो भारतीय संस्कृति के संदर्भ में बौद्ध-जैन धर्म कहीं-न-कहीं ब्राह्मणवाद का खंडन कर धार्मिक दृष्टिकोण का खंडन कर तार्किक दृष्टिकोण को अपनाना एवं मानवीय धर्म को आगे बढ़ाना है।

जीवन का यथार्थ स्वरूप समझता है। जहां आत्मा-परमात्मा जैसी विषय-वस्तु से ऊपर उठकर मनुष्य के अंदर प्रेम, दया, करुणा, मोह, माया जैसी विषय-वस्तु के यथार्थ स्वरूप को समझना है। जीवन के यथार्थ महत्व को स्वीकार करता है। आधुनिक परिप्रेक्ष्य में देखा जाए तो टैगोर का मानववाद इसी विचारधारा का एक स्वरूप है। जिसका वर्णन टैगोर ने अपनी पुस्तक **रिलीजन ऑफ मैन** में करते हुए कहते हैं कि मेरा धर्म मानवीय धर्म है। जिसमें ईश्वर की व्याख्या मानवीय रूप में की जाती है। इनके अनुसार ईश्वर की अभिव्यक्ति मानव में पूर्ण रूप से पाई जाती है।

अतः मानव की पूजा ही ईश्वर की पूजा है। टैगोर के ईश्वर के सारे गुण की अभिव्यक्ति स्वर्ग में न होकर मानव के आत्मा में होती है। अतः इससे स्पष्ट है कि गुरुदेव मानव सेवा को ईश्वरीय सेवा के रूप में स्वीकार कर मानवतावाद को बढ़ावा देना चाहते थे इसके साथ-साथ आधुनिक समकालीन भारतीय विचारकों में अनेक ऐसे विचारक हुए जैसे स्वामी विवेकानंद, नारायण, मौलाना अबुल कलाम आजाद, इसके साथ-साथ पंडित दीनदयाल उपाध्याय का मानवतावादी भी कहीं-न-कहीं मानवीय धर्म के यथार्थ एवं परिष्कृत स्वरूप को मूल्यांकन करने का प्रयास करता है।

मानवीय धर्म का मूल्यांकन

भारतीय संस्कृति के परिप्रेक्ष्य में एवं पाश्चात्य संस्कृति के दार्शनिक परिप्रेक्ष्य का समग्रता से अवलोकन किया जाए तो यह दृष्टिगोचर होता है कि दोनों विचारधारा में मानवीय धर्म को सभी धर्मों में सर्वश्रेष्ठ माना गया है। यह सभी धर्म के नैतिक आयाम को परिष्कृत कर अपने अंदर समाहित किए हुए है। जहां से मानव गौरव की रक्षा का मानवता का दीप प्रज्वलित कर रहा है। यही मानव धर्म सभी धर्मों में विश्व बंधुत्व भाईचारे के दीपक को प्रज्वलित करता है। जिसके कारण हमारे अंदर स्वतंत्रता, समानता, विश्व बंधुत्व के साथ तार्किक दृष्टिकोण के आधार पर किसी भी विषय-वस्तु को मूल्यांकन कर आत्म विश्लेषित करने के गुण विकसित होते हैं।

इसके ऊपर अनेक प्रकार के आरोप-प्रत्यारोप भी लगते हैं, लेकिन समग्रता में देखा जाए तो अब तक के जितने भी मानवीय धर्म हुए सभी का परिष्कृत रूप में इसे स्वीकार किया गया है।

रविंद्र नाथ टैगोर (गुरुदेव) कहते हैं कि **माई रिलीजन इज द रिलीजन ऑफ मैन** अर्थात् यह धर्म के भावनात्मक ज्ञानात्मक क्रियात्मक पक्ष की स्पष्ट व्याख्या के साथ रूढ़िवाद अंधविश्वास का खंडन करता है। इसमें समस्त विषय वस्तुओं को तर्क एवं वैज्ञानिक आधार पर देखकर पुष्टि किया जाता है। इसीलिए डॉक्टर राधाकृष्णन् ने कहा है कि कोई भी ऐसा धर्म जिसका केंद्र ईश्वर नहीं है बल्कि मानव होता है वह शक्तिशाली धर्म नहीं होता है।

निष्कर्ष: यह कहा जा सकता है कि मानवीय धर्म में प्राकृतिक धर्म आध्यात्मिक धर्म के साथ विश्व के जितने भी धर्म संप्रदाय हुए सभी धर्मों को वैज्ञानिक एवं तार्किक दृष्टिकोण के आधार पर मूल्यांकन करने का प्रयास किया गया है।

मानव धर्म का स्वरूप

प्रस्तावना → 1. सम्पूर्ण मानवता का आधार
2. जीवन जीने की उदारपूर्ण शैली
3. सभी धर्मों का तार्किक दृष्टिकोण का सार
4. जीवन में भाववाद की यथार्थता

भाव → **पाश्चात्य दृष्टिकोण पर आधारित**
→ **भारतीय दृष्टिकोण पर आधारित**
1. वैदिक साहित्य में उदारता पर आधारित
2. नास्तिक परम्परा में कर्म पर आधारित
3. आधुनिक काल में उदारता एवं नैतिकता पर आधारित
(i) टैगोर का मानववाद
(ii) D.D. उपाध्याय का मानववाद

विशेषता → 1. सभी धर्मों का सार
2. जीवन जीने की उदारतापूर्ण पद्धति
3. कर्मकाण्डों का अभाव
4. नैतिकता एवं तर्कबुद्धि पर आधारित

आलोचना → 1. धर्म पर आधारित पद्धति का अभाव
2. पारलौकिक सत्ता का खण्डन

निष्कर्ष → यथार्थता में सम्पूर्ण संसार को स्वतंत्रता समानता एवं विश्व बन्धुत्व की भावना के आधार पर जोड़ने की कला है।

आध्यात्मिक धर्म का स्वरूप

समग्रता में देखा जाए तो आध्यात्मिक धर्म का व्यापक अर्थ अध्यात्म के आलोक्य में धर्म को एक नए दृष्टिकोण से मूल्यांकित करने का प्रयास किया गया है। जहां से भारतीय संस्कृति में जाति व्यवस्था, वर्ण व्यवस्था जैसी निकृष्ट मानसिकता के साथ अनेक रूढ़िवादी विचारधाराएं भी दिखाई पड़ती हैं। यह धर्म आस्था, श्रद्धा के आधार पर आधारित है। इस धर्म के अंतर्गत लौकिक विषय-वस्तु के स्थान पर पारलौकिक विषय-वस्तु के द्वारा संपूर्ण सृष्टि के विषय-वस्तुओं का संचालन के विषय में विश्वास किया जाता है।

अर्थात् एक प्रकार से एक अलग दुनिया के द्वारा संपूर्ण दुनिया का संचालन दिखाया जाता है। जिसका ताना-बाना उस पारलौकिक अध्यात्म वाद की दुनिया में बनता है। जिसका व्यवहारिक रूप का क्रियान्वयन इस जगत में किया जाता है। आध्यात्मिक धर्म का विकास भारतीय दार्शनिक परंपरा में स्पष्ट दिखाई पड़ता है, जिसका आरंभ वेदांत दर्शन की सभी विचारधारा में दिखाई पड़ता है।

आध्यात्मिक धर्म की कुछ विशेषताएं

1. आध्यात्मिक धर्म का ईश्वर एक महान जीव है जो पूर्ण, सर्वव्यापी सर्वशक्तिमान है। वही सभी प्रकार के नैतिक सांसारिक भौतिक नियमों का संचालन करता है। यह ईश्वर आस्था पर आधारित है। यह कोई प्राकृतिक वस्तु नहीं है। इसे देश-काल से परे माना गया है। यहां ईश्वर को स्वतंत्र माना गया है। वह अपने अस्तित्व के लिए किसी अन्य वस्तु का सहारा नहीं लेता है।

सार संक्षेप में कहा जाए तो सभी धर्मों के ऐतिहासिक दृष्टिकोण में ईश्वर की आंशिक छवि कुछ इस प्रकार दिखाई पड़ती है। चाहे वैदिक धर्म हो, इस्लाम धर्म हो, सिख धर्म हो, ईसाई धर्म हो। सभी धर्मों में ईश्वर को इसी रूप में मानकर मूल्यांकन करने का प्रयास किया गया है। जहां उसके अस्तित्व को सिद्ध करने के साथ आस्था और श्रद्धा के आधार पर उसे हृदय में धारण कर उसके समस्त गुणों की व्याख्या की जाती है।

आध्यात्मिक धर्म के विभिन्न स्वरूप में

विश्व के सभी धर्म संप्रदाय का अवलोकन किया जाए तो यह दृष्टिगोचर होता है कि इसी आध्यात्मिक धर्म के गोद में सभी धर्म का जन्म हुआ एवं विकसित भी हुए जहां इस्लाम धर्म का विकास **अरब** में हुआ था जिसके प्रणेता मोहम्मद साहब को माना जाता है। उन्हें भी एक ईश्वर के दूत के रूप में माना जाता है जो संपूर्ण मनुष्य को सद्बुद्धि का पाठ पढ़ा कर सन्मार्ग पर चलने के लिए भेजे गए थे वही फरिश्ता के रूप में आए थे। इस्लाम धर्म में अनेक प्रकार की नैतिक नियम

जैसे सत्य, बोलना, चोरी न करना, हिंसा न करना, मदिरा का सेवन ना करना, पांच वक्त का नमाज अदा करना, खैरात बांटना, रमजान करना प्रत्येक मुसलमान के लिए आवश्यक माना गया है। इसके साथ-साथ मक्का की यात्रा करना भी जीवन का परम कर्तव्य माना गया है। इसके साथ-साथ ईसाई धर्म में भी इस प्रकार की अवधारणाएं दिखाई पड़ती हैं।

आध्यात्मिक धर्म का स्वरूप

प्रस्तावना →
1. यह आस्था एवं विश्वास पर आधारित माना जाता है।
2. इसमें पारलौकिक शक्ति ही सर्वोच्च सत्ता है।
3. इसमें कर्मकाण्डीय नियम अधिक पाया जाता है।
4. यह प्राकृतिक से धार्मिक नियमबद्धता के तरफ ले जाता है।

विशेषता →
1. इसमें ईश्वर सब कुछ होता है।
2. इसमें आस्था श्रद्धा विश्वास आधारित मान्यताएं हैं।
3. पारलौकिक सत्ता का वर्चस्व
4. पारलौकिक सत्ता से लौकिक

प्रभार →
- अनिश्वरवाद
- सर्वेश्वरवाद
- द्वैतवाद
- एकेश्वरवाद

आलोचना →
1. इसमें कर्मकाण्डीय विषय-वस्तुओं का वर्चस्व होता है।
2. इसमें तार्किक अवधारणाओं का अभाव होता है।
3. इसमें व्यवहारिकता का अभाव होता है।

महत्व → इसके माध्यम से बाहरी एवं आन्तरिक विषय-वस्तुओं को जोड़ने में महत्व मिलती है।
नैतिक नियमों को व्यवस्था के आधार पर जोड़ने में अधिक उपयोगी दिखाई पड़ता है।

निष्कर्ष → यह कहा जा सकता है कि आध्यात्म हमेशा आन्तरिक भाव को जोड़ने का कार्य करती है।

यह बात अलग है कि वहां पर हर नैतिक नियम को मानने की विचारधारा अलग-अलग है। उनके सोचने की अवधारणा अलग-अलग है। वैदिक धर्म में भी इस प्रकार की विचारधारा मिलती है। जिसे पंच महाव्रत के रूप में स्वीकार किया गया है। जिसको आगे चलकर बौद्ध धर्म एवं जैन धर्म में भी समाहित किया गया था।

सार संक्षेप में कहा जाए तो विश्व के सभी धर्म संप्रदाय मनुष्य के अंदर नैतिक नियमों को विकसित करने के लिए लगभग निम्न प्रकार की नैतिक अवधारणा का प्रतिपादन करते हैं। यह बात सत्य है कि सभी धर्म उसके मानने वाले अनुयायी विचारधारा एवं दृष्टिकोण अलग-अलग होता है। अतः यह कहा जाता है कि जिस प्रकार से समस्त नदियाँ समुंद्र में समाहित हो जाती हैं। उसी प्रकार विश्व के सभी धर्म संप्रदाय सैद्धांतिक दृष्टिकोण से उसी ईश्वर रूपी नैतिक समुद्र में समाहित हो जाते हैं। जिसका एकमात्र उद्देश्य विश्व के सभी व्यक्तियों में नैतिकता के साथ स्वतंत्रता, समानता, विश्व बंधुत्व की भावना को प्रगाढ़ कर आदर्श पूर्ण जीवन निर्वहन करना है। जीवन का परम उद्देश्य माना गया है।

धार्मिक दर्शन के प्रकार

वैदिक संस्कृति में उठती धर्म की सभी वैचारिक दृष्टिकोण के साथ विश्व के सभी धर्म संप्रदाय का समग्रता में अवलोकन किया जाए तो यह दृष्टिगोचर होता है कि जिस प्रकार से धर्म को प्राकृतिक मानवीय एवं आध्यात्मिक धर्म के आधार पर विभक्त कर मूल्यांकन किया गया है। वहां से ईश्वर के प्रति विश्वास रखने वाले, न रखने वाले के दृष्टिकोण से अनेक विचारधारा निकल कर सामने आती है। जिसे धार्मिक दर्शन में एक प्रकार से दार्शनिक दृष्टिकोण की विचारधारा कहा जाता है जो धर्म की मान्यता के आधार पर मनुष्य के भाव स्वभाव को अभिव्यक्त करने का कार्य करता है जो इस प्रकार है–

1. अनिश्वरवाद
2. सर्वेश्वरवाद
3. द्वैतवाद
4. अनेकेश्वरवाद
5. एकेश्वरवाद

हम कह सकते हैं कि यह समस्त विचारधारा मनुष्य के व्यवहारिक जीवन में ईश्वर को मानने एवं न मानने के स्वरूप के आधार पर आधारित है, जो उसके व्यवहारिकता के साथ विश्वास एवं आस्था पर आधारित है। जहां कुछ लोग ईश्वर को मानते हैं।

अनिश्वरवादी का स्वरूप

इसका शाब्दिक अर्थ है कि ऐसी विचारधारा के लोग जो ईश्वर में आस्था नहीं रखते हैं। यह सिद्धांत ईश्वर की सत्ता का खंडन करता है। उसके विश्वास का विरोध करता है। यह एक ऐसा सिद्धांत है जिसका संबंध ईश्वर में अनिवार्य निषेधात्मक सिद्धांत के रूप में है।

यह ईश्वरवाद के प्रतिकूल माना जाता है। यद्यपि यह ईश्वर की सत्ता में विश्वास नहीं करता है, परंतु विश्व के अंदर मानव के रूप में करुणा, प्रेम, दया, ईश्वर के गुणों को मनुष्य के अंदर मानकर उसका पूर्ण सम्मान करता है। यह पारलौकिक विषय-वस्तु के स्थान पर अलौकिक विषय-वस्तु को अधिक महत्व प्रदान करता है। यह एक प्रकार से धार्मिक सिद्धांत भी प्रतीत होता है। यह सभी प्रकार के धर्म में व्याप्त रूढ़िवादी सत्ता को समाप्त करने का एवं परिष्कृत करने का कार्य भी करता है। यह धर्म के मूल्यों को यथार्थता के आधार पर परिष्कृत करने का कार्य करता है। जहां से अनेक प्रकार के इसके स्वरूप दिखाई पड़ते हैं–

1. संदेहवादी या अनिश्वरवादी
2. हठवादी अनिश्वरवादी

3. अज्ञेयवादी अनिश्वरवादी
4. व्यवहारवादी अनिश्वरवादी
5. भौतिकतावादी अनिश्वरवादी

भारतीय संस्कृति के दृष्टिकोण से देखा जाए तो इस प्रकार की विचारधारा मुख्य रूप से चार्वाक, बौद्ध, जैन दर्शन में स्पष्ट झलक दिखाई पड़ती है। जहां पर चार्वाक दर्शन ईश्वर की यथार्थता का खंडन करते हुए भौतिकतावादी दृष्टिकोण को अपनाता है, जबकि जैन और बौद्ध जैसे धर्म संप्रदाय कर्म सिद्धांत को आधारित मानने के कारण श्रमण परंपरा पर अर्थात् श्रम की परंपरा पर अधिक बल देते हैं।

इसलिए इस परंपरा को श्रमण परंपरा भी कहा जाता है, जबकि दूसरी ओर ईश्वर में आस्था रखने वाले धर्म संप्रदाय को श्रुति परंपरा भी कहा जाता है, क्योंकि वेद उपनिषद को श्रुति के रूप में माना गया है।

इस परिप्रेक्ष्य में देखा जाए तो इस विचारधारा के अंतर्गत सांख्य दर्शन भी मीमांसा दर्शन के साथ संभावित दिखाई पड़ता है, जो ईश्वर की सत्ता को स्वीकार नहीं करता है, बल्कि पदार्थ एवं तत्व के आधार पर संपूर्ण सृष्टि के विषय-वस्तु का मूल्यांकन करता है। इस प्रकार हम देखते हैं कि भारतीय संस्कृति में भी इसकी स्पष्ट झलक दिखाई पड़ती है, जबकि पाश्चात्य जगत से देखा जाए तो अरस्तु से लेकर आधुनिक परिप्रेक्ष्य में व्याप्त सभी दार्शनिकों में कुछ न कुछ इस प्रकार की झलक और भी प्रगाढ़ हो जाती है, जब दर्शन की विषय-वस्तु को वैज्ञानिक एवं तर्क के आधार पर मूल्यांकन करने का प्रयास किया जाता है।

सर्वेश्वरवाद का स्वरूप

सर्वेश्वरवाद धार्मिक सिद्धांत का वह रूप है। जिसके अनुसार ईश्वर ही एकमात्र परम सत्ता है। इसके अतिरिक्त किसी भी सत्ता को परमार्थ नहीं कहा जा सकता है। यह स्वतंत्र है क्योंकि वह अपने अस्तित्व के लिए किसी भी सत्ता पर निर्भर नहीं करता है। यह व्यापक है। यह

सर्वशक्तिमान है। इसमें सृष्टि के समस्त गुण विद्यमान हैं अर्थात् वह सभी जीव, जंतु, पशु, पक्षी में निवास करता है।

भूमिका →
1. इसमें सभी जगह में ईश्वर की भावना को स्वीकार किया जाता है।
2. यह नियत एवं भाग्यवाद के आधार पर आधारित दिखाई पड़ती है।

प्रकार →
परम्परावादी
जड़वादी
प्रत्यावादी
विकासवादी

विशेषताएं →
1. यह सभी को जीवंतता के आधार पर जोड़ता है।
2. यह सभी में नियति को बढ़ावा देता है।
3. जीवन का यथार्थ प्रभु को समर्पित करना है।
4. यह ईश्वरवाद के सन्निष्कर्ष दिखाई पड़ता है।
5. यह सभी धर्मों का आधार स्तम्भ के रूप में दिखाई पड़ता है।

आलोचना →
1. इसमें तार्किक दृष्टिकोण का अभाव दिखाई पड़ता है।
2. यह कर्मकाण्ड पर आधारित दिखाई पड़ता है।
3. यह अनुभववादी एवं व्यवहारवादी विचारधारा का खण्डन करता है।

महत्व → यह बाहरी एवं आन्तरिक भाव को आध्यात्मिकता के आधार पर जोड़ने का कार्य करता है।

निष्कर्ष → यद्यपि इसमें एकाकी दिखाई पड़ता है, इसके बावजूद भी हमें धर्म के आलोक में एक भाव से जोड़ने का कार्य करती है।

यही सृष्टि के सभी असीम द्रव्य से लेकर ससीम द्रव्य का संचालन करता है। इसके अंतर्गत सभी धार्मिक सिद्धांत एवं नैतिक नियम ईश्वर की कृपा दृष्टि एवं आदेशानुसार संचालित होते हैं। स्वस्थ मनुष्य एवं जीव जंतुओं का परम कर्तव्य है कि उसके द्वारा बनाए गए नैतिक नियमों के अनुसार आचरण करें। जिसे भारतीय संस्कृति में मोक्ष के रूप में स्वीकार किया गया है, जबकि पाश्चात्य संस्कृति में इसे मुक्ति के रूप में स्वीकार किया गया है।

संक्षेप में देखा जाए तो दोनों दृष्टिकोण एक ही यथार्थ स्वरूप को

स्पष्ट करते हैं। जहां से मनुष्य अज्ञानता से ज्ञान के स्तर पर आकर किसी भी विषय-वस्तु के यथार्थ स्वरूप को समझ लेता है।

सर्वेश्वरवाद के अंतर्गत ईश्वर को व्यक्ति रहित माना गया है। यही मनुष्य की समस्त इच्छा, संकल्प, दया, करुणा, प्रेम जैसे नैतिक नियमों को संचालित करता है। विश्व के सभी वस्तुओं के साथ जोड़कर विश्व-बंधुत्व की भावना को उजागर करता है। ईश्वर ही विश्व का उपादान कारण है। सार संक्षेप में कहा जा सकता है कि सर्वेश्वरवाद एक ऐसी विचारधारा को स्पष्ट करता है। जहां से भाग्यवादी नियतिवाद जैसी ईश्वरीय अवधारणा के आलोक में इस उकृष्ट विचारधाराओं का उद्भव होता है। यहां पर कहीं-न-कहीं सर्वेश्वरवाद जैसी विचारधारा की अवहेलना होती है।

ईश्वरवाद एवं सर्वेश्वरवाद में संबंध

सर्वेश्वरवाद की विशेषताओं को जान लेने के बाद इसका ईश्वरवाद के साथ उचित संबंध स्पष्ट हो जाता है। ईश्वरवाद सर्वेश्वरवाद दोनों के अनुसार ईश्वर असीम सर्वव्यापक है। इसके साथ विश्व का उपादान एवं निमित्त कारण है। दोनों ईश्वर को विश्वती या विश्वव्यापी मानते हैं। दोनों ईश्वर को व्यक्ति को इच्छा प्रेम एवं करुणा प्रदान करता के रूप में स्वीकार करते है। दोनों भक्ति मार्ग के आधार पर प्रेम दया करुणा के सागर के रूप में ईश्वर को स्वीकार करते हैं। यही संपूर्ण विश्व का पालनहार संहारकर्ता, रक्षक माना जाता है।

मानवीय इच्छा, स्वतंत्रता को अस्वीकार करता है। जिसके फलस्वरूप संयुक्त नियतवाद का विकास होता है। ईश्वरवाद इसके विपरीत इच्छा स्वतंत्रता को मान्यता देता है। जिसके फलस्वरूप नैतिक शुभ-अशुभ उचित-अनुचित भाव जीवित रहता है। ईश्वरवाद के अनुसार मानव स्वतंत्र जीव है जबकि सर्वेश्वरवाद के अनुसार मानव को नियत माना गया है।

सर्वेश्वरवाद के प्रकार: यह चार प्रकार का होता है–

1. परंपरावादी
2. प्रत्ययवादी
3. विकासात्मक
4. जड़वादी

सर्वेश्वरवाद का मूल्यांकन

सर्वेश्वरवाद के विरुद्ध अनेक विविधता दिखाई पड़ती है, जो इस प्रकार है–

1. ईश्वर सब कुछ है। सब कुछ ईश्वर है, तो विश्व में अनेक प्रकार की भ्रांतियां कैसे होती हैं, तथा धार्मिक भावनाओं को विकसित कैसे किया जाता है। इस प्रकार यह स्पष्ट हो जाता है कि धार्मिक संबंध में यह अवधारणा एकाकी प्रतीत होती है।
2. यदि ईश्वर विश्व के कण-कण में व्याप्त है। वह भी सृष्टि के बाहर नहीं पाया जाता है, तो फिर अपूर्ण एवं अशुभ की विचारधारा कैसे आती है। हमारे अंदर बुराई कैसे आती है क्योंकि जब ईश्वर सभी विषय-वस्तु में है।
3. सर्वेश्वरवाद हमें घोर निराशा की भावना प्रस्तुत करता है। विश्व की सभी वस्तुएं ईश्वर के प्रकाश से प्रकाशित होती है तो फिर विश्व में आंधी-तूफान जैसे प्राकृतिक अशुभ क्या होते हैं। ईश्वर सर्वशक्तिशाली है, तो उसे इस विषय-वस्तु को नियंत्रित करना चाहिए कहीं-न-कहीं इसके ऊपर लगे आरोप नियतिवाद के तरफ अग्रसर करते हैं।
4. सर्वेश्वरवाद नैतिकता के लिए सबसे घातक सिद्धांत माना जाता है क्योंकि यह नियतिवाद का समर्थन करता है, जब सब कुछ नहीं रहता है, तो फिर मनुष्य कर्म, कैसे और क्यों करता है। इस प्रकार की विचारधारा कहीं-न-कहीं ईश्वर के यथार्थ स्वरूप के ऊपर आरोप-प्रत्यारोप लागू करने का कार्य करती है।

द्वैतवाद का स्वरूप

ईश्वर का स्वरूप

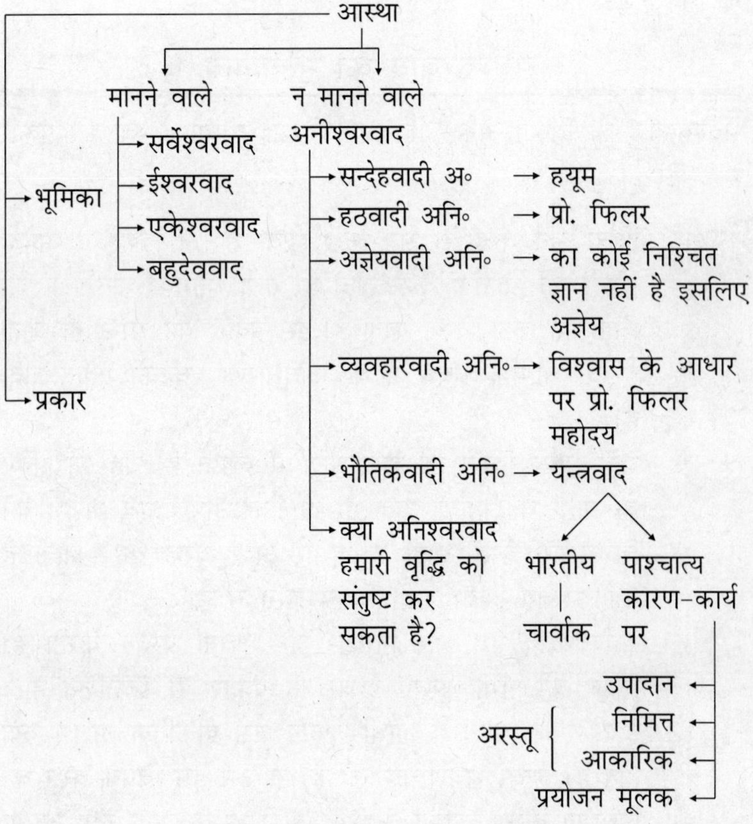

द्वैतवाद शब्द तर्कशास्त्र के लिए अधिक उपयुक्त लगता है, क्योंकि यह दो स्वतंत्र सत्ता को मानने के लिए प्रेरित करता है। इस सत्ता में मुख्यता: दो तत्वों को स्वीकार किया जाता है। इस विचारधारा को ही द्वैतवाद कहा जाता है। जड़ चेतन साधारणत: दो ही तत्व हैं। इन्हीं दो तत्वों को स्वीकारने के कारण इसे द्वैतवाद कहा जाता है। भारतीय संस्कृति एवं वैदिक परंपरा में अनेक ऐसे दार्शनिक एवं दार्शनिक विचारधारा के लोग जो इस ईश्वरवाद की विचारधारा के साथ-साथ धर्म की विचारधारा को स्वीकार करते हैं।

जहां वेदांत दर्शन के साथ सांख्य दर्शन पुरुष और प्रकृति के साथ मिलकर संपूर्ण सृष्टि की उत्पत्ति का आधार स्पष्ट करते हैं। इसके साथ-साथ पाश्चात्य जगत में प्लेटो एवं अरस्तु जैसे दार्शनिक ने भी मुख्यतः दो पदार्थ शुभ प्रत्यय एवं मूल प्रत्यय अर्थात् मैटर के रूप में स्वीकार किया है। सत्य पूर्णतः स्वतंत्र सर्व व्यापक तथा अन्य प्रत्यय का आधार है।

इसीलिए शुभ को ईश्वर कहा गया है, जो निर्गुण है, जो सभी प्रकार के भौतिक द्रव्यों का आधार माना जाता है, जबकि मूल तत्व (मैटर) इसके विपरीत है जिसकी स्पष्ट झलक अरस्तु ने मैटर और फार्म के रूप में किया है। इन्हीं दोनों के सहयोग से विश्व की समस्त वस्तुओं की उत्पत्ति होती है। आधुनिक जगत में देकार्त जैसे दार्शनिक भी जड़ और चेतन की सत्ता को स्वीकार करते हैं जबकि कांट जैसे दार्शनिक ने फिनोमिना और नोमिना के बीच द्वैत को स्पष्ट करते हैं। जहां से अज्ञेयवाद की विचारधारा स्पष्ट हो जाती है। आगे चलकर रसेल जैसे दार्शनिक ने अपनी पुस्तक **अपीरियंस एंड रियलिटी** के बीच स्पष्ट करने का प्रयास करते हैं। धर्म दर्शन के क्षेत्र में भी द्वैतवाद की विचारधारा दिखाई पड़ती है जो अन्य प्रकार के संघर्षों को उत्पन्न करती है। इसके साथ-साथ अन्य धर्मों में भी इस प्रकार की अवधारणा दिखाई पड़ती है।

1. शुभ एवं अशुभ के बीच का संबंध
2. व्यवस्था एवं अव्यवस्था के बीच का संबंध
3. आशा और निराशा के बीच का संबंध
4. आत्मा और शरीर के बीच का संबंध
5. शुभ अशुभ के बीच का संबंध

विश्व के सभी सुख दुःख के बीच यह दोनों गुण सदैव विद्यमान रहते हैं। बिना इनकी परिकल्पना के नैतिक अनैतिक गुणों का सृजन नहीं संभव है। अच्छाई-बुराई के मापदंड माने गए हैं। विजय-संहार इसके कारक माने गए हैं। सकारात्मक एवं नकारात्मक विचारधारा के

सहायक माने गए जिसकी स्पष्ट झलक न केवल भारतीय दर्शन में, बल्कि पाश्चात्य जगत में भी स्पष्ट दिखाई पड़ती है। जहां रसेल महोदय शुभ के स्वरूप को व्यापक स्तर पर मूल्यांकन करने का प्रयास करते हैं।

यह संपूर्ण मानव सभ्यता समागम्य का सामना कर रही है। य सभी प्रकार की बुराई के यथार्थ मार्ग को प्रशस्त करता है। मानव के अंदर सभी प्रकार के अनैतिक कार्यों को क्रियान्वित करने का मार्ग निर्धारित करता है। कुशलता एवं क्षमता का निर्धारण करता है। विनाश एवं उद्‌गम का साहचर्य स्पष्ट करता है।

शरीर और आत्मा के बीच संबंध

इस विचारधारा को केवल भारतीय परंपरा ही नहीं बल्कि पाश्चात्य परंपरा में भी विशेष महत्व दिया गया है। इन दोनों विचारधाराओं को आपस में जोड़कर ही सभी दार्शनिक प्रणाली का उद्‌भव हुआ है। भारतीय संस्कृति के परिप्रेक्ष्य में चार्वाक दर्शन को छोड़कर एवं बौद्ध दर्शन को छोड़कर सभी ने आत्मा के एवं शरीर के संबंध को स्वीकार किया है।

समकालीन भारतीय दर्शन में भी इस विचारधारा का विशेष महत्व दिखाई पड़ता है। जहां महर्षि अरविंद, महात्मा गांधी, स्वामी विवेकानंद, रविंद्र नाथ टैगोर आदि जैसे प्रसिद्ध विचारकों ने इस विचारधारा को अपनाकर ही अपनी वैचारिक उन्माद को संतृप्त करने का प्रयास किया है। जिसके साथ-साथ पाश्चात्य जगत में प्लेटो, अरस्तु के दर्शन में भी शरीर और आत्मा को लेकर जिस प्रकार की छवि स्पष्ट हुई उसको आधुनिक काल में बुद्धिवादी एवं अनुभववादी, समीक्षावादी दार्शनिकों के साथ समकालीन पाश्चात्य दर्शन के दार्शनिकों ने भी स्वीकार कर मूल्यांकन करने का प्रयास किया है।

द्वैतवाद के गुण

1. यह हमें संसारी के पूर्णता का ज्ञान प्रदान करता है।
2. यह मानव के ध्यान को सांसारिक आकर्षणों की ओर खींचता है।

3. यह सिद्ध करता है कि अनेकेश्वरवाद और द्वैतवाद के बीच कौन सी सत्ता है। इस प्रकार अनिश्वरवाद का जन्म होता है।

समग्रता में देखा जाए तो अनेकेश्वरवाद का बीज द्वैतवाद से निकल कर सामने आता है।

द्वैतवाद की आलोचना

1. द्वैतवाद से धार्मिकता की रक्षा नहीं हो पाती है। दो सत्ता अर्थात् ईश्वर और शैतान की धारणा को प्रस्तुत कर दो सत्ता धार्मिक व्यक्ति के सामने समस्या प्रस्तुत करता है।
2. यह ईश्वर की धारणा को सजीव तथा अपूर्ण बना देता है।
3. इसमें निराशा की भावना का उद्‌भव होता है। ईश्वर मानव को संकट से छुटकारा नहीं मिल पाता है, क्योंकि विपत्तियों एवं संकट का कारण शैतान है। ईश्वर नहीं है। ऐसी स्थिति में मानव निराशा तथा घोर संकट की तरफ आकृष्ट होता है।

अनेकेश्वरवाद का स्वरूप

इसके अंतर्गत ईश्वर के अनेकों रूप माने गए हैं। अनेक देवी-देवता मानने के कारण इसे अनेकेश्वरवाद कहा जाता है। इसमें ईश्वर के अनेक स्वरूप माने गए हैं, जब ईश्वर अनेक स्वरूप को स्वीकार करते हैं, तो हमारे समक्ष अनेक प्रकार की समस्या आती है।

सामान्यतः प्रारंभिक धर्म में इस प्रकार की विचारधारा दिखाई पड़ती है, क्योंकि उस समय प्रकृति की वस्तुओं को देवी देवता के रूप में मानकर धर्म एवं दार्शनिक विषय वस्तुओं की व्याख्या करते थे। प्राकृतिक अवस्था में इस धर्म का विकास दिखाई पड़ता है। इस अवस्था में आकर लोगों ने धार्मिक भावना के ऊपर सोचने का अवसर प्राप्त किया था। प्रारंभिक धर्म में व्यक्ति की बुद्धि विकसित नहीं हो पाई थी वह मानसिक दृष्टिकोण संकुचित था प्राकृतिक अवस्था में आकर लोगों का मानसिक आकार विकसित हुआ। समस्त प्राकृतिक आराधना इसी के तरफ प्रविष्ट होती है।

अनेकेश्वरवाद की विशेषताएं

1. इस धर्म के अनुसार देवताओं का निवास स्थान इस संसार में नहीं है। वह अलग-अलग स्थान पर रहते हैं। कुछ लोग स्वर्गलोक में मानते हैं। इस आधार पर स्वर्गलोक, यमलोक, पाताललोक इंद्रपुरी जैसे अवस्था या स्थान को स्वीकार किया गया है।
2. ईश्वर पुण्य जीवन व्यतीत करते हैं। आनंद ही उनके जीवन में प्रधानता है। वह हमारा है। वह सुख से मुक्त है। उनके अंदर दुःख नहीं होता है।
3. ईश्वर व्यक्ति पूर्ण है। देवताओं पर मानवीय गुणों का आरोपण होता है। इस प्रकार का विकास होता है। मानव ने प्राकृतिक घटनाओं से सुख-दुःख की अनुभूति पाई है। भूकंप-तुफान इत्यादि मानव को दुःख पहुंचाता है। सुख-दुःख को ध्यान में रखकर ही सभी प्रकार के देवी-देवताओं की परिकल्पना की गई है। भारतीय संस्कृति में 3 प्रकार के देवी-देवताओं को स्वीकार किया गया है–

    1. आकाश के देवता
    2. पृथ्वी के देवता
    3. अंतरिक्ष के देवता

सभी जगह इनकी संख्या 11-11 बतलाई गई है। इस प्रकार यह स्पष्ट हो जाता है कि यही तीन प्रकार के देवता मिलकर आंधी, तुफान, सूर्य इत्यादि चंद्रमा संपूर्ण सृष्टि का संचालन करते हैं। यम को मृत्यु का देवता माना गया है, जो सबके प्राण हरण करने का कार्य करते हैं। संपूर्ण विश्व का संचालन में ब्रह्मा को जीवन प्रदान करने वाला, विष्णु जी को पालनकर्ता के रूप में, जबकि शिव जी को संघार के रूप में माना गया है। संक्षेप में कहा जा सकता है कि यहां पर लाखों करोड़ों देवताओं की बात की गई है।

अनेकेश्वरवाद के विरुद्ध आपत्तियाँ

1. अनेकेश्वरवाद के विरुद्ध सर्वप्रथम आपत्ति यह है कि यह अनेक ईश्वर को सत्य मानता है, जो एक दूसरे को सीमित करते हैं। एकता की भावना में पूर्णता की भावना है।
2. यह देवताओं की कल्पना मानव के आधार पर की गई है। कुछ देवताओं के संबंध में कहा जाता है कि उन्हें पत्नी और बच्चे हैं तथा वह युद्ध में भाग लेते हैं। इससे यह मानवीय रूप में ग्रसित है।
3. ईश्वर की अनेकता में विश्वास करने से तो इस विश्व की व्याख्या हो सकती है और न ही धार्मिक भावना की तृप्ति हो सकती है। विश्व एक इकाई है। जिसकी व्याख्या एक मूल सत्ता से ही संभव है।
4. यह अंधविश्वास पर आधारित सिद्धांत है। किसी देश में जहां यह विचारधारा की प्रधानता है। भाग्य को आराधना का विषय माना जाता है। इसमें बहुत स्थानों पर भविष्यवाणी का भी महत्वपूर्ण स्थान है। जादू-टोना का भी महत्वपूर्ण स्थान है।
5. यह विज्ञान के विरुद्ध सिद्धांत है, विज्ञान एकता की ओर झुकता है, जबकि विविधता पर अधिक बल देता है।

अनेकेश्वरवाद का स्वरूप मानव अपनी बौद्धिक आकांक्षा की पूर्ति के लिए अनेक ईश्वर में नहीं पाता है। इसलिए वह इस सिद्धांत को अपनाता है। इस सिद्धांत में यह नाम से ही स्पष्ट हो जाता है कि ईश्वर की एक ही सत्ता है। यही मानव प्रकृति के साथ भिन्न-भिन्न रूपों में जुड़ कर संपूर्ण सृष्टि का संचालन करता है। यही सभी प्रकार के धर्म का यथार्थ मापन करता है। इसे सगुण एवं निर्गुण रूप में भी स्वीकार करने के कारण यहां से चार सिद्धांत दिखाई पड़ते हैं–

1. सर्वेश्वरवाद	2. केवलनिमित्त
3. ईश्वरवाद	4. निमितोपदानश्वरवाद

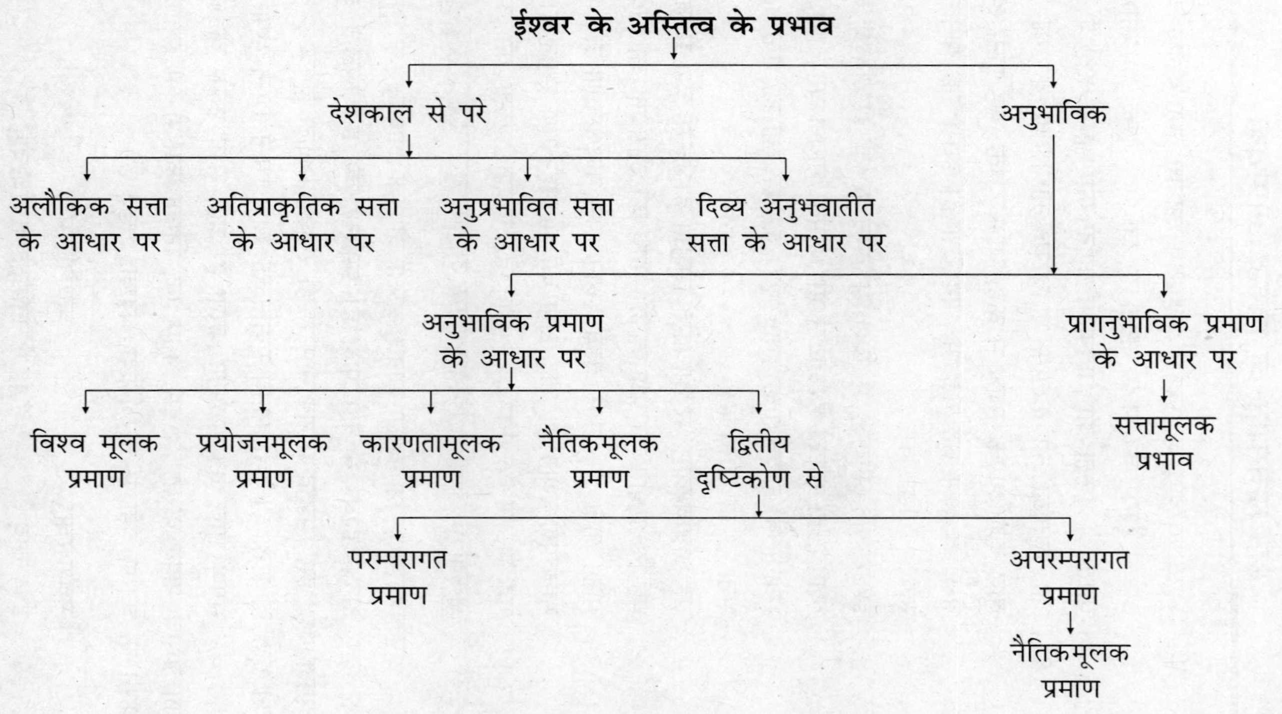
ईश्वर के अस्तित्व के प्रभाव
देशकाल से परे
अनुभाविक
अलौकिक सत्ता के आधार पर
अतिप्राकृतिक सत्ता के आधार पर
अनुप्रभावित सत्ता के आधार पर
दिव्य अनुभवातीत सत्ता के आधार पर
अनुभाविक प्रमाण के आधार पर
प्रागनुभाविक प्रमाण के आधार पर
सत्तामूलक प्रभाव
विश्व मूलक प्रमाण
प्रयोजनमूलक प्रमाण
कारणतामूलक प्रमाण
नैतिकमूलक प्रमाण
द्वितीय दृष्टिकोण से
परम्परागत प्रमाण
अपरम्परागत प्रमाण
नैतिकमूलक प्रमाण

सत्तामूलक प्रभाव का स्वरूप

- **भूमिका**
  - → सम्पूर्ण सृष्टि की सत्ता के प्रभावकर्ता के रूप में
  - → व्यवस्थापक सत्ता के पूर्णता के आधार पर
  - → लौकिक एवं पारलौकिक सत्ता के बीच उचित सम्बंध स्थापिक करने के संदर्भ में
- **तर्क क्यों**
  - → अंधविश्वास से पृथक् करने हेतु
  - → आस्था व विश्वास को सुदृढ़ करने हेतु
  - → विरोधियों के प्रति उतर देने हेतु
  - → विश्वास को बौद्धिक समर्थन प्रदान करने हेतु
- **समर्थक**
  - → पाश्चात्य दर्शन → ऐन्सेलम, देकार्त, स्पिनोजा हेगल
  - → भारतीय दर्शन → योग दर्शन
- **क्या है**
  - → विचार के विश्लेषण से अस्तित्व की सिद्धि →
    - पूर्णता
    - सर्वोच्चता
    - निगमित
- **क्या कहते हैं**
  - → Ontology → Ontos से बना है → आशय है सर्वकौन ईश्वर प्रत्यय के सर्वभौतिक रूप में
- **विचारों का मत**
  - → प्रागनुभाविक → मानव अनुभव की कोई भूमिका नही होती है
  - → एन्सेलम → बृहतर एवं महान सत्ता के रूप में
  - → गौनिलो →
    - विचार से अस्तिव की सिद्धि नहीं
    - पूर्ण प्रायद्वीप का विचार
    - विचार की सत्ता सिद्ध
- **निष्कर्ष**

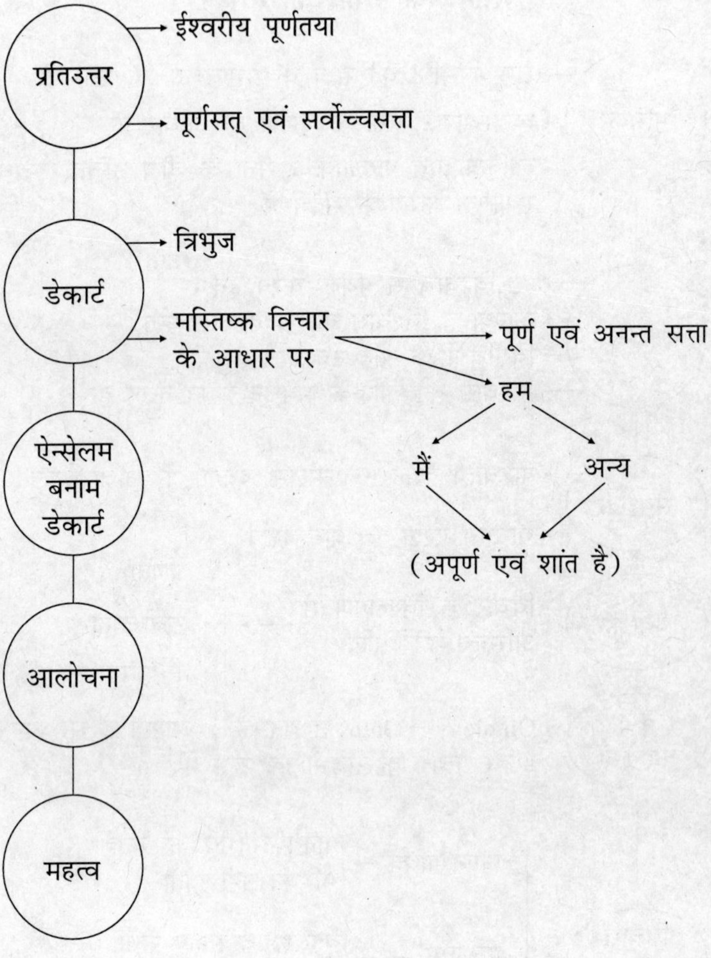
ईश्वरीय पूर्णतया
प्रतिउत्तर
पूर्णसत् एवं सर्वोच्चसत्ता
त्रिभुज
डेकार्ट
मस्तिष्क विचार के आधार पर
पूर्ण एवं अनन्त सत्ता
हम
मैं
अन्य
(अपूर्ण एवं शांत है)
ऐन्सेलम बनाम डेकार्ट
आलोचना
महत्व

विश्वमूलक प्रमाण/सृष्टिमूलक प्रमाण का स्वरूप

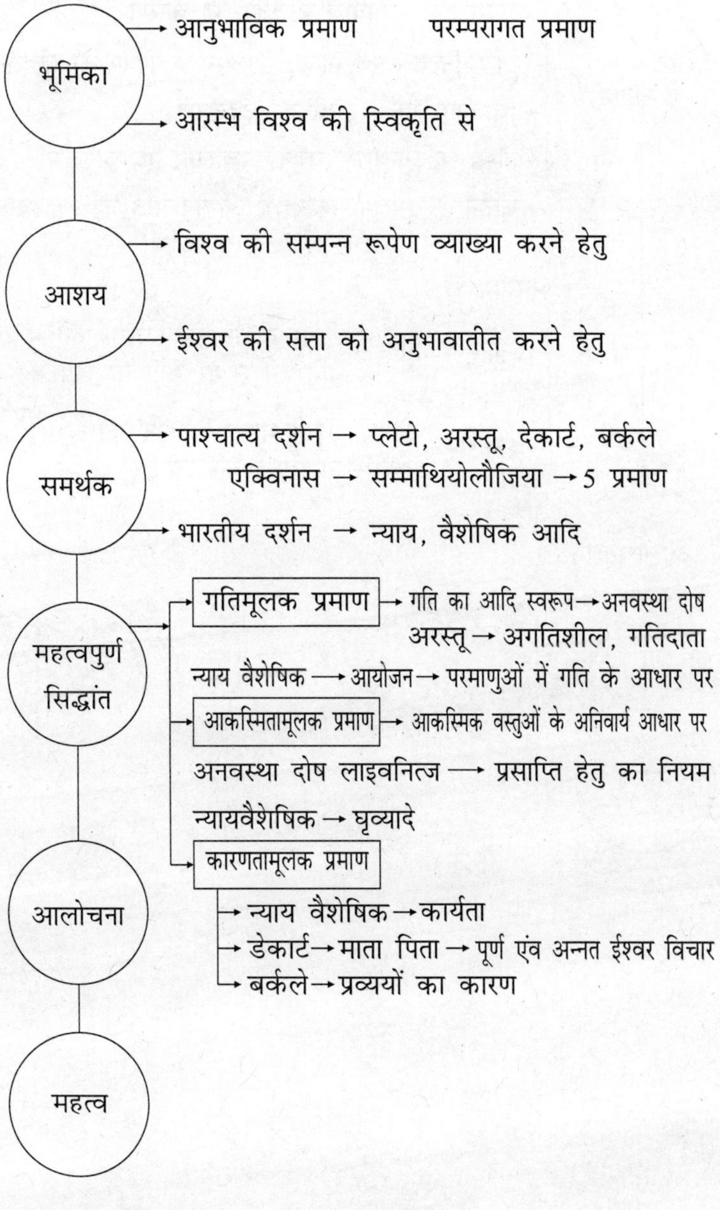

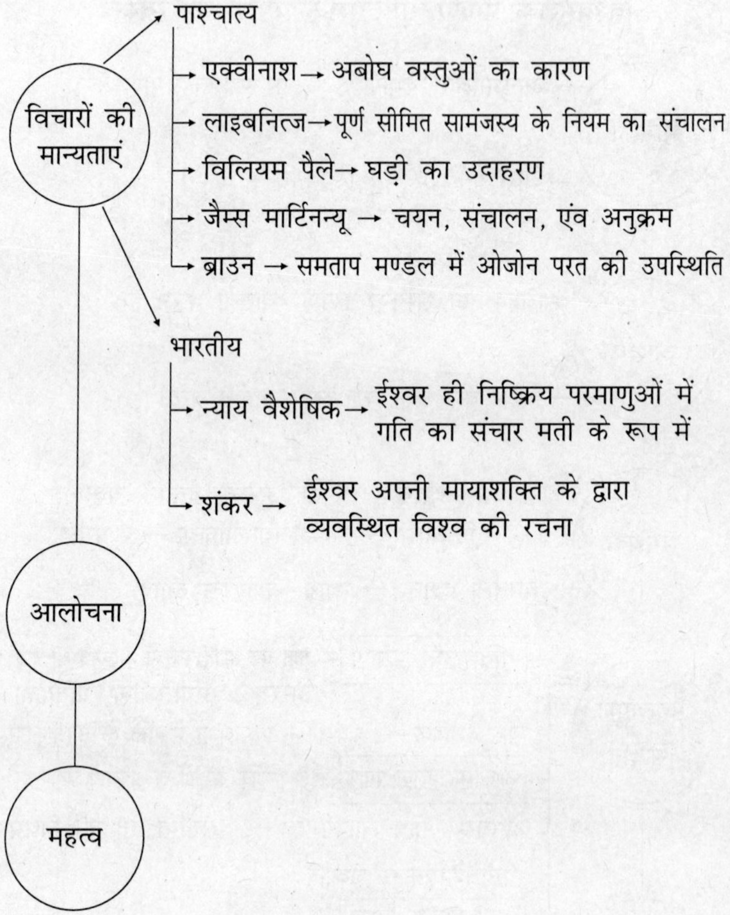
विचारों की मान्यताएं
पाश्चात्य
एक्वीनाश → अबोघ वस्तुओं का कारण
लाइबनित्ज → पूर्ण सीमित सामंजस्य के नियम का संचालन
विलियम पैले → घड़ी का उदाहरण
जैम्स मार्टिनन्यू → चयन, संचालन, एंव अनुक्रम
ब्राउन → समताप मण्डल में ओजोन परत की उपस्थिति
भारतीय
न्याय वैशेषिक → ईश्वर ही निष्क्रिय परमाणुओं में गति का संचार मती के रूप में
शंकर → ईश्वर अपनी मायाशक्ति के द्वारा व्यवस्थित विश्व की रचना
आलोचना
महत्व

गैर परम्परागत प्रमाण का स्वरूप

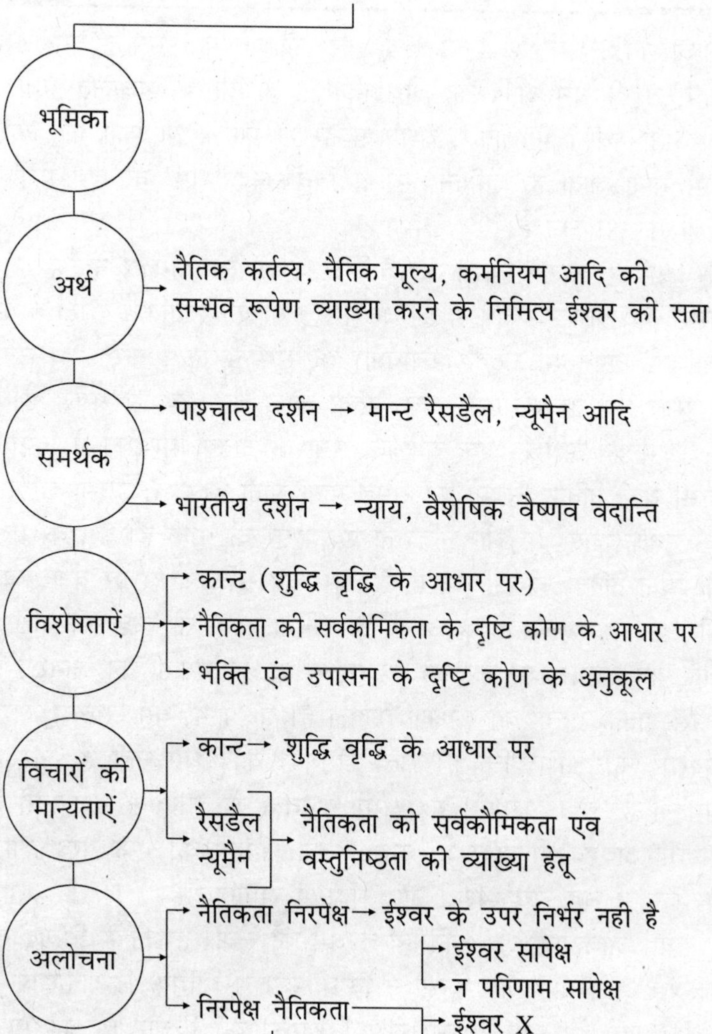

विवेकानंद का सार्वभौम धर्म का स्वरूप

साधारणतः 'धर्म' शब्द से हिंदू धर्म, बौद्ध धर्म, इस्लाम धर्म, ईसाई धर्म, यहूदी धर्म आदि का बोध होता है अथवा इन प्रचलित धर्मों के उपासना-स्थलों में जाकर विशेष प्रकार से प्रार्थना या पूजा-पाठ करना धर्म माना जाता है। लेकिन, स्वामी विवेकानंद 'धर्म' को इस प्रचलित अर्थ में नहीं लेते हैं।

धर्म से मतलब किसी औपचारिक या प्रचलित धर्म से नहीं है, वरन् इससे अभिप्राय उस धर्म से है, जो सभी धर्मों को रेखांकित करता है और जो हमें अपने सृष्टिकर्ता (रचयिता) के सम्मुख खड़ा करता है। उनके अनुसार धर्म तत्वमीमांसीय एवं नैतिक जगत के सत्यों से संबद्ध है।

धर्म का अर्थ है, एक वैश्विक सत्ता के नैतिक सुशासन में विश्वास करने वाले नैतिक नियमों का समूह माना जाता है। अतः इससे जाहिर है कि उनके लिए धर्म और नैतिकता एक दूसरे के पूरक हैं। धर्म के संदर्भ के बिना नैतिक जीवन ऐसा ही है, जैसे बालू के आधार पर बना भवन। यदि धर्म को नैतिकता से अलग कर दिया जाए, तो कुछ भी अर्थपूर्ण शेष नहीं रहेगा। धर्म का अर्थ मानव में आध्यात्मिकता का जागरण है। इससे नैतिक मूल्यों को संरक्षण मिलता है। संक्षेप में, धर्म 'सत्यम् शिवम् सुंदरम्' की अभिव्यक्ति है। सत्य से बड़ा कोई धर्म नहीं है और जो धर्मपूर्ण है, वही शुभ है। यही धर्म मानवता के लिए कल्याणकारी है, तो यह अवश्य ही सुंदर है। अर्थात् अंतःजागरण की एक प्रेरक शक्ति के रूप में धर्म सत्य, शिव और सुंदर में समाहित है।

धर्म आवश्यक एवं अनिवार्य है धर्म को लेकर हमेशा से विवाद रहा है। वैसे अधिकांश लोग किसी न किसी रूप में धार्मिक क्रियाकलापों में संलग्न रहते हैं। मगर, मार्क्स जैसे विचारकों की विचारधारा को मानने वाले भी बहुत लोग हैं जिनका विश्वास है कि धर्म अफीम है। ऐसे लोगों के अनुसार मानव जीवन में 'धर्म' की कोई सकारात्मक भूमिका नहीं है।

विवेकानंद का कहना है कि धर्म मनुष्य की आवश्यक आवश्यकता है। मनुष्य सिर्फ रोटी के सहारे नहीं जी सकता है। उसमें उच्च वैश्विक

सत्ता से संबंध बनाने की प्रवृत्ति होती है और इसके लिए उसे 'धर्म' की जरूरत होती है।

कोई भी व्यक्ति धर्म के बगैर जीवित नहीं रह सकता है। वैसे कुछ लोग ऐसे हैं, जो अहम् से प्रेरित होकर अपने आपको धर्म से पृथक् बताते हैं। वह उस व्यक्ति के समान है, जो कहता है कि वह साँस तो लेता है, लेकिन उसके नाक नहीं है।

यहाँ विवेकानंद मानव जीवन में 'धर्म' की अनिवार्यता को रेखांकित करते हैं। उनका कहना है कि चाहे विवेक से, तर्क से, अंतर्बोध से या अंधविश्वास से, किसी-न-किसी माध्यम से मानव उस दिव्यशक्ति के साथ अपने संबंधों का बोध करता है, यही बोध धर्म की अनुभूति बन जाती है।

इस रूप में तथाकथित नास्तिक एवं अधार्मिक व्यक्ति भी वास्तव में धार्मिक ही है। यहाँ विवेकानंद यह स्पष्ट करते हैं कि विभिन्न व्यक्तियों की धार्मिक आस्थाओं एवं अनुभूतियों में परिवर्तनीयता अपरिहार्य है क्योंकि धर्म एक नितांत व्यक्तिगत मामला है। वास्तव में, जितने मस्तिष्क हैं, उतने धर्म भी हो सकते हैं क्योंकि भगवान की संकल्पना प्रत्येक व्यक्ति अपने-अपने ढंग से विशिष्ट रूप में धारित करता है जो इस प्रकार है–

1. सभी धर्म एक हैं– विवेकानंद ने विश्व के प्रायः सभी धर्मों के मौलिक ग्रंथों का अध्ययन किया और तदुपरांत इस निष्कर्ष पर पहुँचे कि सभी धर्म मूलतः एक ही हैं। संसार के सभी धर्मों का सार एक ही है क्योंकि वह एक ही ईश्वर से उत्पन्न तथा उसी में समाहित होते हैं।

उनमें से सभी सत्य को व्यक्त करने वाले हैं क्योंकि सभी एक ही दैवीय सत्ता से प्रेरित हैं। हिंदुओं के समान ही ईसाई, मुस्लिम तथा पारसियों के पवित्र ग्रंथ भी देवत्व से प्रेरित हैं। कृष्ण में उतना ही देवत्व है, जितना जीसस एवं मोहम्मद में। ईश्वर एक है, फिर चाहे हम उसे 'गॉड' कहें, 'खुदा' कहें या कुछ और कहें, सबका अर्थ एक ही है। हमें मत भिन्नता के आधार पर दूसरों को नुकसान पहुँचाने की प्रवृत्ति नहीं रखनी चाहिए। हमें सत्य के लिए मरने को तत्पर रहना चाहिए। मेरे ख्याल से यही सभी धर्मों का सार तत्व है।"

सभी धर्म एक ही मूलभूत सत्य को अपनी-अपनी दृष्टि से अभिव्यक्त करते हैं। वे सभी एक ही लक्ष्य की ओर जाने वाले अलग-अलग मार्ग हैं। उनमें से कोई सत्य तथा कोई असत्य अथवा कोई अधिक सत्य तथा कोई कम सत्य नहीं है। एक सापेक्ष दृष्टि से सभी सत्य हैं और सबों का समान महत्त्व है। इसलिए, अपने धर्म 'किसी एक धर्म' को ही एकमात्र सत्य एवं सर्वश्रेष्ठ बताने की प्रवृत्ति ठीक नहीं है। 'गॉड', 'अल्लाह', 'राम', 'नारायण', 'ईश्वर', 'खुदा' आदि एक ही रूप के विभिन्न स्वरूप हैं।

ईश्वर की कृपा पर किसी का एकाधिकार नहीं हो सकता चाहे वे कोई भी धर्म, जाति, नस्ल या देश के हों। वास्तव में, शुभ प्रत्येक धर्म की नींव में है, और प्रत्येक धर्म अपने भौतिक एवं आध्यात्मिक पहलुओं में उस समय तक अच्छा रहता है, जबतक उसे हठधर्मिता एवं जड़ता, दोनों से मुक्त रखा जाता है।

अतः, हमें दूसरे धर्मों के प्रति अपनी सोच में कभी आलोचक या निंदक का भाव नहीं रखना चाहिए, बल्कि हमारा लक्ष्य अन्य धर्मों के श्रेष्ठतम् गुणों को प्राप्त कर उसका इस्तेमाल संपूर्ण मानवता की भलाई के लिए करना चाहिए।

वास्तव में, विभिन्न धर्मों में कोई मौलिक विरोध नहीं है। कोई किसी दूसरे का खंडन नहीं करता, बल्कि प्रत्येक धर्म में अन्य धर्मों के विचारों की पुष्टि होती है। हर धर्म एक-दूसरे के पूरक एवं सहयोगी हैं। धर्म का केंद्र 'सत्य' है, वह इतना व्यापक है कि एक साथ उसके सभी पक्षों पर विचार करना मुश्किल है। हर धर्म उसी 'सत्य' के किसी पक्ष या पहलु की व्याख्या करता है और कुछ लोग भावातिरेक में यह समझ बैठते हैं कि 'सत्य' में मात्र वही एक पक्ष है, जो उसे दृष्टिगोचर हो रहा है।

2. 'सार्वभौम धर्म' का अर्थ- विवेकानंद के पूर्व भी भारत एवं दुनिया के कई अन्य विचारकों ने 'सार्वभौम धर्म' की कल्पना की है और विभिन्न धर्मों को एकसूत्र में पिरोने की कई कोशिशें हुई हैं। लेकिन, सामान्यतः ये कल्पनाएँ एवं कोशिशें साकार एवं यथार्थ रूप ग्रहण नहीं कर पायी हैं।

विवेकानंद ने इसके दो कारण माने हैं–

1. पूर्व में सार्वभौम धर्म के लिए किसी व्यावहारिक प्रणाली का अवलंबन नहीं किया गया।
2. पूर्व में यह तो स्वीकार किया गया कि संसार के सभी धर्म सत्य हैं, लेकिन उनको समन्वित करने का कोई वैसा उपाय नहीं किया गया, जिससे विभिन्न धर्मों की विशिष्टता सुरक्षित रह सके।

'सार्वभौम धर्म' का अर्थ विभिन्न धर्मों के योग का संश्लेषण नहीं है। वास्तव में बिना विशेष के सार्वभौम एक अमूर्त एवं निरर्थक विचार है और तद्नुरूप सार्वभौम धर्म भी बिना विशिष्ट धर्म के एक अमूर्त एवं निरर्थक धारणा बन जाएगा। 'सार्वभौम धर्म' का यह अर्थ भी नहीं है कि एक प्रकार के विशेष मत में विश्व के सभी व्यक्ति विश्वास करें और उसे ही अपना धर्म मानें। ऐसा नहीं हो सकता है, क्योंकि संपूर्ण विश्व में धर्म का एक ही प्रचलित रूप नहीं हो सकता है और न ही कोई एक अनुष्ठान पद्धति सर्वमान्य हो सकती है।

वास्तव में, विभिन्नता एवं वैषम्यता ही जीवन एवं चिंतन की उन्नति का मार्ग है। यदि संपूर्ण एकरूपता एवं साम्यताओं में एकरूपता की जाए, तो विकास अवरुद्ध हो जाएगा।

विवेकानंद के अनुसार, धर्म व्यक्ति में कहीं बाहर से नहीं आता है, वरन् व्यक्ति के अभ्यंतर से उदित होता है। धार्मिक विचार मनुष्य की रचना में ही सन्निहित है। जब तक मनुष्य का शरीर, मन, मस्तिष्क एवं जीवन है, मनुष्य चाहकर भी धर्म का त्याग नहीं कर सकता है। जबतक मनुष्य में सोचने की शक्ति है, तब तक किसी न किसी रूप में धर्म का अस्तित्व रहेगा।

विवेकानंद यह स्वीकार करते हैं कि विभिन्न धर्मावलंबियों के बीच मत-मतांतर, वाद-विवाद, झगड़े एवं युद्ध हुए हैं, लेकिन, यह सब धर्म के मूल मर्म को नहीं समझने अथवा गलत रूप में समझने के कारण है। वास्तव में, धर्म ने सर्वापेक्षा अधिक प्रेम, भ्रातृत्व एवं शांति का

विस्तार किया है और मानव जीवन को बेहतर बनाने में उसकी महत्त्वपूर्ण भूमिका से इनकार नहीं किया जा सकता है। साथ ही, प्रत्येक धर्म में महान सार्वभौमिक तत्त्व होता है, जिसके कारण धर्म व्यन्जना का विषय है।

यही कारण है कि अति प्राचीन काल से ही कुछ धर्म विभिन्न धर्मों की विविधता को बचाये-बनाये रखने के पक्षधर रहे हैं। सभी धर्मों में जगत के कल्याण का एक महानुभाव और शुभद्देश्य निहित है। ऐसे में किसी भी धर्म को विनष्ट करना उचित नहीं है।

3. 'सार्वभौम धर्म' के अनिवार्य लक्षण- विवेकानंद के अनुसार 'सार्वभौम धर्म' की सार्वभौमता मूलतः दो अनिवार्य लक्षणों पर आधृत है-

1. कोई भी धर्म तभी सार्वभौम हो सकता है, जब इसका द्वार सबों के लिए खुला रहे। दरअसल, नवजात शिशु अबोध तथा निर्दोष होता है, वह किसी धर्म के साथ पैदा नहीं होता। यह बात दीगर है कि सामान्यतः बच्चा अपने माँ-बाप का ही धर्म स्वीकारता है। ऐसा इसलिए होता है क्योंकि बचपन से ही उसका सामाजिक परिवेश एवं उसकी शिक्षा-दीक्षा उसे माँ-बाप के धर्म की ओर ही उन्मुख कर देती है।
2. 'सार्वभौम धर्म' में यह शक्ति होनी चाहिए कि वह विभिन्न संस्थाओं को संतुष्ट एवं तृप्त कर सके। दरअसल, धर्मों को लेकर विभिन्न संस्थाओं के अस्तित्व से इनकार नहीं किया जा सकता है और उनके आपसी मतभेदों एवं विवादों का पूर्ण शमण भी मुमकिन नहीं है। ऐसे में 'सार्वभौम धर्म' से यह अपेक्षा है कि वह सभी धर्मों को साथ लेकर चले और उसमें सभी धर्म संस्थाओं को 'सार' या 'सार्थकता' दिखायी दे।

4. 'सार्वभौम धर्म' है- विवेकानंद का कहना है कि उक्त दोनों शर्तों का पालन करने वाले 'सार्वभौम धर्म' की संभावना पर संशय करना या उसकी संभावना पर प्रश्न उठाना अकारण है क्योंकि ऐसा 'सार्वभौम धर्म' वस्तुतः है।

उनके अनुसार, जिस प्रकार विश्वबंधुत्व एक तात्त्विक तथ्य है एवं मानवमात्र में एक मौलिक एकता है, लेकिन अधिकांश व्यक्तियों को उसकी काल चेतना का ज्ञान नहीं है। उसी प्रकार 'सार्वभौम धर्म' भी एक वास्तविकता है, भले ही विभिन्न धर्मावलंबियों को उसकी अवगति न हो।

इसलिए, 'सार्वभौम धर्म' को मानने का अर्थ अपने धर्म को छोड़कर किसी अन्य (सार्वभौम) धर्म को मानना नहीं है। हम चाहे जिस किसी भी प्रचलित धर्म को अंगीकार करें, हम 'सार्वभौम धर्म' को ही अंगीकार करेंगे क्योंकि वस्तुतः हर धर्म 'सार्वभौम धर्म' है, लेकिन हम अपनी सुविधा एवं बाह्य उद्देश्यों की पूर्ति के लिए उस धर्म की सार्वभौमिकता की उपेक्षा कर उसे सांप्रदायिक बना देते हैं।

'सार्वभौम धर्म' के लिए यह आवश्यक है कि हम अपने धर्म का पालन खुले हृदय से करें। हम समझें कि मेरे लिए जो मार्ग है, वह सत्य है, लेकिन अन्य अनेकों मार्ग भी हो सकते हैं।

'सार्वभौम धर्म' का मूलमंत्र

'सर्वभौम धर्म' का मूलमंत्र **'स्वीकृति'** है। यहाँ 'स्वीकृति' और 'सहिष्णुता' में भेद करना आवश्यक है। 'सहिष्णुता', **एक अभावात्मक अवधारणा है**, जो 'सहन करने' एवं 'बर्दाशत करने' की बात करता है लेकिन, 'स्वीकृति' एक भावात्मक अवधारणा है, जो दूसरे मार्ग को भी अपने मार्ग की तरह ही सत्य मानता है और उससे भी कोई उपयोगी सीख मिले, तो उसे ग्रहण करने की प्रेरणा देता है। जाहिर है कि 'सार्वभौम धर्म' में यह भी विशिष्टता होनी चाहिए कि वह प्रत्येक व्यक्ति को सहज रूप से स्वीकार्य हो।

इसके लिए उसमें दर्शन, भावना, कर्म एवं रहस्यवादिता-सभी के लिए स्थान होना जरूरी है, ताकि वह विभिन्न मनोवृत्तियों वाले मनुष्यों की भावनाओं को संतुष्ट कर सके। इसी दृष्टि से भारतीय विचारकों ने यौगिक एकत्व पर बल दिया है। कर्ममार्गी के लिए यह मानवमात्र

का एकत्व है, रहस्यात्मक वृत्ति वालों के लिए यह निम्नतर आत्मा एवं उच्चतर आत्मा का एकत्व है, भक्तिमार्गी के लिए यह भक्त एवं भगवान का एकत्व है और ज्ञानमार्गी के लिए यह एक ही परमसत् की अनुभूति है।

निष्कर्ष: वर्तमान संदर्भ में धर्म का नाम काफी बदनाम हो गया है। वैसे धर्म के ठेकेदारों ने पहले से ही इसे अंधविश्वास एवं ठगी को बढ़ावा देने का जरिया बना रखा था, लेकिन आजकल धर्म की आड़ में आतंकवाद एवं सांप्रदायिक दंगे भड़काने की प्रवृत्ति भी बढ़ गयी है। यही कारण है कि धर्म के नाम पर झगड़े बढ़े हैं। प्रायः सभी धर्मों में अपने आपको सर्वश्रेष्ठ और दूसरों को नीचा दिखाने की होड़ लगी है।

इन सबकी जड़ में धार्मिक शिक्षाओं की गलत समझ एवं व्याख्या है। इसलिए, हमें यह समझना होगा कि सभी धर्म मानव एवं मानवता की भलाई के लिए है। इस दृष्टि से सभी एक दूसरे के पूरक एवं सहयोगी हैं। ऐसे में यह आवश्यक हो जाता है कि हम दूसरों की आस्थाओं एवं विश्वासों को भी स्वीकार करें। दूसरों के साथ भी वैसा ही व्यवहार करें, जो हम चाहते हैं कि दूसरे हमारे साथ करें। इस तरह की स्वीकार्यता, सहिष्णुता एवं समभाव की भावना से ही न्याय, शांति एवं विकास का मार्ग प्रशस्त होगा। इस दिशा में हम विवेकानंद के 'सार्वभौम धर्म' संबंधी विचारों से प्रेरणा ग्रहण कर सकते हैं।

टैगोर के अनुसार धर्म और नैतिकता में संबंध

इसका वर्णन रविंद्र नाथ टैगोर ने अपनी पुस्तक **रिलीज ऑफ मैन** में करते हुए कहते हैं कि मेरा धर्म मानव का धर्म है। इसमें आनन्द की परिभाषा मानवता धार्मिक का अर्थ उन्होंने व्यापक रूप से दिया है।

धर्म केवल धर्म नेताओं के संदेश में नहीं है बल्कि वह तो कला और प्रकृति से प्राप्त आनंद में संस्कृति एवं ज्ञान की प्राप्ति में है। समाज के निर्धन निरीक्षण एवं निम्न लोगों की सेवा में है। विभिन्न देशों के प्रति संवेदनाओं में है। शांति, स्थिरता एवं उच्च आदर्शों की स्थापना करने में है वह तो अंतिम आध्यात्मिक सत्य की खोज प्रचार प्रसार में

है, ऐसा व्यापक दृष्टिकोण धर्म के प्रति होने के कारण उपनिषदों के सिद्धांतों में उनका विश्वास था।

नैतिकता के संबंध में टैगोर का विचार अत्यंत दार्शनिक है। उनका विश्वास था कि पशु का जीवन नैतिकता से रहित होता है, लेकिन मनुष्य में नैतिकता का आधार अवश्य होना चाहिए नैतिकता के बल पर मनुष्य सभ्य बनता है और संपूर्ण प्रकृति का उपभोग करता है नैतिक संसार का सहारा लेकर मानवता को आगे बढ़ाया जा सकता है।

इस प्रकार मनुष्य के व्यक्तित्व का विकास नैतिकता के आधार पर होना चाहिए। नैतिकता मनुष्य में चेतना और आनंद की अनुभूति होती है। नैतिकता और धर्म एक दूसरे के साथ संपूर्ण एवं घनिष्ठ संबंध के साथ जुड़े हुए हैं गुरुदेव का विचार था कि सच्चा धर्म नैतिक चेतना को ऊंचा उठाने का कार्य करता है।

इस आधार पर हम देखते हैं कि धर्म और नैतिकता दोनों एक ही सिक्के के दो पहलू हैं। मनुष्य अपनी प्रकृति से नैतिक है और इस स्वभाव के कारण ही उसमें कल्याण की भावना पाई जाती है। कल्याण की भावना के कारण मनुष्य अहम् दूर रख पाता है। नैतिक मान्यताओं की स्वीकृति का मूल कारण प्रेम है। प्रेम से निर्बलता नहीं बन सकती है इसमें श्रृज्ञनता की अनुभूति होती है, यही कारण है कि प्रेम से ईश्वर की अनुभूति होती है और सभी प्रकार के अहंकार का नाश होता है।

इस संदर्भ में गुरुदेव कहते हैं कि आत्मा अपने सत्य को केवल दूसरों से मिलाने के द्वारा उत्पन्न हो सकती है, और तभी इसे वास्तविक आनंद की प्राप्ति होती है। प्रत्येक पद पर हमें दूसरों को ध्यान में रखना चाहिए जो मनुष्य दूसरों को परोपकार करता है उसका स्थान सर्वोच्च है नैतिकता को लोग क्यों स्वीकारते हैं। समग्रता में देखा जाए तो सुख अनुभव के कारण गुरुदेव का मानना है कि अशुभ का अनुभव मानवता को सृजन करने में अपने स्वार्थ की सिद्धि में नहीं है। इससे यह नहीं समझना चाहिए कि टैगोर सुखवाद के विरोधी हैं, बल्कि गुरुदेव क्षणिक कामवासना जैसे तृप्ति-जनित सुख के विरोधी थे यह तो आध्यात्मिक सुख के पक्षधर थे अतः नैतिकता आध्यात्मिक सुख से आती है।

इस प्रकार उपयोगितावादी दृष्टिकोण के अनुसार केवल आवश्यकताओं की पूर्ति से प्राप्त सुख के विरोधी टैगोर है। इससे मनुष्य का पालन-पोषण तो होगा, लेकिन मानव अनुभूति के लिए उसमें कोई भावना नहीं होगी।

इसलिए इस प्रकार की भावना को गुरुदेव नैतिकता का भौतिक पक्ष के रूप में स्वीकार करते हैं। इसके विपरीत उन्होंने ऐसी नैतिक गुणों की श्रृजनता पर बल देते हैं। जिसे मनुष्य के अंदर प्रेम आनंद दूसरों को परोपकार करने की भावना का विकास होता है। यही सुख की आध्यात्मिक भावना मनुष्य को ईश्वर के समकक्ष लाने का कार्य करती है।

इस प्रकार हम देखते हैं कि नैतिकता संसार से भागने में, सन्यास में या कठिन तप में नहीं है, बल्कि उनका कहना है कि "मैं इस सुंदर संसार से विदा नहीं होना चाहता मैं मानवतावाद के बीच रहना चाहता हूं" टैगोर संसार के कर्मों को छोड़कर सन्यास लेने के पक्षधर कभी नहीं थे सन्यास अच्छा गुण है, लेकिन बहुत ऊंचा गुण नहीं है। मनुष्य को संसार में रहकर अपना कर्म करना चाहिए तथा आध्यात्मिक आनंद प्राप्त करना चाहिए यह क्रियाशील आनन्द का रूप है।

इस प्रकार क्रियाशीलता से नैतिकता का उद्‌भव होता है। नैतिकता के कारण टैगोर के विचार में नियंत्रण एवं स्वतंत्रता की दोनों अंक एक दूसरे से पूरक निकलकर सामने आते हैं, बिना इनके नियंत्रण और बंधन के वास्तविक सुख को नहीं समझा जा सकता है। मनुष्य स्वतंत्रता के वास्तविक स्वरूप को नहीं समझ सकता है। गुरुदेव ने संसार की रचना में ईश्वर को जो कुछ नियमों से बद्ध माना है। यह इसका भाव उपनिषदों में व्याप्त मनुष्य की आत्मा की स्वतंत्रता के संगीत के रूप में दिखाई पड़ता है। अतः इससे स्पष्ट है कि स्वतंत्र ढंग से चिंतन और आत्मा का एक स्वतंत्र गुण माना जाता है। यही हमें अमरत्व के तरफ उन्मुख करती है।

अतः मनुष्य की आत्मा को नैतिक बनाने के लिए नियंत्रण एवं स्वतंत्रता दोनों के नियमों का पालन करना चाहिए भारतीय दर्शन की परंपरा में आस्था रखने वाले टैगोर ने नैतिकता को संपूर्णता और मानसिक

विकास का साधन माना है। इस प्रकार हम देखते हैं कि धर्म और नैतिकता व्यक्ति के विकास और आध्यात्मिक उन्नति में उत्कृष्ट भूमिका का निर्वहन करती है।

गुरुदेव की पुस्तक **रिलीजन ऑफ मैन** का अवलोकन किया जाए तो यह दृष्टिगोचर होता है कि वहां भी धर्म की व्यापकता को स्पष्ट करते हुए कहा गया है कि मेरा धर्म मानव धर्म है वह कला और प्रकृति से प्राप्त आनंद एवं संस्कृति की ज्ञान प्राप्ति का आधार है।

टैगोर को शक्ति के रूप में स्वीकार न कर शक्तिशाली की रूचि की न्याय के रूप में मानते हैं। कोई भी बात जो बल और हिंसा को प्रोत्साहन देती है नैतिक नहीं मानी जा सकती है। यह तो विचार ठीक पाश्चात्य दार्शनिक नित्शे के विचार से मिलता जुलता है, लेकिन टैगोर की विचारधारा इसके विपरीत थी। टैगोर प्रेम के आधार पर किसी प्रकार की नैतिक गुणों को प्राप्त करने के पक्षधर थे।

इसलिए ईश्वर सबके लिए प्रेम और दया के भाव को उत्पन्न करता है। वह मनुष्य जिसका लक्ष्य अपनी समृद्धि बढ़ाना होता है। वह प्रत्येक व्यक्ति को ही समझता है। इस प्रकार सब की वास्तविकता का अंतर बुध करने के लिए मनुष्य की व्यक्तिगत इच्छाओं को बंधन से मुक्त रखना होगा इस प्रकार अहंकार की वास्तविकता को समझा नहीं जा सकता है, बल्कि आत्मा की अनुभूति को समझना ही वास्तविक अनुभूति है।

आत्मा अपनी सत्यता को दूसरी आत्माओं से मिलकर ही जानी जा सकती है और यह भावना केवल मानवतावाद से ही आ सकती है। यही सबसे बड़ा आनंद का वास्तविक स्वरूप है। इस के संदर्भ में वह कहते हैं कि हमें प्रत्येक पद पर अपने अपेक्षा पर दूसरों का ध्यान देना होगा केवल हम मृत्यु के समय ही अकेले रहते हैं। अतः स्वार्थपूर्ण जीवन व्यतीत करना अनैतिक है।

ऐसा जीवन व्यतीत करने पर हम मानव में पाई जाने वाली एकता की मूलभूत स्वरूप को नहीं समझ पाते हैं। यह तो मनुष्य के स्वार्थी स्वरूप की अभिव्यक्ति है। टैगोर इसी दृष्टिकोण को लेकर मानते हैं कि प्रत्येक व्यक्ति में किसी न किसी सीमा तक परोपकार की भावना

उसके विचार और कर्मों में अवश्य होनी चाहिए समस्त सृष्टि की रचना में मनुष्य का सर्वोच्च स्थान है। इसलिए पाया है कि वह सभी प्रकार की चिंता कर दूसरों को भी सुख दे सकें। नैतिकता को स्वीकार करते हुए पाप पुण्य के संदर्भ में गुरुदेव का कथन है कि पाप कर्म द्वारा हमें आन्नद की उपलब्धि के पीछे नहीं पड़े रहना चाहिए, क्योंकि वह सत्य रूप से वांछनीय है बल्कि उसके मूलभूत स्वरूप को भी समझना चाहिए।

इसके साथ उस में लिप्त वासना की मूलभूत स्वरूप को भी समझने का प्रयास करना चाहिए, सुखवादी इच्छाओं को समझना चाहिए, सुख प्राप्ति एवं आनंद की बढ़ोत्तरी के संदर्भ में सोचना चाहिए यही भावना मनुष्य को प्रकृति के साथ जोड़ने का कार्य करती है। मानव स्वभाव में यौन वासना अत्यधिक व्यक्तिगत विखंडित करने का कार्य करती है जबकि प्रेम सबको जोड़ने का कार्य करता है। इससे सौंदर्य को पूर्णता के साथ प्रवाहित करने का प्रयास करना चाहिए।

यदि मनुष्य भौतिक सुख के पीछे भागना प्रारंभ कर दे तो उसका आचरण स्वाभाविक रूप से पशु के समान हो जाएगा गुरुदेव का कथन है कि मनुष्य को हमेशा आध्यात्मिक दृष्टिकोण से उपयोगितावादी दृष्टिकोण को अपनाते हुए अपना विकास करना चाहिए इस प्रकार हम देखते हैं कि यहां पर गुरुदेव उपयोगितावादी दृष्टिकोण का विरोध करते हैं, और कहते हैं कि हम में कुछ मूल प्रवृत्तियां ऐसी हैं जो क्रियात्मक हैं, जिनका प्रयत्न किसी आर्थिक लाभ के लिए नहीं होता है, परंतु वह तो उपहार से भरी होती है, और स्वतः ही उदार होती है।

इस प्रकार उस मनुष्य को क्यों अधिक महत्वपूर्ण नहीं माना जा सकता है, जो केवल अपनी आवश्यकताओं की पूर्ति से ही हमारी आयु व्यतीत कर देता है। उसके व्यक्तित्व का दिवालियापन के संदर्भ में गुरुदेव कहते हैं कि वर्तमान आवश्यकताओं का संसार एक ऐसे संसार से बना हुआ है, जो हमारी आधुनिक आवश्यकताओं को शक्ति के दायरे में बांधकर लाकर खड़ा कर दिया है। यह भौतिकतावादी सुख कामवासना में बदतर जीवन को देखने का प्रयास कर रहा है, बल्कि

संपूर्ण जीवन आध्यात्मिक उन्नति के साथ प्रेम एवं समर्पण की भावना से होना चाहिए।

जहां से संपूर्ण सांसारिक जीवन के सुख का आनंद लेते हुए संपूर्ण विश्व में मानवतावाद की भावना को उजागर किया जा सके। यही भावना मनुष्य के अंदर विश्वबंधुत्व एवं मानवतावाद की भावना को चरमोत्कर्ष पर पहुंचाने का कार्य करती है। सांसारिकता एवं भौतिकता के बीच उचित सामंजस्य स्थापित करने का कार्य करती है। यही हमारी ज्ञान का वास्तविक स्वरूप स्पष्ट करती है।

टैगोर का मानवतावाद का स्वरूप

मानवतावाद गुरुदेव टैगोर के दर्शन का मूल्यात्मक पहलू है। जिसमें ईश्वर को मूलरूप में व्यक्तिपूर्ण तथा मानवीय मानकर मानवतावाद की अभिव्यक्ति की जाती है। यह भारतीय दर्शन तथा पाश्चात्य जगत पूर्ण मानवतावाद से कहीं अधिक व्यापक है। जिसका वर्णन टैगोर की पुस्तक **रिलीजन ऑफ मैन** में मिलता है। यहां गुरुदेव कहते हैं कि मनुष्य में ईश्वर तत्व एवं ईश्वरीय मनुष्य का तत्व भाववादी स्वरूप है मानव ईश्वर की सृष्टि रूपी वीणा में सोने के तार डालने का कार्य करता है। अर्थात् यह श्रेष्ठतम अभिव्यक्ति है। इस प्रकार जब मानव स्वयं आंतरिक मानवीय पक्ष एवं ईश्वरीय पक्ष को प्रेममूलक सौंदर्यमूलक एवं आनंदमूलक दृष्टि से सत्ता के कण-कण में अभिव्यक्त कर देता है, तो इस भाव को मानवतावाद कहा जाता है। रविंद्र नाथ टैगोर का मानवतावाद के परिणाम Ravindra काव्य में रविंद्र कला का विशिष्ट रूप से वर्णन मिलता है। गुरुदेव ने लिखा है कि हमें मनुष्य के मन और स्वभाव को अच्छी तरह जानना चाहिए।

हमारे लिए यह जरूरी है कि हमें दूसरों की अद्वितीय व्यक्तित्व वादिता को समझने का प्रयास करना चाहिए। यही आत्मा की वास्तविक भाषा है। यहीं से मानवतावाद की आध्यात्मिक झलक दिखाई पड़ती है। टैगोर के मानवतावाद की दूसरी प्रकृति से हमें आदर्शों की स्थापना में सहायता मिलती है। टैगोर लिखते हैं कि "मनुष्य को पहले से अधिक

व्यापक क्षेत्र में, अधिक गहरे स्थायी भाव में, तथा अधिक शक्ति पूर्ण बल में एकता की अनुभूति होनी चाहिए" मानवीय आदर्शों की एकता मानव जीवन में मिले टैगोर का संदेश था इस एकता को लाने के लिए टैगोर ने पहले तो भारतीयता एवं राष्ट्रीयता जोर दिया उन्होंने सारे पूर्वी देशों की सभ्यता एवं संस्कृति के एकीकरण के लिए जोर दिया और अंततोगत्वा पूर्व एवं पश्चिम के बीच में एक सामान्य एकता स्थापित करने पर बल दिया।

टैगोर के मानवतावाद में दूसरी क्रिया है कि सामान्य एवं सरल जीवन में मानवता की खोज। अपनी कविता गीतांजलि में उन्होंने लिखा है कि मैं तो मानवता के हृदय में वास करने का अत्यंत उत्सुक हूँ इस इच्छा को पूरा करने के लिए उन्होंने शांति निकेतन के श्री निकेतन में ग्रामीण पुनर्निर्माण संस्थान स्थापित किया था। जिसका लक्ष्य मानवता का उद्धार है, और मानवता के हृदय तक पहुंचने के लिए गुरुदेव का कहना है कि इस कार्य को पूरा करने के साथ लोक शिक्षा की प्रयोजन को स्थापित करने के साथ स्त्रियों को पुरुष के समान समान दृष्टिकोण रखना चाहिए। जिसके कारण उन्होंने मानवतावाद के सर्वकालिक हृदय एवं अत्यंत प्रसार की कल्पना को प्रस्तुत करने का प्रयास किया जिसे अनंत में ईश्वर का वास है। इसलिए गुरुदेव कहते हैं कि **"मनुष्य को मित्र बनाओ और उनके सामने अपना हृदय खोलो"** टैगोर कभी-कभी अधिक मानवतावादी होने के कारण मनुष्य से अधिक आस्था रखते हैं, द्वितीय विश्व युद्ध के कारण टैगोर का यूरोपीय सभ्यता से विश्वास उठ गया था परंतु उनका विश्वास मानवता से नहीं उठा था। इस संदर्भ में वह कहते हैं कि **मैं मनुष्य में विश्वास कर उस पर अपने गंभीर आरोप नहीं करूंगा** मैं तो मानवता के इतिहास का एक नया अध्याय शुरू करने की योजना बना लूंगा जब सभी अन्तर्द्वंद्वता जाएगी और वातावरण सेवा भाव और बलिदान की भावना से आगे बढ़ेगा।

संभवतः वह उसका चिकित्सीय पूर्व दिशा है। जहां से ज्ञान का सूर्योदय होगा। यह उधर बढ़ेगी जहाँ अज्ञानता होगी टैगोर मनुष्य को

ईश्वर और प्रकृति का मापदंड के रूप में स्वीकार करते हुए विश्व को सचेत करते हैं कि मनुष्य ईश्वर की सर्वोत्तम कृति है और विजय सर्वोपरि सत्य है। मानव योनि के माध्यम से ही सभी गुण और महत्व प्राप्त किए जा सकते हैं। मानवता का एक सर्वकालिक मन होता है, जो व्यक्ति के व्यक्तित्व मन के रूप में अवतरित होता है।

टैगोर ईश्वर को मानव स्वरूप में देखते हैं। वह उनकी दृष्टि में शाश्वत पुरुष है, जो सभी व्यक्तियों में अभिव्यक्त है। सभ्यता के संबंध में टैगोर की धारणा है कि व्यक्ति में कितनी मानवता धारण की है उसके द्वारा किए गए वैज्ञानिकता का विस्तार सभ्यता के मापदंड में नहीं है। यही सभ्यता का पतन है। मनुष्य के मूल को महत्व न देकर जब-जब मनुष्यता को प्रतिष्ठित प्राप्त होती है। इसी से सभ्यता का निरंतर विकास होता है। इसी मानवीय दृष्टिकोण को लेकर मानवता की प्रतिष्ठा के लिए टैगोर ने बोलपुर में शांति निकेतन की स्थापना किए थे।

टैगोर मानवतावाद में आस्था रखते थे और उन्हें उच्च कोटि का मानवतावादी कहा जा सकता है। वह एक महान कवि होने के नाते स्थायी एवं अस्थायी शुभ का दमन नहीं करते थे, बल्कि व्यक्ति की सभी शक्तियों के बीच उचित सामंजस्य विकसित करने का प्रयास करते थे। संसार के प्राणियों में मनुष्य की स्वच्छता के प्रति उन्होंने बार-बार अपना विश्वास व्यक्त किया। उनका मानना था कि वास्तविकता ही मानवतावाद है, और सत्य ही मानवता है तथा मेरे अनुभवों के समस्त स्रोत का अंत मानवता में ही होगा मैंने कई बार ईश्वर का आवाहन किया है। मनुष्य ने अपने मूर्त-अमूर्त कार्यों के त्याग तथा उपयोग में मानवतावाद दिखाई पड़ता है।

मानवतावाद की धारणा में प्रेम और सेवा का उत्कृष्ट योगदान भी दिखाई पड़ता है, क्योंकि हमारे लिए मनुष्य की ईश्वर की सबसे निकट अभिव्यक्ति है। इससे ऐसा लगता है कि इसी विचारधारा में थोड़ा परिवर्तन कर सभी ईश्वरवादी, सभी वर्गों में व्याप्त यह भाव है जिसे सड़क बनाने वाले मजदूर में, खेती करने वाले किसान में, समाज के सभी वर्गों में ईश्वर की अभिव्यक्ति को अधिक सार्थक ढंग से

मूल्यांकित करने का प्रयास गुरुदेव ने किया था। समाज के सबसे निचले स्तर का संबंध ईश्वर के प्रति आस्था से ज्यादा होती है।

शायद इसमें ईश्वर की विचार की प्रतिनिधि को ही गरीब लोग भाग्य निर्माता के रूप में स्वीकार करते हैं क्योंकि स्वर्ग का राज्य उन्हीं का है। यह विचार जाहिर है उस समय से प्रेरित है जब इस तरह के लोगों को ही हमारे प्रेम और ध्यान की जरूरत है और उनकी सेवा का सबसे अच्छा परिणाम यहीं से निकलता है। गुरुदेव अपनी कविता के माध्यम से कहते हैं कि "वह वहां है जहां किसान कहीं जमीन जोत रहा है, मजदूर पत्थर तोड़ रहा है, वह धूप और बरसात में उनके साथ हैं, उसके वस्त्र धूल में हैं, अपने इस पवित्र चोगे को उतार दो उसकी तरह नीचे धूल और मिटी में आ जाओ।"

अर्थात् इस दृष्टिकोण से आम मानव जाति और विशेषकर गरीब वर्गों के कल्याण किए जाने में निस्वार्थ एवं धार्मिक प्रेरणा की शक्ति का सबसे अच्छा मार्ग बन जाता है। कर्मकांड तथा प्रार्थना का स्थान कल्याणकारी कार्य ले लेते हैं। इस तरह के कार्य के चुनाव के लिए टैगोर एक सीधा और व्यवहारिक मापदंड रखते हैं। जिस कार्य से सम्पूर्ण मानव जाति की भलाई हो उसका चुनाव करना चाहिए। मुख्य चीज है कि उसे किसी व्यक्ति विशेष की वजाय आम समाज का भला होना चाहिए। कसौटी यही है कि उस कार्य से संसार की भलाई के लक्ष्य को भगवान के सेवक के रूप में बढ़ावा मिले इसलिए मनुष्य विश्वकर्मा ईश्वर से जुड़ने के लिए बन जाना चाहिए। हमें अपने स्वार्थ से प्रेरित काम छोड़ना होगा। इसमें सबके लिए काम करना होता है। मेरा मतलब ऐसे लोगों के लिए नहीं जो काम अच्छा करते हो वह फैलाव में चाहे कितना छोटा है यह स्वभाव सबके लिए है। इस तरह के कार्य से करने वाले को सब के लिए कार्य करने वाले विश्वकर्मा की अनुभूति करते हैं।

इस तरह धार्मिक अभिव्यक्ति से संयुक्त रूप से निरंतर खोज का पुरस्कार मिलता है। गुरुदेव ने मानवतावाद के रूप में स्थापित करने का प्रयास किया था। समग्रता की दृष्टि से यदि पाश्चात्य दार्शनिकों के

मानवतावाद के स्वरूप का अवलोकन किया जाए तो यह दृष्टिगोचर होता है कि पाश्चात्य मानववाद धर्म से कोई नाता नहीं रखता है। वह स्पष्ट रूप से धर्म और दर्शन पर पड़े विज्ञान के दबाव की उपज है। कांट का समीक्षावाद इसका आदर्श उदाहरण है।

धर्म दर्शन का दार्शनिक चिंतन ही परम तत्व के स्वरूप पर कोई प्रकाश डाल सकता है। यह आस्था को देने पर कारण बतलाता है कि ज्ञान का अन्वेषण विज्ञान द्वारा प्रत्यक्ष जगत की व्याख्या तक सीमित दिखाई पड़ती है। यह व्याख्या उसके समर्पण की अपार सम्भावनाओं की प्रकृति के नियमों से जोड़ती है। अत: उन्होंने धर्म के विकल्प के रूप में एक नई धर्मदृष्टि की रचना की जिसका निर्देश था कि ईश्वर की वजह से मनुष्य की पूजा की जाती है। इसके साथ-ही-साथ उन्होंने मानव कल्याण को बढ़ावा देने और परोपकारी कार्यों को बढ़ावा देने का निर्देश दिया था। कान्ट का मानववाद इस प्रकार उसे संशयवाद से जन्म लेता है।

इसलिए उन्होंने ईश्वर की पूजा की जगह मनुष्य की पूजा का निर्देश दिया क्योंकि उनके विचार में यही बोधगम्यता इसी में है। इसी तरह ईश्वर की सेवा की जगह उन्होंने मनुष्य की सेवा का मानवतावाद का वास्तविक अर्थ है, इसके विपरीत भारतीय चिंतक एक विभिन्न मार्ग से इसके निर्देशित करते हैं। पहली बात तो यह है कि यह संशयवाद से नहीं पूछता है, बल्कि परम तत्व में उसका स्वरूप सर्वेश्वरवादी, ईश्वरवादी दिखाई पड़ता है।

जिस को आगे बढ़ाते हुए गुरुदेव ने ईश्वर में उनकी जीवन आस्था को ढूंढ़ने का कार्य किया यही धर्म की प्रेरणा का मूल उद्देश्य है। यह विशेषता उनके मानववाद को पाश्चात्य ढंग से मानववाद से अधिक प्रभावशाली बना देता है। इससे भगवत सेवा को प्रेरणा मिलती है, जो सर्वभौमिक होता है। यह धर्मनिष्ठा को मानववाद से जोड़कर पाश्चात्य मानववाद का अधिक बलवती प्रेरणा प्रदान करती है।

भारतीय मानववाद की एक कड़ी के रूप में गुरुदेव ने इसे प्रतिष्ठित करने का कार्य किया था। स्वामी विवेकानंद के समान्य गुरुदेव यह स्वीकार करते हैं कि मानव की सेवा ही सबसे बड़ी मानवतावाद है।

यही मानव की सबसे बड़ी आराधना आनंद की अनुभूति है। किसी से मनुष्य के अंदर ईश्वरीय अंश को स्थापित करना है। इस के संदर्भ में गुरुदेव कहते हैं कि "**इसलिए तुम्हारा आनंद है मेरे ऊपर इसलिए तुम नीचे आए हो हे त्रिभुवन अगर मैं न होता** तो तुम्हारा परमिता को स्वीकारना पड़ेगा। मुझे ही लेकर यह हृदय मैला है। मेरे हृदय में प्रेम रस का खेल चल रहा है मेरे जीवन में यह ईश्वरवादी रूप धारण करके तुम्हारी लीला तरंग गति हो रही है।"

मानव के मूल्य और गौरव की विश्वासी अवधारणा को गुरुदेव ने अपनी कविता के माध्यम से रहस्यानुभूति से रंजीत के रूप में मूल्यांकन किया है। यह देश काल धर्म जाति वर्ण और लिंग भेद से परे की विषय-वस्तु है। यही इनका सर्वमानवतावाद है। उनका यह भाव प्रेम पर आधारित अधिक मिलता है। यह ईश्वर से मिलन के लिए, मानव ही व्याकुल नहीं है, बल्कि ईश्वर भी मानव के साथ संबंध स्थापित करना चाहता है। यदि ऐसा न होता तो परमतत्व मानव की रचना क्यों करता। वह अपने को एक से दो क्यों जोड़ता क्योंकि वह मानव जैसे प्रेम की प्रगाढ़ता को बढ़ाना चाहते थे जिस के संदर्भ में कहते हैं कि

जे भावे परम एक आनंद उत्सुक
आप नारे दुई करी लाभिक्षेन सुख

इस प्रकार गुरुदेव एक मानवतावादी के रूप में संपूर्ण मानववाद को प्रेम के साथ और ईश्वर के साथ जोड़ने की तरफ प्रयास करते थे। वह मानते थे कि मानव ही वह अधिकारी है, जो संपूर्ण प्रकृति को ईश्वर के साथ जुड़ सकता है। अर्थात् हम कह सकते हैं कि संपूर्ण सृष्टि को ईश्वर तक उन्मुख करने में मानव का उत्कृष्ट योगदान दिखाई पड़ता है। जिसने न केवल मानवतावाद को विकसित करने का कार्य किया था, बल्कि संपूर्ण सृष्टि के जीवों के बीच में ईश्वर की तरफ अग्रसर होने के मार्ग को प्रसारित करने का कार्य किया था।

■■■■

अध्याय 5

दैवीय प्रकाशना का स्वरूप

प्रस्तावना

धर्म दर्शन के अंतर्गत दैवी प्रकाशना के स्वरूप को समग्रता में अवलोकन किया जाता है, तो यह दृष्टिगोचर होता है कि दिव्य प्रकाश ईश्वरी उद्घाटन, दिव्य ज्ञान आदि अनेक नामों से विभूषित किया जाता है। दिव्य प्रकाशना धार्मिक ज्ञान की प्राप्ति का एक प्रमुख स्त्रोत है। यहां प्रकाशना का शाब्दिक अर्थ प्रकाशित करना है। दैवीय प्रकाशना का अर्थ दैवी शक्ति या ईश्वर द्वारा स्वयं को प्रकाशित करना है। कैथोलिक मत के अनुसार दैविक प्रकाशना ईश्वर द्वारा बौद्धिक प्राणियों के बीच असाधारण साधना द्वारा कुछ शक्तियों का प्रगटीकारण करना है। इसी संदर्भ में हेगल ने भी कहा है कि दिव्य प्रकाश मनुष्य के समक्ष दैवी शक्तियों का प्रगटीकरण है।

ईश्वर निम्नलिखित साधनों द्वारा स्वयं को प्रकाशित करता है–

1. **विभिन्न अवतार के द्वारा–** इसके अंतर्गत भगवान बुद्ध, कृष्ण, राम, मोहम्मद पैगंबर, साहब आदि विशेष रूप से आते हैं।
2. **धर्मशास्त्र के द्वारा–** समग्रता में देखा जाए तो इसके अंतर्गत सभी धर्मों के मूल धर्मशास्त्र जैसे हिंदू धर्म में वेद श्रीमद्भगवतगीता तथा मुसलमान धर्म में **कुरान**, ईसाई धर्म में **बाइबल** तथा सिख धर्म में **गुरु ग्रंथ साहिब** महत्वपूर्ण भूमिका निभाते हैं।

3. **चमत्कार के द्वारा–** ईश्वर को प्रकाशित करना जैसे मृत्यु के बाद ईसा मसीह को पुनर्जीवित होने जैसी चमत्कारपूर्ण धारणा आदि है। इस तरह की चमत्कारपूर्ण धारणाएं सभी धर्म दर्शन में दिखाई पड़ती है।

इसके साथ–साथ दैवीय प्रकाशना में आस्था रखने वाले तर्क बुद्धि को धार्मिक ज्ञान की प्राप्ति के लिए आवश्यक नहीं मानते हैं। आस्था, श्रद्धा और विश्वास भी एक तरह से दैवीय प्रकाश में धर्म का आधार माना जाता है। कुछ लोगों का विचार है कि जब पवित्र हृदय से हम ईश्वर की कृपा करने के लिए उन्मुख होते हैं, तो वह दयालु परमात्मा अपनी कृपा द्वारा हम लोगों की आत्मा को अपनी विभूतियों का दर्शन कराता है। इस प्रकार ईश्वर कृपा द्वारा प्राप्त दिव्य विभूतियों का प्रकाशन होता है। इसमें किसी भी तर्क से कोई संबंध नहीं होता है। दैवीय प्रकाशना सिद्धांत के अंतर्गत कुछ भाग दिखाई पड़ते हैं जहां से आस्था के आधार पर मनुष्य को ईश्वर के साथ जोड़ने का कार्य किया जाता है जिसकी कुछ विशेषताएं इस प्रकार हैं–

दैवी प्रकाशना की विशेषताएं

धर्म दर्शन के अंतर्गत व्याप्त इस अवधारणा का अवलोकन किया जाए तो यह दृष्टिगोचर होता है कि इसकी निम्नलिखित विशेषताओं का स्वरूप विभिन्न धर्मों में दिखाई पड़ता है।

1. ईसाई धर्म के अनुसार सबसे पहले बाइबिल से पहले ईश्वर ने स्वयं को प्रकृति में ही व्यक्त किया था। जिसका वर्णन सेंट पॉल के अनुसार जिनके पास यह ज्ञान नहीं पहुंच पाता वह ईश्वर को प्रकृति के रूप में समझ लेते हैं।

ईश्वर ने मनुष्य को बुद्धि का स्वभाविक प्रकाश दिया है, जिसके द्वारा वह प्रकृति में व्याप्त लक्षणों के द्वारा ईश्वर के यथार्थभाव को समझ सकता है। कुछ धर्म दार्शनिकों के अनुसार आस्था, विश्वास

के साथ-साथ बुद्धि से भी धार्मिक शक्तियों को समझ सकते हैं, जैसे थॉमस एक्विनास के अनुसार ईश्वर का अस्तित्व आत्मा की **अमरता** आदि को बुद्धि के द्वारा सिद्ध किया जा सकता है, किंतु कुछ सिद्धांत केवल आस्था के द्वारा ही समझे जा सकते हैं, अब प्रश्न यह उठता है कि श्रुति का एकमात्र साधन आस्था को मानकर कैसे इसको मूल्यांकित किया जाए। जिसके संदर्भ में न केवल ईसाई धर्म में, बल्कि इस्लाम धर्म के साथ भारतीय दर्शन में स्पष्ट रूप से रामानुज श्रुति के समर्थक दिखलाई पड़ते हैं। उनके अनुसार ईश्वर के लिए कोई प्रमाण नहीं हो सकता है। अप्रत्यक्ष द्वारा अर्थात् अनुमान के द्वारा इसे जाना जा सकता है। ईश्वर को जानने का एकमात्र साधन श्रुति है।

शंकराचार्य ने भी इस अवधारणा को अपने तरीके से मूल्यांकित करने का प्रयास किया है। शंकराचार्य कहते हैं कि **"श्रुति के द्वारा ही ब्रह्म का ज्ञान हो सकता है"** श्रुति ही हमारे लिए अंतिम प्रमाण है। दूसरी तरफ यह भी स्वीकार करते हैं कि तर्क एवं ज्ञान के द्वारा सत्य अर्थात् तर्क से सत्य का ज्ञान प्राप्त किया जा सकता है।

यहाँ दोनों बात अपने आप में विरोधी लगती है, और इनके सम्मान में यह कहा जा सकता है कि यदि तर्क सूक्ष्म है, तो वह परम सत्य का ज्ञान नहीं करा सकता है, किंतु श्रुति के समर्थक तर्क द्वारा सत्य का ज्ञान मानते हैं, फिर भी सिद्वांत के लिए अंततः परम सत्य को जानने का अंतिम प्रमाण अपरोक्ष अनुभूति को माना जा सकता है। यहाँ श्रुति और बुद्धि अर्थात् ब्रह्मा की यथार्थ अनुभूति का ज्ञान माना जाता है, लेकिन शंकर ने कभी-कभी अनुभव को व्यापक महत्व दिया जैसे उनके अनुसार यदि सैकड़ों लोग कहे कि आग ठंडी है, तो यह गलत है, क्योंकि हमारा अनुभव बताता है कि आग गर्म होती है अधिकतर धर्म शास्त्रों के अनुसार धार्मिक सत्य को जानने में बुद्धि का महत्व अनिवार्य रूप से दिखाई पड़ता है।

यह योगदान भले प्राथमिक स्तर पर न हो, लेकिन गौण रूप में यह धार्मिक सत्य को जानने के लिए आवश्यक माना जाता है। बुद्धि का कार्य तार्किक दृष्टिकोण के द्वारा बताए गए सिद्धांतों का स्पष्ट करना है

जो प्राकृतिक घटनाओं में दैवीय प्रकाशना हो रहा है। उसे समझने के लिए भी बुद्धि की आवश्यकता पड़ती है। स्वयं प्रकाशित ग्रंथ में कुछ विरोधी कथन होते हैं, और उन विरोधी कथनों के बीच सामंजस्य का कार्य बुद्धि है। इसके अलावा धार्मिक सिद्धांत पर लगे आरोप का उत्तर देने के लिए भी बुद्धि की आवश्यकता पड़ती है। इसके कुछ उदाहरण इस प्रकार दिखाई पड़ते हैं–

1. दैवीय प्रकाशना का बोध केवल धार्मिक व्यक्ति को हो सकता है।
2. दैवीय प्रकाशना का अंतिम मूल्य ईश्वर को माना जाता है।
3. दैवीय प्रकाशना का वस्तुनिष्ठ परीक्षण या वैज्ञानिक परीक्षण संभव नहीं है।
4. दैवीय प्रकाशित शक्तियों को आस्था ही पूर्ण बनाने का कार्य करती है।
5. दैवीय प्रकाशना युक्ति आस्था पर आधारित होती है, परंतु यह बुद्धि की विरोधी न होकर तर्क बुद्धि से भी प्रमाणित किया जा सकता है।

दैवीय प्रकाशना की व्याख्या हेतु कुछ प्रमुख सिद्धांत

1. दैवीय प्रेरणा से संबंधित सिद्धांत

समग्रता में दैवीय प्रकाश की भावपूर्ण सिद्धांत का अवलोकन किया जाए तो यह दृष्टिगोचर होता है कि इस सिद्धांत के अनुसार ईश्वर ने धार्मिक सत्य को स्वयं व्याख्या नहीं किया, बल्कि इसके लिए केवल पैगंबरों को प्रेरणा प्रदान की और इन लोगों ने इसे अपनी समझ के अनुसार अपने कथन में व्यक्त किया। इसलिए धार्मिक मान्यताओं की शैली अलग-अलग दिखाई पड़ती है। इसे मानने पर विभिन्न धर्म के बीच संवाद या अलगाव की स्थिति उत्पन्न हो जाती है। इन दोनों आधारों पर यह माना जा सकता है कि मनुष्य स्वयं धार्मिक शक्तियों को जानकर ईश्वर के रहस्य को समझ सकता है। यदि धार्मिक मान्यताएं अबौद्धिक

भी लगे तो भी यह सत्य है कि यह हमारी बुद्धि के विरोधी नहीं है, बल्कि बुद्धि से परे की विषय-वस्तु है, जैसे ईसामसीह मृत्यु के बाद पुनः जीवित हो उठे थे, क्योंकि ईश्वर ऐसा कह रहा है और यही आस्था है।

2. उदारमूलक सिद्धांत

1. इस सिद्धांत के अंतर्गत धार्मिक शक्तियों को न तो ईश्वर ने स्वयं व्यक्त किया है, और न कुछ लोगों को लिखने की प्रेरणा दिया है, बल्कि वास्तविकता यह है कि स्वयं को विभिन्न ऐतिहासिक घटनाओं के माध्यम से व्यक्त किया है। जिससे मनुष्य का उद्धार हो सके, मनुष्य अपने लक्ष्य को समझ सके, इस मान्यता के अनुसार ईश्वर ने स्वयं जीसस क्राइस्ट के रूप में ज्ञान को प्रकाशित करने का प्रयास किया है।

   ईश्वर ने पूरे धार्मिक सत्य को ही व्यक्त नहीं किया है, बल्कि मनुष्य की नैतिक धार्मिक चेतना के अनुरूप व्यक्त किया है; जैसे ओल्ड टेस्ट में टेस्टमेंट ईश्वर एक है, किंतु बाद में कुछ धार्मिक नैतिक चेतनाओं का अभाव होने लगा। इसके लिए उसने स्वयं को पिता के रूप में स्थापित किया। बौद्ध दर्शन में यह भाव दिखाई पड़ता है, इसे प्रतिरूप भी कहा जाता है। इस सिद्धांत के अनुसार आस्था केवल भौतिक समानता नहीं, बल्कि इसके लिए हमें भी प्रयास करना पड़ता है। इस संदर्भ में भारतीय दर्शन का अवलोकन दृष्टिगोचर होता है। यहां भी न्याय वैशेषिक रामानुज वेदान्त आदि वेद को ईश्वर की रचना मानते हैं, जबकि मीमांसा दर्शन के अनुसार वेद पौरुष है।

3. प्रतिज्ञाप्ति मूलक सिद्धांत

इस सिद्धांत के अनुसार विश्व स्वयं अपने को पैगंबर के रूप के पुत्र के रूप में या जीसस के माध्यम से अपने कथनों को अभिव्यक्त करने का कार्य करता है। अतः बाइबील में प्रत्येक कथन पूर्णतः सत्य है। जैसे इस्लाम धर्म के अनुसार कुरान की प्रत्येक आयत अल्लाह द्वारा

भेजी गई है। इसी प्रकार ईसाई धर्म के अनुसार बाइबिल में भी ईश्वर के प्रश्नों का संग्रह किया गया है। इसी क्रम में जब भारतीय दर्शन का अवलोकन करते हैं, तो यहाँ भी यह मान्यता है कि पूरा विश्व की रचना ईश्वर ने किया है। इस सिद्धांत के अनुसार धार्मिक पुस्तकों में जो मान्यताएं दी गई हैं। यह ईश्वर द्वारा प्रमाणित हैं। इसलिए उन पर अविश्वास करने का कोई प्रश्न ही नहीं उठता है। अतः यह पूर्णतः सत्य है उन पर बौद्धिक स्तर पर कोई तर्क-वितर्क नहीं किया जा सकता है।

दैवीय प्रकाशना की आवश्यकता क्यों है?

1. ईश्वर अनंत है, वह असीमित है, जबकि मनुष्य शांत व सीमित है। अतः मनुष्य स्वयं अपने बल पर ईश्वर का ज्ञान प्राप्त नहीं कर सकता है। इसलिए ईश्वर स्वयं में अपने बारे में मनुष्य को बताता है, ताकि मनुष्य लाभान्वित होकर सत्कर्म की तरफ उन्मुख हो सके।
2. जब धार्मिक व्यक्ति से ईश्वर का साक्षातकार होता है, तो ईश्वर की इच्छा अत्यंत तीव्र हो जाती है, फिर धार्मिक व्यक्ति की उत्कंठा व्यग्रता एवं उसकी तड़पन को शांत करने के लिए स्वयं को प्रकाशित करता है।
3. गीता के अनुसार सज्जनों की रक्षा तथा दुष्ट लोगों का विनाश करने के लिए ईश्वर स्वयं को प्रकाशित करता है।
4. रामानुज के अनुसार ईश्वर भक्तों पर कृपा करने के लिए स्वयं को विभिन्न रूप में प्रकाशित करता है।
5. ईश्वर संपूर्ण सृष्टि में धार्मिक कार्यों को संचालन करने के लिए प्रकृति के माध्यम से भी हमारे अंदर नैतिक सद्‌गुण के आचरण करने के लिए प्रेरित करता है। इस प्रकार हम देखते हैं कि दैवीय प्रकाशना के विभिन्न रूपों के साथ कुछ आलोचनात्मक पहलू भी दिखाई पड़ते हैं, जो इस प्रकार हैं–

आलोचना

1. यदि ईश्वर का स्वरूप अलग-अलग है, तो जितने भी दैवीय प्रकाशित सत्य है। उसमें एकरूपता नहीं दिखाई पड़ती है। कभी-कभी तो यह स्वयं एक दूसरे के विरोधी लगने लगते हैं, जो धार्मिक ज्ञान के वास्तविक स्वरूप को स्पष्ट नहीं कर पाते हैं।
2. इसके समर्थक कहते हैं कि धार्मिक व्यक्ति के लिए श्रुति या दैवीय प्रकाशना मात्र प्रमाण है। अतः उसकी आलोचना का कोई प्रश्न ही नहीं है, लेकिन जैन दर्शन का मानना है कि प्रत्येक व्यक्ति महावीर की बातों को अंतिम सत्य न माने बल्कि उसे भी समझने के लिए अपनी बुद्धि का प्रयोग करे।
3. यदि श्रुति प्रमाण की व्याख्या में व्यक्तिमूलक सिद्धांत को न मानकर दैवीय प्रेरणा को माने तो इसका प्रमाण यह है कि कुछ व्यक्ति दैवीय प्रेरणा से प्रेरित थे, अतः स्वतंत्र रूप से इस प्रेरणा के लिए कोई प्रमाण देना संभव नहीं है। पुनः यदि हम प्रतिव्याप्तिमूलक सिद्धांत को मान भी लें तो भी यह प्रश्न उठता है कि विभिन्न धार्मिक शक्तियों में इतना मतभेद क्यों है जैसे ईसाई धर्म, यहूदी धर्म, इस्लाम धर्म को अलग-अलग दिखाई पड़ता है।
4. इस तरह विभिन्न धर्म ईश्वर द्वारा ही अनुप्रेरित हैं, तो उनमें अंतर क्यों दिखाई पड़ता है। अतः धर्म ग्रंथों में व्यक्त सत्य का अनुभव तर्क आदि के आधार पर परीक्षण संभव नहीं किया जा सकता है।
5. इसकी आलोचना करने वाले आलोचक कहते हैं कि धर्म ग्रंथ ईश्वर द्वारा रचित है। इसका क्या प्रमाण है क्योंकि ईश्वर का अस्तित्व स्वयं ही सिद्ध नहीं किया जा सकता है।

निष्कर्षः दैवी प्रकाशना के मूलभूत स्वरूप का अवलोकन करने के बाद यह दृष्टिगोचर होता है कि कहीं न कहीं धार्मिक दृष्टिकोण से उत्पन्न अवधारणा का विशेष महत्व दिखाई पड़ता है। धार्मिक भावना के प्रचार प्रसार को बनाए रखने के लिए इसका उत्कृष्ट योगदान दिखाई पड़ता है। यह भले हमारी बुद्धि को संतुष्ट न करे लेकिन हमारे भावनात्मक पक्ष के लिए सबसे महत्वपूर्ण माना जाता है।

कुछ दार्शनिक इसको स्वीकार करते हैं कि दैवीय प्रकाशन महत्वपूर्ण साधन है। जिसके धार्मिक ज्ञान से मनुष्य परिचित होता है। यद्यपि धार्मिक ज्ञान प्राप्ति में तर्क बुद्धि की भूमिका उत्कृष्ट दिखाई पड़ती है, लेकिन इसका महत्वपूर्ण स्थान दिखाई पड़ता है। यदि समग्रता में इसका मूल्यांकन किया जाए तो यह परिलक्षित होता है कि दैवीय प्रकाशना का सिद्धान्त के रूप में कार्य करता है। विभिन्न ईश्वर की यथार्थता को प्रमाणित करने में एकांकी सिद्धान्त धर्मों की धार्मिक मान्यताओं के दार्शनिक स्वरूप का सुग्मता से विश्लेषण करने में और मनुष्य की नैतिक भावनाओं को मनुष्य की आध्यात्मिक भाव के बीच में उचित सामंजस्य स्थापित करने में अधिक कारगर दिखाई पड़ता है।

श्रुति का स्वरूप

श्रुति तत्वदर्शी ऋषियों की अनुभूतियों का संग्रह है, जो अन्य तत्व अन्वेषण के लिए पथ प्रदर्शक का काम करता है। पथ प्रदर्शक के बिना लक्ष्य प्राप्ति तक पहुंचना कठिन हो जाता है। भारतीय दर्शन में वेद-उपनिषद आदि को श्रुति ग्रंथ के रूप में स्वीकार किया गया है। यहां श्रुति को शब्द प्रमाण के रूप में स्वीकार किया गया है। जिसे सभी आस्तिक दर्शन में स्वीकार किया गया है। उसमें शंकराचार्य के अनुसार श्रुति प्रमाण के द्वारा ही ब्रह्म का साक्षात्कार किया जा सकता है।

उनके अनुसार व्यवहारिक जगत की वस्तुओं के संदर्भ में लौकिक जगत और प्रत्यक्ष की प्रधानता होती है, परंतु परमार्थिक जगत के संदर्भ में श्रुति का महत्वपूर्ण योगदान दिखाई पड़ता है। यहां शंकराचार्य यह भी कहते हैं कि वहीं तक स्वीकार हो सकता है, जो श्रुतियों के

द्वारा मान्य और उल्लेखनीय है। यद्यपि ब्रह्म अपरोक्षानुभूति गम्य है, परंतु इसकी प्राप्ति में श्रुति का महत्वपूर्ण भूमिका निभाती है। भारतीय परंपरा का समग्रता में अवलोकन किया जाए तो यह दृष्टिगोचर होता है कि संपूर्ण भारतीय दर्शन श्रुति अर्थात् वेद उपनिषद को स्वीकार करने के आधार पर इन्हें दो भागों में विभक्त किया गया है।

1. आस्तिक दर्शनः जिसके अंतर्गत सांठय-संयोग न्याय-वैशेषिक मीमांसा जैसे दार्शनिक समुदाय आते हैं, तो वहीं नास्तिक दर्शन या श्रमण परंपरा के अंतर्गत वेद को न मानने वाले सभी दर्शन आते हैं, जो वेद उपनिषद को श्रुति प्रमाण के रूप में स्वीकार नहीं करते हैं; जैसे–चार्वाक दर्शन, बौद्ध दर्शन, जैन दर्शन। इस प्रकार हम देखते हैं कि आस्तिक दर्शन वेदों को प्रमाणिकता के रूप में स्वीकार करते हैं, और इसे ईश्वर द्वारा रचना मानकर इसमें बताए गए सभी नैतिक नियमों को आदर्श रूप में स्वीकार करते हैं। इस रूप में यह मान्यता है कि यह अवधारणा भी दैवीय प्रकाशना के समतुल्य मानी जा सकती है। दैवीय प्रकाशना के ईश्वरी उद्घाटन में भी धार्मिक ग्रंथ को ईश्वरी सत्ता के रूप में संबंधित किया जाता है।

वहां उनकी प्रमाणिकता के आधार पर ईश्वर की सत्ता को स्वीकार किया जाता है। दूसरी तरफ मीमांसा, सांख्य दर्शन ईश्वरीय रचना के रूप में सृष्टि को स्वीकार नहीं करते हैं। अतः स्पष्ट है कि श्रुति को मानने वाला ईश्वरवादी या अनिश्वर वादी दोनों हो सकते हैं जबकि दैवीय प्रकाशना मानने वाले ईश्वरी उद्घाटन को मानने वाला, केवल ईश्वरवादी ही हो सकता है। ईश्वर या उद्घाटन के समर्थक अंतिम सत्य या लक्ष्य की प्राप्ति के संदर्भ में हमेशा ईश्वरीय उद्घाटन उपाय देवता को शुभ कार्य कहते हैं। दूसरी ओर शंकराचार्य का स्तर श्रुति के महत्व को स्वीकार करते हुए ब्रह्म ज्ञान की प्राप्ति के संदर्भ में स्पष्ट रूप से अपरोक्षानुभूति का मूल्यांकन करना है।

इस प्रकार हम देखते हैं कि संपूर्ण भारतीय दर्शन में श्रुति प्रमाण का विशेष महत्व दिखाई पड़ता है। जहां पर ईश्वरीय अंश के रूप में मानकर संपूर्ण भाव को स्वीकार किया गया है। कहीं न कहीं निष्कर्ष

में यह कहा जा सकता है कि संपूर्ण धार्मिक आस्था का सार होने के कारण संपूर्ण भारतीय दर्शन का आधार भी श्रुति को माना जा सकता है।

■■■■

अध्याय 6

परम सत्य का स्वरूप–धार्मिक सुचिता

भारतीय परिदृश्य में यदि धर्म के सभी विषय वस्तुओं का सूक्ष्मता से अवलोकन किया जाए तो यह परिलक्षित होता है कि भारतीय समाज में अनेक संस्कृतियां भाषाएं और धर्म शामिल हैं। हमारे देश की विभिन्न धार्मिक विश्वासों की प्रकृति को समझने के लिए हमें अपने समाज में पाए जाने वाले विभिन्न धार्मिक समूह के पूर्व इतिहास के संबंध में जानना आवश्यक है। भारत के लंबे इतिहास के दौरान लोग बाहर से आकर लगातार यहां बसते गए इसलिए भारत में धार्मिक विविधता पहले से ज्यादा मौजूद है। यहां विभिन्न संस्कृति तथा विभिन्न धर्मों के मानने वाले एक साथ बिना किसी भेदभाव के रहते हैं। इस दृष्टिकोण को ही सामान्यतः धार्मिक बहुलतावाद कहा जाता है। भारत के धार्मिक बहुलतावाद का स्वरूप भी निम्नलिखित मुद्दों के आधार पर दिखाई पड़ता है–

1. संख्यात्मक क्षेत्र तथा भाषाई श्रेणी के आधार पर भारत में धर्म का वितरण एवं फैलाव दिखाई पड़ता है।
2. पंथ एवं संप्रदाय के आधार पर विशेष धर्म के अंदर विभेदीकरण का स्वरूप दिखाई पड़ता है।
3. जातिगत विभाजन के आधार पर धर्म के अंदर सामाजिक विभेदीकरण का होना।
4. ऐतिहासिक परिस्थिति एवं आर्थिक आवश्यकताओं, भाषाई एवं सांस्कृतिक मान्यता एवं समानता के आधार पर।

समग्रता में देखा जाए तो धार्मिक सुचिता अथवा धार्मिक बहुलतावाद के अंतर्गत कुछ महत्वपूर्ण विषय-वस्तु दिखाई पड़ती है। जिनका स्वरूप इस प्रकार है इसकी विशेषताएं कई रूपों में दिखाई पड़ती है। प्राचीन काल से ही भारत विभिन्न संस्कृति समूह एवं अनेक धर्मों के मानने वाले लोगों का जन्म स्थल रहा है। यह वह भूमि है, जहां पर बाहर से विभिन्न जाति धर्म के लोग आते गए और अपनी संस्कृति के अनुसार अपने आचरण का निर्वहन करते हुए एक दूसरे के साथ बिना सामाजिक, आर्थिक, राजनीतिक विभेद के एक साथ रहने लगे। भारत विश्व के प्रमुख धर्म का मूल स्थान रहा है, जैसे कि हिन्दू धर्म, इस्लाम धर्म, ईसाई धर्म, जैन, बौद्ध। भारत राज्य धर्म द्वारा दिखाए जाने वाले मार्ग और उसके नियंत्रण पर काम करता है।

यहां तक कि भारतीय इतिहास के अधिकतर हिस्सों में धर्म संरक्षण और उसकी सुरक्षा का काम करता रहता है। इसीलिए धार्मिक बहुलतावाद भारतीय संस्कृति का मूल सिद्धांत है। धार्मिक सहिष्णुता भारतीय धर्मनिरपेक्षता का मूल आधार है। धार्मिक धर्मनिरपेक्षता इस विश्वास पर टिकी है कि सभी धर्म समान रूप से अच्छे हैं और सभी धर्मों का एक ही लक्ष्य है– ईश्वर की प्राप्ति करना। श्री एस.आर. भट्ट के अनुसार धार्मिक बहुलता का लक्ष्य धर्मनिरपेक्षवाद है, जो मिश्रित व्याख्यात्मक प्रक्रिया पर आधारित दिखाई पड़ता है। जिसमें धर्म का उत्कर्ष तत्व निहित है, जो कि बहुत से धर्म का एकीकरण माना जाता है।

बहुलतावाद धार्मिक समाज में धर्मों के बीच एक सेतु का कार्य करता है। जिसके माध्यम से प्रत्येक धर्म अपनी विभिन्न आयामों की सीमा से परे जाकर एक दूसरे को आत्मसात कर लिए हैं। यही प्रमुख विशेषता है। जिसे हम धार्मिक बहुलतावाद के नाम से जानते हैं। वर्तमान समय में बहुलवादी समाज में जहां नाना प्रकार के धर्म, भाषा, बोलियां, जाति के लोग एक साथ निवास करते हैं। वहां उनके मध्य एक प्रमुख समस्या उभरकर धार्मिक सुचिता की आ रही है। जहां धर्म के आधार पर संस्कृति के बीच पहले भेदभाव के कारण तनाव फैल रहा है। इस

तनाव को दूर करने के लिए धार्मिक सुचिता उत्कृष्ट उपाय मानी जाती है। समग्रता में सभी पहलुओं का अवलोकन किया जाए, तो यहां पर तीन प्रकार का धार्मिक बहुलता के अंतर्गत अवधारणा निकलकर सामने आती है।

1. सर्वधर्म समन्वय
2. सर्वधर्म समभाव
3. सर्वधर्म सद्भाव

1. सर्वधर्म समन्वय का स्वरूप

समग्रता में इसके शाब्दिक अर्थ का सुक्ष्मता से अवलोकन किया जाए तो यह परिलक्षित होता है कि यह सभी धर्मों के बीच एकता स्थापित करके एक आदर्श पूर्ण नैतिक नियमों को स्थापित करना चाहता है। जहां प्रत्येक धर्म के यथार्थ एवं मानवीय पक्षों का सुक्ष्मता से अवलोकन किया जाता है। इस आधार पर कहा जा सकता है कि किसी सामान्य तत्व अथवा सामान्य तत्वों के आधार पर सभी धर्मों में मूलभूत एकता, जो इन धर्मों की भिन्नता के होते हुए भी इन्हें मूल्य आधार पर परस्पर संबंधित करती है। यह एकता निश्चय ही तर्कसंगत होनी चाहिए। किसी व्यक्ति द्वारा किसी भी प्रकार से रोकी नहीं जाने वाली होनी चाहिए। इसका विस्तृत वर्णन पूर्व के अध्याय में समकालीन विचारकों के विचारों द्वारा व्यवस्थित रूप में किया गया है। इस की कुछ विशेषताओं का वर्णन इस प्रकार है।

एक ही धर्म सत्य है और अन्य सभी धर्म असत्य हैं, अर्थात् विश्व में अनेक धर्म हैं, जब तक लोगों में यह भावना रहेगी कि हमारा धर्म सर्वश्रेष्ठ है। उसके सिवा सबका कोई अस्तित्व नहीं है। यह भावना कभी भी सर्वधर्म समन्वय भाव को मूल्यांकित नहीं कर सकती है। इसलिए हमें इस दशा में सभी विषय-वस्तुओं से सौहार्दपूर्ण नियमों का आत्ममंथन करना चाहिए जॉर्ज गैलवे के अनुसार मानव स्वभाव तथा मानव चिंतन के संबंध में अपने व्यापक एवं समुचित समानता दिखाई पड़ती है। उनके कारण ईसाई धर्म ही सर्व धर्म होने का अधिकतम

दावा कर सकता है। अपने ईसाई धर्म की महानता उसकी क्षमता से ज्ञात होती है कि वहां मानवता के प्रगतिशील विचार जीवन के साथ-साथ विकसित होता है, और अपने प्रवर्तक की भावना के अनुरूप गतिशील विश्व की निरंतर बढ़ती हुई और बदलती हुई आवश्यकताओं की पूर्ति करने में सक्षम है।

गैलवे के इन विचारों से स्पष्ट है कि ईसाई धर्म ही पूर्णतः सर्वदा स्वभाव धर्म बन सकता है। राधाकृष्णन् के अनुसार हिन्दू धर्म में विश्व धर्म बनने की क्षमता नहीं दिखाई पड़ती है। इसमें आध्यात्मिकता की प्रबलता दिखाई पड़ती है, साथ ही अन्य धर्मों के प्रति सहनशीलता की भावना निहित है। राधाकृष्णन् के अनुसार हिन्दू धर्म किसी एक धर्म विश्वास या एक धर्म ग्रंथ या एक पैगंबर या एक संस्थापक के साथ जुड़ा नहीं है, बल्कि यह तो एक निरंतर नवीन होते हुए भी अनुभव के आधार पर सत्य की निरंतर एवं आगम खोज को स्वीकार करता है। समग्रता में यहां सब दावों पर विचार करना अति आवश्यक हो जाता है। बहुलतावाद एवं व्यक्तिवादी बहुलतावाद में अनेक रास्ते परम सत्य तक पहुंचने के लिए प्रयोग किए जाते हैं, जबकि व्यक्तिवादी में सिर्फ एक रास्ता परम सत्य तक पहुंचने का मार्ग प्रशस्त करता है।

बहुलतावादी समाज में धार्मिक बहुलवाद को अनेक प्रकार से समन्वित किया जा सकता है, जहां सर्वधर्म समन्वय सर्वधर्म समभाव एवं सर्वधर्म सद्भाव के बीच सुक्ष्मता से अंतर दिखाई पड़ता है।

यहां इस संदर्भ में तीन प्रमुख विकल्प निकल सामने आते हैं। सर्वधर्म समन्वय का शाब्दिक अर्थ सभी धर्मों के बीच एकता स्थापित करना सर्वधर्म समभाव का शाब्दिक अर्थ सभी धर्मों के बीच समानता को बढ़ावा देना तथा सर्वधर्म सद्भाव के अंतर्गत सभी धर्मों के आदर्श पुण्य नियमों को मानवतावादी दृष्टिकोण से आत्मार्पित करना है, जो आगे चलकर 2 रूपों में बट जाता है–

1. धार्मिक बहुतलतावादी
2. धार्मिक व्यक्तिवादी

यहां धार्मिक बहुलतावाद के अनुसार ईश्वर या परमसत्ता तक पहुंचने का मार्ग है।

वहीं धार्मिक व्यक्तिवादी ऐसा मानते हैं कि परम सत्ता तक पहुंचने का एक ही मार्ग तर्क एवं आस्था है। भारतीय परंपरा में यह माना गया है कि अलग-अलग व्यक्तियों में अलग-अलग विचार एवं प्रवृत्ति प्रधान होती है। यही प्रवृत्ति उसके संस्कार में निकल कर सामने आती है। आधुनिक मनोविज्ञान भी विचार और मानवीय भिन्नता को मान्यता देता है। इन्हीं विचारकों को ध्यान में रखते हुए, भारतीय दार्शनिक परंपरा किसी एक पथ पर सत्य के यथार्थ स्वरूप का मूल्यांकन नहीं कर पाती है।

आलोचना

1. सर्वधर्म समन्वय के संदर्भ में किसी एक धर्म में सभी नैतिक आदर्श पूर्णता की बात करना तर्कसंगत नहीं दिखाई पड़ता है, क्योंकि विश्व के सभी धर्म अपने धर्म को सर्वश्रेष्ठ घोषित करने तथा सर्वधर्म समन्वय का उदाहरण प्रस्तुत करने में लगे रहते हैं, तथा सभी अपने आप को श्रेष्ठ सिद्ध करने में लगे रहते हैं।
2. प्रत्येक धर्म अपने आपको एक मात्र सत्य धर्म के रूप में मान सकता है, ऐसी स्थिति में परस्पर विवाद और संघर्ष की स्थिति और बढ़ सकती है।
3. सभी प्रचलित धर्मों में विद्यमान सामान्य मूल तत्वों के आधार पर एक नवीन सर्वधर्म की स्थापना किया जाए इस अवधारणा के अनुसार सभी धर्म अंततः मूल उद्देश्य के दृष्टिकोण से एक ही रूप में दिखाई पड़ते हैं।

अपनी पुस्तक **एसेंशियली यूनिटी ऑफ ऑल रिलिजियस** में डॉक्टर भगवानदास विश्व में प्रचलित विभिन्न धर्मों में विद्यमान कुछ सामान्य तत्वों के आधार पर सर्वधर्म की स्थापना को संभव एवं आवश्यक मानते हैं। यह सामान्य तत्व सभी धर्मों के मूल आधार हैं

तथा यह संपूर्ण मानव जाति के लिए अनिवार्य है। आकस्मिक गुणों के संबंध में धर्मों की भी क्षमता है, परंतु आवश्यक गुणों के संदर्भ में उनमें एकता परिलक्षित होती है।

यह आवश्यक गुण ही धर्म के मूल तत्व माने जाते हैं। मानव का यह कर्तव्य है कि वह विभिन्न धर्मों के आकस्मिक गुणों को हटाकर उसमें निहित मूल तत्व की खोज करे विभिन्न धर्मों का लक्ष्य उद्देश्य एकरूपता स्थापित करना है, जबकि साधन या साध्य से संबंधित विभिन्नताएं दिखाई पड़ती हैं। इनके अनुसार सभी धर्मों का मूल तत्व ईश्वर है जैसे हिन्दू धर्म में ईश्वर, इस्लाम धर्म में अल्लाह, ईसाई धर्म में गॉड सभी एक ही विषय वस्तुओं को दर्शाने का काम करते हैं।

2. सर्वधर्म समभाव का स्वरूप

इस शब्द का समग्रता में मूल्यांकन किया जाए तो यह परिलक्षित होता है कि यह विभिन्न धर्मों के मध्य सामंजस्य एवं सौहार्द स्थापित करने का कार्य करता है। जिससे एक दूसरे के साथ व्याप्त सांप्रदायिकता को समाप्त किया जा सके। सभी धर्मों को अपने धर्म के साथ दूसरे धर्मों का भी आदर करना चाहिए। अहिंसा उदारता जैसे भाव को अपनाते हुए उनके मूल तत्वों का सम्मान करते हुए आगे बढ़ना चाहिए। इस आधार पर सर्वधर्म समभाव की संज्ञा में गांधी जी का अवधारणा अधिक उत्कृष्ट दिखाई पड़ती है। जहां महात्मा गांधी द्वारा 11 व्रत, अहिंसा, सत्य, अस्तेय, अपरिग्रह, ब्रह्मचर्य, शारीरिक श्रम, अस्वाद, अभय, स्वदेशी, अस्पृश्यता, निवारण और सर्वधर्म समभाव आदि माने गए हैं। जिसका पालन करने के लिए गांधीजी अनिवार्य रूप में अपने हृदय में उतारने की वकालत करते थे।

गांधीजी के अनुसार प्रत्येक व्यक्ति को अपने जीवन में सर्वधर्म समभाव के सिद्धांत के अनुसार सदैव आचरण करना चाहिए। इस अवधारणा में सभी धर्मों को समान रूप से उत्कृष्ट एवं सम्माननीय माना जाता है। गांधी अपनी इस सर्वधर्म समभाव की अवधारणा को स्पष्ट रूप करते हुए कहते हैं कि अपने-अपने धर्म के सिद्धांत के अनुसार

आचरण करते हुए हमें एक दूसरे के उत्तम सिद्धांतों को स्वीकार करना चाहिए और इस प्रकार ईश्वर तक पहुंचने के मानव प्रयास में अपना योगदान प्रदान करना चाहिए।

इस संदर्भ में मेरा मानना है कि सभी महान धर्म को सबका सम्मान करना चाहिए। हमें सभी धर्मों को उसी प्रकार आदर करना चाहिए जिस प्रकार हम अपने धर्म का सम्मान और आदर करते हैं। मेरे विचार में विभिन्न धर्म भी एक उद्यान के सुंदर फूल तथा एक ही महावृक्ष की शाखाएं हैं। अतः सामान्य रूप से सभी सत्य हैं, परंतु सभी में कुछ न कुछ अपूर्णता भी दिखाई पड़ती है। विभिन्न धर्म एक ही जगह पहुंचाने वाले अलग-अलग रास्ते हैं। एक ही जगह पहुंचने के लिए अलग-अलग रास्ते लें तो इसमें दुःख का कोई कारण नहीं है। सच पूछा जाए तो मनुष्य जितने प्रकार की सोच रखता है, उतने प्रकार के धर्म भी दिखाई पड़ते हैं। समग्रता में यह कहा जा सकता है कि गांधीजी का सर्वधर्म समभाव की अवधारणा में न तो सभी धर्मों का समन्वय का आग्रह किया गया है, और न ही किसी एक धर्म के स्वभाव धर्म लेने का भाव दिखाई पड़ता है।

यहां इसकी स्पष्ट स्वीकृति है कि संसार में अनेक धर्म हैं, जो सभी अलग-अलग मान्यताओं के आधार पर बने हुए हैं। इसी कारण यह सिद्धांत हमें बतलाता है कि हमें सभी धर्मों को समुचित महत्व देना चाहिए। सब का सम्मान करना चाहिए जिससे समाज में वैमनस्य, कटुता, संघर्षकटुता, सांप्रदायिक, वैमनस्य, जैसी निकृष्ट अवधारणाएं समाप्त हो जाएं। धार्मिक सुचिता में दूसरे धर्मों को अच्छा समझने पर उन्हें सहन करने का भाव रखना चाहिए, जबकि वास्तव में होना यह चाहिए कि सभी धर्मों को समान रूप से महत्वपूर्ण माना जाए, तभी उनके प्रति आदर बढ़ेगा। इसीलिए गांधीजी सर्वधर्म समभाव को प्रस्तुत करते हैं। गांधीजी धर्मांतरण का विरोध करते थे। धर्म परिवर्तन नैतिक रूप से सही है, और न ही आध्यात्मिक रूप से सही है। उनके अनुसार जब सभी धर्मों में समान भाव है, तो फिर एक धर्म को छोड़कर दूसरे धर्म में जाना तर्कसंगत नहीं दिखाई पड़ता है।

इससे परस्पर वैमनस्य की भावना बढ़ती है। धर्मांतरण में यह दिखाने की कोशिश की जाती है कि व्यक्ति अपने जिस परंपरागत धर्म को छोड़ता है, वह गलत है या निकृष्ट है, जबकि जिससे धर्म से वह जुड़ रहा है, वह सभी धर्मों में उत्कृष्ट है। गांधीजी के अनुसार ऐसा विचार तर्कसंगत नहीं दिखाई पड़ता है, क्योंकि ऐसा विचार रखने वाला व्यक्ति धर्म के वास्तविक मर्म को नहीं समझता है, क्योंकि ऐसा विचार धर्म को एक मार्ग या संप्रदाय के रूप में दिखाई पड़ता है, जबकि धर्म का निहित लक्ष्य शांति, आनंद, एवं सर्वोदय विशाल मानवता के गुणों को विकसित करना है।

गांधीजी के अनुसार मार्ग के रूप में धर्म सदैव अनेक रहेंगे, जबकि सभी धर्मों का लक्ष्य एक ही होगा जो भी धर्म के संबंध में इन मूलभूत बातों को समझ लेता है, वह सदैव अपने धर्म के प्रति निष्ठा रखता है, तथा अन्य धर्मों के प्रति सहिष्णुता एवं आदर भाव रखने की प्रवृत्ति विकसित होती है। सभी धर्म सत्य हैं, तथा सभी धर्मों में कुछ दोष पाए जाते हैं। अतः मनुष्य को चाहिए कि वह अपने धर्म के सकारात्मक पक्ष के अनुसार आचरण करते हुए अन्य धर्मों के भी भावनात्मक पक्ष का सहयोगी बने और उन्हें ग्रहण करे। गांधीजी के अनुसार धर्म की निंदा करना और अपने धर्म की प्रशंसा करना एक हिंसात्मक आचरण माना जाता है इस के संदर्भ में ही उन्होंने कहा था–

"सर्वे भवंतू सुखिनाः सर्वे संतु निरामया।
सर्वे भद्राणि पश्यंतु मां कश्चित् दुःख भाग्यभवेत ॥

निष्कर्षः यह कहा जा सकता है कि सर्वधर्म समभाव एक ऐसी अनुभूति है, जो मनुष्य को सभी प्रकार की सकारात्मक पहलुओं पर आगे बढ़ने की भावना को ठीक उसी प्रकार से अभिव्यक्त करने का प्रयास करती है। जिस प्रकार विश्व की अनेक नदियां अंत में एक समुंद्र में लीन होकर अपने संपूर्ण अस्तित्व को समाप्त कर देती हैं। उसी तरह विश्व के सभी धर्म संप्रदाय अंततोगत्वा ईश्वर की प्राप्ति में ही अपनी अंतिम सत्य को समर्पित कर देते हैं। इसलिए मनुष्य को सभी परिस्थितियों में

एक–दूसरे के साथ रहते हुए एक दूसरे का सम्मान करते हुए विभिन्न धर्मों के भी सम्मान की भावना को ध्यान में रखते हुए सकारात्मक सोच को तार्किक दृष्टिकोण के आधार पर आधुनिक प्रासंगिकता के अनुसार आगे बढ़ने का प्रयास करना ही जीवन का अंतिम लक्ष्य होना चाहिए।

3. धार्मिक अनेकतत्ववाद का स्वरूप

भारतीय दार्शनिक परंपरा में धार्मिक या धार्मिक बहुलतावाद का समर्थन दिखाई पड़ता है। इसके अतिरिक्त पाश्चात्य दर्शन में भी कुछ विचारक हुए जिन्होंने पॉल तिलिक ने इसका समर्थन किया है। समर्थन के संदर्भ में कुछ महत्वपूर्ण तथ्य भारतीय परंपरा में यह माना गया है कि **मुंडे मुंडे मतिभिर्नना** अर्थात् अलग–अलग व्यक्ति में अलग–अलग प्रवृत्ति प्रधान हो सकती है। वह अलग–अलग विचार रख सकते हैं, भारतीय दर्शनों में व्यक्तियों की विभिन्नता को कर्म संस्कार के रूप में ले सकते हैं। वहीं आधुनिक विज्ञान में इसे मनोवृत्ति के रूप में जाना जाता है। दोनों दशाओं में जैसे कर्म, संस्कार एवं मनोवृत्ति मनुष्य के आंतरिक अभिव्यक्ति को उजागर करने का कार्य करते हैं। इस आधार पर देखा जाए तो ईश्वर यथार्थ स्वरूप तक पहुंचने के तीन मार्ग दिखाई पड़ते हैं, जो सामान्य मनुष्य में पाए जाने वाले 3 गुण सिद्धांत के आधार पर आधारित दिखाई पड़ते हैं। इसीलिए यहां 3 मार्गों का वर्णन किया जाएगा–

1. ज्ञानात्मक मार्ग अर्थात् ज्ञान मार्ग
2. भावात्मक मार्ग अर्थात् भक्ति मार्ग
3. क्रियात्मक मार्ग अर्थात् कर्म मार्ग

इसी को ध्यान में रखते हुए भारतीय दार्शनिक परंपरा में चरम लक्ष्य तक पहुंचने के लिए विभिन्न मार्गों का प्रतिपादन किया गया है, जैसे– जो व्यक्ति कर्मशील है, वह अपनी मनोवृत्ति एवं अभिवृत्ति के अनुसार कर्म मार्ग का अनुसरण कर सकते हैं। जिसका समर्थन मीमांसा दर्शन में स्पष्ट रूप से दिखाई पड़ता है। श्रीमद्भगवद्गीता भी इस अवधारणा का यथार्थता में मूल्यांकन करती है। वर्तमान प्रसंग में भी कर्म मार्ग अधिक

तार्किक दिखाई पड़ता है। जिस व्यक्ति में ज्ञान मार्ग जिज्ञासु प्रवृत्ति का होता है, उसे ज्ञान मार्ग का अनुसरण करना चाहिए। भारतीय दर्शन परंपरा में शंकराचार्य इसी मत का समर्थन करते हुए दिखाई पड़ते हैं, तथा जो व्यक्ति भावपूर्ण या जिनमें संवेगात्मक पक्ष अधिक प्रबल होता है उस व्यक्ति को भक्ति मार्ग का अनुसरण करना चाहिए।

इसमें रामानुज, माधवाचार्य जैसे दार्शनिक इस विषय-वस्तु का प्रबल समर्थन दिखाई पड़ता है। यद्यपि इसका साक्ष्य वेद में भी दिखाई पड़ता है। जहां यह कहा गया है कि एकम सद्द विप्रा बहुधा वदन्ति अर्थात् परम सत्य तो एक ही है, परंतु उसे अलग-अलग लोग अलग-अलग तरीके से वर्णन करते हैं। यहां हम जैन दर्शन के स्यादवाद को भी मूल्यांकित कर सकते हैं। स्यादवाद के अनुसार विभिन्न धर्म परम सत्य को जानने के लिए विभिन्न दृष्टिकोण रखते हैं। इन्हें सत्य नहीं माना जा सकता है, परंतु इन्हें एक मात्र सत्य पूर्णता सत्य के रूप में भी स्वीकार नहीं किया जा सकता है।

विभिन्न धर्म में वस्तुतः सत्य को समझने के विभिन्न दृष्टिकोण हैं जिनमें आंशिक सत्यता अवश्य है। सभी दृष्टिकोणों को लेकर परम सत्य के स्वरूप को स्पष्ट किया जा सकता है। इस प्रकार यहां जैन दर्शन में धार्मिक बहुलतावाद का पक्ष एक संदर्भ में समर्थन करता दिखाई पड़ता है। पाश्चात्य दर्शन में देखा जाए तो कांट के द्वारा किए गए **न्यूमिना** एवं फिनोमिना में अंतर भी इसी प्रसंग में दिखाई पड़ता है। कांट के अनुसार न्यूमिना अंतिम सत्य है। शुद्ध बुद्धि की सीमा से परे है उसके संबंध में सैद्धांतिक विवेचन संभव नहीं है। अतः उसके पक्ष या विपक्ष में कोई तार्किक प्रमाण संभव नहीं है दूसरी ओर फिनोमिना इस विविधता पूर्ण जगत से संबंधित है।

यहां विभिन्न धर्मों को इस जगत में उस एक ही परम सत्य की विभिन्न रूपों के रूप में स्वीकार किए जा सकते हैं। वास्तव में यह विविध धर्म एक अंतिम सत्य के रूप को प्रतिकार करने के विविध मार्ग प्रस्तुत करते हैं। बौद्ध धर्म के आध्यात्मिक **गुरु दलाई लामा** का यह मानना है कि सभी धर्मों मूलतः समान है, जो अपने-अपने परिप्रेक्ष्य

एवं संदर्भ के अनुसार परम सत्य की ओर ले जाती है। ऐसी स्थिति में किसी एक धर्म विशेष को मान्यता देने के बजाय सभी धर्मों की सामान्य बातों पर अधिक बल देना चाहिए जिससे हमें मानवीय से विभिन्न लाभ हो सकते हैं–

1. मान्य स्वतंत्रता की रक्षा की जा सकती है।
2. विविधता में एकता की व्याख्या की जा सकती है।
3. धार्मिक सहिष्णुता को बढ़ावा मिलता है।
4. धार्मिक संप्रदायिकता सौहार्द के रूप में स्थापित की जा सकती है।
5. बहुसंस्कृतिवाद की अवधारणा के अनुकूल दिखाई पड़ जाती है।

निष्कर्ष: यह कहा जा सकता है कि विश्व में अनेक धर्म दिखाई पड़ते हैं, तथा सभी धर्मों में कुछ सकारात्मक पहलू हैं, तो कुछ नकारात्मक पहलू भी हैं। इसी आधार पर उनमें अनेकता भी दिखाई पड़ती है। मनुष्य को चाहिए कि सभी धर्मों के सकारात्मक पहलू का सम्मान करते हुए सभी धर्मों के साथ उचित सामंजस्य बनाकर जीवन का निर्वहन करते हुए आगे बढ़ना चाहिए। यही जीवन का अंतिम उद्देश्य होना चाहिए सभी धर्मों में व्याप्त पुरानी कर्मकांडी मान्यताओं की अवहेलना करते हुए आधुनिक परिप्रेक्ष्य की आवश्यकताओं के अनुसार आगे बढ़ने का नाम ही जीवन का वास्तविक सत्य है। इसी आधार पर मनुष्य को सदैव आगे बढ़ने का प्रयास करना चाहिए।

धार्मिक व्यक्तिवाद का स्वरूप

इसके अनुसार परम सत्य तक पहुंचने का केवल एक ही रास्ता है। यह एक ही परंपरा का समर्थन करती है। जैसे इस्लाम धर्म, ईसाई धर्म इसके अनुसार अगर कोई व्यक्ति अपने धर्म में पूर्ण आस्था रखता है, तो फिर उसे किसी दूसरे रास्ते को मानवीय समर्थन करना या आदर प्रदान करने का कोई आधार नहीं है। अगर वह किसी दूसरे रास्ते को भी सत्य के

रूप में स्वीकार करता है, तो फिर इसका आशय होगा कि वह अपने धर्म में पूर्ण विश्वास नहीं करता है। यहां यह भी कहा गया है कि जो ईश्वर द्वारा बताए गए किसी विशेष रास्ते को छोड़कर किसी दूसरे मार्ग का सहारा लेता है। वह उसकी अज्ञानता के कारण है। अतः धर्म विशेष के अनुयायी का यह नैतिक कर्तव्य है कि वैसे व्यक्ति को सही रास्ते पर लाने का कार्य करें भिन्न अपनाने के कारण कुछ महत्वपूर्ण समस्या आती है।

1. व्यक्तिगत स्वतंत्रता संरक्षित नहीं हो सकती है।
2. सर्वधर्म समभाव की अवधारणा की स्थापना में बाधा उत्पन्न होती है।
3. संप्रदायिकता एवं कट्टरता का आगमन होता है।

धार्मिक कट्टरता का आगमन तभी होता है, जब वह कुछ निश्चित धार्मिक नियमों अथवा सिद्धांतों को अनिवार्य एवं स्वभाव सत्य मानकर उन्हें निर्विवाद एवं अंतिम सत्य के रूप में स्थापित करने का प्रयास करता है। इससे समाज में धार्मिक भावना एवं संघर्ष की शुरुआत होती है। विभिन्न धार्मिक परंपराओं में सत्य को इसी रूप में देखने का प्रयास किया गया है। यह स्वभावतुः उत्पन्न होने वाला माना जाता है। यदि परम सत्य अज्ञानता पूर्ण एवं अनभिज्ञ है, तो फिर उसे ज्ञान परिधि के अंतर्गत कैसे लाया जा सकता है, परम सत्य इंद्रियों से परे अनुभव से परे है। ऐसी स्थिति में अलौकिक ज्ञान का विषय बनाने में कई कठिनाईयां हैं। अब यदि परम सत्य का ज्ञान नहीं हो सकता है, तो फिर उसकी पूजा आराधना कैसे और क्यों की जाए। इसका समाधान क्या है?

समकालीन भाषा विश्लेषणवादी दार्शनिक पॉलटिलिच परम सत्य का धार्मिक चित्र प्रतीक है, और इस प्रतीक के माध्यम से परम सत्य से संबंध स्थापित किया जा सकता है। इस रूप में विभिन्न धर्मों में स्वीकृति व्यक्ति पुनः इस परम सत्य तक को अभिव्यक्त करने वाले विभिन्न प्रतीक के माध्यम से परमसत्य का ज्ञान हो सकता है। इसी रूप में परमसत्य के ज्ञान को परिधि में ला सकते हैं। शंकराचार्य के अनुसार ईश्वर ब्रह्म का प्रतीक मात्र है। यह ईश्वर व्यावहारिक जगत की सर्वोच्च

सत्ता है। इस ईश्वर की सत्य पर अनेकता एवं विभिन्न अदाएं हो सकती हैं। इसके संदर्भ में अलग-अलग रूपों में इसकी अवधारणाएं भी बनाई जा सकती हैं, परंतु यह ईश्वर लोगों के जीवन में नैतिक विकास एवं आध्यात्मिक उत्थान का साधन मात्र है।

ईश्वर की पूजा आराधना से साधक का आध्यात्मिक उत्थान होता है। वह अंतिम सत्ता के साक्षात्कार के योग्य हो जाता है। शंकर के अनुसार इस अंतिम सत्य को परम सत्य के स्तर पर कोई भेद नहीं दिखाई पड़ता है। यहां ज्ञाता और ज्ञेय के बीच भेद समाप्त हो जाता है। ब्रह्म अर्थात् अंतिम सर्वोच्च सत्ता परम सत्ता अपरोक्षानुभूति या निर्गुण निराकार है। इस सत्ता के बारे में शब्दों का प्रयोग नहीं किया जा सकता है, अर्थात् मानवतावादी सोच की पहुंच से परे माना जाता है।

इस स्तर पर सभी धर्मों की एकता को प्राप्त किया जा सकता है। विभिन्न दार्शनिकों ने अपने-अपने दर्शन में इस तथ्य की पुष्टि करने का प्रयास किया है। अस्तित्ववादी दार्शनिक कीर्कगार्ड के अनुसार सत्य आत्मनिष्ठ होता है। बौद्ध दर्शन भी परम सत्य के स्वरूप को इसी रूप में मान रहा है। वेट्रगेस्टीन का कहना है कि इसके संबंध में कुछ भी नहीं कहा जा सकता है। वहां संशय भी सार्थक नहीं है स्पिनोजा भी ईश्वर को वर्णन से परे की सत्ता के रूप में स्वीकार करते हैं। विशेष संदर्भ में विभिन्न धर्मों के मध्य संबंध सामंजस्य एवं विविधता के संदर्भ में पांच मत दिखाई पड़ते हैं–

1. केवल एक ही धर्म सत्य है, अन्य धर्म का असत्य सत्य है।
2. यदि सभी धर्म सत्य नहीं है, तो इनमें केवल आंशिक सत्यता है। इनकी तुलना में एक ही पूर्ण और शाश्वत धर्म है।
3. सभी धर्मों में मूल बातें समान हैं। अतः कोई एकदम उत्कृष्ट और सर्वोच्च नहीं माना जा सकता है।
4. कोई भी एक धर्म सत्य नहीं है। अतः कोई भी धर्म विश्व धर्म का रूप नहीं ले सकता है। इस संदर्भ में मानववाद की स्थिति उभरकर सामने आती है।

5. सभी धर्म एक ही सत्य की अभिव्यक्ति के विभिन्न मार्गों प्रस्तुत करते हैं।

यह देश काल एवं भाषा की भिन्नता के कारण इनमें व्यावहारिक विभिन्नताएं दिखाई पड़ती हैं। समग्रता में यह कहा जा सकता है कि धार्मिकतावाद एक ऐसी अवधारणा है। जहां सभी धर्मों के बीच समन्वय करने का काम किया जाता है। जिसके मार्ग दिखने को मिले और सबके आधार पर उन सभी को परिभाषित करने का कार्य किया गया है। अत: स्पष्ट है कि धार्मिक बहुलता के अंतर्गत विभिन्न धर्मों के बीच एकता स्थापित करने का प्रयास किया जाए।

परम सत्य का स्वरूप

दार्शनिक परंपरा में परम सत्य कई नामों से विभूषित किया जाता है। भारतीय परिप्रेक्ष्य में परम सत्य अर्थात् सृष्टि का वह अंतिम सत्य जहां अन्य सभी प्रकार के सत्य का समग्रता में मूल्यांकन किया जाता है। यह वह अंतिम यथार्थ सत्य जो संपूर्ण सृष्टि का संचालनकर्ता हो, जहां पहुंचना ही जीवन का अंतिम उपदेश हो, पाश्चात्य दर्शन में परम सत्य के स्वरूप का सुक्ष्मता से अवलोकन किया जाए तो यह परिलक्षित होता है कि वहां भी परम सत्य को जीवन के नैतिक आयाम अर्थात् आदर्शपूर्ण सर्वोच्च स्थान के रूप में मूल्यांकन करने की परंपरा दिखाई पड़ती है। दोनों ही दृष्टिकोण से परम सत्य अर्थात् सृष्टि का अंतिम सत्य के रूप में माना जाता है। इसे कई उपनाम से जाना जाता है जैसे ईश्वर, भगवान सत चित्त आनंद परम शून्य आदि भारतीय दृष्टिकोण से परम सत्य के बारे में वर्णन हमें वैदिक काल से ही दिखाई पड़ता है।

उत्तर वैदिक काल में परम सत्य को अनेक नामों से विभूषित कर इसके अनेक स्वरूप में बैठकर मूल्यांकन किया गया है। इसको प्राप्त करने में कई मार्ग भी दिखाई पड़ते हैं। जैसे कर्म योग, भक्ति योग, ज्ञान योग, राजयोग यह सभी मार्ग मोक्ष प्राप्ति के आधार पर परम सत्य के यथार्थ स्वरूप के मूल्यांकन के रूप में दिखाई पड़ते हैं।

परम सत्य की समस्या

भूमिका →
1. भारतीय प्ररिप्रेक्ष्य में मोक्ष के आधार पर परम सत्य यथार्थ होता है।
2. पारलौकिक सत्ता के आधार पर
3. ज्ञान के परे जाकर इन विषय वस्तुओं का स्वरूप

अर्थ →
- सच्चिदानन्द के रूप में
- ईश्वर/अल्लाह आदि

प्रश्न →
- ज्ञान की परिधि के भीतर कैसे
- पुजा एवं आराधना का आधार क्या है

समाधान →
- **पाश्चात्य दर्शन में** → पॉल तिलिक
  परम सत्य का धार्मिक चित्रण प्रतीक है।
- **भारतीय दर्शन में** → शंकर का मत
  ईश्वर ब्रह्म का प्रतीक है।

आलोचना →
- पारलौकिक सत्ता होने से लौकिक जगत
- व्यवहारिता के आधार पर
- सामाजिक मान्यताओं के आधार पर
- धार्मिक मान्यताओं के मूल्यांकन के आधार पर

समर्थक →
- **पाश्चात्य दर्शन में**
  - एयर
  - कार्नेप
  - हेयर
  - व्रेथवेट

  नोट: धार्मिक आचरण की यथार्थ अभिव्यक्ति
- **भारतीय दर्शन में**
  - अद्वैत वेदान्त में
  - श्रमण परम्परा

महत्व → लौकिक जगत की मान्यताओं के आधार पर इन विषय वस्तुओं को प्रमाणिक नहीं माना जा सकता है बल्कि धार्मिक एकरूपता में अधिक सहायक हो सकता है।

मोक्ष की अवस्था में आत्मा का परमात्मा अर्थात् परम सत्य के रूप में मिलन हो जाता है। इसी को सच्चिदानंद के रूप में भी जाना जाता

है, अर्थात् यह अवस्था होती है, जहां मनुष्य के अंदर से व्याप्त सभी प्रकार की अज्ञानता समाप्त हो जाती है। उसके अंदर सभी प्रकार के दु:ख समाप्त हो जाते हैं। सभी इच्छाओं का समापन हो जाता है। परम सत्य जीवन का अंतिम सत्य है।

जहां संसार जगत में आई सृष्टि के सभी प्राणी अपने यथार्थ स्वरूप को उस परम सत्य के स्वरूप में मिलाने का प्रयास करना चाहते हैं। भारतीय परिप्रेक्ष्य में मूल्यांकन किया जाए तो इसकी कुछ विशेषताएं इस प्रकार दिखाई पड़ती हैं–

1. परमसत सृष्टि का अंतिम सत्य है।
2. पुरुषार्थ के माध्यम से परमसत को प्राप्त किया जाता है।
3. संपूर्ण सृष्टि का संचालनकर्ता पालनकर्ता एवं संहारकर्ता है।
4. परमसत को प्राप्त करना जीवन का परम उद्देश्य माना जाता है।
5. परमसत सृष्टि का संचालनकर्ता है।
6. परमसत सभी प्रकार के द्रव्यों का संचालनकर्ता है।
7. परमसत आदर्श पूर्णता की अंतिम अवस्था माना जाता है।
8. परमसत सभी समस्याओं का तथा सभी कारणों का आदि कारण माना जाता है।
9. परमसत प्रकृति के सभी विषय वस्तुओं का संचालनकर्ता है।

भारतीय परिप्रेक्ष्य में परमसत की अवधारणा

समग्रता में भारतीय दर्शन का अवलोकन किया जाए तो यह परिलक्षित होता है कि परम सत के स्वरूप के संदर्भ में दो प्रकार की अवधारणाएं दिखाई पड़ती हैं। सामान्यत: सभी अवधारणाओं का संबंध ईश्वर के यथार्थ स्वरूप अर्थात् अंतिम सत्य के जानने के संदर्भ में दिखाई पड़ता है। यद्यपि भारतीय दर्शन में ईश्वर के रूप में इसे स्वीकार किया जाता है, जो इंद्रियों से परे माना जाता है। यह ज्ञान की परिधि की विषय-वस्तु है। यह मनुष्य की धार्मिक एवं आध्यात्मिक संवेगों का चरित्र चित्रण

है। शंकराचार्य जैसे विचारक इसे ब्रह्म के रूप में स्वीकार करते हैं, तो मीमांसा दर्शन के अन्य आयामों में ईश्वर आदि सच्चिदानंद के रूप में दिखाई पड़ता है।

1. चार्वाक दर्शन में परमसत का स्वरूप

संपूर्ण भारतीय दर्शन में एकमात्र दर्शन है, जो पूरी तरीके से भौतिकतावादी सिद्धांत पर आधारित होने के कारण पारलौकिक विषय वस्तुओं को अस्वीकार करता है। इस कारण चार्वाक दर्शन में परम सत के स्वरूप की आलोचना किया गया है। एक प्रकार से ब्राह्मणों को जीने के धार्मिक आडंबर के रूप में स्वीकार किया गया है, क्योंकि यहां पर प्रत्यक्ष प्रमाण को आधार बनाकर ही सभी विषय-वस्तुओं का मूल्यांकन करना किया जाता है। चार्वाक दर्शन में अर्थ साधन है, तथा काम जीवन का अंतिम लक्ष्य माना गया है। मोक्ष पुरुषार्थ को यहां पर अस्वीकार किया गया है, क्योंकि इस प्रकार की कोई वस्तु नहीं जिसमें चार्वाक दर्शन में परम सत के स्वरूप का खंडन किया गया है।

चार्वाक दर्शन के मतानुसार यह माना जाता है कि जिस सत्ता का हम प्रत्यक्षण नहीं कर सकते हैं, उसे हमें किसी भी दशा में स्वीकार नहीं करना चाहिए।

2. बौद्ध दर्शन में परम सत का स्वरूप

समग्रता में संपूर्ण बौद्ध दर्शन का सुक्ष्मता में अवलोकन किया जाए तो यह परिलक्षित होता है कि बौद्ध दर्शन का उद्‌भव सामान्यतया पारलौकिक विषय-वस्तुओं को एवं कर्मकांडी विषय-वस्तुओं को न मानने के कारण हुआ था। परम सत का संबंध सामान्यतः देखा जाए तो पारलौकिक विषय-वस्तु के रूप में ही दिखाई पड़ता है। इसलिए आरंभिक समय में बौद्ध दर्शन परम सत जैसी विषय-वस्तु की अवहेलना करता है, लेकिन कालांतर में यही बौद्ध दर्शन ही हीनयान एवं महायान में बंट जाने के कारण महायान संप्रदाय के कुछ संप्रदाय भगवान बुद्ध को ईश्वर के रूप में स्वीकार करने लगे। यद्यपि संपूर्ण बौद्ध दर्शन का उद्‌भव पारलौकिक सत्ता के खंडन के संदर्भ में हुआ है। इसके बावजूद

भी बौद्ध दर्शन में मुक्त पुरुषार्थ को निर्वाण के रूप में स्वीकार किया गया है।

इसलिए यहां पर परम सत के यथार्थ स्वरूप के संबंध में यह माना जाता है कि जब मनुष्य सभी प्रकार के अविद्या के बंधन से मुक्त हो जाता है तो वह निर्वाण अर्थात् अपने यथार्थ स्वरूप को प्राप्त करता है। इसे ही बौद्ध दर्शन में परम सत के रूप में स्वीकार किया गया है। इसके लिए बौद्ध दर्शन में बतलाए गए अष्टांगिक मार्ग का सहारा लिया जाता है। जिसको प्रज्ञा शील समाधि के रूप में विभूषित कर मनुष्य के सभी प्रकार के बंधन को तोड़कर निर्वाण प्राप्ति का मार्ग माना गया है। सामान्यतः यहां पर विदेह मुक्ति के संदर्भ में परम सत को स्वीकार करने की संकल्पना दिखाई पड़ती है, तथा यहां जीवन जीते भी मोक्ष अर्थात् निर्वाण को प्राप्त किया जा सकता है।

इस संदर्भ में जीवनमुक्ति की संकल्पना भी यथार्थ रूप से दिखाई पड़ती है, अर्थात् हम कह सकते हैं कि बौद्ध दर्शन में मध्यम मार्ग के आधार पर जीवन मुक्ति एवं विदेह मुक्ति दोनों की संकल्पना सूचना रूप में दिखाई पड़ती है।

3. जैन दर्शन में परम सत का स्वरूप

संपूर्ण जैन दर्शन में अवलोकन किया जाए तो यह परिलक्षित होता है कि यहां परम सत की प्राप्ति के लिए कैवल्य की प्राप्ति का मार्ग दिखाई पड़ता है। उसके लिए त्रिरत्न की संकल्पना दिखाई पड़ती है। जिसमें सम्यक् दर्शन, सम्यक् ज्ञान, सम्यक् चरित्र जैसे विषय वस्तु पर मनुष्य को बड़ी सुक्ष्मता एवं गहनता के साथ पालन करना होता है।

जहां साधक को **पंच महाव्रत** सत्य, अहिंसा, अस्तेय, अपरिग्रह, ब्रह्मचर्य, आदि का सुक्ष्मता से पालन करना ही जीवन की अंतिम सत्य माना गया है। त्रिरत्न के माध्यम से ही मनुष्य जीवन के अंतिम सत को प्राप्त कर सकता है, जहां से उसके अंदर सभी प्रकार के बंधन समाप्त हो जाते हैं। वह तीर्थकर की अवस्था को प्राप्त कर लेता है। जैन दर्शन

का परम सत्य का स्वरूप सामान्यतः सभी प्रकार के बंधन की अंतिम सत्ता के रूप में दिखाई पड़ता है।

4. सांख्य एवं योग दर्शन में परमसत्य का स्वरूप

यदि दोनों दर्शन का अवलोकन किया जाए तो यह परिलक्षित होता है कि दोनों दर्शन मोक्ष के संदर्भ में दु:खों की मुक्ति का अंतिम उद्देश्य ही परम सत्य के यथार्थ स्वरूप के संदर्भ में मूल्यांकन करने का प्रयास करते हैं। यद्यपि सांख्य दर्शन में ईश्वरवादी अवधारणा का विरोध दिखाई पड़ता है। इसके बावजूद भी योग दर्शन 26वें तत्व के रूप में ईश्वर को स्वीकार कर परम सत्य की संकल्पना को परिमार्जित करने का कार्य करता है। इसके लिए अष्टांगिक अर्थात् अष्टांग मार्ग यम, नियम, आसन, प्राणायाम, प्रत्याहार, धारणा, ध्यान, समाधि के माध्यम से चित्तवृत्ति निरोध करके समाधि की अवस्था में मोक्ष अर्थात् कैवल्य की प्राप्ति का मार्ग व्यवहारिक रूप में प्रशस्त करने का काम करता है। जहां एक सामान्य मनुष्य सभी प्रकार के भौतिक विषय-वस्तुओं को परिमार्जित करते हुए परम सत्य अर्थात् ईश्वर की यथार्थ स्वरूप को प्राप्त कर सकता है।

5. वेदांत एवं मीमांसा दर्शन में परम सत्य का स्वरूप

यदि दोनों दर्शन का सुक्ष्मता से अवलोकन किया जाए तो यह परिलक्षित होता है कि यह दोनों दर्शन प्रणालियां वेदांत अर्थात् उपनिषद के ज्ञान को कर्म एवं ज्ञान के आधार पर मूल्यांकन करने हेतु उत्पन्न हुई तथा कर्म एवं ज्ञान दोनों मार्ग से ईश्वर की यथार्थ स्वरूप का साक्षात्कार करवाने के कारण ही मीमांसा दर्शन को कर्म मीमांसा कहा जाता है। वही वेदांत दर्शन को ज्ञान मीमांसा के रूप में विभूषित किया जाता है जिसको यथार्थ रूप से मूल्यांकन करने में शंकराचार्य का अद्वैत वेदांत अधिक व्यवहारिक दिखाई पड़ता है।

शंकर के अनुसार ब्रह्म ही परम सत्य है, जहां आत्मा एवं परमात्मा के संबध को उजागर करते हुए **अहम् ब्रह्मास्मि** का भाव दिखाई पड़ता है। जहां संपूर्ण वेदांत दर्शन में वर्णित ज्ञान का अंतिम सत्य के

रूप में दिखाई पड़ता है। ब्रह्म ही जीवन का अंतिम सत्य है। यह सत्त चित्त आनंद के रूप में अर्थात् सच्चिदानंद के रूप में संपूर्ण सृष्टि का संचालनकर्ता है। सच्चिदानंद के यथार्थ स्वरूप को प्राप्त करना ही जीवन का अंतिम उद्देश्य दिखाई पड़ता है, यद्यपि इस के संदर्भ में वेदांत दर्शन मुख्यतः दो प्रकार की विचारधारा दिखाई पड़ती है।

एक विचारधारा ज्ञान मीमांसा के आधार पर आधारित दिखाई पड़ती है। जहां शंकराचार्य का नाम सर्वोपरि रूप से दिया जाता है। वहीं दूसरी परंपरा भक्ति मार्ग के आधार पर आधारित दिखाई पड़ती है। जहां रामानुज, माधवाचार्य जैसे वैष्णव संप्रदाय के भक्ति मार्ग के माध्यम से सच्चिदानंद के यथार्थ स्वरूप को प्राप्त किया जा सकता है।

7. न्याय वैशेषिक के संदर्भ में परम सत्य का स्वरूप

यदि सुक्ष्मता न्याय वैशेषिक दर्शन का अवलोकन किया जाए तो यह परिलक्षित होता है कि दोनों दर्शन पदार्थ के यथार्थ स्वरूप के ज्ञान के आधार पर मोक्ष प्राप्ति के मार्ग को प्रशस्त करते हैं। जहां सच्चिदानंद के यथार्थ स्वरूप का मूल्यांकन किया जाता है। न्याय दर्शन में 16 पदार्थों की संकल्पना दिखाई पड़ती है। वहीं वैशेषिक दर्शन में 7 पदार्थों की संकल्पना दिखाई पड़ती है। यह दोनों प्रमाण मीमांसा के आधार पर प्रमाणित होने के कारण जीवन के अंतिम सत्य अर्थात् मोक्ष को प्राप्त कर सच्चिदानंद के यथार्थ स्वरूप का मूल्यांकन करते हैं यही जीवन का अंतिम उद्देश्य माना जाता है।

पाश्चात्य जगत में परम सत्य का स्वरूप

यदि संपूर्ण पाश्चात्य जगत का अवलोकन किया जाए तो यह परिलक्षित होता है कि प्लेटों के दर्शन से पूर्व जितने भी दार्शनिक हुए सभी बाह्य विषय-वस्तुओं पर आधारित थे। दार्शनिक विषय-वस्तुओं का सच बता कर मूल्यांकन करने का प्रयास करते हैं, लेकिन दार्शनिक दृष्टिकोण से यथार्थवादी रूप में तत्वमीमांसीय परम सत्य के स्वरूप का सुक्ष्मता से मूल्यांकन सर्वप्रथम प्लेटों के दर्शन में दिखाई पड़ता है। जिन्होंने

प्रत्ययवाद के रूप में परमसत्य अर्थात् प्रत्ययों के प्रत्यय के रूप में ईश्वर की संकल्पना को संकल्पित करने का प्रयास करते हैं। यद्यपि इसको यथार्थ रूप से मूल्यांकन करने पर अरस्तु के दर्शन की विशेष दृष्टिकोण दिखाई पड़ता है।

अरस्तु ने सर्वप्रथम अपनी पुस्तक तत्वमीमांसा में इस विषय-वस्तु का सुक्ष्मता से मूल्यांकन करने का प्रयास किया है। इससे पूर्व दर्शन शास्त्र को धर्म दर्शन अर्थात् धर्म की विषय-वस्तु के रूप में स्वीकार किया जाता था। यह सर्वप्रथम दार्शनिक हैं, जिन्होंने धर्म एवं दर्शन को अलग करके तत्व मीमांसा की विषय-वस्तु के रूप में परम सत्य के यथार्थ स्वरूप का मूल्यांकन करने का प्रयास करते हैं। इस आधार पर देखा जाए तो पाश्चात्य जगत में तीन प्रकार की अवधारणा दिखाई पड़ती है। जहां इसी के आधार पर परम सत्य का स्वरूप भी अलग-अलग दिखाई पड़ता है।

पाश्चात्य दर्शन का प्राचीन काल से लेकर स्पिनोजा या इसके बाद के सभी पाश्चात्य दर्शन के विकास पर संक्षेप में विचार किया जाय तो यह दृष्टिगोचर होता है कि पाश्चात्य दर्शन का शुभारम्भ युनानी दर्शन से होता है। पाश्चात्य दर्शन को अध्ययन की सुविधा की दृष्टि से चार कालखण्ड में विभक्त किया गया है–

1. प्राचीन काल–छठी शताब्दी ई॰पू॰ से तीसरी शताब्दी ईसवी तक। (थेल्स-अरस्तु तक)
2. मध्यकाल–इसका प्रसार लगभग चौथी शताब्दी से तेरहवीं शताब्दी तक मानना चाहिए। (अरस्तु के बाद-थॉमस एक्वीनास तक)
3. आधुनिक युग–चौदहवी शताब्दी से उन्नीसवीं शताब्दी तक इसका कार्यकाल माना जाता है। (बेकन-हेगल तक)
4. समसामयिक युग–यह बीसवीं शताब्दी का दर्शन है। (हेगल के बाद-लगभग 21वीं सदी तक)

अब हम इन पर क्रमशः संक्षेप में विचार करेंगे–

1. प्राचीन काल

जहाँ तक प्राचीन कालीन दर्शन की बात है, यह युनानी दर्शन का युग है। इसका उद्भव ग्रीस में हुआ। ग्रीक दार्शनिकों ने पहले जड़ जगत पर विचार किया फिर अन्तर्मुखी दृष्टि से चेतन आत्मा की विवेचना की एवं बाद में जड़ एवं चेतन आत्मा का समन्वय तत्व में किया। पाश्चात्य दर्शन मुख्यतया ग्रीक दर्शन पर आधारित है। पाश्चात्य दर्शन की सभी विचारधाराओं का सूत्रपात ग्रीक दर्शन में हो गया था। ग्रीक दार्शनिक प्लेटो "**पाश्चात्य दर्शन के प्राण बिन्दु है**" यदि ऐसा कहा जाय तो कोई अतिशयोक्ति नहीं होगी। एक प्रकार से सम्पूर्ण पाश्चात्य दर्शन ग्रीक दार्शनिक प्लेटो के दर्शन पर धारावाहिक टिप्पणी है।

पाश्चात्य युनानी दार्शनिक परमपरा में–क्रमश थेलीज, एनिक्जीमेण्डर, एनीक्जीमेनीज, पाइथागोरस, हेरेक्लाइट्स, जेनोफेनीज, पारमेनाइडीज, जीनों, मेलिसस, एम्पेडोक्लीज, एनेक्सीगोरस, ल्यूसिपस और डेमाक्रेटस, सोफिस्ट–प्रोटोगोरस और जार्जियस है। ये प्राचीन काल में सुकरात के पूर्व के दार्शनिक थे। इन दार्शनिकों में थेलीज, एनिक्जीमेण्डर एवं एनीक्जीमेनोज द्वारा मुख्यतः द्रव्य (matter) के बारे में विचार किया गया है। थेलीज के अनुसार परमतत्व **जल** है। जल से ही सृष्टि की उत्पत्ति होती है एवं जल में ही सृष्टि की स्थिति एवं प्रलय है। जो बिन्दु रूप में सबका जनक है। इस प्रकार हम देखते हैं कि थेलीज के अनुसार जल ही परम तत्व के रूप में अभिहीत है। एनिक्जीमेण्डर के अनुसार **परम तत्व असीम** है। चारों भौतिक द्रव्य–पृथ्वी, जल, अग्नि एवं वायु सान्त है। परम तत्व इन चारों महाभूतों से परे इनका जनक होना चाहिए एवं यह यथोक्त असीम है। इनके अतिरिक्त एनीक्जीमेनीज के अनुसार–परम तत्व **वायु** है। ये तीनों दार्शनिक माइलेसियन मत के अनुयायी हैं।

माइलेसियन मत के दार्शनिकों के द्रव्य विवेचनोपरान्त पाइथागोरस के स्वरूप (form) को अपनी दार्शनिक विचारधारा का मुख्य बिन्दु

बनाया। इनके अनुसार स्वरूप अतीन्द्रिय, सामान्य एवं विज्ञान रूप है। सामंजस्य एवं अभेद इसी के कारण होता है। पाइथागोरस के अनुसार संगीत मानसिक दोष दूर करने का साधन माना गया है एवं इसी क्रम में दर्शन को इन्होंने सर्वोत्तम संगीत कहा है। जिस प्रकार संगीत में विविध स्वर एक तान के रूप में मुखरित होते हैं, उसी प्रकार दर्शन में भी सभी सांसारिक पदार्थ आपस में भिन्न होते हुए भी एक ही तत्व का राग अलापते हैं। पाइथागोरस के इन विचारों का प्रभाव प्लेटो के विज्ञानवाद पर पड़ा है। पाइथागोरस भारतीय विचारक महावीर एवं गौतम बुद्ध के समकालीन हैं एवं इनकी दार्शनिक विचारधारायें भारतीय दार्शनिक विचारधाराओं से बहुत कुछ मिलती है।

द्रव्य एवं स्वरूप के दार्शनिक विचारों के पश्चात् ग्रीक दर्शन में परिणाम (becoming) एवं सत्ता (being) को दर्शन का मुख्य बिन्दु माना गया है। हेरेक्लाइट्स के अनुसार अग्नि या तेजस्व परम तत्व है। इसी से जल एवं पृथ्वी का सृजन होता है। यह अत्यन्त गतिशील होने क साथ ज्वलन्त भी है। अग्नि एवं परिणाम (becoming) दोनों इनके अनुसार एक हैं। संसार की समस्त वस्तुएँ अनित्य एवं क्षणिक हैं। कोई भी पदार्थ गतिशील या परिणामी नहीं, अपितु गति या परिणाम ही एक मात्र तत्व है। विश्व गति है, परिणाम है, धारा है, प्रवाह है। कोई भी व्यक्ति किसी नदी में दो बार नहीं स्नान कर सकता है, क्योंकि नदी के जिस पानी में प्रथम बार स्नान किया वह बह गया और अब दूसरा पानी उसके स्थान पर आ गया। अग्नि की ज्वाला प्रत्येक क्षण बदलती रहती है। यह बौद्ध के क्षणभंगवाद के समान है। इनके अनुसार जल की धारा एवं अग्नि की ज्वाला प्रत्येक क्षण बदलती रहती है। अविच्छिन्न प्रवाह एवं अटूट धारा तथा निरन्तर परिवर्तन ही जगत का नियम है। अग्नि, जल एवं पृथ्वी–यह अवनत मार्ग (Ano or the way down) है तथा पृथ्वी, जल एवं अग्नि–यह उन्नत मार्ग (Keto or the way up) है। इस प्रकार हेरेक्लाइट्स के दर्शन में सापेक्षवाद, बुद्धिवाद, विज्ञानवाद, विकासवाद आदि दार्शनिक विचारधारायें किसी न किसी रूप में उपलब्ध हैं, जिनका प्रभाव बाद के आने वाले दार्शनिकों

प्रोटोगोरस, डेकार्ट, स्पिनोजा, लाइबनित्ज, ह्यूम, हीगेल, जेम्स एवं बर्गसा आदि पर पड़ा है। हेरेक्लाइट्स का यह कथन कि उनका दर्शन "इने गिने सुयोग्य व्यक्तियों के लिए ही है, क्योंकि गधों को घास चाहिए स्वर्ण नहीं" इस बात का द्योतक है कि हेरेक्लाइट्स महान दार्शनिक विचारों से ओत-प्रोत हैं। मानव कल्याणार्थ शुभ दार्शनिक विचारधाराओं को जनहिताय दिये हैं। इनके अतिरिक्त अन्य कुछ दार्शनिक भी जैसे जेनोफेनीज आदि हैं जिनके अनुसार ईश्वर को निराकार एवं अन्तर्यामी बताया गया है तथा इन सब की विचारधारायें प्रकारान्तर से स्पिनोजा के दर्शन को प्रभावित किये हैं।

इसके बाद के पार्मेनाइडीज के अनुसार तत्व सत् (being) है। तत्व शुद्ध सत्ता (pure being) है। वह एक अद्वितीय, नित्य अपरिणामी एवं कूटस्थ है। इनके अतिरिक्त सुकरात के पूर्व के दार्शनिक जीनो, मेलिसस, एम्पोडाक्लीज, एनेक्जीगोरस, परमाणुवादी ल्युसिपस और डेमॉक्रिटस, सोफिस्ट, प्रोटोगोरस एवं जार्जियस की भी दार्शनिक विचारधारायें किसी न किसी रूप में स्पिनोजा की दार्शनिक विचारधाराओं को उपर्युक्त प्रकारेण प्रभावित की है जिनका यहां वर्णन करना समीचीन नहीं है।

अब इसके बाद सुकरात एवं इनके बाद के दार्शनिकों पर भी विषयानुसार संक्षेप में विचार करना अपेक्षित है। सुकरात एक अत्यधिक प्रबुद्ध एवं विवेकशील थे। वे सत्य एवं सदाचार के प्रतीक थे। सुकरात अपनी पवित्र अन्तरात्मा की आवाज को वरीयता देते थे। उनके पूर्व सोफिस्ट पैसा लेकर शिक्षा देते थे, किन्तु निर्धन सुकरात एन्थेसावासियों को निःशुल्क नैतिक शिक्षा देते थे। अपनी इस निःस्वार्थ आदर्श सेवा के कारण ही सुकरात एन्थेस के नवयुवकों के प्रिय एवं श्रद्धेय शिक्षक बन गये थे। अपने घरेलू जीवन को वे सामाजिक सेवा की अपेक्षा गौण समझते थे। फलतः ग्रीकवासियों के दिल और दिमाग पर उनकी अमिट छाप पड़ गयी थी। यद्यपि सुकरात को सर्वाधिक बुद्धिमान ग्रीक (the wisest of the Greek) कहा गया है फिर भी सुकरात में इतनी भद्रता एवं विनम्रता थी कि वह अपने को एक अल्पज्ञ के रूप में व्यक्त करते

हुए कहा है कि "मैं केवल एक ही बात जानता हूँ और वह यह है कि मैं कुछ नहीं जानता हूँ।"

सुकरात के युग में बहुदेववाद का प्रचलन था फिर भी वह एक ईश्वर में विश्वास करते थे। सुकरात का अपना कोई निजी ग्रन्थ उपलब्ध नहीं है। उनके जीवन वृतान्त एवं विचारों का ज्ञान प्लेटो की रचनाओं द्वारा होता है। उनके विचार बड़े ही क्रान्तिकारी थे। राज्य द्रोह और देवताओं की उपेक्षा का दोष लगाकर इन्हें कारागार में बन्द कर दिया गया था, उन्हें मृत्युदण्ड भी दे दिया गया था। उनके मृत्युदण्ड का हृदयस्पर्शी चित्रण प्लेटो ने किया है। मृत्युदण्ड के समय सुकरात ने कहा है कि "हे एथेन्सवासियों, मैं तुम लोगों का सम्मान करता हूँ। तुम्हारे लोगों की आज्ञा मानने की अपेक्षा मैं ईश्वरीय आदेशों को स्वीकार करूँगा। सद्‌गुणी के लिए स्वर्ग में कोई भय नहीं है। अब अलग होने का समय आ गया है। हम अपने–अपने मार्ग का अनुसरण करते हैं। मैं मृत्यु के पथ पर और तुम जीवन के पथ पर। कौन–सा मार्ग श्रेष्ठ है? इसे ईश्वर ही जानता है।"

इस प्रकार इस युग के सबसे महान ज्ञान, पुण्यात्मा, दार्शनिक सुकरात ने जहर का प्याला पीकर अन्तिम साँस ले लिया। सुकरात ने ग्रीक विचारधारा के सर्वोत्तम युग का सूत्रपात किया जिसे ग्रीक दर्शन का–**स्वर्णयुग**–कहा जाता है। सुकरात ने सोफिस्टों की दोषपूर्ण युक्तियों का खण्डन किया और ज्ञानमीमांसा के क्षेत्र में नवीन दार्शनिक मापकों का शिलान्यास किया। सुकरात की दार्शनिक विचारधारा में निगमनात्मक पद्धति का पुट होने के साथ–साथ सन्देह का भी स्थान है, किन्तु उनका यह सन्देह, सोफिस्टों के संशयवाद से भिन्न है। सोफिस्टों का संशय स्थायी था, इसके विपरीत सुकरात का सन्देह या संशय ज्ञान के निश्चित स्वरूप को निर्धारण करने में सहयोगी है।

सुकरात के अनुसार नैतिक जीवन ही परम शुभ है। उनके दर्शन का मुख्य उद्देश्य नैतिकता के क्षेत्र में सार्वभौम और वस्तुनिष्ठ मापदण्डों की स्थापना करना है। वे ज्ञान के आचारमूलक पक्ष पर विशेष बल देते थे। उनके अनुसार ज्ञान और आचरण में एकरूपता होनी चाहिए। सुकरात के

अनुसार–ज्ञान सद्गुण हैं (knowledge is virtue)। जीवन का परमलक्ष्य सद्गुण है। सद्गुणी नैतिक जीवन ही मनुष्य का परम लक्ष्य है।

सुकरात ज्ञान को ही सद्गुण मानता है, इसलिये सद्गुणी व्यक्ति ही ज्ञानी हो सकता हैं। इस प्रकार ज्ञान एवं सद्गुण परस्पर अभिन्न एवं अविभाज्य हैं। सुकरात के अनुसार अज्ञान सबसे बड़ा पाप है, क्योंकि यही मनुष्य को अनुचित कार्य की ओर उन्मुख करता है। अगर मनुष्य को यह ज्ञान हो जाय कि अमुक कार्य अनुचित है, तो वह व्यक्ति उस कार्य को नहीं करेगा। सुकरात विभिन्न सद्गुणों में एकरूपता स्थापित कर-करूणा, साहस, न्याय, धैर्य आदि को एक ही सद्गुण (विवेक) का पहलू बताया। इन सभी सद्गुणों में विरोध नहीं, अपितु सामंजस्य है। वस्तुतः सद्गुणों का ज्ञान शिक्षण द्वारा सम्भव है। किसी व्यक्ति के ज्ञान और आचरण में सामंजस्य होना उसके बहुत कुछ विवेक युक्त होने पर निर्भर है। इस प्रकार सुकरात ने विवेक को सारे सदाचारों की आधारशिला माना है। सुकरात ने प्रत्येक निषेधात्मक ज्ञान को एक स्वीकारात्मक आधार पर स्वीकारा है। इसकी विवेचना ही दर्शन का मुख्य लक्ष्य होना चाहिये। असत्य की सम्भावना और अस्तित्व सत्य की सम्भावना और अस्तित्व को सिद्ध करता है।

सुकरात का यह कथन – "स्वयं को जानो" – Know thy self का अर्थ है – अपनी ज्ञान की क्षमता और सीमाओं को समझो। उनके अनुसार केवल विवेकयुक्त मनुष्य ही अपने को जान सकता है एवं इस प्रकार का आत्मज्ञानी ही आनन्दमय जीवन व्यतीत कर सकता है। यहाँ यह प्रश्न उठता है कि क्या सद्गुणों के ज्ञानमात्र से कोई व्यक्ति सद्गुणी हो सकता है? क्योंकि प्रायः देखने में आता है कि नैतिक सम्प्रत्ययों को जानने वाले लोगों का आचरण भी अनैतिक होता है। औचित्य को जानते हुए भी लोग तदनुसार आचरण नहीं करते, किन्तु सुकरात के अनुसार – ज्ञान का आचरण से घनिष्ठ सम्बन्ध है। उनके अनुसार "मैं धर्म अथवा सद्गुण को जानता हूँ, किन्तु उनके अनुरूप आचरण नहीं करता हूँ – यह सद्गुण की गलत अवधारणा पर आधारित है। इसे सूचनात्मक ज्ञान भले ही कहा जाय, किन्तु यह विवेकपूर्ण ज्ञान

नहीं है। वस्तुतः अविवेक के कारण ही जान बूझकर लोग अनुचित आचरण करते हैं।

सुकरात का कोई ग्रन्थ उपलब्ध नहीं है। उनके दार्शनिक विचारों की जानकारी प्लेटो से ही होती है जिससे स्पष्ट होता है कि उनके दर्शन के दो महत्वपूर्ण और क्रान्तिकारी पहलू हैं–

1. समस्त ज्ञान सम्प्रत्यात्मक होता है।
2. ज्ञान सद्गुण है।

सुकरात का सबसे बड़ा योगदान ज्ञान और सद्गुण के सार्वभौम और वस्तुनिष्ठ प्रतिमानों का प्रतिपादन करना है। सुकरात की इसी दार्शनिक विचारधारा के फलस्वरूप प्लेटो और अरस्तू की दार्शनिक विचारधारा पल्लवित एवं पुष्पित हुई है। सुकरात का प्रादुर्भाव न केवल एथेंस बल्कि विश्व की दार्शनिक विचारधारा के लिए हुआ है। यह दर्शन के अभिनव और स्वर्णयुग का शुभारम्भ है। प्लेटो का दर्शन सुकरात का ऋणी है। प्लेटो के बाद विकसित सभी दार्शनिक सिद्धान्त प्रत्यक्ष अथवा परोक्ष रूप से सुकरात के "ज्ञान सम्प्रत्यात्मक होता है" से प्रभावित रहे हैं। इस प्रकार पाश्चात्य दर्शन के मूलबिन्दु सुकरात पर विचार करने के बाद पाश्चात्य दार्शनिक विचारधारा के क्रम में अब हम प्लेटो पर दृष्टिपात करेंगे।

प्लेटो

प्लेटो ग्रीक के सबसे महान एवं विश्व के एक महान दार्शनिक हैं। उनकी प्रतिभा सर्वतोन्मुखी थी। पाश्चात्य दर्शन का कोई भी ऐसा मौलिक सिद्धान्त नहीं है, जिसका सूत्रपात प्लेटो के दर्शन में न हुआ हो। प्लेटो न अपनी महान कृतियाँ संवादों (dialogues) के रूप में लिखी है। दार्शनिक महत्व के साथ–साथ उनका साहित्यिक दृष्टि से भी विशेष महत्व है। प्लेटो में ग्रीक दर्शन अपने चरमोत्कर्ष पर पहुँचा है। इसीलिए उन्हें पूर्ण ग्रीक (The Complete Greek) की उपाधि दी गयी है। माइलेसियन मत का द्रव्य, पाइथागोरस का स्वरूप या संख्या, हेरेक्लाइट्स

का परिणाम और सार्वभौम विज्ञान, पार्मेनाइडीज का सत्, जीनों का द्वन्द्वात्मक तर्क, एम्पोडोक्लीज का प्रेम, एनेक्जेगोरस का परम विज्ञान, परमाणुवादियों का भौतिक विज्ञान, प्रोटोगोरस का मानव मानदण्ड एवं साक्रीटीज का विज्ञानवाद इन सब का चरम विकास प्लेटो के दर्शन में देखने को मिलता है। प्लेटो ने इन सब को अपनी मौलिक बुद्धि के द्वारा समन्वित रूप में स्वीकारा है।

प्लेटो का सबसे अधिक महत्वपूर्ण सिद्धान्त विज्ञानवाद है। यद्यपि विज्ञानवाद मूल रूप में सुकरात की दार्शनिक विचारधारा है, किन्तु उसे विशद्‌रूप प्लेटो ने ही प्रदान किया है। ऐसे में विज्ञानवाद की दार्शनिक विचारधारा का रूप देने का श्रेय प्लेटो पर जाता है। प्लेटो की यह विज्ञानवाद सम्बन्धी दार्शनिक विचारधारा परवर्ती पाश्चात्य दार्शनिकों को किसी-न-किसी रूप में प्रभावित की है। जिसका प्रभाव प्रकारान्तर में आगे चलकर स्पिनोजा पर भी पड़ा है। प्लेटो के बाद ग्रीक दार्शनिकों के विकास क्रम में अरस्तू (Aristotle) का नाम आता है।

अरस्तू

अरस्तू पाश्चात्य निगमन तर्क के जनक हैं, और इसे इनके द्वारा जो रूप दिया गया वह शताब्दियों तक मान्य रहा और आज भी उसका अपना महत्व है। इन्होंने प्लेटो के विज्ञानवाद के खण्डन में अपनी सारी शक्ति लगा दी। अरस्तू अपने दर्शन को पूर्ववर्ती दार्शनिकों का पूर्ण समन्वय मानते हैं। उनके अनुसार प्रत्येक पूर्ववर्ती दार्शनिक तुतलाता हुआ अरस्तू है। अरस्तू के अनुसार विश्व की प्रत्येक वस्तु में द्रव्य एवं स्वरूप दोनों है। इस जगत में द्रव्य एवं स्वरूप को कभी अलग-अलग नहीं किया जा सकता, किन्तु इसका यह अर्थ नहीं है कि विशुद्ध द्रव्य अथवा विशुद्ध स्वरूप की सत्ता नहीं है। विशुद्ध द्रव्य है। मूल प्रकृति और विशुद्ध स्वरूप है ईश्वर (pure form)। अरस्तू ने मनोविज्ञान, प्राणिविज्ञान, भौतिक विज्ञान, आचार शास्त्र, सौन्दर्यशास्त्र, साहित्य पर भी काफी लिखा है। उनकी प्रतिभा असाधारण वं कार्य अत्यन्त व्यापक है जिसका प्रभाव अनेक प्रकार से परवर्ती दार्शनिकों पर पड़ा है। मध्ययुग

के दार्शनिकों का मुख्य कार्य ही ईसाई धर्म के सिद्धान्तों का अरस्तू के विचारों के साथ समन्वय करना था। इस प्रकार अरस्तू पर संक्षेप में प्रकाश डालने के पश्चात् सुकरोत्तर युग की दार्शनिक विचारधाराओं पर विचार शोध ग्रन्थ के विषयानुसार अपेक्षित है।

सुकरोत्तर युग

सुकरोत्तर युग के प्रमुख दार्शनिकों में एपीक्यूरस, जीनों पाइरो तथा प्लोटाइनस आदि हैं। इन दार्शनिकों में एपीक्यूरस को एपीक्युरियनवाद, जीनों का स्टोइक मत, पाइरो का सन्देहवाद तथा प्लोटाइनस में प्लेटो के मत का पुनरूद्धार हुआ है। इन दार्शनिकों की ये विचारधारायें परवर्ती पाश्चात्य दार्शनिकों के विचारों को किसी-न-किसी रूप में प्रभावित किया है। इन पर विशेष चर्चा करना समाचीन न समझकर अब पाश्चात्य दर्शन के मध्य युग पर दृष्टिपात करना शोध विषय की दृष्टि से अपेक्षित है।

पाश्चात्य मध्ययुग दर्शन

एरिजेना मध्ययुग के प्रथम गणनीय दार्शनिक है। यद्यपि एरिजेना के पूर्व लगभग चौथी शताब्दी ईसवी से ही मध्य युग का प्रारम्भ मान लिया जाता है, और यथोक्त समय में भी अनेक महान दार्शनिक हुए, फिर भी यदि सन्त आगस्टाइन के बाद से लेकर एरिजेना के पूर्व के समय को **'अन्धकार युग'** कहा जाय, तो कोई अयथावत न होगा। एरिजेना के बाद फिर लगभग दो शताब्दियों तक अंधकार छाया रहा जिसे सन्त एन्सेल्म ने अपनी ज्ञान ज्योति से दूर किया। इस युग को शास्त्रीय युग भी कहते हैं। यह मुख्यतः ईसाई धर्म का दर्शन है। इस युग के दार्शनिकों की विचारधाराओं का भी प्रभाव परवर्ती दार्शनिकों पर पड़ा है। जैसे– सन्त एन्सेल्म का ईश्वर की सिद्धि के लिये दिये गये सत्तामूलक तर्क को आधुनिक युग के संस्थापक डेकार्ट ने प्रकारान्तर से अपनाया है। इस प्रकार इस युग की विचारधाराओं पर यथोक्त संक्षेपतः विचार करने से विदित होता है कि परावर्ती दार्शनिकों पर किसी न किसी रूप में इस

युग का प्रभाव पड़ा है, वस्तुतः संक्षेपत मध्य युग के दर्शन पर विचार करने के बाद अब आधुनिक युग के पूर्ववर्ती एवं मध्ययुग के उत्तरवर्ती दार्शनिक जिन्हें "सन्धिकाल" के अन्तर्गत समाहित किया जा सकता है – ऐसे दार्शनिक – कुसा के निकोलस, ब्रूनो, केम्पानोला, बेकन तथा थामस हॉब्स – की क्रान्तिकारी दार्शनिक विचारधाराओं पर संक्षेपतः विचार करना अत्यन्त आवश्यक एवं अनिवार्य है।

निकोलस का दर्शन मध्ययुग और आधुनिक युग के विचारों की संधि है। इनके विचारों का प्रभाव ब्रूनो, स्पिनोजा, लाइबनित्ज, शेलिंग एवं हीगेल के विचारों में स्पष्टतः प्रतीत होता है। निकोलस के द्वारा प्रतिपादित ज्ञान के चार विविध स्तरों-इन्द्रिय संवेदन, सविकल्प या विश्लेषणात्मक बुद्धि संश्लेषणात्मक प्रज्ञा और निर्विकल्प ज्ञान या अपरोक्षानुभूति का स्पिनोजा पर अत्यधिक प्रभाव पड़ा है, एवं स्पिनोजा ने अपने दर्शन में इनको विधिवत् अपनाया है। निकोलस अपने उन विचारों को, जो ईसाई धर्म के प्रतिकूल पड़ते थे, पूर्ण विकसित नहीं कर सके एवं इसके लिए यूरोप को लगभग सवा सौ वर्ष ब्रूनो की प्राप्ति पर्यन्त प्रतीक्षा करनी पड़ी।

निकोलस के बाद उपलब्ध दार्शनिक ब्रूनो ने अपनी पूर्ववर्ती दार्शनिक विचारधारा में क्रान्तिकारी परिवर्तन लाया। उन्होंने अपने विचारों को छोड़ देने की अपेक्षा कारागार में जीवन-यापन एवं शरीर को जीवित जलवा लेना अपने लिये श्रेयष्कर समझा। ब्रूनो के इस महान त्याग एवं बलिदान को दर्शन-जगत सदा स्मरण करता रहेगा। ब्रूनो पर पाइथागोरस, प्लेटो एवं निकोलस का विशेषरूप से प्रभाव पड़ा है। निकोलस की अद्वैतवादी एवं विशिष्टाद्वैतवादी विचारधारा को उन्होंने और अधिक आगे बढ़ाया। उनकी अद्वैतवादी विचारधारा का विकसित रूप स्पिनोजा के दर्शन में एवं विशिष्टाद्वैत विचारधारा का विकसित रूप लाइबनित्ज के दर्शन में अवलोकित होता है। ब्रूनो ने ईश्वर की शरीर के इस चिदचिद् रूप संसार को विराट या विश्व (Natura Naturata) का नाम दिया है। इस विश्व या विराट की अन्तर्यामी आत्मा को उन्होंने विश्वात्मा या Natura Naturans कहा है। शरीर और आत्मा के सगुण

रूप में प्रतीत होने वाले इस निर्गुण तत्व को उन्होंने अचिन्त्य परात्पर तत्व (ens absolutum indeterminatum) कहा है। आगे चलकर स्पिनोजा ने इन तीनों नामों का पूर्णतया प्रयोग कर के अपने विचार को पल्लवित एवं पुष्पित किया है। इसके साथ-साथ ब्रूनो के दर्शन में स्पिनोजा के सर्वेश्वरवाद का भी पूर्वाभास होता है। इसी प्रकार ब्रूनो की ईश्वर सम्बन्धी विचारधारा से भी स्पिनोजा पूर्णतया प्रभावित हैं। जहाँ ब्रूनो को ईश्वर भक्त (God loving) कहा जाता है वहीं स्पिनोजा को ईश्वरोन्मत्त (God intoxicated) अभिहित किया जाता है। इस प्रकार हम देखते हैं कि स्पिनोजा के मूल सिद्धान्त ब्रूनो से पूर्णतया प्रभावित हैं।

इनके बाद केम्पानोला, बेकन एवं हाब्स की दार्शनिक विचारधाराओं का विकास हुआ। जिनमें बेकन को – आगमनात्मक तर्कशास्त्र का जनक कहा जा सकता है। कुछ आलोचकों ने तो बेकन को ही आधुनिक युग का जन्मदाता कहा है, किन्तु अधिकांश दार्शनिक डेकार्ट को ही आधुनिक दर्शन के जन्मदाता मानने के पक्षधर हैं। बेकन के दर्शन में आधुनिक युग की सभी दार्शनिक विशेषताओं का अवलोकन किया जा सकता है। आधुनिक युग की सभी विशेषता – धर्म के प्रति विद्रोह, दर्शन को धर्म की दासता से मुक्त करना, व्यक्तिवाद, विचार स्वातंत्र्य, भौतिक विज्ञान का प्रभाव, प्रयोगों का महत्व और आगमनात्मक प्रणाली आदि बेकन में प्रचुर मात्रा में प्राप्त है, किन्तु इनका पूर्ण विकास डेकार्ट में ही हुआ है। वस्तुतः डेकार्ट को ही आधुनिक युग का जनक कहा जाता है जिनके विषय में आगे विचार होगा और अब शोध विषय की दृष्टि से स्पिनोजा के दार्शनिक युग–आधुनिक युग–पर विचार किया जायेगा।

आधुनिक युग

आधुनिक युग में मध्य युगीन धर्म के प्रति विद्रोह का भाव जगा है। फलतः दर्शन को धर्म की दास्ता से मुक्त कराकर वैज्ञानिक दृष्टिकोण का प्रादुर्भाव हुआ है एवं आगमनात्मक पद्धति विकसित हुई है। आधुनिक युग की दार्शनिक विचारधाराओं में बुद्धिवाद, अनुभववाद एवं

आलोचनावाद प्रमुख रूप से स्वीकार किया गया है। इन विचारधाराओं को अपनाने वाले – डेकार्ट, स्पिनोजा, लाइबनित्ज, लॉक, बर्कले, ह्यूम, काण्ट आदि दार्शनिकों की विचारधाराओं ने दर्शन जगत में मध्ययुगीन दार्शनिक विचारधारा का पटाक्षेप कर आधुनिक युग की दार्शनिक विचारधारा का सृजन किया।

डेकार्ट

आधुनिक विचारधारा के जनक डेकार्ट गणित के अत्यन्त प्रेमी थे जिससे उनके दार्शनिक विचार में गणित के समान निर्विवाद, निःसंदेह, निश्चयात्मक, अनिवार्यता एवं सार्वभौमिकता की प्रधानता है, एवं उनके दर्शन की सुदृढ़ नींव इन पर ही आधारित है। इसी कारण इन्हें दार्शनिक जगत का जनक कहा है। यद्यपि उनके बहुत से सिद्धान्त अमान्य हो चुके, किन्तु उनकी दार्शनिक पद्धति आज भी मान्य है। डेकार्ट का महत्व उनकी दार्शनिक पद्धति और उसके मौलिक सिद्धान्तों के कारण है न कि उनके दार्शनिक मत के कारण।

डेकार्ट का दर्शन उनकी सन्देहात्मक पद्धति से प्रारम्भ होता है। उनके द्वारा इन्द्रिय ज्ञान पर सन्देह करते हुए इस सन्देह के मूल बिन्दु आत्मा के अस्तित्व को स्वीकार किया गया है। **इस प्रकार मैं सन्देह करता हूँ या मैं सोचता हूँ इसलिए मेरी सत्ता अनिवार्य है– "Cogito Erog Sum" (I think therefore I am)।** आत्मा की सत्ता का निराकरण नहीं किया जा सकता। इस आत्मा (चित्) की सत्ता को स्वीकारने के बाद इसके समान ही संदेहातीत आत्मा के ज्ञेय स्वरूप अचित् तत्व की भी सत्ता अनिवार्य एवं अबाधित है। इस अचित् की सत्ता स्वीकारते ही इसके स्रष्टा एवं नियन्ता ईश्वर की भी सत्ता सिद्ध होती है। इस प्रकार डेकार्ट सन्देह के द्वारा ही निश्चयात्मक ज्ञान पर पहुँचे एवं चित्, अचित् तथा ईश्वर रूपी द्रव्य या तत्व त्रय की प्रतिष्ठा किये। इन तीनों को ही इन्होंने द्रव्य के रूप में स्वीकार किया।

डेकार्ट ज्ञाता के रूप में चित् रूप आत्मा या जीव की सत्ता सिद्ध करते हैं। चित् रूप आत्मा की सिद्धि होते ही अचित् की भी सिद्धि हो

जाती है। चित् अचित् का अनुभव करने हेतु है। चिदात्मा ज्ञाता, कर्ता एवं भोक्ता है। ऐसी चिदात्मा हेतु अनिवार्य रूप से ज्ञेय कार्य और भोग्य की अपेक्षा है, तथा इस ज्ञेय, कार्य और भोग्य रूप में यह जड़ जगत ही है। चूँकि यह जड़ जगत ईश्वर रचित है। वस्तुतः यह भ्रम जनित भी नहीं है।

चित्–अचित् दोनों की सत्ता सिद्ध करने के पश्चात् इसके नियन्ता और सृष्टिकर्ता रूप ईश्वर की भी सत्ता सिद्ध हो जाती है। ईश्वर की सत्ता सिद्ध करने हेतु डेकार्ट ने निगमनात्मक तर्क, सत्तामूलक अनुभूति का तर्क, कार्यकारण भाव मूलक तर्क एवं निमित्त कारण मूलक तर्कों का सहारा लिया है।

मुझे अपनी आत्मा की जिस प्रकार निर्विकल्प अनुभूति होती है, उसी प्रकार ईश्वर की भी सुस्पष्ट अनुभूति हो रही है। वस्तुतः ईश्वर भी आत्मा के समान सत्य अस्तित्व वाला है। इस प्रकार निगमनात्मक तर्क द्वारा ईश्वर की सत्ता सिद्ध है।

हम अनुभव करते हैं कि ईश्वर की सत्ता है और वह पूर्ण है। यदि वह पूर्ण है, तो उसकी सत्ता भी अनिवार्य है। बिना सत्ता के ईश्वर की पूर्णता वदतोव्याघात है। अस्तु ईश्वर के विषय में विचार मात्र से ही उनकी सत्ता सिद्ध है। यह डेकार्ट का ईश्वर की सिद्धि हेतु सत्ता मूलक अनुभूति का तर्क है।

मेरी बुद्धि में ईश्वर के होने का विचार उत्पन्न होता है। इस विचार का कारण भी ईश्वर के समान ही पूर्ण एवं महान होना चाहिए एवं यह कारण ईश्वर ही हो सकता है अन्य नहीं। वस्तुतः इस प्रकार कार्य–कारण मूलक तर्क द्वारा डेकार्ट ने ईश्वर की सत्ता सिद्ध की है।

इसके अतिरिक्त ईश्वर की सत्ता सिद्ध हेतु में डेकार्ट ने निमित्त कारण मूलक तर्क का सहारा लिया है। यह तर्क कार्य–कारण भाव–मूलक तर्क का ही रूपान्तर है। अन्तर इतना ही है कि कार्य–कारण भाव–मूलक तर्क में बुद्धि में उत्पन्न ईश्वर की सत्ता विषयक विचार का कारण ईश्वर को ही मानकर उसकी सत्ता सिद्ध की गयी है, जबकि निमित्त कारण मूलक तर्क में ईश्वर को इस सम्पूर्ण सृष्टि का निमित्त कारण मानकर उसकी सत्ता सिद्ध की गई है।

इस प्रकार संक्षेप में डेकार्ट के चित् अचित् एवं ईश्वर की सत्ता सिद्ध करने सम्बंधी विचारों पर संक्षेप में दृष्टिपात करने पर विदित होता है कि डेकार्ट का ईश्वर आदि की सत्ता विषयक तर्क अन्योन्याश्रित है एवं इन पर अनेक शंकायें बनी हुई हैं।

डेकार्ट ने पदार्थ के निम्न तीन विभाजन किया है–

1. द्रव्य-ईश्वर, चित् (जीव), अचित् (जड़ जगत)
2. गुण
3. पर्याय

डेकार्ट का द्रव्य वह है, जिसकी अपनी स्वतंत्रता सत्ता है एवं जिसके ज्ञान के लिए अन्य की अपेक्षा नहीं होती है। इस प्रकार द्रव्य की परिभाषा मानने के कारण डेकार्ट को उक्त तीनों द्रव्यों को निरपेक्ष या पर द्रव्य एवं सापेक्ष या अपर द्रव्य के रूप में विभाजित करना पड़ा। ईश्वर ही एकमात्र स्वतंत्र एवं निरपेक्ष द्रव्य है। चित् एवं अचित् दोनों सापेक्ष द्रव्य हैं, क्योंकि ये दोनों अपने अस्तित्व के लिए ईश्वर की अपेक्षा रखते हैं। इन्हें डेकार्ट ने द्रव्य इसलिए माना, क्योंकि ये दोनों परस्पर सापेक्ष न होकर केवल ईश्वर सापेक्ष है। चित् और अचित् दोनों को इन्होंने परस्पर स्वतन्त्र एवं विरुद्ध माना है। डेकार्ट का द्रव्य सम्बन्धी यथोक्त विचार ही उन्हें क्रिया-प्रतिक्रिया के दलदल में बुरी तरह फँसा दिया। फलतः उनका दर्शन बुद्धिवाद, ईश्वरवाद, रूढ़िवाद एवं द्वैतवाद के रूप में विकसित होकर अनेक आलोचनाओं का विषय बना।

इस प्रकार द्रव्य पर संक्षेपतः विचार करने के पश्चात् डेकार्ट के गुण एवं पर्याय पर संक्षेप में विचार करना अनिवार्य है। प्रत्येक द्रव्य के गुण एवं पर्याय होते हैं। ईश्वर के अनन्त गुण एवं अनन्त पर्याय हैं। चित् का मूल गुण चैतन्य है, एवं अचित् का मूल गुण विस्तार है। चित् के गुण चैतन्य के पर्याय बुद्धि और संकल्प है। अचित् के गुण विस्तार के पर्याय गति तथा स्थिति है। चित् एवं अचित् को परस्पर विलक्षण मानने के कारण डेकार्ट द्वैतवाद की बहुत बड़ी कठिनाई में पड़ गये। इस द्वैतवाद की समस्या के समाधान हेतु, उन्होंने ईश्वर की

शरण ली, किन्तु ईश्वर द्वारा भी द्वैतवाद की इस समस्या का निराकरण नहीं हो सका। पाश्चात्य एवं पौरस्त्य सभी द्वैतवाद में यह दोष आता है, एवं कोई भी द्वैतवाद इसका उचित समाधान नहीं दे सका है। जैन का जीव-अजीव, सांख्य का पुरुष-प्रकृति, रामानुज का चित्-अचित् सभी इस दोष से युक्त है। इसका एक ही समाधान है कि दोनों को परस्पर विरोधी द्रव्य न मानकर ईश्वर का आभास मात्र माना जाय किन्तु द्वैतवादियों को यह स्वीकार नहीं है। फलतः द्वैतवादियों ने अपने-अपने ढंग से इस द्वैतवाद की समस्या का हल दिया है। डेकार्ट के अनुसार चित्-अचित् में परस्पर क्रिया-प्रतिक्रिया का सम्बन्ध है। एक की क्रिया से दूसरे में प्रतिक्रिया होती है। ऐसा क्यों? इसका कोई समुचित उत्तर डेकार्ट के पास नहीं है। इसके अतिरिक्त इनके सम्बन्ध में डेकार्ट ने एक और विचार दिया है। उनके अनुसार इस शरीर की एक विशेष ग्रन्थि-"पाइनियल ग्रन्थि" (pineal gland) है। यह ग्रन्थि ही जीव और शरीर दोनों की मिलन शय्या है किन्तु इसके द्वारा भी द्वैतवाद की समस्या का अन्तिम हल डेकार्ट नहीं दे सके।

संक्षेपतः यह डेकार्ट की दार्शनिक विचारधारा का परिचय है। डेकार्ट के दर्शन पर विचारोपरान्त यह स्पष्ट है कि उनका महत्व मात्र उनकी सन्देह पद्धति एवं ज्ञाता के अनिवार्य अस्तित्व-इन दो बातों के कारण है। यद्यपि इन दोनों की नींव पर डेकार्ट ने अपने दर्शन का जो महल खड़ा किया वह ढह चुका है, फिर भी इसकी नींव अब भी वैसी ही है एवं इस पर ही अनेक दार्शनिकों की दार्शनिक विचारों का सृजन हुआ और होता रहेगा।

डेकार्ट की इन विचारधाराओं का स्पिनोजा पर बड़ा ही प्रभाव पड़ा है। स्पिनोजा का दर्शन एक प्रकार से डेकार्ट की दार्शनिक विचारधाराओं का संशोधित सुव्यवस्थित एवं बृहद् रूप कहा जाय तो ऐसा कहना अयथावत न होगा। स्पिनोजा ने डेकार्ट के समान दर्शन की पद्धति सन्देह को साधन मानकर चलना स्वीकारा। दर्शन सत्य की खोज है, तथा सत्य के स्वतः सिद्ध और प्रमाणजन्य दो रूप हैं, इसको भी डेकार्ट के समान ही माना। ज्ञाता की स्वतः सिद्धता और स्वप्रकाशता की अनिवार्यता भी

डेकार्ट के समान पूर्णतया स्पिनोजा में परिलक्षित हुई। इस प्रकार हम देखते हैं कि स्पिनोजा ने डेकार्ट की कुछ बातों को प्रायः मूलतः स्वीकारा। इसके साथ ही साथ स्पिनोजा ने डेकार्ट के दर्शन की कुछ बातों को संशोधित एवं परिमार्जित करते हुए अपने ढंग से अभिव्यक्त किया है। पदार्थ को डेकार्ट के समान द्रव्य, गुण एवं पर्याय में विभक्त करते हुए भी स्पिनोजा ने मात्र द्रव्य की ही स्वतन्त्र सत्ता एवं निरपेक्षता का प्रतिपादन किया। यह द्रव्य ही उनका "ईश्वर" है। यही सत् निर्विकल्प एवं निगुर्ण है तथा गुण एवं पर्याय को स्पिनोजा ने ईश्वराश्रित बताकर उनकी स्वतन्त्र सत्ता को अस्वीकारा है। इसी प्रकार स्पिनोजा ने डेकार्ट के द्वैतवाद को संवार करके अद्वैतवाद में परिवर्तित कर दिया। डेकार्ट के ईश्वरवाद को इन्होंने सर्वेश्वरवाद में परिवर्तित कर दिया। डेकार्ट के क्रिया-प्रतिक्रियावाद को स्पिनोजा ने समान्तरवाद में परिणित कर दिया। इस प्रकार ग्रीक युग से लेकर ब्रूनो के समय तक पाश्चात्य दर्शन विभिन्न दार्शनिकों के विचारों के आरोहावरोह के परिणामस्वरूप समन्वित रूप में आधुनिक युग के दर्शन के रूप में प्रस्फुटित हुआ जिसको डेकार्ट ने अपनी दार्शनिक विचारधारा से बहुत कुछ संवार एवं सजाकर नया रूप दिया, किन्तु इनकी दार्शनिक विचारधारा भी यथोक्त अनेक कमियों एवं विवादों का विषय बनी जिसे बहुत कुछ स्पिनोजा ने संशोधित एवं परिमार्जित किया। इस प्रकार स्पिनोजा तक पहुँचकर पाश्चात्य दार्शनिक विचारधारा बहुत कुछ वैज्ञानिक एवं तर्कपूर्ण रूप लेकर दार्शनिकों के लिए परिमार्जित एवं अनेक विवादों से रहित होकर अद्वैतवाद के रूप में प्राप्त हुई। अब स्पिनोजा के दार्शनिक विचारधाराओं के उद्भव एवं विकास के ऊपर संक्षेपतः उपर्युक्त प्रकारेण विचार करने के पश्चात् शोध विषय के अगले अध्याय पर विचार करना समीचीन होगा।

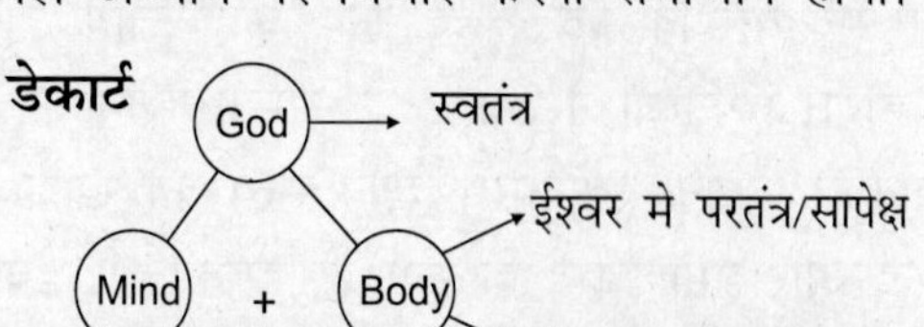

स्पिनोजा के दर्शन में सत् का स्वरूप

स्पिनोजा पाश्चात्य दर्शन में अपना प्रमुख स्थान रखते हैं। ये विलक्षण तथा प्रतिभाशाली थे एवं गणित, दर्शन के प्रकाण्ड विद्वान थे। दर्शन को मात्र नट–विद्या न मानकर इन्होंने इसके व्यावहारिक पक्ष पर बल दिया है तथा अपने सिद्धान्तों को जीवन में उतारने का प्रयास किया है। उनका प्रसिद्ध दार्शनिक ग्रन्थ ETHICA है। स्पिनोजा के दर्शन पर निकोलस, ब्रूनो एवं डेकार्ट का बहुत अधिक प्रभाव पड़ा है। स्पिनोजा के दर्शन की नींव ब्रूनो के सर्वेश्वरवाद एवं डेकार्ट के बुद्धिवाद पर पड़ी हैं। इनका दर्शन विशेष रूप से डेकार्ट के विचारों से प्रभावित है।

स्पिनोजा ने डेकार्ट के मूल विचारों को ही अपने ढंग से विकसित एवं पल्लवित किया है। डेकार्ट के समान उन्होंने दर्शन सत्य की खोज है, सत्य के स्वतः सिद्ध और प्रमाणजन्य दो रूप हैं – दर्शन की पद्धति सन्देह को साधन मानने की है – आदि को स्वीकारा है। डेकार्ट के समान पदार्थ को इन्होंने भी द्रव्य, गुण, पर्याय में विभक्त किया है, किन्तु डेकार्ट के दर्शन में जो कमियाँ थीं, उसको इन्होंने सुधारने का प्रयास किया। डेकार्ट ने आत्मा को स्वतः सिद्ध और स्वःप्रकाशवान माना, किन्तु इन्होंने आत्मा और जीवात्मा के अन्तर को नहीं समझा और स्पिनोजा ने आत्मा के स्वरूप को समझकर उसको परमात्मा और अद्वैत के रूप में अभिहित किया। यह आत्मा या परमात्मा ही स्वतः सिद्ध और स्वःप्रकाश है जीवात्मा नहीं। डेकार्ट का द्रव्य–पर द्रव्य एवं अपर द्रव्य तथा चेतन द्रव्य एवं विस्तृत द्रव्य के द्वैत के दलदल में फँस गया है। स्पिनोजा ने इस असंगत द्वैत को ठुकराकर उसे संशोधित रूप में स्वीकारा है। इन्होंने द्रव्य को स्वतन्त्र सत्ताशील मानते हुए एकमात्र ईश्वर को ही द्रव्य के रूप में स्वीकार किया है, क्योंकि केवल ईश्वर की ही स्वतन्त्र सत्ता है। स्पिनोजा ने डेकार्ट के **चित् और अचित् को द्रव्य के पद से उतारकर गुण के रूप में स्वीकारा।** उनके अनुसार चित् और अचित् दोनों ईश्वर के गुण हैं। इस प्रकार स्पिनोजा ने डेकार्ट के द्वैतवाद को समाप्त कर अपने अद्वैतवाद की स्थापना की है।

स्पिनोजा के दर्शन में द्रव्य गुण और पर्याय अपने प्रमुख स्थान रखते हैं। इन तीनों में भी मुख्य द्रव्य ही है। स्पिनोजा के अनुसार द्रव्य की ही अपनी स्वतन्त्र सत्ता है और यह अपने ज्ञान के लिए अन्य किसी की अपेक्षा नहीं रखता। द्रव्य के अतिरिक्त गुण और पर्याय की स्वतन्त्र सत्ता स्पिनोजा को स्वीकार नहीं है। इनके अनुसार गुण द्रव्य का स्वरूप धर्म तथा पर्याय द्रव्य का परिणामी धर्म है। ये तीनों एवं इनमें भी द्रव्य ही स्पिनोजा के दर्शन का सर्वस्व है। स्पिनोजा का द्रव्य ही उनके दर्शन का सत् है। यह उनका ईश्वर है। यही उनका परमात्मा है। अस्तु अब हम स्पिनोजा के दर्शन के सर्वस्व द्रव्य एवं उसके बाद गुण एवं पर्याय आदि पर संक्षेपतः विचार करेंगे।

स्पिनोजा

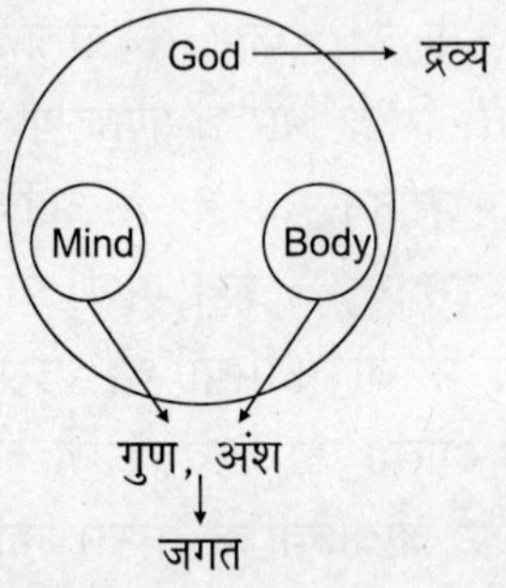

लाइबनित्ज

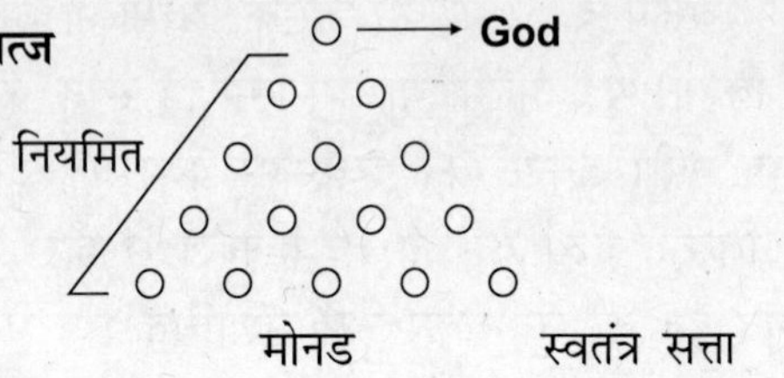

■■■■

अध्याय 7
धार्मिक भाषा का स्वरूप

प्रस्तावना

धार्मिक भाषा के संदर्भ में यदि पाश्चात्य दर्शन का अवलोकन किया जाए तो यह दृष्टिगोचर होता है कि कहीं-न-कहीं समकालीन पाश्चात्य जगत में ऐसे दार्शनिक हुए। जिन्होंने धार्मिक भाषा का विश्लेषण कर उसके यथार्थ स्वरूप को प्रकट करने का प्रयास किया। साथ-ही-साथ धार्मिक कथन के माध्यम से धर्म दर्शन में व्याप्त रूढ़िवादी अवधारणाओं को वैज्ञानिक आधार पर परिष्कृत करने का भी कार्य किया था। मुख्य रूप से विश्लेषणवादी दार्शनिक इसको परिभाषित करते हुए कहते हैं कि दर्शन वह क्रिया है जिसके माध्यम से वाक्य एवं कथनों का अर्थ स्पष्ट किया जाता है। यह दर्शन का अंग होने के कारण धर्म-दर्शन पर भी इसका प्रभाव पड़ता है, परिणामस्वरूप समकालीन धर्म-दर्शन का लक्ष्य ईश्वरीय सत्ता आत्मा की अमरता, आदि को प्रमाणित करना न होकर धार्मिक कथन एवं प्रत्यय का विश्लेषण कर इसके यथार्थ स्वरूप अर्थ एवं कार्य का स्पष्टीकरण करना है।

यहां यह उल्लेखनीय है कि मध्यकालीन दार्शनिक थॉमस एक्विनास ने भी धार्मिक भाषा के संदर्भ में अपने विचार व्यक्त किए हैं। अत: धार्मिक भाषा का विवेचन पूर्णतया नया नहीं माना जा सकता है। धार्मिक भाषा का निर्माण धार्मिक वाक्यों से होता है। जिन वाक्यों या कथनों से धार्मिक व्यक्ति अपनी आस्था, श्रद्धा, भावना एवं समृद्ध को प्रकट करता

है उसे ही धार्मिक भाषा कहा जाता है। अतः स्पष्ट है कि धार्मिक व्यक्ति अपने उपासक की उपासना, प्रार्थना, व्याख्या उपदेश, प्रवचन और धार्मिक कथा के लिए जिस भाषा का प्रयोग करता है।

धार्मिक भाषा का स्वरूप

भूमिका → 1. सामान्यतः इस प्रकार की भाषा मनुष्य के आस्था, श्रद्धा, विश्वास पर आधारित होती है।
2. इसका सम्बन्ध सामान्यतः मनुष्य के आन्तरिक अभिव्यक्ति पर आधारित दिखाई पड़ता है।

↓

सम्बन्ध → धार्मिक व्यक्ति हो

↓

विषयवस्तु → ईश्वर, आत्मा, मोक्ष, अमरता, पुनर्जन्म

↓

अभिव्यक्ति → कथा, कीर्तन, भजन, प्रार्थना, पुजा-पाठ

↓

उदाहरण → 1. ईश्वर दयालु है।
2. ईश्वर हमारा पिता है।

↓

विभिन्न सिद्धान्त → सामान्युमान एवं प्रतिमात्मक सिद्धान्त के आधार (एक्वीनाश)
1. निषधात्मक विधि → अज्ञेयवाद
2. साहय्यता
3. भावात्मक विधि

→ संज्ञानात्मक सिद्धान्त

→ असंज्ञानात्मक सिद्धान्त

→ अर्द्धसंज्ञानात्मक सिद्धान्त → परम सिद्धता के आधार पर
1. कुछ ज्ञान मिलता है
2. अस्पष्ट ज्ञान का प्रकार माना जाता है।

→ प्रतीमात्मक सिद्धान्त → प्रतीक के माध्यम से (पॉल तिलिख)

↓

आलोचना → धार्मिक भाषा का वैज्ञानिकता से प्रमाणिक न होना

→ व्यवहारिक स्तर पर इनका प्रमाणिक न होना

→ मानसिक आधार पर प्रमाणिकता

↓

महत्व → यहाँ साधारण भाषा एंव धार्मिक भाषा के बीच के भेद को समाप्त कर मनुष्य की आन्तरिक अभिव्यक्ति को उजागर करना है।

↓

उसे ही धार्मिक भाषा कहा जाता है, जैसे ईश्वर परम दयालु है, ईश्वर सर्वशक्तिमान है, ईश्वर हमारा पिता है, यह सारे उदाहरण धार्मिक

भाषा के मूल स्वरूप को स्पष्ट करने का कार्य करते हैं। समग्रता में देखा जाए तो धार्मिक भाषा साधारण एवं वैज्ञानिक भाषा से एक अद्वितीय कोटि की भाषा है, वह अनन्त है। इसकी सत्ता अनन्त है, क्योंकि जिस सत्ता के लिए इसका प्रयोग किया जाता है। वह भी अनंत है। धार्मिक भाषा के स्वरूप निरूपण के क्रम में धर्म दर्शन में महत्वपूर्ण तीन सिद्धांत दिखाई पड़ते है।

धार्मिक भाषा का अर्थ

विश्व के प्रत्येक धर्म में भाषात्मक अभिव्यक्ति होती है, और उनकी अपनी कुछ विशिष्टता होती है, अब इन सभी विशिष्टताओं का विश्लेषणात्मक अध्ययन किया जाए तो यह परिलक्षित होता है कि यहां उनकी सार्थकता एवं निरर्थकता दोनों पर प्रश्न उठता है। यही धार्मिक भाषा की समस्या के रूप में जाना जाता है। धार्मिक वाक्य का तर्कमूलक व्याख्या करना उसके भाव के साथ तर्क के आधार पर इंद्रिय अनुभव के द्वारा सत्यापन सिद्धांत के द्वारा उसके सभी पक्षों का मूल्यांकन करना है। इसका यथार्थ विश्लेषण होगा अतः स्पष्ट है कि यह धार्मिक भाषा की समस्या का एक दूसरा स्वरूप सामने आता है। धार्मिक भाषा का संबंध धार्मिक ज्ञान पर निर्भर करता है। हमें निर्विवाद रूप से यह स्वीकार करने में कोई संकोच नहीं होता है कि धर्म मानव संस्कृति का महान सत्य और तथ्य है। मानव जन्म के साथ ही साथ धर्म का जन्म स्वीकार करना पड़ता है।

उसका प्रारंभिक रूप चाहे जैसा भी हो, परंतु धर्म के सार्वभौमिक रूप को देखकर तो यही निष्कर्ष निकाला जा सकता है कि मानव जाति के साथ धर्म और संस्कृति का एक गहरा संबंध है। जिसे किसी भी दशा में अलग करके मूल्यांकित नहीं किया जा सकता है।

धार्मिक भाषा का वैज्ञानिक विश्लेषण करना उचित नहीं लगता है, क्योंकि धार्मिक भाषा में जो वाक्य भाव प्रकट करते हैं। संज्ञानात्मक वाक्य कहे जाते हैं, क्योंकि उसके द्वारा किसी व्यक्ति वस्तु के भागों का वर्णन नहीं किया जाता है। इसमें आज्ञा शब्दों से सूचक, अनुप्रेरक

धार्मिक कथनों में धार्मिक ज्ञान की अभिव्यक्ति होती है, जो सामान्यतः मनुष्य के हृदय से उत्पन्न होती है। इसमें पारलौकिक विषय-वस्तु को मुख्य रूप से आधार बनाकर विश्लेषण करने का प्रयास किया जाता है। इसके लिए कुछ तर्क इस प्रकार हैं–

1. सत्ता का बोध होना तर्कमूल्क भाषावादी

धार्मिक कथनों को संवेगप्रेरक या भावप्रेरक वाक्य कहते हैं, जैसे ईश्वर से प्रेम करने से आनंद मिलता है, अर्थात् ईश्वर से प्रेम करने में जो आनंद का भावात्मक सुख मिलता है। उसको मनुष्य अपनी संवेदना से महसूस कर सकता है, उसको अभिव्यक्त नहीं कर सकता है। उदाहरण के लिए यदि ईश्वर बड़ा दयावान है, तो उसकी दयालुता के गुण को भी हम केवल महसूस कर सकते हैं, अभिव्यक्त नहीं कर सकते हैं। अतः हम कह सकते हैं कि धार्मिक कथन संज्ञानात्मक होते हैं, जो भाव को परिलक्षित करते हैं।

2. धार्मिक कथन और भाव अभाव सूचक होते हैं।

धार्मिक व्यक्ति ईश्वर के संबंध में भाव सूचक वाक्यों का प्रयोग करते हैं, जैसे ईश्वर सृष्टि का रचयिता है। उसके अनुरुप व्यवहार भी करते हैं, इससे ईश्वर के विषय के ज्ञान का बोध होता है। ऐसे वाक्य संज्ञानात्मक होते हैं।

3. ईश्वर की सत्यता और असत्यता का ज्ञान प्रदान करते हैं।

इसके अंतर्गत एकेश्वरवाद केवल एक ईश्वर का सत्य सिद्ध करता है तथा अन्य देवी-देवताओं का खंडन करता है। यह अनेक धर्म वाले अपने ही धर्म में भगवान को सत्य मानते हैं और दूसरे के धर्म में व्याप्त ईश्वर को असत्य सिद्ध करते हैं। धार्मिक कथनों क्रे सत्य-असत्य शब्दों को प्रयुक्त करने से प्रतीत होता है अतः धार्मिक ज्ञान संज्ञानात्मक होते हैं।

4. धार्मिक कथन ईश्वर के गुण का बोध कराते हैं।

समग्रता में देखा जाए तो धार्मिक कथन कहीं-न-कहीं ईश्वर के गुण एवं उसके स्वरूप आदि का मूल्यांकन कराते हैं। इस प्रकार हम

कह सकते हैं कि धार्मिक कथन/मुख्य रूप से मनुष्य के भाव को मूल्यांकित करने का प्रयास करते हैं।

इस संदर्भ में निष्कर्षत: यह कहा जा सकता है कि संज्ञानात्मक और असंज्ञानात्मक का प्रश्न विवादास्पद है, क्योंकि इसमें ऊपर से धार्मिक कथन संज्ञानात्मक लगते हैं, परंतु केवल ऊपर से देख कर ही हम इन कथनों को संज्ञानात्मक नहीं कह सकते हैं, अनेकेश्वरवादी धार्मिक कथनों को और संज्ञानात्मक कथनों को स्वीकार नहीं करते हैं।

कुछ दार्शनिक तो धार्मिक कथनों को असंज्ञानात्मक ही मानते हैं। यहाँ ज्ञातव्य है कि धार्मिक कथनों असंज्ञानात्मक कहने का अर्थ यह नहीं है कि यह निरर्थक है, बल्कि यह तर्कमूलकभाववादी है। इसे केवल भाव प्रेरक मानकर निरर्थक नहीं माना जा सकता है।

धार्मिक भाषा के लक्षण

धार्मिक भाषा के सभी पदों का समग्रता में अवलोकन किया जाए तो यह दृष्टिगोचर होता है कि इसके अनेक लक्षण दिखाई पड़ते हैं, जो मनुष्य के भावात्मक अभिव्यक्ति को स्पष्ट करने का कार्य करते हैं, जिस के कुछ प्रमुख लक्षण इस प्रकार हैं।

1. धार्मिक भाषा का ज्ञान प्रत्ययात्मक होता है।

समग्रता में देखा जाए तो प्रत्येक पद और कथन के संबंध में स्पष्ट करने का कार्य प्रत्यय द्वारा किया जाता है। इसके माध्यम से ज्ञान की अभिव्यक्ति होती है। कोई वाक्य शब्द के माध्यम से अर्थ या उस विषय के शान को सूचित करता है, इसे ही हम धार्मिक भाषा के अंतर्गत संज्ञानात्मक ज्ञान कहते हैं। यह संज्ञानात्मक होकर तथ्यों की यथार्थता को बतलाता है। धार्मिक वाक्य में प्रयुक्त शब्द तथा संप्रत्यय जैसे ईश्वर, अल्लाह, राम, कृष्ण, आदि किसी देवी-देवता की सूचना देते हैं। क्या यह सूचनाएं भी सांसारिक वस्तुओं के समान होती हैं? अत: यह एक प्रकार की धर्म दार्शनिक चिंतन का प्रमुख आधार माना जाता है। इस

प्रकार के भाव को स्पष्ट करने का कार्य धार्मिक भाषा के अंतर्गत ही किया जाता है।

2. धार्मिक भाषा का जटिल स्वरूप

समग्रता में देखा जाए तो धार्मिक भाषा तथ्यों एवं वस्तुओं के संबंध में तथ्यात्मक एवं भाव विषयक तथ्य को स्पष्ट करने का कार्य करती है। अतः इस संदर्भ में इसके वाक्य अत्यंत जटिल हो जाते हैं। जिनका विश्लेषण करना अत्यंत कठिन हो जाता है। इसी आधार पर धार्मिक वाक्यों को तीन भागों में बांट जाता है–

1. संज्ञानात्मक वाक्य
2. असंज्ञानात्मक वाक्य
3. अर्धसंज्ञानात्मक वाक्य

इन्हीं के आधार पर इसके मूलभूत सिद्धांत की व्याख्या किया जाता है। जिनका आगे हम विश्लेषण करेंगे जो सामान्यतः मनुष्य के तर्क के आधार पर न होकर आस्था के आधार पर मनुष्य के आंतरिक अभिव्यक्ति को उजागर करने का कार्य करते हैं।

जिसके कारण उसका अनुभव के साथ संबंध जोड़ने में अत्यंत जटिलता दिखाई पड़ती है। इस प्रकार हम देखते हैं कि धार्मिक भाषा के युग्म लक्षण दिखाई पड़ते हैं। इसके बावजूद भी धर्म दर्शन में धार्मिक भाषा की प्रासंगिकता और अधिक बढ़ जाती है, जब धर्म दर्शन के मूलभूत भाव को स्पष्ट करने में धर्म दर्शन अत्यंत कठिन भाग को उजागर करने का प्रयास करता है। इसी आधार पर धर्म दर्शन की कुछ विशेषताएं भी पाई जाती हैं, जो इस प्रकार हैं–

धार्मिक भाषा की विशेषताएं

1. धार्मिक भाषा सादृश्य मानसिक होती है।

धार्मिक प्रकरणों में सादृश्य अनुमान के प्रयोग की चर्चा थॉमस एक्विनास ने किया है, जो कि ईश्वर विश्वातीत माना जा सकता है।

यह निर्विकार शुद्ध सत्ता है। इसलिए एक्वीनास के अनुसार ईश्वर संबंधी कथन में सादृश्य अनुमान का प्रयोग किया जाता है। इसका कारण यह है कि साधारण दृष्टिकोण से ईश्वर के संबंध में कुछ कहने में हम असमर्थ हैं।

एक्वीनास के अनुसार जब हम किसी एक ही शब्द को असीम ईश्वर तथा ससीम मनुष्य के लिए प्रयुक्त करते हैं, तो उस शब्द का अर्थ दोनों के लिए एक नहीं रह जाता है, जैसे हम कहते हैं कि ईश्वर दयालु है। अतः इस सन्दर्भ में मनुष्य एवं ईश्वर के बीच संबंध को स्पष्ट करने के लिए सदृश्य अनुमानित प्राक्कथन का प्रयोग किया जाता है। यहां सदृश्य अनुमानित कथन को इसलिए प्रयुक्त किया गया है, क्योंकि ईश्वर और मानव की दया में अवश्य ही कुछ संबंध है, परंतु दोनों एक दूसरे से अभिनय है। यहाँ यह भी नहीं कहा जा सकता है कि यहाँ दया शब्द दोनों ही स्थान में प्रयुक्त हुआ है, परंतु दोनों की स्थिति में अनेक अर्थ के प्रश्न उठ खड़े हो जायेंगे।

2. धार्मिक भाषा प्रतीकात्मक होती है

इस मत के प्रतिपादन में पाँल तिलिक का नाम सर्वोपरि लिया जाता है। धार्मिक भाषा का विशिष्ट रूप से सर्वेक्षण करने के पश्चात् इन्होंने यह सिद्ध करने का प्रयास किया कि धार्मिक भाषा प्रतीकात्मक होती है। उनके परम सत्ता का अनुभव अलौकिक जगत में नहीं किया जा सकता है। इसे केवल धर्म के अंतर्गत केवल प्रतीकात्मक रूप से ही अभिव्यक्त किया जा सकता है। इस प्रकार हम देखते हैं कि परम सत्य की अभिव्यक्ति प्रतीकात्मक भाषा से ही संभव है।

अतः स्पष्ट है कि धर्म की भाषा प्रत्यक्ष न होकर प्रतीकात्मक होती है। धर्म की भाषा के प्रतीकात्मक होने का कारण यह है कि हमारे परम सत्य का ज्ञान करने का कोई प्रत्यक्ष साधन नहीं है, क्योंकि भाषा केवल लौकिक जगत की विषय-वस्तु कोई स्पष्ट एवं परिलक्षित कर सकती है। अलौकिक जगत की वस्तुओं को स्पष्ट नहीं कर सकती है।

3. धार्मिक भाषा में प्रतीकों की प्रयोग विधि

समग्रता में देखा जाए तो धार्मिक भाषा के अंतर्गत जब पारलौकिक विषय-वस्तुओं का विश्लेषण करना शुरू करते हैं, तो यह स्पष्ट हो जाता है कि परम सत्ता जैसी विषय वस्तु दिखाई नहीं पड़ती है। इसीलिए कहीं-न-कहीं पारलौकिक होने के कारण हम उसे केवल अपने प्रतीक के माध्यम से ही अभिव्यक्त करते हैं। जैसे ईश्वर, अल्लाह, ब्रह्मा, विष्णु, आदि यहां सब नाम केवल उस ईश्वर के प्रतीकात्मक स्वरूप हैं। जिसे हम अपने कथन में अभिव्यक्त करके निरूपित करने का कार्य करते हैं। इसके अलावा धर्म की भाषा को केवल कह सकते हैं, जो अभिव्यक्ति के आधार पर ही किसी विषय वस्तु को अभिव्यक्त करने का प्रयास करती है।

4. धार्मिक भाषा में विरोधाभास

समग्रता में देखा जाए तो धार्मिक भाषा में अनेक प्रकार के विरोधाभास भी पाए जाते हैं, क्योंकि धर्म ग्रंथ एवं संतों की वाणी में अनेक प्रकार के विरोध दिखाई पड़ते हैं। जिस प्रकार से हिंदू धर्म बाइबिल इत्यादि में ईश्वर के स्वरूप की उपासना की गई है एवं सगुण स्वरूप की उपासना की गई है।

वहीं कबीर जैसे संत ने निर्गुण ईश्वर के स्वरूप की व्याख्या करते हुए उसमें व्याप्त कर्मकांडिओं की अवहेलना को उजागर करने का प्रयास किया है। समग्रता में देखा जाए तो उपनिषद में त्याग से भोग का विशिष्ट महत्व एवं प्रसंग दिखाई पड़ता है, जबकि पाश्चात्य जगत में इस प्रकार की अवधारणा नहीं दिखाई पड़ती है। कहीं-न-कहीं यह स्पष्ट हो जाता है कि धार्मिक भाषा के अंतर्गत उनकी व्याख्या में अनेक विविधता दिखाई पड़ती है।

धार्मिक कथन क्या सार्थक हैं?

धार्मिक कथन की विशेषताएं एवं भाषा के अन्य कथन का वाक्य से उसकी विभिन्नता देखने के बाद जब हम समग्रता में सामान्य जीवन में

अनेक क्षेत्रों में भाषा का प्रयोग करते हैं, तो धार्मिक भाषा का अपना विशिष्ट रूप और स्थान दिखाई पड़ता है, इसका अर्थ पूर्णता में भी कुछ विशिष्टता दिखाई पड़ती है। धर्म के विभिन्न आयाम में सामाजिक, दार्शनिक, नैतिक एवं आध्यात्मिक आयाम महत्वपूर्ण माने जाते हैं।

इन चारों आयामों में आध्यात्मिक पक्ष, धार्मिक भाषा के संदर्भ में एकात्मक से संबंध जोड़कर धर्म-दर्शन में व्याप्त रूढ़िवादी नीति परंपराओं की व्याख्या करने का कार्य करता है। अंततोगत्वा धर्म-दर्शन परम सत्य की अनुभूति से संबंधित होता है। लोग सोच-समझ कर्म सत्ता को केवल संवेग के माध्यम से महसूस कर अभिव्यक्त करने का कार्य करते हैं, जो एक प्रकार से लौकिक जगह में तथा अनुभव जन्य के परिप्रेक्ष्य में पागलपंथी ही नजर आती है, जबकि वैज्ञानिक विश्लेषण के अनुसार जब हाइड्रोजन एवं ऑक्सीजन के अणु आपस में मिलाकर जल का निर्माण करते हैं, तो इस विषय-वस्तु को शायद वैज्ञानिक इस प्रकार विचार करते हैं, क्योंकि जल की वास्तविक प्रकृति हमारी प्यास को बुझाना है जो विभिन्न गैसों के मिश्रण से संभव नहीं है।

इस प्रकार जीवन के रूप में जो दिखाई दे रहा है। अनुभवात्मक न होते हुए भी वास्तविकता से परिपूर्ण है। इस प्रकार अनुभवात्मक जल में प्यास तृप्ति का गुण दृष्टिगोचर नहीं होता है। इसकी कुछ विशेषताएं इस प्रकार हैं–

1. उसी प्रकार परम सत भावात्मक जगत में दृष्टिगोचर नहीं दिखाई पड़ता है। इस प्रकार हम देखते हैं कि धार्मिक कथन की भाषा वाक्य और अर्थपूर्ण सामान्य भाषा पर आधारित नहीं दिखाई पड़ती है।
2. धार्मिक वाक्य और विश्लेषणात्मक वाक्य धर्म दर्शन के अंतर्गत विश्लेषणात्मक वाक्य कहलाते हैं। जिसमें केवल धार्मिक वाक्य के उद्देश्य का केवल विश्लेषण होता है, जैसे यह लाल मिर्च है, इसमें लाल उद्देश्य की विशेषता को उजागर करने का कार्य करता है। विश्लेषणात्मक वाक्य आवश्यक

स्वयं अनिवार्य होते हैं, क्योंकि ऐसे वाक्य में **विधेय को उद्देश्य के प्रयोग में अस्वीकार नहीं किया जा सकता है।** यदि ऐसा करते हैं, तो आत्मविरोधी होगा, जो तार्किक दृष्टिकोण से उचित नहीं होगा।

3. **धार्मिक भाषा के वाक्य संश्लेषणात्मक भी होते हैं।** संश्लेषणात्मक वाक्य उसे कहते हैं। जहां विधेय में उद्देश्य के संबंध में कोई नई बात कही जाती है, जैसे कमरे में चटाई है इसमें विश्लेषणात्मक वाक्यों की तरह अनिवार्यता तो नहीं होती है, परंतु इनका सत्य इंद्रिय अनुभव पर निर्भर करता है। सामान्य दैनिक जीवन में हम इस प्रकार के कथन में अविश्वास नहीं कर सकते हैं, क्योंकि दैनिक जीवन में इसका अनेक उदाहरण देखने को मिलता है, जहां से स्पष्ट हो जाता है कि धार्मिक भाषाएं संश्लेषणात्मक वाक्य के रूप में मनुष्य के भाव को उजागर करने का कार्य करती हैं। जहां वेटगेस्ट्रीन का कथन अत्यधिक उपयोगी एवं स्पष्ट दिखाई पड़ता है कि धार्मिक भाषा संश्लेषणात्मक होती है।

4. **धार्मिक भाषा नैतिक वाक्य के रूप में।** धर्म दर्शन के अंतर्गत देखा जाए तो धार्मिक भाषा सामान्यतया नैतिक भाव को ही उजागर करने का कार्य करते हैं, क्योंकि झूठ मत बोलो, पाप होगा, किसी को दंड न दो, किसी को बुरा मत बोलो, ईश्वर की शरण में जाओ, तुम्हारी मुक्ति होगी, इस प्रकार के भाव कहीं-न-कहीं नैतिकता को उजागर करने का प्रयास करते हैं।

5. **धार्मिक वाक्य उत्प्रेरक कहे जा सकते हैं।** धर्म दर्शन के अंतर्गत देखा जाए तो धार्मिक वाक्य को उत्प्रेरक के रूप में माना जाए तो कोई अतिशयोक्ति नहीं होगी, क्योंकि यह ऐसे वाक्य होते हैं, जो मनुष्य की आंतरिक अभिव्यक्ति को उजागर करते हैं, तथा उन्हीं के अनुसार वह व्यक्ति अपने कार्य में संलिप्त हो जाता है। कहीं-न-कहीं हम जब भी अपनी

अभिव्यक्ति को ईश्वर या मानसिक भाव को उजागर करने का प्रयास करते हैं, तो धार्मिक भाषा का सहारा लेते हैं, इससे स्पष्ट हो जाता है कि धार्मिक भाषा कहीं-न-कहीं मनुष्य के अंदर व्याप्त उत्प्रेरक का कार्य करती है।

धार्मिक भाषा से संबंधित कुछ महत्वपूर्ण सिद्धांत

धार्मिक भाषा वाक्यों के संदर्भ में जिस प्रकार से मनुष्य की अभिव्यक्ति को उजागर करने का प्रयास करती है। उस आधार पर धार्मिक भाषा में व्याप्त वाक्यों को तीन भागों में अभिव्यक्त किया जाता है। इसी आधार पर इस के तीन सिद्धांत भी दिखाई पड़ते हैं।

1. संज्ञानात्मक सिद्धांत: अर्थात् इसको मानने वाले संज्ञानवादी होते हैं।
2. अर्धसंज्ञानात्मक सिद्धांत: अर्थात् इसमें प्रतीकात्मक एवं सुधारवादी भाव को उजागर करने का प्रयास किया जाता है।
3. असंज्ञानात्मक सिद्धांत।

1. असंज्ञानात्मक सिद्धांत का स्वरूप

इस सिद्धांत के अनुसार धार्मिक कथन कोई तथ्यात्मक सूचना नहीं देते हैं। यह सिद्धांत के समर्थक हेयर, कारनैप, जैसे दार्शनिकों को माना जाता है। इनके अनुसार धार्मिक कथन कोई सूचना तो इक्ट्ठा नहीं करते हैं। जिसे सत्य-असत्य की श्रेणी में स्थापित किया जा सके।

इसके अनुसार धार्मिक कथन धार्मिक व्यक्ति के संवेग की अभिव्यक्ति या परामर्शात्मक कथन है। यह नैतिक कथन के समरूप माने जाते हैं। इस संदर्भ में एयर का कथन है कि तार्किक भावादीय में वही कथन सार्थक माने गये हैं, जो या तो विश्लेषणात्मक हैं या अनुभवात्मक। अभिव्यक्ति द्वारा स्थापित धार्मिक कथनों को विश्लेषणात्मक नहीं माना जा सकता है, क्योंकि ऐसा मानने पर न तो वास्तविकता की प्राप्ति होती है, और न ही नए ज्ञान की प्राप्ति होती है। पुनः धार्मिक विज्ञान धार्मिक कथन किसी भी प्रकार की अनुभव से सत्यापित नहीं

किए जा सकते हैं। धार्मिक कथनों का संबंध अनुभवातीत सत्ता से माना जाता है। ऐसे कथन न तो व्यावहारिक होते हैं, न ही सैद्धांतिक न ही सबल या निर्मल या प्रत्यक्ष। न ही प्रतिस्थापित कथन द्वारा समर्थन संभव होता है।

अतः संज्ञानात्मक दृष्टिकोण से धार्मिक कथन निरर्थक माने जाते हैं, जैसे ऐसे कथन जिसमें ईश्वर को पिता माना गया है। ईश्वर परम दयालु है, व्याकरण के दृष्टिकोण से कथन के रूप में दिखाई देते हैं, परंतु वास्तव में ऐसे कथन छद्म कथन माने जाते हैं, क्योंकि यह किसी प्रकार की सूचना नहीं देते हैं।

एयर यहां धार्मिक रहस्यवाद की अवधारणा का भी खंडन करते हैं; रहस्यवादी यह मानते हैं कि हमें ईश्वर का साक्षात् अनुभव नहीं होता है। वह इसी अनुभूति को अवर्णनीय मानते हैं। यह सामान्य अनुभूति से भिन्न एक विशिष्ट कोटि की अनुभूति पर आधारित होती है, जो निश्चित एवं सत्य नहीं माना जा सकता है। ऐयर के अनुसार रहस्यवादियों का यह मत आत्मविरोधी लगता है।

रहस्यवादी यह मानते हैं कि ईश्वर का स्वरूप रहस्यमय है। उसका ज्ञान सामान्य बुद्धि से परे है, परंतु यदि इसे मान लिया गया तो फिर वह अबोध होगा जब ईश्वर अबोधगम में होगा, तो फिर उस अनुभूति के बारे में सार्थक रूप से कुछ भी कहना संभव नहीं होगा।

इससे स्पष्ट है कि एयर के अनुसार अतिंद्रीयों से संबंधित धार्मिक कथन अबोधगम्य हैं। संज्ञानात्मक दृष्टिकोण से निरर्थक हैं। यहां यह उल्लेखनीय है कि एयर न केवल ईश्वरवाद के कथन या ईश्वर का अस्तित्व को संज्ञानात्मक दृष्टिकोण से निरर्थक मानते हैं, बल्कि यहाँ अन्य ईश्वरवादी कथनों को अस्वीकार भी करते हैं। संज्ञानात्मक दृष्टिकोण से इसे निरर्थक स्वीकार करते हैं।

एयर के अनुसार धार्मिक कथनों का केवल संवेगात्मक दृष्टिकोण से महत्व है। धार्मिक कथन धार्मिक व्यक्ति के धारणा एवं संवेग को अभिव्यक्त करते हैं, तथा दूसरे व्यक्तियों में इसे जागृत करने का प्रयास करते हैं। इस प्रकार धार्मिक कथन संज्ञानात्मक नहीं, बल्कि संवेगात्मक

दृष्टिकोण से अधिक महत्वपूर्ण दिखाई पड़ता है। इसी के आधार पर इसकी सार्थकता को कार्नेप जैसे दार्शनिक ने तीन प्रकार माने हैं–

1. पुनरुक्ति कथन
2. व्याघात कथन
3. आपत्तिक कथन

धार्मिक कथन इनमें से किसी भी कोटि के नहीं होते हैं, इसलिए कार्नेप जैसे दार्शनिक धार्मिक कथनों को संज्ञानात्मक दृष्टिकोण से निरर्थक मानते हैं। वह भी ऐयर के सामान्य दृष्टिकोण को स्वीकार करते हैं कि धार्मिक कथन संवेगात्मक कथन होते हैं एंटोनी D.D. ट्रेसी ने ईश्वर के आत्मवादी अतिप्राकृतिक सत्ता से संबंधित धार्मिक कथन की संज्ञानात्मकता के आधार पर खंडन करते हैं। यह खंडन वह मिथ्यान्वित के सिद्धांत के आधार पर करते हैं। इस सिद्धांत के अनुसार केवल कथन तथ्यात्मक दृष्टिकोण से सार्थक होते हैं, जिसे मिथ्या प्रमाणित करना संभव होता है अर्थात् आध्यात्मिक कथन होने की यह अनिवार्य शर्त है कि उस कथन के विरुद्ध कुछ ऐसे तथ्य हों जो उसे मिथ्या प्रमाणित करते हों, इस रूप में यह सिद्धांत भी सत्यापनीय सिद्धांत के समान तथ्यात्मक सार्थकता के लिए मूलतः मानवीय अनुभव पर आधारित मापदंड प्रस्तुत करता है। इन्होंने अपने इस मिथ्यापनीय सिद्धांत के संदर्भ में ऐंटोनी के धार्मिक कथन को निरर्थक सिद्ध करते हैं, क्योंकि ईश्वरवादी कहते हैं कि कोई भी तथ्य ऐसा नहीं हो सकता है, जो ईश्वर संबंधी कथन को मिथ्या सिद्ध कर दे। ईश्वरवादियों के अनुसार ईश्वर सर्वशक्तिमान् है। ईश्वर जगत का रचयिता है। यह कथन सर्वदा, सर्वत्र तथा सभी परिस्थितियों में पूर्णतः सत्य माने जाते हैं। इसी कारण इनके ईश्वर संबंधी कथन को तथ्यात्मक दृष्टिकोण से निरर्थक मानते हैं। इनके अनुसार जो कथन सभी तथ्यों के अनुरूप हो उन्हें किसी तथ्य पर निषेध नहीं किया जा सकता है।

वह वास्तव में किसी तत्व का वर्णन भी नहीं करता है। इसी कारण तथ्यात्मक दृष्टिकोण से ऐसे कथन निरर्थक माने जाते हैं, अपनी इसी मान्यता के आधार पर यह ईश्वरवादियों को चुनौती देते हुए यह प्रश्न

करते हैं कि ऐसा क्या हो सकता है या होना चाहिए जिसे आप ईश्वर के अस्तित्व तथा प्रेम के विरुद्ध प्रमाण के रूप में स्वीकार करने के लिए तत्पर होंगे। ईश्वरवादियों के समक्ष उनके द्वारा उठाए गए इस मूल प्रश्न को समकालीन धर्म दर्शन में चुनौती के रूप में स्वीकार किया गया। अपने परवर्ती दार्शनिकों ने अपनी मान्यता के आधार पर इसका उत्तर देने का प्रयास किया था।

जहां हेयर भी एयर के समान धार्मिक कथनों को असंज्ञानात्मक मानते हैं। इनके अनुसार धार्मिक कथन जीव व जगत के संदर्भ में धार्मिक व्यक्ति की एक विशेष प्रकार की अभिवृत्ति को अभिव्यक्त करता है। इन्हें यहाँ विल्कि की संज्ञा दी गई है। हेयर के अनुसार biilk एक ऐसी अभिवृत्ति है, जो किसी एक दृष्टिकोण से किसी वस्तु को देखने से प्राप्त होती है।

वस्तुतः वस्तु संबंधी एक विशेष दृष्टिकोण को अभिव्यक्त करता है। जिसमें कोई अनुभव की सार्थकता या तथ्यात्मकता की सत्यता नहीं होती है। इसलिए विल्कि के कथनों को न तो सत्य कहा जा सकता है और न ही असत्य हेयर यहां यह स्पष्ट कहते हैं कि ईश्वर में विश्वास जीवन जगत के प्रति एक विशेष प्रकार की अभिवृत्ति है। इससे संबंधित कथन तथ्यात्मक दृष्टि से अलग कोटि के परिणामस्वरूप होते हैं तथा इन्हें संज्ञानात्मक नहीं माना जा सकता है। ब्रेथवेट भी धार्मिक कथन को असंज्ञानात्मक ही स्वीकार करते हैं। उनके अनुसार धार्मिक कथा नैतिक कथन के समान होते हैं। नैतिक कथन हमारे आचरण को नियमित निर्देशित और प्रभावित करते हैं। वस्तुतः धार्मिक कथन व्यक्ति के आचरण को अभिव्यक्ति की प्रगट करने का कार्य करता है। अतः केवल इसमें धार्मिक कथन को महत्वपूर्ण माना जा सकता हैं।

2. संज्ञानात्मक सिद्धांत का स्वरूप

धार्मिक भाषा के स्वरूप के संबंध में संज्ञानात्मक सिद्धांत ऐसा सिद्धांत है, जो यह मानता है कि धार्मिक कथन तथ्यात्मक सूचना देते हैं और उन्हें कम से कम सत्यापनीया मिथ्यापनीय की सीमा में लाया जा

सकता है। M.H. हिक का कथन है कि धार्मिक कथन को संज्ञानात्मक मानना चाहिए।

यह सभी यह मानते हैं कि ईश्वर विषयक कथन तथ्यात्मक दृटिकोण से सार्थक होते हैं। यह संज्ञानात्मक होते हैं, क्योंकि यह धार्मिक कथन कुछ अलौकिक तथ्यों का वर्णन कर एक विशेष प्रकार का ज्ञान प्रदान करते हैं। हीक के द्वारा प्रस्तुत की गई मिथ्यापनीयता की कसौटी के आधार पर ही ईश्वर संबंधी कथन को संज्ञानात्मक सिद्ध करने का प्रयास करते हैं।

इनके अनुसार संसार में दुःख और कष्ट की उपस्थिति इस बात को मिथ्या सिद्ध करती है कि ईश्वर सब से प्रेम करता है, क्योंकि यह कथन मिथ्यापनीया हो जाता है।

अतः यह कथन तथ्यपरक है सार्थक है। यहाँ मिचेल यह भी स्वीकार करते हैं कि ईश्वरवादी संसार में दुःख की उपस्थिति को निश्चित एवं अनिवार्य रूप से ईश्वरीय स्वरूप के विरुद्ध नहीं माना जा सकता है, क्योंकि वह अपनी आस्था द्वारा ईश्वर में विश्वास के लिए प्रतिबद्ध है। M.H. हिक के अनुसार धार्मिक कथन को संज्ञानात्मक सिद्ध केवल सत्यापन सिद्धांत के आधार पर किया जा सकता है। ईश्वर संबंधी कथन को संज्ञानात्मक स्वीकार करते हैं। हिक के अनुसार ईश्वर का अस्तित्व है। ईश्वर इसीलिए सर्वशक्तिमान है, जैसा कथन हमारी भावना या संवेग की अभिव्यक्ति ही नहीं है, बल्कि यह ईश्वर एवं उसके गुणों का विवरण प्रस्तुत करता है।

यह मानते हैं कि मानव अपने वर्तमान जीवन के सामान्य अनुभव के आधार पर ईश्वर विषयक कथन को सत्यापित नहीं कर सकता है, क्योंकि ईश्वर अनुभवातीत है, परंतु वह मरणोत्तर उपरांत अनुभव के आधार पर ईश्वरीय कथन की तथ्यात्मकता या वास्तविकता को प्रमाणित किया जा सकता है। यहां हीक यह भी कहते हैं कि केवल वही व्यक्ति मरणोत्तर जीवन के आधार पर धार्मिक कथन को सत्यापित कर सकता है, जो ईश्वरवादी है यहाँ ईश्वर को न मानने वाले के कारण संभव नहीं है।

5. जान हिक के अनुसार Krambe भी मरणोत्तर सिद्धांत के आधार पर धार्मिक कथन की सार्थकता की व्याख्या करते हैं, मरणोत्तर सत्यापन का सिद्धांत आत्मा की अमरता की अवधारणा पर आधारित है, परंतु इस अवधारणा को मानने का कोई तार्किक आधार नहीं है। ऐसी स्थिति में मरणोत्तर सत्यापन सिद्धांत को मानने का आधार समाप्त हो जाता है।
2. हिक स्वयं यह मानते हैं कि ईश्वर रहस्यमय एवं मानव अनुभव तथा तर्क बुद्धि से परे है। ऐसी स्थिति में ईश्वर के बारे में स्पष्ट सूचनात्मक की बात को स्वीकार नहीं किया जा सकता है।

3. सादृश्यतामूलक सिद्धांत

इस सिद्धांत के अनुसार हम न तो धार्मिक कथन के संदर्भ में यह कह सकते हैं कि यह हमें ईश्वर आदि के संबंध में पुर्ण एवं स्पष्ट ज्ञान प्रदान करते हैं, और न ही हम इन्हें असूचनात्मक और संज्ञानात्मक कर सकते हैं। वस्तुतः इसमें धार्मिक सिद्धान्तों से ईश्वर आदि के संबंध में सामान्य अनुमान के आधार पर कुछ सूचना प्राप्त नहीं होती है।

थॉमस एक्विनास इस साम्यानुमान सिद्धांत का समर्थन करते हैं। इनके अनुसार ईश्वर परम सत्ता है यह विश्वातीत है, जबकि हमारी भाषा हमारी साधारण अनुभूति से संबंधित होती है, जो इस संसार से संबंध रखती है या भाषा अलौकिक वस्तु का वर्णन करने में असमर्थ है, और न ही अलौकिक सत्ता के संदर्भ में यह पूर्णतः सक्षम दिखाई पड़ती है। ऐसी स्थिति में ईश्वर संबंधी कथन के स्पष्टीकरण के संदर्भ में तीन विकल्प निकलकर सामने आते हैं–

1. नकारात्मक विधि
2. भावात्मक विधि
3. सादृश्यानुमानित विधि

अगर नकारात्मक विधि को अपनाया जाए तो सिर्फ इतना कहा जा सकता है कि ईश्वर क्या नहीं है? परंतु इससे ईश्वर का भावात्मक स्वरूप स्पष्ट नहीं होता है। इस संदर्भ में शंकराचार्य एवं स्पिनोजा का ईश्वरवादी अवधारणा विशेष रूप से उल्लेखनीय प्रतीत होती है, क्योंकि शंकराचार्य परम सत्ता के संबंध में नेति नेति की बात कह कर संबोधित करते हैं, फिर भी वे इसे अपरोक्ष अनुभूति की विषय वस्तु मानते हैं।

इस संदर्भ में स्पिनोजा का भी यह मानना है कि ईश्वर पर किसी गुण का आरोपण नहीं किया जा सकता है। ऐसा करने से ईश्वर का स्वरूप सीमित हो जाएगा। यहाँ स्पिनोजा कहते हैं कि यदि हम परम सत्ता को अंतिम रूप माने, परंतु उसके संबंध में किसी प्रकार का ज्ञान नहीं प्राप्त कर सके तो फिर वहाँ अज्ञेयवाद आ जाएगा, परंतु इसे माना नहीं जा सकता है। वस्तुतः नकारात्मक विधि ईश्वर की खोज में केवल आरंभ है, अंत नहीं माना जा सकता है। एक्वीनास के अनुसार ईश्वर के संबंध में प्रयुक्त विधेय पद को भी पूरी तरह से स्वीकार नहीं किया जा सकता है। उदाहरण के लिए ईश्वर हमारा पिता है, यह एक धार्मिक कथन है, परंतु यहां पिता शब्द को जैविक अर्थ के रूप में स्वीकार नहीं किया जा सकता है। एक्वीनास के अनुसार ईश्वर अनिवार्य सत्ता एवं विश्वातीत है।

अतः सांसारिक वस्तुओं के लिए उपर्युक्त विधेय पद का ईश्वर के लिए आंशिक प्रयोग नहीं किया जा सकता है। यदि इसे हम न माने तो भी ईश्वर मानव के स्तर पर आ जाएगा और वह सीमित हो जाएगा, सीमित ईश्वर की पूजा ही मूर्ति पूजा कहलाती है। इसीलिए थॉमस एक्विनास कहते हैं कि विधेयक पदों का न तो भावात्मक विधि से न ही नकारात्मक विधि से प्रयोग उचित है। केवल नकारात्मक प्रयोगवाद में केवल भावात्मक विधि से प्रयोग मूर्ति पूजा में परिणत होता है। इसी से बचने के लिए थॉमस एक्विनास सादृश्यानुमान सिद्धांत का सहारा लेते हैं। इसके अनुसार हम परमसत्ता को पूरी तरह से कथा नहीं कर सकते हैं।

हम केवल ईश्वर या किसी अति प्राकृतिक सत्ता का निश्चित एवं पूर्ण ज्ञान प्राप्त नहीं कर सकते हैं, परंतु परिष्कृत मानवीय गुण, ज्ञान, प्रेम, दया, एवं कार्यों के आधार पर इनकी सादृश्यता के आधार पर ईश्वरीय गुणों एवं कार्यों को भी कुछ सीमा तक जान सकते हैं। यह यद्यपि अपूर्ण ज्ञान होगा, परंतु इसे अज्ञान नहीं कहा जा सकता है। थॉमस एक्विनास के अनुसार ईश्वर विश्व का कारण है, और विश्व उसका कार्य है। कारण व कार्य में समरूपता पाई जाती है। अतः ईश्वर रचित उच्च कोटि के पदार्थ में जो गुण पाए जाते हैं। वह अवश्य ही कुछ अनुपात में ईश्वरीय गुणों को आभाषित करते हैं। अतः इन गुणों के आधार पर मानव ईश्वर का इतना ही ज्ञान अर्जित कर सकता है, जितनी दूर तक उसकी बुद्धि ईश्वर को जानने में समर्थ है।

आलोचना

ईश्वर मानव पूर्ण सृष्टि से परे माना जाता है। इन से प्रकाशित रूप से भिन्न है। ऐसी स्थिति में सामान्य अनुभूति विधि से ईश्वर के बारे में कुछ भी कहना उचित नहीं होगा। तार्किक भाववादी दार्शनिक विटेगेस्ट्रीन अपने ट्रेक्टेटस में कहते हैं कि जो कुछ कहा जा सकता है। उसे स्पष्ट रूप से कहा जा सकता है, और जहाँ कुछ नहीं कहा जा सकता है वहां मौन रहना चाहिए। कांट के अनुसार कारणता सिद्धांत वैश्विक घटनाओं की व्याख्या करने के लिए उपयुक्त है। इसके आधार पर अनुभवातीत सत्ता ईश्वर की व्याख्या नहीं की जा सकती इसलिए ईश्वर को विश्व का आदि कारण माना जाना चाहिए।

थामस एक्विनास का अर्धसंज्ञानात्मक सिद्धांत

थामस एक्विनास मध्ययुग के महान दार्शनिक माने जाते हैं, उनका संपूर्ण दर्शन ईश्वरीय ज्ञान की अभिव्यक्ति के रूप में माना जाता है। इनके धार्मिक ज्ञान स्पष्ट ज्ञान हैं, क्योंकि इसमें अतिंद्रीय ईश्वर के स्वरूप पर प्रकाश डाला जाता है, परंतु जिसके माध्यम से ईश्वर का पूर्ण बोध

नहीं हो पाता है। इन कथनों के शब्दों में इतनी शक्ति नहीं है कि इसके माध्यम से ईश्वर का संपूर्ण ज्ञान हो सके। शब्दों के माध्यम से ईश्वर का हमें अस्पष्ट ज्ञान होता है। इस स्पष्ट ज्ञान को उन्होंने प्रथम चरण का स्पष्ट प्रत्यक्ष के समान माना है। प्रत्यक्ष की प्रथम अवस्था में हमें किसी वस्तु या विषय का स्पष्ट ज्ञान होता है।

इस स्पष्ट ज्ञान को उन्होंने प्रथम चरण का अस्पष्ट प्रत्यक्ष माना है। उदाहरण के लिए हम किसी व्यक्ति के आने का संकेत तो पाते हैं, परंतु यह नहीं जान पाते हैं कि वह व्यक्ति कौन है। यह प्रत्यक्ष ज्ञान की पहली अवस्था मानी जाती है। यह अस्पष्ट ज्ञान ईश्वर या आत्मा संबंधी ज्ञान के शब्दों के माध्यम से अस्पष्ट ही रहता है। इस अस्पष्टता का कारण मनुष्य की शांत बुद्धि है। ईश्वर असीम है तथा अनंत गुणों का स्वामी है। मनुष्य ससीम है। अतः ससीम बुद्धि से असीम और अनंत परमात्मा का ज्ञान नहीं प्राप्त हो सकता है। थॉमस एक्विनास के विश्लेषण से दो आवश्यक निष्कर्ष निकलकर आते हैं–

1. इन शब्दों की शक्ति सीमित है, इसके माध्यम से असीम ईश्वर की अभिव्यक्ति नहीं हो सकती है।
2. ससीम मानव की बुद्धि असीम ईश्वर के गुणों का ज्ञान नहीं प्राप्त कर सकती है।

अतः ईश्वर का ज्ञान मनुष्य के लिए अस्पष्ट ज्ञान है। पॉल तिलिक भी अर्ध संज्ञानात्मक सिद्धांत को स्वीकार करते हैं। यह मनुष्य का ईश्वर के संबंध में महत्वपूर्ण ज्ञान है, और संज्ञानात्मक ज्ञान का नितांत अभाव है। पूर्ण ज्ञान तो हमें केवल सांसारिक तथ्यों का ही प्राप्त हो सकता है।

धार्मिक वाक्य तथ्यपरक वाक्यों से भिन्न होते हैं। अतः व्यवहारिक तथ्यों के समान धार्मिक वाक्यों का ज्ञान संभव नहीं है, परंतु इसके साथ ही यह भी सत्य है कि धार्मिक कथन पूर्णतः अपरिचित और अज्ञात नहीं होते हैं। इसी कारण धार्मिक ज्ञान को अर्ध संज्ञानात्मक के रूप में स्वीकार करते हैं। यह अवरुद्ध और सुबोध के बीच की अवस्था माना जाता है।

इसका कारण यह है कि धार्मिक भाषा तो भाषा की अभिव्यक्ति के लिए सबसे प्रबल साधन है, परंतु इस साधन का उपयोग व्यवहारिक ज्ञान तक ही सीमित है। ईश्वरीय अनुभव तथा ईश्वर संबंधी ज्ञान तो अतिंद्रीय है। अतः इनका ज्ञान भाषा या शब्दों के माध्यम से पूर्ण नहीं हो सकता है। यह केवल अनुमान के माध्यम से ही स्पष्ट किया जा सकता है।

ब्लिक की अवधारणा

धार्मिक भाषा एवं धार्मिक कथन के अंतर्गत समस्त विषय वस्तुओं का समग्रता में अवलोकन किया जाए तो यह परिलक्षित होता है कि धार्मिक वाक्य को असंज्ञानात्मक सिद्ध करने के लिए आर.एम. हेयर का महत्वपूर्ण स्थान दिखाई पड़ता है। इन्होंने अपने ब्लिक सिद्धांत के द्वारा धार्मिक बोध को संज्ञानात्मक सिद्ध करने का प्रयास किया है। यहां ब्लिक का अर्थ दृष्टिकोण विशेष है। हम इस तत्व का वर्णन देखने के स्थान पर करते हैं तथा इसे भाषा में अभिव्यक्त करते हैं। यह इंद्रियजन्य ज्ञान की वाक्यात्मक अभिव्यक्ति माना जाता है, परंतु कभी-कभी हमारा देखना दृष्टि पूर्ण होता है, अर्थात् मन में किसी भाव के आधार पर निरीक्षण और वर्णन करते हैं। अतः यह तथ्यों का तटस्थ अवलोकन और सामान्य वर्णन नहीं माना जा सकता है।

बल्कि जब हम तथ्यों का दृष्टिकोण अवलोकन करते हैं, या तथ्यों का भावात्मक वर्णन करते हैं। इनके अनुसार जो कुछ देख रहे हैं वह सत्य नहीं है, बल्कि जो देखना चाहते हैं, वह सत्य है तथा जो भी कहना चाहते हैं वही सत्य है। अतः इससे यह स्पष्ट है कि सत्य तथा हमारी तथ्य संबंधी दृष्टि अतिरंजित है। अतः सत्य और बाह्य तत्व का वर्णन हमारी अभिवृत्ति का सूचक बन जाता है। इस दृष्टि विशेष्य अभिव्यक्ति को ही ब्लिक महोदय मानते हैं। संक्षेप में इनके अनुसार वाक्य दृष्टिकोण अवलोकन है, और अतिरंजित विवरण है। इनका कहना है कि धार्मिक वाक्यों में हमारी भाषा ईश्वर से ओतप्रोत दिखाई पड़ती है।

तथ्यों का अवलोकन और विवरण जीव और जगत की दृष्टि से करते हैं। हमारी दृष्टि ईश्वर के भाव से पूर्ण होकर सभी विषय वस्तु

का अवलोकन करने का कार्य करती है। अतः जीव और जगत में हमें ईश्वर की पूर्णता ही दिखलाई पड़ती है। प्रश्न यह है कि यह दृष्टिकोण अवलोकन और भाव पूर्ण विवरण तथ्यों का विवरण कैसे हो सकता है।

तथ्यात्मक वाक्यों को हम सत्य-असत्य कह सकते हैं, परंतु तथ्य से परे ब्लिक वाक्यों को सत्य-असत्य नहीं कह सकते हैं। हेयर महोदय का कथन है कि ब्लिक सिद्धांत को एक उदाहरण द्वारा स्पष्ट किया जा सकता है, तथा कल्पना किया जाए कि कोई छात्र उन्माद की स्थिति या पागलपन की अवस्था को प्राप्त कर लिया है।

इस अवस्था में वह जो भी देखता है, जो सुनता है। उसकी व्याख्या व उन्माद रूप में ही करता है, उसके मन में यह बात अच्छी तरह से बैठ चुकी है कि सभी अध्यापक उसके परम शत्रु हैं, तथा उसका घोर विरोध करने पर उतारू रहते हैं। ऐसी अवस्था का जो प्रयोग करता है, वह छात्र को वह कटु लगता है। उसे ऐसा आभास होता है कि उसके विरुद्ध कोई षड्यंत्र किया जा रहा है।

अतः स्पष्ट है कि छात्र की दृष्टि अतिरंजित है। वह अपनी उन्माद की दृष्टि से संयंत्र कारी तथा मित्रों को शत्रु समझने लगता है कि यह स्थिति धार्मिक बोध के समय भी मनुष्य के अन्दर होती है। समग्रता में देखा जाए तो यह एक प्रकार की मनुष्य की कल्पना के आधार पर आधारित अवधारणा है, जो धार्मिक स्वतंत्रता धार्मिक भाषा की विषय वस्तु का सूक्ष्मता से अवलोकन करने का कार्य करती है, लेकिन व्यवहारिकता में इस प्रकार की पूर्णता का सदैव आभारी दिखाई पड़ता है।

तिलिख का प्रतीकवाद का स्वरूप

धार्मिक भाषा के अंतर्गत प्रतीकवाद अत्यंत महत्वपूर्ण सिद्धांत माना जाता है। इस सिद्धांत की मूल मान्यता यह है कि धार्मिक अभिव्यक्ति प्रतीकात्मक होती है, अर्थात् प्रति के माध्यम से धार्मिक भाषा को स्पष्ट किया जा सकता है। इसे शब्दों में व्यक्त नहीं किया जा सकता है, परंतु प्रतीक सदैव सक्षम नहीं होते हैं। किसी भी विषय वस्तु के मूल्यांकन

करने में प्रतीकों के माध्यम से दूर बोध सुबोध बन सकता है स्पष्ट है कि प्रति स्पष्टता के साधन हैं।

यदि हम धार्मिक विषयों को प्रकाशित करना चाहते हैं, तो प्रतीक सहारा लेना चाहिए हमें देखना चाहिए कि प्रतीक क्या है इसकी शक्ति क्या है। साधारण या सामान्य भाषा के प्रति कोचिंग समझते हैं। उदाहरण के लिए गणित में धन या ऋण के लिए ऋण का चिन्ह लगाते हैं, जबकि तर्कशास्त्र में पूर्ण व्यापी भाव वाक्य तथा पूर्ण व्यापी निषेधात्मक वाक्यों के लिए तथा जैसे चिन्हों का प्रयोग करते हैं। इसे किसी विषय का संकेत प्राप्त होता है।

अतः इसे सांकेतिक चिन्ह माना जाता है। किसी वस्तु को सांकेतिक करने के अतिरिक्त और कोई अर्थ नहीं माना जाता है। इसके अतिरिक्त कुछ व्यापक चिन्हों का प्रयोग भी करते हैं। उदाहरण के लिए (×) त्रिशूल स्वास्तिक आदि का प्रयोग धार्मिक रूप से करते हैं। किसी व्यक्ति के सूखे चेहरे को दिखला कर पेट पर हाथ प्रदर्शन कर हम भुखमरी जैसी समस्या को बतला सकते हैं, हंसते हुए, चेहरे हाथ में फूल के माध्यम से प्रसन्नता व्यक्त कर सकते हैं, पेट पर हाथ और हाथ में फूल प्रतीक है, चिन्ह नहीं। इनका संकेत अधिक व्यापक दिखाई पड़ता है। कोई व्यक्ति पीठ पर हाथ देखकर भूखमरी समझ सकता है।

अतः चिन्ह से अधिक व्यापक संकेत हैं। कुछ ऐसे प्रतीक हैं, जो गौरव तथा गरिमा के सूचक माने जाते हैं; जैसे– राष्ट्रध्वज, राष्ट्र की प्रतिष्ठा को संबोधित करता है। इसका अपमान राष्ट्रीय अपमान माना जाता है। हाथ में राष्ट्रध्वज हमें गौरवान्वित करता है। अतः प्रतीक अधिक व्यापक है। धर्म में कुछ ऐसे प्रति का प्रयोग किया जाता है, जो संपूर्ण धर्म का सार माने जाते हैं। जिनके प्रयोग के बिना धर्म निराधार दिखाई पड़ता है। उदाहरण के लिए क्रास के बिना ईसाई धर्म का यथार्थ स्वरूप नहीं परिलक्षित किया जा सकता है, क्योंकि इसके द्वारा सूली पर लटके ईसा मसीह को प्रतीक के रूप में मूल्यांकन करने का प्रयास किया जाता है। तिलिख का नाम **प्रतीकवाद** के लिए विशेष महत्वपूर्ण है। उन्होंने प्रतीक की एक नई व्याख्या का मूल्यांकन किया उनका

मानना है कि धर्म की भाषा हमें प्रतीकात्मक होती है। प्रतीक प्रतीक का प्रतिनिधित्व करता है।

दूसरे शब्दों में प्रतीक के माध्यम से प्रतीक प्रकाशित हो सकता है। यदि प्रतीक का प्रयोग न हो तो प्रतीक वस्तु दुर्बुद्धि रहेगा। सुबोध नहीं हो सकता है। इनके अनुसार धार्मिक प्रतीकों की निम्नलिखित विशेषताएं दिखाई पड़ती हैं–

1. प्रतीक लाक्षणिक होते हैं, जिस कारण लक्षण के द्वारा एक विशेष अर्थ की सूचना मिलती है। उसी प्रकार प्रतीक से किसी विशेष सत्ता की ओर संकेत किया जाता है। उदाहरण के लिए क्रास एक ऐसा प्रतीक है, जिसमें ईसा मसीह की ओर संकेत किया जाता है। इसमें ईसामसीह की मृत्यु, क्षमा, दया आदि का संकेत प्राप्त होता है। अतः प्रतीक लाक्षणिक होते हैं।
2. प्रतीकों के संकेत से अतिंद्रिय अथवा विश्वातीत सत्ता का बोध होता है, जिसे भाषा व्यक्त नहीं कर सकती है। इसमें भाषा की क्षमता और प्रतीकों की क्षमता सिद्ध हाती है।
3. प्रतीक चिन्ह से अलग होते हैं, इनके प्रयोग से किसी भाव की ओर संकेत किया जाता है, अथवा इंगित किया जाता है, परंतु प्रत्येक किसान खेती करते हैं, यह एक शक्ति है, अर्थ ग्रहण का एक उपाय है। इस शक्ति से पारलौकिक सत्ता की ओर संकेत किया जा सकता है। जहां शब्दों की शक्ति कार्य नहीं करती है। वहां प्रतीकों की शक्ति कार्य करती है। अतः यह अर्थ बोध कराने का कार्य करती है। इस प्रकार प्रतीक शक्ति ग्रहण करने का उत्कृष्ट साधन माना जाता है।
4. चिन्हों को हम इच्छा अनुसार कार्य में लाते हैं आवश्यकतानुसार उसमें परिवर्तन भी हो सकता है, परंतु प्रतीक में शक्ति निश्चित है। इसमें परिवर्तन संभव नहीं है, एक प्रतीक एक विशेष गुण का सूचक होता है। इसके लिए दूसरे प्रतीक का प्रयोग नहीं किया जा सकता है। इसके अतिरिक्त चिन्ह किसी वस्तु की

ओर इंगित करते हैं। वस्तु या चिन्ह का संबंध वस्तु से होता है, परंतु प्रतीक और प्रतीकात्मक वाक्य का संबंध आंतरिक विषय-वस्तु से होता है।

5. प्रतीक में भाव ग्रहण की शक्ति होती है, प्रतीक माध्यम से हमें प्रतीक्य के भाव को ग्रहण करते हैं, क्योंकि प्रतीक प्रतीक्य का सहभागी माना जाता है। ईसाई धर्म में ईसाई भक्त क्रास को ही सौभाग्य के रूप में स्वीकार करते हैं। यदि प्रत्येक से भाव ग्रहण नहीं होता तो प्रतीक मात्र चिन्ह बन जाता है, परंतु ईसाई धर्म के लिए या उपर्युक्त भाव को ग्रहण करने का प्रतीक माना जाता है। इसी कारण ईसाई धर्म में क्रास के अपमान से संपूर्ण ईसाई धर्म अपना अपमान समझता है। अपने ऊपर इसको अन्याय मानता है, क्रास के भाव से वह अपने को संबंध करके जोड़ता है।

6. प्रतीक की सामाजिक चेतना समाप्त हो जाती है, तो प्रतीक का अस्तित्व भी समाप्त हो जाता है, तथा सामाजिक महत्व को खोकर प्रतीक केवल चिन्ह मात्र रह जाता है। अतः प्रतीकों की उत्पत्ति तथा उसका नाश किसी समाज जाति अथवा संघ के आधीन माना जाता है। उदाहरण के लिए नात्सी समाज की चेतना स्वरूप जर्मन जाति की स्वास्तिक प्रतीक को अपनाया है, परंतु बाद में सामाजिक चेतना में परिवर्तन हुआ और सात्विक प्रतीक शक्तिदायक न होकर एक चिन्ह बनकर रह गया।

7. प्रतीक परमार्थिक अतींद्रिय सत्ता पर प्रकाश डालते हैं। इसके माध्यम से ही हम पारलौकिक तथा बौद्धिक इंद्रिय तथा बौद्धिक विषय वस्तु को समझते हैं। अतः प्रतीक अबौद्धिक और अगोचर बनाते हैं। इसका फरियाद होता है कि मानव के लिए यह अगम्य से गम्य में बन जाता है।

अतः प्रतीक प्रयोग परमार्थिक सत्ता के प्रकाशक होने के साथ-साथ मानव की समझदारी के लिए एक नया मार्ग माने जाते हैं। प्रतीक के

माध्यम से ही परमार्थिक सत्ता को जानकर उससे अपने संपर्क स्थापित करता है। प्रतीक विकास तथा विनाश के लिए उत्तरदाइ माने जाते हैं। प्रतीक धर्म का सार माना जाता है। इस सार को देखकर साधारण लोगों में धर्म के प्रति अभिरुचि पैदा होती है। इसी जागरण से धर्म का विकास होता है।

अतः धर्म के प्रचार प्रसार में प्रतीक अधिक कारगर सिद्ध दिखाई पड़ता है, परंतु समाज में इसका विपरीत प्रभाव भी दिखाई पड़ता है। अतः धर्म के प्रचार-प्रसार में प्रतीक साधक के रूप में कार्य करता है। ईसाई और बौद्ध धर्म के प्रतीक से लोगों की नई प्रेरणा जगती है, परंतु पंच कार्यों तथा अघोरियों के प्रतीक से इन लोगों में बाधा उत्पन्न होते हैं, जो धार्मिक विकास का बाधक माना जाता है।

प्रतीक के प्रकार

प्रतीक को मुख्यतः दो रूप में स्वीकार किया जाता है–

1. प्रतीक वह है, जो किसी का प्रतिनिधित्व तो करते हैं, परंतु प्रतिबंध का ज्ञान प्रतीक के अधीन नहीं है, उदाहरण के लिए किसी राजा का ध्वज उस का प्रतीक है, परतु ध्वज के बिना राजा का ज्ञान असंभव है इस प्रकार वह प्रतीक है, जो अज्ञात अतिंद्रीय तथा अदृश्यता को इंगित करते हैं। ऐसी स्थिति में प्रतीकों के बिना अज्ञात ज्ञान नहीं होगा। अदृश्य दृश्य नहीं बनेगा कला प्रतीक इसी प्रकार के होते हैं।
2. इन प्रतीकों के बिना सौंदर्य बोध नहीं हो सकता है। तिलख का कहना है कि धार्मिक प्रतीक भी कला प्रतीकों के समान ही माने जाते हैं। इन प्रतीकों के बिना अतिंद्रीय सत्ता का बोध नहीं हो सकता है। अतः धार्मिक प्रतीक अतिंद्रीय बोध के अपरिहार्य साधन माने जाते हैं। इसके अभाव में इंद्रिय जगत में ऐसा कोई साधन नहीं है, जो अतिंद्रीय सत्ता का बोध करा सके इनके अनुसार अतिंद्रीय सत्ता का संकेत ही प्रतीक का

लक्ष्य है। ईश्वर भी अतिंद्रीय धार्मिक हो सकता है। जिसे केवल प्रतीक के माध्यम से ही अभिव्यक्त किया जा सकता है। जैसे ईसा मसीह ईसाई धर्म के प्रतीक माने जाते हैं, तथा भारतीय दर्शन में अद्वैत वेदांत के सगुण शाखा के अंतर्गत भगवान कृष्ण वैष्णों अवतार में संपूर्ण भक्तिवादी समाज के लिए आदर्श माने जाते हैं। अत: ईश्वर परम सत्ता के संकेत मात्र से ही अभिव्यक्ति किया जा सकता है।

इसीलिए कहा जाता है कि धार्मिक वाक्य प्रतीकात्मक होने से तथ्यात्मक वाक्य के समान सत्य-असत्य नहीं हो सकते हैं।

निष्कर्ष: एक धार्मिक ज्ञान प्रतीकात्मक माने जाते हैं। इसका तात्पर्य है कि धार्मिक कथन अथवा धार्मिक वाक्य यथार्थ अभिव्यवक्त प्रतीक के माध्यम से ही संभव है। प्रतीकों में इतनी शक्ति होती है कि वह अतींद्रिय सत्ता को अभिव्यक्त कर संपूर्ण समाज के सामने उसके यथार्थ स्वरूप का मूल्यांकन करने का कार्य करते हैं। प्रतीकात्मक वाक्यों को साधारण वाक्यों के समान सत्य-असत्य नहीं माना जा सकता है। अत: तथ्यात्मक वाक्यों के समाज प्रतीकात्मक वाक्य संज्ञानात्मक नहीं माने जा सकते हैं। सामान्यतया देखा जाता है कि प्रतीक और स्पष्ट होते हैं, परंतु एक अतिंद्रीय सत्ता का स्पष्ट बोध कराने के रूप में प्रमुख साधन माने जाते हैं। यह पारलौकिक सत्ता से मानव का संबंध स्थापित करने का कार्य करते हैं।

प्रतीकात्मक सिद्धांत का स्वरूप

इस सिद्धांत के प्रतिपादक के रूप में पॉल तिलिख धार्मिक भाषा के संदर्भ में प्रतीकवाद को स्वीकार करते हैं। यह एक्विनास के सिद्धांत को प्रतीकवाद के रूप में परिणत कर उसको स्पष्ट करने का प्रयास करते हैं।

इनके अनुसार परम सत्ता निरूपाधिक अतीत है। यह सत्ता एक विशेष सत्ता न होकर सभी वस्तुओं का मुख्य एकमात्र आधार है। यह

ज्ञाता और ज्ञेय के भेद से परे है। परिणामस्वरूप शब्दों के माध्यम से इसका वर्णन नहीं किया जा सकता है।

अतः इस सिद्धान्त के संबंध में कुछ कहने के लिए प्रतीक का सहारा लेना पड़ता है। यह प्रतीक उस परम श्रद्धा को स्पष्ट एवं पूर्ण ज्ञान प्रदान नहीं करते हैं, बल्कि यह उसकी ओर संकेत करके उसका प्रत्यक्ष आभास या भाव जागृत करता है। हिक के अनुसार इस प्रतीक संबंधी विचार के संबंध में कुछ महत्वपूर्ण पक्ष इस प्रकार हैं–

1. धार्मिक भाषा प्रतीक प्रतिनिधिमूलक होती है। वह स्वयं अपने को इंगित नहीं करती है, बल्कि निरंतर अपने से परे सत्ता की ओर संकेत करती है। प्रतीकों के माध्यम से ही परमार्थिक तत्वों की सूचना मिलती है।
2. धार्मिक प्रतीक वही आवश्यक माने जाते हैं, जहां किसी ऐसी वस्तु की सूचना मिलती है। जिसके बारे में शब्दों से पूरी तरह से वर्णन संभव नहीं है।
3. धार्मिक प्रतीक जीव की वास्तविक सत्ता की ओर संकेत करते हैं। उन्हें प्रतीकों के माध्यम से नहीं जाना जा सकता है।
4. प्रतीक उस सत्ता में भाग लेते हैं, जिसका वे प्रतिनिधित्व करते हैं।
8. प्रतीकों से धार्मिक व्यक्ति के मन में शक्ति एवं पवित्रता का संचार होता है।
9. प्रतीक ही ससीम मनुष्य एवं असीम ईश्वर के मध्य से संबंध स्थापित करते हैं।

पॉल तिलिख का कहना है कि वह जो आदर्श है, अलौकिक है, अतीत है, वह प्रतीकों में झलक जाता है। इस रूप में उसकी वस्तुनिष्ठता की भी प्राप्ति होती है। यहां इनका यह कहना कि धार्मिक कथन को सत्य या असत्य नहीं कहा जा सकता है। निरूपाधिक अतीत कोई सीमित वस्तु की परीक्षा है वस्तु नहीं। इसलिए धार्मिक कथन की जांच किसी अनुभविक मापदंड के आधार पर नहीं की जा सकती है। इसलिए धार्मिक कथनों को शुद्ध संज्ञानात्मक भी नहीं कहा जा सकता है।

अतः प्रतीक को मुख्य रूप से दो भागों में बांट कर देखा जा सकता है, जो किसी का प्रतिनिधित्व तो करते हैं, परंतु प्रतिबंध का ज्ञान प्रति के अधीन नहीं होते हैं। उदाहरण के लिए किसी राजा का ध्वज उस का प्रतीक है, परंतु ध्वज के बिना राजा का ज्ञान संभव नहीं होगा। इस प्रकार के प्रतीक जो अज्ञात अतींद्रिय और अदृश्य की ओर इंगित करते हैं। ऐसी स्थिति में प्रतीकों के बिना अज्ञात ज्ञान नहीं होगा अदृश्य दृश्य ज्ञान नहीं होगा, क्योंकि कला प्रतीकों के बिना अज्ञात नहीं होगा इन प्रतीकों के बिना सौंदर्य बोध नहीं हो सकता है। यहां पॉल तिलिख का कथन है कि धार्मिक प्रतीक भी कला प्रतीकों के समान ही होते हैं। इन प्रतीकों के बिना अतींद्रिय सत्ता का बोध नहीं हो सकता है।

अतः धार्मिक प्रतीक अतींद्रिय बोध के अपरिहार्य साधन हैं। इसके अभाव में इंद्रिय जगत में ऐसा कोई साधन नहीं है, जो अतींद्रियों का बोध करा सके। इनके अनुसार अतींद्रिय सत्ता का संकेत ही प्रतीक का लक्ष्य है। ईश्वर भी धार्मिक प्रतीक है, क्योंकि ईश्वर अतींद्रिय सत्ता को केवल संकेत करता है। इसी कारण सभी ईश्वरवादी धर्म धार्मिक प्रतीक माना जाता है। उदाहरण के लिए ईसाई धर्म में ईसा मसीह को धर्म का प्रतीक माना जाता है, क्योंकि इनको विश्वातीत परम सत्ता का संकेत प्राप्त हुआ था अद्वैत वेदांत में सगुण ईश्वर को निर्गुण ब्रह्म का प्रतीक माना जाता है, क्योंकि ईश्वर परम सत्ता को संकेत करता है, परंतु यह संकेत स्पष्ट नहीं है, तथ्यात्मक वाक्यों के समान सत्य-असत्य नहीं हो सकते हैं। इस प्रकार हम देखते हैं कि इन्होंने धार्मिक भाषा के वास्तविक स्वरूप को प्रतीक के माध्यम से स्पष्ट करने का प्रयास किया जो पूर्व में व्याप्त सभी अवधारणाओं में तार्किक और उचित माना जाता है।

आलोचना

यदि निरपेक्ष रूप में इसकी सत्ता को सूक्ष्मता से देखा जाय तो यह अतीत सत्ता अनुभव अतीत सत्ता एवं अज्ञेय के रूप में दिखाई पड़ता है, तो फिर धार्मिक प्रतीकों के माध्यम से उसे जानने की बात निराधार

लगती है। यहां हम निश्चित रूप से यह नहीं कह सकते हैं कि यह प्रतीक उसकी ओर कैसे संकेत करते हैं। यह प्रतीक उसी सत्ता की ओर संकेत करते हैं। अगर हम इसे मान भी ले तो फिर भी ईश्वर के स्वरूप के संबंध में कोई निश्चित अवधारणा का प्रतिपादन नहीं किया जा सकता है।

निष्कर्ष: उपर्युक्त अवधारणा से यह स्पष्ट हो जाता है कि धार्मिक भाषा के स्वरूप निरूपण से संबंधित कोई भी अवधारणा पूर्णतः सत्य नहीं प्रतीत होती है, इसलिए धार्मिक कथनों के संदर्भ में हम यह कह सकते हैं कि यह पूर्णतः सार्थक तथ्यात्मक है, और न ही उसे निरर्थक की श्रेणी में डाला जा सकता है। ऐसी स्थिति में हम मध्यम मार्ग का अनुसरण करते हुए कुछ सीमा के साथ पॉल तिलिख के प्रतीकवाद का समर्थन कर सकते हैं।

वर्तमान समय में भी धार्मिक जीवन में इस प्रकार की प्रतीकवाद की महत्ता दिखाई पड़ती है। वस्तुतः ईश्वर से संबंधित कथन मानवीय विश्वास की श्रेणी में आते हैं, परीक्षित विश्वास की श्रेणी में नहीं आते हैं। यह धार्मिक व्यक्ति को आस्था की सूचना प्रदान करते हैं। इन कथनों की प्रासंगिकता को हम धार्मिक परिप्रेक्ष्य में ही सार्थक एवं महत्वपूर्ण मान सकते हैं। जो वर्तमान परिदृश्य में धार्मिक अभिव्यक्ति की समस्या को तार्किक दृष्टिकोण से समाप्त कर सकते हैं सभी धर्मों में धार्मिक सहिष्णुता एवं समता के बीच सामंजस्य स्थापित किया जा सके।

धार्मिक अनुभववाद का स्वरूप

समग्रता में इस विषय वस्तु का अवलोकन किया जाए तो यह परिलक्षित होता है कि इसके अंतर्गत मुख्यतः दो प्रकार की विषय वस्तु पर विचार किया जा सकता है। धार्मिक अनुभवाद आधुनिक परिप्रेक्ष में धर्म दर्शन की ऐसी अवधारणा है। जिसके अंतर्गत हम ईश्वर के अस्तित्व के आधार पर ईश्वर से संबंधित सभी प्रकार की विषय वस्तु का अवलोकन करते हैं, जैसे उसकी प्रकृति क्या है, ईश्वर का संसार के साथ संबंध इत्यादि धार्मिक अनुभववाद सामान्य मनुष्य के धार्मिक

विश्वास एवं आस्था इत्यादि पर आधारित दिखाई पड़ता है। धार्मिक विश्वास को आस्थावादी लोग अधिक महत्व देते हैं, क्योंकि धार्मिक भाषा तथा धार्मिक अनुभववाद में एक तादात्म्य पाया जाता है, जो सामान्य मनुष्य की नैतिकता पर आधारित दिखाई पड़ता है।

धार्मिक अनुभूति के संदर्भ में हम कह सकते हैं कि धार्मिक अनुभूति धर्म परायण व्यक्तियों व भक्तों को प्राप्त होने वाली एक विशेष प्रकार की अनुभूति है। जिसका संबंध किसी अलौकिक सत्ता या दैवी सत्ता से दिखाई पड़ता है। इस प्रकार धार्मिक अनुभव के मूल तत्व के रूप में यहाँ निम्नलिखित बातों को स्वीकार किया जा सकता है–

1. किसी अतींद्रिय या दैवी सत्ता पर निर्भरता।
2. उसके प्रति आस्था, श्रद्धा, विश्वास और पूजा की भावना।
3. उससे संबंधित धार्मिक गतिविधियों के संपादन धार्मिक अनुभूति के स्पष्टीकरण हेतु साधारण मनुष्य की अनुभूति से इसके अंतर को देखना आवश्यक है हम इसे निम्न रूपों में देख सकते हैं।

साधारण अनुभूति एवं धार्मिक अनुभूति में अंतर

1. सामान्यतः साधारण अनुभूति में सार्वजनिक अनुभूति को स्वीकार किया जाता है, जबकि धार्मिक अनुभूति के अंतर्गत व्यक्तिगत अनुभूति को स्वीकार किया जाता है।
2. साधारण अनुभूति के अंतर्गत धर्म के वस्तुनिष्ठ एवं सत्यापन स्वरूप के संबंध में विचार किया जाता है, जबकि धार्मिक अनुभूति में व्यक्ति आत्मनिष्ठ सत्यापन किया जाता है।
3. साधारण अनुभूति वर्णनीय होती है जबकि धार्मिक अनुभूति अवर्णनीय होती है।
4. साधारण अनुभूति अनुभव पर आधारित होती है, सामान्यतः मनुष्य एवं सांसारिक जगत की यथार्थता पर आधारित होती है, जबकि धार्मिक अनुभूति पवित्रता एवं शक्ति के संचार एवं

ईश्वर से संबंधित आध्यात्मिक विषय वस्तुओं पर आधारित मान्यताओं के आधार पर आधारित होती है।

5. साधारण अनुभूति द्वैत की भावना को कायम करती है, जबकि आध्यात्मिक अनुभूति द्वैत की भावना को समाप्त कर देती है।
6. साधारण अनुभूति ज्ञाता और ज्ञेय के भेद को कायम रखती है, जबकि धार्मिक अनुभूति सभी प्रकार के भेद को समाप्त कर देती है।
7. साधारण अनुभूति केवल इंद्रियों एवं बुद्धि के संचार रूप में काम करने के लिए आवश्यक मानी जाती है, जबकि धार्मिक अनुभूति इसके साथ-साथ आस्था श्रद्धा भाव आदि का भी मूल्यांकन करने का कार्य करती है।
8. साधारण अनुभूति पुनरावृति मूलक होती है, जबकि धार्मिक अनुभूति हमेशा पुरावृति मूलक नहीं होती है।

धार्मिक अनुभूति की विशेषताएं

1. धार्मिक अनुभूति धार्मिक मनुष्य को ही प्राप्त होती है, जिस प्रकार सौंदर्य की अनुभूति उसे ही प्राप्त होती है। जिसमें सौदर्य का भाव होता है, उसी प्रकार धार्मिकता का भाव वही यक्ति महसूस करता है जिसमें धार्मिक अनुभूति को होती है।
2. धार्मिक अनुभूति में ज्ञान क्रिया भावना तीनों का समावेश दिखाई पड़ता है।
3. धार्मिक अनुभूति अद्वितीय एवं स्वयं सिद्ध मानी जाती है।
4. अपने प्रारंभिक रूप में धार्मिक अनुभूति में गहनता और यह का भेद बना रहता है, परंतु जैसे-जैसे धार्मिक अनुभूति में गहनता आती है वैसे-वैसे यह भेद समाप्त होने लगता है अंतिम स्थिति में यह भेद तथा दूध का अतिक्रमण समाप्त हो जाता है।

धार्मिक विषय की ओर अग्रसर होने लगता है। धार्मिक अनुभूति में अत्यंत गान एवं विकसित रूप में धार्मिक व्यक्ति की चेतना के संपूर्ण

पक्ष को आत्मसात कर लेता है। व्यक्ति उसी धार्मिक विषय में लीन हो जाता है। ऐसी अवस्था में धार्मिक अनुभूत रहस्यानुभूति के रूप में मानी जाती है इस प्रकार धार्मिक अनुभूति की अंतिम प्रकाश रहस्य अनुभूति है जिस का विस्तृत वर्णन अन्य अध्याय में किया गया है।

धार्मिक अनुभव का स्वरूप

- **भूमिका** → प्रकृति एवं वस्तु
- **अर्थ**
  - → सम्बध → धर्मपरायण भक्त से
  - → विषयवस्तु → अलौकिक तत्व या अतीन्द्रिय तत्व या
- **मूलतत्व**
  - → आस्था विश्वास निष्ठा श्रद्धा
  - → पूजा-पाठ आराधना
  - → अतीन्द्रिय या अलौकिक सत्ता का साहचार्य
  - → आन्तरिक लगाव
- **धार्मिक अनुभूति बनाम साधारण अनुभूति**
  - → व्यक्तिगत → आत्मनिष्ठ, सत्यापन → अवर्णनीय विशेष अनुभूति
  - → सार्वजनिक → वस्तुनिष्ठ सत्यापन → वर्णनीय साधारण अनुभूति मात्र
- **विशेषताएं**
  - → ज्ञान क्रिया भावना तीनों तत्व विद्यमान
  - → प्रारम्भिक रूप में द्वैत अन्तिम रूप में एकता (भक्तिमार्ग)
  - → धार्मिक अनुभूति की चरम प्रकाष्ठा रहस्यानुभूति
- **रहस्यानुभूति**
  - → विशिष्ट, अनुठी अद्वितीय रोमांचक अद्‌भुत
  - → सम्बध साधारण चेतना से न होकर असाधारण चेतना
  - → धार्मिक अनुभूति की प्रकाष्ठा
- **समर्थन**
  - → पाश्चात्य दर्शन → प्लोटीनस-स्पिनोजा, व्रेंडले वर्गसा आदि
  - → भारतीय दर्शन रामकृष्ण परमहंस, अरविन्द, टैगोर आदि।
- **समन्वय**
  - → ज्ञान
  - → कर्म
  - → भावना
  - (ज्ञान, कर्म, भावना) → सम्पूर्णानुभुति → व्रेंडले

- **वर्ग**
  - → वर्हिमुखी
    - → सर्वम् खलो इदम् ब्रम्हा:
    - → स्वर ही विश्व है, विश्व ही ईश्वर है स्पिनोजा
  - → अन्तरमुखी → अहम् ब्रम्हास्मि्
- **रूप**
  - → अपूर्ण रूप → आरम्भिक स्थिति
  - → पूर्ण → उच्च कोटि
- **भारतीय सन्दर्भ में**
  - → उपनिषदीय → महावाम्य
    - → अहम् ब्रम्हास्मि
    - → तत्वतसि्
    - → अयम् आत्मा ब्रह्मा
    - → प्रज्ञानम् ब्रह्म
  - → मुंडक उपनिषद → सभी नदिया अन्त में अपना रूप होकर समुन्द्र में विलीन हो जाती हैं ठीक उसी तरह सम्पूर्ण जीव उस ईश्वर में विलीन हो जाती है।
- **वर्गीकरण के आधार**
  - → ईश्वरवादी रहस्यवाद
  - → अनिश्वरवादी रहस्यवाद
  - → कर्मकाण्डीय रहस्यवाद
  - → सर्वेश्वरवादी रहस्यवाद
- **सिद्धान्त**
  - → प्रकृतिवादी सिद्धान्त
  - → व्यक्तिवादी सिद्धान्त
  - → निमित्तक अवधारणा
  - → अनिश्ववादी सिद्धान्त
- **साधन** → साधन प्रमुख है → ध्यान कर्मकाण्ड, वैराग्य समाधि भक्ति आदि
- **आलोचनाएं**
- **महत्व**

धार्मिक ज्ञान का स्वरूप

असंज्ञानात्मक ज्ञान
- R.M. हेयर ईश्वर कथन (Blick)
- R.B. ब्रेथवेट नीतिपरक

संज्ञानात्मक ज्ञान
- ज्ञान हिंक I.M. क्रोम्बी मृत्योपरांत अनुभूतिक के आधार पर आधारित

अर्द्धसंज्ञानात्मक
- थामस एक्वीनास
- पाल टिलिक समयानुमानिक प्रतिमात्मक आदि के आधार पर

मानव का व्यक्तित्व	**मानव का व्यक्तित्व**
1. मानव में व्यक्तित्व का आरोपण उसके सीमित एवं अपूर्ण रूप में होता है मानव देश काल में होने के कारण सीमित तथा शरीरधारी होने के कारण अनित्य है।	1. इसमें व्यक्तित्व का आरोपण एक विशेष अर्थ में उनकी पूर्णता में होता है ईश्वर देश व काल से परे तथा भौतिक शरीर होते हुए भी व्यक्तित्व पूर्ण होता है।
2. मानव का व्यक्तित्व आदि एवं अपूर्ण होता है।	2. ईश्वर का व्यक्तित्व अनादि अनन्त एवं पूर्ण होता है।

■■■■

अध्याय 8
अशुभ की समस्या

प्रस्तावना

इस जगत के प्रत्येक प्राणी कभी न कभी किसी न किसी रूप में दु:ख का अनुभव करते हैं। सभी पशु-पक्षी तथा मनुष्य आंधी-तुफान, बाढ़, भूकंप, अकाल, महामारी आदि प्राकृतिक आपदाओं के कारण अनेक प्रकार से प्राप्त होने वाले दु:खों के अनुभव को हम अशुभ मान लेते है। सारा संसार इसी समस्या के अधीन है।

इस तरह अशुभ मनुष्य के जीवन का एक प्रमुख एवं आवश्यक अनिवार्य अंग बन जाता है। दार्शनिक दृष्टिकोण से अशुभ शब्द का प्रयोग व्यापक शब्दों में दिखाई पड़ता है। अशुभ के विषय में कई कठिनाइयां होने के बावजूद भी अशुभ शब्द सामान्यत: दु:ख या बुराई के पर्यायवाची शब्द के रूप में दृष्टिगोचर होता है। एक प्रकार से मनुष्य को उत्पन्न दु:खों की अभिव्यक्ति का स्वरूप है।

यह दु:ख चाहे प्राकृतिक हो या मानवीय हो, शारीरिक हो, या मानसिक हो, इस प्रकार अशुभ की समस्या भी शारीरिक मानसिक हो सकती है। जीवन में दु:ख-सुख अशुभ का संगम माना जाता है। यह जीवन का एक अभिन्न अंग के रूप में माना जाता है। इस संदर्भ में कुछ पाश्चात्य एवं भारतीय विचारक यह मानते हैं कि यह मनुष्य के जीवन का अभिन्न अंग है।

पाश्चात्य एवं भारतीय संदर्भ में अशुभ का स्वरूप

समग्रता में देखा जाए तो गौतम बुद्ध ने भारत के धर्म की स्थापना का कार्य छंठी शताब्दी ईसा पूर्व में किया था, उस समय वैदिक कर्मकांड, पशु-बलि इत्यादि अनुष्ठान से संपूर्ण समाज एक प्रकार से दु:खों को दूर करने की तरफ उन्मुख था विश्व कल्याण के लिए उन्होंने सामाजिक सुधार आंदोलन चलाया जिसमें 3 बात निकल कर सामने आती है-

1. संसार में दु:ख अशुभ है।
2. इस संसार में दु:ख अशुभ का कारण क्या है।
3. इस संसार में दु:ख अशुभ का निदान क्या है।

यहाँ सब की समस्या को सामान्यत: अशुभ के संदर्भ में मूल्यांकित करने का प्रयास किया गया है, जबकि पाश्चात्य दर्शन का अवलोकन किया जाए तो यह दृष्टिगोचर होता है कि ग्रीक दार्शनिकों ने भी अशुभ की समस्या को उत्कृष्ट रूप से मूल्यांकित करने का प्रयास किया था।

उसी क्रम में यदि देखा जाए यूनानी दार्शनिक एपीक्यूरियस के शब्दों में अशुभ की समस्या समाज में पाप के द्वारा वर्णित है। यदि ईश्वर अशुभ को दूर करना चाहता है, और दूर नहीं कर पाया तो क्या वह असमर्थ है। यदि वह समर्थ है, तो फिर वह दूर क्यों नहीं करना चाहता है। यदि यह दोनों बातें नहीं हैं, तो क्या वह समर्थ भी है और चाहता भी है कि अशुभ न रहे तब फिर अशुभ की समस्या क्यों व्याप्त है। इसके साथ-साथ मध्यकाल के यूनानी दर्शन का अवलोकन किया जाए तो यह स्पष्ट होता है कि यहां भी धर्म दर्शन के आलोक में ईश्वर एवं अशुभ की समस्या को उत्कृष्ट रूप से मूल्यांकन करने का प्रयास किया गया है।

जहां थामस एक्विनास का अशुभ संबंधी विचारधारा इस प्रकार है यदि दो विपरीत अवस्थाओं में से एक अपरिमित हो तो दूसरी पूर्णतया खंडित हो जाती है।

ईश्वर की भावना के अनुसार ईश्वर अपरिमित शुभ है। इसलिए यदि ईश्वर अपरिमित शुभ है, तब अशुभ का अस्तित्व दिखाई पड़ता

है। ईश्वर सृष्टि में अशुभ के आने का अधिकार प्रवेश को रोकता है, क्योंकि वह सर्वशक्तिमान, सर्वज्ञ, सभी विषय वस्तुओं का ज्ञाता है। पाप पुण्य कर्म के निर्धारण के फलस्वरूप अशुभ की समस्या का प्रावधान किया गया है। समकालीन विचारक एल्विन प्लेटिंग ने 5 आधार के माध्यम से अशुभ की समस्या पर विचार किया है–

1. ईश्वर का अस्तित्व है।
2. ईश्वर सर्वशक्तिमान है।
3. ईश्वर शुभ है।
4. ईश्वर सर्वज्ञ है।
5. विश्व में अशुभ वास्तविक है।

अशुभ की समस्या

अशुभ की समस्या विश्व के समस्त धार्मिक आस्थाओं के लिए केवल सबसे बड़ी समस्या है, बल्कि सबसे बड़ी चुनौती है। विश्व में मनुष्य निवास करता है। सुख-दुःख में दुःख के नैतिक आयाम के आधार पर निर्धारित करने के संदर्भ में मनुष्य की एक प्रकार की अनुभूति एवं कर्म परिणाम के रूप में अशुभ की समस्या का प्रावधान किया जाता है। जिससे विश्व में नैतिक आधार पर संतुलन बना रहे। इस प्रकार अशुभ की समस्या पर मिल एवं सी.एस. लॉस ने विचार व्यक्त करते हुए इसका समाधान निकालने का प्रयास किया है–

1. अगर ईश्वर की सत्ता है, तो वह अवश्य सर्वशक्तिमान सर्वज्ञ और पूर्ण शुभ होगा।
2. अगर ईश्वर सर्वशक्तिमान, सर्वज्ञ तथा पूर्ण शुभ है, तो अशुभ की सत्ता नहीं है।
3. अशुभ की सत्ता है।
4. इसलिए ईश्वर नहीं है।

अर्थात् हम कह सकते हैं कि आगे चलकर C.S. लॉस का निर्धारण प्राकृतिक एवं नैतिक अशुभ के रूप में किया गया जो प्रकृति के

द्वारा निर्धारित किए जाते हैं। उसे प्राकृतिक अशुभ कहा जाता है, तथा जो सामाजिक आयाम को व्यवस्थित करने के संदर्भ में नैतिक आधार पर नैतिक नियमों की व्यवस्था की जाती है उसे नैतिक अशुभ कहा जाता है।

शुभ और अशुभ में संबंध

भारतीय विचारधारा एवं पाश्चात्य विचारधारा का समग्रता में अवलोकन किया जाए तो यह दृष्टिगोचर होता है कि शुभ और अशुभ की समस्या सामान्यतः सुख और दु:ख के आलोक में अवलोकित होती है। जहां दोनों एक दूसरे पर आश्रित होते हुए तादात्म्य संबंध के रूप में जुड़े हुए हैं। शुभ और अशुभ की समस्या न केवल नैतिक आयाम को मूल्यांकित करने का प्रयास करती है, बल्कि प्राकृतिक आयाम के स्वरूप को निर्धारित करने का भी प्रयास करती है। समग्रता में देखा जाए तो इनके पीछे निम्नलिखित सम्बंध दिखाई पड़ते हैं, जो इस प्रकार हैं–

1. प्रकृति की प्रत्येक ऐसी सचेतन रचना, जो अपेक्षाकृत शुभ की ओर अग्रसर हो
2. प्रकृति की प्रत्येक चेतन रचना की न्याय पूर्ण स्थिति।
3. प्रत्येक ऐसी स्थिति या वस्तु जो व्यक्ति के सचित्र जीवन को उन्नति की ओर उन्मुख करे।
4. प्रत्येक व्यक्ति का नैतिक शुभ का कृत्य।
5. प्रत्येक व्यक्ति का वस्तु का सर्व शुभ की ओर किया गया कृत्य है।

इसी प्रकार अशुभ के स्वरूप को निर्धारित करना अत्यंत कठिन प्रतीत होता है, किंतु अशुभ को उसी रूप में परिभाषित करना उचित होगा जिस प्रकार अशुभ की समस्या उत्पन्न होती है। अर्थात् जीवन की प्रत्येक वह बात जो पीड़ादायक नकारात्मक अन्यायपूर्ण या बुरी है। अशुभ के अंतर्गत समाहित दिखाई पड़ती है। इस आधार पर अशुभ की निम्न श्रेणियाँ दिखाई पड़ती हैं–

1. कष्ट या नुकसान बहुत ही कम विश्व की किसी यथार्थ दृष्टि के लिए हो
2. विश्व की प्रति के सृष्टि के लिए अन्याय
3. अवसर का अभाव या किसी भी दशा में असामयिक मौत
4. व्यक्ति का सचित्र जीवन से वंचित रहना
5. प्रत्येक व्यक्ति द्वारा किया गया अनैतिक कर्म
6. शुभ का अभाव

अशुभ के प्रकारः इस प्रकार अशुभ की समस्या में मूल रूप के दो प्रकार सामने आते हैं–

1. प्राकृतिक अशुभ
2. नैतिक अशुभ

1. प्राकृतिक अशुभ का स्वरूप

प्राकृतिक अशुभ के अंतर्गत वह सब आते हैं, जो प्राकृतिक जनित है। दूसरे शब्दों में कहा जा सकता है कि जिनके लिए मनुष्य उत्तरदायी नहीं होता है, वह प्राकृतिक अशुभ की श्रेणी में आते हैं। जैसे महामारी, बाढ़, सुनामी का भूकंप आदि दरअसल प्राकृतिक अशुभ ही अशुभ का एक प्रकार है। जिसे लेकर ईश्वरवादी दार्शनिक परेशान रहते है, क्योंकि सर्वज्ञ शक्तिमान पूर्ण शुभ ईश्वर के रहते हुए प्राकृतिक और शुभ का विश्व में होना ईश्वर के अस्तित्व के लिए विरोधाभास पैदा करता है। दर्शन जगत एवं धर्म जगत में अनेक विचार ऐसे हुए जिन्होंने अपनी अभिव्यक्ति के माध्यम से अशुभ की समस्या एवं प्राकृतिक अशुभ के बीच तार्किक विरोधाभास को स्पष्ट करने का प्रयास किया था। उसी क्रम में प्लेटो से लेकर अब तक अनेक विचारकों ने ईश्वर के अस्तित्व एवं प्राकृतिक अशुभ के बीच व्याप्त रूढ़िवादी विचारधारा के आधार पर चुनौती देते रहे।

अरस्तु ने प्लेटो के विचार को थोड़ा आगे बढ़ाते हुए यहाँ तक कह दिया की प्रकृति में वस्तुएं स्वतः विकास की ओर अग्रसर हैं। इस प्रकार शुभ और अशुभ प्रकृति की इस स्वतः विकास के अंग मात्र हैं।

इस प्रकार अरस्तु एक प्रकार से पूर्ण शुभ को प्राकृतिक स्वतः विकास का परिणाम मानते हैं।

आधुनिक परिप्रेक्ष्य में देखा जाए तो डार्विन जैसे विकासवादी दार्शनिक भी जिन्होंने ईश्वर की अवधारणा को अस्वीकार किया उसके बावजूद भी प्राकृतिक अशुभ के सोपान को स्वीकार कर विश्व के अंतिम तत्व परमाणु अणु से लेकर विश्व की रचना में अशुभ की समस्या को मूल्यांकित करने का प्रयास करते हैं। आधुनिक दर्शन जगत में डेकार्ट जैसे दार्शनिक भी डेकार्तिय विधि से इसकी व्याख्या करते हैं जिसे दार्शनिकों ने यांत्रिक दर्शन की संज्ञा दी उनके अनुसार द्रव्य सृष्टि में ईश्वर द्वारा वितरित किया गया है। सृष्टि द्रव्य की उन्हीं प्राकृतिक तत्वों द्वारा निर्मित है, जो विकास के नियम में बंधे हुए हैं।

इस प्रकार ईश्वर द्रव्य तथा सृष्टि की विकास की नियम दोनों का नियंता आवश्यक है। इस प्रकार कारण कुछ भी हो विश्व में प्राकृतिक अशुभ की उपस्थिति एक कटु सत्य है। प्राकृतिक अशुभ सामान्यतः प्रकृति के द्वारा किए गए मनुष्य के ऊपर दुःख के द्वारा उत्पन्न होता है। एक प्रकार से मृत्यु दंड भी प्रकृति द्वारा दिया गया अशुभ है।

नैतिक अशुभ का स्वरूप

समग्रता में देखा जाए तो नैतिक अशुभ का चित्र मानव जगत तक ही सीमित है। यह ईर्ष्या, द्वेष, प्रतिशोध की भावना स्वार्थ सिद्धि के लिए दूसरों को हानि पहुंचाने की इच्छा, लालच, वासना, आदि सभी नैतिक अशुभ के अंतर्गत ही जाते हैं। नैतिक अशुभ सामान्यतः नैतिक नियम एवं आदर्शों की स्थापना के संदर्भ में माना जाता है।

जहां ईश्वरवादी नैतिक दार्शनिक यह मानते हैं कि ईश्वर मनुष्य को नैतिक बनाने के लिए दंड का प्रावधान करता है। इस प्रकार के अशुभ से ही मानव जगत को भारी मात्रा में पीड़ा पहुंचती है। प्राकृतिक अशुभ के विपरीत नैतिक अशुभ मानव के द्वारा उत्पन्न किए जाते हैं। इनके लिए पूर्ण रूप से मानव उत्तरदायी होता है। प्राकृतिक अशुभ तथा नैतिक

अशुभ दोनों ही अशुभ की समस्या के अंतर्गत सामान्य रूप से विचारकों द्वारा अपनी विवेचना को स्पष्ट करते हैं, जो एक दूसरे से भिन्न होते हुए भी घनिष्ठ संबंध रखते हैं।

कुछ परिस्थितियों में प्राकृतिक अशुभ का शुभ हो जाता है, तथा कुछ परिस्थितियों में नैतिक अशुभ प्राकृतिक अशुभ को उत्पन्न करता है। उदाहरण के लिए बाढ़, अकाल, महामारी आदि प्राकृतिक विपत्तियों के फलस्वरूप प्रत्येक व्यक्ति अपने स्वार्थ के लिए अत्यधिक चिंतित होने के कारण दूसरों के प्रति उदासीन रहता है, तथा अपने हित के लिए दूसरों को भारी क्षति पहुंचाता है। प्रायः यह देखा जाता है कि ऐसी कठिन परिस्थितियों में सामान्य व्यक्ति बहुत स्वार्थी हो जाता है। वह दूसरों के कल्याण के बारे में नहीं सोचता है।

इस समय उनके अंदर परोपकार सहानुभूति जैसे गुण नहीं रहते हैं। इससे स्पष्ट होता है कि दोनों में तादात्म्य संबंध के साथ अनेक प्रकार से विभेद भी है, क्योंकि प्राचीन ईश्वरवादी विचारकों का मानना है कि नैतिक अशुभ पहले उत्पन्न हुआ है। ईश्वर ने मनुष्य को उत्पन्न करने के साथ ही संकल्प स्वतंत्रता की भावना भी प्रदान की मानव ने ईश्वर प्रदत्त इस संकल्प की स्वतंत्रता का दुरूपयोग किया तथा ईश्वर के आदेशों की अवहेलना की जिसको नियंत्रित करने के लिए अशुभ का निर्धारण किया गया।

अशुभ की उत्पत्ति के सिद्धांत

अशुभ के स्वरूप को निर्धारित करना अत्यंत कठिन दिखाई पड़ता है, लेकिन समग्रता में देखा जाए तो इसके भी निम्नलिखित आयाम दिखाई पड़ते हैं–

1. नैतिक दर्शन के संदर्भ में
2. राजनैतिक दर्शन के संदर्भ में
3. समाज दर्शन के संदर्भ में
4. व्यापारिक संदर्भ में

5. दार्शनिक जिज्ञासा के संदर्भ में
6. धर्म-दर्शन के संदर्भ में
7. अशुभ की संकल्प स्वतंत्रवादी व्याख्या के सन्दर्भ में
8. अशुभ न्याय व्यवस्था का एक उपयोगी कारक के रूप में।

1. नैतिक दर्शन के संदर्भ में

प्रसिद्ध दार्शनिक मूर के अनुसार नीतिशास्त्र का कार्य नैतिकता का पता लगाना है। यही नीतिशास्त्र का मूल प्रश्न है। इस प्रश्न का उत्तर देने वाले विज्ञान को नीतिशास्त्र कहा जाता है। अर्थात् हम कर सकते हैं कि अशुभ के स्वरूप का निर्धारण करना ही नीतिशास्त्र का मूल प्रयोजन है। मूर ने शुभ के स्वरूप को परिभाषित कर अशुभ के साथ उचित सामंजस्य स्थापित करना ही नीतिशास्त्र का मूल कर्तव्य मानते हैं। इस प्रकार हम देखते हैं कि मूर ने शुभ को अपरिभाषित मानते हैं।

इस संबंध में वह कहते हैं कि यदि मुझसे पूछा जाए कि शुभ क्या है तो मेरा उत्तर है कि शुभ शुभ है। अर्थात् अशुभ की परिभाषा नहीं दी जा सकती है। इसलिए अशुभ को अपरिभाषित मानते हैं। मूर ने विश्लेषणात्मक विधि के आधार पर शुभ अशुभ को निर्धारण करने का कार्य किया था। शुभ अत्यंत सरल गुण को निर्दिष्ट करता है। जिसका विश्लेषण तथा विभाजन नहीं हो सकता है। मूर कहना है कि सरल गुण उसी प्रकार अपरिभाषित है, जिस प्रकार पीला रंग कहने का तात्पर्य यह है कि किसी ऐसे व्यक्ति को परिभाषा के द्वारा पीले रंग का ज्ञान नहीं कराया जा सकता है। जिसने पीला रंग कभी देखा ही नहीं है। अतः शुभ सरल होने के कारण साक्षात् अनुभूत होता है। मूर की परिभाषा द्वारा इसको परिभाषित नहीं किया जा सकता है। अर्थात् सब के समान ही है और कुछ नहीं है। मूर महोदय शुभ को अपरिभाषित मानते हैं, शुभ वस्तु को नहीं अर्थात् वस्तु द्वारा परिभाषा दी जा सकती है। अतः वस्तु परिभाषा है। इससे स्पष्ट होता है कि शुभ और अशुभ वस्तु में भेद है। शुभ विशेषण है और शुभ वस्तु विशेष है। विशेषण शुभ-सरल

और अनन्य है। अतः शुभ की परिभाषा के संदर्भ में मूर शुभ के 3 लक्षण स्पष्ट करते हैं–

1. शुभ सरल है।
2. शुभ अनन्त है।
3. शुभ अप्राकृतिक है।

मूर के अनुसार उचित को शुभ की अपेक्षा है। हम किसी कार्य को उचित मानते हैं, क्योंकि वह शुभ प्राप्ति का साधन या सहायक है, किंतु राँस इसे स्वीकार नहीं करते हैं। इनका मानना है कि कोई कार्य उचित हो सकता है, परंतु उसे शुभ का साधक नहीं माना जा सकता है। उदाहरण के लिए मृत्यु दंड देना उचित है, परंतु शुभ का साधन नहीं है। मृत्युदंड किसी जघन्य अपराध का दंड है। अपराधी के लिए उचित दंड है। अतः सुधारवादी दंड सिद्धांत के लिए मृत्युदंड उचित होते हुए भी अशुभ है, क्योंकि इसमें जीवन का विनाश दर्शन भी होता है।

2. राजनीति के संदर्भ में

राजनीति अशुभ समस्या से अछूती नहीं है। राजनीति दर्शन में मानव के इतिहास में अनेकों ऐसे शासक प्राचीन काल से अब तक हुए है। जिन्होंने मानव जगत में पीड़ा तथा अशुभ को उत्पन्न किया है। विश्व में राजनीति को लेकर कितने खून-खराबे हुए हैं। वह सभी अशुभ के भाव को प्रकट करते हैं। इसके साथ-साथ राजनीति दर्शन में धार्मिक कट्टरवाद की भावना भी कहीं न कहीं अशुभ की समस्या प्रकट करती है। इससे स्पष्ट होता है कि राजनीतिक आयाम के संदर्भ में अनेक प्रकार से अशुभ की समस्या का भाग है, जहां अशुभ की समस्या उत्पन्न होती है।

3. समाज दर्शन के संदर्भ में

समाजशास्त्रीय मनोवैज्ञानिकों ने अशुभ को सामाजिक परिप्रेक्ष्य में असामाजिक तत्व के समाज में किए गए कृत्यों के फलस्वरूप अशुभ की उत्पत्ति को स्वीकारते हैं।

इसके द्वारा अशुभ के स्वरूप की विवेचना करते हुए सुखवादियों ने भी इसके अनेक रूप को परिभाषित किया है, जब व्यक्ति अधिक स्वार्थी होते हुए अपने हित में कार्य करता है। तब सामाजिक हितों की अवहेलना करने लगता है। इस प्रकार अशुभ की उत्पत्ति होती है। विख्यात मनोवैज्ञानिक डॉ. हेयर ने कहा है कि साइकोपैथी आज भी असामाजिक व्यक्तित्व में घर कर गई है। इसको निर्धारित करने का कोई सर्वमान्य वैज्ञानिक तरीका नहीं है, किंतु कमोबेश साइकोपैथ को सामाजिक अशुभ के कारण के रूप में कमीबेश संदर्भित किया जा सकता है।

जिसमें करुणा, दया, बन्धुत्व का अभाव रहता है। जिसके कारण हत्या जैसे जघन्य कार्य की ओर इस प्रकार के मस्तिष्क वाले व्यक्ति अग्रसर होते हैं। यूएसए तथा जर्मनी में सीरियल किलर्स के मस्तिष्क में भावपूर्णता इसी क्रम में दिखाई पड़ती है। इनके मस्तिष्क में इस प्रकार के व्यतिक्रम देखे गए हैं, जो इनके दया करुणा डर आदि के प्रारंभिक भाव को मनुष्य में कम कर रहे हैं।

4. व्यापारिक संदर्भ में

व्यापार के क्षेत्र में अवैधानिक अनैतिक तरीके इस प्रकार के अशुभ की उत्पति का कारण माना जाता है। भारत में हर्षद मेहता शेयर बाजार ने जो किया वह किसी से छुपा नहीं है। उसके कार्यों में हजारों लाखों लोगों के जीवन भर की कमाई चली गई अनेकों लोग में इस विपत्ति का सामना करने का साहस नहीं था। इन्हें मृत्यु का वरण करना पड़ा। भारत में अनेकों वित्तीय कंपनियों ने लोगों की जीवन भर की कमाई लूट ली, व्यापार जगत ने व्यापारियों के द्वारा अन्य व्यापारियों को शोषण कर उन्हें पीड़ा पहुंचाई। इस प्रकार की मोनोपोली व्यवस्था कहीं-न-कहीं व्यापारिक वर्ग में भी अशुभ की समस्या को उत्पन्न करती है, क्योंकि मोनोपोली एक प्रकार से कुछ लोगों के हाथ में संपूर्ण अर्थव्यवस्था को नियंत्रित करने के कारण देश के सभी क्षेत्र को प्रभावित करती है।

5. दार्शनिक जिज्ञासा के संदर्भ में

इस संबंध में सबसे पहला प्रश्न यह है कि अशुभ को सर्वमान्य परिभाषा कैसे दी जाए जिसके संदर्भ में सी.एस. लेविस ने कहा है कि मनुष्य के कुछ कार्य जिनके कारण अशुभ की उत्पत्ति होती है। उसको सर्वत्र अशुभ का कारक माना जा सकता है। जैसे हत्या बलात्कार आदि के कारण होने वाला अशुभ, यूएसए, ग्रेट ब्रिटेन में लगभग 400 वर्षों तक अफ्रीका के लोगों को दास बनाकर जो अत्याचार किए वह कहीं-न-कहीं इस प्रकार के अंतर्गत दिखाई पड़ते हैं। जहां पर भयानक नरसंहार हुआ था इस प्रकार के अशुभ की उत्पत्ति को लेकर अनेक दार्शनिकों में मतभेद भी दिखाई पड़ता है।

6. धर्म-दर्शन के संदर्भ में

धार्मिक दृष्टिकोण से अशुभ की समस्या का अवलोकन किया जाए तो यह दृष्टिगोचर होता है कि यहां दो प्रकार की विचारधारा निकल कर सामने आती है। जहां एक विचारधारा ईश्वर को न मानने के आधार पर प्रकृति अशुभ को अत्यधिक महत्व देती है, जबकि वही ईश्वरवादी विचारधारा के लोग नैतिक अशुभ को अधिक मानकर मूल्यांकन करने का प्रयास करते हैं। समग्रता में देखा जाए तो शुभ-अशुभ के संदर्भ में अनेक भ्रांतियां होने के प्रमुख कारण लोगों द्वारा अनेक प्रकार की धार्मिक विचारधारा है, जो अपने सुरक्षा अनुसार हर विषय का मूल्यांकन करने का सामर्थ्य प्रदान करती है।

7. अशुभ की संकल्प स्वतंत्रवादी व्याख्या इस मत के अनुसार विश्व में अशुभ मनुष्य के स्वतंत्र संकल्प का परिणाम है। ईश्वर ने पवित्र सहभागिता के अनुरूप प्रेम से विह्वल होकर ऐसे जीवों की सृष्टि का अपनी इच्छा से कार्य करने के लिए स्वतंत्र किया है। जीव जब इस स्वतंत्र इच्छा का दुरूपयोग करता है, तो अशुभ की समस्या उत्पन्न होती है, किंतु यह मत ईश्वरवादियों के लिए चुनौती बन जाता है, क्योंकि अगर ईश्वर मनुष्य का स्वतंत्र इच्छा को नियंत्रित नहीं करना चाहता है, तभी तो अशुभ की उत्पत्ति होती है। इसी दृष्टिकोण से देखा जाय तो

यह दृष्टिगोचर होता है कि ईश्वर की शक्ति सीमित है। अतः इस दशा में ईश्वर सर्वशक्तिमान कैसे हो सकता है। अगर ईश्वर को अशुभ कर्मों का पहले से ज्ञान नहीं है तो वह सर्वज्ञ कैसे हो सकता है।

अनुभववादी दार्शनिक अशुभ के लिए सीधे ईश्वर को उत्तरदायी मानते हैं। ये ईश्वरवादियों के मत स्वीकार नहीं करते हैं, क्योंकि मनुष्य जब संकल्प की स्वतंत्रता का दुरूपयोग करता है, तब अशुभ की उत्पत्ति होती है। इन्होंने अशुभ के कई स्तर के आधार पर मूल्यांकन करने का प्रयास करते हैं।

8. अशुभ न्याय व्यवस्था का एक उपयोगी कारक

अमेरिकन वैज्ञानिक मार्शल का मत है कि अशुभ की समस्या के कारण बुरा व्यक्ति की दंड का भागी होता है। अशुभ को न्याय व्यवस्था से संबंध रखते हैं उनका कहना है कि दंड का विधान दंड की व्याख्या करते समय अपराधी द्वारा किया गया कर्म निर्धारित करता है। इस प्रकार अशुभ न्याय व्यवस्था के लिए भी एक उपयोगी कारक है। इस प्रकार की सोच के तहत अशुभ व्यक्ति नहीं, बल्कि उसका कृत्य अशुभ माना जाता है अर्थात् ईश्वर ने जिस व्यक्ति की रचना की है वह अशुभ नहीं बल्कि अशुभ तो उसके कर्मों का परिणाम है।

भारतीय दर्शन में अशुभ की समस्या

भारतीय दर्शन का समग्रता में अवलोकन किया जाए तो यह दृष्टिगोचर होता है कि वैदिक परंपरा को आधार बनाकर दो परंपराएं निकल कर सामने आती हैं। एक परंपरा जो कर्म आधारित वैदिक रूढ़िवादिता का उन्मूलन करने का प्रयास करती है जिसे श्रमण परंपरा कहा गया जिसमें बौद्ध, जैन जैसे दार्शनिक संप्रदाय को शामिल किया गया तो वही कुछ ऐसी दार्शनिक संप्रदाय हुए जो कर्म के आधार पर आधारित होने के साथ-साथ वैदिक परंपरा को भी स्वीकार करते हैं। जहां ईश्वरवाद को उतना महत्व नहीं दिया गया है। जिसमें सांठय और मीमांसा का नाम सर्वोपरि के साथ लिया जाता है।

इसके साथ न्याय दर्शन तर्क के आधार पर प्रमाणित करने की भी पुष्टि करता है। इस आधार पर सभी दर्शनों का दार्शनिक पृष्ठभूमि इस प्रकार है। चार्वाक के अनुसार अशुभ की स्वरूप चार्वाक दर्शन अशुभ को एक बड़ी समस्या के रूप में नहीं मानता है। यहां तो केवल दुःखों से मुक्ति पाने का भौतिक आधार माना गया है। इसके बावजूद भी यदि हम चार्वाक दर्शन को अलग रख दें तो भी यहाँ आसानी से हम कह सकते हैं कि प्रत्येक दर्शन चाहे श्रमण परंपरा या वैदिक परंपरा सभी ने शुभ-अशुभ की समस्या का मूल्यांकन किया है।

1. सांख्य-योग में अशुभ की समस्या का स्वरूप

दोनों तत्ववादी दर्शन का समग्रता में अवलोकन किया जाए तो यह दृष्टिगोचर होता है कि दोनों दर्शन में अविद्या दुःख क्लेश के स्वरूप के संदर्भ में अशुभ की समस्या की स्पष्ट झलक दिखाई पड़ती है। यहां पर दुःख को तीन प्रकार से बांटकर मूल्यांकित किया गया है। जहां आध्यात्मिक, अधिभौतिक अधिदैहिक दुःखों को स्वीकार किया गया है। यही दुःख के संदर्भ में पुरुष और प्रकृति के बीच नित्य सहयोग एवं अलगाव के द्वारा कर्म बंधन के अनुसार सभी प्रकार के दुःख उत्पन्न होते हैं। इसी के अनुरूप हमारे अंदर अशुभ की समस्या भी उत्पन्न होती है। यहां पर क्लेश के पांच प्रकार बताए गए हैं।

1. अविद्या
2. अस्मिता
3. राग
4. द्वेष
5. अभिनिवेश

इन्हीं आयामों के आधार पर क्लेश के हेतु अविद्या को भी चार प्रकार में बांटा गया है। अनित्य, अपवित्र, दुःख, रूप आदि को पदार्थों को नित्य पवित्र सुख रूप तथा आत्मबुद्धि माननीय विद्या के रूप में स्वीकार किया गया है।

1. **अनित्य को नित्य मानना अनित्य पदार्थों में नित्यता का अभिमान है।** प्रथम प्रकार की अविद्या माना जाता है। परमात्मा जीवात्मा तथा प्रकृति पुरुष समस्त पदार्थ कार्य का होने के कारण अनित्य है, परंतु अब विद्या के कारण ही हमें उन्हें नित्य मान लेना पड़ता है, जैसे पृथ्वी नित्य है।
2. अपवित्र को पवित्र मानना शरीरपूर्ण रूप से अपवित्र है तथा इसे पवित्र मानना अविद्या है। इसमें मूल मत्त अज्ञान होने के कारण ही शरीर अपवित्र मानी जाती है, फिर भी अविद्या के कारण हम इसे पवित्र मान लेते हैं।
3. दु:ख को सुख मान कर विषय भोग दु:ख एवं सुख की कामना करना दु:ख को उत्पन्न करना अविद्या कहलाता है। ज्ञानी के लिए समस्त भोग रोग के समान माना जाता है। परिणाम स्वरूप ताप संस्कार आदि दु:खों से मिश्रित होने के कारण ही हमारे अंदर सभी प्रकार के दु:ख उत्पन्न होते हैं।
4. अज्ञानता में आत्म बुद्धि अविद्या के कारण ही स्त्री पुरुष प्रधान आदि साधनों को पुरुष आत्मबोध का साधन मान लेता है। इस प्रकार हम कह सकते हैं कि अविद्या ही समस्त अनर्थ की जननी मानी जाती है। इसके साथ-साथ सांख्य और योग दर्शन में अस्मिता राग द्वेष अभिनिवेश जैसी दु:ख के आधारों पर हम कह सकते हैं कि अशुभ का स्वरूप सामान्यत: सुख प्राप्ति के तरफ अग्रसर होने के मार्ग में सुख की कामना करने से उत्पन्न होता है।

मीमांसा दर्शन में अशुभ का स्वरूप

मीमांसा दर्शन का अवलोकन किया जाए तो यह दृष्टिगोचर होता है कि यह एक कर्मकांडी दर्शन प्रणाली या दर्शन विचारधारा है। जहां कर्मों के फलस्वरूप उत्पन्न पाप-पुण्य की अवधारणा के रूप में अशुभ को स्वीकार किया गया है। यहां पर अशुभ के स्वरूप को बौद्धिक आधार पर मूल्यांकन करने का प्रयास किया गया है।

जहां पर नैतिक आधार पर धर्म अधर्म के आचरण के अनुसार मनुष्य के समस्त भौतिक गुणों का मूल्यांकन किया जाता है, क्योंकि मीमांसा दर्शन एक ईश्वरवादी एवं आस्तिक दर्शन है। अतः वेद पर आधारित होने के कारण कर्मकांड के आधार पर तत्व मीमांसा एवं धर्म मीमांसा के आलोक में अशुभ की समस्या का मूल्यांकन करने का प्रयास करता है। मीमांसा दर्शन के अनुसार मनुष्य बंधन मुक्त होकर मोक्ष की प्राप्ति अपने कर्मों से ही कर सकता है। इन कर्मों में किए गए अनुचित कर्म को ही बंधन माना जाता है, जो सामान्यतः अशुभ के द्वारा उत्पन्न होता है।

संक्षेप में हम यह कह सकते हैं कि अशुभ ही वह प्रमुख कारक है, जो मनुष्य को गलत कर्म में अग्रसर होने के लिए प्रेरित करता है। इस प्रकार हम देखते हैं कि उत्तर मीमांसा में अशुभ की समस्या को धर्म के अनुसार शुभ-अशुभ प्रमाणित करने का प्रयास किया गया है। जहां पर वैदिक आदेश के अनुसार किए गए समस्त कर्म शुभ कर्म कहलाते हैं।

वैदिक ज्ञान पर आधारित किए गए अनुचित कर्म को अशुभ कहा जाता है। यही समस्त कर्म जीव को बंधन में डालते हैं। जिसके कारण जीव बार-बार पुनर्जन्म लेकर अपने कर्मों को भोगता है। अर्थात् मीमांसा दर्शन अशुभ को एक प्रकार से पूर्व बुरे कर्मों के रूप में मूल्यांकित करने का प्रयास करता है, जो सामान्यतः शुभ का विनाश करता है। एक प्रकार से कहा जाए तो मृत्यु भी अशुभ मानी जा सकती है।

वेदांत दर्शन में अशुभ का स्वरूप

वेदांत दर्शन को भारतीय विचारधारा के ज्ञान का प्रकाश माना जाता है अर्थात् समस्त वेदों एवं उपनिषदों के अंतिम ज्ञान की व्याख्या यहीं दिखाई पड़ती है। जहां पर आचार्य शंकर, रामानुज आदि ने अपने अनुसार कर्मों को धार्मिक आधार पर स्पष्ट किया तथा, जो उसमें अशुभ के स्वरूप को नैतिकता के साथ जोड़कर मूल्यांकित करने का प्रयास करते हैं।

आचार्य शंकर ने अशुभ को एक इंद्रियानुभव से परे की विषय-वस्तु के रूप में स्वीकार करते हैं। इसलिए वह शारीरिक मानसिक दु:ख को अशुभ के रूप में स्वीकार नहीं करते हैं, क्योंकि वह अनैतिक विचार तथा अनैतिक कार्यो को भी अशुभ मानकर इस संसार में अशुभ की सत्ता व्यापक रूप से स्वीकारते हैं। जन्म और मृत्यु और व्याधि राग, द्वेष ईर्ष्या, चिंता आदि अनेक प्रकार के अशुभ संसार में विद्यमान हैं। जिन्हें शंकर के अनुसार अनुभव किया जा सकता है। पाश्चात्य दर्शन में हम जिसे अनैतिक असत्य कहते हैं। उसे भारतीय दर्शन में अधर्म या अनर्थ कहा जाता है। आचार्य शंकर इस जगत में पाप अधर्म आदि पर निरंतर मनन के द्वारा इन्हें दूर करने का एवं नैतिक और शुभ के यथार्थ स्वरूप का मूल्यांकन करने का प्रयास करते हैं।

आचार्य शंकर मानते हैं कि सांसारिक पदार्थों के विषय में बार-बार सोचते रहने से हमारे मन में उन्हें पाने की इच्छा उत्पन्न हो जाती है, और यही इच्छा ही उस व्यक्ति को पाप करने के लिए प्रेरित करती है। इसके साथ-साथ विशिष्ट द्वैत में अशुभ की समस्या को महर्षि रामानुज विवेचना करते हुए कहते हैं कि विश्व को उतना ही सत्य माना जाए जितना कि ब्रह्म है, क्योंकि जगत सत्य है। इसलिए जगत में व्याप्त अशुभ की वास्तविकता सिद्ध हो जाती है।

रामानुज परिणामवाद को स्वीकार करते हुए कहते हैं कि कारण का कार्य के रूप में परिवर्तित होना वास्तविक है। अशुभ भी किसी कारण का ही परिणाम है। शंकर ने जगत को मिथ्या कहा था, जबकि रामानुज जगत को सत्य मानते है। शंकर के अनुसार जगत को स्वीकार करना अनिवार्य हो जाता है। रामानुज के अनुसार मनुष्य अपने कर्मों के कारण ही सत्य रूप में दु:खों एवं अशुभ का भोग करता है।

धर्म एवं विज्ञान में संबंध

भारतीय संस्कृति चाहे वैदिक परंपरा हो या श्रमण परंपरा एवं पाश्चात्य संस्कृति में धर्मवादी दार्शनिक परंपरा के अनुसार धर्म और विज्ञान के समस्त पहलुओं का अवलोकन करने के बाद यह दृष्टिगोचर होता है

कि धर्म का संबंध जहां आस्था विश्वास श्रद्धा एवं नैतिक नियमों से है, जबकि विज्ञान का संदर्भ तर्क परीक्षण एवं अनुभव के आधार पर व्यवहारिक स्तर पर किया जाता है। इन दोनों विषयों के सैद्धांतिक एवं व्यावहारिक पक्ष का अलग-अलग महत्व एवं अस्तित्व है। धर्म और विज्ञान का विरोध बतलाते हुए कहा जाता है कि धर्म मनोवृत्ति व्यक्तिगत होती है। जहां प्रत्येक व्यक्ति का धर्म के प्रति अपना एक दृष्टिकोण होता है।

धर्म में हम सिर्फ वास्तविकता का ज्ञान ही नहीं अपनाना चाहते हैं, बल्कि वास्तविकता का मूल्यांकन करते हैं। इसके विपरीत विज्ञान वैज्ञानिक प्रगति प्रवृत्ति व्यक्तित्व रहित होता है। वैज्ञानिक दृष्टिकोण में संवेग का कोई स्थान नहीं होता है। एक वैज्ञानिक को विज्ञान के निष्कर्ष को मानने में किसी प्रकार का संकोच नहीं होता है। धर्म का उद्देश्य कार्य कारण सिद्धांत के द्वारा वस्तुओं के बीच एकता कायम करना है। विज्ञान विश्व की विभिन्न अनुभव के बीच कार्य कारण संबंध को अनुभव के आधार पर मूल्यांकन करता है। विज्ञान के अनुसार प्रत्येक दृश्य वस्तु एक दूसरे से संबंधित है। जिसके फलस्वरूप विश्व में आकस्मिकता और सहयोग का कोई स्थान नहीं है, परंतु विज्ञान से जब पूछा जाता है कि कार्य कारण श्रृंखला एक व्यवस्था का निर्माण किस रूप में होता है तो विज्ञान मौन रहता है।

इसके लिए हमें धर्म की शरण में जाना पड़ता है। जहां धर्म मनुष्य की एक स्वतंत्र अनुभूति के रूप में कार्य करता है। धर्म का संबंध मनुष्य के आंतरिक जीवन से है, जबकि विज्ञान का संबंध मनुष्य के बाहरी दुनिया से है, अर्थात् विज्ञान का संबंध मनुष्य के अनुभव के बाद होता है।

मनुष्य के आंतरिक अनुभव की उपेक्षा विज्ञान सदैव करता है। इसके अतिरिक्त विज्ञान और धर्म में भी कई भेद हैं। विज्ञान जहां भौतिक शास्त्र का संबंध रखता है। मनोविज्ञान मन से संबंध रखता है। धर्म का संबंध मूल्यों को प्राप्त करना है। यह आध्यात्मिक मूल्यों को प्राप्त करने का कार्य करता है। मूल्य को दुनिया जिसे धर्म अत्यधिक प्रधानता देता है।

विज्ञान को अज्ञात प्रतीत होता है। व्यक्तिगत सदैव एवं समान मूल्यों की दुनिया जो धर्म का आधार है।

विज्ञान के लिए आन्तरिक धार्मिक मूल्य में अज्ञानता का संबंध है। विज्ञान और धर्म एक दूसरे के विरोधी हैं। धर्म के कुछ विशेष उदाहरण सामान्य नियमों के आधार पर आधारित होते हैं, जबकि विज्ञान के नियम सदैव परिवर्तित होते रहते हैं। वह अपने किए हुए पूर्व के ज्ञान पर भी संदेह करता है। विज्ञान का संबंध प्राकृतिक जगत से है, जबकि धर्म का संबंध अति प्राकृतिक सत्ता से है। कांट ने भी धर्म और विज्ञान को एक दूसरे के विरुद्ध बतलाते हुए कहते हैं कि विज्ञान का संबंध हृदय जगत से है, जबकि धर्म का संबंध उन तथ्यों से है, जो लौकिक सत्ता से परे है।

धर्म और विज्ञान में मूल भेद

धर्म एवं विज्ञान में मूलतः भेद यह है कि धर्म का प्रधान उद्देश्य मुक्ति की प्राप्ति है, जबकि विज्ञान का प्रधान उद्देश्य की प्राप्ति है। धर्म और विज्ञान में भेद यह है कि धर्म सृष्टिवाद में विश्वास करता है, जबकि विज्ञान विकासवाद में विश्वास करता है। धर्म के अनुसार ईश्वर सृष्टि रचना कर्ता है। ईश्वर ने अपनी इच्छा मात्र से विश्व का निर्माण किया है। विज्ञान के अनुसार यह संसार विकास का फल है। प्रकृति की वस्तु के परिवर्तन एवं विकास के फलस्वरूप नए-नए विषयों का प्रादुर्भाव होता है या परिवर्तन होता है। इस भेद के फलस्वरूप धर्म और विज्ञान में अन्य भेद भी परिलक्षित होते है। धर्म नैतिक नियमों की व्याख्या करता है जो नैतिकता में विश्वास कर धर्म की बातों को स्पष्ट करता है, जबकि विज्ञान यंत्रवाद का समर्थन करता है, जबकि धर्म अध्यात्मवाद का समर्थन करता है। कुछ लोगों ने धर्म के विरुद्ध भी कहा है कि ध र्म सैद्धांतिक जबकि विज्ञान व्यवहारिक है।

इसके साथ-साथ धर्म और विज्ञान में एक अंतर यह है कि धर्म जहां हृदय एवं आस्था का विषय है। वहीं विज्ञान शोध एवं तर्क का विषय है। धर्म में रागात्मक मूल्यों की प्रधानता होती है, जबकि विज्ञान

में बौद्धिक तत्वों का समावेश होता है। इसीलिए विज्ञान को हृदय विहीन कहा जाता है। धर्म का क्षेत्र अत्यंत व्यापक है, जबकि विज्ञान का क्षेत्र अत्यंत सीमित है।

धर्म के अन्तर्गत अलौकिक जगत की बात होती है। जिसमें आत्मा, परमात्मा, जन्म, पुनर्जन्म पाप-पुण्य की विषय-वस्तु शामिल होती है। जबकि विज्ञान के अंतर्गत व्यावहारिक जगत की विषय-वस्तु का ज्ञान प्राप्त होता है। इसलिए कहा जाता है कि धर्म का चित्र अत्यंत व्यापक है, जबकि विज्ञान का क्षेत्र धर्म से सीमित है। धर्म और विज्ञान में धर्म का चित्र एवं परिभाषा अत्यंत भावात्मक एवं भ्रम युक्त होती है, जबकि विज्ञान के अंतर्गत व्यवहारिक एवं शांति के स्तर पर शुद्ध होती है।

निष्कर्ष: यह कहा जा सकता है कि धर्म और विज्ञान में अनेक विभेद होने के बावजूद भी अनेक समानता भी है जिसके कारण धर्म का क्षेत्र व्यापक हो जाता है। यह विज्ञान का क्षेत्र सीमित हो जाता है। दोनों का सृष्टि संचालन में महत्वपूर्ण योगदान दिखाई पड़ता है।

धर्म और कला में संबंध

यद्यपि दोनों ही मानव की आंतरिक अभिव्यक्ति का विषय है। इसके बावजूद भी धर्म का क्षेत्र कला के क्षेत्र से अत्यंत व्यापक हो जाता है। यह मनुष्य के आंतरिक अभिव्यक्ति के परिणाम माने जाते हैं। जहां धर्म मानव जीवन को आनंदित करने के लिए नियम और भाव प्रकट करता है। वहीं कला उसको पूर्व प्रदान करने का कष्ट करता है। भौतिक वस्तुओं के परिप्रेक्ष्य में देखा जाए तो उसको बाह्य स्वरूप प्रदान करना कला का कार्य है, जबकि उसके आंतरिक स्वरूप को मूल्यांकित करना धर्म का कार्य है। इस प्रकार हम देखते हैं कि धर्म और कला में घनिष्ठ संबंध है फिर भी दोनों के बीच विभिन्नताएं दिखाई पड़ती हैं।

धर्म जहां आध्यात्मिकता को बढ़ावा देता है, वहीं कला भौतिकतावाद के साथ आध्यात्मिकता की कुछ झलक को बढ़ावा देता है। यद्यपि धर्म और कला में घनिष्ठ संबंध है, फिर भी इन में अनेक प्रकार की विविधता भी देखने को मिलती है। धर्म और कला दोनों का उद्देश्य

आध्यात्मिक मूल्यों को अपनाना है। धर्म आध्यात्मिक है। धर्म की तरह कला का भी आध्यात्मिक होना नितांत आवश्यक माना जाता है।

धर्म और कला दोनों ही व्यक्ति के भाव से जुड़े हुए हैं तथा विश्व के लिए संवेगात्मक दृष्टिकोण को बढ़ावा देते हैं। कला के द्वारा व्यक्ति अपने संबंधों को प्रकाशित करता है। धर्म के द्वारा ही व्यक्ति ईश्वर के प्रति अपनी भावनाओं को स्पष्ट करता है। यथार्थता में कहा जाए तो धर्म और कला दोनों के द्वारा शक्ति का प्रकाशन किया जाता है।

धर्म और कला व्यक्ति को साधारण स्तर से हटाकर सत्य और आनंद के स्तर पर ले जाते हैं। कला मानव की सौंदर्य चाह की अभिव्यक्ति करता है। हेगल के अनुसार कला मूलतः एक आध्यात्मिक अनुभव है, सुंदर है।

हेगल के मतानुसार कला आध्यात्मिक है। धर्म भी आध्यात्मिक दृष्टिकोण को प्रस्तावित करता है। इस प्रकार कला और धर्म में गहरा संबंध दिखाई पड़ता है। वहीं धर्म द्वारा कला की प्रेरणा मिलती है। कला का प्रिय एवं आकर्षक रूप में जीवन से कला का परिमार्जन हुआ है। धर्म के प्रभाव को व्यक्त करता है। दूसरी ओर कला ही धर्म की सेवा करता है। यहां कला का ही प्रभाव है कि धर्म चमत्कार पूर्ण दिखता है। इसका उद्भव उपासना और आराधना जैसी धार्मिक क्रिया के माध्यम से होती है। कला और धर्म एक दूसरे को प्रभावित करते हुए आगे बढ़ते हैं।

धर्म और धर्म दर्शन में संबंध

धर्म शब्द से विश्व धर्म का जैसे हिंदू धर्म, ईसाई धर्म, बौद्ध धर्म, इस्लाम धर्म के स्वरूप का स्पष्टीकरण होता है। यह विश्व के प्रमुख धर्म हैं। अतः धर्म शब्द से विश्व के विभिन्न धर्मों का ज्ञान होता है। इसके विपरीत धर्म दर्शन उस विद्या को कहा जाता है। जिसके द्वारा धर्म का विवेचन धार्मिक रूप से किया जाता है। धर्म-दर्शन दार्शनिक जीवन एवं धार्मिक प्रवृत्तियों का बोध कराता है। धर्म दर्शन का क्षेत्र व्यापक है, जबकि धर्म का क्षेत्र संकुचित है, क्योंकि धर्म दर्शन, धर्म

का दार्शनिक विवेचन करता है। इसलिए सभी प्रकार के धर्म एवं उसके विषय धर्म दर्शन की विषय-वस्तु है, परंतु धर्म विशेष रूप में ईश्वर शास्त्र पर केंद्रित रहता है।

प्रत्येक धर्म का अलग-अलग स्वरूप दिखाई पड़ता है। जिसका अध्ययन प्रत्येक धर्म अलग-अलग ढंग से करता है। धर्म की अपेक्षा धर्म दर्शन का स्थान अधिक है। ऐतिहासिक धर्म एवं धर्म दर्शन की समान परिधि ईश्वर को माना जाता है।

जिसके आधार पर वह धर्म का दार्शनिक मूल्यांकन करता है। धर्म का स्थान धर्म दर्शन की तुलना में प्रथम माना जाता है, क्योंकि धर्म दर्शन इसके अभाव में धार्मिक विषयों पर विचार नहीं कर सकता है। धर्म में ईश्वर की भावना के आधार को स्वीकार किया जाता है। धर्म में ईश्वर को मानव की पूर्व मान्यता के रूप में स्वीकार किया जाता है।

साधारण धर्मावलंबी ईश्वर को आस्था के आधार पर मान लेते हैं, परंतु धर्म दर्शन में ईश्वर के अस्तित्व को तर्क बुद्धि के द्वारा प्रमाणित करने का प्रयास किया जाता है। यही कारण है कि धर्म दर्शन में ईश्वर के अस्तित्व संबंधी प्रमाण की विवेचना होती है। धर्म दर्शन को बौद्धिक और तार्किक कहा गया है, क्योंकि धर्म दर्शन तर्क के आधार पर विकसित हुआ है।

धर्म इसके विपरीत बुद्धि भावना तथा भाव क्रिया पर आधारित है। इसलिए धर्म ज्ञानमूलक भावनामूलक तथा क्रियात्मक माना जाता है। धार्मिक चेतना के द्वारा धर्म के तीन पक्ष–**ज्ञानात्मक, भावनात्मक, क्रियात्मक**–पक्षों पर अधिक बल दिया जाता है।

धर्म दर्शन धर्म की तुलना में अत्यंत व्यापक है। धर्म दर्शन में निराशावादी धर्मों का भी विवेचन किया जाता है, जबकि धर्म केवल ईश्वर पर आधारित है। इसके अभाव में धर्म की कल्पना नहीं की जा सकती है। इसीलिए फिलिन्ट महोदय ने धर्म को ईश्वरवाद का पर्यायवाची कहा है। ऐसे धर्म जो बाहर से देखने पर निराशावादी प्रतीत होते हैं।

धर्म दर्शन को बौद्धिक और तार्किक कहा गया है, क्योंकि धर्म दर्शन तर्क के आधार पर ही विकसित हुआ है। इसके अतिरिक्त भक्ति भावना भाव पर आधारित है। धर्म दर्शन की तुलना में धर्म का क्षेत्र सीमित एवं संकुचित हो जाता है, क्योंकि दोनों का मूल उद्देश्य आध्यात्मिकता को मानव जीवन के अंदर उपस्थित कर आंतरिक अभिव्यक्ति के रूप में प्रखर करना है।

निष्कर्षः यह कहा जा सकता है कि धर्म एवं धर्म दर्शन में एक प्रकार से तादात्म्य संबंध पाया जाता है। जिसे किसी भी दशा में अलग नहीं किया जा सकता है। दोनों मनुष्य के आंतरिक अभिव्यक्ति के भाव को स्पष्ट करने का कार्य करते हैं। सम्पूर्ण संसार में मानवता के यथार्थ अभिव्यक्ति को उजागर करने का प्रयास करते हैं। जिससे सम्पूर्ण संसार के सभी धार्मिक सम्प्रदायों में से रूढिवादी एवं कर्मकाण्डीय विचारधारा का खण्डन किया जा सके।

■■■■

अध्याय 9

धार्मिक चेतना का स्वरूप

प्रस्तावना

धार्मिक चेतना वह प्रक्रिया है, जो धर्म के अंतर्गत व्याप्त तथ्यों की विवेचना करती है। जिससे मानव का झुकाव धर्म की ओर बढ़ता जाता है। यही नैतिक चेतना और सौंदर्य चेतना की तरह मनुष्य के अंदर धार्मिक प्रवृत्ति को उत्पन्न करती है। यही शुभ-अशुभ उचित-अनुचित के भाव को मनुष्य के अंदर प्रखर करती है।

धार्मिकता की चेतना को ही धार्मिक चेतना कहा जाता है। धार्मिक चेतना का अध्ययन धर्म-दर्शन में होता है। साधारण चेतना को शब्द अर्थ ज्ञान के रूप में प्रयोग किया जाता है। यह धर्म के ज्ञानात्मक पहलू को स्पष्ट करता है, जो मानव को किसी शक्ति के प्रति चेतनशील बनाता है। भावनात्मक पहलू के द्वारा ही धर्म का पालन किया जाता है। धार्मिक चेतना के द्वारा उस सत्ता के प्रति प्रेम, आत्मसमर्पण तथा निर्भरता का भाव फैलता है। क्रियात्मक पहलू धर्म का वह भाग है, जो मानव को शक्ति के प्रति क्रियाशील बनाता है। मानव अपने कर्मों द्वारा उस ईश्वर को प्रसन्न रखने का प्रयास करता है। जिसके फलस्वरूप क्रिया पद्धति का विकास होता है। यह पूजा विधान विधि तत्व के कारण धर्म में देखे जाते हैं। इन तीनों का समग्रता में अवलोकन किया जाए तो यह दृष्टिगोचर होता है कि धार्मिक चेतना मनुष्य के जीवन में भावनात्मक,

क्रियात्मक एवं ज्ञानात्मक पक्षों को उजागर करने का कार्य करती है। यह संपूर्ण मानव मन की प्रतिक्रिया की अभिव्यक्ति है, जो मनुष्य के अंदर उठने वाले मौलिक ज्ञान एवं मूल स्वरूप को स्पष्ट करने का कार्य करती है।

धार्मिक चेतना की उत्पत्ति मानव की आध्यात्मिक असंतोष के कारण होती है। मानव एक ऐसी सत्ता की कल्पना कर लेता है, जो इस जगत से परे है। साथ ही साथ उसे भी महान समझने लगता है। इस प्रकार की भावना का उदय मानव पारलौकिक सत्ता के साथ के कारण होता है। ऐसी अवस्था में वह अपने को असहाय अनुभव करता है। एक प्रकार से अदृश्य सत्ता से मदद और दया की आशा करता है। इस प्रकार उसमें धार्मिक चेतना का प्रादुर्भाव होता है। अत: कहा जा सकता है। कि धार्मिक चेतना की उत्पत्ति मानव की ससीमता का परिणाम है।

धार्मिक चेतना का अर्थ

चेतना का अर्थ ज्ञान है। धार्मिक चेतना का अर्थ धार्मिक नियमों का ज्ञान होता है। साधारण अर्थों में कहा जा सकता है कि चेतना वह माध्यम है। जिसे हमें किसी विषय वस्तु का ज्ञान होता है। इस अर्थ में देखा जाए तो धार्मिक चेतना कहने का अर्थ यह है कि धर्म से संबंधित ज्ञानात्मक, भावनात्मक, संकल्पनात्मक तीनों प्रकार की इच्छाओं का समन्वय कर उसका अध्ययन करना ही धार्मिक चेतना का यथार्थ कार्य है।

धार्मिक चेतना में तीनों तत्व विद्यमान रहते है। इसे केवल ज्ञान और भावनाओं को मानना इसके अर्थ को संकुचित करना है। धर्म का बोध ज्ञान रूप अवश्य है, क्योंकि बौद्धिक ज्ञान से ही धर्म की मान्यताओं को जानते हैं, परंतु धार्मिक सिद्धांतों के बाद ज्ञान के पश्चात् में धर्म के प्रति श्रद्धा व आस्था होती है।

यह श्रद्धा एवं आस्था ही भावना का रूप है। धार्मिक भावना के पश्चात् मानव धर्म का आचरण करते हैं, परन्तु धार्मिक चेतना में ज्ञान, आस्था और संकल्प तीनों सम्मिलित रहते हैं। अत: स्पष्ट है कि धार्मिक

चेतना में तीनों तत्व विद्यमान हैं, परंतु एक आवश्यक प्रश्न यह है कि इन तीनों में कौन सा तत्व धार्मिक चेतना को अधिक बल देता है।

इसके संदर्भ में कुछ विद्वान मानते हैं कि धर्म में तीनों तत्व सम्मिलित रूप से भाग लेते हैं। इसमें कोई प्रबल और कोई कमजोर नहीं है, बल्कि तीनों अनिवार्य अंग हैं। धार्मिक चेतना ज्ञान भावना और क्रिया का समन्वित रूप है। धार्मिक चेतना ज्ञान प्रधान होती है। भावना प्रधान होती है। क्रिया प्रधान होती है।

धार्मिक चेतना में ज्ञान की प्रधानता है।

धार्मिक चेतना को धर्म का आधार मानने वाले मैक्समूलर और हेगल का नाम उल्लेखनीय है। मैक्स मूलर के अनुसार "**अनंत सत्ता का ज्ञान ही धर्म**" है। इस प्रकार इनके अनुसार धार्मिक चेतना का एकमात्र आधार हमारा ज्ञान है। इस विचार के समर्थकों के अनुसार मानव धार्मिक होता है।

इसका कारण यह है कि उसके पास विवेक होता है, जबकि पशुओं के पास विवेक नहीं होता है। जिसके कारण वह धार्मिक होता है। इसके अतिरिक्त धार्मिक चेतना को सर्व भाव बनाने के लिए इसको स्वीकार करना पड़ेगा, क्योंकि भावना व्यक्तिगत होती है, परंतु विवेक ज्ञान पर आधारित होता है।

इसी ज्ञान को आधार बनाकर धार्मिक चेतना को सर्वभौमिक से जोड़ा जाता है। बुद्धिवादी दार्शनिक यह मानते हैं कि धार्मिक चेतना का मूल आधार ज्ञान है। अतः बुद्धि को ज्ञान के स्रोत के रूप में स्वीकार किया जाता है। इसी आधार पर वह धार्मिक चेतना के ज्ञान को बुद्धि प्रदत स्वीकार किया जाता है। मैक्समूलर के अनुसार मानव में ज्ञान ही प्रधान है।

अतः इसे ही धार्मिक चेतना का आधार स्वीकार करना उचित है। विवेक प्रधान होने के कारण ही मनुष्य धर्म का आचरण करता है। यदि मनुष्य में ज्ञान न हो तो वह धर्म की ओर अग्रसर नहीं हो सकता है। इसके लिए कुछ तर्क दिए गए जो इस प्रकार है।

1. धर्म के मूल में आध्यात्मिक असंतोष, मनुष्य अपूर्णता से पूर्णता की ओर, आदि से अनंत की ओर, अल्पज्ञ से सर्वज्ञ की ओर जाना चाहता है। इसके लिए वह धार्मिक अनुभूति को ज्ञान के रूप में मानकर स्वीकार करता है।
2. धर्म का सार असीम और अनंत का ज्ञान कराना है। धर्म की अनुभूति व्यक्तिगत होती है। इसी कारण धर्म में संकीर्णता आती है, परंतु जब हम अनुभूति का विवेक के आधार पर मूल्यांकन करते हैं तो इसका महत्व बढ़ जाता है। धार्मिक चेतना में इसीलिए ज्ञान की प्रधानता बढ़ जाती है।
3. ज्ञान के कारण ही धर्म सुदृढ़ और विश्व व्यापी होता है।

अतः धार्मिक अनुभूति जब व्यक्तिगत हो जाती है। तभी इसमें सहनशीलता आती है, परंतु जब यह अनुभूति विवेक से जुडी रहती है, तो सार्वजनिक स्तर पर इसका महत्व बढ़ जाता है, परंतु केवल ज्ञान को धर्म का आधार स्वीकारने पर अनेक प्रकार की कठिनाई दिखाई पड़ती है। सर्वप्रथम यदि इस बात को स्वीकार किया जाए तो यह मानना पड़ेगा कि अज्ञानी धार्मिक नहीं हो सकता है, जो गलत है अतः हम पाते हैं कि अज्ञानी व्यक्ति भी धार्मिक होते हैं।

धार्मिक चेतना का संवेगात्मक पहलू

कुछ विद्वानों के अनुसार धार्मिक चेतना का संबंध हमारे केवल संवेगात्मक पहलू से है। उनके अनुसार धर्म का बुद्धि के साथ कोई संबंध नहीं होता है। इस विचार को मानने वाले विचारकों के अनुसार धर्म बौद्धिक नहीं हो सकता है।

इसका कारण यह है कि बुद्धि नियम तर्क आदि सिद्धांतों के साथ उलझा हुआ है परंतु धर्म एक आत्म अनुभूति है, जो बुद्धि से भिन्न है। धर्म कोई युक्ति का विषय नहीं है। यह तो आस्था और विश्वास पर आधारित है। मानव अपनी आत्मा का संबंध उसके सत्ता के साथ स्थापित करता है। जिसे ईश्वर कहते हैं अतः धर्म का बुद्धि के साथ कोई स्थान नहीं है।

इसके साथ ही साथ उन विचारकों के अनुसार धर्म का संबंध व्यावहारिक क्रियाओं के साथ नहीं होता है। इस विचार के समर्थक के अनुसार धार्मिक इसलिए नहीं होता है, क्योंकि वह विवेकी नहीं होता है और न ही इसका कारण धार्मिक है, क्योंकि नैतिक नियमों के अनुसार कर्म करता है, बल्कि वह धार्मिक होता है, क्योंकि उसके हृदय में ईश्वर का वास होता है वह अनुभव करता है, वह ईश्वर के ऊपर आश्रित है। अतः धर्म मानव की संवेदना पर आधारित होता है।

प्रोफेसर केयर्ड के अनुसार धार्मिक चेतना आत्मा और ईश्वर के बीच में तादात्म्य संबंध स्थापित करता है, परंतु इस कार्य के लिए किसी क्रिया विधि को क्रिया में सहायक नहीं किया जा सकता है। यह केवल अनुभूति और सम्पर्क के आधार पर ही आत्मा और ईश्वर में तादात्म्य संबंध स्थापित किया जा सकता है। इनके अनुसार धार्मिक चेतना एक ऐसी चेतना है, जो सबके लिए संभव हो सकती है तो हमें इस बात को स्वीकार करना पड़ेगा कि इसका स्थान हमारी अनुभूति में निहित है।

कुछ लोगों ने धर्म की व्याख्या करते हुए कहा है कि धर्म मानव हृदय को ईश्वर में मिलाता है, और इससे स्पष्ट है कि धर्म का स्रोत हमारी अपनी अनुभूति में निहित है। इसमें ज्ञान सदा ही आंतरिक तथा बाह्य वस्तु के भेद को निहित करता है। ज्ञान में ज्ञाता और विषय का भेद सदा ही विद्यमान रहता है। अनुभूति में भारी वस्तु से कोई अलग सत्ता नहीं रह जाती है। वह स्वयं आंतरिक हो जाती है। अर्थात् हम कह सकते है कि कुछ विद्वान के अनुसार धार्मिक चेतना का आधार हमारी अनुभूति है अर्थात् हम किस अनुभूति को धार्मिक अनुभूति कह सकते हैं। इसमें कई मतभेद भी दिखाई देता है। कुछ विचारकों ने धार्मिक चेतना को अंधविश्वास भी कहा है। इसलिए उनके अनुसार भय की अनुभूति धार्मिक अनुभूति को जागृत करती है। इस प्रकार हम पाते हैं कि विद्वानों में धार्मिक भावना कैसी होनी चाहिए इसके संबंध में विभिन्न प्रकार के मत प्रकट किए हैं।

धार्मिक भावना एक जटिल प्रवृत्ति है। जिसमें हम बाह्य श्रद्धा, प्रेम, आशा, निर्भरता, शांति, सुख तथा आनंद आदि का समावेश पाते हैं। धार्मिक चेतना का मूल आधार हमारी भावना है। इसे साबित करने के लिए कुछ विद्वान निम्नलिखित तर्क देते हैं–

1. साधारण व्यक्ति डर की भावना से धार्मिक बनता है। साधारण व्यक्ति ज्ञान के कारण धार्मिक नहीं बनता है। वह धार्मिक क्रियाओं के अनुष्ठान से धार्मिक नहीं होता है, परंतु धार्मिक भावना के कारण धार्मिक बनता है।
2. समाज में अज्ञानी तथा मूर्ख अधिक हैं, परंतु वे उच्च कोटि के धार्मिक हैं। उनमें आस्था अवश्य है, परंतु ज्ञान का अभाव है। आस्था का संबंध भावना से है। भावना से ही उन्हें धार्मिक बनने की प्रेरणा मिलती है।
3. धार्मिक चेतना भावनात्मक मानने वाली ज्ञान का विरोध करती है। उनका कहना है कि यदि धर्म में ज्ञान की प्रधानता होती तो केवल विद्वान ही धार्मिक होते। वस्तुतः विद्वान धार्मिक कम होते हैं। यदि विद्वान धर्म की ओर आकृष्ट भी होता है तो भावनाओं के कारण नहीं, बल्कि उसके मूल भाव के कारण होता है।
4. धार्मिक चेतना को भावनात्मक मानने वाले धर्म को क्रियामूलक भी नहीं मानते हैं।

उनका कहना है कि धार्मिक क्रियाओं में पूजा-पाठ, यज्ञ, हवन आदि के लिए अधिक से अधिक धन की आवश्यकता होती है। ऐसी स्थिति में केवल धनवान ही धार्मिक हो सकता है। इसके बावजूद भी निर्धन अधिक धार्मिक दिखाई पड़ते हैं। इसलिए धार्मिक चेतना का मूल भाव भावना प्रधान है। इसके साथ ही साथ अभी इसे स्वीकार करना होगा कि किसी भी वस्तु की हमें अनुभूति मात्र उसके भाव की होती है। यह सही है या गलत है यह हमारी भावना पर निर्भर करता है।

धार्मिक चेतना का क्रियात्मक पक्ष

कुछ विद्वान धार्मिक चेतना के क्रियात्मक स्वरूप पक्ष को स्वीकार करते हैं। उनका मानना है कि यज्ञ, हवन, परोपकार आदि के माध्यम से ही धर्म की अभिव्यक्ति होती है। धार्मिक कर्म ही धर्म में प्रधान तत्व के रूप में माना जाता है। कर्म आंतरिक संकल्प की बाह्य अभिव्यक्ति होता है।

धार्मिक क्रिया संकल्पमूल्क होती है। धार्मिक चेतना को संकल्प मूलक ही माना जाता है। संसार के समस्त धर्मों को देखने से यह पता चलता है कि धार्मिक क्रियाएं धर्म के आधार पर होती हैं। मंदिर, मस्जिद, गिरजाघर, अन्य पूजा स्थल पर विभिन्न प्रकार के धार्मिक मंत्र बलि पूजा-पाठ दान दक्षिणा जैसे धार्मिक कार्यों को करने के लिए ही लोग जाते हैं।

कर्म को भी धार्मिक चेतना का सार मान लेना चाहिए हम अपनी धार्मिक चेतना को विधि व निषेध रूप में कर्म में अभिव्यक्त करते हैं। इस सिद्धांत को मानने वाले कुछ तर्क इस प्रकार देते हैं–

1. धार्मिक व्यक्ति वही है, जो धार्मिक कर्मों को करता है। जैसे दान वाली पूजा-पाठ आदि धार्मिक कार्य धर्म के इतिहास में बहुत पहले से दिखाई पड़ते हैं। इससे स्पष्ट होता है कि धार्मिक चेतना क्रिया प्रधान होती है।
2. वस्तुतः धर्म में देखा जाता है कि व्यक्ति ससीम और अनंत ईश्वर के साथ अपना संबंध स्थापित करना चाहता है। इसके लिए उसे कुछ क्रिया करनी पड़ती है। जिसके द्वारा अपने देवता को प्रसन्न कर उससे संबंध जोड़ लेता है। उदाहरण के लिए क्रिया के माध्यम से मानव असीम परमात्मा से संबंध जोड़ता है। उनकी कृपा से अपनी दुर्बलता पर विजय प्राप्त करता है। साथ ही साथ मनवांछित फल की भी प्राप्ति करता है।
3. धार्मिक क्रियाओं के द्वारा ही धर्म सुदृढ़ होता है, जब मनुष्य धार्मिक क्रियाओं को करता है, तो धर्म में उसकी अभिरुचि बढ़ती जाती है। शारीरिक और मानसिक क्रियाओं के द्वारा हम अपने लक्ष्य की ओर बढ़ते हैं।

4. पूजा-पाठ कर्मकांड आदेश से हम धार्मिक आदेश की प्राप्ति करते हैं। आदर्श या मूल्य तो अलौकिक होते हैं, परंतु लौकिक कर्मकांड से ही प्राप्त होते हैं। कर्मकांड भी आदर्श साधन है।

वर्तमान परिदृश्य में कुछ दार्शनिकों ने धर्म के क्रियात्मक पहलू पर अधिक जोर दिया है। सर्वप्रथम कांट के **पुस्तक क्रिटिक्स ऑफ प्योर रीजन** में इस बात पर समर्थन किया गया है। इसके साथ-साथ थे इस प्रकार यह स्पष्ट हो जाता है कि धार्मिक चेतना में हम ज्ञानात्मक, संवेगात्मक तथा क्रियात्मक बातों को एक सामंजस्य के रूप में पाते हैं। धार्मिक चेतना हमारे मन के किसी एक अंग में नहीं, बल्कि हमारे मन के तीनों पहलुओं में आवश्यक होता है।

धर्म का ज्ञानात्मक पहलू हमारे अंदर एक ईश्वर के संबंध में संदिग्ध विश्वास को जन्म देता है। हम एक ऐसी सत्ता में विश्वास प्रदान करते हैं। जो सर्वशक्तिमान है। धर्म का संवेगात्मक पहलू हमें प्रेम श्रद्धा भक्ति डर आदि अनेक अनुभूतियों का प्रादुर्भाव कराता है, जबकि क्रियात्मक पहलू धर्म के व्यवहारिक पक्ष के लिए हमें प्रेरित करता है। अतः हम कह सकते हैं कि धार्मिक चेतना हमारी मानसिक क्षमता की चेतना है।

धार्मिक चेतना की कुछ विशेषताएं

1. यह धर्म के ज्ञानात्मक पक्ष को उजागर करने का प्रयास करता है।
2. धर्म की ओर से पूर्णता की प्राप्ति में सहयोग प्रदान करती है।
3. धर्म की उत्पत्ति के कारण में जिज्ञासा को उजागर करती है।
4. मनुष्य धार्मिक क्यों है, विवेकशीलता के आधार पर गुण एवं अवगुण को स्पष्ट करती है।
5. धर्म के आधार पर व्यक्तिगत एवं सर्वभौमिक रूप में उत्पन्न विषय-वस्तु को स्पष्ट करने का कार्य करती है।
6. धर्म में व्याप्त रूढ़िवादिता एवं अंधविश्वास परिवर्तनशीलता के भाव को स्पष्ट करती है।

7. यह धर्म के प्रति सत्य के वास्तविक स्वरूप को उजागर करने का प्रयास करती है।
8. यह धर्म के मौलिक ज्ञान के मूल स्वरूप को स्पष्ट करने का प्रयास करती है।
9. धार्मिक चेतना का आधार मुख्य उद्देश्य के साथ साधक और ईश्वर के बीच तादात्म्य संबंध को स्पष्ट करने का कार्य करती है। धर्म की व्यवहारिकता से जोड़कर इसके सभी पहलुओं का अवलोकन कर व्यवहारिक स्तर पर उसकी उपयोगिता को स्पष्ट करने का कार्य करती है।

इसके साथ-साथ यह धर्म के सैद्धांतिक पक्ष एवं व्यवहारिक पक्षों के बीच सामंजस्य स्थापित करने का कार्य करती है। इस प्रकार हम देखते हैं कि मनुष्य के जीवन में धार्मिक चेतना का एक उत्कृष्ट योगदान है, जो मनुष्य के अंदर सभी प्रकार की ज्ञानात्मक, भावनात्मक, क्रियात्मक पक्ष का अवलोकन कर उसके यथार्थ स्वरूप को स्पष्ट करने का कार्य करता है।

वर्तमान परिदृश्य में देखा जाए तो जिस प्रकार से विज्ञान का वर्चस्व है। वहां पर धर्म का ज्ञानात्मक पहलू ही प्रधान दिखाई देता है, क्योंकि यह तर्क एवं बुद्धि प्रदान करता है। मानव धर्म में भावना की सूची प्रधान रही है, लेकिन वर्तमान परिदृश्य में धर्म को बौद्धिकता के आधार पर उसके अंदर व्याप्त कर्म एवं संवेग को व्यवहारिकता के आधार पर मूल्यांकित करने का प्रयास किया जाता है। उसके बीच उत्पन्न संबंध को उजागर करने का प्रयास किया जाता है।

धार्मिक चेतना के संदर्भ में विचारकों का मत

ओटो की धार्मिक चेतना की व्याख्या

ऑटो ने धार्मिक चेतना की व्याख्या करते हुए कहा है कि यह एक ऐसी असाधारण एवं पूर्ण चेतना है, जिसमें बुद्धि का कोई स्थान नहीं है। इससे स्पष्ट है कि इनका विचार सभी दार्शनिक विचारों से भी नहीं दिखाई

पड़ता है। जहां Siliyar मेकर के अनुसार धार्मिक चेतना का अर्थ ईश्वर पर पूर्ण रूप से आश्रित होना है। इसके साथ-साथ कुछ विचारक यह भी मानते हैं कि धार्मिक चेतना एक प्रकार की अनुभूति है।

इस प्रकार हम देखते हैं कि धार्मिक चेतना के संबंध में अन्य सभी दार्शनिक की अपेक्षा ऑटो का विचार प्रमुख है। इन्होंने इसकी व्याख्या अपनी पुस्तक द आइडिया ऑफ होली में करते हुए कहते हैं कि यह एक ऐसी अनुभूति है, जो पूर्ण और रहस्यमय है। पूर्ण होने के कारण व्यक्ति विशेष के लिए इसका ज्ञान असंभव है, और एक पूर्ण सत्ता है।

अतः पूर्ण होने के कारण उसके लिए पूर्ण सत्ता का ज्ञान प्राप्त करना असंभव है। इसलिए हम कह सकते हैं कि यह सांसारिक विषय-वस्तुओं से परे है। एक प्रकार से श्रद्धा और विश्वास का विषय-वस्तु है जो असीम और साधारण अवर्णनीय है। इसके साथ-साथ धार्मिक चेतना एक प्रकार की मनुष्य के अंदर आत्मानुभूति है, जो धर्म शास्त्र के स्वरूप विषय वस्तु के यथार्थ स्वरूप में कम हो जाती है।

ऑटो का विचार है कि धार्मिक चेतना स्वनिर्मित है। नितांत भ्रामक है। जेम्स ने कहा है कि किसी भी वस्तु की अनुभूति स्वनिर्मित नहीं हो सकती है। अनुभूति या संवेदना का अर्थ है। किसी परिणाम के आधार पर कारण को जानना धार्मिक चेतना का अवश्य कोई न कोई कारण होना चाहिए वह स्वनिर्मित नहीं हो सकती है। ऑटो ने numinous को मूल्यों से परे मानकर भारी भूल की है।

एडवर्ड के अनुसार किसे सत्य, सौंदर्य एवं शुभ जैसे मूल्यों से आवश्यक रूप से संबंधित रहना चाहिए अन्यथा यह आध्यात्मिक, अनैतिकता और बौद्धिक हो जाएगा। धर्म की प्रगति के लिए यह आवश्यक है क्योंकि इसकी अनुभूति सत्यम् शिवम् सुंदरम् की श्रेणी में रखा जाए। इस प्रकार हम देखते हैं कि धार्मिक चेतना को जागृत करने में हमारी धार्मिक अनुभूति एवं रूचि का उत्कृष्ट योगदान होता है। जो हमें धर्म के समस्त लौकिक एवं पारलौकिक घटनाओं का यथार्थ मूल्यांकन कर धर्म के यथार्थ स्वरूप का मूल्यांकन करने में सहायता प्रदान करती है।

धार्मिक चेतना

भूमिका
- एक प्रकार की प्रक्रिया जिससे मानव का झुकाव धर्म के तरफ होता है। यह एक प्रकार की नैतिक चेतना जिससे शुभ-अशुभ, धर्म, अधर्म, नैतिक-अनैतिक का ज्ञान प्राप्त हो सके। एक प्रकार की नैतिक चेतना कहते हैं।
- एक प्रकार से मन के तीन पहलूः विचार, भावना, इच्छाशक्ति
- J.H. युवाः चेतना जीवन की ईकाई है जिसमें विचार मानव इच्छाशक्ति शामिल रहते हैं।

प्रकार
- ज्ञानात्मक पहलू
- क्रियात्मक पहलू
- भावात्मक पहलू

ज्ञानात्मक पहलू
- धर्म पूर्णता की प्राप्ति
- धर्म जिज्ञासा की वस्तु–प्लेटो के अनुसार
- धर्म शक्तिशाली सत्ता का विश्वास

भावनात्मक पहलू

क्या धर्म आधार भावना माना जाता है
- टायलर मैक्गाटः धार्मिक चेतना भावनात्मक होती है
- इस पहलू का आधार सार्वजनिक विश्वास है।
- धर्म कोई तर्क या व्यवहारिक वस्तु नहीं है।
- धर्म का उद्देश्य और ईश्वर के साथ तादात्म्य सम्बन्ध पाया जाता है।
- मूर्ति-पुजा की परिपाटी है।
- धार्मिक व्यक्ति के लिए भावना का रहना आवश्यक हो जाता है।

क्रियात्मक पहलू

क्या धर्म का आधार ज्ञान है
- → ज्ञान को धर्म का आधार मानने से ईश्वर का अस्तित्व
- → ज्ञान को धर्म का आधार मानने से धर्म सैद्धान्तिक हो जाता है।
- → धर्म को मात्र ज्ञान का विषय मान लेने पर दर्शन एवं धर्म का भेद असम्भव हो जायेगा।

धार्मिक चेतना की विशेषताएं

1. यह धर्म के ज्ञानात्मक पक्ष को उजागर करता है।
2. धर्म में पूर्णता है।
3. धर्म धार्मिक जिज्ञासा का विषय होता है।
4. धर्म में धार्मिक का स्वरूप व्यक्तिगत होता है।
5. धर्म में व्याप्त रुढ़िवाद एवं अन्धविश्वास को परिष्कृत किया।
6. धर्म धार्मिक चेतना का यथार्थ स्वरूप मूल्यांकन करता है।
7. धार्मिक चेतना जगत के बीच सम्बन्ध सीमित किया।

धार्मिक चेतना के सन्दर्भ में विचार

1. ओटा की धार्मिक चेतना → The Idea of Holy में एक अनुभूति है।
2. एडवर्ड के अनुसार आध्यात्मिक नैतिकता का आधार है।
   यही सत्यम् शिवम् सुन्दरम् है।
3. कान्ट ने Critique of Pure Reason में तीनों के बीच सामंजस्य स्थापित करती है।

■■■■

अध्याय 10

आत्मा का अमरत्व का स्वरूप

भूमिका

भारतीय संस्कृति की वैदिक दर्शन का अवलोकन किया जाए तो यह दृष्टिगोचर होता है कि यहां पर चार्वाक, बौद्ध दर्शन को छोड़कर सभी ने आत्मा के अमृत तत्व को ईश्वरीय अंश के रूप में स्वीकार किया है। इसके साथ-साथ नैतिक दृष्टि से भी आत्मा की अमरता की भावना अत्यन्त आवश्यक दिखाई पड़ती है।

साधारण शब्दों में यह मनुष्य की नैतिकता बनती है। इसकी आज्ञा से ही मनुष्य का जीवन सुंदर और सुखमय होता है। आए दिन हम देखते हैं कि कुछ लोग अच्छा काम करते हैं, तो उनका जीवन दुःख में रहता है। अनेक प्रकार का कष्ट उन्हें उठाने पड़ते हैं, जो लोग अनैतिक हैं, वह बुरा काम करते हैं। वह आनंद से जीवन व्यतीत करते हैं।

इससे मनुष्य के अन्दर नैतिकता के प्रति मन में उदासीनता की भावना जगती है। यह मनुष्य को नैतिक बनाए रखने के लिए आवश्यक हो जाता है कि उसे यह आशा दिलाया जाए कि यह जीवन ही अंतिम जीवन नहीं है। यहां भी सभी कर्मों का फल मिल पाएगा इसके बाद भी जिंदगी बची रहेगी हमारे सभी कर्मों का फल बाद में भी मिलेगी। यह आशा के बल पर हम लोगों में नैतिक बने रहने की शक्ति मिलती है।

अमरत्व की भावना मानव की अत्यंत ही प्रिय एवं व्यापक भावना रही है। प्रत्येक धर्म में किसी न किसी रूप में अमरता को प्रधानता दी गई है। प्रारंभिक धर्म में भी अमरता की भावना पाई जाती है। साथ ही विकसित धर्मों में अमरता की भावना देखने को मिलती है। इसलिए अमरत्व की भावना को यथार्थ में विचार करने में किसी प्रकार की आदि शक्ति की आवश्यकता नहीं है। कुछ अनीश्वरवादी व्यक्ति भी ऐसे हैं, जो अमरता की भावना में विश्वास करते हैं।

उपर्युक्त विवेचना से यह प्रमाणित हो जाता है कि अमरता का अर्थ अविच्छिन्न रूप से कालचक्र में व्यक्तियों के स्थायीत्व को बनाये रखना है। ईश्वरवादी दृष्टिकोण से आत्मा रहित अमरता ईश्वर को नहीं मानता है, क्योंकि ईश्वर सर्वज्ञ माना जाता है।

इसलिए भक्त भी सर्वकालीन रहने की भावना रखता है। अत: अमरता को सर्वकालीन माना जाता है, जब हम अमरता की भावना की शुरुआत पर विचार करते हैं, तो हम पाते हैं कि यह भावना अत्यंत ही प्राचीन है। प्रारंभिक धर्म में मानव अपने स्वरूप की व्याख्या इसी भावना से पुष्ट होकर करता रहा है। अपने पूर्वजों के साथ जुड़ा है, लेकिन आधुनिक परिप्रेक्ष्य में मनोविज्ञान इसको रुढ़िवादिता का विषय मानता है। अमरता की भावना की उत्पत्ति को जानने के बाद हम उन युक्तियों के तरफ ध्यान आकर्षित करना चाहेंगे जो अमरत्व की भावना की पुष्टि करने के निमित्त दिए गए हैं अर्थात् अमरता के प्रमाण के तरफ अग्रसर होंगे।

अमरता के प्रमाण

आत्मा की अमरता को सिद्ध करने के लिए कुछ प्रधान तर्क दिए गए हैं। जिससे स्पष्ट हो जाता है कि आत्मा के अमरत्व का कुछ स्वरूप विद्यमान है–

1. आत्मा की अमरता को क्षति के अविनाश सत्ता नियम के द्वारा ही प्रमाणित किया जाता है। इस सिद्धांत के अनुसार

विश्व में शक्ति इसी में स्थिर दिखाई पड़ती है, न तो इसमें कोई कमी हो सकती है, और न अधिकता शक्ति का परिवर्तन हो सकता है।

इस संदर्भ में शक्ति को दो प्रकार मानकर हम मूल्यांकित कर सकते हैं–

1. सामान्य शक्ति के रूप में
2. गति विषयक शक्ति के रूप में

इससे सिद्ध होता है कि भौतिक जगत में किसी भी शक्ति को समाप्त नहीं किया जा सकता है, क्योंकि आत्मा मूल द्रव्य है। इसलिए यह अविनाशी है। यह मृत्यु एवं जन्म बन्धन से परे है। फिर भी प्लेटो ने दूसरे तर्क के द्वारा भी आत्मा की अमरता को प्रमाणित करने का प्रयास किया था। यही आत्मा की शक्ति सम्पूर्ण जगत में भाग लेती है। यह मृत्यु जीवन के विपरीत है। यह जीवन का विरोधी है। यह मृत्यु में भाग लेना वाली आत्मा के स्वरूप के विपरीत है।

अतः आत्मा द्रव्य अमर है।

2. देकार्ट अपनी आत्मा को एक द्रव्य के रूप में मानकर मूल्यांकन करते हैं जिसका आधार चैतन्य को मानते हैं। चैतन्य आत्मा का स्वरूप लक्षण है। देकार्ट के अनुसार सारा आत्मा सरल द्रव्य है। सरल द्रव्य नीरवय होता है किसी भी वस्तु के नाश होने का अर्थ है उसके विभिन्न कण का अलग-अलग हो जाना है, क्योंकि आत्मा द्रव्य है। इसलिए यह किसी भी दशा में अलग-अलग नहीं हो सकती है।

यह मृत्यु एवं जन्म से परे की वस्तु है। इसका विनाश सम्भव नहीं है, क्योंकि द्रव्य एक शक्ति है जो अविनाशी है। इसलिए आत्मा भी अविनाशी एवं अमर है। लाइबनित्ज ने आत्मा को मोनाड कहा है। यह एक आध्यात्मिक सत्ता है। जिसे यह आत्मा कह कर संबोधित करते हैं।

यहाँ मोनाड अनेक हैं, फिर भी चेतना के विकास के आधार पर इनमें एक तादात्म्य संबंध दिखाई पड़ता है। इस तादात्म्य में सबसे ऊंचा स्थान ईश्वर को दिया जाता है। जिसे लाइबनित्ज **मोनाड ऑफ मोनाड** की संज्ञा से विभूषित करते हैं। मोनाड की यही कड़ी तदनंतर और अटूट है। इसमें किसी प्रकार की कमी नहीं दिखाई पड़ती है।

इसलिए यदि मोनाड को मरणशील मान लें तभी हमें यह भी मानना पड़ेगा कि मोनाड में एक जैविक शक्ति है, पर ऐसी बात लाइबनित्ज के लिए संगत नहीं है, क्योंकि मोनाड ही आत्मा है। इसलिए यह बात साबित हो जाती है कि आत्मा का विनाश नहीं हो सकता है। वरन् लाइबनित्ज का सिद्धांत भी खंडित हो जाएगा

हेगल एक प्रत्ययवादी होने के कारण निरपेक्ष को चरम सत्ता मानकर स्वीकार करते हैं। इसे आत्मा के समान माना जाता है। जिस प्रकार समाज में अनेक सदस्य होते है। उसी प्रकार आत्मा के निरपेक्ष में भी अनेक आत्माएं होती है। सभी आत्माएं स्वतः सामान तादात्म्य के रूप में परिपूर्ण है। इसमें परिवर्तन नहीं है। जिस में परिवर्तन नहीं उसका विनाश नहीं हो सकता है। अतः आत्मा अमर है। उसका नाश संभव नहीं है।

कांट ने नैतिक युक्ति के आधार पर अमरता की भावना को सिद्ध करने का प्रयास किया था। प्रत्येक व्यक्ति में एक नैतिक संकल्प है। नैतिक संकल्प का स्वरूप निरपेक्ष माना जाता है। कान्ट के अनुसार ही हमारे कर्म भिन्न-भिन्न होते हैं। इससे हम अपने चरम लक्ष्य को प्राप्ति करना चाहते हैं।

अतः नैतिक संकल्प के अनुरूप बनना ही चरम लक्ष्य की प्राप्ति है। इस सीमित जीवन के लिए संभव नहीं है। मानव को इसके लिए जन्म जन्मांतर तक प्रयत्न करना पड़ता है, पर ऐसा प्रयत्न तभी संभव है, जब कि आत्मा की अमरता को स्वीकार कर लिया जाए नैतिक दृष्टि से भी आत्मा की अमरता प्रमाणित होती है।

कर्म के आधार पर आत्मा की अमरता का स्वरूप

कर्म सिद्धांत के अनुसार मानव को कर्म का फल अवश्य मिलता है। वर्तमान जीवन भूतकाल के जीवन के कर्मों का फल है; तथा भविष्य काल का जीवन इस काल के जीवन के कर्मों का फल होता है। इसलिए इस जीवन में यदि हम अच्छा कर्म करते हैं, तब हमारा दूसरा जीवन सुखमय होगा। यदि इस जीवन में हम बुरा कर्म करते हैं, तब हमारा भविष्य का जीवन भी बुरा हो जाएगा। इस जीवन के कर्मों का फल दूसरे जीवन में तभी प्राप्त हो सकता है, जब आत्मा को अमर माना जाए।

इस दृष्टिकोण से भी आत्मा को अमर माना जाता है। अतः कर्म सिद्धांत के आधार पर भी आत्मा की अमरता साबित हो जाती है। आज के वैज्ञानिक युग में, मनोविज्ञान तथा परामनोविज्ञान ने विभिन्न तरीके से अमरत्व के सिद्धांत का समर्थन किया है। परामनोविज्ञान में विशिष्ट व्यक्ति के द्वारा मृत व्यक्ति की आत्मा से बातचीत की जाती है। छोटे छोटे बालक पूर्व जन्म की बातें सुनते हैं। इनकी सत्यता की परीक्षा के द्वारा सिद्ध होती है।

स्टीवेंसन ने अपनी पुस्तक twenty cases of the incarnation के द्वारा पुनर्जन्म सिद्धांत को वैज्ञानिक ढंग से प्रमाणित करने का प्रयास किया है। कुछ विचारकों ने मूल प्रवृत्ति के आधार पर अमरता को सिद्ध किया है, जैसे ही शिशु का जन्म होता है, वैसे ही वह आत्मा की तृप्ति के लिए मां के स्तन से जुड़ता है, क्योंकि बालक ने पूर्व जन्म में आत्मा की तृप्ति का उपाय सीखा है। इसलिए वह संस्कार के रूप में वर्तमान जीवन में आ जाते हैं।

अतः आत्मा अमर है, क्योंकि इसके संस्कार एक जन्म के बाद दूसरे जन्म में काम करते हैं। आत्मा की अमरता को सिद्ध करने का यह तर्क दिया जाता है कि एक ऐसी सत्ता है जो भौतिक वस्तुओं का निर्देशन करती है। इससे आत्मा की अमरता प्रमाणित होती है। यदि आत्मा की अमरता को नहीं माना जाए तो यह मानना ही अनुचित होगा कि वह भौतिक पदार्थों का निर्देशन करती है।

इसका कारण यह है कि एक नश्वर सत्ता अन्य नश्वर पदार्थों का निर्देशन नहीं कर सकती है। आत्मा भौतिक पदार्थों का निर्देशन करती है। यह निर्विवाद रूप से सत्य है। अतः हम कर सकते हैं कि आत्मा अमर है।

निष्कर्ष: उपर्युक्त समस्त युक्तियों के अतिरिक्त आत्मा की अमरता को प्रमाणित करने के लिए कुछ दुर्बल युक्तियों का भी सहारा लिया जाता है।

जहां विलियम जेम्स कहते हैं कि आत्मा को प्रमाणित करने के लिए अमरत्व में विश्वास रखना पड़ेगा। इसलिए हम कह सकते हैं कि हमें आत्मा को अमर मानना विश्वास करने की भावना अंतरभूत पर आधारित मानी जाती है। अमरत्व का विचार भावना पर आधारित है। विलियम जेम्स के अनुसार भावनाओं के द्वारा ही हमारा विश्वास किसी वस्तु पर जमा रहता है। यदि हमारी भावनाओं का अंत हो जाए, तो हमें संशय को स्वीकार करना आवश्यक होगा कुछ लोगों का कहना है कि अमरत्व की भावना कार्य करने के लिए प्रेरणा प्रदान करती है। प्रेरणा जीवन के लिए आवश्यक मानी जाती है।

अमरता के प्रकार

आत्मा की अमरता के दो प्रकार माने गए हैं–

1. व्यक्तिपुर्ण अमरता
2. व्यक्तित्व रहित अमरता

1. व्यक्तित्वपूर्ण अमरता का स्वरूप

व्यक्तित्वपूर्ण अमरता में मृत्यु के उपरांत व्यक्तित्व बना रहता है। मृत्यु के पश्चात आत्म चेतना की उपस्थिति ही व्यक्ति पूर्ण अमरता है। व्यक्तित्व पूर्ण अमरता को दो वर्गों में विभाजित किया जाता है–

1. शारीरिक अमरता
2. अशारीरिक अमरता

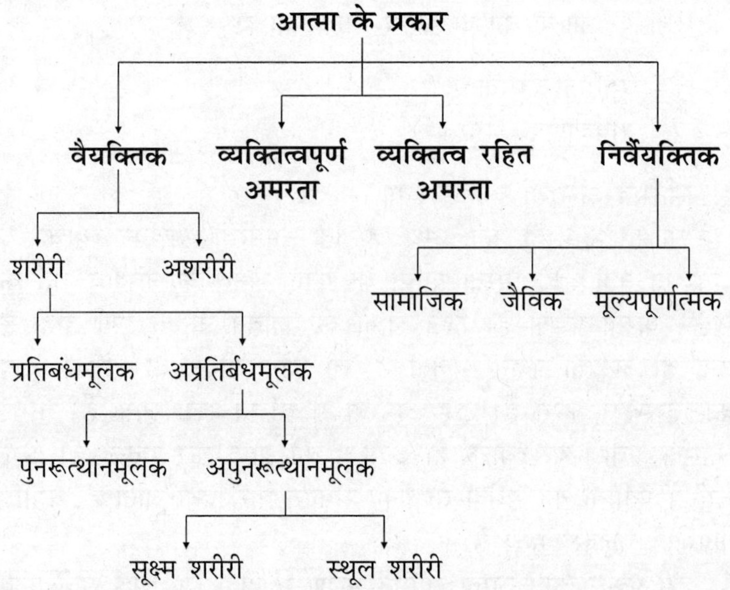

अशारीरिक अमरता में आत्मा को शरीर रहित माना जाता है। भारतीय दर्शन में आत्मा को शरीर रहित माना गया है। शरीर के नष्ट होने के बाद भी आत्मा नित्य बनी रहती है। इन धर्मों में मृत्यु के पश्चात भी संदेह आत्मा को माना गया है। मरने के बाद आत्मा को न्याय दिवस में ईश्वर के समक्ष उपस्थित किया जाता है। जहां उनके कर्मों का मूल्यांकन होता है।

2. व्यक्तितवरहित आत्मा का स्वरूप

व्यतित्वरहित आत्मा उस अमरता को कहते हैं जिसमें व्यक्तित्व का नाश हो जाता है। यह व्यक्तित्व विनम्रता ही सदा आत्मा को न्याय दिवस में ईश्वर के समक्ष करती है। जहां उनके कर्मों का मूल्यांकन होता है व्यक्तित्व रहित आत्मा उस अमरता को कहते है। जिसमें व्यक्तित्व का नाश हो जाता है। यह व्यक्तित्व विहीन अमरता है। यद्यपि मृत्यु के उपरांत व्यक्तित्व का शरीर एवं चेतना का नाश हो जाता है फिर भी वह अपने कार्यों तथा प्रभावशीलता के फल स्वरूप इसमें बना रहता है।

यहां पर आत्मा का दो प्रकार माना गया है–

1. सीमित अमरता
2. सर्वव्यापक अमरता

1. सीमित अमरता का स्वरूप

सीमित अमरता का अर्थ है कि अमरता प्रत्येक व्यक्ति के अंतरभूत नहीं है। अमरता प्राप्ति के लिए मानव को विशेष शर्त का पालन करना पड़ता है। जिन लोगों का जीवन नैतिक पूर्ण होता है। उन्हें ही अमरता प्रदान मिलती है, जो लोग जीवन के नैतिक मूल्यों का तिरस्कार करते हैं। उन्हें अमरता से वंचित रखा जाता है। केवल धार्मिक प्रवृत्ति के व्यक्ति ही अमरता को प्राप्त कर सकते हैं। ईसाई धर्म में पापियों को सर्वदा के लिए समाप्त कर दिया जाता है, क्योंकि पाप की मजदूरी मृत्यु है।

इस प्रकार की अमरता सीमित संख्या में होती है। ईसाई सर्वव्यापक अमरता के सिद्धांत के अनुसार सभी व्यक्ति उसी के अनुरूप धार्मिक कार्य करते हैं। वह पाप करें या पुण्य यहां अमरता को सिद्धान्त एवं सीमित नहीं माना गया है। अमरता में प्रत्येक आत्मा सन्निहित है। अमरता को अपनाने के लिए किसी धर्म की उपेक्षा नहीं है। प्लेटो ने कहा है कि प्रत्येक आत्मा ईश्वर की सृष्टि है। ईश्वर अपनी सृष्टि का ताना-बाना स्वयं नहीं कर सकता है। इसलिए वह सृष्टि की रचना करता है। विश्व में कोई ऐसी सत्ता नहीं है, जो आत्मा की अमरता से वंचित रह सके अधिकांश धर्मों में सर्वव्यापक अमरता को अपनाया गया है।

व्यक्तित्वरहित अमरता की विशेषताएं

व्यक्तित्व रहित अमरता के निम्नलिखित रूप हैं–

1. एक सामाजिक अमरता

समाज में कुछ ऐसे व्यक्ति होते हैं। जिन्होंने अपने आदर्शों कर्मों के द्वारा अमरता को ग्रहण कर लिया है। जैसे समाज सुधारक तथा लोकनायक मृत्यु के बाद भी अपने योगदान के कारण अमर हैं। जैसे

महात्मा बुद्ध, महात्मा गांधी, स्वामी विवेकानंद का प्रभाव आज भी समाज पर निरंतर कायम है। ऐसे लोगों को सामाजिक अमरता प्राप्त है। सामाजिक अमरता की आलोचना सामाजिक अमरता के विरुद्ध यह कह कर आरोप लगाया जाता है कि यहां अमरता को चीरकालीन नहीं माना गया है। समाज सुधारक के योगदान को निरंतर स्मरण नहीं रखा जा सकता है। यह अल्पकालिक अमरता है, फिर भी सामाजिक अमरता को भी उपलब्ध नहीं हो सकती है, क्योंकि सभी व्यक्ति समाज सुधारक एवं महान नहीं हो सकते हैं।

2. जैव प्रौद्योगिकी में अमरता

इसके अंतर्गत उन समस्त कार्यों को शामिल किया जाता है। जिसके अंतर्गत व्यक्ति मरने के बाद संतान के द्वारा उसके कार्यों को याद किया जाता है। गीता में देखा जाए तो यह कोई अमरता नहीं होती है, क्योंकि माता पिता का कर्तव्य होता है। संतान की उत्पत्ति करना तो इसमें अमरता जैसे कोई गुण नहीं होता है, क्योंकि कभी-कभी संतान विहीन लोग भी अपने कार्यों के कारण प्रसिद्ध हो जाते हैं।

3. व्यक्तित्व विहीन अमरता

व्यक्तित्व विनम्रता व समर्थकों का कहना है कि जिसमें व्यक्तित्व परमसत्ता में विलीन हो जाता है। जिस प्रकार सभी नदियाँ समुद्र में विलीन हो जाती है, उसी प्रकार आत्मा भी परम सत्ता में विलीन हो जाती है। व्यक्ति परम श्रद्धा के साथ मिलकर अद्वैत हो जाता है। इसका सबसे उत्कृष्ट उदाहरण अद्वैतवादी की अमरता है।

अमरत्व के विरुद्ध युक्तियाँ

समग्रता में देखा जाए तो यह स्पष्ट होता है कि अमरत्व के विरुद्ध अनेक युक्तियाँ दिखाई पड़ती हैं।

1. जिसका प्रत्यक्षीकरण हो सके वही वास्तविक है। अमरता का प्रत्यक्षीकरण कभी नहीं होता है इसलिए वह वास्तव में

यथार्थ नहीं कही जा सकती है, पर जब हम इस युक्ति पर आलोचनात्मक दृष्टि से मूल्यांकन करते हैं। अतः हम कह सकते हैं कि ज्ञान का साधन केवल प्रत्यक्ष ही नहीं, बल्कि आत्मानुभूति और अनुमान, विज्ञान का साधन है। विज्ञान का साधन केवल प्रत्यक्ष होता है, तब यह बात सही मानी जा सकती है। अतः यह शक्ति निराधार दिखाई पड़ती है।

2. कुछ लोगों ने आत्मा की अमरता का खंडन करते हुए कहा है कि यदि सभी आत्माएं पारलौकिक हो तो विश्व में उनके रहने का स्थान ही नहीं मिलेगा इसलिए आत्मा लौकिक नहीं होना चाहिए।

जिससे विश्व में स्थान मिल सके, परन्तु यथार्थ यह है कि इसका सम्बन्ध भावना से है। जिससे यह भावना उचित नहीं लगता है, क्योंकि आत्मा देशकाल से परे होती है। आत्मा एक अध्यात्मिक सत्ता है। जिस प्रकार मस्तिष्क में अनेकों प्रकार के विचार रह सकते हैं, उसी प्रकार विश्व में अनेकों आत्माओं का निवास है। इससे यह सिद्ध होता है कि आत्मा अमर है।

3. कुछ वैज्ञानिकों ने भी आत्मा की अमरता की भावना में अविश्वास किया है। उनका कहना है कि आत्मा को अमर नहीं कहा जा सकता है, पर वैज्ञानिकों का यह विचार निराधार है। जिन विषयों पर वैज्ञानिक अन्वेषण नहीं कर सकते हैं। उन पर उनका प्रस्तावित विचार प्रमाणिक नहीं माना जा सकता है। भौतिक शास्त्र जानने वाले वैज्ञानिक अगर मनोविज्ञान के लिए कुछ निर्णय देते हैं, तो उनका विचार बिना मूल्यांकन के सत्यापित नहीं माना जा सकता है। वैज्ञानिक धर्म दर्शन की समस्याओं पर विचार प्रकट करने के बाद उसे मूलतः प्रमाणित नहीं माने जा सकते हैं।

4. इस प्रकार आत्मा के अमरता के विरुद्ध जितने भी तर्क दिए गए हैं। वह अमरता की भावना को सभी लोगों के मूल भाव

से जोड़ती है। यह एक विश्वव्यापी भावना है। यह प्रत्येक धर्म का आधार है। इसलिए जब तक धर्म का अस्तित्व होगा आत्मा के अमरत्व की भावना का मूल्य कम नहीं होगा। धार्मिक दार्शनिकों के धार्मिक विचारों में अमरत्व की भावना से अत्यधिक सहायता मिली है। जैसे-जैसे धर्म का विकास होता गया वैसे-वैसे अमरत्व की भावना का विकास होता गया तार्किक प्रमाणवाद से लेकर अध्यात्मवाद तक यह विचार प्रतिबिंबित होते हैं।

इस प्रकार हम कह सकते हैं कि जब तक मानव का धर्म में विश्वास रहेगा, तब तक अमरत्व की भावना निःसंदेह जीवित रहेगी अमरता की भावना को हम तर्क से प्रमाणित नहीं कर सकते हैं। अमरता को तर्क से प्रमाणित करना भी संभव नहीं है। हमारे सभी अमरता के विचार का आधार विश्वास है। प्रत्येक धर्म में किसी न किसी रूप में अमरता को माना गया है। अमरता का विचार एक ऐसा विचार है जिस पर किसी भी दशा में संशय नहीं किया जा सकता है।

निष्कर्षः जब हम आत्मा के अमरत्व के सन्दर्भ में सम्पूर्ण दर्शन की अवधारणाओं का धर्म दर्शन के अंतर्गत अवलोकन किया जाए तो यह स्पष्ट हो जाता है कि आत्मा की अमरता का भाव एक प्रकार से आस्था और विश्वास का भाव है। जिसे वैज्ञानिक एवं तर्क के आधार पर प्रमाणित नहीं किया जा सकता है। यह एक पारलौकिक मनुष्य के वैचारिक शक्ति का भाव है। जिसे केवल महसूस किया जा सकता है। मनुष्य के अंदर व्याप्त एक प्रकार से संसार की व्यवस्था में किया गया भाव है। जिससे हमारे कर्म सिद्धांत के नियम भूत के कर्म का फल वर्तमान समय में तथा वर्तमान समय में किए गए कर्म का फल पूर्वजन्म में मिलता है। अमरता धर्म की पूर्व मान्यता के रूप में प्रतिष्ठित है।

कांट ने ईश्वर की स्वतंत्रता और अमरत्व को धर्म की मूल आधार के रूप में स्वीकार किया है। यही कारण है कि एक धार्मिक व्यक्ति अमरता को प्रमाणित करने के लिए आवश्यकता नहीं महसूस करता

है। जिस प्रकार वह ईश्वर को आस्था के बल पर स्वीकार करता है। उसी प्रकार वह अमरता को भी आस्था के बल पर स्वीकार करता है। अमरता की प्रासंगिकता धर्म में इसलिए भी है कि अमरता के बल पर मूल्यों का संरक्षण संभव होता है। यह सम्पूर्ण अवधारणा तभी तक सुरक्षित रह सकते हैं जब तक मानव व्यक्तित्व का अस्तित्व है तब तक मूल्यों को सुरक्षित रखने के लिए मानव व्यक्तित्व का अमरत्व होना नितांत आवश्यक है।

अमरता की प्रासंगिकता धर्म के संदर्भ में इसलिए है कि अमरता की अवधारणा धर्मपरायण व्यक्ति के जीवन का मार्गदर्शन करती है। धर्मपरायण व्यक्ति मृत्यु से भयभीत नहीं होता है। वह मृत्यु के प्रश्न को लेकर चिंता नहीं करता है, बल्कि प्रसन्नता पूर्वक ईश्वर की इच्छा पर अपने को समर्पित करता है। इसके अतिरिक्त अधार्मिक व्यक्ति मृत्यु के प्रश्न को लेकर भयभीत एवं चिंतित रहते हैं। इस प्रकार अमरता धार्मिक व्यक्ति के जीवन का नियमन करती है।

■■■■

अध्याय 11
डॉक्टर भगवानदास

जीवन परिचय

डॉक्टर भगवानदास का जन्म 12 जनवरी 1969 ई. में उत्तर प्रदेश के वाराणसी में हुआ था। वे वाराणसी के समृद्ध साह परिवार के सदस्य थे। 1887 में उन्होंने 18 वर्ष की अवस्था में पाश्चात्य दर्शन में एम.ए. की उपाधि प्राप्त की। 1890 से 1898 तक उत्तर प्रदेश में विभिन्न जिलों में मजिस्ट्रेट के रूप में सरकारी नौकरी करते रहे। 1899 से 1914 तक सेंट्रल हिंदू कालेज के संस्थापक-सदस्य और अवैतनिक मंत्री रहे। 1914 में यही कालेज काशी हिन्दू विश्वविद्यालय के रूप में परिणत कर दिया गया। डॉ. भगवानदास हिंदू विश्वविद्यालय के संस्थापक-सदस्यों में से एक थे।

1921 में काशी विद्यापीठ की स्थापना के समय से 1940 तक उसके कुलपति रहे। असहयोग आंदोलन में भाग लेने के कारण 1921 में इन्हें कार्य से मुक्त कर दिया गया किंतु शेष वर्ष के शेष महीनों में घर से अलग काशी विद्यापीठ में रहते हुए एकांतवास करके उन्होंने कारावास की अवधि पूरी की। 1935 में उत्तरप्रदेश के सात शहरों से भारत की केंद्रीय व्यवस्थापिका सभा की सदस्यता से त्यागपत्र दे दिया था। एकांत रूप से दार्शनिक चिंतन एवं भारतीय विचारधारा की व्याख्या में संलग्न रहे। भारत के राष्ट्रपति ने 1955 में उन्हें भारतरत्न की सर्वोच्च उपाधि से विभूषित किया।

भगवान दास की कृतियाँ

1. The essential unity of all religion
2. दी मेटा फिजिक्स आप साइकोलॉजी एंड थियोसोफी
3. The social Audit Constraction with special reference to Indian problems
4. The science of peace
5. The science of the self
6. World war and its only cure
7. समन्वय

सर्व धर्म समन्वय की अवधारणा

डॉक्टर भगवान दास भारत की महान ऋषि परंपरा के सच्चे उत्तराधिकारी माने जाते हैं। उनका अपना प्रभामंडल है। जिसकी सनिकट्टता की एक अलग पहचान है। कुशल चरित्र के स्वामी सबके प्रति दयालु तथा सद्भाव पूर्ण थे। धर्म को उसके विराट व्यापक व शाश्वत रूप में ग्रहण कर भगवान दास ने भारत की प्राचीन ऋषि परंपरा की भूमिका निभाई। उनका संपूर्ण चिंतन एक निश्चित लक्ष्य के प्रति समर्पित था वह ज्ञान के चिरपिपासा व्यक्ति माने जाते हैं।

भगवान दास सदैव धर्म पुनर्जागरण के पुनरुद्धार में लगे रहे, सत्य का अन्वेषण उनका प्रधान लक्ष्य था। उन्होंने अपना पूरा जीवन हिंदू धर्म की मूल आत्मा की खोज में लगा दिया था। उन्होंने इस धर्म के नवनिर्माण के लिए एक ऐसी प्रक्रिया अपनाई जिसमें भारतीय मन की आध्यात्मिक शक्ति की प्रधानता बनी रहे। वह अपना खोया हुआ, सच्चा स्वरूप प्राप्त करे। इस सत्य के अनुसरण में युग परिवर्तनकारी विचारधारा को भारतीकरण करने का कार्य किया था। भगवान दास का जागरण का विचार था कि प्राचीन धर्म ग्रंथ की व्याख्या नवीन युगीन चेतना के अनुरूप करना अति आवश्यक है। इस संबंध में भक्तों की भावना का आदर करना भी आवश्यक मानते थे।

प्राचीन वैदिक परंपराओं का विश्लेषण एवं संश्लेषण करते समय यह बात स्पष्ट रखनी चाहिए कि नई व्यवस्था में इस लोक एवं सूत्र का मूल उद्देश्य परिवर्तन कथा सामाजिक परंपरा में उसकी आवश्यकता को व्यवहारिकता के आधार पर मूल्यांकन करने का प्रयास किया जाना चाहिए। उनके दृष्टिकोण में भारतीय इसी दृष्टि से विभिन्न शास्त्रों का अध्ययन करते थे। उन्होंने मनुस्मृति का अध्ययन किया था। उसमें वर्णित पद्धतियां तथा सांस्कृतिक विद्वानों का पालन एवं आचरण उन्हें पसंद था इस वस्तु के संबंध में वह सदैव उलझन में रहते थे, क्योंकि उसका अध्ययन कर उन्होंने उस में छिपे भावार्थ को स्पष्ट करने का कार्य किया था भगवान दास ने भारतीय धर्म शास्त्र, वेद पुराण, उपनिषद में किस माध्यम से यह पाया कि हिंदू धर्म में अनेक रूढ़िवादी है, जो ऋषियों के द्वारा कठिन परिश्रम साधना के बाद रची गई थी उनको आज की व्यवहारिक परिदृश्य के अनुसार विश्लेषण करना आवश्यक माना जाता है।

इसके संदर्भ में आचार्य विनोबा भावे कहते हैं कि "वह ज्ञान के अथाह सागर थे एक महान मनुष्य थे जो निरंतर धर्म के पुनर्जागरण व सुधार में लगे रहे।" डॉक्टर राधाकृष्णन के अनुसार मैं स्वर्गीय डॉक्टर भगवान दास की रचनाओं का एक छात्र एवं प्रशंसक है। डॉक्टर जाकिर हुसैन के अनुसार मेरे अपने जीवन के निर्माण में उनका उल्लेखनीय प्रभाव रहा है भगवान दास का मानना था कि वैदिक परंपरा में वर्णित वर्ण व्यवस्था की परिभाषा को सही तरीके से मूल्यांकित करने की आवश्यकता है।

जिससे समाज में छुआछूत धर्म विरोधी भावनाओं का निराकरण हो सके और कर्म एवं व्यवसाय के आधार पर सभी वर्णों को व्यवस्थित किया जा सके। सभी मनुष्य शुद्र पैदा होते हैं, पर भिन्न-भिन्न संस्कार से भिन्न-भिन्न प्रकार के कर्मो से वह ब्राह्मण, क्षत्रिय, वैश्य हो जाते हैं। इसका अर्थ यह है कि उत्पत्ति के समय सभी एक समान होते हैं, चाहे सबको ब्राह्मण कहो, चाहे सब को शुद्र कहो वह कर्म के आधार पर अलग-अलग होते हैं। अतः स्पष्ट हो जाता है कि भगवान दास वर्ण व्यवस्था के जन्म के आधार पर अवधारणा को शास्त्र विरोधी मानते थे।

इसके संदर्भ में मानव धर्म का सार है, जिसका वर्णन साइंस ऑफ सोशल ऑर्गेनाइजेशन, टाइम्स ऑफ रिलीजन का समन्वय रूप है। पुरुषार्थ जैसी पुस्तकें वर्ण व्यवस्था को भारतीय संस्कृति और धर्म के मौलिक तत्व को स्पष्ट कराने के संदर्भ में लिखी गई है। जहां पर वर्ण व्यवस्था को जन्म के आधार पर न होकर, कर्म के आधार पर रखा गया है, तथा यह माना गया है कि जन्म के आधार पर वर्णन कर हिंदू धर्म को पथभ्रष्ट करने का कार्य किया गया है।

यहीं से छुआछूत जैसी भयानक रूप का उद्‌भव हुआ उनका मानना है कि शरीर मूल रूप से शुद्र के समान जन्म के समय होती है, लेकिन मनुष्य अपने कर्मों के आधार पर ब्राह्मण, क्षत्रिय, वैश्य बनता है। इस प्रकार हम देखते हैं कि वर्ण व्यवस्था के संबंध में इनकी व्याख्या वर्तमान परिदृश्य की देखते हुए व्यवहारिक प्रतीत होती है। भगवान दास सनातन धर्म में आस्था रखते थे, परंतु सामाजिक एवं धार्मिकवादियों का वह हमेशा खंडन कर कल्याणकारी उदारवादी दृष्टिकोण के धर्म के स्वरूप को स्वीकारते थे। वह वसुधैव कुटुंबकम् को एक नया वैज्ञानिक और दार्शनिक आधार प्रदान किए जहां भारतीय अस्मिता भारतीय संस्कृति से जोड़कर ज्ञान परंपरा को अनासक्ति योग के माध्यम से आगे बढ़ाने का दिखाई पड़ता है।

इस आधार पर मनुष्य की मौलिक आध्यात्मिक प्रवृत्ति पर उनका जीवन उन विचारों को समर्पित था। वह आज निरंतर प्रासंगिक होते जा रहे हैं। उनका विश्वास था कि मानवता का कल्याण सर्व धर्म की राह पर चलने से आता है। धर्म की तात्विक की व्याख्या समाज को व्यवहारिक आधार पर स्वतंत्रता समानता के बीच सामंजस्य के आधार पर करना चाहिए। इसी कारण भगवानदास सभी धर्मों के साथ सौहार्दपूर्ण शांति के भाव से पारस्परिक संघर्ष को समाप्त कर बंधुत्व की भावना को बढ़ाना चाहते थे तथा सर्वधर्म समन्वय की प्रणाली को विकसित करना चाहते थे।

जहां किसी सामान्य तत्व अथवा किन्ही सामान्य तत्वों के आधार पर सभी धर्मों के मूलभूत भावनाओं में एकता स्थापित करना चाहते थे।

एकता, जो इन धर्मों की भिन्नता के होते हुए भी इन्हें मूलतः परस्पर संबंध करता है। यह एकता सबमें तर्कसंगत होनी चाहिए। किसी व्यक्ति द्वारा थोपी हुई नहीं होनी चाहिए। विभिन्न धर्म के मानने वालों के बीच में वैमनस्य को दूर कर पारस्परिक संघर्ष एवं प्रतियोगिता को मिटाकर धार्मिक सहिष्णुता की विचारधारा को प्रकट करने की आवश्यकता है। जहां से सभी धर्मों में एकता की भावना का विकास हो सके। उनका मानना है कि यदि एक धर्म दूसरे धर्म के प्रति विरोध की भावना का प्रकाशन करता है।

एक धर्म दूसरे धर्म के लिए जीवन को चुनौती देता है। अतः धर्म के द्वारा मनुष्यों को एकता के सूत्र में बांधना असंभव हो जाएगा इसलिए मनुष्य को इन सबसे ऊपर उठकर एक सौहार्दपूर्ण दृष्टिकोण अपनाकर व्यवहारिक परिस्थितियों में रहन-सहन आदि को देखकर अपनी भाषा क्रियाओं के बीच समानता स्थापित करनी चाहिए। जिससे सभी धर्मों के अनिवार्य गुणों को एक सार्वभौम धर्म में समन्वय किया जाए जहां से धर्म के वाह्य एवं आंतरिक स्वरूप के मतभेद को समाप्त कर सभी धर्मों में एकता स्थापित की जा सके। यहां धार्मिक पूजा एवं उपासना पद्धति सभी काल देश में दिखाई पड़ती है, सब एक जैसी नहीं होती है वह परिवर्तनशील है।

इनमें सामान्य अनिवार्य लक्षण सभी धार्मिक परंपराओं में समान रूप से विद्यमान रहते हैं। यही अनिवार्य लक्षण इसके आवश्यक गुण हैं इस भाव को उजागर करने की आवश्यकता है। जिससे उनके साथ एक उचित प्रकार का समन्वय स्थापित हो जाए। एक उदाहरण से स्पष्ट करते हैं कि जिस प्रकार सभी नदियां विभिन्न मार्गों से गुजरते हुए अंत में समुद्र में विलीन हो जाती है। उसी प्रकार विभिन्न मार्गों के द्वारा व्यक्ति धार्मिक लक्ष्य प्राप्त होने पर भी अंततः परमात्मा में ही विलीन हो जाता है।

सभी धर्मों के समान तत्व का विश्लेषण करते हुए डॉक्टर भगवान दास ने कहा है कि एक ही परमात्मा एवं अंतिम तत्व को विभिन्न नामों से संबोधित किया जाता है। भिन्न-भिन्न धर्मावलंबी इसे अपनी विशिष्ट

परंपरा के अनुसार अलग-अलग रूपों में ग्रहण करते हैं। इसे कहीं देवता या ईश्वर के नाम से कहा जाता है। इसे ही कहीं पर अल्लाह या खुदा के नाम से कहा जाता है। कोई संध्या के नाम से, कोई प्रार्थना के नाम से उसी एक परमात्मा, अल्लाह या गॉड की उपासना करते हैं। यह बात सभी मजहब वाले जानते हैं कि सबसे बड़ा खुदा अल्लाह अकबर महादेव परम ईश्वर परमात्मा परब्रह्म इन सब का अर्थ एक ही है।

भगवान दास ने विभिन्न धर्म की पूजा पद्धति धार्मिक क्रियाकलाप धार्मिक शिक्षा धार्मिक मान्यता में समानता के आधार पर एकता स्थापित करने का प्रयास किया था, उन्होंने श्रुतियों के कथन का उदाहरण प्रस्तुत करते हुए कहते हैं कि विश्व धर्म की अवधारणा में सुख और शांति मनुष्य के जीवन का वास्तविक धर्म है। इस कारण मनुष्य धर्म की शरण में जाता है, परंतु दुर्भाग्यवश धर्म ने सुख शांति की जितनी वृद्धि की है उसे अधिक सुख और दुःख फैलाया है, इस के संदर्भ में स्वामी विवेकानंद का कथन है कि-

फकत तकावत है नाम की, उर अस्ल सब एक ही है यारों
जो आवे साफी के मौज में है, उसी का जलवा हुवाब में है।

अर्थात् केवल नाम का ही फर्क है, यारों वास्तव में सब एक ही है, जो साफ पानी लहर के अंदर है उसी की चमक बुलबुला के अंदर है। सब नाम उसके नाम हैं। सब नामों के पीछे वही एक असलियत है भगवान दास ने लिखा है कि शैव लोग जिसे शिव कहते हैं वेदांती लोग उसे ब्रह्म कहते हैं बौद्ध धर्म के लोग उसे बुद्ध कहते हैं, न्याय दर्शन के मानने वाले लोग उसे करता कहते हैं, मीमांसा दर्शन वाले उसी को कर्म कहते हैं, वहीं तीनों लोकों का मालिक है।

भगवान दास का मानना है कि सभी मजहब में कुछ बातें बुनियादी रूप से होती है हर मजहब सब तरह के नेक काम करने पर जोर देता है मिसाल के लिए वैदिक धर्म में घट-घट में रहने वाली एक आत्मा और अलग-अलग लोगों के अलग-अलग कर्तव्यों के अनुसार समाज का संगठन करने पर जोर दिया जाता है। यहूदी धर्म में ईश्वर के कड़े

इंसाफ और ईश्वर के विश्वास करने वाले लोगों की रक्षा पर जोर दिया गया है।

बौद्ध धर्म में त्याग और दया, ईसाई धर्म में बुराई का बदला बुराई से ना देने पर दूसरों के लिए खुद को कुर्बान करने पर इस्लाम में सब इंसानों की बराबरी और भाईचारे पर बल देने की भावना दिखाई पड़ती है। डॉक्टर भगवान दास ने कहा है कि सब धर्मों का निचोड़ यही है कि जो हम अपने लिए चाहें वही दूसरों के लिए भी चाहें हम बुराई का बदला बुराई से न दें किसी को और किसी दूसरे को दुःख पहुंचाने के बजाय सुख प्रदान करना अधिक संगत है।

डॉक्टर भगवान दास पूजा पद्धति तथा अन्य मान्यताओं के आधार पर सभी धर्मों में समानता स्पष्ट करते हैं। वह कहते हैं कि श्रीमद्‌भगवतगीता में भगवान कृष्ण अर्जुन से कहते हैं। हे! अर्जुन जब जब धर्म का नाश होता है, और अधर्म बढ़ता है, तब तब मैं पैदा होता हूं ताकि नेक और धार्मिक लोगों को बचा सकूँ और बुराई करने वालों को समाप्त कर सकूँ धर्म को फिर से कायम रखकर इस काम के लिए मैं युग-युग में पैदा होता रहता हूँ कुरान शरीफ में भी कहा गया है कि लेकुल्ले कैमिन हाद यानी हर कौम में हादी यानी रास्ता दिखाने वाले भेजे गए हैं।

बुद्ध ने कहा है समय बीतने पर दूसरा बुद्ध आएगा जिसे लोग मैत्रेय कहेंगे। हजरत साहब ने कुरान में बताया है कि मैं फिर आऊंगा और तुम्हें अपने साथ ले चलूंगा इस प्रकार प्रत्येक धर्म की मान्यता है कि अधर्म के विनाश के लिए परमात्मा की ओर से अवतारी पुरुष कृष्ण, मोहम्मद हजरत, ईसा मसीह जैसे लोग बार-बार आते रहते हैं।

भगवान दास के अनुसार कोई नमाज के नाम से कोई संध्या के नाम से कोई प्रिय के नाम से उसी अल्लाह परमात्मा गॉड को याद करता है। कोई उसका नाम माला पर कोई तस्वीर पर कोई रोजरी पर लेता है। खुदा एक है एक मजहब वाले उसे ओम कहते हैं, जबकि दूसरे वाले आमी जबकि तीसरे वाले आमीन कह कर संबोधित करते हैं। सभी का मतलब एक ही है जिस प्रकार हिंदू मृत व्यक्ति के लिए श्राद्ध तर्पण भोजन आदि

करते हैं, वैसे ही मुसलमान भी मृत व्यक्ति के लिए फातिहा पढ़ते हैं, और गरीबों को खिलाते हैं तथा दान देते हैं। ईसाई लोग भी मृतकों के लिए ईशा से प्रार्थना करते हैं और खैरात बांटते हैं।

इसी प्रकार यदि अजान की पुकार से इस्लाम धर्मावलंबी को जगाकर अथवा सचेत कर खुदा की इबादत के लिए तैयार करते हैं, तो हिंदू भी शंख घंटा बजाकर अपने धर्म अनुयायियों को मंदिर में आकृष्ट करते हैं।

ईसाई धर्म के लोग भी चर्च गिरजा घर की घंटी बजा कर लोगों को प्रार्थना के लिए एकत्र करते हैं विभिन्न धार्मिक अनुष्ठान में जो मूल साक्ष्य हैं, उसमें काफी समानता प्रदर्शित होती है। यदि हम धार्मिक विद्वेष की ऐतिहासिकता पर दृष्टि डालें तो ज्ञात होता है कि अधिकतम युद्धों के पीछे धार्मिक भावना का प्रभाव रहा है।

कुछ लोगों का ऐसा मानना है कि धार्मिक एकता की स्थापना में अनेक बाधाएं हैं। विभिन्न धर्मों के मध्य होने वाले विवाद एवं संघर्ष को समाप्त करने के लिए जितने भी प्रयत्न किए गए हैं। वह असफल सिद्ध हुए हैं कुछ अनिवार्य कठिनाइयों के कारण व्यवहारिक दृष्टि से सभी धर्मों के बीच समन्वय नहीं हो सकता है। संसार में अनेक धर्म हैं सब की मान्यताएं स्वतंत्र होने के कारण सब का स्वरूप पृथक् पृथक् है। इस पर एकता तथा स्वतंत्रता के कारण विभिन्न धर्मों में मतभेद है।

इस मतभेद के कारण समाज में अशांति और अकारण बढ़ता है, जो कि मानव धर्म का स्वाभाविक गुण है। धर्म में निहित स्पर्धा तथा अन्य धर्मों के प्रति विरोध को कम करने के लिए इस में सामंजस्य बढ़ाना आवश्यक है। यदि दूसरे धर्मों के प्रति समानता का भाव आए तभी विरोध को समाप्त किया जा सकता है। मानव-मानव के बीच वैमनस्य को कम किया जा सकता है। इसके लिए सर्वधर्म समन्वय एक अच्छा माध्यम बन सकता है, परंतु कुछ दार्शनिक इस में कठिनाई महसूस करते हैं।

उनका मानना है कि दार्शनिक कसौटी पर यह प्रयास खरा नहीं उतर सकता है, तो निश्चित रूप से हमें दूसरे विकल्प पर विचार करना होगा जहां धार्मिक सहिष्णुता सर्वधर्म समभाव पर अधिक बल देती है।

धार्मिक सहिष्णुता से अभिप्राय है कि किसी धर्म को नीचा न समझना, उसका निरादर ना करना उसके अनुयायियों को सताना नहीं उन्हें अपने धर्म के पालन की पूरी स्वतंत्रता प्रदान करना, धार्मिक सहिष्णुता धर्म की आध्यात्मिकता की परिपक्वता, बौद्धिक व्यापकता तथा उदारता का परिचायक होती है।

जब विभिन्न धर्म अथवा एक ही धर्म के अलग-अलग अंतर्निहित संप्रदाय के अनुयायी परस्पर मिलकर शांति से रहते हैं। एक दूसरे के धार्मिक सिद्धांत विचार एवं विश्वास तथा अनुष्ठान को महत्व देते हैं, तो उनके बीच सेवन की भावना का समापन हो जाता है, तथा उस में व्याप्त सभी प्रकार के नकारात्मक पक्ष सहनशीलता उदासीनता तटस्थता बरकरार होती है। व्यवहारिकता के स्तर पर सभी लोगों में एकजुट रहने की आदर सम्मान रखने की भावना विकसित होती है।

निष्कर्ष: हम कह सकते हैं कि डॉक्टर भगवान दास ने जिस प्रकार के सर्वधर्म समन्वय की अवधारणा को प्रस्तुत किया वह संपूर्ण विश्व के लिए एक ऐसा दृष्टिकोण है। जहां से धर्म में व्याप्त सभी प्रकार की रूढ़िवादी अंधविश्वास को समाप्त कर एक उदारवादी दृष्टिकोण को अपनाया जा सकता है।

यहां सभी लोग प्रेम ईश्वर बंधुत्व की भावना से एक दूसरे का आदर करते हुए जीवन निर्वहन करेंगे इनके बीच किसी भी प्रकार का टकराव नहीं होगा तथा संपूर्ण विश्व में भाईचारे की भावना का विकास होगा जो संपूर्ण विश्व के लिए एक आधा आदरणीय मार्ग प्रशस्त करेगा।

सर्वधर्म समभाव या धर्म सहिष्णुता

धर्म दर्शन में सहिष्णुता बड़ा ही व्यापक और महत्वपूर्ण शब्द है। साधारणत: सहिष्णुता का अर्थ सहनशीलता से लिया जाता है। अत: जो सहता है वही सहिष्णुता कहलाता है। सहना विरोध को स्वीकार करना भी है, जो अपने विरोध को अथवा अपने विरोधी की बात को किसी भी प्रकार से स्वीकार कर लेता है। वही सहनशील या सही सोच का व्यक्ति कहलाता है। धर्म दर्शन के क्षेत्र में इसका अर्थ अधिक व्यापक समझा जाता है।

संसार में अनेक धर्म है तथा सब में स्वतंत्र मान्यताओं के कारण सबका स्वरूप भी अलग-अलग दिखाई पड़ता है।

इस पृथकता तथा स्वतंत्रता के कारण विभिन्न धर्मों में मतभेद है। यही धर्म का पारस्परिक विरोध कहलाता है, परंतु यह विरोध स्वाभाविक है इसे सहन करने की आवश्यकता है। इसको सहन न करने से समाज में अशांति और वैमनस्य बढ़ता है। प्रश्न यह है कि अपने विरोधी के लिए धर्म को सहन कैसे किया जाए उत्तर यह है कि सहिष्णुता के आधार पर सही पूर्ण होने के लिए सर्वधर्म समभाव की उपेक्षा की गई है। यदि दूसरे धर्मों के प्रति हमारे मन में समानता का भाव आए तो विरोध दूर हो जाएगा सहिष्णुता का अर्थ सर्वधर्म समभाव है।

संक्षेप में सहिष्णुता का अर्थ समदर्शिता को प्रदर्शित करती है। यह सभी धर्मों के प्रति समानता का भाव जिसे सर्वधर्म समभाव कहा जाता है। इस समभाव का फल समादर होता है।

हमारा धर्म तो आदरणीय है, अन्य धर्म का भी आदर करता है। इस संदर्भ में महात्मा गांधी और स्वामी विवेकानंद का महत्व अधिक कारगर लगता है, क्योंकि दोनों ने धार्मिक सहिष्णुता पर अधिक बल दिया है। स्वामी जी के अनुसार **सभी धर्मों में गुणात्मक समानता है।** इस आधार पर मानवीय धर्म की स्थापना की जा सकती है। अन्य धर्म में समानता एवं आदर की भावना को विकसित किया जा सकता है तथा हठधर्मिता के भाव का त्याग किया जा सकता है। हमें अन्य धर्मों के मौलिक मूल्यों को स्वीकार करना चाहिए। इसमें अन्य धर्मों के प्रति द्वेष भाव का अंत हो जाता है। इस प्रकार की स्वीकृति से धार्मिक शत्रुता समाप्त हो जाएगी और पारस्परिक प्रेम बढ़ेगा सौहार्दता में वृद्धि होगी।

इसलिए कहा जाता है कि स्वीकृति का दूसरा नाम समानता भी है सभी धर्मों के बाद स्वरूप में भिन्न-भिन्न अलगाव है, लेकिन सभी में एक आंतरिक एकता जरूर है अर्थात् हम कह सकते हैं कि सभी धर्मों में ईश्वर को केंद्र बिंदु मानकर सभी नैतिक नियमों को अपने तरीके से मूल्यांकन करने का प्रयास किया जाता है। महात्मा गांधी धर्म के क्षेत्र में रूढ़िवादी धर्मांधता के विरोधी थे।

उनके अनुसार परंपरा से जुड़कर धर्म विकृत हो जाता है अतः धर्म परंपरा और संप्रदाय से मुक्त होकर ही विवेकपूर्ण धर्म मानव के लिए अनुकरणीय हो सकता है। संप्रदाय का आधार विश्वास होता है तथा विश्वास को स्वीकार करना धर्म की पात्रता होती है, परंतु विवेक से मानव को विश्वास की परीक्षा करनी चाहिए तथा परीक्षा के उपरांत ही मान्यताओं को स्वीकार करना चाहिए। धर्म को भी सहिष्णुता पूर्ण मानने के कारण सभी धर्मों में एक प्रकार से समानता आ सकती है।

महात्मा गांधी मानते थे कि प्रत्येक धर्म में कुछ धार्मिक मूल्य हैं, जो शाश्वत है। इन शाश्वत मूल्यों की अभिव्यक्ति धर्म के माध्यम से होती है। यह शाश्वत मूल्य संप्रदाय की सीमा से बाहर है, उदाहरण के लिए सत्य एक शाश्वत मूल्य है। जिसकी अभिव्यक्ति विभिन्न धर्मों के माध्यम से होती है, सनातन सत्य की अभिव्यक्ति का साधन है। महात्मा गांधी के अनुसार मूल्य तो स्वतः साध्य मूल पर आधारित होता है।

इसमें संप्रदाय आदि की उपेक्षा नहीं है। अतः धर्म का यथार्थ मूल्यात्मक स्वरूप संप्रदाय निरपेक्ष है। उदाहरण स्वरूप सत्य स्वतः सर्वश्रेष्ठ मूल्य है। यह किसी परंपरा संप्रदाय संघवाद की अपेक्षा नहीं है, धार्मिक मूल्यों की दृष्टि से ही गांधी जी अपने को सच्चा हिंदू मानते थे, परंतु हिंदुत्व को संप्रदाय की सीमा से परे रखते थे। महात्मा गांधी के अनुसार सच्चा हिंदू सभी धर्म सभी प्राणियों के कल्याण की कामना करता है। लोक कल्याण ही हिंदू धर्म का आधार है, और विश्व बंधुत्व ही सच्ची शिक्षा है। **सर्वे भवंतु सुखिनाः** वेद की वाणी है इसमें मैं छुआछूत भेदभावरहित हिंदू धर्म को ग्रहण करना चाहता हूं अछूत की भावना को स्वीकार करने वाला हिंदू चांडाल होता है। अछूत भावना मानवता के लिए अभिशाप है। धार्मिक सहिष्णुता को महात्मा गांधी ने स्वधर्म समभाव के रूप में स्वीकार किया है। उनके अनुसार इसके दो पक्ष निकलकर सामने आते हैं–

1. भावात्मक पक्ष
2. निषेधात्मक पक्ष

अर्थात् सहिष्णुता के रूप में सभी पक्षों का मूल्यांकन के भावात्मक पक्ष का मूल्यांकन किया जाए तो यहाँ इसका भावात्मक अर्थ में यह समदर्शिता या समानता की दृष्टि रखती है। हमें अन्य धर्म को भी अपने धर्म के समान आदरणीय स्वीकार करना चाहिए, तथा निषेधात्मक अर्थ में उनमें व्याप्त रूढ़िवादी, ईर्ष्या, द्वेष जैसी भावना का त्याग करना चाहिए। सभी धर्म के लिए निंदनीय माना जाता है। महात्मा गांधी के अनुसार सर्वधर्म समभाव हमारा धर्म है, कर्म है। इसलिए गांधी इसे अपने एकादशी व्रत में शामिल करते हैं। इसे धार्मिक आचरण के रूप में स्वीकार करते हैं।

जहां यम, नियम के साथ सत्य, अहिंसा, अस्तेय, अपरिग्रह तथा ब्रह्मचर्य जैसे पंच महाव्रत पर अधिक बल देते हैं। जिससे सामाजिक, आर्थिक, राजनीतिक परिस्थितियों को ध्यान में रखकर सर्वधर्म समभाव की भावना को आगे बढ़ाया जा सके।

इसी के माध्यम से क्षमता, स्वदेशी, श्रम, अस्पृश्यता, स्वाद जैसे भाव निकल कर सामने आते हैं। अतः इससे स्पष्ट है कि गांधी जी ने सर्वधर्म सम्भाव्यता और अस्पृश्यता दोनों को स्वीकार किया तथा सहिष्णुता एवं उसके भावात्मक एवं नकारात्मक पक्षों को व्यावहारिक स्तर पर भी लागू करने का प्रयास किया।

1. हमें सर्वधर्म को छोड़ने की आवश्यकता नहीं है।
2. हमें परधर्म को ग्रहण करने की आवश्यकता नहीं है।
3. हमें धर्म परिवर्तन की आवश्यकता नहीं है।
4. हमें नए सर्वभौम धर्म को ग्रहण करने की आवश्यकता नहीं है।

इस प्रकार हम देखते हैं कि गांधी ने इन विषय वस्तुओं के आधार पर भी धार्मिक सहिष्णुता की वकालत की है। इसी परिप्रेक्ष्य में डॉक्टर भगवान दास का धार्मिक सहिष्णुता के संदर्भ में विचार का मूल्यांकन किया जाए तो यह स्पष्ट होता है कि इन्होंने भी धर्म में व्याप्त सभी प्रकार की रूढ़िवादिता को दूर कर समन्वय भाव से उदार दृष्टिकोण के

साथ सभी को एक साथ रखने के लिए धार्मिक सहिष्णुता की वकालत करते हैं।

जिससे सभी धर्मों में व्याप्त रूढ़िवादिता का निदान किया जा सके। विश्व बंधुत्व की भावना को प्रखर किया जा सके। यहीं से विश्व धर्म की एकता का भाव स्पष्ट होता है। जिसके माध्यम से सोसाइटी ऑफ रिलीजन की स्थापना हो सकती है, जो सत्य के आधार पर आधारित हो। जहां लोग एक दूसरे से जोड़कर सभी धर्मों का आदर करते हुए विश्व बंधुत्व की भावना के साथ आगे बढ़े शायद यही धार्मिक सहिष्णुता एवं समन्वय का यथार्थ स्वरूप है। जिसमें से सभी प्रकार की बुराइयों का समापन किया जाए और सभी लोग एक दूसरे के साथ सौहार्दपूर्ण वातावरण के द्वारा एक दूसरे का सम्मान करते हुए अपने जीवन का निर्वहन करें।

निष्कर्षः यह कहा जा सकता है कि डॉक्टर भगवानदास का धार्मिक सहिष्णुता के संदर्भ में विचारधारा पूर्व से चली आ रही सभी विचारों का कई प्रकार से समन्वय है। जिन्होंने वर्तमान परिदृश्य एवं व्यवहारिक दृष्टिकोण को देखते हुए उसकी आवश्यकता के अनुसार संपूर्ण विश्व को एक सूत्र में जोड़ने का कार्य किया था, जो वर्तमान परिदृश्य के सभी धर्मों के बीच उचित समन्वय के सन्दर्भ में अधिक तार्किक दिखाई पड़ता है।

धर्मों की एकता के संदर्भ में राधाकृष्णन् की अवधारणा

धर्म की एकता के संदर्भ में समकालीन भारतीय विचारों का अवलोकन किया जाए तो यह दृष्टिगोचर होता है कि जिस प्रकार से राधाकृष्णन् ने धर्म को अद्वैत वेदांत की प्रणाली के आधार पर मूल्यांकन करने का प्रयास किया है। जहां भारतीय परंपरा के साथ पाश्चात्य परंपरा की विचारधारा का समावेश का एक उदारीकरण स्वरूप मिलता है। सामान्यतः देखा जाए तो राधाकृष्णन् ने धर्मों की एकता का सिद्धांत अपनी पुस्तक **ईस्टर्न रीजन एंड वेस्टर्न थॉट** में प्रदर्शित करते हैं। जहां सभी धर्मों का मूल लक्ष्य एक है, उनका मानना है कि **धर्मों का**

सम्मेलन मीटिंग ऑफ रिलीजन के रूप नामक अध्याय में पूर्ण रूप से धर्म की एकता को निरूपित किया गया है।

उनके धर्मों की एकता संबंधी विचार उनके अन्य पुस्तकों में भी छिटपुट मिलते रहते हैं यह एक अद्वैतवादी दार्शनिक है। अद्वैतवाद वेदांत दर्शन के अनुसार ब्रह्म ही परम सत्ता है। ब्रह्म निर्गुण निराकार व्यक्ति परक सत्ता है। ब्रह्म के अतिरिक्त कोई भी तत्व परमार्थिक दृष्टिकोण से सत्य नहीं है।

ईश्वर धर्म जगत इत्यादि व्यवहारिक दृष्टिकोण से सत्य है। ईश्वर और जगत व्यवहारिक जीवन को सफल बनाने के लिए नितांत आवश्यक है, जब तक मानव को ब्रह्म ज्ञान नहीं हो जाता है, तब तक वह ईश्वर को सत्य मानता है। ईश्वर ही विश्व का सृष्टि संरक्षक और स्मारक है। जहां तक व्यवहारिक जीवन का संबंध है। ईश्वर की सत्ता परिलक्षित होती है, तथा ईश्वर आराधना का विषय बना रहता है। ब्रह्म ज्ञान को जानने से ही सत्यता प्रमाणित होती है, परंतु इससे यह निष्कर्ष नहीं निकलता है कि ईश्वर महत्वहीन है।

राधाकृष्णन् के मतानुसार सभी धर्म किसी न किसी रूप में परम तत्व ब्रह्म की ओर अग्रसर होने का प्रयास करते हैं। सभी धर्मों में इसी परम तत्व की उपासना विभिन्न रूपों में होती है। राधाकृष्णन् परम तत्व को सर्वोच्च आत्मा की संज्ञा देते हैं। यह सर्वोच्च आत्मा ही विभिन्न धर्मों का केंद्र बिंदु है। राधाकृष्णन् के मतानुसार सभी धर्म सापेक्ष सत्य को स्वीकार करता है। एक ही धर्म जिसमें ब्रह्म की प्राप्ति का सर्वोच्च आधार आत्मा की प्राप्ति पर आधारित है। अंतिम रूप से यह यथार्थ सत्य है। राधाकृष्णन् एक धर्म तत्व सिद्धांत के समर्थक थे, क्योंकि सभी धर्मों की जड़ में सर्वोच्च आत्मा का विचार निहित रहता है इसलिए सभी धर्म मूलतः समान हैं।

इस प्रकार राधाकृष्णन् धर्मों की एकता को प्रमाणित करते हैं। विश्व के विभिन्न धर्मों का अवलोकन करने से यही स्पष्ट होता है कि सभी धर्म मूलतः एक ही है। धर्म की जड़ में एकता निवास करती है। एक धर्म का दूसरे धर्म से भेद धर्म के अनावश्यक तर्क एक दूसरे के प्रति वैमनस्य को दिखाता है।

डॉ. राधाकृष्णन ने कहा कि धर्मों के बीच भेद महत्वपूर्ण इसलिए मालूम पड़ता है, क्योंकि हम अपने धर्म के मूल सत्य के संबंध में जानकारी नहीं रखते सभी धर्मों में समान तत्व निहित हैं। इसलिए राधाकृष्णन् कहते हैं कि विभिन्न धर्म सहयोगी की तरह सामान्य उद्देश्य की प्राप्ति का मार्ग प्रशस्त करते हैं। यह एक ही सत्य का स्पष्टीकरण करते हैं। इस प्रकार के धर्मों का केंद्र बिंदु ईश्वर माना जाता है। जिस के संदर्भ में मैक्समूलर ने कहा है कि there is one supreme God जिस के संदर्भ में राधाकृष्णन् का अपनी पुस्तक ईस्ट एंड वेस्ट इन रिलिजन में वर्णन मिलता है कि let us most firmly hold that according to catholic doctrine there is one god one faith."

यथार्थता यह है कि राधाकृष्णन् के धर्म विचार में संत कबीर के विचारों का भी वर्णन मिलता है। जहां हिंदू-मुस्लिम की एकता पर अधिक बल दिया गया है। कबीर ने कहा है कि हिंदू का ईश्वर बनारस में निवास करता है। यह माना जाता है कि मुसलमान का ईश्वर मक्का में निवास करता है, परंतु जिस ईश्वर ने विश्व की रचना की वह किसी एक शहर में निवास नहीं कर सकता है। हिंदू और मुसलमान के पिता ईश्वर एक है।

इस प्रकार कबीर ने ईश्वर की एकता पर अधिक बल दिया है। धर्म में ईश्वर को उपवास से तथा मनुष्य को उपासक माना जाता है। ईश्वर की एकता पर ही विचारकों ने सिर्फ जोर नहीं दिया है, बल्कि आत्मा की एकता पर भी बल दिया है, तथा आत्मा की एकता पर न केवल भारतीय दर्शन में, बल्कि पाश्चात्य दर्शन के विचारकों ने भी अधिक बल दिया है।

उपर्युक्त अवधारणा से यह स्पष्ट होता है कि सभी धर्मों में धार्मिक अनुभूति तत्व एक समान होती है, फिर भी बाह्य रूप से उनमें भेद दृष्टिगोचर होता है। प्रत्येक व्यक्ति अपनी सुविधा के अनुकूल विभिन्न प्रकार की पूजा-पद्धति उपासना को अपनाता है। प्रत्येक व्यक्ति की धार्मिक अनुभूति अलग होती है। इसके फलस्वरूप धर्मों के बाद एवं क्रियात्मक पहलू में भी विषमता पाई जाती है।

यह सब एक ही है, लेकिन उसके पूजा करने एवं धार्मिक अनुष्ठान करने के तरीके अलग-अलग हैं। राधाकृष्णन् सदैव सभी धर्मों की समन्वय की बात करते थे। जिससे सभी में एकता एवं सहिष्णुता दिखाई पड़ती है। राधाकृष्णन् के अनुसार हिंदू धर्म विश्वव्यापी धर्म की सभी मांगों की पूर्ति करता है। हिंदू धर्म विश्वव्यापी धर्म का उदाहरण है राधाकृष्णन् हिंदू धर्म को विश्वव्यापी धर्म बनाना चाहते थे।

इसके लिए उन्होंने अनेक प्रकार के तर्क भी दिए हिंदू धर्म किसी एक धर्म विश्वास एक धर्म ग्रंथ या एक पैगंबर या एक संस्थापक के साथ जुड़ा नहीं है, बल्कि यह तो निरंतर नवीन होते हुए भी अनुभव के आधार पर सत्य की निरंतर धार्मिक पूर्ण व्याख्या करता रहता है।

हिंदू धर्म परमात्मा के विषय में निरंतर विकास मानव एवं मानवीय विचार का दृष्टिकोण रखता है। चाहे किसी भी दीपक से क्यों निकल रहा प्रकाश हो, लेकिन प्रकाश का विश्व में प्रकाश वन ऊर्जा के चरमोत्कर्ष तक पहुंचाना है। हिंदू धर्म का वास्तविक उद्देश्य है हिंदू धर्म अन्य धर्मों को अपेक्षा अधिक श्रद्धा एवं विश्वास पर निर्भर करता है।

इसका दृष्टिकोण सहनशील विश्वव्यापी एवं सरल होने के कारण सभी धर्मों की मूल भावना समाहित दिखाई पड़ती है। यह मनुष्य के आंतरिक देवत्व का भाव है, तथा आंतरिक शुद्धता के आधार पर विश्व के सभी धर्मों के नैतिक उद्देश्यों को आत्मार्पित करते हुए विश्व में स्वतंत्रता, समानता, उदारता के भाव को प्रखर करने का कार्य करता है।

हिंदू धर्म एकेश्वरवाद का समर्थन करता है, यदि ईश्वर एक है, फिर भी इसका प्रकाश विभिन्न रूप में दिखाई पड़ता है। यहाँ प्रकृति की विषय वस्तु को भी देवता के रूप में मानकर मूल्याँकन करने का प्रयास किया गया है। सहनशीलता हिंदू धर्म की आत्मा है।

राधाकृष्णन् ने कहा है कि सच्चे हिंदू के लिए कदाचित ही ऐसा कोई स्थान होगा। जहाँ वह चुपचाप ईश्वर की पूजा न कर सके। शायद

ही कोई ऐसी प्रार्थना होगी जिसमें श्रद्धा पूर्वक वह ईश्वर को याद न कर सके।

इस सहनशील दृष्टिकोण के कारण स्वयं हिंदू धर्म सभी प्रकार के सभी स्तर की धार्मिक आकांक्षा और प्रयत्नों का समूह बन गया है। हिंदू धर्म की मूल विशेषता सहनशीलता है। बुद्ध ने भी सहनशीलता को धर्म का मूल तत्व कहा जो व्यक्ति दूसरों के धर्म के प्रति सहनशील नहीं है वह अपने धर्म की रक्षा नहीं कर सकता है। उनके शब्द से भी प्रमाणित हो जाता है कि आचरण के लिए मनुष्य को सहनशील होना अति आवश्यक है।

आधुनिक समय में महात्मा गांधी भी धर्म की एकता पर बल देते हुए कहते हैं कि "मैं जैसे गीता में विश्वास करता हूं वैसे ही बाइबिल में भी विश्वास करता हूं" मैं संसार के सारे महान धर्म को अपने धर्म की तरह सच्चा मानता हूं जब इनमें से किसी धर्म का मखौल उड़ाई जाती है जैसा कि आजकल भिन्न-भिन्न धर्म के अनुयायी कर रहे हैं वह कहीं न कहीं अतार्किक लगता है।

राधाकृष्णन् के अनुसार प्रत्येक धर्म उपासना पर भी जोर देता है। यदि उपासना की पद्धति का मूल्यांकन किया जाए, तो यहां भी अनेक प्रकार की समानता दिखाई पड़ती है, क्योंकि सभी उपासना के द्वारा ईश्वर को पूजने का प्रयास करते हैं। सभी उपासना की पद्धति में उभयनिष्ठ तत्व निहित है। इसका कारण यह है कि सभी उपासना की पद्धति भी एक ही तत्व की अनुभूति को व्यक्त करती है।

राधाकृष्णन् यह मानते हैं कि सभी धर्म उपासना ईश्वर की आराधना तक सीमित है। विश्व के जितने धर्म हैं; उनको देखने से पता चलता है कि वह साथ-साथ जीवित है। सभी में सत्य अहिंसा अस्तेय, आत्म संयम, दया परोपकार जैसे नैतिक मूल्यों पर अधिक बल दिया गया है। प्रत्येक धर्म के प्रति प्रगतिशील दृष्टिकोण अपनाने से धर्म में कोई भी ऐसा तत्व नहीं जिसे समय और परिस्थितियों के अनुसार बदलकर लागू न किया जा सके।

आज वर्तमान परिदृश्य में विभिन्न धर्मों के बीच गठबंधन का भाव भी दिखाई पड़ता है। यह विश्व के विभिन्न व्यक्तियों के बीच एकता स्थापित करने का कार्य करता है। यही कारण है कि आज विश्व के अनेक धर्म एक दूसरे के निकट आ रहे हैं।

इसके संदर्भ में राधाकृष्णन कहते हैं कि संसार में जो भी विभिन्न प्रकार के धर्म हैं, अब समीप आ गए हैं। पारस्परिक संघर्ष एवं प्रतियोगिता को मिटाने के लिए आवश्यकता है, क्योंकि उनमें वैचारिक धर्मों में सहिष्णुता का विकास हो इससे उनका पूर्वाग्रह मिटेगा आपस में नजदीकियां बढ़ेगी धर्मों में आत्मीयता की एकता भाव विकसित किया जा सकता है।

निष्कर्ष: यह कहा जा सकता है कि राधाकृष्णन् भारतीय परंपरा एवं पाश्चात्य परंपरा की विचारधारा को अपने विश्व धर्म मानव धर्म के अंतर समाहित कर एकजुट करने का कार्य किया जा सकता है। जिससे विश्व के सभी धर्मों के बीच एकता स्वतंत्रता समानता विश्व बंधुत्व की भावना का विकास हो सके यही सहिष्णुता की भावना हमें सम्पूर्ण विश्व के धर्मों के मानवता का यथार्थ धर्म मानव धर्म की यथार्थ प्रासंगिकता को स्थापित किया जा सके।

आलोचना

जिस प्रकार से राधाकृष्णन् ने अपने धर्म के विषय का मूल्यांकन किया है। उसमें धर्म तत्व के सिद्धांत में कई प्रकार की कमियाँ भी दिखाई पड़ने लगती है, क्योंकि इन्होंने धर्म सिद्धांत की व्याख्या में शंकर का ब्रह्म निर्गुण, निराकार को स्वीकार किए हैं यदि ब्रह्म उपासना की विषय-वस्तु नहीं है, शुभ-अशुभ धर्मों का आधार कैसे हो सकता है, तथा उस ब्रह्म के द्वारा धार्मिक एकता की स्थापना कैसे संभव है।

राधाकृष्णन् ने हिंदू धर्म को विश्वव्यापी धर्म के रूप में स्वीकार किया है। इसके संदर्भ में कहा जा सकता है कि इसी धर्म को विश्वव्यापी धर्म क्यों प्रतिष्ठित किया जाए अन्य धर्म भी तो हो सकते हैं, क्योंकि विश्व में ईसाई धर्म के मानने वाले भी लोग ज्यादा हैं तो

क्यों न ईसाई धर्म को विश्वव्यापी धर्म बनाया जाए।

राधाकृष्णन् धर्म की एकता की वकालत करते हैं, तथा सर्वोच्च आत्मा पर अधिक बल देते हैं, लेकिन यह कार्य तो धर्म का नहीं बल्कि दर्शन का है। राधाकृष्णन् का धर्म दर्शन सर्वोच्च आत्मा पर अधिक बल देने के कारण अति धर्म कहा जा सकता है। राधाकृष्णन् का एक धर्म तत्व सिद्धांत भ्रामक एवं अनुपयुक्त लगता है।

भगवान दास के धर्म की आलोचना

डॉक्टर भगवान दास का सर्वधर्म समन्वय का प्रयास तार्किक नहीं प्रतीत होता है। उन्होंने इस बात पर बल दिया है कि सभी धर्मों के मूल में एक ही ईश्वर का तत्व निहित है। इसके विरोध में यह कहा जा सकता है कि सभी धर्मों ही कहीं भी ईश्वर को प्राथमिकता नहीं दी गई है। ईसाई धर्म में ईश्वर को प्रेम में माना गया है, जबकि इस्लाम धर्म में ईश्वर की न्यायशीलता पर अधिक बल दिया गया है।

ईसाई धर्म का ईश्वर क्षमाशील है, जबकि इस्लाम धर्म का ईश्वर न्याय स्वरूप है। जैन, बौद्ध दर्शन में भी ईश्वर का कोई स्थान नहीं है, तो हम कैसे सभी धर्मों को एक साथ संबंध में कर सकते हैं। भगवान दास ने वैष्णव धर्म, शैव धर्म, ईसाई धर्म, सूफीयों का अध्ययन कर इनके भी समन्वय करने का प्रयास किया है, अब परंतु प्रश्न उठता है कि इन धर्मों के बीच संबंध कैसे संभव है, क्योंकि इनकी उपासना की विधि भी अलग-अलग है। इन सब को एक सूत्र में बांधना असंभव प्रतीत होता है।

भगवान दास ने सभी धर्मों का लक्ष्य एक माना है, परंतु साधना पक्ष को अनेक माना है। जिस प्रकार अनेक नदियाँ एक समुद्र में आकर गिरती हैं, उसी प्रकार सभी धर्म विभिन्न मार्गों को अपनाकर एक ही लक्ष्य स्थान पर पहुंचते हैं। भगवान दास का उपयुक्त विचार दृष्टि दोष से ग्रसित है, क्योंकि उनमें लक्ष्यों का सामान्यीकरण है, सभी धर्मों का एक लक्ष्य मानना भ्रामक लगता है, क्योंकि धार्मिक व्यक्ति की विभिन्नता के अनुरूप धर्म के लक्ष्य में भी विभिन्नता हो सकती है। ईसाई धर्म में

स्वर्ग की प्राप्ति पर बल दिया गया है। जैन धर्म में सर्वज्ञताकी प्राप्ति पर बल दिया गया है। बौद्ध धर्म का लक्ष्य निर्वाण की प्राप्ति है। अत: भगवान दास द्वारा प्रस्तुत सर्वधर्म का सिद्धांत दार्शनिक दृष्टिकोण से तार्किक नहीं लगता है।

■■■■

अध्याय 12
महात्मा गांधी का धर्म दर्शन

धर्म का स्वरूप

जब भी गांधी के विषय में कोई चर्चा होती है, मुख्य रूप से उनके दो विशिष्ट पहलूओं की सभी लोग चर्चा करते हैं। सामान्यत: धार्मिक आस्था एवं राजनीतिक गतिविधियां के बावजूद इन्हें एक धार्मिक संत के रूप में समझा जाता है। इन्होंने एक सक्रिय राजनीतिज्ञ के रूप में दोनों पक्षों का पूर्ण रूप से अवलोकन किया और दोनों में उत्कृष्ट भूमिका निभाई इसमें कोई संदेह नहीं है कि दोनों ही दशाओं में इनकी महत्वपूर्ण भूमिका है। इन दोनों में इनकी कौन सी भूमिका अधिक महत्व रखती है।

यह कहना बहुत ही जटिल है, लगभग 50 वर्ष राजनीति के क्षेत्र में यह डटे रहे बहुत बड़ी संख्या में लोगों ने उनका समर्थन किया था तथा बहुत बड़ी संख्या में लोग उनको विरोध भी किए थे लेकिन आधुनिक भारत की आजादी के केंद्र बिंदु थे। इसीलिए 1915 से 1947 के समय को भारतीय इतिहास में गांधी युग के नाम से जाना जाता है।

इन सब के बावजूद भी यदि हम इस विषय पर गहराई से अध्ययन करें तो एक बात स्पष्ट हो जाती है। उनकी राजनीतिक अवधारणा का मूल्यांकन प्राय: गलत संदर्भ में हुआ है। राजनीति की कुछ परंपरागत सिद्धांत के आधार पर यह मान लिया गया है कि गांधीवादी राजनीति चाहे जितनी महान हो, व्यावहारिक हो, लेकिन उनके राजनीतिक विचारों का व्यवहारिक जीवन में कोई विशेष महत्व नहीं है। इसी तरह के

विचार प्रकट किए जाते हैं, जब उनकी धार्मिक आस्था की बात की जाती है। यह कहा जाता है कि वह एक परंपरावादी विचारक थे।

इनके पास न तो दार्शनिक दृष्टिकोण था और न ही कांट जैसी दार्शनिक अंतर्दृष्टि अर्थात् दोनों ही दशाओं में कोई मौलिक अवधारणा नहीं थी। यह भी कहा जाता है कि गांधी धर्म की राजनीति के दो अलग-अलग पहलू को नहीं समझा सके और दोनों पहलुओं को एक ही नजर में देखने के फलस्वरूप उन्होंने वर्णाश्रम व्यवस्था के वर्तमान स्वरूप को पूर्ण रूप से धार्मिक दृष्टिकोण से स्पष्ट नहीं कर पाए और न ही पूर्ण रूप से राजनीति की ऐसी धारणा प्रस्तुत किये जिससे व्यवहारिक दृष्टिकोण से मूल्यांकित किया जा सके। यद्यपि इनका धार्मिक दृष्टिकोण हिन्दू वर्णव्यवस्था के अनुरूप एवं राजनीतिक दृष्टिकोण अधिक आदर्शवादी दिखाई पड़ती है।

मूलभूत गाँधी जी की आस्था धार्मिक थी, किंतु राजनीति में प्रवेश उनका एक अनिवार्य आवश्यकता थी। अगर गांधी जी केवल धार्मिक या केवल राजनीतिक हो जाते हैं, तो उनका संपूर्ण दर्शन एकाकी दिखाई पड़ता है, गांधी जी धर्म से बाहर राजनीति की बात नहीं करते थे, और राजनीति के बिना उनका धर्म केवल कपोल-कल्पना मात्र रह जाता है। दोनों भूमिकाओं में समांतर रूप से उन्होंने मूल्यांकित करने का प्रयास किया था दोनों के बीच उचित सामंजस्य स्थापित करने का प्रयास किया था।

यदि गांधी जी के संपूर्ण दार्शनिक प्रणाली का विवेचन किया जाए तो दृष्टिगोचर होता है कि उनको धर्म से जो लगाव था उसको बिना परिभाषित किए संपूर्ण धर्म की प्रणाली को नहीं समझा जा सकता है, क्योंकि गांधी एक परंपरा वादी वैष्णव परिवार में पैदा हुए थे। इस परंपरा का प्रभाव उनके संपूर्ण जीवन पर दिखाई पड़ता है। उनके जीवन में कुछ ऐसे बातें मिलती हैं। जिनका संभवत: कोई तार्किक आधार नहीं था, किंतु उनके मूल धार्मिक सिद्धांत दार्शनिक भूमि पर स्थित हैं। उनका शुद्ध दार्शनिक आधार भी धर्म पर आधारित दिखाई पड़ता है। गांधी जी का दर्शन मूलत: वैदिक दर्शन पर आधारित है। जिसमें सबसे अधिक वह आचार्य वेदान्त दर्शन विचारधारा से प्रभावित थे।

यह दोनों एक अद्वैतवाद विचारधारा के वेदांती दार्शनिक माने जाते हैं। हिंदुओं में पारस्परिक यह मतभेद अनिर्वचनीय दिखाई पड़ता है, लेकिन गाँधी जी इसे सहज रूप से प्राप्त एवं ग्रहण करते हैं। गांधी जी के दर्शन में शंकर का प्रभाव दृष्टिगोचर होता है, किंतु उनकी भावना अधिक प्रभावी है। हमारी संपूर्ण प्रार्थना ईश्वर के हृदय तक पहुंचती है। ईश्वर की इच्छा के बिना यहाँ एक पत्ता भी नहीं हिलता है। गांधी जी की यह विचारधारा उन्हें ईश्वर के ईश्वरवादी परंपरा को प्रदर्शित करती है। उनका यह मानना था कि सत्य ही ईश्वर है।

अर्थात् ईश्वर सब जगह है। वह सब में विद्यमान है। इस सत्य की अनुभूति को तर्क से नहीं दिया जा सकता है। यही सत्य अंतिम सत्य है। यही सत्य सर्वभौमिक है। इससे बाहर निकल कर हम यथार्थ की पहचान नहीं कर सकते हैं।

इसी मौलिक वैदिक भावना से गांधी जी का सत्य संबंधी विचार प्रभावित दिखाई पड़ता है जब भी गांधी से पूछा गया आखिर ईश्वर क्या है, तो उन्होंने एक सहज भाव तथा बोधगम्य उत्तर दिया सत्य ही ईश्वर है। ईश्वर सत्य के अतिरिक्त और कुछ नहीं हो सकता है, क्योंकि जो ईश्वर है, वही सर्वशक्तिमान् है, तथा वही सर्वत्र विद्यमान है और वही सत्य पर अवस्थित हो सकती है।

सत्य ही एक ऐसा तत्व है, जो बदलता नहीं है। हमेशा एक ही रहता है और अपरिवर्तनशील है। यही गुण ईश्वर का भी है इसलिए सत्य ही ईश्वर है। सत्य सर्वशक्तिमान् है, क्योंकि केवल सत्य ही विद्यमान है गांधी का यह सिद्धांत श्रीमद्भगवतगीता पर आधारित प्रतीत होता है यहां पर सत्य का स्वरूप ईश्वर को जोड़ना है।

सत्याग्रह की अवधारणा

प्रस्तावना

सत्याग्रह अहिंसक क्रांति की एक प्रक्रिया है। राजनीतिक, सामाजिक अथवा धार्मिक आदि क्षेत्रों में कार्यवाही के लिए, अन्याय के प्रतिकार

के लिए, जहाँ क्रांतिकारी, हिंसक उपायों का उपयोग करते हैं, वहीं गांधी ने अहिंसक तरीके से क्रांति लाने के लिए सत्याग्रह का उपाय अपनाया, क्योंकि हिंसक क्रांति से हिंसक प्रतिक्रांति होती है। यहाँ गांधी जी का लक्ष्य सकारात्मक परिवर्तन के रूप में दिखाई पड़ता है लेकिन बिना हिंसक क्रांति के, इसे ही गांधी ने 'सत्याग्रह', कहा है।

वास्तव में दो मनुष्यों के विचारों में भिन्नता होना स्वाभाविक है, यदि किसी के विचार हमें गलत लगते हैं, तो उस विचार के विरोध का तरीका है, सत्याग्रह बिना उसे कष्ट पहुँचाए, स्वयं को कष्ट देकर दूसरों के विचार बदलने का तरीका है। सत्याग्रह विरोधियों से भी उसका विरोध दूर करते हुए, प्रेम करने की कला है। सत्याग्रह के बारे में गांधी जी कहते हैं कि "My goal is friendship with the world and can combine the greatest love with greatest opposition to wrong." अर्थात् गांधी ने क्रांति लाने के लिए हिंसा के स्थान पर सत्याग्रह को साधन के रूप में अपनाया है। उनके विचार से साधन का भी उतना ही महत्व है, जितना साध्य का।

सत्याग्रह का अर्थ

गांधी दर्शन में सत्याग्रह का अर्थ है, सत्य का आग्रह, अर्थात् सत्य पर अडिग रहना। किसी अन्याय, दमन, अत्याचार या नियम और सत्य के विपरीत किसी तंत्र द्वारा किए गए दमनात्मक कार्य के विरोध में सत्य की रक्षा के लिए अहिंसात्मक रूप से सत्य पर अडिग रहना ही सत्याग्रह है।

गांधी ने इसे 'आत्मा की शक्ति' 'आत्मबल' आदि कहा है। उन्हीं के शब्दों में, "Non-violence is 'not' a resignation from all real fighting against wickedness. On the contrary, the Non-violence of my conception is a more active and more real fighting against wickedness. I contemplate a mental and therefore a moral opposition to immoralities. .... The resistance of the soul that I should offer instead elude him."

गांधी ने सत्याग्रह को निष्क्रिय प्रतिरोध नहीं कहा है। सत्याग्रह का सर्व्रपथम प्रयोग गांधी ने दक्षिण अफ्रीका में किया था। वहाँ पाश्चात्य धारणा के अनुसार इसे निष्क्रिय प्रतिरोध (passive resistance) कहा गया, परन्तु गांधी इस नाम से संतुष्ट नहीं थे। उन्होंने कहा कि, Satyagraha differs from passive resistance as the north pole from the south. The latter has been conceived as a weapon of the weak and does not exclude the use of physical force or violence for the purpose of gaining one's end, where the former has been conceived as a weapon of the strongest and excludes the use of violence in shape or form.

सत्याग्रह व निष्क्रिय विरोध में निम्न अंतर है–

अ) सत्याग्रह का मौलिक तत्व अहिंसा है। किसी भी परिस्थिति में इसमें हिंसा का प्रयोग वर्जित है, परन्तु निष्क्रिय प्रतिरोध में निर्बल होने के कारण अहिंसा का पालन विवशता से किया जाता है। गांधी के शब्दों में, "Its root meaning is holding on truth, hence turth force. I have also called it Love force or soul force. In the application of Satyagraha I discovered in the earliest stages that **pursuit of truth** did not admit of violence being inflicted on one's opponent but that he must be weaned from error by patience and sympathy for what appears to be truth to the one way appear to be error to the other. And patience means self suffering. So the doctrine come to mean vindication of Truth not by infliction of suffering on the opponent but on one's self."

ब) निष्क्रिय प्रतिरोध में शत्रु पर दबाव डालकर विवश किया जाता है, परन्तु सत्याग्रह के प्रतिकार के लिए प्रेम एवं अहिंसा का प्रयोग किया जाता है।

स) निष्क्रिय प्रतिरोध में विरोधी पक्ष को परेशान करने की भावना रहती है, जबकि सत्याग्रह में स्वयं कष्ट सहन किया जाता है।

द) निष्क्रिय प्रतिरोध में द्वेष, घृणा और अविश्वास रहता है। इसका उपयोग स्वजनों के विरोध में नहीं किया जा सकता है। सत्याग्रह में शत्रु के प्रति प्रेम एवं उदारता का भाव रहता है। अतः इसका प्रयोग स्वजनों के विरुद्ध भी किया जा सकता है।

य) सत्याग्रह में रचनात्मक कार्यों को यथा– खादी, ग्राम उद्योग आदि को स्थान दिया गया है, जबकि निष्क्रिय प्रतिरोध में ऐसे रचनात्मक कार्यों के लिए कोई स्थान नहीं है।

सत्याग्रह का शाब्दिक अर्थ होता है, सत्य के लिए आग्रह अर्थात् यह सत्य-शक्ति (truth force) है। सत्य आत्मा है। इसलिए यह **आत्मशक्ति** भी है। इसमें हिंसा वर्जित है। इसके पीछे गांधी का तर्क है कि मनुष्य निरपेक्ष सत्य को जानने में सक्षम नहीं है। इसलिए उसे अन्य को दंड देने का अधिकार नहीं है। गांधी के शब्दों में, "Satyagraha is literally holding on truth and it means, therefore, truth force. Truth is soul or spirit. It is, therefore, known as soul force. It excludes the use of violence because man is not capable of knowing the absolute truth and, therefore, not competent to punish."

सत्याग्रह स्वयं कष्ट सहने की क्षमता पर आधारित है। इसमें विरोधी द्वारा कष्ट पहुँचाने की शक्ति का सामना उसे कष्ट देकर नहीं वरन् स्वयं कष्ट सहन करके किया जाता है अर्थात् विरोधी की पशुता का सामना आत्मबल से किया जाता है। सत्याग्रह में अपने विरोधी से घृणा नहीं की जाती है, बल्कि उससे प्रेम किया जाता है। हाँ, विरोधी या अत्याचारी प्रशासक की आज्ञा का पालन करने से इंकार किया जाता है और स्वयं कष्ट उठाने की क्षमता को प्रकट किया जाता है। इसी से विरोधी को थका दिया जाता है या उसे प्रभावित किया जाता है।

गांधी के शब्दों में, "Non-violence in its dynamic condition means conscious suffering. It does not mean weak submission to the will of the evil does, but it means the putting of one's whole soul against the will of the tyrant. Working under this law of our being, it is possible for a single individual to defy the whole might of an unjust empire to save his honour, his religion, his soul and lay the foundation for the empire's fall or its regeneration."

सत्याग्रह में किसी भी तरह की हिंसा वर्जित है। हिंसा तीन तरह से हो सकती है- वे तीन तरीके हैं, मन, वचन व कर्म। यहाँ तीनों वर्जित हैं। इसमें विजय निश्चित है। सत्याग्रह कभी भी बुरे कार्यों के लिए नहीं होता है। हिंसा एवं सत्याग्रह में विरोध का सम्बन्ध है। दोनों एक साथ नहीं रह सकते हैं।

गांधी के शब्दों में, "Satyagraha excludes the use of violence, in any shape or form, whether in thought, speech or deed. Given a just cause, capacity for endless suffering and avoidance of violence, victory is a certainty."

गांधी ने सत्याग्रह की सफलता के लिए तीन अनिवार्य शर्तों का उल्लेख किया है–

1. सत्याग्रही के मन में विरोधी के प्रति बुरी भावना नहीं होनी चाहिए। सत्याग्रही अन्याय या पाप से घृणा करता है, परन्तु पापी या अन्यायी से घृणा नहीं करता है। वरन् उससे प्रेम करता है। शत्रु या पापी से प्रेम करने का परिणाम यह होता है कि शत्रु पराजित होने पर अपने को पाप से अलग कर लेता है। उसका हृदय परिवर्तन हो जाता है, और वह हमारा मित्र बन जाता है।
2. सत्याग्रही का संघर्ष सदैव सत्य एवं उचित कार्य के लिए होना चाहिए।
3. सत्याग्रही तब तक कष्ट सहने के लिए तैयार रहना चाहिए, जब तक कि उसको लक्ष्य नहीं मिल जाता है।

गांधी के शब्दों में, "The condition necessary for the success of Satyagraha are—

1. The satyagraha should not have any hatred with his opponent.
2. The issue must be true and substantial.
3. The satyagraha must be prepared to suffer till the end for his cause.

गांधी के अनुसार सत्याग्रह विरोधियों के विचार को परिवर्तित करने की सबसे शक्तिशाली पद्धति है। अतः इसका प्रयोग करने से पहले अन्य पद्धति का उपयोग कर लिया जाना चाहिए। इसका उपयोग सबसे अंत में किया जाना चाहिए।

सत्याग्रही के प्रशिक्षण के लिए योग्यताएँ

सत्याग्रह का शाब्दिक अर्थ है सत्य के लिए आग्रह। सत्याग्रह अपने माता-पिता अपनी, पत्नी, अपने बच्चों, अपने शासकों, अपने देशवासियों के विरोध में और उचित कारण के लिए पूरे विश्व के विरुद्ध भी किया जा सकता है जबकि विरोध का अन्य तरीका स्वजनों के विरुद्ध इस्तेमाल नहीं किया जा सकता है। यह एक सार्वभौमिक शक्ति है जो अनिवार्य रूप से अपने पराए, युवा व वृद्ध, पुरुष एवं स्त्री, मित्र एवं दुश्मन के बीच विभेद नहीं करता है। इसमें भौतिक शक्ति का उपयोग नहीं होता है। इसमें प्रेम या अहिंसा की शक्ति का उपयोग किया जाता है। प्रेम दूसरों को कष्ट नहीं देता है, यह स्वयं को कष्ट देता है। इसलिए सत्याग्रही को खुशीपूर्वक मृत्यु तक कष्ट सहते रहने की क्षमता होनी चाहिए। गांधी के शब्दों में, "Satyagraha literally means insistence on truth. This insistence arms the votary with matchless power. This power or force is connoted by the word Satyagraha. Satyagraha, to be genuine may be offered against parents, one's wife or one's children, against rulers, against fellow citizen, even against the whole world. Such a universal force moves no distinction between kinsmen and strangers, young and old man and woman, friend and foe. The force to be so applied can never be physical. There is in it no room for violence. The only force of universal application can, therefore be that of Ahimsa or love. In other words, it is soul force. Love does not burn others, it burns itself. Therefore, a Satyagraha, i.e., a civil resister, will joyfully suffer even unto death."

सत्याग्रही के लिए गांधी के कुछ गुणों का होना अनिवार्य बतलाया गया है–

1. उसे कभी क्रोध नहीं करना चाहिए।
2. उसे विरोधियों के क्रोध को सहने के लिए तैयार रहना चाहिए।
3. यदि कोई व्यक्ति या प्राधिकृत व्यक्ति उसे गिरफ्तार करना चाहे तो उसे ऐच्छिक रूप से गिरफ्तारी दे देनी चाहिए। इसका विरोध नहीं करना चाहिए। यदि वह इसकी अपनी सम्पत्ति लेना चाहे तो इसका भी विरोध सत्याग्रही को नहीं करना चाहिए। परन्तु, किसी सम्पत्ति के ट्रस्टी होने पर इसका विरोध करना चाहिए।
4. सत्याग्रही को कभी अपने विरोधियों का अपमान नहीं करना चाहिए।

गांधी के शब्दों में उपरोक्त बातें हैं–

A) Satyagraha; i.e., a civil resister will harbour no anger.
B) He will suffer the anger of opponent.
C) When any person in authority seeks to arrest, and he will voluntary submit to the arrest, and he will not resist the attachment or removal of his own property, if any, when it is sought to be classified by the authorities.
D) If a civil resister has any property in his possession as a trustee, he will refuse to surrender it, even though in defending it he might lose his life.
E) Therefore a civil resister will never insult his opponent."

अर्थात् गांधी के अनुसार सत्याग्रह में संख्या बल का महत्व नहीं होता है। इसमें गुणवत्ताा का महत्व होता है, और वह भी तब जब विरोधी हिंसा का अत्यधिक प्रयोग कर रहें हो। सत्याग्रही कभी गलत करने वाले को न तो डराना चाहता है और न ही उसे अपमानित करना चाहता है, वह तो उसका ह्दय परिवर्तन करना चाहता है। सत्याग्रही को अपने सभी कर्मों से कृत्रिमता का परित्याग करना चाहिए। उसका प्रत्येक कार्य अंदर से, प्राकृतिक रूप में और अंतरात्मा की आवाज पर होना चाहिए।

गांधी के शब्दों में, "In Satyagraha, it is never the numbers that count. It is always the quality, none so when the forces of violence are uppermost. Then it is often forgotten that it is never the intention of a Satyagrahi to embarrass the wrong doer. The appeal is never to his fear; it is, must be, always to his heart. The Satyagrahi's object is to convert, not coerce the wrong doer. He should avoid artificiality in all his doings. He acts naturally and from inward conviction."

गांधीजी ने भारत में सत्याग्रही के लिए निम्नलिखित गुणों का होना अनिवार्य बताया है–

1. उसकी ईश्वर में आस्था होनी अनिवार्य है। उसे यह विश्वास हो कि ईश्वर ही उसका एकमात्र सहारा है।
2. उसका सत्य एवं अहिंसा में पूर्ण विश्वास होना चाहिए। उसे दूसरे मनुष्यों की अच्छाई में भी आस्था होना चाहिए।
3. उसे अनिवार्य रूप से खादी वस्त्र धारण करना चाहिए और सूत काटना चाहिए।
4. उसे अगर जेल में रखा जाए, तो सामान्यतया उसे जेल के नियमों का पालन करना चाहिए जब तक कि उसके स्वाभिमान को ठेस न पहुँचे।

गांधी के अनुसार सत्याग्रह करने वाले व्यक्ति को सत्याग्रह शांतिपूर्वक करना चाहिए, लेकिन साथ ही साथ उसे कुछ अन्य कार्य भी करने चाहिए। उस बुराई के विरुद्ध जनमत संग्रह इकट्ठा करना

चाहिए, जिसे वह समाप्त करना चाहता है। गांधी का मानना था कि एक बुद्धिमान तथा जागरूक सत्याग्रह करने वाले व्यक्ति का सबसे बड़ा हथियार अहिंसा होता है, क्योंकि इस तरह का समर्थन उसके कार्यवाही की वैधता को उचित ठहराता है। इसका मतलब यह होता है कि अब सब मिलकर उस कानून या व्यक्ति के विरुद्ध जिसके विरुद्ध सत्याग्रह है, पूर्णतया सहयोग बंद कर देते हैं, परन्तु ध्यान रखना चाहिए कि ऐसा करने में व्यक्ति को हानि नहीं पहुँचनी चाहिए। अतः स्पष्ट है कि यहाँ भी गांधी व्यक्ति के कार्य के विरुद्ध सत्याग्रह करने की सलाह देते हैं। उसके कार्य का विरोध करने को कहते हैं, उस व्यक्ति का नहीं। गांधी के शब्दों में, "Although Satyagraha can operate silently, it requires a certain amount of action on the part of a Satyagrahi. A Satyagrahi, for instance, must first mobilize public opinion against the evil which he is out to eradicate, by means of wide and intensive agitation. When a public opinion is sufficiently roused against a social abuse even the tallest will not dare to practise or openly to lend support to it. An awakened and intelligent public opinion is the most potent weapon of a Satyagrahi."

गांधी का मानना था कि सत्याग्रह करने वाले व्यक्ति को बुरे कार्यों से लड़ने के लिए हमेशा तैयार रहना चाहिए, परन्तु यह नहीं समझना चाहिए कि सत्याग्रह ही अपने आप साध्य है, यह तो बुराई को समाप्त करने का मात्र उचित साधन है। यदि सम्मानजनक समझौता का मौका हो तो उसे तुरंत स्वीकार कर लेना चाहिए। इसके पीछे गांधी का तर्क था कि इससे भी साध्य की प्राप्ति हो रही है। उन्हीं के शब्दों में, "The Satyagrahi who he is ever ready for fight, must be equally eager for peace. He must welcome any honourable opportunity for peace."

"A Satyagrahi never misses, can never miss a chance of compromise on honourable terms, it being always assume that, in the event of fail he is never ready to offer battle. He needs no previous preparation, his cards are always on the table."

सत्याग्रही के लिए सत्याग्रह की कोई समय सीमा नहीं होती है और न ही उसके कष्ट सहने की क्षमता की कोई सीमा होती है। अतः सत्याग्रही के हार का कोई सवाल ही नहीं है। सत्याग्रही को जीत से कोई मतलब नहीं होता है। उन्हीं के शब्दों में, "A Satyagrahi has nothing to do with victory. He is sure of it, but he has also to know that it comes from God. He is but so suffer."

गांधी ने सत्याग्रह के लिए विभिन्न प्रकार का उपाय सुझाया है–

a) असहयोग– राजनीतिक कार्यवाही के लिए और अन्य क्षेत्रों के लिए, जैसे, स्कूल, सार्वजनिक स्थानों और यहाँ तक कि परिवारों के विरुद्ध भी इसका प्रयोग किया जा सकता है। विशेष रूप से सरकार के अलोकतांत्रिक कानून और निरंकुश शासन तथा अत्याचार के विरोध में सरकार के साथ असहयोग करना जनता का कर्त्तव्य है। इसका उद्देश्य सरकार को उसकी भूलों के लिए सचेत करना और उनका सहयोग लेना होता है। इसका यह भी उद्देश्य है कि असहयोग द्वारा विरोधी पक्ष का अहिंसक मार्ग से सहृदय परिवर्तन कराया जाए। असहयोग में जनता का सहयोग लिया जाता है।

गांधी के अनुसार असहयोग निष्क्रिय अवस्था नहीं है। यह एक सक्रिय अवस्था है। यह भौतिक विरोध से अधिक सक्रिय अवस्था है। असहयोग का अनिवार्य घटक अहिंसा है। अतः इसमें हिंसा दुर्भावना वर्जित है। गांधी के शब्दों में, "Non-cooperation is not a passive state, it is intensely active state, more active than physical resistance or violence. Passive resistance is a misnomer. Non-cooperation in the sense used by me must be non-violent and, therefore, neither puritive, non vindictive nor based on malice, ill-will or harted."

गांधी असहयोग को हर परिस्थिति में अनिवार्य नहीं मानते हैं। जैसे एक पुत्र क्या करे यदि उसे अपने पिता के कुछ कार्यों पर आपत्ति है? उसे अपने पिता से उस आपत्तिजनक कार्य न करने के लिए प्रार्थना

करनी चाहिए। यदि बार-बार प्रार्थना करने पर भी पिता पुत्र की बात न माने तो पुत्र को पिता से असहयोग करना चाहिए।

गांधी अहिंसा को असहयोग का सबसे महत्वपूर्ण भाग मानते हैं। उनके लिए सभी तरह की हार ठीक है, लेकिन अहिंसा की हार नहीं। किसी भी तरह की हिंसा उनके अनुसार कमजोरी व अज्ञानता का सूचक है। गांधी के शब्दों में "Non-violence is most vital and integral part of non-cooperation. We may fail in adhering everything else, and still continue our battle if we remain non-violent. But be capitulate miserably, if we fail in adhering to non-violence. Any violence on our part be taken as our stupidity, ignorance and impotent rage."

गांधी जी का मानना था कि असहयोग एक बहुत शक्तिशाली और पवित्र औजार है। इससे लोग सही मूल्यों को सीखते हैं, जैसे अनुशासन, आत्म नियंत्रण, समूह में कार्य करना, अहिंसा और वह सभी कुछ जो एक देश को महान और सर्वश्रेष्ठ बनाती है। गांधी के शब्दों में, "I consider non-cooperation to be such a powerful and pure instrument. People will have then realized their true power. They would have learnt the value of discipline, self-control, joint-action, non-violence, organization and everything else that goes to make a nation great and good, and not merely great."

b) **सविनय अवज्ञा (civil disobedience)**- सरकारी तंत्र को पंगु करने का यह सर्वाधिक अहिंसात्मक परन्तु प्रभावकारी कदम है। इसका सार तत्व है कि व्यक्ति को सरकार के अनैतिक कानूनों का, नियमों का उल्लंघन करना चाहिए। गांधी जी के लिए असहयोग व सविनय अवज्ञा एक ही पेड़ की दो शाखाएँ है। उन्हीं के शब्दों में, "Non-co-operation and civil disobedience are but different branches of the same tree called Satyagraha."

गांधीजी 'सविनय अवज्ञा' में 'सविनय' पर अधिक बल देते थे। सविनय का अर्थ है, सभ्य या अहिंसात्मक रूप में। वैसे तो गांधी के अनुसार कानूनों का पालन करना कर्त्तव्य है, परन्तु अन्यायपूर्ण कानून की अवज्ञा करना भी एक कर्त्तव्य है, परन्तु, अवज्ञा के अहिंसात्मक होने के लिए आवश्यक है कि यह अवज्ञा सच्चाई, ईमानदारी एवं सम्मानपूर्ण ढंग से होनी चाहिए। इसमें घृणा तथा द्वेष के लिए कोई स्थान नहीं है। यह व्यक्तिगत स्वार्थ के लिए कदापि नहीं होनी चाहिए। यह सार्वजनिक एवं लोक कल्याण हेतु होनी चाहिए।

गांधी के अनुसार प्रत्येक सत्याग्रही को अन्यायपूर्ण कानून का विरोध करना चाहिए। यह सत्याग्रही का कर्तव्य है। उन्हीं के शब्दों में, "Every Satyagrahi was bound to resist all thus laws which he considered to be unjust and which were not of a criminal character, in order to blend the government to the will of the people."

गांधी के अनुसार यदि मेरे पिता मुझ पर कोई ऐसा नियम थोपते हैं जो मेरी चेतना के अनुसार उचित नहीं है तो मुझे उसका पालन नहीं करना चाहिए। यही बात मित्र और सरकार पर भी लागू होती है।

गांधी के अनुसार सामूहिक सविनय अवज्ञा का प्रयास केवल शांत वातावरण में करना चाहिए। शांतिपूर्ण वातावरण इसकी शक्ति है। पूर्ण सविनय अवज्ञा का अर्थ है राज्य द्वारा बनाए गए सही कानूनों को अस्वीकार कर देना। यह शांतिपूर्ण विद्रोह है और यह हथियार वाले विद्रोह से ज्यादा खतरनाक है। गांधी के शब्दों में, "Complete civil disobedience is a state of peaceful rebellion a refusal to obey every single state made law. It is certainly more dangerous than the armed rebellion."

गांधीजी का मानना था कि सविनय अवज्ञा का अधिकार प्रत्येक नागरिक को मिलना चाहिए।

c) **अनशन उपवास**- गांधी के अनुसार उपवास या अनशन सत्याग्रह का अमोघ अस्त्र है। यह अहिंसा और अध्यात्म का

प्रतीक है। यह सरकार के अन्याय के विरोध में उसे घुटने टेकने के लिए विवश करती है। गांधी के अनुसार उपवास वही कर सकता है, जो ईश्वर एवं अहिंसा में पूर्ण आस्था रखता है।

गांधी जी उपवास करने के लिए मात्र भौतिक क्षमता को पर्याप्त नहीं मानते है। ईश्वर में आस्था उपवास करने की अनिवार्य शर्त है। इसका उपयोग अंतरात्मा की आवाज पर एवं सही उपाय समाप्त होने के बाद ही करना चाहिए। उन्हीं के शब्दों में, "Fasting is a potent weapon in the Satyagraha armoury. It can not be taken by everyone .... My physical capacity to take it is no qualification for it. It is of no use without a living faith in God. It should never be a mechanical effort or a mere imitation. It must come from the depth of one's soul. It is therefore, always rare."

उपवासकर्ता में स्वार्थ, क्रोध, अधैर्यता आदि अवगुण नहीं होने चाहिए। अनंत धैर्य इसका सार तत्व है। उपवास में उपवासकर्ता को पूर्ण शांति की अवस्था में रहना चाहिए। गांधी का मानना था कि ये सभी गुण व्यक्ति में अचानक नहीं आ सकते हैं। उपवास करने की पहली शर्त है कि उसे अहिंसा का पालन करना चाहिए। उन्हीं के शब्दों में, "There can be no room for selfishness, anger lack of faith, or impatience in pure fast .... infinite patience, firm resolve single-mindedness of purpose, perfect calm, and no anger must be of necessity there. But since it is impossible for a person to develop all these qualities at once, no one who has devoted himself following to the laws of Ahimsa should undertake a Satyagraha fast."

गांधी मृत्युपर्यन्त उपवास को सत्याग्रह का सबसे अचूक साधन मानते हैं। यह एक पवित्र वस्तु समरूप है। उपवास यांत्रिक तरीके से नहीं रखा जाना चाहिए। यदि ऐसा होता है तो यह खतरनाक हो सकता है।

d) हड़ताल- किसी अन्याय का विरोध करने के लिए कार्यालयों, दुकानों तथा अन्य कारोबार को ठप्प कर देना हड़ताल है। इसका लक्ष्य सरकार तथा जनता का अन्याय के प्रति ध्यान आकर्षित करना होता है। हड़ताल में सत्याग्रह के अन्य साधनों की तरह हिंसा का कोई स्थान नहीं है। गांधी हड़ताल के लिए कुछ विशेष शर्तों का उल्लेख करते हैं। वे निम्नलिखित हैं–

1. हड़ताल बार-बार नहीं होनी चाहिए, क्योंकि बार-बार करने से उसका महत्व समाप्त हो जाएगा।
2. हड़ताल में स्वेच्छा होनी चाहिए, कोई दबाव या हिंसा का प्रयोग नहीं करना चाहिए।
3. मालिक की जानकारी के बिना कर्मचारियों को हड़ताल के लिए बाध्य नहीं करना चाहिए।

उल्लेखनीय है कि हड़ताल जैसे साधन का प्रयोग साम्यवादी भी करते हैं, परन्तु उनकी हड़ताल व सत्याग्रह की हड़ताल में बहुत अन्तर है। साम्यवादी संघर्ष एवं हिंसा में विश्वास रखते हैं और वे मानकर चलते हैं कि मिल मालिक व मजदूर एक दूसरे के विरोधी हैं। साम्यवादी हड़ताल के लिए बाध्य करते हैं, परन्तु सत्याग्रही संघर्ष में विश्वास नहीं करते हैं। गांधी जी के अनुसार मजदूर व मालिक का हित एक दूसरे से विरोधी नहीं है। इनका विश्वास है, दोनों के सहयोग से उद्योग का संचालन होता है। मालिक उद्योग का न्यासी है। सत्याग्रही हड़ताल के लिए किसी को बाध्य नहीं करता है। इसमें स्वेच्छा से सम्मिलित हुआ जाता है।

हड़ताल के लिए अनशन की विधि अपनायी जाती है जो गांधी के अनुसार आत्मशुद्धि का मार्ग है।

हिन्द स्वराज में सत्याग्रह की धारणा

गांधी ने हिन्द स्वराज में सत्याग्रह के यथार्थ स्वरूप का मूल्यांकन किया है। जिसमें गांधीजी तुलसीदास की इस पंक्ति को याद करते हुए सत्याग्रह का मूल्यांकन करना चाहते हैं।

"दया धर्म का मूल है, पाप मूल अभिमान।
तुलसी दया न छांड़िये, जब तक घट में प्राण॥"

गांधी ने कहा तुलसी की यह उक्ति उन्हें नित्य सत्य के समान प्रतीत होती है। जब हम दूसरों पर दया करते हैं, वह दया बल कहलाता है और यही दया बल ही आत्म बल है। इसे ही गांधी ने सत्याग्रह कहा है। गांधी के अनुसार इसका प्रमाण जगह-जगह दिखाई देता है। इसके पीछे गांधी का तर्क है कि यदि ऐसा नहीं होता तो पृथ्वी का अब तक सर्वनाश हो चुका होता, लेकिन पृथ्वी का अस्तित्व है। अतः दया बल या आत्म बल या सत्याग्रह का अस्तित्व भी है। हिन्द स्वराज में उन्होंने इस संदर्भ में लिखा है कि, "मुझे तो यह बात वेदवाक्य सी जान पड़ती है। जैसे दो और दो चार होते हैं, वही इस बात पर भी लागू होता है। दयाबल ही आत्मबल है। वही सत्याग्रह है और इस बल का प्रमाण पग-पग पर दिखाई देता है। वह बल न हो तो पृथ्वी रसातल में चली गई होती।"

गांधी ने स्वयं अपने द्वारा पूछे गये प्रश्न कि सत्याग्रह का इतिहास में प्रमाण है या नहीं, का उत्तार देते हुए कहते हैं कि इस प्रश्न का उत्तार देने से पहले यह आवश्यक है कि इतिहास किसे कहते हैं, इस पर विचार किया जाना चाहिए। उनके अनुसार इतिहास के दो अर्थ हैं, एक में तो सत्याग्रह का प्रमाण मिलता है और दूसरे में सत्याग्रह का प्रमाण नहीं मिलता है।

इतिहास के दो अर्थ हैं-

1. **इतिहास का शब्दार्थ**
   "ऐसा हो गया" इसके हिसाब से सत्याग्रह के बहुत प्रमाण दिये जा सकते हैं।
2. **"बादशाह की तारीख"**
   इतिहास के इस अर्थ में सत्याग्रह का प्रमाण नहीं मिल सकता है।

गांधी ने हिन्द स्वराज में इस संदर्भ में लिखा है कि, "इतिहास' का शब्दार्थ तो है, 'ऐसा हो गया'। इस अर्थ के हिसाब से तो आपको

सत्याग्रह के बहुत प्रमाण दिये जा सकेंगे। जिस अंग्रेजी शब्द का 'इतिहास' शब्द अनुवाद है और जिस शब्द का अर्थ बादशाह की तबारीख है। इस अर्थ में सत्याग्रह का प्रमाण नहीं मिल सकता। रांगे की खान में चांदी तलाश करेंगे तो कैसे मिलेगी।"

गांधी के अनुसार दूसरे अर्थ में सत्याग्रह का इतिहास नहीं मिलेगा क्योंकि यह केवल लड़ाई-झगड़े की कहानी है। इसमें केवल राजा के कृत्यों का वर्णन होता है। उदाहरणार्थ, राजा कैसे खेला करते थे, कैसे हत्या करते थे, इत्यादि। गांधी का तर्क है कि दुनिया का वास्तविक इतिहास यही होता तो दुनिया बहुत पहले समाप्त हो चुकी होती। परन्तु, दुनिया आज भी है, अतः इतिहास का यह अर्थ अनुचित है। हिन्द स्वराज में उन्होंने लिखा है कि, 'तारीख' में दुनिया के शोरगुल की ही कहानी मिलेगी। इसी से अंग्रेजी में कहावत है कि जिस प्रजा की 'हिस्ट्री' या तारीख नहीं है, वह प्रजा सुखी है। राजा कैसे खेलते हैं, कैसे खून करते हैं, कैसे बैर बांधते हैं, यही सब हिस्ट्री में पाया जाता है। अगर यही इतिहास होता तो दुनिया कब की डूब गई होती। दुनिया की कथा लड़ाई से शुरू होती तो आज एक भी आदमी जिन्दा न होता।"

गांधी के अनुसार सत्याग्रह का ऐतिहासिक प्रमाण यही है कि दुनिया का इतिहास युद्धों का इतिहास है, उसके बावजूद भी दुनिया का अस्तित्व है। इस अस्तित्व का आधार है, प्रेम, दया बल इत्यादि। बहुत सारे मनुष्य व परिवार प्रेमपूर्वक अपना जीवन-यापन करते हैं। वे एक दूसरे के लिए त्याग करते हैं। गांधी ने हिन्द स्वराज में इस संदर्भ में लिखा है कि, "इसलिए सबसे बड़ा इतिहास का प्रमाण तो यही है दुनिया में लड़ाई की धूम होते हुए भी चली जा रही है, इससे लड़ाई से वह नहीं जी रही है। यह मालूम होता है कि और यह भी जान पड़ता है कि लड़ाई के बल के सिवा दूसरा ही बल उसका आधार है। हजारों-लाखों आदमी प्रेम में रहकर अपना जीवन बिताते हैं, करोड़ों कुटुम्ब के क्लेश प्रेम भावना में भूल जाते हैं।"

गांधी के अनुसार इतिहास के दूसरे अर्थ में कमी है कि दुनिया के लोग लगातार प्रेम से रहते हैं, वह उसे महसूस नहीं करता क्योंकि दुनिया

का इतिहास प्रेम या दया का इतिहास है। इसमें एक धारा है, जहाँ इस धारा में विच्छेद होता है, उसे महसूस करता है। चित्र की सहायता से इसे इस तरह समझा जा सकता है-

दुनिया का इतिहास - प्रेम का इतिहास....प्रेम का इतिहास"

↓

लड़ाई का इतिहास

गांधी ने परिवार के उदाहरण से इसे समझाने का प्रयास किया है। यदि किसी परिवार के दो भाई आपस में प्रेमपूर्वक रहते हैं तो कोई उस पर ध्यान नहीं देता है, लेकिन जैसे ही उनमें लड़ाई होती है, पूरा समाज उस पर ध्यान देने लगता है और वह उस समाज के इतिहास या तारीख का हिस्सा बन जाती है। यही बात देश या राष्ट्र के इतिहास के बारे में भी सत्य है। इतिहास अस्वाभाविक विषयों को ही अपना विषय-वस्तु बनाती है। सत्याग्रह स्वाभाविक है, अतः वह उसे इतिहास की विषय-वस्तु का हिस्सा नहीं बनाया जाता है। गांधी ने हिन्द स्वराज में लिखा है कि "........सैकड़ों प्रजा प्रेम से मिलकर रहती है पर हिस्ट्री इसको नोट नहीं करती। हिस्ट्री नोट कर भी नहीं सकती क्योंकि जहाँ दया का, सत्य का या प्रेम का प्रवाह रूकता है, उसमें भंग पड़ता है, वही तारीख में नोट होता है। एक कुटुम्ब के दो भाई लड़ें। उनमें एक के मुकाबले दूसरे ने सत्याग्रह किया। दोनों फिर मिलकर रहने लगे इसे कौन नोट करता है? वकीलों की मदद से या दूसरे कारणों से जो बैर-भाव बढ़ता है और हथियारों से या अदालत से जो एक तरह का हथियार ही है- लड़ते तो उनका हाल छप गया होता। अड़ोसी-पड़ोसी जानते और समय पर वह घटना तवारीख में लिखी जाती। जैसे कुटुम्बों में, ऐसी बातें होती हैं, वैसे ही जातियों में, संघो में और वैसे ही प्रजा में समझ लीजिए कुटुम्बों में एक कायदा, और प्रजा में दूसरा कायदा मानने का कोई कारण नहीं है। हिस्ट्री अस्वाभाविक विषयों को ही अपने पन्नों पर चढ़ा लिया करती है। सत्याग्रह स्वाभाविक है, इसलिये उसे हिस्ट्रि में चढ़ाना भी नहीं रहता।"

सत्याग्रह क्या है? इसके बारे में गांधी जी ने हिन्द स्वराज में स्पष्ट किया है कि यह उन मनुष्यों का हथियार है, जो अपना अधिकार पाने के लिए दूसरों को कष्ट नहीं देना चाहते हैं, बल्कि स्वयं कष्ट उठा कर अपना अधिकार प्राप्त करते हैं। दूसरे शब्दों में, अगर किसी व्यक्ति को कोई कानून या किसी अन्य व्यक्ति का कोई कृत्य पसन्द न आए तो उसका अहिंसा पूर्वक विरोध करते हुए काम न करना सत्याग्रह कहलाता है। उदाहरण के लिए, सरकार ने एक कानून बनाया वह मेरे उपर भी लागू है। परन्तु, मुझे लगता है कि यह अन्यायपूर्ण है। अब मेरे सामने तीन रास्ते हैं–

1. उसका पालन करूँ।
2. शारीरिक बल से उसका विरोध करूँ।
3. स्वयं अपने आपको कष्ट देकर सरकार से कानून निरस्त करने की अपील करूँ। यह तीसरा तरीका ही, सत्याग्रह या आत्मबल है।

गांधी के शब्दों में, "........... यह उन मनुष्यों के लिए काम में लाया गया है, जिन्होंने अपना हक पाने के लिए स्वयं कष्ट उठाया है। जिस काम के लिए सत्याग्रह करते हैं। उस काम का लड़ाई के बल से विरोध है। जब मुझे कोई काम पसन्द न हो तो उस काम को न करना सत्याग्रह अथवा आत्मबल का उपयोग कहा जाएगा। उदाहरण के लिये मान लीजिये कि सरकार ने एक कायदा निकाला जो मेरे ऊपर भी लागू होता है। वह मुझे पसंद नहीं। इस दशा में सरकार पर हमला करके वह कायदा रद्द कराऊँ तो वह मेरा शरीर बल होगा। जो मैं वह कायदा कबूल ही न करूं तो उसके माने हुआ कि मैंने आत्मबल अथवा सत्याग्रह से काम लिया। सत्याग्रह में मैं आत्मसमर्पण करता हूँ।"

गांधी जी के अनुसार विचारों में भिन्नता होना स्वाभाविक है। यदि सभी के विचार एक हो जाए तो वह मनुष्य रहेगा ही नहीं, फिर मुझे किसी का विचार पसन्द न आए तो उसके विरोध का तरीका है जिसमें यह उल्लेखनीय है कि हो सकता है कि मैं कुछ ऐसे तथ्यों से

अनभिज्ञ हों जिसको जानने के बाद विरोध का आधार समाप्त हो जाए। दूसरे शब्दों में, कोई भी व्यक्ति किसी विषय को निरपेक्षता में जानने का दावा नहीं कर सकता, उसका ज्ञान किसी विशेष दृष्टिकोण से ही सही होता है। मान लीजिए मुझे व्यक्ति का विचार गलत लगा और मैंने उसके विरोध के लिए सत्याग्रह न चुनकर हिंसा का तरीका चुना। बाद में मुझे पता चला कि उसके विचार उचित थे। इस दृष्टांत में मैंने अपनी गलती की सजा दूसरे को दे दी, परन्तु, मैंने यदि सत्याग्रह का मार्ग चुना होता तो स्वयं अपने आप को कष्ट देता और बाद में अपन गलती का एहसास होने पर भी, किसी और का कोई नुकसान नहीं होता। यही सत्याग्रह का सबसे बड़ा फायदा है। गांधी के शब्दों में "...... सत्याग्रह से लड़ते हुए यदि लड़ाई झूठी हो तो सिर्फ लड़ने वाला दुःख भोगता है अर्थात् अपनी भूल की सजा पा जाता है। ऐसे बहुत मौके हुए हैं जिनमें लोगों ने भूल से सामना किया है। कोई भी मनुष्य बेधड़क रीति से यह नहीं कह सकता है कि अमुक काम खराब है। ऐसी अवस्था में उसे न करके बदले में जो दुःख आवे, उसे भोगना ही सत्याग्रह की कुंजी है।"

गांधी हिन्द स्वराज में फिर अपने आप से पाठक के रूप में प्रश्न पूछते हैं कि जो कानून हमें पसन्द न आए क्या उसका विरोध करना अराजकता है? गांधी का उत्तर है, नहीं। इसके पीछे निम्न तर्क देते हैं-

1. यह अराजकता नहीं है क्योंकि कानून पसंद न आने पर हम कानून बनाने वाले के साथ हिंसात्मक व्यवहार नहीं करते हैं। बल्कि उसे समाप्त करने के लिए स्वयं कष्ट सहते हैं।
2. गांधी के अनुसार जो कानून अन्यायपूर्ण हो उसे मानना बौद्धिकता के खिलाफ है, धर्म विरुद्ध है और गुलामी की हद है। सरकार हमें जो कहेगी हम वही नहीं कर सकते। हम वस्तु नहीं हैं। ऐसा तो केवल वस्तु ही कर सकती है कि उसे जैसा कहा जाए वैसा ही करे। हम मनुष्य है, हममें सोचने-समझने की क्षमता है। हम न्यायपूर्ण-अन्यायपूर्ण, उचित-अनुचित में

भेद कर सकते हैं। अतः हमें जो अन्यपूर्ण या अनुचित लगे, हमें उसका पालन नहीं करना चाहिए।

3. गांधी के अनुसार हमें कोई कानून अन्यायपूर्ण लग रहा है तब भी हम उसका पालन कर रहे हैं, तो ऐसा करने के पीछे एकमात्र कारण हमारा सरकार से भय है। गांधी के अनुसार जिस मनुष्य में मनुष्यता है, उसे ईश्वर के अलावा और किसी से भयभीत नहीं होना चाहिए।

5. गांधी जी ने कानून के संदर्भ में एक अनूठी बात बतायी है। सरकार जब कानून बनाती है तो यह नहीं कहती कि तुम्हें ऐसा करना ही पड़ेगा। सरकार एक शर्त युक्त बात कहती है, "यदि तुम मानून का पालन नहीं करोगे तो तुम्हें दंड मिलेगा। इसका एक गलत निष्कर्ष हम निकाल लेते हैं कि हमें कानून का पालन करना ही पड़ेगा। यह अवैध निष्कर्ष है। गांधी के अनुसार जो अनुचित लगे उसका पालन न करना स्वराज की चाबी है।

गांधी के शब्दों में, "...........हम लोग सत्याग्रही प्रजा है। कायदा पसंद न आने पर कायदा बनाने वाले का सिर नहीं फोड़ते, बल्कि नापसंद कायदे को दूर करने के लिए स्वयं कष्ट मांगते हैं, उसके अनुसार चलना यह शिक्षा मर्दानगी के खिलाफ है, धर्मविरुद्ध है और गुलामी की हद। सरकार तो कहेगी तुम लोग नंगे होकर नाचो तो क्या हम लोग नाचेंगे? सत्याग्रही होने पर मैं सरकार से कहूँगा कि 'यह कायदा आप अपने घर में रखिये। मैं आपके सामने नंगा भी न होऊँगा और नाचूँगा भी नहीं।' ....जिस मनुष्य में मनुष्यता है, जो भगवान से ही डरता है वह दूसरे से नहीं डरेगा। उसे दूसरे के बनाये कानून में न बधेंगे। सरकार बेचारी भी यह नहीं कहती कि तुम्हें ऐसा करना ही पड़ेगा। बल्कि यों कहती हैं, 'तुम ऐसा नहीं करोगे तो तुम्हे सजा होगी' हम अधम दशा में पड़े हुए हैं। इससे मान लेते हैं कि 'हमें ऐसा करना चाहिए। यह हमारा कर्त्तव्य है। यह हमारा धर्म है, जो लोग एक बार सीख लें कि अपने को जो

अन्याय जान पड़ें उस कायदे को मानना नामर्दी है तो फिर हमें कोई जुल्म बंधनकारी नहीं हो सकता, यही स्वराज की चाबी है।

गांधी ने आगे बतलाया है कि बहुसंख्यक का मत हमेशा उचित नहीं होता है। अल्पसंख्यक का मत भी बहुसंख्यक के मत की अपेक्षा ज्यादा उचित हो सकता है। उन्हें बहुसंख्यक के मत को मानने के लिए विवश नहीं किया जाना चाहिए। उन्होंने कुछ उदाहरणों से यह दिखाने का प्रयास किया है कि समाज में बहुत बार बहुसंख्यक की बात गलत होती है और अल्संख्यक की सही। भारत में ही देखें जब कभी समाज सुधार आंदोलन हुए तो बहुसंख्यक लोग उसके विरोधी थे।

अतः बहुसंख्यक के कहने पर अनुचित, उचित नहीं हो सकता है। गांधी ने हिन्द स्वराज में लिखा है कि, "बहुत आदमी जिस बात को माने उसे थोड़ी संख्या वाले लाचार होकर मान लें, यह बड़े नास्तिकपन की बात है और भ्रम है। ऐसे हजारों उदाहरण मिल जाऐंगे जिनमें बहुतों ने जो कहा वह असत्य निकला और जो थोड़े ने कहा वह उचित साबित हुआ। सारे सुधारों को अधिक मनुष्यों के विरुद्ध थोड़े आदमियों ने ही फैलाया है। ठगों के गांव में अधिकांश यही कहेंगे कि ठग विधा सीखनी चाहिए, तो क्या सब साधु ठग बन जाए? नहीं, कदापि नहीं। अन्यायी कानून का पालन नहीं करना चाहिए यह भ्रम जब तक दूर नहीं होगा, तब तक अपनी गुलामी कभी नहीं जायेगी और ऐसा भ्रम सिर्फ सत्याग्रही दूर सकता है।"

गांधी जी का आगे कहना है, यदि कोई चीज हमें पसंद नहीं है और हम शारीरिक बल का उपयोग करके रोकना चाहते हैं तो यह सत्याग्रह का विरोध हो जाएगा। इसमें व सत्याग्रह में विरोध का सम्बन्ध होगा। यदि कोई शरीरबल से अपने नापसंद की चीज या जिसे वह उचित नहीं समझता है अन्यायपूर्ण समझता है, इसको रोकने का प्रयास करता है तो इसका परिणाम उचित नहीं होगा।

इसको रोकने का एकमात्र तरीका सत्याग्रह है। गांधी जी फिर पाठक के रूप में अपने आप से प्रश्न पूछते हैं कि क्या सत्याग्रह सिर्फ निर्बलों के लिए है या शक्तिशाली के लिए भी इसका कोई महत्व है?

गांधीजी इस प्रश्न का उत्तर देते हुए कहते हैं कि सत्याग्रह तो सबलों के लिए ही है। सत्याग्रह के पालन के लिए बहुत साहस एवं पुरुषार्थ की आवश्यकता है। तोप या बंदूक चलाने वालों के पास वह पुरुषार्थ एवं साहस नहीं हो सकता है। गांधीजी प्रश्नवाचक शैली में कहते हैं कि क्या कमजोर आदमी कानून तोड़ सकता है।

सत्याग्रही को अगर कोई कानून अन्यायपूर्ण लगता है तो यह उसका पालन नहीं करेगा, चाहे ऐसा करने के लिए उसकी मौत ही क्यों न हो जाए। क्या कोई कमजोर व्यक्ति ऐसा कर सकता है? कमजोर व्यक्ति ऐसा नहीं कर सकता है। यहाँ, कमजोर का मतलब शारीरिक तौर पर कमजोर नहीं बल्कि इच्छाशक्ति से कमजोर, मानसिक तौर पर कमजोर आदि है। शारीरिक तौर पर कमजोर व्यक्ति भी जिसके पास दृढ़ इच्छाशक्ति हो, साहस हो, ईश्वर में आस्था हो वह सत्याग्रही हो सकता है। जो अपने मन को बस में कर सकता है, चाहे वह स्त्री हो या पुरुष हो या बच्चा हो, सत्याग्रही हो सकता है।

गांधी के शब्दों में, "सत्याग्रह तो सबसे बड़ा हथियार है। वह तोपबल से ज़्यादा काम करता है। तब फिर निर्बल का हथियार कैसे समझा जा सकता है? सत्याग्रह के लिए जिस साहस और पुरुषार्थ की आवश्यकता होती है, तोपबल वाले के पास हो ही नहीं सकता। क्या आप मानते हैं कि कमज़ोर आदमी अपने नापसंद कायदे को तोड़ सकता है।" ......सत्याग्रही कहेगा कि जो कायदा उसे पसन्द नहीं है उसे वह कबूल नहीं करेगा, फिर भले ही उसे तोप के मुंहड़े पर बाधं दो। आप क्या मानते हैं? तोप चलाकर सैकड़ों को मार डालने में हिम्मत की जरूरत है या तोप के मुंह पर हंसते हुए मरने में। जो स्वयं मौत को सिर पर लेकर घूमता है, वह रणधीर है या वह तो दूसरों की मौत अपने हाथ में रखता है? नामर्द आदमी घड़ी भर भी सत्याग्रही नहीं हो सकता। यह निश्चित समझियेगा। हाँ, यह सच है कि दुबला-पतला आदमी भी सत्याग्रही हो सकता है। एक आदमी भी हो सकता है और लाखों भी हो सकते हैं। पुरुष की तरह स्त्री भी हो सकती है।

इसके लिये फौज तैयार करने की ज़रूरत नहीं पड़ती है। इसके लिए पहलवानी की ज़रूरत नहीं पड़ती अपने मन को बस में किया कि वह जंगल के राजा की तरह गरज सकता है और उसके गरजने से दुश्मन की छाती फट जाती है। "सत्याग्रह एक ऐसी अनोखा आचरण है जिससे दुश्मन भी मित्र बन जाते है। गांधी के शब्दों में, 'सत्याग्रह ऐसी तलवार है जिसके सब ओर धार है। उसे जैसे काम में लायी जा सकती है। उसे काम में लाने वाला और जिस पर काम में लायी जाती है दोनों सुखी होते हैं। वह खून न बहाकर भी नतीजा बड़ा निकालती है।"

गांधी के अनुसार शारीरिक रूप से कमजोर व्यक्ति सत्याग्रही हो सकता है, परन्तु बिना शारीरिक रूप से मजबूत शरीर का सत्याग्रही होना कठिन है। यदि शरीर को आराम करा-कराके किसी ने निर्बल बना दिया है, तो उस शरीर के अन्दर रहने वाला मन भी कमजोर हो जाता है। जहाँ मनोबल नहीं होता है, वहाँ आत्मबल भी नहीं होता है। दोनों में अवियोज्य (inseparable) सम्बन्ध है। गांधी का मानना है कि शरीर को सुख-सुविधाओं का गुलाम बनाने से शरीर कमजोर होता है। बहुत कमजोर आदमी (शारीरिक रूप से) अगर कोई तोप के सामने चढ़ जाने को कहे तो यह मूर्खता होगी।

गांधी ने इस संदर्भ में हिन्द स्वराज में कहा है कि, "शरीर मजबूत हुए बिना सत्याग्रही होना मुश्किल है। जिन्होंने शरीर को आरामतलबी में निर्बल बना दिया है। उस शरीर में जो मन रहता है, वह भी निर्बल ही रहता है और जहाँ मनोबल नहीं है, वहाँ आत्मबल कहां से आयेगा? हमें बाल-विवाह तथा आराम-तलबी के कुचाल को निकालकर शरीर मजबूत बनाना होगा। जर्जर और मरियल आदमी को एकाएक तोप के मुंह पर चढ़ जाने को कहूँ तो ऐसा कहने से मेरी हंसी होगी।'

गांधी के अनुसार सत्याग्रही होना बहुत आसान भी है और उसी समय बहुत कठिन भी है। एक छोटा बच्चा या बीमार व्यक्ति भी सत्याग्रही हो सकता है। दूसरी तरफ यह अनिवार्य नहीं कि जो शारीरिक रूप से शक्तिशाली हो और सुखी हो सत्याग्रही हो ही जाए। गांधी के शब्दों में, "सत्याग्रही होना सहज है। पर जितना सहज है उतना ही

मुश्किल भी है। मैंने चौदह वर्ष के बालक को सत्याग्रही होते देखा है। .... और यह भी देखा है कि शरीर से बलवान और अन्य साधारण रीति से जो सुखी थे, सत्याग्रही न हो सके।"

गांधी जी के अनुसार जो मनुष्य देशहित में सत्याग्रही होना चाहता है, उसे निम्न चीजों का पालन करना चाहिए–

अ) ब्रह्मचर्य का पालन करना चाहिए।

ब) गरीबी धारण करना चाहिए।

स) सत्य का सेवन करना चाहिए।

द) सब तरह से निडर होकर रहना चाहिए।

अ. ब्रह्मचर्य

गांधीजी के अनुसार सत्याग्रही होने के लिए ब्रह्मचर्य का पालन अनिवार्य है। उनके अनुसार यह महाव्रत है। उसके बिना मन में मजबूती नहीं आ सकती है। ब्रह्मचर्य का पालन न करने से गांधी के अनुसार मनुष्य बलहीन, अवीर्यवान इत्यादि हो सकता है। उनके अनुसार जिसका मन विषयों में डोलता रहता है, उससे कोई बड़ा कार्य नहीं हो सकता है। गांधी के शब्दों में, "ब्रह्मचर्य महाव्रत है। उसके बिना मन की गांठ मजबूत नहीं हो सकती। अब्रह्मचर्य से मनुष्य अवीर्यवान, नामर्द और बलहीन हो जाता है। जिसका मन विषयों में डोलता रहता है। उससे किसी तरह का उद्योग नहीं हो सकता।"

ऐसी दशा में घर गृहस्थियों को क्या करना चाहिए? इसका उत्तर देते हुए गांधी ने हिन्द स्वराज में लिखा है कि, "..... घर सांसारिक भोग विषय के बाहर नहीं है। संतान पैदा करने के लिए ही अपने स्त्री के संग का विधान है, लेकिन सत्याग्रही में संतान पैदा करने की वासना कैसी होगी? इससे संसारी रहते हुए भी सत्याग्रही ब्रह्मचर्य निभा सकता है। यह बात बहुत स्पष्ट करके लिखने की नहीं है। स्त्री का क्या विचार है? यह सब कैसे हो सकता है? ये विचार पैदा होते हैं। तथापि जिसे महाकार्य में भाग लेना है, उसे यह सवाल आप ही हल करना चाहिये।'

ब. गरीबी

गांधी जी पैसे के लोभ व सत्याग्रह के पालन के बीच में परस्पर विरोधी (contradiction) सम्बन्ध मानते है अर्थात् एक होगा तो दूसरा नहीं होगा। परन्तु, गांधी का यह नहीं कहना है कि जिसके पास धन है, उसे फेंक देना चाहिए। उनका मानना है कि पैसे के लिए पागलपन नहीं होना चाहिए। उसके प्रति तटस्थ भाव होना चाहिए। तटस्थ भाव होने का अर्थ है कि यदि सत्याग्रह करते हुए पैसों का नुकसान भी हो जाय तो भी उसके लिए परेशान नहीं होना चाहिए। गांधी ने हिन्द स्वराज में इस संदर्भ में कहा है कि, "जैसे ब्रह्मचर्य की जरूरत है वैसे ही गरीबी का व्रत धारण करने की भी जरूरत है। पैसे का लोभ और सत्याग्रह का सेवन दोनों एक साथ हो नहीं सकते। पर यहाँ यह मतलब नहीं है कि जिसके पास पैसा है, उसे फेंक देना चाहिए। पर पैसे की ओर से लापरवाह रहने की जरूरत है। सत्याग्रह करते हुए पैसा चला भी जायेगा तो भी बेफिक्र रहना चाहिए।"

स. सत्य

गांधी दर्शन में 'सत्य' सर्वाधिक महत्वपूर्ण अवधारणा है। उन्होंने तो इसे अपनी तत्वमीमांसा में इसे ईश्वर के रूप में स्वीकार किया है। इस सत्य के आग्रह को गांधी ने सत्याग्रह कहा है। गांधी ने इस संदर्भ में हिन्द स्वराज में लिखा है कि, "......... चाहे जितनी भी हानि हो जाये सत्य को नहीं छोड़ा जा सकता। सत्याग्रही किसी को भी सताना नहीं चाहता इसलिये सत्याग्रही की कोई गुप्त सेना नहीं हो सकती। इस विषय में जो लोग झूठ बोलने का समर्थन करते हैं उन्हीं के मन में ऐसे विचार पैदा होते हैं कि किसी की जान बचाने के लिए झूठ बोलना चाहिए कि नहीं जिसे सत्य मार्ग ही लेना है। उस पर ऐसे धर्म संकट आते ही नहीं और आ पड़ने पर सत्यवादी मनुष्य उनसे बच जाता है।"

द. निर्भयता

गांधी के अनुसार उपर्युक्त सभी गुण सत्याग्रही में उपस्थित हों, लेकिन निर्भयता न हो तो वह अर्थहीन है, क्योंकि इसके बिना सत्याग्रह

नहीं हो सकता है। निर्भयता किससे होनी चाहिए? इसके उत्तर में गांधी का कहना है, निर्भयता स्वार्थ और सब विषयों में होनी चाहिए। उदाहरणार्थ, धन-दौलत, तथाकथित इज्जत, सगे-सम्बन्धी, सत्ता व प्रशासन, घाव व मृत्यु इत्यादि से। इस संदर्भ में गांधी ने हिन्द स्वराज में कहा है कि, "निर्भयता के बिना तो सत्याग्रही की गाड़ी इंच भर भी आगे नहीं बढ़ सकती है। अभय स्वार्थ और सब विषयों में होना चाहिये। धन-दौलत, झूठी इज्जत, सगे-सम्बन्धी, राज-दरबार, घाव और मृत्यु से अभय होने पर ही सत्याग्रह का पालन हो सकता है। इसे मुश्किल मानकर छोड़ नहीं देना चाहिये। सिर पर पड़े कष्ट को सह लेने की शक्ति प्रकृति नेमनुष्यमात्र में दी है।"

राजनैतिक और सामाजिक क्रांति के लिए गांधी द्वारा अपनाए गए इस सत्याग्रह के विरोध में बहुत कुछ कहा गया है। सबसे बड़ी आपत्ति तो इसकी व्यावहारिकता को लेकर उठायी जाती है। यदि हिंसा स्वीकार्य नहीं है तो अन्याय का प्रतिरोध किस प्रकार किया जाए? यह प्रश्न केवल गांधीवादियों के लिए ही नहीं, बल्कि समस्त मानवजाति के लिए विचारणीय प्रश्न है।

सत्याग्रह का आलोचनात्मक स्वरूप

कुछ समीक्षकों का विचार है कि वर्तमान भौतिकवादी युग में जब परमाणु बम का अविष्कार हो गया है। क्या अहिंसा व सत्याग्रह की प्रासंगिकता शेष बची भी है? परन्तु मेरे अनुसार तो इस समय सत्याग्रह व अहिंसा और अधिक प्रासंगिक हो गया है, दो देशों में विवाद होना स्वाभाविक है और अगर उनके पास परमाणु बम है तो अहिंसा का महत्व सहज समझ में आता है। मानवता के पक्ष में सोचने वाला कोई भी व्यक्ति विवाद का समाधान अहिंसा व सत्याग्रह के माध्यम से चाहेगा। सत्य और अहिंसा कोई नयी चीज नहीं है, परन्तु गांधी की मौलिकता इस बात में है कि उन्होंने इसके आधार पर एक नवीन पद्धति का विकास किया और इसका प्रयोग बहुत पैमाने पर जीवन के विभिन्न क्षेत्रों में अत्याचार से लड़ने के लिए, प्रतिरोध के लिए किया है। मेरे विचार से बुराई से

लड़ते और आधारभूत सामाजिक तथा राजनैतिक परिवर्तन लाने के लिए 'सत्याग्रह की पद्धति' का मानव विकास के इहिास में वही स्थान है, जितना कृषि की खोज का।

सत्याग्रह की व्यावहारिकता को लेकर लोगों के मन में यदि उहापोह हो तो यह स्वाभाविक है, क्योंकि एकदम नयी चीज के प्रति लोगों में संदेह होता ही है। गांधी का दावा था कि यह तकनीक किसी भी देश और परिस्थिति में प्रयुक्त की जा सकती है।

स्वयं गांधीजी ने इसका प्रयोग अफ्रीका में तथा अधिकांश प्रयोग भारत की विभिन्न समस्याओं के निराकरण के लिए किया था। वास्तविकता तो यह है कि गांधी के सत्याग्रह का प्रयोग किसी भी परिस्थिति में किया जा सकता है।

निष्कर्ष: यह कहा जा सकता है कि सत्याग्रह की प्रासंगिकता का आदर्शवादी यह स्वरूप है इसके वर्तमान परिदृश्य में कुछ अव्यवहारिक दिखाई पड़ता है। यहाँ यह उल्लेखनीय है कि इतिहास में ऐसा कोई प्रमाण नहीं है कि इसका प्रयोग विदेशी आक्रमण के विरोध में किया गया हो। फिर भी गांधी को विश्वास था कि उस परिस्थिति में भी इसकी सफलता अनिवार्य है। जर्मनी एवं जापान के साम्राज्यवादियों के विरुद्ध भी राष्ट्रीय सत्याग्रहों को करने का सुझाव उन्होंने दिया था। इसका तरीका उन्होंने बताया कि जिन देशों पर आक्रमण हो, उन्हें अपने लाखों-करोड़ों नागरिकों को एक दीवार की तरह खड़ा कर देना चाहिए और आक्रमणकारी सेनाओं को निमंत्रण देना चाहिए और वे अपनी तोपों, टैंकों और अन्य हथियारों को लेकर उन्हें रौंदतें हुए आगे बढ़ें।

गांधी के अनुसार कोई भी आततायी ऐसा नहीं है, जो वह आज के युग का नीरो ही क्यों न हो, जिसके पास हृदय न हो। वह भी जब अपने सामने ऐसा दृश्य देखेगा तो, जैसा उसने अथवा उसके सिपाहियों ने पहले कभी नहीं देखा होगा, जिसमें पुरुषों व स्त्रियों की अनगिनत कतारें, हिंसात्मक प्रतिरोध न करते हुए एक के बाद एक मृत्यु को स्वीकार करती जा रही है, तो यह संभव नहीं है कि उस पर इसका

प्रभाव न पड़ें। यदि स्वयं बड़े अधिकारियों पर प्रभाव न भी पड़े तो उसके सिपाहियों पर अवश्य पड़ेगा।

गांधी का तर्क था कि, युद्ध में लगे रहने पर तो मनुष्य वर्षों तक एक दूसरे का संहार करते रहते हैं, क्योंकि वहाँ तो परिस्थिति ऐसी होती है कि यदि तुम मारोगे नहीं तो मार डाले जाओगे, परन्तु यदि जिन लोगों की हत्या तुम कर रहे हो उनके द्वारा कत्ल किये जाने का तुम्हें तनिक भी खतरा नहीं हो तो यह संभव नहीं है कि तुम अनन्त काल तक निहत्थे लोगों का कत्ल करते चले जाओगे। तुम्हें कभी न कभी अपनी बंदूकें नीचे डालनी होंगी।

गांधी ने आगे कहा कि व्यावहारिक दृष्टि से देखा जाए तो आक्रमणकारी के विरुद्ध सशक्त प्रतिरोध की तुलना में अहिंसा मार्ग पर चलने से कम लोगों की मृत्यु होगी।

अहिंसा का स्वरूप

भूमिका

अहिंसा सब धर्मों का मूल है। कोई धर्म या पंथ ऐसा नहीं जिसमें अहिंसा का स्थान न हो। संसार के समस्त क्रिया कलाप, आचार-विचार और व्यवहार अहिंसा की धुरी पर आधारित हैं। सभी धर्मों में अहिंसा के महत्व को मानते हुए उसे उत्तम धर्म स्वीकारा है। वैदिक धर्म में कहा है-

अहिंसा परमोधर्मः सर्वप्राण भृतांवरः। (आदिपर्व, महाभारत, 11/13)
तुलसीदास जी ने रामचरितमानस में कहा है-

परम धर्म श्रुतविहित अहिंसा।
पर निन्दा सम अध न गिरीसा।

अहिंसा वास्तव में परमधर्म है। जीवन में एक बिन्दु पर धर्म को भी उतारना हो तो प्रथम अहिंसा को ही अपनाना पड़ेगा। कबीर हिंसा के विरोधी थे। कहा है-

बकरा पाती खात है, ताकी काढ़ी खाल।
जे नर बकरा खात है वा को कौन हवाल॥

विश्व का सर्वश्रेष्ठ धर्म, मानवता की पवित्र धरोहर और जैन धर्म का आभूषण अहिंसा है। **सव्वभूएसु संजमो** अहिंसा अर्थात् सभी जीवों के प्रति मन, वचन व शरीर से संयम रखना अहिंसा है। संयम का पालन मन, वचन व काया से होता है, पर उन सब में कर्त्तव्य आत्मा के होने से इसे आत्म धर्म ही माना गया है, किसी सम्प्रदाय का नहीं।

वर्तमान जीवन में सामाजिक, राष्ट्रीय, धार्मिक, राजनैतिक, आर्थिक व अन्य क्षेत्रों में अहिंसा रूपी पवित्र धारा की अत्यन्त आवश्यकता है। वैसे तो विश्व में प्रत्येक समाज अहिंसा को श्रद्धा एवं आदर की दृष्टि से देखता है। प्रत्येक मां अपने बच्चे को जन्म से ही अहिंसा के पथ पर चलने के लिए प्रेरित करती है। प्रत्येक गुरु अपने शिष्य को अहिंसा रूपी चोले को धारण करने को कहता है। संसार का प्रत्येक प्राणी जीना चाहता है। जीने की इच्छा प्राणी मात्र का स्वभाव है। अहिंसक दृष्टि सृष्टि पर सुधावृष्टि कर प्राणीमात्र को अमरता प्रदान करती है। हिंसक को सामने खड़ा देख हर प्राणी भयभीत हो जाता है। एक चींटी बिल से निकलने पर सामने आये प्राण नाशक तत्त्वों को देखकर मार्ग बदल लेती है। ऐसा क्यों? स्पष्ट है, प्रत्येक प्राणी के मन में जीने की प्रबल इच्छा का होना।

अतः जीवन को बनाये रखने में अहिंसा का सर्वश्रेष्ठ स्थान है। अहिंसा प्रत्येक जीवन को मृत्यु भय से दूर करती है, तथा संरक्षण प्रदान करती है। इसी कारण संसार के सभी धर्माचार्य एवं उनके धर्मशास्त्र अहिंसा का ही धर्म का मूल मानते हैं। अहिंसा का अभाव, पाप, अनाचार, हिंसा आदि दुर्गुणों को बढ़ाकर समाज जीवन के अस्त-व्यस्त कर देने वाला है। धर्म, जीवन और समाज सबका अस्तित्व अहिंसा पर ही निर्भर है। यदि धर्म जीवन से अलग कर दिया जाये तो उसमें कुछ भी नहीं बचेगा। अहिंसा से ही धर्म की सत्ता और स्थिति है और अहिंसा ही धर्म का मूल है।

अहिंसैव परोधर्मः, शेषस्तु व्रत विस्तारः।
तस्यास्तु परिरक्षाये, पादपस्य यथावृतिः॥

अर्थात् अहिंसा ही सबसे बढ़कर धर्म है, और शेष व्रत उसी का विस्तार है। अहिंसा की रक्षा के लिए वे वृक्ष की बाड़ या घेराव के रूप में है, जो लोग अहिंसा को कायरता की निशानी या निर्बलता का चिह्न समझते हैं, वे इसके वास्तविक रूप से अनजान है। पाषाण युग से लेकर आज के इस परमाणु युग तक अनेक तरह के अस्त्र-शस्त्रों का निर्माण हुआ है और नित्य होता जा रहा है। ये एक से एक भयंकर एवं विनाशकारी हैं। इनकी सामर्थ्य विनाश तक ही सीमित है। ये जीवन को मिटा सकते हैं, पर बना नहीं सकते हैं।

इसके विपरीत अहिंसा अस्त्र एक अपूर्व शक्ति का भण्डार है, जिसमें विनाश के स्थान पर सृजनता का निवास होता है। बिना रक्तपात व कष्ट पहुंचाये विजय प्राप्त कराने की क्षमता एक मात्र अहिंसा के अस्त्र में ही है। अंग्रजों की शस्त्र सज्जित फौज का सामना महान् पुरुष महात्मा गाँधी ने इसी अस्त्र के द्वारा किया था, परिणामस्वरूप स्वतन्त्र भारत जो आज हम सबके सामने है आज हमारे देश का मित्र है। अतः हिंसा अहिंसा के आगे हृदय से झुक जाती है। अहिंसा की शर्तों को मानकर बन्धुवत् व्यवहार करने लगती है। अहिंसा में किसी के प्रति शत्रुता और वैर भावना का पीड़ादायक प्रतिकार नहीं होता। उसमें जीवन अधिकार की सहज मांग मात्र रहती है।

वैसे तो संसार के सभी धर्म हिन्दू, मुस्लिम, बौद्ध-ईसाई और अनेक सम्य समाज में अहिंसा का बड़े जोर-शोर से समर्थन किया गया है और हिंसा का विरोध, लेकिन हमें यह कहना होगा जैन संस्कृति का तो प्राण ही अहिंसा है। भगवान ऋषभदेव से लेकर भगवान महावीर और आज तक कभी भी अहिंसा को भुलाया नहीं गया है। काल के इतने बड़े अंतराल में विविध परिवर्तनों के होते हुए भी अहिंसा धर्म के मर्म को कभी भुलाया नहीं गया।

गाँधीवाद आधुनिक युग के प्रमुख विचारकों में से एक है। मात्र इसके नामोच्चारण से ही अधिकतर लोगों के समाने इसके जन्मदाता युगपुरुष महात्मा गाँधी तथा इसके व्यावहारिक रूप की एक झलक सी आ जाती है चूंकि इसका व्यावहारिक रूप इसके सैद्धान्तिक रूपानुकूल

ही है, यह आवश्यकता प्रतीत नहीं हुई कि इसका विशेष परिचय भी दिया जाए। फिर भी इतना तो कहना ही होगा कि गाँधीवाद केवल धार्मिक या दार्शनिक या राजनैतिक या समाज शास्त्रीय सिद्धान्तों पर ही आधारित नहीं है, बल्कि यह सब का एक मिला-जुला रूप है। इसमें भारतीय संस्कृति के सभी सिद्धान्तों का समन्वय है, इस समन्वयकरण में अहिंसा ही एक ऐसी शक्ति है, जो अन्तः स्रोत का काम करती है। यद्यपि अहिंसा की धारा अति प्राचीनकाल से भारतवर्ष में प्रवाहित हो रही है, महात्मा गाँधी को अहिंसा की ओर आकर्षित करने का श्रेय महात्मा काउन्ट लियो टालस्टाय को है जिनके वचनों ने उनके मन मन्दिर में अहिंसा रूपी दीपक को जलाया। गाँधीजी ने स्वयं कहा है:

"उनकी पुस्तकों में से जिस किताब का प्रभाव मुझ पर बहुत अधिक पड़ा उसका नाम है किंगडम ऑफ हैवेन विदीन यू। उसका अर्थ यह है कि ईश्वर का राज्य तुम्हारे हृदय में है। विलायत जाने के समय तो मैं हिंसक था, हिंसा पर मेरी श्रद्धा थी और अहिंसा पर अश्रद्धा। यह पुस्तक पढ़ने के बाद मेरी यह अश्रद्धा चली गई।"

रायचन्द भाई जैन तथा रस्किन का भी गाँधीजी के जीवन पर काफी प्रभाव था। इन सब प्रभावों के फलस्वरूप जब गाँधीजी ने एक बार अहिंसा के स्वरूप को पहचान लिया तब उन्होंने इसे इस तरह अपनाया कि वे स्वयं अहिंसामय हो गये अर्थात् जीवन के सभी क्षेत्रों में अहिंसा की ज्योतिर्मयी मूर्ति की स्थापना कर दी।

अहिंसा की विशेषताएं

अहिंसा को परिभाषित करते हुए महात्मा गाँधी ने कहा है-

1. अहिंसा एक महाव्रत है। जिसका पालन तलवार की धार पर चलने से भी कठिन है। देहधारी के लिए उसका सोलह आना पालन असंभव है। उसके पालने के लिए घोर तपश्चर्या की आवश्यकता है। तपश्चर्या का अर्थ यहां त्याग और ज्ञान से करना चाहिए।

2. अहिंसा ही सत्येश्वर का दर्शन करने का सीधा और छोटा सा मार्ग दिखाई देता है।
3. अहिंसा के माने पूर्ण निर्दोषिता ही है। पूर्ण अहिंसा का अर्थ है प्राणीमात्र के प्रति दुर्भाव का पूर्ण अभाव।
4. अहिंसा सत्य का प्राण है। उनके बिना मनुष्य पशु है।
5. अहिंसा एक पूर्ण स्थिति है। सारी मनुष्य जाति इसी एक लक्ष्य की ओर स्वभावतः परन्तु अनजाने में जा रही है।
6. अहिंसा प्रचण्ड शस्त्र है। उसमें परम पुरुषार्थ है। वह भीरु से भागती है। वह वीर पुरुष की शोभा है, उसका सर्वस्व है। यह शुष्क, नीरस, जड़ पदार्थ नहीं है यह चेतन है। यह आत्मा का विशेष गुण है।

अतः अहिंसा को विभिन्न दृष्टियों से देखा गया है। कभी तो इसे महाव्रत बताया गया है, और कभी प्रचंड शस्त्र, कभी इसे सत्य का प्राण तथा सत्य तक पहुंचने का सन्मार्ग बताया गया है, तो कभी इसे अपने आप में पूर्ण कहा गया है। इन वचनों से अहिंसा के विभिन्न गुणों पर प्रकाश पड़ता है जो अहिंसा के सही रूप को व्यक्त करती है। यानी प्राणीमात्र के प्रति दुर्भाव या कुभाव का अभाव ही अहिंसा है, जब तक किसी के प्रति मन में कुभाव नहीं आता, हिंसापूर्ण प्रवृत्ति जागती नहीं है।

गाँधीजी ने भी माना है कि हिंसा केवल शरीर से ही नहीं बल्कि वचन और मन से भी होती है, जैसा कि अहिंसा पुस्तक में लिखा है–

उनकी दृष्टि में जगत में सारे प्राणी एक हैं। जहां तक जीव का संबंध है, उनमें से किसी को हानि पहुंचाना हिंसा है। गाँधीजी यहीं नहीं रुकते किसी के प्रति हानि पहुंचाने वाली बात सोचना हिंसा में ही सम्मिलित है।

मन, वचन तथा काय से हिंसा करने का मतलब होता है कि हिंसा के दो रूप हैं भाव हिंसा और द्रव्य हिंसा और इसी आधार पर ऐसा भी कहा जा सकता है कि अहिंसा के दो रूप हैं भाव अहिंसा और द्रव्य अहिंसा।

हिंसा तथा अहिंसा के विभिन्न रूप

गाँधीजी के अनुसार अहम् या अहमत्व पर आधारित जितनी भी मानुषिक क्रियाएं हैं, वे सभी हिंसा ही हैं जैसे-स्वार्थ, प्रभुता की भावना, जातिगत विद्वेष, असन्तुलित एवं असंयमित भोगतृप्ति, विशुद्ध भौतिकता की पूजा, अपने व्यक्तिगत और वर्गगत स्वार्थों का अंध साधन, शस्त्र और शक्ति के आधार पर अपनी कामनाओं की संतृप्ति करना, अपने अधिकार को कायम रखने के लिए बल का प्रयोग तथा अन्य व्यक्तियों के अधिकारों का अपहरण आदि। ठीक इसके विपरीत अहिंसा अहम् भावना के विनाश में निहित है। अहिंसा वह मनः स्थिति है जिसमें मनुष्य का उज्ज्वलांश उद्दीप्त हो, वह अहंकार, स्वार्थ, भौतिक भोगों की लोलुपता से ऊंचा उठकर अपने व्यक्तित्व का विसर्जन विराट के कल्याण में कर देने में अपना विकास, अपनी प्रगति और अपना निश्रेयस देखे। अर्थात् अहिंसा मात्र जीव दया ही नहीं है, बल्कि स्वार्थ का त्याग, जनकल्याण के निमित्त किये गये कार्य, असंयमित भोगप्रवृत्ति का त्याग आदि अहिंसा के ही रूप हैं।

अहिंसा मात्र मनुष्य जाति का हित करनेवाली हो यानी मनुष्यों के हित या लाभ के लिए अन्य प्राणियों का घात या किसी भी प्रकार की हानि स्वीकार करे, तो ऐसी अहिंसा गाँधीजी के मतानुसार अहिंसा कहलाने का दावा नहीं कर सकती है। उन्होंने कहा है कि आदमी यदि अपने में वह शक्ति पैदा कर ले कि वह शेर भालू आदि हिंसक पशुओं से भी प्रेम कर सके और बिना उनकी हत्या किये भी काम चला सके तो अति उत्तम है, जो अहिंसा का पालन करता है वह प्राणी मात्र के प्रति सद्भावना रखता है। वह उन प्राणियों को भी गले लगाता है जो हिंसक हैं, विषैले हैं। पेड़ पौधों को उखाड़ना भी बुरा है, क्योंकि घास पात के भी जीव होते हैं। इन बातों को देखते हुए, जब एक व्यक्ति जीवन-यापन में पहुंचनेवाली कठिनाइयों को गाँधीजी के समक्ष रखता है तो वह कहते हैं-

अहिंसा के पूर्ण पालन की अवस्था में अवश्य ही जीवन की स्थिति असंभव हो जाती है। अतएव हम सब मर जायें तो परवाह नहीं, सत्य को कायम रहने देना चाहिए। प्राचीन ऋषि मुनियों ने इस सिद्धान्त को आखिरी मर्यादा तक पहुंचाया है। यह कह दिया है कि भौतिक जीवन एक दोष है, एक जंजाल है। मोक्ष देहादि के परे ऐसी अदेह सूक्ष्म अवस्था है जहां न खाना है, न पानी है और इसलिए जहां न दूध दुहने की आवश्यकता है और न घास-पात को तोड़ने की।

इतना कहने और सोचने के बावजूद भी गाँधीजी से सूक्ष्म कीटाणुओं मच्छर आदि की यदि हिंसा हो जाती थी तो वे मानते थे कि चूंकि छोटे कीटाणु हैं, इसकी हिंसा के लिए तथा विज्ञान की असमर्थता के लिए आजतक विज्ञान ने कोई ऐसा उपाय नहीं निकाला, जिससे कि सूक्ष्म प्राणियों की हिंसा करने से आदमी अपने आप को बचा पाए।

हिंसा के बाह्य कारण

इस संसार में जो भी देहधारी है। वह किसी न किसी रूप में हिंसा करता ही है। यदि वह एक जगह खड़ा भी रहता है, तो भी वह भोजन स्वरूप अन्न, फल, वनस्पति तो लेता ही है। इसके अलावा मच्छरों आदि की जान लेता है तथा समझता है कि ऐसा करने में कोई दोष नहीं है। इन हिंसाओं के प्रमुख तीन कारण हैं-

1. **व्यक्तिगत स्वार्थ के कारण** - भोजन आदि ग्रहण करने में जो हिंसा होती है, उसमें व्यक्तिगत स्वार्थ है, क्योंकि भोजन से अपने शरीर की रक्षा होती है।
2. **परमार्थ के लिए हिंसा** - गांवों में आए हिंसक प्राणियों, जैसे सिंह आदि हिंसा परमार्थ के लिए होती है।
3. **उसी प्राणी की सुख शान्ति के लिए हिंसा करना, जिसकी हिंसा की जाती है** - यदि किसी की अंगुली में घाव हो गया हो और उसमें सड़न पैदा हो गया हो तो ऐसी हालत में डाक्टर के द्वारा उसकी अंगुलियों का काटना हिंसा है।

इन तीनों में से प्रथम दो में हिंसा का होना अनिवार्य है, क्योंकि यदि हिंसा का ध्यान करते हुए कोई व्यक्ति भोजन छोड़ दे तथा हिंसक पशुओं को मारे बिना उन्हें स्वतन्त्र विचरण करने दे, तो ऐसी हालत में जीना तक मुश्किल हो जायेगा। अतः इन दोनों की हिंसा में हिंसक का कोई अपना स्वार्थ नहीं होता यहां जीवन को सुख पहुंचाने की दृष्टि से हिंसा की जाती है।

अहिंसा एक मानसिक स्थिति है। अहिंसक के लिए यह आवश्यक है कि वह अहिंसा की स्थिति को समझे, अन्यथा वह अहिंसा को अपना नहीं सकता। सामान्यतौर से ऐसा समझा जाता है कि दैनिक जीवन के व्यवहार की वस्तुओं को त्याग देने से अहिंसा पालन हो सकता है, किन्तु मात्र भोजन त्याग देने से ही अहिंसा हो, ऐसी बात नहीं। रोगी अपनी रुग्णावस्था में तथा दुष्काल पीड़ित व्यक्ति भोजन नहीं करते, लेकिन इन दोनों का भोजन त्याग करना अहिंसा नहीं कहा जा सकता, क्योंकि इसमें भोजन का त्याग एक मजबुरी या वेबशी का संबंध कायरता से है, लेकिन अहिंसा क्षत्रिय का गुण है। कायर व्याक्ति के द्वारा अहिंसा का पालन असंभव है। जिसमें शक्ति है, जो शूर है वही किसी पर दया कर सकता है, जो निरीह प्राणी है, कायर है, वह अपनी रक्षा के लिए दूसरों के सामने हाथ फैलाता है, वह दूसरों की रक्षा या दूसरों पर दया नहीं कर सकता। अहिंसा है जाग्रत आत्मा का गुणविशेष। यह अन्य गुणों का स्रोत है, मूल है। अतएव इसकी सफल साधना बिना विचार, विवेक, वैराग्य, तपश्चर्या, समता एवं ज्ञान के नहीं हो सकती। अहिंसा अंध प्रेम नहीं है। अंध प्रेम के कारण माताएं अपने बच्चों को इस प्रकार दुलारती पुकारती हैं कि वे सही राह पर नहीं आ पाते, क्योंकि वे चाहती हैं कि उनके बच्चों को किसी प्रकार का कष्ट न हो, किन्तु इस प्रकार बच्चों को सही मार्ग पर न ले जाकर, उन्हें कष्टों से बचाना अहिंसा नहीं बल्कि अंध प्रेमवश अज्ञानता से उत्पन्न होनेवाली हिंसा है। इसके अलावा–

1. अहिंसा सर्वश्रेष्ठ मानवधर्म है, इसमें पशुबल से अनंतगुणी अधिक शक्ति एवं महानता है।

2. फिर भी यह उन लोगों के लिए लाभदाय नही होती, जिन्हें परमेश्वर में श्रद्धा नहीं है।
3. इससे व्यक्ति के स्वाभिमान और सम्मान भावना की रक्षा होती है।
4. यदि कोई व्यक्ति अथवा राष्ट्र अहिंसा का पालन करना चाहे, तो सर्वप्रथम उसे अपना आत्मसम्मान आदि सर्वस्व त्यागने को तैयार रहना चाहिए।
5. अहिंसा की एक यह भी विशेषता है कि इसकी सहायता बालक, युवा, वृद्ध, स्त्री पुरुष सब ले सकते हैं।
6. अहिंसा जितना लाभ एक व्यक्ति को प्रदान कर सकती है उतना ही एक जन समूह को अथवा एक राष्ट्र को भी। यदि कोई ऐसा समझता है कि यह केवल व्यक्ति के लिए ही लाभ कर है तो ऐसा समझना उस व्यक्ति की भूल है, नासमझी है।

रूढ़िवाद को अपनानेवालों में से कोई व्यक्ति गोमांस खाता है और कोई नहीं खाता है, लेकिन यदि गोमांस न खानेवाला यह कहता है कि वह गोमांस खानेवाले से अच्छा है, क्योंकि वह मांस नहीं खाता, तो ऐसी बात सही नहीं समझी जा सकती। यदि गोमांस खानेवाले व्यक्ति के दिल में दया है, सहानुभूति है तो वही अहिंसक है, वही अच्छा व्यक्ति है बजाय उसके जो गोमांसादि तो नहीं खाता, किन्तु दिल में द्वेष, दुर्भाव आदि संजोये रखता है। अतएव रूढ़िवाद के आश्रय में गोमांस आदि का व्यवहार न करना अहिंसा की श्रेणी में नहीं आ सकता।

पश्चिम में अहिंसा मनुष्य जाति तक ही समाप्त हो जाती है, और उपयोगितावाद के नाम पर मनुष्य के फायदे के लिए अन्य जानवरों को चीरा-फाड़ा जाता है, युद्ध संबंधी सामान एकत्रित किया जाता है। किन्तु अहिंसावादी जीवित प्राणियों की चीर-फाड़ करने तथा युद्ध में सहायता देने के बजाय अपना प्राण ही दे देना अच्छा समझेगा क्योंकि अहिंसावादी सभी प्राणियों का हित चाहता है, सिर्फ मनुष्य का नहीं। जब अहिंसावादी सभी जीवों या अधिकांश का सुख चाहता है, तो उसमें

कुछ जीवों (जैसे मनुष्य जाति आदि) का भी सुख या लाभ सम्मिलित रहता है। यानी यहां पर अहिंसावाद और उपयोगितावाद की भेंट हो जाती है लेकिन फिर अपने समयानुसार दोनों अलग हो जाते हैं।

अहिंसा एवं दया में सम्बन्ध

अहिंसा और दया के संबंध में गाँधीजी के सामने कई प्रश्न उपस्थित किए गए और उन प्रश्नों के जो उत्तर उन्होंने दिये, उनसे यह स्पष्ट हो जाता है कि उनके मत में अहिंसा और दया का क्या संबंध है। प्रश्नों में से तीन प्रधान हैं जो निम्नलिखित हैं-

1. जब आप दया और अनुकम्पा के भाव से प्रेरित होते और काम करते हैं, तब दया के बदले कई जगह अहिंसा शब्द का प्रयोग करते हैं। इससे गलतफहमी का पैदा होना संभव है, वह पैदा होती है। मुझे यह भी कर देना चाहिए कि मानी हुई क्या चीज झूठी भी हो सकती है।
2. अहिंसा आत्मा से पैदा होने वाला एक भाव है, जो सक्रिय नहीं होता। लेकिन दया और अनुकम्पा व्यवहारजन्य भाव है। वे सक्रिय नहीं हैं। दया का अहिंसा के बदले और अहिंसा का दया के बदले उपयोग होने पर अहिंसा के सच्चे अर्थ का उल्लंघन होता है। इस कारण दया और अहिंसा के बीच का भेद जान लेने योग्य है।
3. क्या किसी क्रूर और जंगली कही जानेवाली मनुष्यभक्षी जाति में मनुष्यजाति के प्रति पैदा करके, दया उपजाकर, दूसरे प्राणी और मनुष्य के बीच का विवेक समझाकर उसका मनुष्य भक्षण छुड़ाना और पशु के मांस में अपना निर्वाह करने की बात कहना, अथवा मांस खानेवाले लोगों को फल-फूल, वृक्ष आदि वनस्पति से जीवन निर्वाह करने की बात कहना उन्हें अहिंसा का मार्ग बतलाना कहा जायेगा? विचार करने पर यह एकांग विवेक प्रतीत होगा। एकांग होते हुए भी यह सदोष है।

अहिंसा की दृष्टि में जीवमात्र समान है। इस कारण ऊपर का मार्ग अहिंसा का मार्ग नहीं है।

अहिंसा और दया में अन्तर

उन प्रश्नों के उत्तर देते हुए गाँधीजी ने कहा है कि अहिंसा और दया में उतना ही अन्तर है, जितना कि सोने और सोने से बने हुए गहने में या बीज और वृक्ष में। दया के बिना अहिंसा हो ही नहीं सकती जैसे बीज के बिना वृक्ष नहीं हो सकता है। यदि कोई व्यक्ति डरकर अपने आक्रमणकारी को कुछ नहीं कहता है या उसके साथ कुछ नहीं करता, इसका अर्थ यह नहीं कि उसने दयाभाव के वशीभूत हो कुछ किया नहीं और चुपके से बैठा रहा। अतः दया अहिंसा का स्रोत है, किन्तु उसे कायरता और भय से दूर रहना चाहिए।

क्रियाहीन अहिंसा आकाश के फूल के समान है, अर्थात् ऐसा नहीं कहा जा सकता कि अहिंसा सक्रिय नहीं है, क्योंकि कोई भी क्रिया होती है, उसमें सिर्फ हाथ और पैर ही सब कुछ हों ऐसी बात नहीं। विचार के बिना क्रिया हो ही नहीं सकती, दूसरे शब्दों में विचार भी क्रिया ही है, क्योंकि क्रिया इसी से निर्देशित होती है। अतएव ऐसा नहीं कहा जा सकता कि अहिंसा निष्क्रिय है तथा दया सक्रिय है, बल्कि दोनों ही सक्रिय है।

जो सर्वभक्षी है, यानी सभी प्रकार के जीवों के मांस, मछली आदि खाता है, किसी से परहेज नहीं रखता वह यदि दया या प्रेम से प्रेरित होकर अपनी भक्ष्य वस्तुओं की मर्यादा या सीमा कायम कर देता है, तो इसका मतलब है कि वह अपने द्वारा की गई हिंसा की सीमा निर्धारित करता है। जब हिंसा सीमाबद्ध हो जाती है, तब निश्चित ही अहिंसा का विस्तार होता है। अतः जहां अहिंसा है, वहां ज्ञानपूर्ण दया होती है।

सत्य एक विशाल वृक्ष है। उसकी ज्यों-ज्यों सेवा की जाती है त्यों-त्यों उसमें अनेक फल आते हुए दिखाई देते हैं। उनका अंत ही नहीं होता। ज्यों-ज्यों हम गहरे पैठते हैं त्यों-त्यों उनमें रत्न निकलते

हैं, सेवा के अवसर आते हैं। सत्य को जाननेवाला परमात्मा को जानता है। वह भूत, वर्तमान तथा भविष्य तीन कालों को जानता है और उसे देहत्याग से पूर्व ही मुक्ति मिल जाती है। सत्य के अधिष्टान के लिए जिह्वा को नियंत्रित करना आवश्यक होता है, और जो अपने जीवन में सत्य को उतार लेता है। यानी जिसका जीवन सत्यमय हो जाता है, उसके जीवन में वह शुद्धता आ जाती है, जो श्वेत स्फटिक में होती है। अतः परमेश्वर सत्य है, यह कहने के बजाय सत्य ही परमेश्वर है, यह कहना अधिक उपयुक्त है। जहाँ तक अहिंसा और सत्य के संबंध की बात है, गाँधीजी ने कहा है कि सत्य सबसे बड़ा धर्म है और अहिंसा सबसे बड़ा कर्त्तव्य के बजाय सत्य ही परमेश्वर है, यह कहना अधिक उपयुक्त है।

सत्य और अहिंसा में सम्बन्ध

जहां तक अहिंसा और सत्य के संबंध की बात है, गाँधीजी ने कहा है कि सत्य सबसे बड़ा धर्म है और अहिंसा सबसे बड़ा कर्त्तव्य है तथा इस कर्त्तव्य को बार-बार करके ही कोई व्यक्ति सत्य की पूजा कर सकता है। यानी सत्य एक साध्य है, और अहिंसा एक साधन। संसार में सत्य के बाद कोई और सक्रिय शक्ति हो तो अहिंसा ही है। अन्य स्थान पर उनके (गाँधीजी के) वचन इस प्रकार हैं-

सत्य विधेयात्मक है, अहिंसा निषेधात्मक है। सत्य वस्तु का साक्षी है। अहिंसा वस्तु होने पर भी उसका निषेध करती है। सत्य है, असत्य नहीं है। हिंसा है, अहिंसा नहीं है। फिर भी अहिंसा ही होना चाहिए। यही परम धर्म है। सत्य स्वयं सिद्ध है। अहिंसा उनका सम्पूर्ण फल है, सत्य में छिपी हुई है। वह सत्य की तरह व्यक्त नहीं है।

सत्य का साक्षात्कार करनेवाले तपस्वी ने चारों ओर फैली हुई हिंसा में से अहिंसा देवी को संसार के सामने प्रकट करके कहा है- हिंसा मिथ्या है, माया है, अहिंसा ही सत्य वस्तु है। ब्रह्मचर्य अस्तेय, अपरिग्रह, भी अहिंसा के लिए ही है। ये अहिंसा को सिद्ध करने वाले हैं। अहिंसा सत्य का प्राण है। उसके बिना मनुष्य पशु है।

इस प्रकार गाँधीजी ने अहिंसा को कभी सत्य का साधन, कभी सत्य का फल, कभी सत्य का प्राण और कभी अहिंसा और सत्य दोनों को एक ही बताया है। अतः यह नहीं कहा जा सकता कि उनके विचार में दोनों में कौन सा अधिक महत्वपूर्ण है, किन्तु इतना अवश्य कहा जा सकता है कि उनके अनुसार अहिंसा और सत्य का संबंध घनिष्ठ और अटूट है, अहिंसा के बिना कोई सत्य का पालन वैसे ही नहीं कर सकता, जैसे सत्य के बिना अहिंसा का।

एक बार किसी कांग्रेसी नेता ने गाँधी के समक्ष (जबकि वे कांग्रेस से अलग हो गये थे) यह प्रश्न रखा कि क्या बात है कि कांग्रेस अब नैतिकता की दृष्टि से वैसी नहीं रही जैसी सन् 1920-25 में थी? यानी कांग्रेस की नैतिकता के ह्रास का क्या कारण है? इस प्रश्न का जो उत्तर गाँधीजी ने दिया उसका सारांश इस प्रकार है- अहिंसा पर आधारित कांग्रेस रूपी जो सत्याग्रह दल सेना है, उसके सेनानायक में अब वैसी ताकत नहीं रह गई है, जैसी उनमें होनी चाहिए।

अतः वह अपने दल को सही रूप में प्रभावित तथा संचालित नहीं कर पा रहा है। आगे उन्होंने फिर कहा कि सत्याग्रह दल के सेनापति में वैसी ताकत नहीं होनी चाहिए, जो अस्त्र-शस्त्र की प्रचुरता से प्राप्त होती है, बल्कि उसमें वह शक्ति होनी चाहिए जो जीवन की शुद्धता, दृष्ट जागरूकता और सतत आचरण से प्राप्त होती है। यह ब्रह्मचर्य का पालन किये बगैर असंभव है। ब्रह्मचर्य केवल दैहिक आत्म संयम तक ही सीमित नहीं है, बल्कि इसकी मर्यादा का बहुत बड़ा विस्तार है। इसका पूर्णरूप सभी इन्द्रियों के नियमन में देखा जाता है। अशुद्ध विचार का मन में आना भी ब्रह्मचर्य का घातक होता है, जो भी मानवीय शक्तियां हैं, उनका स्त्रोत वीर्य की रक्षा और ऊर्ध्वगति में है। कहने का तात्पर्य यह कि सत्याग्रह के पीछे जो अहिंसा रूपी बहुत बड़ी शक्ति काम कर रही थी, उसकी जड़ में भी ब्रह्मचर्य शक्ति ही काम कर रही थी, जिसका ह्रास होने से कांग्रेस की नैतिकता का ह्रास हो गया है, अर्थात् ब्रह्मचर्य को पालने के बिना अहिंसा का पालन नहीं हो सकता है।

वैदिक परम्परा का विवेचन करते हुए यह देखा गया है कि अधिकांश हिन्दूशास्त्रों ने यही माना है कि यज्ञ में की जानेवाली हिंसा हिंसा नहीं होती है, किन्तु गाँधीजी के विचारानुसार यह अपूर्ण सत्य है, पूर्ण नहीं। चाहे वह किसी समय या किसी भी प्रयोजन से की जाये, किन्तु हिंसा हिंसा ही होगी, जो कि पापजनक है, वह किसी भी हालत में अहिंसा नहीं हो सकती, लेकिन सिद्धान्त के साथ-साथ व्यवहार को भी अपना अधिकार प्राप्त है। अतएव जिस किसी को वह अनिवार्य मान लेता है, उसे या तो क्षम्य घोषित कर देता है या उसे पुण्य की श्रेणी में ले लेता है।

यही बात यज्ञ में की गई हिंसा के साथ है, चूंकि व्यवहार शास्त्र ने उसे अनिवार्य हिंसा मान लिया है। अतः उसे शुद्ध और पुण्यजनक भी घोषित कर दिया है, किन्तु अनिवार्य हिंसा की व्याख्या नही की जा सकती, क्योंकि वह तो देश काल और पात्र के अनुसार बराबर बदलती रहती है। जैसे दुर्बल शरीर की रक्षा के लिए जाड़े में लकड़ी आदि का जलाना, जिसमें जीवों की हिंसा होती है, अनिवार्य समझा जा सकता है, लेकिन गर्मी में बिना किसी जरूरत के लकड़ी या कोयला जलाकर अनेक सूक्ष्म जीवों की घात करना अनिवार्य नहीं कहा जा सकता है।

खेती शुद्ध यज्ञ है, तथा सच्चा परोपकार है। गाँधीजी के इस मत पर आशंका करते हुए नवजीवन के एक पाठक ने पूछा कि एक चींटी के दब जाने से मन में तकलीफ होती है, और खेती करने में तो हजारों कीड़ों का विनाश होता है। ऐसी हालत में खेती कैसे की जा सकती है? क्यों न कोई व्यक्ति भिक्षाटन करके या अन्य कोई व्यापार करके ही अपना जीवन-यापन करे?

इसमें कोई शक नहीं कि खेती में अनेक प्राणियों की हिंसा होती है, लेकिन इसमें भी किसी आशंका की कल्पना तक नहीं हो सकती कि श्वासोच्छ्वास में हजारों सूक्ष्म जीवों को नाश होता है। अर्थात् श्वासोच्छ्वास जिस प्रकार जरूरी है, ठीक उसी प्रकार खेती भी आवश्यक है इसे रोका नहीं जा सकता। जो लोग खेती को त्यागकर भिक्षाटन करना चाहते हैं, उनकी यह बहुत बड़ी भूल है, वे भी खेती

से होने वाली हिंसा के दोषी हो जाते हैं, यदि खेती करने में दोष है, क्योंकि अन्न तो किसी न किसी के द्वारा की गई खेती के फलस्वरूप ही मिलता है।

अत: भिक्षाटन करनेवाला अपने को हिंसा के दोष से मुक्त न समझे यदि वह समझता है कि खेती करना दोषपूर्ण है। यदि कोई अन्य व्यापार करना चाहता है, तो उसमें भी हिंसा होती है, जैसे रेशम का धन्धा जिसमें रेशम के कीड़ों की हिंसा होती है, मोती का व्यापार जिसमें सीप कीड़ा उबाला जाता है। इसके अलावा ऊपर सिर करके चलनेवाले व्यक्तियों की जो किसी प्राणी के दब जाने के विषय में सोचते भी नहीं, तुलना उन खेतीहरों से नहीं की जा सकती, जो प्राणियों को बचाते हुए खेती करते हैं यानी जिनका उद्देश्य जीव हिंसा करना नहीं होता, जो बड़े ही विनम्र होते हैं, जगत के पालनहार होते हैं। खेती एक आवश्यक एवं शुद्ध यज्ञ है, जिसे धर्मनिष्ठ लोग करते हैं।

जो बात शुद्ध अर्थशास्त्र के विरुद्ध हो वह अहिंसा नहीं हो सकती। जिसमें परम अर्थ है, वह शुद्ध है। अहिंसा का व्यापार घाटे का नहीं होता। अहिंसा के दोनों पलड़ों का जमा खर्च शून्य होता है। इस सिद्धान्त का प्रयोग खादी पहनने में दिखाया गया है। गाँधीजी ने स्वयं कहा है कि खादी पहनने में अहिंसा राजकाज तथा अर्थशास्त्र तीनों का ही समावेश पाया जाता है। खादी तैयार करने में उतनी प्रक्रियाएं नहीं होती, जितनी कि मिल में तैयार होनेवाले कपड़ों के साथ होती है। जहां तक स्वदेशी और विदेशी मिलों की बात है, स्वदेशी मिल के कपड़ों को तैयार करने वाले हमारे पड़ोसी भाई बन्धु ही होते हैं और जब हम उनके द्वारा बनाये गये कपड़े पहनते हैं तो हमारे हृदय में अपने पड़ोसी बन्धुओं के प्रति प्रेम जगता है, सहानुभूति जगती है। हम उनकी रोजी रोटी में सहायक बनते हैं, किन्तु जिन वस्तुओं के तैयार होने में मजदूरों को ज्यादा से ज्यादा कष्ट होता है, उनकी जिन्दगी एक सामान्य मानवीय जिन्दगी नहीं रह जाती, वैसी वस्तुओं के प्रयोग त्याज्य समझे जा सकते हैं भले ही व्यवहार में उन्हें नहीं त्यागा जाता है।

यंग इण्डिया में 3 नवम्बर, 1921 को एक पत्र के उत्तर में महात्मा गाँधी ने लिखा : हमारा यह अहिंसात्मक आन्दोलन कुल मिलाकर इतने शान्त और विनयपूर्ण ढंग से चल रहा है कि ऐसा हो सकता है कि जो लोग इस सिद्धान्त में विश्वास नहीं रखते, वे उसी प्रणाली के अधीन अपने बच्चों को शिक्षा देते रहें जिस प्रणाली के खिलाफ हम लड़ाई लड़ रहे हैं। इस विनय से आन्दोलन को और भी अधिक बल मिल रहा है, जिसकी साक्षी भावी इतिहासकार कृतज्ञता के साथ देंगे। हमें उस शिक्षा प्रणाली पर गर्व करने का कोई कारण दिखाई नहीं देता, जिस प्रणाली के अन्तर्गत शिक्षा का लाभ हमारी विशाल आबादी के सिर्फ मुट्ठी भर लोगों को ही मिल पाता है। हम अपनी बेहोशी में नहीं देख पा रहे हैं कि यह शिक्षा प्रणाली हमारे देश पर कैसा विनाशकारी प्रभाव डाल रही है। अगर शिक्षा को सर्वव्यापी बनाना है, तो वर्तमान प्रणाली में आमूल परिवर्तन करना होगा। यह केवल असहयोग से ही सम्भव है। इससे अधिक किसी अन्य नरम उपचार से भारतीय जनता की अन्तरात्मा को जागृत नहीं किया जा सकता।

नवजीवन 13 अक्टूबर, 1921 में गाँधीजी द्वारा "गीता में चरखा" पर व्यक्त विचार: "मैं तो 'गीता' में भी चरखा ही देखता हूँ। मैं यह भी जानता हूँ कि मैं उनका जो अर्थ करता हूँ, वह 'गीता' की टीकाओं में प्रत्यक्ष रूप से देखने में नहीं आता। तथापि यह अर्थ मैंने आज ही नहीं निकाला है, अपितु 1909 से मैं इसका यह अर्थ मानता आया हूँ। गीता के तीसरे अध्याय के कुछ श्लोकों का भावार्थ यह है कि जो यज्ञ किए बिना भोजन करता है, वह चोरी करता है। इसमें यदि यज्ञ के अर्थ को समझ लें तो मैंने जो अर्थ किया है उसे स्वीकार करने में कोई कठिनाई नहीं होगी। यज्ञ से वर्षा होती है।

इसका सीधा-सादा अर्थ यह है कि यदि व्यक्ति श्रम करें तो पेड़ लगेगा और पेड़ वर्षा में सहायक होगा। लोक कल्याण हेतु किया गया शारीरिक श्रम ही सच्चा यज्ञ है। पशुओं अथवा फलादि का भोग देकर किया गया यज्ञ शुद्ध नहीं है। सार्वजनिक शुद्ध यज्ञों में खेती एक है। अपनी मेहनत से उत्पन्न फसल में से किसान थोड़ा ही ग्रहण करता है।

उसकी मुख्य मेहनत जाने अनजाने लोकसंग्रह के लिए है। सब उतनी मेहनत नहीं कर सकते, लेकिन चरखा तो सब चला सकते हैं। श्री राय जैसे वैज्ञानिक ने भी अत्यन्त सरल शब्दों में यह बताया है कि चरखे के द्वारा भले ही व्यक्ति अपना भरण-पोषण न कर सके, परन्तु प्रजा का तो कर सकता है। और आज जबकि हिन्दुस्तान के नाश की घड़ी आ गई है, उस समय अगर कोई वस्तु इस स्थिति को सुधार सकती है तो केवल चरखा ही है, और इसीलिए वह सच्चा यज्ञ है। ऐसे प्रवर्तित चक्र का जो अनुसरण नहीं करता वह व्यक्ति केवल अपने ही लिए, और इसलिए व्यर्थ, जीता है। यह चक्र वर्तमान युग में चरखा ही है।

यंग इण्डिया 2 फरवरी, 1922 में महात्मा गाँधी के विचार थे: सर प्रफुल्लचन्द्र राय ने चरखे से सम्बन्धित तर्क संगत प्रस्तावना लिखी है। मुझे इस बात में तनिक भी सन्देह नहीं कि रासायनिक गवेषणा और औद्योगिक संगठन के क्षेत्र में प्राप्त की गई उनकी आश्चर्यजनक उपलब्धियों की भाँति ही घरेलु पैमाने पर की जाने वाली कताई का, उनके संगठन और उन पर कहीं अधिक महत्त्वपूर्ण और विस्मयकारी प्रभाव होगा। स्वदेशी का पूरा-पूरा और तात्कालिक प्रभाव देखने के लिए जरूरी है कि हम केवल देश भर में बिखरे करोड़ों घरों में सूत और वस्त्र तैयार कराना शुरू करें। स्वदेशी उनमें जितनी एकता पैदा करेगी उतनी दूसरी अन्य कोई वस्तु नहीं कर सकती।

हिन्दू 2 फरवरी, 1922 में प्रकाशित 26 जनवरी, 1922 को सत्याग्रह आश्रम, अहमदाबाद में दिया गया महात्मा गाँधी का भाषण : हम या तो भारत के लिए स्वराज्य हासिल कर लेंगे या फिर संघर्ष में काम आ जाएँगे। भारत धीरे-धीरे एक पवित्र, बल्कि कहिए कि एक परम शुद्ध देश बनता जा रहा है। जब सत्य हमारे पक्ष में है तो फिर क्या पराजय कभी हो सकती है? इसमें तो तत्काल मुक्ति या मोक्ष ही मिलता है।

सत्य के लिए प्रसन्नता के साथ अपना जीवन होम कीजिए। यदि कोई मुझसे पूछे कि ब्रह्म कहाँ है, कैसा है, तो मैं उसके प्रश्न को बदल कर पूछूँगा, सत्य कहाँ है, कैसा है? हर व्यक्ति को बड़े सवेरे उठकर कम से कम एक मिनट ईश्वर से प्रार्थना करनी चाहिए कि

'हे सर्वशक्तिमान् प्रभु! मुझे अपने धर्म के लिए प्राणोत्सर्ग करने, समूचे संसार के लिए प्राणोत्सर्ग करने की शक्ति प्रदान कर। मृत्यु में ही मुक्ति नहीं है, मुक्ति उसी मरण में है जिसका स्वेच्छा से सहर्ष वरण किया जाए। भगवान श्रीकृष्ण ने गीता के दूसरे अध्याय में स्थितप्रज्ञ के बारे में अर्जुन से क्या कहा था? उसे याद कीजिए और उसके अनुसार जीने की कोशिश कीजिए। जीने का सुख और आनन्द तभी है जब ईश्वर हमें अनेकानेक बाधाओं और अत्याचारों को सहन करते हुए अपनी इच्छा से प्रसन्नतापूर्वक मृत्यु का वरण करने की शक्ति दे। ईश्वर ने मुझे अपने देश और अपने धर्म के लिए प्राणोत्सर्ग करने की शक्ति दी है।

आत्मत्याग में एक प्रकार का सन्तोष होता है। प्रोफेसर टी. एल. वास्वाणी ने अपनी एक पुस्तक में आत्मत्याग के बारे में लिखते हुए महाराणा प्रताप का उदाहरण पेश किया है। प्रताप का आत्मत्याग महान् था। चित्तौड़ के पतन के बाद उनका आत्मत्यागपूर्ण वचन यह था: 'जब तक चित्तौड़ को स्वाधीनता नहीं मिलती तब तक हम कोई ऐशो आराम नहीं करेंगे, हम धरती माता की गोद में सोएँगे, कन्दमूल खाकर बसर करेंगे, हम अपने सभी सांसारिक सुखों का त्याग कर देंगे और पूर्ण आत्मत्याग का जीवन व्यतीत करेंगे। यही उनका संकल्प था, मैं महाराणा प्रतापसिंह को स्थित-प्रज्ञ मानता हूँ। हममें से प्रत्येक को आत्मत्यागपूर्ण जीवन व्यतीत करना और स्थितप्रज्ञ बनना चाहिए।

22 जनवरी, 1922 को नवजीवन में गाँधीजी का यह वक्तव्य था: जिसमें विवेक और विस्तार है, उसे आसानी से शरीर सुख नहीं मिल सकता। वह दूसरों के दु:ख से दु:खी होता है और सूखता जाता है। उसके समीप किसी को दु:ख होता है तो उसको वह नहीं देख सकता।

सत्ता और स्वराज्य में बहुत भेद है, यह हम समझ लें। सत्ता की लूट में मुझे विघ्न और विक्षेप होते दिखते हैं। उसमें मुझे हिंसा के लक्षण दिखाई देते हैं। स्वराज्य की लूट में तो शुद्ध स्पर्श ही हो सकती है। स्वराज्य का अर्थ है हर एक का अपने ऊपर राज्य। इस लड़ाई में जो झुकता है और जो सहन करता है, वह प्रथम आता है। इसमें मर्यादा के पालन की अत्यन्त आवश्यकता है जबकि सत्ता की लूट में तो सभी

प्रथम रहना चाहते हैं, अतएव सभी लड़ते हैं। सत्तामूलक राज्य में जो प्रथम आ गया, वही प्रथम रहता है। स्वराज्य में जो पीछे आता है, वह प्रथम रहता है। इस प्रकार इन दोनों में उतना ही अन्तर है जितना हाथी और घोड़े में अथवा पूर्व और पश्चिम में। यदि हम इतना याद रखें कि हम स्वराज्य की लड़ाई लड़ रहे हैं तो हम सब मुश्किलों को पार कर जाएँगे।

5 जनवरी, 1922 के यंग इण्डिया पत्र में महात्मा गाँधी ने लिखा: काश! मैं प्रत्येक व्यक्ति को समझा सकता कि सविनय अवज्ञा प्रत्येक नागरिक का जन्मसिद्ध अधिकार है। अगर वह यह अधिकार छोड़ देगा तो मनुष्य ही नहीं रह पाएगा। सविनय अवज्ञा से कभी अराजकता नहीं पैदा हो सकती। हाँ, अपराधमूलक अवज्ञा से अराजकता पैदा हो सकती है। प्रत्येक राज्य ऐसी अपराधमूलक अवज्ञा को बलात् समाप्त करता है और यदि वह ऐसी नहीं करता तो स्वयं खत्म हो जाता है। लेकिन सविनय अवज्ञा को दबाना तो मनुष्य की अन्तरात्मा को कैद करने की कोशिश करने जैसा है। सविनय अवज्ञा से तो शक्ति और पवित्रता बढ़ती है।

सत्याग्रही शस्त्रों का कभी उपयोग नहीं करता और इसीलिए वह उस राज्य के लिए सर्वथा हानिरहित होता है, जो लोकमत की आवाज सुनने हेतु थोड़ा भी तैयार हों। इसके विपरीत वह स्वेच्छाचारी राज्य के लिए खतरनाक होता है, क्योंकि वह जिस उद्देश्य के लिए राज्य की अवज्ञा करता है, उस ओर जनता का ध्यान आकर्षित करता है, और उस राज्य के विनाश का कारण बनता है। इसलिए उस राज्य में, जहाँ कोई कानून नहीं है या दूसरे शब्दों में, जो राज्य भ्रष्ट हैं, वहाँ सविनय अवज्ञा एक पवित्र कर्त्तव्य बन जाती है और जो नागरिक इस प्रकार के राज्य से लेन देन का व्यवहार रखता है, वह उस राज्य के भ्रष्टाचार और गैर कानूनी हरकतों में साझीदार है।

यह जरूरी है कि जब सविनय अवज्ञा के अधिकार पर जोर दिया जाए तो सभी उन पर सम्भव प्रतिबन्ध लगाकर इस बात की व्यवस्था कर दी जानी चाहिए कि उसका समुचित उपयोग हो। इस बात की

पूरी सावधानी रखी जानी चाहिए कि कहीं भी हिंसा न भड़क उठे और अराजकता न फैल जाए। असहयोग जब तक अहिंसात्मक रहता है, तब तक उसे बिना रूकावट चलने देना चाहिए।

9 मार्च, 1922 को यंग इण्डिया में गाँधीजी का वक्तव्य छपा: अहिंसा एक पूर्ण स्थिति है। सारी मनुष्य जाति इसी एक लक्ष्य की ओर स्वभावत: परन्तु अनजाने बढ़ रही है। मनुष्य जब अपने तक ही निर्दोषिता की साक्षात् मूर्ति बन जाता है, तब वह कोई दैवी पुरुष नहीं हो पाता, किन्तु उस अवस्था में वह सच्चा मनुष्य बनता है। आज की अवस्था में हम कुछ अंशों में मनुष्य और कुछ अंशों में पशु हैं।

हम ढोंग रचते हैं कि प्रतिहिंसा मनुष्य की स्वाभाविक प्रवृत्ति है और हमारा इसके बिना काम नहीं चल सकता। परन्तु इसके विपरीत धर्मग्रन्थों में तो हम पाते हैं कि प्रतिहिंसा को कहीं भी अनिवार्य कर्त्तव्य नहीं माना गया है; उसके लिए केवल छूट भर दी गई है। अनिवार्य कर्त्तव्य तो संयम है। प्रतिहिंसा एक ऐसी प्रक्रिया है जिसमें न जाने कितने नियमों और उपनियमों का ध्यान रखना पड़ता है। और संयम तो हमारे जीवन की सहज सरल गति है। बिना पूर्ण संयम के मनुष्य पूर्णावस्था को पहुँच ही नहीं सकता। इस प्रकार सहनशीलता तथा संयम ही मनुष्य जाति का विशेष धर्म है।

हमारी अहिंसा बलवान की अहिंसा भले ही न हो, किन्तु उसे सच्चे लोगों की अहिंसा जरूर होना चाहिए। अहिंसात्मक साधनों से स्वराज्य प्राप्त करने के दौरान अव्यवस्था और अराजकता को थोड़े समय के लिए भी कोई स्थान नहीं मिल सकता। अहिंसा के बल पर प्राप्त स्वराज्य तो एक उत्तरोत्तर शान्तिपूर्ण क्रान्ति होगी, ऐसी विकासशील क्रान्ति जो सत्ता चन्द लोगों के हाथों से निकलकर सहज ही जनता के प्रतिनिधियों के हाथों में इस तरह जा पहुँचेगी जैसे किसी सुपोषित वृक्ष की डाल से पूरी तरह पका हुआ फल टपक पड़ता है।

3 अगस्त, 1924 के "नवजीवन" में प्रकाशित अहमदाबाद में 1 अगस्त, 1924 को शिक्षा परिषद् में दिए गए गाँधीजी के भाषण के अंशों का सार:

बच्चों पर पाठ्यक्रमों का बोझ नहीं होना चाहिए। मेरी "बालपोथी" के मूल में जो विचार है, वह बहुत बड़ा है। शिक्षक को मौखिक शिक्षा देनी चाहिए। शिक्षा पुस्तकों और पाठ्यपुस्तकों द्वारा नहीं दी जा सकती। जिन देशों में ढेर की ढेर पाठ्यपुस्तकें होती हैं, उन देशों के बालकों के मन में जाने क्या-क्या कूड़ा भर जाता है। उनके दिमागों में शैतान घुस जाता है और उनकी विचारशक्ति नष्ट हो जाती है। शिक्षकों के लिए पुस्तकें लिखी जा सकती हैं, किन्तु यदि बालकों के लिए पुस्तके लिखी जाएँगी तो शिक्षक यन्त्रवत् हो जाएँगे। इससे उनकी स्वतंत्र शोध की बुद्धि और मौलिकता नष्ट हो जाएगी। मैं शिक्षकों की गति को रोकना नहीं चाहता, लेकिन इस सम्बन्ध में मेरे दृष्टिकोण को प्रकट करना चाहता हूँ।

गाँधीजी ने 15 मई, 1924 को यंग इण्डिया में एक प्रसंग में लिखा: "मेरा यह सतत् अनुभव है कि भलाई से भलाई और बुराई से बुराई उत्पन्न होती है; इसलिए यदि बुराई का उत्तर बुराई से न दिया जाए तो वह निष्क्रिय हो जाती है ओर पोषण न पाकर अन्त में निर्जीव हो जाती है। प्राचीन काल के सन्त महात्मा इस सत्य को जानते थे, इसीलिए वे बुराई का बदला बुराई से देने के बजाय जान-बूझकर भलाई से देते थे और इस प्रकार बुराई का नाश करते थे। फिर भी बुराई अभी तक चल ही रही है। कारण यह है कि बहुत से लोगों ने अभी तक इस अन्वेषण से लाभ नहीं उठाया है, हालाँकि इसमें जो नियम अन्तर्निहित है।

वह वैज्ञानिक सूक्ष्मता के साथ सही काम करता है। बात यह है कि हम इतने आलसी हैं कि अपने सामने उपस्थित समस्याओं को इस नियम के अनुसार सुलझाने की कोशिश ही नहीं करते और इसलिए मान बैठते हैं कि इसके अनुसार आचरण करने की हममें क्षमता ही नहीं है। वास्तविकता यह है कि जिस क्षण इस नियम के सत्य की प्रतीति हो जाती है, उसी क्षण बदी का बदला नेकी से देना इतना आसान हो जाता है जितना आसान और कोई काम है ही नहीं। मनुष्य और पशु के बीच का भेद स्पष्ट करने वाला यही एक बड़ा गुण है। प्रहार के बदले प्रहार न करना मनुष्य का स्वाभाविक नियम है, जब तक हमें इस

सत्य की पूरी प्रतीति नहीं हो जाती और जब तक हम उसके अनुसार आचरण नहीं करते, तब तक हम शरीर से मनुष्य होते हुए भी वास्तव में मनुष्य नहीं है। इस नियम में अपवाद की कोई गुंजाइश नहीं है। इस प्रकार गाँधी दर्शन में सम्पूर्ण स्थलों पर अहिंसा का भाव स्पष्ट रूप से नजर आता है।

महात्मा गाँधी के समाज-दर्शन के तत्वमीमांसीय आधार

ईश्वर अथवा एक सर्वव्यापी आधारभूत आध्यात्मिक सत्ता में विश्वास गाँधी जी का मूल तत्त्व है। ईश्वर "सम्पूर्ण विश्व में व्याप्त एक जीवंत ज्योति" है और उसे सच्चिदानन्द, ब्रह्म, राम अथवा केवल सत्य कहा जा सकता है। वह "स्वतः विद्यमान, सर्वज्ञान सम्पन्न जीवन्त शक्ति है जो विश्व की अन्य सब शक्तियों में अन्तर्निहित है।" एक गूढ़ आध्यात्मिक सत्ता में विश्वास गाँधी जी को अपने पारिवारिक वातारवण से, विशेषकर अपनी धर्मपरायण माता से विरासत में मिला था।

टालस्टाय की रचनाएँ, बुद्ध का जीवन, गीता और रामचन्द्र भाई के सम्पर्क ने उनकी नैतिक अवस्थाओं को अधिक गम्भीर और दृढ़ बना दिया था। तत्व शास्त्रीय दृष्टि से गाँधी जी प्रत्ययवादी थे, किन्तु वे शंकर के सम्प्रदाय के अनुयायी नहीं थे। वे निर्गुण ब्रह्म के उपासक नहीं थे। उन्हें ऐसे दयालु ईश्वर में विश्वास था जो भक्तों की प्रार्थना सुनता है। उन्होंने लिखा है, "मुझे एक भी ऐसा उदाहरण याद नहीं है जब अंतिम क्षण उसने (ईश्वर ने) मुझे असहाय अवस्था में छोड़ दिया हो।" गाँधी जी के विचार वेदांत के ईश्वरवादी व्याख्याकारों के विचारों से मिलते-जुलते हैं। गाँधी जी का कहना है आध्यात्मिक सत्य का साक्षात्कार तार्किक पटुता अथवा प्रत्ययात्मक बोध के द्वारा नहीं किया जा सकता। उसके लिए आध्यात्मिक अनुभूति, शुद्ध, पवित्र तथा तप पूर्ण जीवन और अपने उद्धेश्यों तथा कार्यों में अलहसा के आदर्श को साकार करने की आवश्यकता है। साथ ही, गाँधी ने ईश्वरानुभूति के लिए बुद्धि को अक्षय बताया है। विश्वास के द्वारा ही सत्य तक पहुँचा जा सकता है।

गाँधी का ईश्वर सर्वव्यापी एवं सर्वशक्तिमान के साथ सर्वग्राह्य भी है। गाँधी का ईश्वर अनिश्वरवादियों के लिए भी स्वीकार्य हो गया जब गाँधी ने कहा, "सत्य ही ईश्वर है। अतः सत्य रूप ईश्वर को मानकर गाँधी ने मात्र अरविन्द की तरह योग एवं सन्यास, लौकिकता एवं परमार्थिकता के बीच ही समन्वय स्थापित नहीं किया है बल्कि स्वार्थ एवं परार्थ, आदर्श एवं यथार्थ विज्ञान एवं अध्यात्म तथा विभिन्न धर्मों एवं सम्प्रदायों के वैचारिक अन्तर्विरोधों में भी समन्वय स्थापित किया है।

ईश्वर के स्वरूप के विषय में गाँधी जी ह्वाइटहेड की तरह परस्पर विरोधी प्रत्ययों का व्यवहार करते हैं। ईश्वर की स्रष्टा एवं अस्रष्टा, एक और अनेक, अणु से भी छोटा एवं हिमालय से भी विशाल, निर्गुण एवं सगुण, दयावान और क्रूर, निरंकुश और नियमबद्ध, अन्तःस्थ एवं बहिर्स्थ आदि दोनों पक्षों को स्वीकार कर लेना बड़ा विचित्र लगता है। भारतीय परिप्रेक्ष्य में भी गाँधी जी को न तो अद्वैतवादी न विशिष्टद्वैतवादी और न विशुद्ध द्वैतवादी ही कहा जा सकता है। क्योंकि वे स्वयं कभी अपने को अद्वैतवादी कहते हुए भी द्वैतवादी का समर्थन करने से नहीं चुकते।

ईश्वर का स्वरूप

गाँधी जी के अनुसार विश्व का चरम तत्व ब्रह्म है जैसा कि भारतीय दर्शन की परम्परा रही है। वे शंकर के अद्वैतवाद से काफी प्रभावित थे। अन्तर इतना है कि शंकर के लिए सिर्फ ब्रह्म सत्य है, परन्तु गाँधी के लिए ईश्वर, सत्य एवं ब्रह्म में कोई भेद नहीं है। गाँधी जी के दर्शन में ये तीनों प्रायः समानार्थक है। ईश्वर या ब्रह्म के अस्तित्व को प्रमाणित करने के लिए उन्होंने कारण संबंधी, विश्व-व्यवस्था संबंधी, नैतिक एवं ऐतिहासिक युक्तियाँ प्रस्तुत की हैं। श्रुति एवं उपमान को भी ईश्वर को प्रमाणित करने के लिए आधार मानते हैं। अन्त में प्रयोगवादी युक्ति द्वारा भी ईश्वर के अस्तित्व को प्रमाणित करते हैं।

ईश्वर के सत्तात्मक गुणों की चर्चा करते हुए कहते हैं कि ईश्वर चरम तथा स्थायी तत्व है जो सृष्टि का आधार, संहारकर्ता एवं पुनर्निर्माणकर्ता है। गाँधी जी के अनुसार ईश्वर सार्वभौम नियम तथा नियामक दोनों

है। ईश्वर सर्वव्यापी होने के कारण सभी के हृदय में निवास करता है। ईश्वर जगत में व्याप्त है और इससे बाहर भी है। वह प्रेम है। ईश्वर परोपकारी है। वह शुभ है, उसमें किसी प्रकार की बुराई नहीं है। शुभत्व ईश्वर का गुण नहीं, बल्कि वह स्वयं ही ईश्वर है। ईश्वर उपास्य है एवं हम उसकी प्रार्थना करते हैं एवं उसकी कृपा की अपेक्षा रखते हैं। साथ ही, प्रार्थना के द्वारा हम अपनी अन्तरात्मा की खोज करते हैं। ईश्वर की प्राप्ति प्रेम से होती है तथा इसकी अभिव्यक्ति दीन-दुखियों की सेवा द्वारा होती है। ईश्वर की मात्र अनुभूति हो सकती है, उसको जाना नहीं जा सकता। ईश्वर के सभी गुणों का वर्णन करना मानवीय शक्ति के बाहर है, अतः वह अवर्णनीय है।

ईसाई धर्म की तरह ईश्वर ने शुभ-अशुभ दोनों की रचना की है। इनमें से किसी एक को चुनने की ही स्वतंत्रता है। मानव जब अपनी इच्छा शक्ति का दुरूपयोग करता है तो उसे अशुभ का सामना करना पड़ता है। गाँधी जी का आत्मविचार गीता-दर्शन पर आधारित है। उनके अनुसार शरीर की संख्या अनन्त है, परन्तु अनेक शरीरों के बीच एक ही आत्मा निवास करती है। आत्मा सभी प्राणियों में एकता स्थापित करने वाला शाश्वत एवं अजर-अमर तत्व है। महात्मा गाँधी पुनर्जन्म में विश्वास करते हैं। उनके लिए पुनर्जन्म सिद्धान्त नहीं बल्कि तथ्य है।

परम्परागत दर्शन जगत को या तो सत्य या भ्रम मानता है। साकार एवं सगुण ईश्वर के समर्थकों के लिए सृष्टि और सृष्टिकर्ता दोनों सत्य है। एक ओर गाँधी जी विश्व के व्यापक सौंदर्य एवं सुषमाओं से प्रभावित थे तो दूसरी ओर विश्व में निहित दुःख, दैत्य एवं संहारक परिस्थितियों से भी अप्रभावित नहीं रह सके। सृष्टि निर्माण में वे न तो शाश्वतवाद को स्वीकार करते हैं, न उच्छेदवाद को। बुद्ध के प्रतीत्यसमुत्यादवाद की तरह वे भी सर्वव्यापक कारणवाद को स्वीकार करते हैं। उन्होंने किसी भी घटना को आकस्मिक नहीं बताया और सबके मूल में कारण का उल्लेख किया।

इसलिए वे नियतिवाद एवं भाग्यवाद के बदले कर्मवाद के प्रति आस्थावान थे। इसी प्रकार उन्होंने प्रज्ञा और तर्क, बुद्धि और

अपरोक्षानुभूति, विज्ञान एवं आत्म-ज्ञान का समन्वय किया। जहाँ तक बुद्धि की पहुँच है वहाँ तक वह गम्य है और उस सीमा तक बुद्धिवाद उचित जान पड़ता है, किन्तु बुद्धि की भी अपनी सीमाएँ हैं। सृष्टि के चरम सत्य का रहस्य जानने में कभी-कभी बुद्धि अक्षम हो जाती है, और अन्ततः हमें "अन्तःप्रज्ञा" या "भगवत् कृपा" को मानना पड़ता है। गाँधी जी एक ओर विज्ञान और तर्क को स्वीकार करते हैं तो दूसरी ओर, आवश्यकता पड़ने पर ईश्वर की अनुकम्पा को भी मानते हैं। इसलिए गाँधी की दृष्टि न तो अनुपंथी ईश्वरवादी है न रूढ़िगत प्रकृतिवाद, वह दोनों से परे एक प्रकार का "आध्यात्मिक वास्तववाद है।

गाँधी जी ने चरम तत्व ईश्वर को माना और ईश्वर से प्रारम्भ होने वाला उनका मूल तत्त्व "ईश्वर ही सत्य हैं" से "सत्य ही ईश्वर है" में बदल जाता है। गाँधी जी कहते हैं, मैं सत्य की पचास वर्ष की दीर्घ अनवरत और कठिन खोज के नतीजे पर पहुँचा हूँ" सत्य ही ईश्वर है।

गाँधी जी के इस महावाक्य ''सत्य ही ईश्वर है'' का विश्लेषण आवश्यक हो जाता है, क्योंकि उनकी तत्त्व मीमांसा इसी पर निर्भर करती है।

'सत्य' शब्द संस्कृत के 'अस्' धातु में 'शतृ' प्रत्यय से 'सत्' शब्द बनता है और 'सत्' शब्द में 'यत्' प्रत्यय लगाने से 'सत्य' शब्द बनता है। सत् शब्द का अर्थ 'होना' या 'अस्तित्व' है और सत्य का अर्थ 'अस्तित्व से युक्त' होता है। सत्यः द्धम्ऋ की व्युत्पत्ति अस्+शतृ से है जिसका अर्थ सत् यत् द्धसते हितःऋ सत्यः। सते+हितम सत्यम् को अनेक विद्वानों ने स्वीकार किया है।

एच.एच. विल्सन ने सत् का अर्थ 'ट्रू', 'गाड', 'एक्झिस्टेन्स' आदि बताया है। हिन्दी शब्द सागर में भी पंडित श्याम सुन्दर दास ने संस्कृत अभिधानों का अनुसरण करते हुए ही सत्य के अर्थ बताएं हैं। वाक्य विश्लेषण की दृष्टि से प्रस्तुत वाक्य "सत्य ईश्वर है" एक सरल उद्देश्य विधेयात्मक वाक्य है। प्रश्न है उद्देश्य एवं विधेय के बीच कौन-सा संबंध है?

सत्य और ईश्वर एक दूसरे के पर्यायवाची हो सकते हैं। अद्वैत वेदांत जब यह कहता है कि "ब्रह्म सत्यं जगत मिथ्या" तो इसका अर्थ है कि एकमात्र ब्रह्म का ही अस्तित्व है और वह ब्रह्म सत्य स्वरूप या शुद्ध अस्तित्व या सत् रूप है गाँधी जी अपनी आत्मकथा की प्रस्तावना में वेदांत की भाषा का ही प्रयोग करते हुए कहते हैं, "वही एक सत्य है और दूसरा मिथ्या है।" गाँधी जी का यह विश्वास दिनों-दिन बढ़ता ही गया- "इस दुनिया में एक सत्य ही है, इसके अलावे और कुछ नहीं है।" इस प्रकार प्रस्तुत वाक्य में ईश्वर का सत्तामूलक या अस्तित्वमूलक अर्थ है। सत् का अर्थ है "होना", सत्य अर्थात् "होने का भाव"। सिवाय सत्य के और किसी वस्तु का अस्तित्व नहीं है। इसलिए परमेश्वर का सच्चा नाम सत् अर्थात् सत्य है। इसलिए "परमेश्वर सत्य हैं" के बदले "सत्य ही परमेश्वर है।" यह कहना ज्यादा उचित है। अतः गाँधी के लिए "सत्य" एवं "परमेश्वर" पर्यायवाची शब्द दीखते हैं। इसलिए "ईश्वर के नाम पर कहना और शपथपूर्वक कहना" इन दोनों में गाँधी जी फर्क नहीं मानते हैं। ईश्वर के सहस्त्र नाम हैं और उनकी नामावली कभी समाप्त नहीं हो सकती, लेकिन गाँधी जी "पुजारी तो सत्यरूपी परमेश्वर के ही हैं"। वहीं प्रत्येक वस्तु में शुद्धतम एवं सार तत्व है।

"ईश्वर सत्य है" को "सत्य ही ईश्वर है" में बदल देने से गाँधी दर्शन का तत्त्व मीमांसीय पक्ष अधिक सरल एवं मानवता के लिए सर्वाधिक ग्राह्य हुआ है। भौतिकवादी मानववादी दार्शनिक अपने को ईश्वर-भीरू कहलाना हरगिज पसंद नहीं करेंगे, परन्तु पक्का नास्तिक व्यक्ति चाहे वह ब्रेडले हो या प्रो. गोरा, अपने को सत्य-भीरू कहने में प्रतिष्ठा का अनुभव करेंगे।

जो दार्शनिक ईश्वर के अस्तित्व को स्वीकार करते भी हैं वे ईश्वर की प्रकृति को नेति-नेति, अगोचर, अवाच्य, "अवर्णनीय घोषित कर उसे बुद्धि से परे मानते हैं।" इस तरह इमर्सन के परमात्मा, प्लेटो के शिव, स्पीनोजा के द्रव्य, कांट के "न्यूमेना", स्पेंसर के अज्ञात तत्व एवं शापेनहावर के संकल्प से एक प्रकार के अज्ञेयवाद का जन्म होता

है। "सारांश यह कि ईश्वर का वर्णन किसी तरह किया जाय, उसमें कठिनाइयाँ हैं।"

परन्तु "सत्य ईश्वर है" महावाक्य सभी वर्गों के दार्शनिकों द्वारा मान्य है "ईश्वर सत्य है" लेकिन ईश्वर और भी बहुत कुछ है। "मानव वाणी में संभवतः इसे ईश्वर की सर्वाधिक पूर्ण परिभाषा मानते हैं।" कोई परमेश्वर को न भी माने तो भी गाँधीजी का "सत्य" अप्रभावित रहता है क्योंकि प्रत्येक दार्शनिक को या तात्त्विक चिन्तक को संसार का सारभूत तत्त्व मानना ही पड़ता है।

गाँधी जी की आध्यात्मिक साधना जो "ईश्वर" से प्रारम्भ हुई उसका पर्यावसान "सत्य" में हुआ, जहाँ "सत्य" और "ईश्वर" एकाकार हो गये। इसका अर्थ यह हुआ कि ईश्वर तत्व का अंकुरण उनमें धार्मिक श्रद्धा-भाव के कारण हुआ, परन्तु, उसकी स्थापना बुद्धि ने की। इसलिए कांग्रेस के प्रतिज्ञा-पत्र से ईश्वर का नाम हटाने की बात उन्होंने सहर्ष स्वीकार कर ली और कहा, "यद्यपि मुझे इसका अभिमान है कि मैंने इसे शामिल कराया था, लेकिन आवश्यकता पड़ने पर ईश्वर का नाम हटाया जा सकता है" उनका व्यवहारिक मानववादी हृदय "रघुपति राघव" और 'नास्तिकवाद' में भी समझौता करने की व्यापकता रखता है।

इसीलिए तो प्रसिद्ध नास्तिक प्रो. रामचन्द्र राव (गोरा) को 1941 ई. में उन्होंने दृढ़तापूवर्क कहा, "नास्तिकता स्वयं अपने अस्तित्व का अस्वीकार है उसके प्रचार में कोई सफल नहीं हुआ।" परन्तु मानवता की प्रगति में उन्होंने रूढ़िगत मान्यताओं को कभी बाधक नहीं बनने दिया और यदि उन्हें "महसूस होता कि मानवता की प्रगति के लिए ईश्वर में विश्वास छोड़ देने की जरूरत है, तो वैसा करने में हिचकिचाते नहीं।"

यह है गाँधी का प्रखर से प्रखरतम मानवतावाद नहीं श्रेष्ठतं किंचित मानुषात। उन्होंने सत्य ही "ईश्वर" है को स्वीकार कर ईश्वर के संकीर्ण अर्थ का परित्याग किया जिससे ईश्वर भक्तों का इतिहास कलंकित होता है और मानवतावादी नास्तिक इसके क्षेत्र से विलग हो जाते है। गाँधी जी ने "सत्य ही ईश्वर है" को स्वीकार कर मात्र तर्कशास्त्र के नियमों का ही पालन नहीं किया बल्कि एक नयी भूमिका का सृजन

कर मनोविज्ञान, नीतिशास्त्र एवं अध्यात्मशास्त्र का क्षेत्र विस्तृत किया तथा मानवता के समक्ष भारतीय चिन्तन की विरासत सत्यम्, शिवम्, सुन्दरम को सुरक्षित रखते हुए एक नवीन आध्यात्मिक साधना का मार्ग प्रस्तुत कर मानवतावाद को आध्यात्मिकता से जोड़ा एवं इस पृथ्वी पर ही मानवोचित गुणों को विकसित कर राम-राज्य की कल्पना की।

गांधी जी के अनुसार वैयक्तिक आत्मा भी अमर एवं आध्यात्मिक सत्ता है गाँधी जी का कहना था कि सभी मनुष्य ईश्वर की संतान है और इसलिए हमारे अन्दर जो दिव्य शक्ति है वह अनन्त है। अतः व्यक्ति बुराईयों पर विजय प्राप्त कर अपने को ईश्वर तक ऊँचा उठा सकता है।

सत्य के संधान के लिए गाँधी जी अनाग्रहवृत्ति एवं अनेकान्त दृष्टि का मंत्र देते हैं। उनके अनुसार मनुष्य का मन जब उद्विग्न हो जाता है तब उसके आचार या विचार में कहीं कोई भूल होती है। इसी से आग्रह वृत्ति का जन्म होता है। आग्रहवाद से छुटकारा पाने के लिए यह आवश्यक है कि "अपनी विचार सारणी से भिन्न विचार सारणी को कभी एकाएक अमान्य नहीं करना चाहिए। इसलिए अनेकान्तवादी दृष्टिकोण आवश्यक है।

अनाग्रह वृत्ति एवं अनेकांत दृष्टि के लिए नम्रता आवश्यक है, क्योंकि जब तक हममें किसी प्रकार का आग्रह रहेगा, सत्य से निरन्तर दूर ही रहेंगे। सत्य के साथ आग्रह असंगत है। आग्रह भाव को समाप्त करने के लिए विनम्रता का भाव होना आवश्यक है। विनम्र व्यक्ति अपने आपको परम शून्य में विलींन कर देता है। नम्रता से अनाग्रह वृत्ति एवं अनेकान्तदृष्टि का उदय होता है। अनेकांत दृष्टि मानसिक अहिंसक दृष्टि है। अहिंसा नम्रता की पराकाष्ठा है। इसलिए सत्य का सम्पूर्ण दर्शन अहिंसा के बिना असंभव है।

अनाग्रह वृत्ति या अनेकांतदृष्टि तथा नम्रता की भावना के बावजूद भी कभी-कभी सत्यासत्य के निर्णय में धर्म संकट उत्पन्न हो जाता है। उस स्थिति में गाँधी जी एक अमोघ अस्त्र को अपनाने की बात कहते हैं वह है अन्तरात्मा की आवाज, परन्तु अन्तरात्मा की बात मानने के पूर्व कई व्रतों को पालन करने का विधान है। आध्यात्मिक साफल्य के

लिए नैतिक एवं आध्यात्मिक साधना अपेक्षित है। इसी उद्देश्य की प्राप्ति के लिए गीता में अभ्यास एवं वैराग्य का निर्देश है। अभ्यास का अर्थ है एकमात्र सत्य के लिए उत्कट अधीरता एवं वैराग्य का अर्थ है सत्य के सिवा अन्य वस्तुओं के प्रति उदासीनता। यम-नियम की शिक्षा पर अमल किए बिना अन्तःकरण की आवाज का दावा व्यर्थ है।

गाँधी जी का तात्त्विक विचार मानवता के कल्याण से इस प्रकार ओत-प्रोत है कि उन्हें एक दूसरे से अलग नहीं किया जा सकता है। उन्होंने कहा, "मेरा ईश्वर में विश्वास है इसलिए लोगों में विश्वास है।" ईश्वर जैविक रूप से मानव प्राणी से एवं समस्त जीवों से बंधा हुआ है। इसलिए जो व्यक्ति जीवों से प्यार करेगा वही ईश्वर की अनुभूति कर सकता है। वास्तविकता तो यह है कि सच्ची मानवता में ही ईश्वर का निवास माना गया है। यही कारण है कि गाँधी जी ने गरीबों के ईश्वर दरिद्रनारायण की पूजा, गरीबी की पूजा के रूप में स्वीकार किया और सामाजिक, आर्थिक एवं राजनैतिक रूप से शोषित व्यक्तियों को "हरिजन" कहा। गाँधी के अन्दर बेकाबू प्रेम का प्रवाह एवं शोषितों का गरीबों के प्रति आत्मीयता का भाव ही उनके मानववाद को विकसित किया एवं मूर्त्त रूप प्रदान किया। यदि अगस्ट कामटे का प्रत्यक्षवाद "मानवता की पूजा" है तो गाँधी जी पीड़ित मानवता के उद्धारक हैं। मानववादी सिद्धान्त की आत्मा "मनुष्य के प्रति अगाध प्रेम" है। गाँधी का सच्चा प्रेम और मानवता के प्रति सम्मान का भाव ही गाँधी जी का अभिव्यक्त मानवतावाद है।

मानव की बुराईयों को देखते हुए गाँधी जी ने कहा, "मानवता के प्रति अपना विश्वास मत खोवो। ....मानवता समुद्र है जिसकी कुछ बूँदे यदि गंदी भी हों तो समुद्र गंदा नहीं होता।"

गाँधी जी के समूचे दर्शन की बुनियाद सत्य-निष्ठा है। उनकी यह मान्यता है कि सारे संसार में ईश्वर ही समाहित है और ईश्वर उनके लिए सत्य का पर्यायवाची है। इस प्रकार सत्य को गाँधी जी के चिन्तन का आधार स्तम्भ कहा जा सकता है। गाँधी के लिए सत्य एवं ईश्वर और ईश्वर एवं सत्य एक-दूसरे पर परस्पर निर्भर करते हैं। गाँधीजी के

अनुसार सत्य के द्वारा ही ईश्वर का अनुभव हो सकता है। जब कभी कोई सच्ची बात कही जाती है, जब कभी कोई सच्ची भावना अनुभूत होती है, तब हम ईश्वर की सत्ता का अनुभव करते हैं। वह है क्योंकि वह सत्य है।

गाँधीजी के लिए सत्य एवं ईश्वर समरूप हैं ईश्वरता के अन्य पहलू यथा सौन्दर्य एवं शिवत्व सत्य से उपलक्षित होते हैं। इसके साथ ही उन्होंने यह माना कि हम इस क्षणभंगुर शरीर के माध्यम से शाश्वत सत्य का प्रत्यक्ष दर्शन नहीं कर सकते तथा सीमाबद्ध मानव असीम सत्य एवं प्रेम को उनकी समग्रता में कभी नहीं जान सकेंगे।

गाँधीजी की मान्यता थी कि निरपेक्ष सत्य सर्वव्यापक, सर्वशक्तिमान और शाश्वत होता है। उन्होंने कहा, "ईश्वर के असंख्य नामों में से यदि एक का चयन किया जाए तो वह सत्य ही होगा। अतः सत्य ही ईश्वर है। सत्य ही वह तत्व है जिससे अन्य तत्व निर्मित हुए हैं। इस प्रकार सत्य अपनी शक्ति के कारण अस्तित्त्व में है। वह किसी अन्य तत्व व शक्ति के समर्थन पर निर्भर नहीं है, अपितु स्वयं समस्त अस्तित्त्वमान तत्वों का मूल आधार है। केवल सत्य ही शाश्वत है और अन्य समस्त तत्व क्षणभंगुर हैं।"

गाँधीजी के दर्शन में सत्य स्थित्यात्मक एवं पूर्ण है किन्तु इसकी बोधगत्यात्मक एवं उपलब्धि आंशिक है। सत्य की उपलब्धि के लिए गाँधीजी ने अन्तःप्रज्ञा द्वारा सत्याग्रह की प्रविधि का विकास किया। गाँधीजी के मतानुसार ईश्वर की प्राप्ति अहिंसा के माध्यम से ही की जा सकती है। अहिंसा के बिना सत्य को खोजना एवं उसे प्राप्त करना संभव नहीं है। अहिंसा एवं सत्य एक-दूसरे से इस प्रकार गुँथे हुए हैं कि उन्हें एक-दूसरे से पृथक् करना व्यवहारतः असम्भव है। वे एक सिक्के के दो पहलू हैं। कौन कह सकता है कौन-सा सीधा और कौन-सा उल्टा पहलू है।

ईश्वर हम सबमें निवास करने वाली अदृश्य शक्ति हैं और नाखून माँस के जितना निकट है। वह हमारे उससे भी अधिक निकट है। ईश्वर हममें प्रत्येक में है। अतः निरपवाद रूप से प्रत्येक मानव से तादात्म्य

स्थापित करना चाहिए। बोलचाल की भाषा में इसे ही प्रेम कहते हैं। प्रेम का अर्थ है कि व्यक्ति अहंकार से पूर्णतः मुक्त हो जाए और स्वयं को शून्य समझने लगे। अतः मनुष्य को चाहिए कि वह काम, क्रोध, मद, लोभ, मोह से ऊपर उठकर आत्मशक्ति को प्राप्त करे। आत्मशक्ति मनुष्य को अपूर्व उत्साह प्रदान करती है क्योंकि उसमें सर्वशक्तिमान सत्ता अर्थात् ईश्वर का अंश होता है।

गाँधीजी की मान्यतानुसार "ईश्वर एक व्यक्ति नहीं है। मैं ईश्वर को एक व्यक्ति नहीं मानता, क्योंकि ईश्वर एक महान् विचार और अपने आप में विधि है।" जैसा पूर्व में स्पष्ट किया जा चुका है कि गाँधीजी के मतानुसार मनुष्य का परम लक्ष्य ईश्वर का साक्षात्कार करना है, किन्तु उसे प्राप्त करने का एकमात्र उपाय उसकी रचना में उसे देखना है और स्वयं को समस्त रचना के साथ एकाकार कर देना है अतएव ईश्वर की सेवा और मानव की सेवा एक ही बात है। मानव की महानता दूसरों की सेवा करने की मात्र पर निर्भर करती है।

चूंकि गाँधीजी ने नैतिकता को जीवन के मूल आधार के रूप में स्वीकार किया है अतः वे धर्म को भी नैतिक नियमों का पर्यायवाची मानते हैं और नैतिकता आन्तरिक स्वीकृति पर आधारित होती है, इसलिए नैतिकता से प्रेरित व्यक्ति स्वेच्छा से अपने स्वधर्म का पालन करता है न कि भौतिक उपलब्धियों अथवा पुरस्कार की प्राप्ति के लिए। उसकी आत्मा उसे कर्तव्य पूरा करने के लिए प्रेरित करती है। व्यक्तिगत हित एवं सामाजिक हित में उसके लिए कोई भेद नहीं होता। यदि मानव केवल अपने सुख के लिए जीता है, तो वह पशु से भी अधिक बुरा है, उसे कल्याण के लिए अपने परिवार, परिवार से ग्राम, ग्राम से समाज तथा समाज से राष्ट्र की ओर बढ़ना चाहिए।

गाँधीजी ने सत्य से अहिंसा को प्राप्त किया। उनके अनुसार, "मैं तो ईश्वर का प्रत्यक्ष दर्शन करना चाहता हूँ, मैं जानता हूँ कि सत्य ही ईश्वर है और ईश्वर को पहचानने का मेरे निकट तो एक ही अचूक साधन अहिंसा है। अहिंसा वह ज्योति है, जिसके द्वारा सत्य का दर्शन होता है। अहिंसा सत्य का प्राण हैं गाँधीजी अहिंसा को मात्र वैयक्तिक गुण

ही नहीं मानते थे, अपितु सर्वोच्च धर्म और जनता के लिए आवश्यक मानते थे। गाँधीजी के मत में अहिंसा सर्वोच्च धर्म और अहिंसा सर्वोच्च नैतिकता है। उनके द्वारा ईश्वर की दी गई इस परिभाषा के कारण गोरा सरीखे नास्तिकवाद के नेता भी उनके अनुयायी थे।

ईश्वर और अशुभ की समस्या

अशुभ के सम्बन्ध में मुख्यत: तीन प्रश्न उठते हैं-अशुभ क्या है? यह क्यों है? तथ शुभ मूल्यों से युक्त ईश्वर की सत्ता के साथ इसकी संगति कैसे हो सकती है? गाँधी इन तीनों का उत्तर अपने चिन्तन में देते हैं। पहले दो प्रश्नों के उत्तर देने में गाँधी मानव बुद्धि को सीमित पाते हैं। फिर भी यथार्थ साध्य ये तर्क देने की कोशिश करते हैं। उनकी राय में शुभ-अशुभ की सत्ता क्यों है और यह क्या है? ये ऐसे प्रश्न हैं जो हमारी सीमित बुद्धि के बाहर है। इस सम्बन्ध में इतना ही जानना पर्याप्त है कि शुभ और अशुभ दोनों की सत्ता है, परन्तु शुभ और अशुभ का भेद केवल मानवीय स्तर का है। ईश्वर की दृष्टि में कुछ भी अुशभ नहीं है।

शंकराचार्य ने अशुभ की व्याख्या माया के आधार पर की थी किन्तु गाँधी इसका खण्डन करते हैं। हिंगोरानी के विचार में गाँधी दृष्टि से शंकर की यह व्याख्या अपूर्ण मानवता की बलबलाहट है। गाँधी यह मानते हैं कि साधक के लिये यह जानना आवश्यक नहीं है कि अशुभ क्या है? उसे इतना ही जानना चाहिये कि ईश्वर शुभ करने वालों की सहायता करता है। अशुभ मानव निर्मित प्रत्यय है। इस रूप में शुभ और अशुभ प्रकाश और अन्धकार के समान आपस में विरोधी है।

शुभ की अपनी स्वतन्त्र सत्ता है, परन्तु अशुभ के रूप में ऐसी बात नहीं है। यह अपनी सत्ता के लिये शुभ स्तर पर आश्रित रहता है। विशुद्ध अशुभ असम्भव है। साधन-साध्य की एकता को मानकर गाँधी यह भी बतलाते हैं कि जो एक परिस्थिति में शुभ है। वह दूसरी परिस्थिति में अशुभ हो जाता है। परन्तु गाँधी ईश्वर और शैतान जैसी दो स्वतत्र शक्तियों की कल्पना नहीं करते। वे शुभ और अशुभ प्रवृत्तियों के बीच सनातन संघर्ष की बात करते हैं। इस संघर्ष में कभी अशुभ विजयी होता

है तो कभी शुभ, परन्तु अन्तिम विजय शुभ की ही होती है। विश्व की सत्ता तभी तक बनी रहती है, जब तक एक भी व्यक्ति का शुभ होता है। ईश्वर धर्म की भाँति गाँधी यह मानते हैं कि ईश्वर ने शुभ और अशुभ दोनों की रचना की है, परन्तु उसने मानव को इन दोनों में किसी एक के ही चयन की स्वतन्त्रता दी है। जब मानव अपनी इच्छा-शक्ति का दुरूप्योग कर गलत कदम उठाता है, तो उसे अशुभ का सामना करना पड़ता है। यहाँ यह प्रश्न उठता है कि ईश्वर क्यों नहीं हमें केवल शुभ कर्म करने के लिये प्रेरित करता है? इसके उत्तर में गाँधी का कहना है कि ईश्वर के पास सत्य, असत्य, हिंसा और अंहिसा कुछ भी नहीं है।

अत: यह प्रश्न ही नहीं उठता कि वह शुभ की ओर हमें क्यों नहीं प्रवृत्त करता है। वह हमें शुभ की ओर नहीं ले जाता है, ऐसा कहा भी नहीं जा सकता। वस्तुत: ईश्वर के सम्बन्ध में यह प्रश्न ही नहीं पूछा जाना चाहिये कि वह बुराइयों से हमें क्यों नहीं मुक्त करता है, क्योंकि ऐसे प्रश्न बराबरी वालों से ही किया जा सकता है। मानव का स्तर ईश्वर के स्तर से भिन्न है। हम ससीम हैं, वह असीम है, हम अल्पज्ञ हैं, वह सर्वज्ञ है।

गाँधी की विशेषता यह है कि वे अशुभ का सृजनकर्त्ता भी ईश्वर को ही मानते हैं। यह सुनने में थोड़ा सा अप्रिय मालूम पड़ता है, लेकिन तथ्य यही है।

प्राय: दयालु ईश्वर और अशुभ धारणा को असंगत माना जाता है। परन्तु गाँधी के अनुसार यह असंगत इसलिये लगता है, क्योंकि हम ईश्वर को व्यक्ति मान लेते हैं। वास्तव में वह नियम और नियामक दोनों है। ऐसे ईश्वर और अशुभ में किसी भी प्रकार का विरोध नहीं है। ईश्वर सत्य स्वरूप है, फिर यदि ईश्वर नियम है, तो इसमें शुभ-अशुभ का रहना अनिवार्य है। एक ही नियम किसी के लिये अशुभ और किसी के लिये शुभ होता है। इसलिये व्यापक नियम की दृष्टि से देखने पर शुभ-अशुभ का भेद विलीन हो जाता है, क्योंकि समीम सत्य के सामने असीम का टिका रहना असम्भव है।

गाँधी की आत्मा की अवधारणा

गाँधी हिन्दुत्व से प्रभावित थे। उन पर हिन्दू धर्म ग्रन्थों रामायण, महाभारत, गीता में निहित दार्शनिक एवं आध्यात्मिक विचारों का पूर्ण प्रभाव था। गाँधी हिंदू धर्म की भाँति आत्मा के अस्तित्व को स्वीकार करते थे। गाँधी के लिये मनुष्य केवल अस्थि-मांस का मात्र न होकर उससे कुछ अधिक है और उसके परे भी कुछ है। उनके अनुसार इन समस्त दृश्य, अस्थायी अचेत पदार्थ समूह के पीछे चैतन्य शक्ति आत्मा है, जो अदृश्य, शाश्वत, सर्वव्यापी एवं स्वप्रबुद्ध है। यह ईश्वर का अंश है। दूसरे शब्दों में यह मनुष्य में निहित ईश्वरता है। उनका कहना है:

ईश्वर और मनुष्य में तथा सृष्टि की निम्नतर योनियों में भी कोई अन्तर्विरोध नहीं है। यह काल और देश का अतिक्रमण करता है और समस्त प्रतिमान विभिन्न सन्तानों को अन्वित करता है पुनः उन्होंने कहा कि "मैं ईश्वर की परिपूर्ण एकता में विश्वास करता हूँ अतः मानवता की भी परिपूर्ण एकता का विश्वासी हूँ"। मैं अद्वैत का विश्वासी हूँ, मैं मनुष्य ही नहीं बल्कि समस्त जीवों की एक अनिवार्य एकता का विश्वासी हूँ।

गाँधी आत्मा के सम्बन्ध में विशेष रूप से गीता-दर्शन पर अवलंबित हैं। उनके अनुसार आत्मा सभी प्राणियों में एकता स्थापित करने वाला एक शाश्वत और अजर-अमर तत्त्व है। शरीर की संख्या अनन्त है। इसके साथ प्राण जुड़े रहते हैं, परन्तु अनेक शरीरों के बीच एक ही आत्मा निवास करती है, तथा शरीर के समाप्त हो जाने के बाद भी इसकी सत्ता समाप्त नहीं होती। यही कारण है कि सत्याग्रही वर्तमान जीवन में विफलताओं को देखकर अधीर नहीं होता।

गाँधी आत्मा को प्राण से भिन्न मानते थे। प्राण के लिये शरीर की आवश्यकता है, परन्तु आत्मा के लिये यह आवश्यक नहीं। आत्मा सचमुच मानव के अन्दर ईश्वर का निवास है। उनके अनुसार एक आधुनिक मनुष्य के लिये आत्मा की अवधारणा को हृदयंगम करना उतना ही कठिन है जितना ईश्वर की अवधारणा को। यद्यपि उपनिषदों ने इस समस्या का विस्तारपूर्वक विवेचन कर अपने ढंग से सन्देहों को दूर करने

प्रयास किया है। 'श्वेताश्वरोपनिषद्' में इसका वर्णन यों है: अंगुष्ठ मात्र, पुरुष, अन्तरात्मा सदा मनुष्यों के हृदयों में सन्निविष्ट यह महान्, अजन्मा, आत्मा वही है, जो प्राणियों में विज्ञान है, जो हृदय में आकाश है।

गाँधी के अनुसार आत्मा शरीर से भिन्न स्वतन्त्र पदार्थ है परन्तु इन्हें वे चरम तत्त्व नहीं मानते। उनके अनुसार चरम तत्त्व तो ईश्वर है जो विश्व का संगठन और विकास करता है। आत्मा शरीर से नीचे की वस्तु है। आत्मा के सम्बन्ध में भी भारतीय दर्शन में विभिन्न मत हैं। सांख्य-दर्शन आत्मा को असंख्य मानता है। शंकराचार्य आत्मा को ब्रह्म से भिन्न नहीं मानते। ज्ञान की अवस्था में आत्मा और ब्रह्म का भेद मिट जाता है। रामानुजाचार्य और अन्य वैष्णव सम्प्रदाय के मानने वालों का यह कहना है कि आत्मा ब्रह्म से भिन्न है। यह वस्तुत: ब्रह्म का ही एक अंग है। यदि भौतिक पदार्थ ब्रह्म का शरीर है तो आत्मा उसका मन है।

डॉ. धीरेन्द्र मोहन दत्त गाँधी के आत्मा सम्बन्धी विचारों को वैष्णव विचार के समीप पाते हैं, क्योंकि गाँधी के कुछ उद्धरणों से आत्मा और ईश्वर का द्वैत स्पष्ट हो जाता है। एक बार वे कहते हैं- "आदम खुदा नहीं लेकिन अवतार मानते हैं।" इनसे तो यही सिद्ध होता है कि आत्मा सचमुच ब्रह्म या ईश्वर से भिन्न है, परन्तु यहाँ भी वास्तव में गाँधी का विचार समन्वयवादी है। गाँधी आत्मा और ईश्वर के बीच में पर्दा डालने वाले तत्त्व के रूप में अहंकार को मानते हैं। अहंकार समाप्त होते ही ईश्वर के साथ एकाकार हो जाते हैं। यहाँ गाँधी शंकराचार्य के नजदीक मालूम पड़ते हैं। परन्तु इस संसार को वे वास्तविक मानते हैं, अत: उन्हें अक्षरश: शंकरवादी कहना भूल होगी।

गाँधी दर्शन में आत्मा का अत्यधिक महत्त्व है। अपनी समस्त योजनाओं एवं कार्यक्रमों में गाँधी मनुष्य के केवल भौतिक व्यवहारों का ही विचार नहीं करते, बल्कि उसकी वास्तविक प्रकृति का उसके सच्चे स्व, उसके आध्यात्मिक तत्त्व का भी विचार करते हैं। आत्मा की सत्ता में विश्वास की आवश्यकता के सम्बन्ध में उनका मत है कि आत्मा शरीर के उपरान्त भी विद्यमान रहती है, इस ज्ञान के कारण सत्याग्रही इसी जीवन में सत्य की विजय देखने के लिये अधीर नहीं होता। अपने

द्वारा सामयिक रूप से अभिव्यक्त सत्य का विरोधी भी ग्रहण कर सके, इसके प्रयास में मरण का भी वरण करने की क्षमता में ही वस्तुतः सत्याग्रही की विजय निहित है।

गाँधी चिन्तन में पुनर्जन्म की अवधारणा

आत्मा में विश्वास करने पर अनिवार्यतः पुनर्जन्म के सिद्धान्त पर विश्वास करना पड़ता है 'श्वेताश्वतरोपनिषद्' में कहा गया है कि इस विराट ब्रह्मचक्र में समस्त जीवों का स्रोत एवं आधार व्यक्ति को अपने को नियन्ता से पृथक् मानकर भ्रमण करते रहने के लिये प्रेरित है। उससे संयुक्त होने पर वह अमरत्व प्राप्त कर लेता है। 'वृहदारण्यकोपनिषद्' हमें बताता है: जिस प्रकार एक स्वर्णकार एक स्वर्ण खण्ड लेकर उससे नवीनतर एवं सुन्दरतर रूप की सृष्टि करता है, उसी प्रकार आत्मा इस शरीर का त्याग कर विद्या के संयोग से अन्य नवीनतर एवं सुन्दरतर रूप ग्रहण करती है। श्री कृष्ण गीता में कहते हैं : जिस प्रकार कोई मनुष्य फटे-पुराने वस्त्रों को त्याग कर नवीन वस्त्र धारण करता है, उसी प्रकार देही अर्थात् आत्मा जीर्ण शरीरों का त्याग कर नवीन शरीर धारण करती है।

गाँधी पर इन धर्मग्रन्थों में निहित विचारों का गहरा प्रभाव पड़ा है। वे भी पुनर्जन्म में विश्वास करते हैं और लिखते हैं– "मैं पुनर्जन्म में उतना ही विश्वास करता हूँ जितना अपने वर्तमान शरीर की सत्ता पर। अतएव, मैं जानता हूँ कि स्वल्प प्रयास भी व्यर्थ नहीं जाता। इस विश्वास के कारण की कल्पना करना कठिन नहीं है। इसी विश्वास के कारण यदि वे अपने स्वप्न को एक वर्ष के भीतर रूपायित नहीं कर पाते हैं तो "वे कई शताब्दियों की अवधि में भी उसके लिये समान रूप से प्रस्तुत रहते हैं।

मानव का स्वरूप

भौतिकवादी चार्वाक को छोड़कर प्रायः सभी भारतीय दार्शनिक मनुष्य को भौतिक (शरीर) एवं आध्यात्मिक (आत्मा) तत्वों का मिश्रण स्वीकार

करते है। आध्यात्मिक तत्व अविनाशी है, जबकि भौतिक तत्त्व (शरीर) नाशवान् है। मनुष्य में इन दोनों तत्वों का अद्‌भुत सामन्जस्य है। बाह्य रूप से दोनों एक ही दिखाई देते हैं, जबकि हैं, अलग-अलग। गाँधी जी के अनुसार भी "मनुष्य न केवल बुद्धि है, न केवल शरीर और न केवल आत्मा। मनुष्य इन तीनों का एक सामन्जस्यपूर्ण संयोग कहा जा सकता है।

तत्वमीमांसीय विचारों के अन्तर्गत गाँधी जी मानते हैं कि ईश्वर ही परमसत् है। इसके अतिरिक्त समस्त चराचर जगत् उनकी अभिव्यक्ति है। वह अनन्त है, इसलिए उनकी अभिव्यक्तियाँ भी अनन्त है। बाह्य रूप शरीर ईश्वर की अभिव्यक्ति है, एवं आन्तरिक रूप में वह आत्मा के माध्यम से स्वयं को अभिव्यक्त करते हैं। इस प्रकार आत्मा और शरीर एक ही सत्ता की अन्तर्बाह्य अभिव्यक्तियाँ हैं। ईश्वर ही सभी व्यक्तियों का आधार है और वही सभी को एकता के सूत्र में बाँधे है।

गाँधी जी शरीर और आत्मा दोनों के आधार के रूप में ईश्वर को ही स्वीकार करते हैं, चूँकि सभी मनुष्यों का आधार ईश्वर है इसलिए सभी में अनन्त ईश्वरीय गुण विद्यमान है, किन्तु अज्ञानता के कारण मनुष्य इन गुणों से अनभिज्ञ है। नैतिक मार्ग का अनुसरण करके इन दैवीय गुणों की प्राप्ति हो सकती है। पशु और मनुष्य जगत में यही अन्तर है। विवेकशीलता के अभाव में पशुओं में नैतिकता एवं धार्मिकता का भी अभाव होता है। पशु का जीवन शुभ-अशुभ के भेद से परे है, जबकि मनुष्य विवेकशील होने के कारण इच्छा-स्वातंत्र्य प्राप्त है, जिसके द्वारा वह शुभ-अशुभ के बीच भेद करने में समर्थ है। इच्छा-स्वातंत्र्य होने का मुख्य कारण सभी मनुष्यों में ईश्वर का निवास है। इसी कारण मनुष्य में अन्तरात्मा, तर्कशक्ति एवं प्रेम भी है। गाँधी जी मनुष्य-मनुष्य के मध्य तात्विक दृष्टि से भेद नहीं मानते। ईश्वर एक की अभिव्यक्ति होने के कारण कोई किसी से श्रेष्ठ व निम्न नहीं है। यदि कोई अपने को दूसरे से श्रेष्ठ समझता है, तो वह मनुष्य होने का अधिकारी नहीं है। गाँधी जी का यह मत ईसाई मत 'सभी मनुष्य ईश्वर के बच्चे है' के निकट है।

गाँधी जी मनुष्य के संबंध में विकास वादी सिद्धान्त के पक्षधर हैं। हरिजन 1938 से उद्धृत ये पक्तियाँ इसकी पुष्टि करती हैं- "हम सभी लोग प्रारम्भ में सम्भवतः पशु ही थे। हम विकास की प्रक्रिया से सम्भवतः मनुष्य बन गये। यह प्रक्रिया निरन्तर चलने वाली है।" यह विकास प्रक्रिया मानव को अहिंसा व प्रेम के मार्ग से ईश्वर तक पहुँचायेगी, जो मानव जीवन का परम लक्ष्य है। इसके साथ ही गाँधी जी का यह भी विश्वास है कि इस शरीर के रहते हम पूर्ण सत् को प्राप्त नहीं कर सकते हैं तथापि हमें आदर्श को प्राप्त करने का प्रयास करते रहना चाहिए। इसका कारण यह है कि शरीर के रहते अहम् का पूर्णरूपेण त्याग संभव प्रतीत नहीं होता।

गाँधी जी ने केवल मनुष्य के स्वरूप जीवन व जीवन के चरम लक्ष्य पर ही ध्यान केन्द्रित नहीं किया है, अपितु मृत्यु पर भी वे गम्भीरता से विचार करते हैं। कतिपय पाश्चात्य दार्शनिकों के मृत्यु सम्बन्धी विचार और गाँधी जी के विचारों में तुलना भी यहाँ हमारा अभिप्रेय है। अस्तित्ववादी दार्शनिकों के मृत्यु सम्बन्धी विचार चौंकाने वाले है। फ्रांसीसी दार्शनिक "ज्याँ पाल सार्त्र" मनुष्य के जन्म एवं मृत्यु दोनों को निरर्थक मानता है। वे कहते हैं कि यह अर्थहीन है कि हम पैदा हुए हैं और यह भी अर्थहीन है। कि हम मरते हैं सात्र कहते है कि "मृत्यु सभी मानव सम्भवनाओं का निरर्थक विनाश है। यह मानव अहं की अर्थहीन अन्त्येष्टि है।"

उपर्युक्त विचारों से गाँधी जी सहमत नहीं हैं। वे मानते हैं कि तात्विक दृष्टि से मृत्यु वास्तविक नहीं है। जिसे हम मृत्यु कहते हैं उसमें शरीरमात्र नष्ट होता है, क्योंकि आत्मा तो अमर है। वे गीता के अनुसरण कर्ता हैं, इसलिए मृत्यु को शरीर परिवर्तन के रूप में स्वीकारते हैं। मृत्यु को गाँधी जी मित्र की संज्ञा देते हुए कहते हैं कि मृत्यु मनुष्य को पीड़ा से छुटकारा दिलवाकर शान्ति प्रदान करती है। यह कह सकते हैं कि मृत्यु संबंधी गाँधी जी के विचार अन्य भारतीय विचारकों से भिन्न है, क्योंकि कमोबेश सभी भारतीय दार्शनिक मृत्यु को दुःखयम मानते हैं और इस पर विजय प्राप्त करने हेतु विभिन्न साधनों का प्रतिपादन करते हैं। यथा-योगी का लक्ष्य अभिनिवेष को प्राप्त करना भी होता है।

मानव-जीवन का लक्ष्य

गाँधी का कथन है, 'जीवन एक प्रेरणा है। इसका लक्ष्य पूर्णता के लिये प्रयासशील रहना है, जो आत्मोपलब्धि है। एक अन्य स्थान पर वे लिखते हैं कि 'जो मैं उपलब्ध करना चाहता हूँ जिसकी उपलब्धि के लिये मैं इन तीस वर्षो से प्रयासशील और लालायित हूँ वह आत्मोपलब्धि है, ईश्वर का साक्षात्कार है, मोक्ष की प्राप्ति है। इसी लक्ष्य की पूर्ति के लिये मैं जीवित हूँ, प्रयत्नशील हूँ, इसी के लिये मेरा अस्तित्व है। मेरे भाषण, मेरे लेख, राजनीतिक क्षेत्र के मेरे समस्त प्रयास .... ये सब के सब, मेरी सम्पूर्ण क्रियायें इसी एक लक्ष्य की ओर निर्दिष्ट है।" मैं सत्य का एक विनम्र अन्वेषी हूँ। इसी जन्म में आत्मोपलब्धि कर मोक्ष पाने के लिये मैं विकल हूँ। मेरी राष्ट्र सेवा भी मेरी आत्मा को माया के बन्धन से मुक्त करने के प्रशिक्षण का एक अंग है। वे इस आदर्श का विधान समूह और व्यक्ति प्रत्येक के लिये करते थे, क्योंकि आत्मा तो सब में एक ही है अतः इसकी सम्भावनायें भी प्रत्येक के लिये एक जैसी ही है। गाँधी के अनुसार "मेरी प्रकृति भी उतनी ही विकारक्षम है जितनी मेरे दुर्बलता बन्धु की है, अतः अन्यों के सदृश्य मुझमें भी त्रुटि होने की सम्भावना है।"

मेरे जीवन को नियन्त्रित करने वाले आदर्श सर्वसाधारण की स्वीकृति के लिये प्रस्तुत किये जाते हैं। मैं क्रमिक विकास द्वारा उन तक पहुँचा हूँ। .... मुझे इसमें रंचमात्र भी सन्देह नहीं है कि स्त्री या पुरुष उसकी उपलब्धि कर सकता है, जिसकी मैंने की है, यदि वह भी वैसे ही प्रयास करे और वैसे ही आशा आस्था पोषित करे। अन्यत्र वे कहते हैं- "और मेरा दावा है कि मैं जिसका अभ्यास करता हूँ, उसका अभ्यास सभी कर सकते हैं, क्योंकि मैं एक अत्यन्त साधारण मरणशील व्यक्ति हूँ और मैं भी उन्हीं प्रलोभनों और दुर्बलताओं का शिकार हो सकता हूँ, जिनका शिकार हमारे छुदातिछूद्र बन्धु हो सकते हैं।"

इस प्रकार गाँधी का जीवन-लक्ष्य हिन्दू तत्त्वदर्शियों के जीवन-लक्ष्य से भिन्न न था, किन्तु यह अत्यन्त आश्चर्यजनक है कि अधिकांश हिन्दू तत्वदर्शियों के अनुसार मुमुक्षु को समस्त लौकिक व्यवहारों से तटस्थ

रहना ही चाहिये। इसी कारण साधक-गण गुफाओं में निवास करते थे, सांसारिक व्यापारों से अनभिज्ञ होते थे और चौबीस घण्टे 'उच्चतर' माने जाने वाले तत्व में निमग्न रहते थे। किन्तु पूर्ववर्ती विवेचन के अनुसार गाँधी संसार को सत्य मानते थे, अतएव कहते थे, "अपने उद्देश्य की पूर्ति के लिये गुफा की शरण लेना मेरे लिये आवश्यक नहीं है।" क्योंकि उनका मत था कि एक गुफा में रहने वाला व्यक्ति हवाई किले बना सकता है, जबकि जनक के समान महल में रहने वाले को किले नहीं बनाने हैं। गुफा में रहने वाला जो विचारों के पंखों के सहारे जगत् पर मंडराता रहता है शान्ति नहीं पा सकता एवं ऐश्वर्ययुक्त वातावरण में निवास करते हुये एक जनक विवेकाद्भूत शांति प्राप्त कर सकता है। केंवल यही नहीं गाँधी अपने लक्ष्य की पूर्ति के लिये गुफा की शरण नहीं लेते, बल्कि वे अतिशय लौकिक, राजनीतिक एवं आर्थिक व्यापारों में भी लगे रहते थे। ऐसा क्योंकि गाँधी का मत था कि वे सत्य के अन्वेषी हैं और मनुष्य सत्य की सर्वव्यापी भावना की उपलब्धि का आकांक्षी है, वह अपने को जीवन के किसी भी क्षेत्र से अलग नहीं रख सकता।

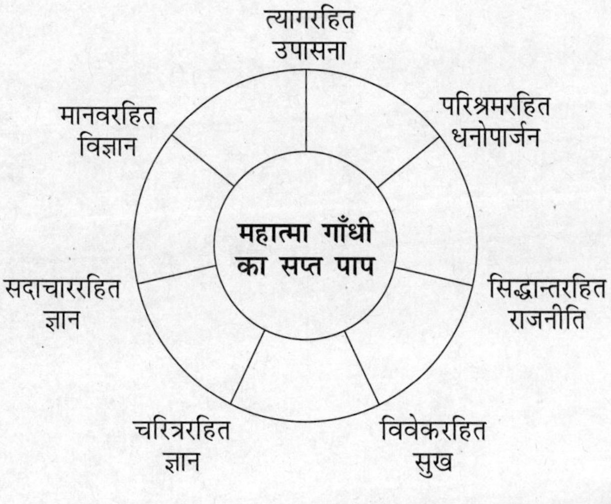

अध्याय 13

मोक्ष की अवधारणा

संपूर्ण भारतीय संस्कृति का अवलोकन किया जाए तो दृष्टिगोचर होता है कि मोक्ष को मनुष्य के जीवन का अंतिम या चरम लक्ष्य के रूप में मूल्यांकन करने का प्रयास किया गया है। भारतीय संस्कृति का यह आध्यात्मिक लक्ष्य है। जहां आत्मा परमात्मा में विलीन हो जाती है, जहां आत्मा के समस्त बंधन समाप्त हो जाते हैं। जहां ईश्वर और आत्मा के बीच एक ऐसा संबंध स्थापित हो जाता है। जिसे किसी भी दशा में अलग नहीं किया जा सकता है, अर्थात् यह वह अवस्था होती है जहां से भवसागर से मुक्ति प्राप्त हो सकती है। भारतीय वैदिक परंपरा के पुरुषार्थ के अंतिम शब्द के रूप में इसे स्वीकार किया गया है।

जहां धर्म-अर्थ-काम-मोक्ष में धर्म को प्राथमिक आधार पर मूल्यांकन करने का प्रयास किया गया है, तो वहीं पुरुषार्थ को जीवन का अंतिम उद्देश्य मानकर मूल्यांकित करने का प्रयास किया गया है। भारतीय दर्शन में मोक्ष का स्वरूप एवं साधन को लेकर अनेक प्रकार की विचारधाराएं दिखाई पड़ती हैं। वैदिक परंपरा हो या श्रमण परंपरा हो दोनों ने इस बात को स्वीकार किया है कि मोक्ष ही जीवन का तथा समस्त दुःखों का अंत है। यही वह मार्ग है, जहां सभी प्रकार के दुःख का समापन हो जाता है भारतीय संस्कृति में भारतीय दर्शन परंपरा का अवलोकन किया जाए, तो चार्वाक दर्शन को छोड़कर सभी दर्शन इसके स्वरूप को स्वीकार करते हैं।

चार्वाक दर्शन के मोक्ष की अवधारणा

समग्रता में संपूर्ण चार्वाक दर्शन का अवलोकन किया जाए तो यह दृष्टिगोचर होता है कि चार्वाक दर्शन प्रत्यक्ष को प्रमाण मानने के कारण संपूर्ण आध्यात्मिक एवं पारलौकिक विषय-वस्तुओं का खंडन करता है, क्योंकि वह ऐसी सत्ता को प्रत्यक्ष के द्वारा नहीं स्वीकार कर सकता है। इस आधार पर आत्मा परमात्मा मोक्ष जैसी पारलौकिक विषय-वस्तु मात्र कल्पना के रूप में देखी जा सकती है। चार्वाक मतानुसार यदि दु:खों की पूर्णता बिना सही मुक्त है, तो फिर उसे जीवन में कभी भी प्राप्त नहीं किया जा सकता है, क्योंकि जीवन में दु:खों को कम किया जा सकता है समाप्त नहीं किया जा सकता है, यह केवल मृत्यु के पश्चात् ही समाप्त किया जा सकता है।

इस संदर्भ में चार्वाक दर्शन में कहा गया है कि मरण एवं अपवर्क अर्थात् मृत्यु ही मोक्ष है परंतु चार्वाक दर्शन ऐसे मोक्ष के स्थान पर काम को ही जीवन का अंतिम पुरुषार्थ के रूप में स्वीकार करता है। अर्थ को जीवन के साधन के रूप में स्वीकार करता है। इस प्रकार स्पष्ट हो जाता है कि चार्वाक दर्शन मोक्ष को स्वीकार नहीं करता है, क्योंकि इसे यह पारलौकिक विषय-वस्तु मानता है। समग्रता में देखा जाए तो मोक्ष की अवधारणा जैसी विषय-वस्तुओं को ही चार्वाक दर्शन अस्वीकार करता है। इस प्रकार हम देखते हैं कि नास्तिक परंपरा में चार्वाक दर्शन मोक्ष के स्वरूप को अस्वीकार करता है।

बौद्ध दर्शन में मोक्ष का स्वरूप

बौद्ध दर्शन का अवलोकन किया जाए तो यह दृष्टिगोचर होता है कि बौद्ध दर्शन में मोक्ष को निर्वाण की संज्ञा से विभूषित किया गया है। यहां निर्वाण का अर्थ राग द्वेष मोह रूपी अग्नि का समाप्त हो जाना है त्रिपिटक में निर्वाण को अर्हत् के रूप में स्वीकार किया गया है।

अर्थात् एक ऐसी अवस्था जहां किसी भी प्रकार का भय न हो परम आनंद, परम शांति, सभी प्रकार के भय से मुक्ति की अवस्था के रूप

में स्वीकार किया गया है। भगवान बुद्ध ने अपने तृतीय आर्य सत्य में निर्वाण के स्वरूप को स्वीकार करते हैं और चौथे आर्य सत्य में निर्वाण प्राप्ति के अष्टांगिक मार्ग की विशेष चर्चा की गई है।

निर्वाण को पाली ग्रंथ में अवर्णनीय माना गया है। अलौकिक शब्दों के माध्यम से इसका निर्वचन संभव नहीं है। प्रसिद्ध बौद्ध उपदेशक नागसेन राजा मिलिंद को निर्वाण का स्वरूप बतलाते हुए कहते हैं कि जिसको निर्वाण का कोई अनुभव नहीं है उसको प्रमाण या तर्कों के द्वारा इसकी अनुभूति नहीं हो सकती है। यह केवल तपस्वी ही समझ सकता है। इस के संदर्भ में स्पष्ट करते हुए कहते हैं कि निर्वाण पर्वत की भांति, मुख्य सागर की भांति शांत अवस्था है। हीनयान संप्रदाय के अनुसार निर्वाण केवल दुःखों का ही अंत है, जबकि महायान दर्शन में इससे दुःखों की समाप्ति के साथ आनंद की सर्वोत्तम अवस्था के रूप में स्वीकार किया गया है।

यहां निर्वाण की दो स्थिति दिखाई पड़ती है–

1. स्व उपाधि, शेष निर्वाण अर्थात् जीवन मुक्ति।
2. अनुपाधिक शेष निर्वाण एक निर्वाण में जीवन मुक्ति के समतुल्य माना जाता है।

इस निर्वाण में इंद्रियाँ शरीर इत्यादि की उपाधियाँ शेष रहती हैं, जबकि अन्य शब्दों में जीवन रहते हुए निर्वाण की प्राप्ति होती है। जिसके स्थान पर कहा गया है कि दूसरे क्रम में निर्वाण को अपकर्मों से मुक्ति भी कहा जाता है, क्योंकि इसमें सभी प्रकार के बंधन समाप्त हो जाते हैं यह शरीर के नष्ट होने के बाद प्राप्त होता है।

इसके साथ ही साथ बौद्ध दर्शन के अन्य संप्रदाय जैसे योगाचार्य विज्ञानवाद एवं माध्यमिक शून्यवाद में अलग-अलग विचार दिखाई पड़ते हैं। विज्ञानवाद के अनुसार निर्वाण अविद्या निवृत्ति का यथार्थ मार्ग है। यहाँ सभी प्रकार के भ्रम समाप्त हो जाते हैं, अर्थात् निर्वाण की प्राप्ति मुद्गलों नए आत्मीय अधर्म से ज्ञान होता है। इस अवस्था के ज्ञान में सभी प्रकार के दुःखों का आवरण समाप्त हो जाता है, जबकि बौद्ध धर्म

नैरात्म के ज्ञान से सभी आवरण समाप्त हो जाते हैं। इन दोनों आवरण के विनाश से मुक्ति की प्राप्ति होती है। माध्यमिक शून्यवाद के अनुसार अज्ञान या अभिनय अविद्या ही सभी प्रकार के बंधन का मूल कारण है। इसी के द्वारा निर्मित विभिन्न दृश्यों एवं कल्पना से लिप्त होने पर ही हमें बंधन होता है। अतः इन विभिन्न दृश्यों एवं कल्पना का उन्मूलन करना ही निर्वाण की वास्तविक अवस्था माना जाता है।

इसलिए कहा गया है कि निर्वाण को सर्व दृष्टि ग्रहण का नाश करने वाला होना चाहिए नागार्जुन के अनुसार मानव बुद्धि के चार कोटियों से ऊपर उठकर ज्ञान प्राप्त करना ही निर्वाण की अवस्था कहलाता है, परंतु यह निर्वाण संसार से पृथक् नहीं है, व्यवहारिक दृष्टि से जो संसार में है वही परमार्थिक दृष्टि से निर्वाण कहलाता है। यही माध्यमिक दर्शन में बोधिसत्व को जीवन का चरम आदर्श के रूप में स्वीकार किया गया है, जो संसार के सभी प्राणियों को सदैव क्रियाशील रहने के लिए प्रेरित करता है।

सांख्य दर्शन में मोक्ष की अवधारणा

सांख्य दर्शन को द्वैतवादी दर्शन भी कहा जाता है, क्योंकि यहां पर प्रकृति और पुरुष के बीच सत्ता को स्पष्ट करने का कार्य किया जाता है। यहां मोक्ष की अवस्था पुरुष प्राप्त करता है, प्रकृति ही पुरुष के लिए सभी प्रकार के बंधन को उत्पन्न करती है। बंधन में केवल पुरुष पड़ता है सांख्य दर्शन में पुरुष को नित्य स्वतंत्र मुक्त रहने की वकालत की जाती है; परंतु यह पुरुष अविद्या के कारण प्रकृति के अनेक प्रकार के भाव या बंधन में फंसकर अपने यथार्थ स्वरूप को भूल जाता है।

सांख्य दर्शन में पुरुष को अपने यथार्थ स्वरूप को समझना ही मोक्ष की अवस्था माना गया है। पुरुष अपने को प्रकृति के विकार, बुद्धि, अहंकार, मन आदि सुक्ष्म शरीर से संबंध स्थापित कर लेता है। जिसके कारण ही उसे बंधन की स्थिति से गुजरना पड़ता है। यहां बंधन के निराकरण हेतु आध्यात्मिक अनुशासन को आवश्यक माना गया है।

इसके लिए अष्टांग योग, यम, नियम, आसन, प्राणायाम, प्रत्याहार, धारणा, ध्यान, समाधि की विवेचना योग दर्शन में स्पष्ट रूप से की

गई है। जिनके अनुपालन से कैवल्प ज्ञान की प्राप्ति होती है। अर्थात् इस अवस्था में पुरुष का प्रकृति से अपनी भिन्नता का ज्ञान प्राप्त होता है। यही मोक्ष की अवस्था कहलाती है। इस अवस्था में आकर पूर्व में व्याप्त सांसारिक मानसिक जैसे त्रिविध दु:खों का संपूर्ण विनाश हो जाता है। मोक्ष की स्थिति में पुरुष अपने स्वाभाविक शुद्ध चौतन्य स्थिति को प्राप्त कर लेता है। इसमें उसके समस्त दु:खों का अंत हो जाता है, परंतु यह आनंद की स्थिति नहीं होती है, क्योंकि इस अवस्था को सत्व गुण का लक्षण माना गया है, जबकि पुरुषों को त्रिगुणातीत माना गया है।

यहां यह उल्लेखनीय है कि पुरुष वास्तव में न बंधन में पड़ता है और न ही मुक्त होता है। यदि पुरुष वास्तव में बंधन में पड़ता है, तो फिर सैकड़ों जन्मों में भी वह मुक्त नहीं हो सकता, क्योंकि वास्तविक बंधन कभी नष्ट नहीं किया जा सकता है। प्रकृति ही बाधित होती है और मुक्त भी होती है।

ईश्वर कृष्ण अपनी संघ कार्य का सत्पकपिवाद की अवधारणा में स्पष्ट करते हुए कहते हैं कि पुरुष वास्तव में न बंधन में पड़ता है, न मुक्त होता है तथा न तो उसका पुनर्जन्म होता है। बंधन, मोक्ष, पुनर्जन्म आदि विभिन्न रूपों में प्रकृति ही विचरण करती है। अत: इससे स्पष्ट होता है कि बंधन और मोक्ष एक प्रकार से पुरुष पर आरोपित है वास्तविक नहीं है। सांख्य दर्शन जीवन मुक्ति और विदेह मुक्ति दोनों को स्वीकार करता है। यही स्वरूप हमें कहीं न कहीं व्यवहारी के स्तर पर योग दर्शन में भी दिखाई पड़ती है। इससे यह स्पष्ट हो जाता है कि जहां सांख्य दर्शन पुरुष और प्रकृति के सैद्धांतिक स्वरूप को स्पष्ट किया, वहीं योग दर्शन उसके व्यवहारिक स्वरूप को स्पष्ट करने का प्रयास किया।

वेदांत दर्शन में मोक्ष की अवधारणा

सांख्य दर्शन के सामान वेदांत दर्शन में भी विशेषकर शंकराचार्य के दर्शन में दोनों मुक्ति की अवस्था को स्वीकार किया गया है। इन दर्शनों के अनुसार मनुष्य संसार में जीवित रहते हुए भी मोक्ष प्राप्त कर सकता है। अत: उनके लिए मृत्यु अनिवार्य नहीं है।

न्याय और वैशेषिक दर्शन आत्मा को समस्त अनुभव का मूल आधार तथा ज्ञाता कर्ता भोक्ता आदि के रूप में स्वीकार करते हैं। वेदान्त दर्शन के अनुसार आत्मा नित्य मुक्त शुद्ध चैतन्य स्वरूप है, परंतु अविद्या के कारण वह शरीर इंद्रीय इत्यादि उपाधियों से युक्त होकर बंधन ग्रस्त हो जाती है। जीव अपने को सभी प्रकार के शुभ एवं अशुभ कर्मों का कर्ता एवं भोक्ता मानने लगता है परिणामस्वरूप वह दु:खों में दिन-प्रतिदिन फंसता चला जाता है।

यही अवस्था जन्म मरण चक्र की अवस्था के रूप में जाना जाता है। यही जीव की बंधन की अवस्था है, चूंकि अब विद्या के कारण जीवन में कारणतापन का भाव एवं भोक्ता का भाव की उत्पत्ति होती है। अत: मोक्ष प्राप्ति हेतु अविद्या निवृत्ति पर बल दिया गया है। अविद्या निवृत्ति से दु:ख निवृत्ति हो जाती है। वेदान्त दर्शन के अनुसार अविद्या के निवृत्ति हेतु ज्ञान आवश्यक माना गया है। इसके लिए वेदांत का अध्ययन अपरिहार्य है, किंतु वेदांत के अध्ययन से पूर्व साधना की आवश्यकता होती है, ताकि साधक की शारीरिक एवं मानसिक शुद्धि किया जा सके तथा वह सच्चा अधिकारी बन सके इसके लिए साधन चतुष्टय का पालन करना अपरिहार्य माना गया है। साधन चतुर्थी का वर्णन इस प्रकार है–

1. **नित्यानित्य वस्तु विवेक** अर्थात् साधक को नित्य एवं अन्य वस्तुओं में विभेद करने का ज्ञान प्राप्त होना चाहिए।
2. **इहमूर्ताथ्** अर्थात् साधक इस लोक एवं परलोक में आसक्ति का परित्याग करना चाहिए।
3. **समताम** अर्थात् साधक को समदम श्रद्धा समाधान उपपत्ति तितिक्षा से मुक्त होना चाहिए। इसके लिए निम्नलिखित आशय है–

क. मन का संयम

ख. साम-दाम अर्थात् इंद्रियों पर नियंत्रण।

ग. श्रद्धा अर्थात् शास्त्रों के प्रति निष्ठा का भाव।

घ. **समाधान** अर्थात् जैविक चेतना का ज्ञान के साधन में लगना।

ङ. **उपपत्ति** अर्थात् नकारात्मक कार्यों से स्वयं को पृथक् रखना।

च. **तितिक्षा** अर्थात् सर्दी गर्मी सहने की शक्ति को विकसित करना।

4. मुमुक्षत्व - साधक में मोक्ष प्राप्ति की तीव्र अभिलाषा होनी चाहिए साधन चतुष्टय से युक्त होकर साधक योग्य गुरु के पास जाकर श्रवण मनन निघासन की प्रक्रिया को संपन्न करता है, तब साधक में ब्रह्म प्राप्ति की उत्प्रेरणा या जिज्ञासा उत्पन्न हो जाती है। तब गुरु साधक से कहता है कि तत्वमसि अर्थात् तुम ही ब्रह्म हो तब साधक गुरु की बात पर ध्यान केंद्रित करता है। उसकी एकाग्र चित्त अनुभूति उसको आत्मसाक्षात्कार करने में सहायता प्रदान करती है। उसके अंदर यह भाव आ जाता है कि **अहम् ब्रह्मास्मि** अर्थात् मैं ही ब्रह्म हूं यहां तत्वमसि जहां उपदेश मूलक वाक्य है।

वही इस उपदेश मूलक वाक्य के पश्चात् उसके शब्द बोध होने के बाद अहम् ब्रह्मास्मि एक प्रकार की अनुभूति मूलक वाक्य है। यहां ब्रह्म की प्राप्ति किसी नवीन वस्तु स्थिति की प्राप्ति नहीं है, बल्कि यह प्राप्ति की व्यवस्था है। जहां से सभी प्रकार के बंधन समाप्त हो जाते हैं।

इसको एक उदाहरण से समझा जा सकता है कि जब एक स्त्री के गले में हार हो और वह अज्ञानता के कारण बाहर ढूंढ़ रही होती है, परंतु जैसे ही उसे बताया जाता है कि उसका हार उसके गले में है, तो वह उसे जान लेती है। यहां हार प्राप्ति रूप से नहीं हो रही है। इस प्रकार ब्रह्म की प्राप्ति किसी नवीन स्थिति की प्राप्ति नहीं है, बल्कि जीव अपने मूल स्वभाव ब्रह्म में लौट जाता है, अर्थात् ब्रह्म के यथार्थ स्वरूप को समझ जाता है।

इसी संदर्भ में यह कहा जा सकता है कि ब्रह्मविद्या ब्रह्में भवति अर्थात् ब्रह्म को जानने वाला ही ब्रह्म हो जाता है। शंकराचार्य के अनुसार

वास्तव में ज्ञान होने और मोक्ष की प्राप्ति में कोई अंतर नहीं है। ब्रह्म की अपरोक्ष अनुभूति में ही ब्रह्म ज्ञान की चरम परिणति हो जाती है।

ब्रह्म ज्ञान में ज्ञाता का ज्ञान एवं ब्रह्म ज्ञान का कोई अंतर नहीं रह जाता है। यहां परम ज्ञान परम लक्ष्य एवं परम तत्व को एक ही माना गया है। इस प्रकार यहां परम रूप में कोई तत्वमीमांसीय या ज्ञानमीमांसीय में भेद नहीं रह जाता है। यहां जीव और ब्रह्म में तादात्म्य संबंध स्थापित हो जाता है। यहां ब्रह्म होना जीवात्मा के व्यक्तित्व का विनाश नहीं है, बल्कि स्वयं के व्यक्तित्व का ब्रह्म की अस्मिता तक विस्तार है। मुख्य की स्थिति में आत्मा सच्चिदानंद के यथार्थ स्वरूप का सोपान कर लेती है। इस प्रकार हम देखते हैं कि शंकराचार्य ने जीवन मुक्ति के साथ अपकर्मी मुक्ति के स्वरूप को भी स्वीकार करते हैं।

जीवन मुक्ति के संदर्भ में शंकर की अवधारणा

शंकराचार्य जीवन मुक्ति को स्वीकार करते हुए कहते हैं कि मोक्ष की अवस्था में शरीर का नाश नहीं होता है, बल्कि शरीर में आत्मा के होने वाले अज्ञानता का नाश हो जाता है। मुख्यतः यहाँ जीवन शरीर रहित नहीं है बल्कि शरीर संबंध रहित जीवन मुक्ति सारी अज्ञानता से मुक्ति शरीर में रहते हुए भी हो सकती है। अतः जीवन मुक्ति संभव है। मोक्ष प्राप्त व्यक्ति का शरीर उसके प्रारब्ध कर्मों के अनुसार कुछ समय तक विद्यमान रहता है, तथा प्रारब्ध कर्मों के समाप्त होने के फलस्वरूप शरीर का विनाश हो जाता है।

इसी अवस्था को विदेह मुक्ति की अवस्था कहा जाता है। यहां शंकराचार्य जीवन मुक्ति का प्रतिपादन करते हुए कहते हैं कि ज्ञानी व्यक्ति जीवित अवस्था में ही मुक्ति प्राप्त कर लेता है।

उसी प्रकार जिस प्रकार अपने अंदर के अज्ञानता को निकाल देता है और एक नया स्वरूप प्राप्त कर लेता है। ठीक उसी प्रकार निर्वाण की अवस्था भी है। इसके साथ-साथ वेदांत दर्शन में विशिष्ट अद्वैत जैसे रामानुजाचार्य वल्लभाचार्य जैसे विचारकों का अवलोकन किया जाए तो यह दृष्टिगोचर होता है कि इन सभी ने भक्ति योग को

आधार बनाकर जीवन मुक्ति एवं विदेह मुक्ति के स्वरूप को स्वीकार किया है। भक्ति मार्ग के आधार पर मुक्ति के यथार्थ स्वरूप का मूल्यांकन करते हैं। इस आधार पर देखा जाए तो जहां मोक्ष प्राप्ति के संदर्भ में शंकराचार्य ने ज्ञान योग पर अधिक बल दिए था वहीं वैष्णो मतानुयायी भक्ति मार्ग पर अधिक बल देते हुए मोक्ष प्राप्ति का स्वरूप स्पष्ट करते हैं।

रामानुजाचार्य के द्वारा अद्वैतवेदान्त के मोक्ष स्वरूप की आलोचना

1. रामानुजाचार्य के अनुसार शंकर के जीवन मुक्ति की अवधारणा को स्वीकार नहीं किया जा सकता है, क्योंकि यदि बंधन का अर्थ आत्मा का शरीर के साथ संबंध स्थापित करना है, तो फिर शरीर सहित मुक्ति की कल्पना करना आत्मघाती होगा।
2. रामानुज के अनुसार इस सिद्धान्त में माया कठिनाई उत्पन्न कर सकती है, क्योंकि यदि माया सत्य है, तो फिर मोक्ष की प्राप्ति नहीं हो सकती है। यदि माया असत्य है, तो फिर मोक्ष की प्राप्ति का प्रयास व्यर्थ हो जाता है। माया को सत्य असत्य भी नहीं कहा जा सकता है, क्योंकि ऐसी अवस्था में आत्म विरोधी अवस्था माना जाता है।
3. रामानुज के अनुसार जगत जीवात्मा उस का बंधन उसका मुक्त ईश्वर आदि सभी अनंत वास्तविक नहीं हैं। ऐसी स्थिति में शंकर के दर्शन में मोक्ष की महत्ता घट जाती है। इस प्रकार हम देखते हैं कि अनेक विरोध होने के बावजूद भी शंकराचार्य द्वारा प्रतिपादित मोक्ष की अवधारणा केवल भारतीय दर्शन में बल्कि समकालीन भारतीय दर्शन के सभी विचारकों के लिए एक ऐसा आधार तैयार करती है। जहां से सभी ने अपने संपूर्ण वैचारिक दर्शन का उद्‌भव एवं समागम करते हैं।

मोक्ष के स्वरूप के विषय में रामानुज का महत्व अद्वैतवेदान्त के मत से कुछ भिन्न है। अद्वैतवेदान्त के अनुसार ब्रह्म का जीव का पूर्ण अभेद अथवा तादात्म्य संबंध ही मोक्ष है, किंतु रामानुज इस मत को स्वीकार नहीं करते हैं। उनका कथन है कि मोक्ष प्राप्ति के पश्चात् जीव ईश्वर के स्वरूप और गुणों को प्राप्त करके उसके समान हो जाता है परंतु वह ईश्वर में लीन नहीं होता है।

अर्थात् मोक्ष के फलस्वरूप जीव का ईश्वर के साथ एक तादात्म्य संबंध नहीं होता है। अतः स्पष्ट है कि रामानुज के विचार में मोक्ष प्राप्त कर लेने पर भी जीव ईश्वर से भिन्न रहता है, किंतु समस्त कर्मों इच्छाओं के नष्ट हो जाने के कारण वह पुर्ण संसार में जन्म लेकर दुःखों तथा बंधनों में नहीं पड़ता है।

मोक्ष अवस्था में जीव ईश्वर में विलीन होकर उसके समकक्ष हो जाता है। इसके अलावा रामानुज केवल विदेह मुक्ति को ही स्वीकार करते हैं। जीवनमुक्ति को स्वीकार नहीं करते हैं, उनका मत है कि शरीर के नष्ट हो जाने पर भी जीव को मोक्ष प्राप्त हो सकता है।

मोक्ष प्राप्ति के फलस्वरूप जीव के समस्त बंधन एवं दुःख का आत्यंतिक विनाश हो जाता है, और सदा के लिए ईश्वर के सानिध्य का महान आनंद प्राप्त कर लेता है। इस प्रकार न्याय तथा मीमांसा के विपरीत रामानुज मोक्ष को जीव की चैतन्य युक्त एवं आनंद पूर्ण अवस्था मानते हैं। इस दृष्टि से मोक्ष के विषय में उनका मत अद्वैतवेदान्त के मत के समान ही प्रतीत होता है। यह समझना कठिन नहीं है कि रामानुज द्वारा वर्णित मोक्ष की अवधारणा भी मूलतः निषेधात्मक है, क्योंकि मुक्त विषयक यह सिद्धांत मनुष्य को उसके वर्तमान जीवन में दुःख निवृत्ति का कोई आश्वासन नहीं देता है।

ऐसी स्थिति में रामानुज द्वारा वर्णित मोक्ष भी मानव जीवन का उच्चतम आदर्श और अंतिम धेय नहीं हो सकता है। इस प्रकार अन्य दार्शनिकों के मुख्य संबंधित सिद्धांत के समान रामानुज का मोक्ष का सिद्धांत भी संतोषप्रद नहीं प्रतीत होता है।

जैन दर्शन में मोक्ष की अवधारणा का स्वरूप

संपूर्ण जैन दर्शन का अवलोकन किया जाए तो यह दृष्टिगोचर होता है कि मोक्ष के संबंध में जैन दर्शन का मत है कि स्वयं अपने नैतिक प्रयास के परिणामस्वरूप समस्त कर्मों के प्रभाव से पूर्णता मुक्त होकर आत्मा अथवा जीव द्वारा अपने स्वाभाविक गुणों को पुनः प्राप्त कर लेना ही कैवल्य कहलाता है।

मोक्ष के स्वरूप के संबंध में स्पष्ट है कि जैन दर्शन भी विदेह मुक्ति के स्वरूप को स्वीकार करता है। जीव समस्त कर्मों से तभी मुक्त हो सकता है, जब उसके शरीर का अंत हो जाए। इसका अर्थ यह है कि मनुष्य के वर्तमान जीवन में मोक्ष की कोई संभावना नहीं है। मोक्ष प्राप्ति के लिए उसकी मृत्यु अनिवार्य है। ऐसी स्थिति में यह कहना अनुचित नहीं होगा कि जैन दर्शन द्वारा प्रस्तुत मोक्ष की अवधारणा भी निषेधात्मक ही है, परंतु ऐसा निषेधात्मक मुक्त मनुष्य के जीवन का लक्ष्य नहीं हो सकता है।

मोक्ष के विषय में बौद्ध दर्शन के अनुसार आत्मा, मानसिक प्रवृत्ति, भावनाओं तथा विचारों के संघात के अतिरिक्त और कुछ नहीं है। इस प्रकार आत्मा की सत्ता और अमरता के विषय में बौद्ध दर्शन का मत आस्तिक दर्शन तथा जैन दर्शन के मत से भिन्न दिखाई पड़ता है, परंतु मानव जीवन के अंतिम लक्ष्य के संबंध में बौद्ध दर्शन इन सभी दर्शनों से पूर्णता सहमत है। इस प्रकार हम देखते हैं कि जैन दर्शन में मोक्ष की अवस्था प्राप्त करने के लिए त्रिरत्न का पालन करना अति आवश्यक बताया गया है।

इसके अंतर्गत **सम्यक् दर्शन, सम्यक् ज्ञान तथा सम्यक् चरित्र** का निरत्तर पालन दिखाई पड़ता है। इसी के माध्यम से साधक कैवल्य की प्राप्ति करता है। जहां उसे नित्य प्रतिदिन तीर्थंकर के द्वारा बताए गए मार्ग का पालन करते हुए अपने अंदर व्याप्त अज्ञानता को दूर करने का प्रयास करना चाहिए, क्योंकि जीव कर्म के बंधन में फंस जाने के कारण ही अनेक प्रकार के दुःखों को प्राप्त करता है। उसके समस्त मानसिक शारीरिक

आध्यात्मिक दुःख का उन्मूलन त्रिरत्न का पालन करने से ही संभव है।

निष्कर्ष: यह कहा जा सकता है जैन दर्शन में मोक्ष की अवधारणा कर्म बंधन के मुक्ति के फलस्वरूप ही प्राप्त होता है क्योंकि कर्म के बंधन में पड़ने के कारण ही जीव को अनेक प्रकार के दुःख होता रहता है।

मीमांसा दर्शन में मोक्ष की अवधारणा

न्याय मीमांसा के अनुसार मोक्ष आत्मा को परमात्मा से मिलने के पश्चात् मिलता है। इसे मोक्ष को चेतना विहीन अवस्था मानते हैं। जहां न्याय वैशेषिक में अज्ञानता के निराकरण हेतु ज्ञान मार्ग को स्वीकार किया गया है। वहीं मीमांसा दर्शन में कर्म मार्ग को प्रधानता दी गई है। बंधन के निवारण हेतु यह नित्य नैमित्तिक एवं निष्काम कर्म के संपादन पर अधिक बल दिया गया है इसी के माध्यम से ही आत्मा को मुक्ति मिलती है।

इन कर्मों के संपादन में आत्मा शरीर इंद्रिय मन आदि से मिलकर अपनी वास्तविक स्थिति को भूल जाता है। यहां पर पंच जगत के साथ आत्मा के समस्त बंधन जुड़ते जाते हैं। जिसके कारण उसे दुःख झेलना पड़ता है। इस प्रकार हम देखते हैं कि मीमांसा दर्शन में मोक्ष प्राप्ति हेतु कर्म बंधन में चैतन्य को शुद्ध करके सभी प्रकार के दुःखों को कर्म मार्ग से प्राप्त किया जा सकता है।

न्याय-वैशेषिक दर्शन में मोक्ष की अवधारणा का स्वरूप

न्याय वैशेषिक दर्शन में मोक्ष को अपवर्ग के रूप में स्वीकार किया गया है। अपवर्ग का अर्थ है जीवात्मा का सभी प्रकार के दुःख और उन दुःखों के कारण की आत्यंतिक निवृत्ति अर्थात् इस अवस्था में मनुष्य के समस्त दुःखों का समापन हो जाता है।

इनके अनुसार आत्मा अपने मूल रूप में चेतना विहीन है। आत्मा में चेतना का आगमन तब होता है, जब आत्मा का मन से बाह्य इंद्रियों से और ज्ञानेन्द्रियों का संबंध वस्तु से होता है। आत्मा अज्ञानता के कारण ही बंधन में पड़ती है। शरीर इंद्रिय आदि से जुड़ने के बाद उसे सुख-दुःख की प्राप्ति होती है।

न्याय मतानुसार अपवर्ग की स्थिति में समस्त प्रकार के दुःखों का पुण्य निरोध हो जाता है। जहां इन्द्रिय शरीर आत्मा के बीच व्याप्त उचित संबंध का ज्ञान हो जाता है, क्योंकि इंद्रियों से प्राप्त वाह्य वस्तुओं के यथार्थ स्वरूप का ज्ञान प्राप्त करने के लिए हमें 16 पदार्थों का तत्व ज्ञान होना आवश्यक माना गया है।

वहीं वैशेषिक दर्शन में 7 पदार्थों के तत्व ज्ञान को आवश्यक माना गया है। यहां तत्वज्ञान के साथ मोक्ष प्राप्ति हेतु श्रवण मनन निद्यासन को भी अत्यंत आवश्यक माना गया है। इनके अनुपालन से निष्काम कर्म के संपादन से आत्मा अपनी स्वाभाविक स्थिति को प्राप्त करती है जिसे मुक्ति की यथार्थ अवस्था कहा जाता है, क्योंकि आत्मा अज्ञानतापूर्ण चेतना विहीन होती है।

मोक्ष की अवस्था में दुःखों के साथ-साथ सुख एवं चेतना के सभी सम्बन्ध समाप्त हो जाते हैं। इस प्रकार हम देखते हैं कि न्याय वैशेषिक दर्शन में भी विदेह मुक्ति को स्वीकार किया गया है। यहां भी मोक्ष को निषेधात्मक रूप में परिभाषित किया गया है, क्योंकि उनके अनुसार मोक्ष की अवस्था में आत्मा के दुःखों का ही आत्यंतिक विनाश होता है। उसे किसी प्रकार के आनंद की उपलब्धि नहीं होती है।

मोक्ष प्राप्ति के पश्चात् आत्मा में सुख-दुःख, राग, द्वैष, इच्छा, प्रयत्न धर्म-अधर्म संस्कार आदि का कोई भी अनुभव शेष नहीं रह जाता है। इतना ही नहीं मोक्ष की अवस्था में पहुंचकर आत्मा ज्ञान और चेतन से भी शून्य हो जाती है। वात्स्यायन एवं अन्य न्यायिक दर्शन की उचित उक्त के संबंध में शंकर की इस मत का खंडन किया है। आत्मा और ब्रह्म के बीच एक तादात्म्य संबंध एवं आनंद की अवस्था को मोक्ष कहते हैं।

न्याय वैशेषिक के अनुसार सुख-दुःख आदि समस्त अनुभव तथा ज्ञान एवं चैतन्य से रहित आत्मा की विशुद्ध अवस्था को मोक्ष कहा जाता है। जिसे प्राप्त करके वह जन्म-मरण के सांसारिक चक्र से पूर्णतया मुक्त हो जाता है। मोक्ष की इस परिभाषा से स्पष्ट है कि यह दोनों दर्शन विदेह मुक्ति में विश्वास करते हैं। न्याय वैशेषिक द्वारा वर्णित मोक्ष के स्वरूप की तीव्र आलोचना करते हुए उसे पूर्णतः अस्वीकार किया गया

है। उनका कथन है कि न्याय वैशेषिक ने मोक्ष प्राप्ति के पश्चात् इस अनुभव रहित तथा चेतना शून्य आत्मा की अवस्था का वर्णन किया है। उसमें लकड़ी पत्थर आदमी जीव भौतिक वस्तुओं में कोई अंतर नहीं दिखाई पड़ता है।

इस प्रकार हम देखते हैं कि संपूर्ण भारतीय दर्शन में मोक्ष के स्वरूप को सभी ने अपने तरीके से मूल्यांकन करने का प्रयास किया है। जिसका स्वरूप आर्थिक अवस्था में अलग दिखाई पड़ता है; जबकि नास्तिक परंपरा में अलग दिखाई पड़ता है, लेकिन सभी दर्शन संप्रदाय का एक ही उद्देश्य है कि अंततोगत्वा जीव के अंदर से सभी प्रकार के दुःखों का निदान किया जाए चाहे इसके लिए वह ज्ञान मार्ग, कर्म मार्ग तथा भक्ति मार्ग का सहारा लेकर अष्टांगिक मार्ग के साथ त्रिरत्न का आधार लेकर मूल्यांकित करने का प्रयास करते हैं। इस प्रकार यह स्पष्ट हो जाता है कि मोक्ष की अवस्था को प्राप्त करने के लिए कुछ साधन माने गए हैं जो इस प्रकार हैं–

मोक्ष प्राप्ति के साधन

मुख्य साधन के विषय में भारतीय दर्शन में वर्णित अनेक मतभेद दिखाई पड़ते हैं। कुछ दर्शन आत्मज्ञान अथवा तत्वज्ञान को मोक्ष प्राप्ति का साधन मानते हैं, तो वहीं कुछ अन्य दर्शन के अनुसार निष्काम कर्म द्वारा भी मोक्ष प्राप्त किया जा सकता है। इन दोनों साधनों के अतिरिक्त भक्ति मार्ग को भी मोक्ष प्राप्ति के साधन के रूप में स्वीकार किया गया है इस प्रकार हम देखते हैं कि संपूर्ण भारतीय दर्शन में मोक्ष प्राप्ति के तीन साधन–ज्ञान मार्ग, कर्म मार्ग और भक्ति मार्ग दिखाई पड़ते हैं।

यहीं से ज्ञान योग, कर्म योग और भक्ति योग का प्रादुर्भाव होता है जिसका अतुलनीय संगम श्रीमद्भगवतगीता में दिखाई पड़ता है। जिसके आरंभिक अध्याय कर्म मार्ग पर अधिक बल देते हैं, तो वहीं मध्य के अध्याय भक्ति मार्ग पर अधिक बल देते हैं तथा श्रीमद्भगवतगीता के अंतिम अध्याय ज्ञान योग के साथ कर्म भक्ति ज्ञान में अतुलनीय संगम को मूल्यांकित करने का प्रयास करते हैं, जिसका वर्णन इस प्रकार है–

1. कर्म मार्ग का स्वरूप

ज्ञान मार्ग के अतिरिक्त कर्म मार्ग अथवा कर्म योग को भी मुक्ति का साधन माना गया है, जो व्यक्ति अधिक संकल्प प्रधान तथा कर्मशील होते हैं। वह मोक्ष के लिए कर्म मार्ग का अनुसरण करते हैं। यह सत्य है कि अधिकतर भारतीय दर्शन में कर्म को बंधन का कारण माना गया है, किंतु सभी कर्मों के विषय में ऐसा नहीं कहा जा सकता है। स्वयं अपने लाभ या हित से प्रेरित होकर किया वाला आसक्ति पूर्ण कार्य कर्म अवश्य ही मनुष्य को दुःख में डालते हैं, क्योंकि इसके माध्यम से हमें राग द्वेष मोह आदि उसकी स्वार्थ पूर्ण प्रवृत्तियों की पुष्टि करते हैं। परंतु निष्काम कर्म मनुष्य के बंधन का कारण नहीं बनते हैं यह कर्म स्वार्थ सिद्धि के लिए नहीं बल्कि केवल लोक कल्याण के लिए किए जाते हैं।

अतः इनके कारण मनुष्य बंधन से मुक्त नहीं होता है। इसके विपरीत यह निष्काम कर्म मनुष्य को अहंकार एवं स्वार्थ की भावना से ऊपर उठकर उसे मुक्ति के पथ पर अग्रसर करने का कार्य करते हैं। यही कारण है कि फल की इच्छा रहित ऐसे कर्म निष्काम कर्म से ही मुक्ति का मार्ग स्वीकार किया गया है। श्रीमद्‌भगवतगीता में निष्काम कर्म को ही मुक्ति का उत्कृष्ट मार्ग माना गया है। भगवान कृष्ण का कथन है कि जो मनुष्य फल की आसक्ति को त्याग कर केवल लोक संग्रह के लिए स्वधर्म के अनुरूप निष्काम भाव से समस्त कर्म करता है उसे मोक्ष की प्राप्ति होती है।

ऐसा मुक्त पुरुष सुख-दुःख, लाभ-हानि और विजय आदि से ऊपर उठकर अपने कर्म के फल की चिंता किए बिना केवल स्वधर्म अथवा अपने कर्तव्य का पालन करने के लिए कर्म करता है। वह संसार में रहते हुए समस्त बंधन और दुःखों से मुक्त हो जाता है। स्वार्थ और अहंकार से मुक्त होकर वह अपना संपूर्ण जीवन लोक कल्याण के लिए समर्पित कर देता है।

ऐसे मुक्त पुरुष को गीता में कर्म योगी या स्थितिप्रज्ञ की संज्ञा दी गई है। ऐसी मुक्त अवस्था को प्राप्त करना मानव जीवन का उच्चतम

आदर्श अथवा परम लक्ष्य माना गया है। गीता में मनुष्य की मुक्ति के लिए कर्म मार्ग को भी उतना ही महत्व दिया गया है जितना ज्ञान मार्ग को मोक्ष प्राप्ति में सहायक माना गया है। कर्म मार्ग अथवा कर्म योग की एक उल्लेखनीय विशेषता यह है कि यह मनुष्य के वर्तमान जीवन में ही उसकी मुक्ति का मार्ग प्रशस्त करता है।

अतः इस दृष्टि से आधुनिक युग में बुद्धिवादी कर्मशील मनुष्य के लिए इसका विशेष महत्व प्रतीत होता है।

2. भक्ति मार्ग का स्वरूप

वैष्णव दर्शन में ज्ञान मार्ग तथा कर्म मार्ग के स्थान पर भक्ति मार्ग अथवा भक्ति योग को ही मोक्ष का प्रमुख साधन माना गया है। जहां भारतीय दर्शन में रामानुज, माधवाचार्य, निंबार्काचार्य, वल्लभाचार्य जैसे वैष्णव मतानुयायी भक्ति मार्ग को मोक्ष के रूप में स्वीकार करते हैं। यद्यपि भक्तों के स्वरूप के विषय में इन दार्शनिकों में अनेक मतभेद दिखाई पड़ता है, लेकिन ईश्वर के प्रति पूर्ण प्रेम, आत्मसमर्पण की यथार्थ अवस्था को भक्ति मार्ग का सच्चा भाव माना जाता है। यहां यह बताया गया है कि सच्चा भक्त वह है, जो बिना किसी कामना के अपना संपूर्ण जीवन ईश्वर को समर्पित कर देता है। इसी आत्मसमर्पण में अपार आनंद का अनुभव करता है।

वह निरंतर ईश्वर की आराधना करते हुए अपने समस्त कर्म उसके प्रति पूर्ण समर्पण की भावना से करता है। ईश्वर कृपा के अतिरिक्त अन्य किसी वस्तु की आकांक्षा नहीं रखता है। ईश्वर अथवा किसी अन्य आराध्य के विषय के प्रति भक्त के पूर्ण आत्मसमर्पण की इसी भावना पूजा या उपासना को ही भक्ति की संज्ञा दी गई है। प्राचीन काल से हिंदू धर्म और संस्कृति में भक्ति का विशेष महत्व प्रतीत होता है। वैदिक काल में ऋषियों द्वारा इन्द्र, अग्नि, सूर्य आदि देवताओं की स्तुति की गई है। वहां भी भक्ति मार्ग का विशेष महत्व प्रतीत होता है, उसे भक्ति की प्रारंभिक अवस्था भी माना जाता है।

उपनिषदों में एक ही ईश्वर की उपासना के रूप में इसी भक्ति का विकास हुआ है। वेदों तथा उपनिषदों के अतिरिक्त रामायण कथा

महाभारत जैसे महाकाव्य, विष्णु पुराण, भगवत पुराण आदि अनेक पुराणों में भी भक्तों के विभिन्न रूपों की विस्तृत विवेचना दिखाई पड़ती है। जिसका सारगर्भित भाव श्रीमद्भगवतगीता में दिखाई पड़ता है। जहां पर भक्तों की अन्य श्रेणियां भी बनाई गई हैं। भक्ति मार्ग को मोक्ष प्राप्ति में सबसे आसान मार्ग माना गया है।

यहां भगवान श्री कृष्ण कहते हैं कि आत्मज्ञान तथा निष्काम कर्म के माध्यम से मनुष्य केवल अपने प्रयास द्वारा मुक्ति प्राप्त नहीं कर सकता है। भक्तों की चित्त शुद्धि के लिए ज्ञान एवं निष्काम कर्म तो उसके मन में भक्ति के उदय एवं विकास के साधन मात्र हैं।

रामानुज का कथन है कि निष्काम भक्ति अथवा प्राप्ति द्वारा संपन्न होकर ईश्वर और जीव के समस्त दुःखों एवं वंदन का नाश कर देता है। इस प्रकार ईश्वर कृपा के फलस्वरूप जीव को मोक्ष प्राप्त हो जाता है। अन्य वैष्णव दार्शनिक भी मूलतः इसी स्वरूप को स्वीकार करते हैं, परंतु भक्ति को मोक्ष प्राप्ति का मुख्य साधन मानते हुए। सभी वैष्णव दार्शनिक उसके फलस्वरूप के विषय में परस्पर सहमत नहीं है।

उदाहरण के लिए रामानुज एवं माधवाचार्य के अनुसार भक्ति के लिए यह भाव अनिवार्य है, अर्थात् भक्त अपने आप को ईश्वर का दास मान कर उसकी भक्ति करता है। यह दोनों दार्शनिक ईश्वर के ऐश्वर्य को विशेष महत्व देते हैं। भक्तों एवं ईश्वर में सेवक एवं स्वामी के संबंध को स्वीकार करते हैं। इसके विपरीत वल्लभाचार्य तथा निम्बकाचार्य जैसे दार्शनिकों के लिए भक्ति माधुर्य वात्सल्य भाव अथवा सखा भाव को अनिवार्य संबंध के रूप में स्वीकार करते हैं। वह भक्त तथा ईश्वर में सेवक और स्वामी के संबंध को स्वीकार नहीं करते हैं।

इसका कारण यह है कि भक्तों द्वारा ईश्वर के प्रति पूर्ण आत्मसमर्पण भक्ति के लिए अनिवार्य माना जाता है। जिससे निष्कर्ष निकलता है कि भक्त और ईश्वर में केवल सेवक और स्वामी के संबंध के प्रति आत्मसमर्पण प्रेमी मित्र सखा सब ही भाव से होने चाहिए। जब भक्त अपने आराध्य ईश्वर को अपना स्वामी मानकर अपना सब कुछ उसके प्रति समर्पण करता है। तभी उसकी इस मानसिक अवस्था को भक्ति

की संज्ञा दी जाती है, जो मोक्ष में सहायक होती है। वैष्णव दार्शनिक का मत है कि मोक्ष प्राप्ति में भक्ति मार्ग अपेक्षाकृत सभी मार्ग से सबसे सुलभ माना जाता है। अत्यधिक प्रतिभा संपन्न तथा बुद्धिमान व्यक्ति इस मार्ग का अनुसरण करता है जिनकी संख्या बहुत कम होती है।

इस प्रकार कर्म द्वारा मुक्ति प्राप्त करने के लिए मनुष्य में विशेष संकल्प शक्ति तथा क्रियाशीलता का होना अनिवार्य है। यह गुण सभी व्यक्तियों में नहीं पाए जाते हैं, परंतु भक्ति मार्ग एक ऐसा मार्ग है जिसके द्वारा साधारण व्यक्ति सुगमता पूर्वक मोक्ष प्राप्त कर सकता है। सच्चे हृदय से ईश्वर की निष्काम उपासना करने वाला प्रत्येक व्यक्ति मोक्ष प्राप्ति के लिए भक्ति मार्ग का अनुसरण कर सकता है। वैष्णव दार्शनिकों के मतानुसार उपर्युक्त सभी कारणों में भक्ति मार्ग दोनों मार्गों में सबसे लोकप्रिय एवं आसान माना गया है।

3. ज्ञान मार्ग का स्वरूप

भारतीय दर्शन में मोक्ष प्राप्ति के लिए ज्ञान मार्ग को एक प्रमुख साधन के रूप में अद्वैत वेदांत न्याय-वैशेषिक योग दर्शन का विशेष उल्लेखनीय है। जिन्होंने तत्वज्ञान या आत्मज्ञान के स्वरूप में ज्ञान मार्ग को स्वीकार करते हैं। समग्रता में देखा जाए तो सांख्य दर्शन में ज्ञान का अर्थ आत्मा में अहंकार को मुक्त करना अर्थात् आत्मा अथवा पुरुष को अनाव्य या प्राकृतिक से पूर्णता पृथक् समझना ही यथार्थ ज्ञान है। इसी ज्ञान की चर्चा में विवेक ख्याति की संज्ञा दी गई है, जो उनके विचार में मुक्त का प्रमुख साधन माना गया है।

इस विवेक ख्याति के फलस्वरूप जब पुरुष अपने आप को प्राकृतिक तथा उसके समस्त गुणों से पूर्णता भी न मानकर अपने वास्तविक विशुद्ध चैतन्य स्वरूप को जान लेता है, तो वह मुक्त हो जाता है। मोक्ष प्राप्ति के लिए सांख्य दर्शन में इसी प्रकार के कर्मों का कोई महत्व नहीं दिया गया है, क्योंकि उनके अनुसार कर्म मनुष्य को बंधन में डालते हैं। परंतु योगदर्शन मनुष्य के आचरण की शुद्धि के लिए यम, नियम, आसन, प्राणायाम, प्रत्याहार, धारणा, ध्यान आदि उपायों को ज्ञान प्राप्ति के साधन

के रूप में स्वीकार करता है। यह सभी उपाय चित्त की एकाग्रता में सहायक होकर मनुष्य को तत्वज्ञान की प्राप्त करने में समर्थ बनाते हैं।

इन उपायों के महत्व को स्वीकार करते हुए भी सांख्य दर्शन के समान योग दर्शन भी मुक्ति के लिए ज्ञान मार्ग को प्रमुख साधन के रूप में स्वीकार करता है। मोक्ष प्राप्ति के साधन के विषय में अद्वैत वेदांत में इसी विचारधारा को स्वीकार करता है। इस दर्शन के प्रणेता अद्वैत वेदान्त के दर्शन में भी मोक्ष प्राप्ति के लिए ज्ञान मार्ग को प्रमुख साधन के रूप में स्वीकार करते हुए कहते हैं कि अविद्या या अज्ञान के कारण ही जीव समस्त प्रकार के बंधन या दु:ख में पड़ता है।

अत: मुक्ति प्राप्त करने के लिए इस विद्या का समूल नाश करना अनिवार्य माना जाता है, जो तत्व ज्ञान या ब्रह्म ज्ञान द्वारा ही संभव है। ब्रह्म ज्ञान के फलस्वरूप जब जीव यह जान लेता है कि वह स्वयं वास्तव में भ्रम है तो वह मुक्त हो जाता है। ब्रह्म ज्ञान का अर्थ है श्रपव द्वारा ब्रह्म के साथ पूर्ण तादात्म्य का ज्ञान अर्थात् साक्षात अनुभव करना यह जीव की मुक्ति का मुख्य मार्ग है। शंकर का मत है कि इस ब्रह्म ज्ञान को प्राप्त करने के लिए शारीरिक एवं मानसिक शुद्धि अनिवार्य है। अत: उन्होंने मनुष्य के व्यवहारिक जीवन में वैराग्य स्वार्थ त्याग मानसिक संयम इंद्रिय निग्रह परोपकार आदि सद्गुणों को विशेष महत्व दिया है। उन्हें मुक्ति के प्रथम सोपान के रूप में स्वीकार करते हैं।

इसके अतिरिक्त व योग दर्शन द्वारा प्रतिपादित यम नियम धारणा ध्यान साधनों को भी शारीरिक एवं मानसिक शुद्धि के लिए बहुत आवश्यक मानते हैं। मोक्ष के साधन के रूप में स्वीकार करते हैं। जहां पर साधन चतुष्टय को स्वीकार किया गया है। साधन चतुष्टय के माध्यम से ही मनुष्य को मोक्ष या ब्रह्म ज्ञान की प्राप्ति होती है। ब्रह्म ज्ञान की प्राप्ति के लिए श्रवण, मनन, निद्यासन तीनों विधियाँ उपर्युक्त मानी गई है।

इन्हीं के माध्यम से हमें ब्रह्म ज्ञान का अधिकारी बनने की योग्यता आती है। इस ज्ञान को प्राप्त कर लेने के पश्चात् वह आन्तरिक शक्ति को अनुभव करने लगता है कि मैं ही ब्रह्म हूं अर्थात् ब्रह्म के साथ

इसका पूर्ण संबंध जुड़ जाता है जीव की ऐसी स्थिति को मुक्ति या मोक्ष की अवस्था माना गया है।

इस प्रकार वेदान्त दर्शन का यह मत है कि निश्चित ज्ञान प्राप्त करने के लिए इसे स्वीकार करना पड़ता है। ठीक उसी प्रकार न्याय तथा वैशेषिक दर्शन भी शंकर के उपर्युक्त मत को स्वीकार करते हैं और तत्व ज्ञान की प्राप्ति के लिए न्याय वैशेषिक भी योग दर्शन के यम, नियम, धारणा, ध्यान आदि साधनों का समर्थन करते हैं। जिन्हें अधिकतर दर्शन में ज्ञान प्राप्ति के लिए किसी-न-किसी रूप में स्वीकार किया गया है। इन साधनों के अतिरिक्त अद्वैत वेदांत के समान न्याय-वैशेषिक तत्व ज्ञान की प्राप्ति के लिए श्रवण, मनन तथा नित्यासन को आवश्यक मानते हैं।

यहां यह उल्लेखनीय है कि यद्यपि सांख्य दर्शन, अद्वैत-वेदांत, न्याय-वैशेषिक सभी दर्शन आत्मज्ञान तत्व ज्ञान को मोक्ष का मुख्य साधन मानते हैं, फिर भी इस ज्ञान के स्वरूप के विषय में परस्पर वैसा मत नहीं है। इन दर्शनों में आत्मा के स्वरूप के संबंध में अपने-अपने सिद्धांत के अनुसार आत्मज्ञान की भिन्न-भिन्न व्याख्या की है।

उदाहरण के लिए न्याय-वैशेषिक के विचार में आत्म ज्ञान या तत्व ज्ञान का अर्थ है कि आत्मा की शरीर इंद्रिय तथा मन से भी न समझना और समस्त अनुभव एवं चेतन से रहित उसके वास्तविक स्वरूप को जान लेना आवश्यक माना जाता है, परंतु सांख्य दर्शन के अनुसार आत्मा या पुरुष का अपने आप को प्राकृतिक तथा उसके समस्त गुणों से पृथक् विशुद्ध चौतन्य तत्व के रूप को जान लेना तत्व ज्ञान कहलाता है।

आत्म ज्ञान के स्वरूप के विषय में अद्वैत वेदांत का महत्व इन तीनों दर्शन के मत से पूर्णतः प्रतीत होता है। वह आत्मा तथा ब्रह्म की ज्ञानता में विश्वास करता है। अतः उसके विचार में इन दोनों के पूर्ण संबंध को जान लेना ही आत्म ज्ञान है। जब साधक को यह अपरोक्ष अनुभूति होती है कि उसने आत्म ज्ञान अथवा परम ज्ञान प्राप्त कर लिया है। इस प्रकार न्याय वैशेषिक तथा सांख्य दर्शन के अनुसार शरीर, मन, बुद्धि आदि से आत्मा के पूर्ण कृतज्ञ वास्तविक स्वरूप को जानना ही आत्म ज्ञान कहलाता है।

मोक्ष की प्रासंगिकता

वर्तमान परिदृश्य को देखते हुए मोक्ष के संदर्भ में भारतीय दर्शनों के स्वरूप का अवलोकन किया जाए तो यह दृष्टिगोचर होता है कि मुक्ति का स्वरूप अधिक व्यापक दिखाई पड़ता है। चाहे वह मुक्त जीवन मुक्ति या विदेह मुक्ति हो या दोनों ही दशाओं में मोक्ष का स्वरूप एवं महत्व अधिक बढ़ गया है, जिसकी प्रासंगिकता इस प्रकार है–

1. जीवन में सदा कर्मों एवं नैतिकता को बढ़ावा देने के संदर्भ में।
2. जीवन में भौतिक सुख सुविधा को ही अंतिम सत्य न मानने के दृष्टिकोण से।
3. जीवन को समग्रता में समझने के दृष्टिकोण से अर्थात् व्यक्ति केवल शरीर नहीं, बल्कि उसके अंदर एक नैतिक आध्यात्मिक चेतना भी है, जो मोक्ष को धारण कर सकती है।
4. इसके अतिरिक्त चार पुरुषार्थ में से मोक्ष को सर्वाधिक महत्व देना भी इसी दृष्टिकोण को व्यक्त करता है।
5. मोक्ष जीवन से मृत्यु के भय को कम कर देता है।
6. वर्तमान उपभोक्तावादी आर्थिक प्रधान समाज में भी हैं।

मोक्ष की अवधारणा व्यक्ति को आत्मिक शांति प्रदान करती है, क्योंकि आत्मिक शांति न होने पर व्यक्ति का भौतिक शारीरिक आर्थिक विकास उसके जीवन को और संतुलित कर देता है।

निष्कर्ष: उपर्युक्त विवेचना से यह दृष्टिगोचर होता है कि भारतीय दर्शन में मोक्ष की अवधारणा अत्यंत महत्वपूर्ण है भले ही इसके स्वरूप और प्राप्ति के साधन के संबंध में विभिन्न दर्शन में मतभेद दिखाई पड़ता है।

इस संदर्भ में उल्लेखनीय है कि यहां मोक्ष की सामान्य धारणा को सभी स्वीकार करते हैं, अर्थात् यह स्वीकार करना कि मोक्ष सभी प्रकार के दुःखों का निरोध है, और यही प्रत्येक व्यक्ति के जीवन का अंतिम पुरुषार्थ है। इस के संदर्भ में मैक्समूलर जैसे प्रसिद्ध समाजसेवी कहते

हैं कि भारत में दर्शन ज्ञान के लिए नहीं, बल्कि सर्वोच्च लक्ष्य अर्थात् मोक्ष प्राप्ति के लिए है। जिसके लिए मनुष्य जीवन भर प्रयत्नशील रहता है। चार्वाक दर्शन को छोड़कर अन्य सभी भारतीय दर्शन मोक्ष को परम आध्यात्मिक लक्ष्य के रूप में स्वीकार करते हैं।

इस परम लक्ष्य की प्राप्ति हेतु भारतीय दर्शन में मुख्यत: तीन मार्गों का विवेचन दिखाई पड़ता है। जो मनुष्य के ज्ञानात्मक पक्ष क्रियात्मक पक्ष एवं भावात्मक पक्ष के आधार पर कर्म मार्ग, भक्ति मार्ग, ज्ञान मार्ग का अनुसरण करते हुए मनुष्य के समस्त दु:खों को दूर करने का कार्य करता है।

इस प्रकार हम देखते हैं कि मोक्ष की अवधारणा वर्तमान परिदृश्य में सामाजिक एवं भौतिकवादी दृष्टिकोण को सामाजिक एवं आध्यात्मिक दृष्टिकोण से जोड़ने में अधिक कारगर एवं उपर्युक्त दिखाई पड़ता है। जिससे वर्तमान परिदृश्य में फैलती मानसिक समस्याओं को दूर करने में एवं आंतरिक शांति एवं अभिव्यक्ति को उजागर करने में अधिक कारगर प्रतीत होता है।

पुरुषार्थ का स्वरूप

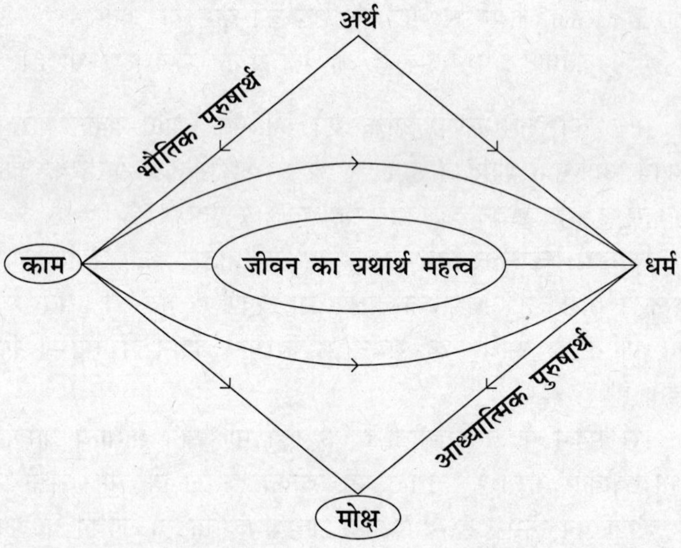

■■■■

अध्याय 14

धर्म और नैतिकता में संबंध

प्रस्तावना

धर्म व नैतिकता का संबंध धर्म दर्शन की महत्वपूर्ण विषय-वस्तु है, क्योंकि इसका संबंध मानव जीवन के नियामक निर्देशन या मूल्यात्मक उत्थान में परिलक्षित होता है। इनके पारस्परिक संबंध की विवेचना करने से पूर्व दोनों शब्दों के अर्थ एवं उसकी प्रासंगिकता को समझना अति आवश्यक प्रतीत होता है। धर्म के संदर्भ में भारतीय दृष्टिकोण को देखा जाए तो यह स्पष्ट होता है कि ऐसे सत्य कर्मों का नैतिक नियम का मापदंड जिसे संपूर्ण सृष्टि में सामाजिक, आर्थिक, राजनीतिक, सांस्कृतिक नैतिक आधार पर एक दूसरे से जोड़ने वाले नियम को धर्म कहा जाता है। जो मनुष्य के सभी क्रियाकलाप मूल्य आदर्श को एक सूत्र में धारित करते हुए अंतिम लक्ष्य मोक्ष प्राप्ति का मार्ग प्रशस्त कर सकें।

इसके साथ में नैतिकता वह मापदंड होता है, जो मनुष्य के अंदर व्याप्त सद्गुणों के यथार्थ स्वरूप को स्पष्ट करने का कार्य करता है। इससे यह स्पष्ट हो जाता है कि नैतिकता वह आयाम है, जो नैतिक नियम के आधार पर धर्म को आगे बढ़ाने में सहायता प्रदान करता है।

धर्म और नैतिकता में ठीक उसी प्रकार का संबंध है जिस प्रकार से एक ही सिक्के के दो पहलू हैं। धर्म और नैतिकता के मध्य संबंध की विवेचना प्रधानता पुनर्जागरण काल के पश्चात् पाश्चात्य दर्शन में परिलक्षित होती है।

इस क्रम में धर्म व धार्मिक प्रत्यय की सार्थकता की भी विवेचना प्रारंभ हुई जो कि धर्म का संबंध जीवन की भावनात्मक पक्ष के साथ ज्ञानात्मक एवं क्रियात्मक पक्ष से भी भक्त होता है। अत: क्रियात्मक पक्ष से विशेष रूप से संबंधित होने के कारण धर्म व नैतिकता के मध्य संबंध की व्याख्या होने लगी। यहां धर्म व नैतिकता के संदर्भ में अनेक प्रकार के मत एवं दृष्टिकोण का प्रतिपादन हुआ है।

पुनर्जागरण काल के पहले धर्म सापेक्ष धर्म आधारित नैतिकता की प्रधानता थी। वही पुनर्जागरण काल के पश्चात् धर्मनिरपेक्ष नैतिकता की अवधारणा सामने आयी यहां यह उल्लेखनीय है कि भारतीय परंपरा में धर्म व नैतिकता के बीच कोई मौलिक भेद नहीं है।

यहां धर्म व नैतिकता परस्पर अंतर संबंधित हैं जिसे किसी भी दशा में अलग-अलग नहीं किया जा सकता है। अत: भारतीय संदर्भ में धर्म व नैतिकता के बीच संबंध की समस्या विशेष रूप से नहीं उभर कर सामने आती है। यहां धर्म का आशय सदाचार, नैतिक मूल्य, सत्य कर्म का पालन आदि से लिया जाता है।

यहां धर्म के अंतर्गत नैतिक कर्तव्य को सम्मिलित किया जाता है। यह कर्तव्य ही यहां धर्म कहलाते हैं। वस्तुत: जब धर्म और नैतिकता के मध्य संबंध की बात की जाती है, तो फिर वहां धर्म का आशय ईश्वर आधारित धर्म से होता है।

धर्म के प्रचलित परंपरागत पाश्चात्य परिभाषा के अनुसार ईश्वर को धर्म का केंद्रीय तत्व के रूप में स्वीकार किया जाता है। उदाहरण के लिए गैलरी गैलवे धर्म को परिभाषित करते हुए कहते हैं कि रिलीजन मनुष्य का अपने से परे शक्ति में विश्वास है। जहां मनुष्य अपनी संवेगात्मक आवश्यकताओं की पूर्ति करता है। जीवन में स्थिरता को प्राप्त करता है। जिसे वह पूजा एवं सेवा के माध्यम से अभिव्यक्त करता है। दूसरी ओर नैतिकता वह रीति रिवाज, प्रथा नियम परंपरा आदर्श आदि से संबंधित सामाजिक व्यवस्था है। जिसका उद्देश्य मनुष्य के सामाजिक हित के साथ व्यक्तिगत हित का समायोजन करना, उसको परिष्कृत

करना है। धर्म और नैतिकता के मध्य संबंध को हम चार प्रकार से अभिव्यक्त सकते हैं–

1. धर्म और नैतिकता दोनों एक दूसरे से स्वतंत्र हो।
2. दोनों परस्पर पूरक हो।
3. धर्म नैतिकता पर आधारित हो।
4. नैतिकता धर्म पर आधारित हो।

अर्थात् धर्म और नैतिकता की अलग-अलग परस्पर व्याख्या की जाए, तो एक अन्य दृष्टिकोण से हम नैतिकता और धर्म के दृष्टिकोण को दो प्रधान रूप में देखते हैं। सापेक्षता के आधार पर नैतिकता के स्वरूप को दो भागों में बांटा जा सकता है–

1. धर्म सापेक्ष नैतिकता
2. धर्म निरपेक्ष नैतिकता

1. नैतिकता धर्म पर आधारित है या
नैतिकता का स्त्रोत धर्म है या
धर्म पहले है नैतिकता बाद में है या
नैतिकता धर्म का अनुगामी है या
नैतिकता धर्म सापेक्ष होती है।

समग्रता में इस विषय वस्तु का अवलोकन किया जाए तो यह दृष्टिगोचर होता है कि धर्म और नैतिकता दोनों को अलग-अलग दृष्टिकोण से मूल्यांकित करने में अनेक प्रकार की समस्या उत्पन्न होती है। इसके बावजूद भी अधिकांश ईश्वरवादी दार्शनिकों का यह मानना है कि नैतिकता का मूल आधार या उद्‌गम स्थल धर्म ही है। समस्त नैतिक नियम अंततः ईश्वर की आज्ञा द्वारा निर्देशित कर्म शुभ है, जबकि ईश्वर द्वारा निषिद्ध कर्म को अशुभ कर्म माना जाता है। ईसाई धर्म के 10 आदेश इस सत्य को प्रमाणित करते हैं, चाहे इस्लाम धर्म हो ईसाई धर्म हो हिंदू धर्म हो या यहूदी धर्म आदि सम्भवतः सभी इसी अवधारणा का समर्थन करते हैं।

पाश्चात्य दर्शन में देकार्त लॉक जैसी बुद्धिवादी एवं अनुभवादी दार्शनिक भी इस मत को स्वीकार करते हैं। इस मत के समर्थन को लॉक अनुसार जिस पर बीज की अंकुरित एवं प्रतीत होने के लिए धर्म की आवश्यकता है, ठीक उसी प्रकार नैतिकता के लिए भी धर्म की आवश्यकता होती है। नैतिकता वास्तव में नैतिक न होकर अनैतिक तब हो जाती है, जब हम यह मान कर चलते हैं कि कोई वस्तु इसलिए शुभ नहीं है, क्योंकि शुभ होने के कारण ईश्वर उसकी इच्छा करता है, बल्कि ईश्वर जिस की इच्छा करता है वह शुभ हो जाता है। ईश्वर व धर्म से पृथक् अपने आप में कुछ भी नैतिक नहीं है, नैतिक गुणों का मूलाधार ईश्वर है।

दूसरे शब्दों में यह सार संक्षेप में कहा जाए कि नैतिकता धर्म पर निर्भर करती है, तो इसमें कोई अतिशयोक्ति नहीं होगी, क्योंकि नैतिकता ही वह अंतिम आधार तैयार कर धर्म का मार्ग प्रशस्त करने का प्रारूप प्रदान करती है। जिसको अपना कर मनुष्य मोक्ष जीवन के अंतिम लक्ष्य को प्राप्त करता है।

आलोचना

1. ईश्वर आधारित धर्म में विश्वास नहीं करते हुए भी व्यक्ति नैतिक मूल्य आदर्श एवं सद कर्मों का पालन कर सकता है। अस्तित्ववादी दार्शनिक शात्रि मार्टिन हाइडेगर तथा जैन बौद्ध दर्शन इसका समर्थन करते हैं।
2. यहाँ नैतिकता को धर्म पर आधारित किया गया है, परंतु धर्म का केंद्रीय प्रत्यय स्वयम् का अस्तित्व ही प्रमाण विहीन है ऐसी स्थिति में नैतिकता भी संदेश युक्त होने लगती है।
3. जो कर्मदंड के भय एवं पुरस्कार से लोगों से प्रेरित होकर किया जाता है, उसे सही मायने में नैतिक नहीं माना जा सकता है। इससे मनुष्य के स्वतंत्र संकल्प पर प्रहार होता है।
4. यदि यह मान भी लिया जाए कि कोई कर्म ईश्वरीय आदेश है, तो फिर इससे संगत रूप से यह नहीं निकलता है कि

हमें उनका पालन करना चाहिए, क्योंकि तथ्यात्मक कथन से मूल्यात्मक कथन को नियमित नहीं किया जा सकता है। दूसरे शब्दों में कहा जाए कि भय को चाहिए से निर्मित नहीं किया जा सकता है। इस प्रकार हम देखते हैं कि धर्म और नैतिकता के बीच उचित संबंध को स्पष्ट करने में यह भी अवधारणा कहीं न कहीं एकाकी प्रतीत होती है, क्योंकि धर्म और नैतिकता के वास्तविक संबंध को स्पष्ट नहीं कर पाती है।

2. नैतिकता धर्म से पूर्व है।
या नैतिकता धर्म को आपतित करती है।
या नैतिकता की व्याख्या करने के क्रम में धर्म उभरकर सामने आता है।

समग्रता में इस दृष्टिकोण का अवलोकन किया जाए तो यह दृष्टिगोचर होता है कि पाश्चात्य समीक्षावादी दार्शनिक कांट नैतिकता को स्वत: साध्य मानते हैं। कांट के अनुसार नैतिकता इसलिए शुभ नहीं है कि ईश्वर इसका संकल्प करता है, बल्कि नैतिकता की व्याख्या करने के क्रम में ईश्वर की धारणा उभरकर सामने आती है। नैतिकता मनुष्य को नैतिक व्यवस्थापक के रूप में ईश्वर की मानने के लिए प्रेरित करती है। इसके फलस्वरूप धर्म के केंद्रीय प्रत्यय अर्थात् ईश्वर का आवागमन होता है।

ईश्वर ही मनुष्य को उसके शुभ आचरण के अनुपात में आनंद का समावेश करता है। कांट के अनुसार नैतिकता आत्म आरोपित है यह बाह्य प्रेरित नहीं है।

इनके अनुसार नैतिकता परिणाम स्थापित नहीं करती है, बल्कि परिणाम निरपेक्ष है। किसी भी प्रकार के भय से प्रेरित होकर किया गया कर्म नैतिक नहीं माना जा सकता है। कांट के अनुसार विशुद्ध कर्तव्य की चेतना पर आधारित संकल्प ही शुभ संकल्प है।

कांट के अनुसार केवल शुभ संकल्प ही अपने आप में शुभ है इसका शुभत्व किसी परिणाम पर निर्भर नहीं करता है यही एक ऐसा

रत्न है, जो स्वयं अपने प्रकाश से चमकता है। परिणाम सापेक्ष नैतिकता या ईश्वर आधारित नैतिकता वास्तविक नैतिकता न होकर बाह्य होती है। ऐसी नैतिकता से मनुष्य के स्वतंत्र संकल्प का खंडन होगा। स्वतंत्र संकल्प के अभाव में नैतिकता संभव नहीं है।

कांट यद्यपि नैतिकता को ईश्वर से पृथक् स्वायत्त मानते हैं, परंतु कर्तव्यों की सरलता पूर्वक पालन करने के लिए व्यावहारिक बुद्धि की मांग के अनुरूप ईश्वर की आवश्यकता को स्वीकार करते हैं। कांट के अनुसार कर्तव्यों का पालन करना मनुष्य के लिए आसान नहीं है।

अतः यदि मनुष्य नैतिक कर्तव्यों को ईश्वरीय आदेश मान ले तो फिर इससे कर्तव्य पालन में प्रेरणा मिलती है। अतः यह स्पष्ट है कि कांट कर्तव्य पालन के दृष्टिकोण से ईश्वर को मनोवैज्ञानिक उत्प्रेरक के रूप में स्वीकार करते हैं।

आलोचना

1. धर्म नैतिकता में बाधक है, या धर्म नैतिकता का विरोधी है। या नैतिकता धर्म से पृथक् एवं स्वतंत्र है।
2. धर्म मनुष्य को परलोकमुखी बना देता है। यह जीवन में भाग्यवाद या पलायनवाद को बढ़ावा देता है।
3. धर्म मनुष्य को ईश्वर के क्रोध, नर्क का भय एवं स्वर्ग के प्रलोभन के माध्यम से नैतिक कर्म के संपादन की बात करता है। इससे मनुष्य के स्वतंत्र संकल्प पर प्रहार होता है। ऐसी स्थिति में नैतिकता की समुचित व्याख्या नहीं की जा सकती है।
4. कार्ल मार्क्स का भी कहना है कि धर्म अफीम के समान है इसके माध्यम से गरीब का शोषण करते हैं धर्म गरीबों को उनकी गरीबी में संतुष्टि प्रदान करता है।
5. फ्राइड के अनुसार नैतिकता को धर्म से पृथक् करना आवश्यक है, क्योंकि धर्म स्वयं पौराणिक मिथ्या एवं उदाहरण पर आधारित होता है। इन्हें वैज्ञानिक तरीके से सत्य सिद्ध नहीं किया जा सकता है। अतः जब धर्म के केंद्रीय प्रत्यय स्वतः

की स्थिति में संदेहात्मक है, तो फिर ऐसी स्थिति में नैतिकता पर भी प्रश्नचिन्ह उठने लगता है।

उपकरणवादी विचारक जॉन डीवी का भी यह कहना है कि परंपरागत धर्म की अलौकिकता विज्ञान विरोधी है। अलौकिकता व्यक्ति के व्यक्तित्व को विभाजित कर देती है। दैनिक जीवन में विज्ञान को तार्किकता और धार्मिक जीवन में सहिष्णुता के प्रति आस्था व्यक्ति के व्यक्तित्व में विरोधाभास उत्पन्न कर देती है। परंपरागत धर्मों के कारण वैश्विक स्तर पर कट्टरता सांप्रदायिकता धर्म आधारित हिंसा आदि को बढ़ावा मिलता है। वर्तमान में विभिन्न धर्मों का यही विकृत रूप हो चुका है। धर्मों का बाहरी ढांचा कर्मकांडी ढांचे पर अधिक आधारित होने के कारण विभिन्न धर्म के मूल तत्व, दया, करुणा, प्रेम, मानव कल्याण आदि शिथिल हो गए हैं। यही कारण है कि आधुनिक विचारक नैतिकता को धर्म से पृथक् करने की सलाह देते हैं। इस संदर्भ में अगस्त काम्टे जैसे विचारक जॉन डीवी जूलियन हक्सले नैतिकता को प्रकृतिवाद के आधार पर स्थापित एवं व्याख्या करने का प्रयास करते हैं। इस संदर्भ में मानववाद का समर्थन करते हैं।

**3. धर्म व नैतिकता परस्पर पूरक हैं।
या दोनों एक दूसरे पर आधारित हैं।
या नैतिकता के लिए धर्म आवश्यक है।
वह धर्म के लिए नैतिकता आवश्यक है या नैतिकता के लिए धर्म आवश्यक है।**

इस पक्ष में निम्नलिखित तर्क दिखाई पड़ते हैं–

1. यदि धर्म को नैतिकता से हटा लिया जाए, तो धर्म निस्प्राण हो जाएगा दूसरे शब्दों में कहा जा सकता है कि यदि धर्म में नैतिकता न रहे तो धर्म का स्वरूप ही नष्ट हो जाएगा अर्थात् धर्म में ऐसे तत्व आ जाएंगे जिससे धर्म में अनेक प्रकार की विसंगतियां उत्पन्न होने लगेंगी।

2. पुनः नैतिकता ही धर्म को परिशुद्ध करती है। धर्मों की उत्कृष्टता उनमें विद्यमान नैतिकता के आधार पर ही मूल्यांकन की जा सकती है। धर्म के अभाव में व्यक्ति व्यक्तिगत स्वार्थी के दलदल में फंस जाता है।
3. नैतिक गुण धर्म में ईश्वरीय गुण के रूप में वर्णित हैं। नैतिकता को हटाने से ईश्वरीय गुणों पर भी आंच आ जाएगा। धर्म का केंद्र बिंदु ईश्वर है। ऐसी स्थिति में नैतिकता को धर्म से पृथक् किया जाए, तो परोक्ष रूप से ईश्वर भी धर्म के क्षेत्र से पृथक् हो जाएगा, जो धार्मिक दृष्टिकोण से स्वीकार नहीं किया जा सकता है।
4. धर्म नैतिकता के पालन को सरल बनाता है, अधिकांश व्यक्ति धर्म या ईश्वर के कारण ही नैतिकता का पालन करते हैं।
5. धर्म हमें यह विश्वास दिलाता है कि अंततः सत्य की विजय होगी परिणामस्वरूप व्यक्ति सदैव इस विश्वास में लगा रहता है। धर्म के अभाव में व्यक्ति बुरे कार्य में संलिप्त हो जाता है।
6. धर्म नैतिकता को स्थायित्व प्रदान करता है। यदि नैतिकता धर्म पर आधारित न होती, तो फिर उसके नष्ट होने का भय सदा बना रहता है। धर्म में ही नैतिकता अपनी पूर्णता में समन्वयकारी होती है। धर्म के अभाव में नैतिकता के स्तर पर आदर्श व वास्तविकता की खाईं सदैव बनी रहती है।

जब धर्म के अंतर्गत चरम स्थिति मोक्ष, कैवल्य, निर्वाण आदि की प्राप्ति होती है, तो फिर समस्त नैतिकता अपनी पूर्णता में धर्म में समन्वयकारी हो जाती है। यदि नैतिकता को धर्म से अलग कर दिया जाए तो फिर इस प्रश्न का उत्तर देना कठिन हो जाएगा कि मैं सदैव अनैतिक क्यों रहूं नैतिकता के उद्‌गम के लिए दिव्य अनुभूति स्रोत की आवश्यकता है क्या? अतः नैतिकता वह बाध्यकारी सार्वभौमिक एवं वस्तुनिष्ठ नियम है जो धर्म के लिए आवश्यक मानी जाती है।

इस विचार के आधार पर व्यक्तित्व पूर्णेश्वर है। जब ईश्वर को व्यक्तित्व पूर्ण माना जाता है, तो फिर वहां नैतिक गुण की बातें स्पष्ट रूप से उभर कर सामने आती हैं।

आलोचना

1. धर्म और नैतिकता के विश्लेषण से हम यह कह सकते हैं कि धर्म और नैतिकता में पूरक का संबंध ज्यादा महत्वपूर्ण है। भले ही धर्म और नैतिकता एक दूसरे से अलग हैं, और दोनों में अनिवार्य संबंध न हो फिर भी समग्र मानवता के विकास के लिए दोनों को एक दूसरे की जरूरत पड़ती है।
2. इस संबंध में लेविस का मत है कि धर्म और नैतिकता एक दूसरे से भले ही स्वतंत्र हो, परंतु दोनों को एक दूसरे की आवश्यकता पड़ती है। इस प्रकार गांधी जी का भी कथन है कि हम जितना अधिक आत्मशुद्धि का प्रयास करते हैं, हम उतना ही ईश्वर को अपने पास पाते हैं। धर्म और नैतिकता के संबंध में प्लेटो ने भी इस दृष्टि से विचार किया है कि यदि ईश्वर को नैतिकता का सर्वोच्च स्रोत माना जाए इस संबंध में दो प्रश्न उठ खड़े होते हैं।

    1. क्या ईश्वर जो भी आदेश देता है, वह शुभ होता है?
    2. क्या ईश्वर उसी का आदेश देता है, जो शुभ होता है?

    पहले विकल्प को मानने पर नैतिकता या शुभ मनमानी हो जाएगी पुनः दूसरे रूप में मानने पर जगत में विद्यमान नैतिकता या सुख की व्याख्या नहीं की जा सकती है। अब दूसरे विकल्प को मानने पर हमें यह समस्या आती है कि शुभ का मापदंड ईश्वर से स्वतंत्र होगा अर्थात् शुभ की वास्तविक स्वतंत्रता कहाँ तक होगी, परंतु ईश्वरवादी दार्शनिक इसे स्वीकार नहीं करते हैं।

3. नैतिकता व धर्म का संबंध एक जटिल संबंध है और इसकी व्याख्या एक पक्ष के समाधान द्वारा नहीं की जा सकती है। ईसाई मत के अनुसार यह हो सकता है कि ईश्वर अपने स्वरूप में स्वयं और पूर्ण शुभ होने के कारण वह सभी को आदेश देता है, जो अपने आप में शुभ हो अर्थात् यह आदेश स्वयं के स्वाभाविक रूप से निकलता है।
4. नैतिकता धर्म के लिए आवश्यक नहीं है, यहां धर्म और नैतिकता एक दूसरे से पृथक् हैं, अर्थात् दोनों एक दूसरे के बिना रह सकते हैं। इसके मुख्य समर्थक अस्तित्ववादी विचारक और कुछ अन्य अनिश्वरवादी दार्शनिक जैसे चार्वाक दर्शन, बौद्ध दर्शन, जैन दर्शन, सांख्य दर्शन, मीमांसा दर्शन आदि हैं। इन सभी दर्शनों के अनुसार नैतिकता बिना धर्म के रह सकती है। अर्थात् जीवन में नैतिकता का पालन बिना किसी ईश्वर आदि के अस्तित्व के स्वीकारे बिना भी किया जा सकता है। इस प्रकार अन्य विचारक का मानना है कि प्रारंभिक धर्म नैतिकता के बिना दिखाई पड़ता है। अतः ऐसे ये हम इसके दो रूप समझ सकते हैं।

धर्म के प्रारंभिक रूप के दृष्टिकोण से धर्म बिना नैतिकता के रह सकता है, अर्थात् प्राचीन धर्म में नैतिकता का अभाव था यह अलग बात है कि यह धर्म का अविकसित चरण माना जाता है। दूसरे दृष्टिकोण से जब धर्म के अंतर्गत चरम प्रकाश था, तब इसकी स्थिति उत्पन्न होती है, तब भी व्यक्ति का आचरण नैतिकता से परे हो जाता है। जहां नैतिकता से परे का आशय यह है कि व्यक्ति कभी कोई अनैतिक आचरण नहीं कर सकता है। वह जो भी करेगा शुभ करेगा, जबकि नैतिकता का प्रश्न नहीं उठता है जहां अशुभ कर्म की संभावना हो।

आलोचना

1. इस युक्ति से एक मत सही नहीं प्रतीत होता है कि धर्म बिना नैतिकता के रह सकता है। वस्तुतः धर्म के लिए नैतिकता

आवश्यक है। नैतिकता के अभाव में धर्म एक बाहरी आडंबर एवं व्यक्तिगत स्वार्थ वाला एक संस्थान बन जाएगा। जिसमें मानवीय मूल्य मानव के नैतिक कर्तव्य, प्रेम सहानुभूति आदि का कोई स्थान नहीं रह जाएगा।

2. धर्म में नैतिकता की पूर्णता होती है, जब भी व्यक्ति के नैतिक कर्तव्य के पालन में कठिनाई होती है, तब उसे धर्म की आवश्यकता महसूस होती है। जैसे गीता में नैतिकता को लेकर जब अर्जुन के मन में भ्रम उपस्थित हुआ तो भगवान कृष्ण ने धर्म के यथार्थ स्वरूप को याद दिलाते हुए कर्तव्य करने की मांग को बढ़ावा दिए थे।
3. धर्म नैतिकता को स्थायित्व प्रदान करता है। यदि नैतिकता धर्म पर आधारित न होती, तो उसे नष्ट होने की संभावना ज्यादा होती है।
4. पुनः नैतिकता के लिए धर्म आवश्यक है। धर्म ही नैतिक जीवन के लिए प्रेरणा प्रदान करता है। यदि धर्म न होता तो नैतिकता का कोई वस्तुनिष्ठ आधार नहीं होता ऐसे में नैतिकता व्यक्ति सापेक्ष हो जाती तथा उसका कोई औचित्य नहीं रह जाता है।

धर्म और नैतिकता में अंतर

1. परंपरागत धर्म का केंद्र बिंदु ईश्वर होता है, जबकि नैतिकता का केंद्र बिंदु मनुष्य होता है।
2. धर्म में प्रायः पारलौकिक सत्ता की बात की जाती है, जबकि नैतिकता में लौकिक सत्ता की बात की जाती है।
3. धर्म में रहस्यात्मक अनुभूति एवं देवी प्रकाशना पर विशेष बल दिया जाता है, जबकि नैतिकता में ज्ञानात्मक एवं क्रियात्मक पक्ष पर अधिक बल दिया जाता है।
4. धर्म के लिए नैतिक आवश्यक है, क्योंकि ईश्वरीय गुणों में नैतिकता को सम्मिलित किया जा सकता है, जबकि नैतिकता

धर्म के बिना भी संभव हो सकती है। नैतिक कर्मों का पालन करने के लिए ईश्वर को मानना आवश्यक नहीं है।

5. धर्म का आदर्श ऐसा हो जिसे प्राप्त किया जा सके या मना किया जा सके, जबकि नैतिकता का लक्ष्य सदैव आदर्श बनाना है। इसमें कभी भी पूर्णता से अलग नहीं करने की बात नहीं की जा सकती है।
6. धर्म मुलतः आस्था एवं विश्वास पर आधारित होता है। जबकि नैतिकता काल एवं तर्क पर आधारित होती है।
7. धर्म की पराकाष्ठा की स्थिति में व्यक्ति नैतिकता एवं नैतिकता से परे चला जाता है, जबकि नैतिकता के संदर्भ में वह सदैव तार्किक दृष्टिकोण से बना रहता है।

इसीलिए कहा जाता है कि धर्म नैतिकता का अतिक्रमण करता है। धर्म सामान्यतः नैतिकता से युक्त होता है। धर्म में नैतिकता अवश्य विद्यमान होती है, परंतु धर्म में प्रकाश की स्थिति मुख्य पर पहुंच गई, तो निर्वाण की स्थिति में धर्म नैतिकता का अतिक्रमण करता है, लेकिन इसका मतलब यह नहीं है कि वह नैतिकता का विरोधी नहीं होता है। धर्म नैतिकविहीन नहीं होता है, नैतिकता की बात वहीं उभरती है, जहां अनैतिकता की संभावना रहती है; परंतु जब धर्म में ऊपरी स्तर पर नैतिकता पहुंच जाती है, तभी नैतिकता अनैतिकता की स्थिति उत्पन्न नहीं होती है, क्योंकि वहां सदैव नैतिकता से युक्त होता है। अनैतिकता की उत्पत्ति ही नहीं हो सकती हो वर्तमान समय में इसकी प्रासंगिकता वर्तमान समय में विभिन्न धर्म के क्रियाकलाप एवं गतिविधि का वैश्विक संदर्भ में अवलोकन किया जाए, वर्तमान परिस्थितियों में धर्म निरपेक्ष नैतिकता का समर्थन किया जाए तो अधिक उचित होगा। वर्तमान समय में विभिन्न धर्म का स्वरूप विकृत हो गया है। वर्तमान में उनका बाहरी ढांचा कर्मकांडी हो गया है। बाहरी पक्ष पर अधिक बल देने के कारण वास्तविक स्वरूप को ही भूल गया है।

जिससे अनेक प्रकार की संप्रदायिकता कट्टरता आतंकवाद जैसी धार्मिक समस्याएं निकल कर सामने आती हैं। इसको केवल नैतिकता के आधार का समर्थन न करने के कारण होता है। यदि धर्म और नैतिकता के बीच उचित सामंजस्य स्थापित हो जाए। सभी विषय वस्तुओं को तार्किक दृष्टिकोण से देखकर मूल्यांकित किया जाए तो इस प्रकार की समस्या का समापन हो सकता है। इसके साथ यदि विभिन्न धर्म में उनके आंतरिक पक्ष, दया, करुणा, प्रेम को बढ़ावा दिया जाए तब भी बाहरी ढांचा गौण हो सकता है, तो फिर हम धर्म सापेक्ष नैतिकता का समर्थन करते हुए सभी प्रकार की धार्मिक समस्याओं को समाप्त कर सकते हैं। मनुष्य की धार्मिक भावनाओं को तार्किकता के आधार पर मूल्यांकन कर सकते हैं।

अत: यदि ऐसी स्थिति में धर्म के आंतरिक पक्ष पर अधिक बल दिया जाए तो एक बहुत बड़ा जनसमुदाय स्वाभाविक रूप से नैतिकता का पालन करने लगेगा। यह व्यक्ति एवं समाज दोनों के लिए हित में होगा। गांधीजी के सर्वधर्म सम भाव की अवधारणा में यही तत्व सम्मिलित हैं, जो अनिश्वरवादियों के लिए भी नैतिकता का मापदंड तय करता है, जो इस प्रकार है–

1. मानवीय बुद्धि एवं तर्क के आधार पर
2. जिसे सर्वभौम न कहा जा सके जैसे दया, करुणा, प्रेम उसको भी तर्क के आधार पर देखा जाए।
3. जिससे व्यक्तिगत हित या सामाजिक हित में वृद्धि हो सके उसे बढ़ावा दिया जाए।
4. विशेषकर्म से अधिकतम व्यक्तियों को सुख या लाभ मिल सके वैसे नैतिक नियमों को बढ़ाया जा सके।
5. जिस पथ पर अनुभव या वरिष्ठ लोग आगे बढ़ते हैं, उसको नैतिकता के आधार पर मूल्यांकन कर बढ़ावा देना चाहिए।
6. जिस नैतिक कर्म को सभी लोग स्वीकार करें उनको सभी उम्र के लोगों को स्वीकार करना चाहिए।

जिसे नैतिकता एवं कानून के सभी मापदंडों को देखते हुए किसी भी व्यक्ति को दुःख न पहुंचे ऐसे कार्यों को करना चाहिए। इस प्रकार हम देखते हैं कि नैतिकता एवं धर्म में एक उचित सामंजस्य होने के बावजूद वर्तमान परिदृश्य में सभी प्रकार की समस्याओं का निराकरण किया जा सकता है। संपूर्ण समाज के सामने एक ऐसा आवरण तार्किक दृष्टिकोण से विकसित किया जा सकता है। जिसमें किसी भी प्रकार का भेद न हो जो किसी अंधविश्वास रूढ़िवाद पर आधारित न हो। सभी विषय वस्तुओं को वह तर्क के आधार पर देखने का प्रयास करता हो। यही वह मापदंड है। जहां से हमारे अंदर के व्याप्त सभी प्रकार के निकृष्ट भावनाओं का समापन हो सकेगा। एक ऐसे समाज का निर्माण होगा जहां सभी लोग सुख पूर्वक एक दूसरे को नैतिकता के आधार पर सहयोग करते हुए आगे बढ़ेंगे।

तर्क और आस्था का विश्लेषण

संपूर्ण भारतीय संस्कृति के साथ पाश्चात्य संस्कृति में दर्शन परंपरा का अवलोकन किया जाए, तो यह दृष्टिगोचर होता है कि दोनों शब्द कहीं न कहीं धर्म दर्शन में व्याप्त रूढ़िवादी मान्यताओं को परिष्कृत कर उदारवादी दृष्टिकोण प्रदान करने में अतुलनीय योगदान का निर्वहन करते हैं। समग्रता में देखा जाए तो धर्म या धार्मिक ज्ञान की प्राप्ति के विषय में यह कहा जाता है कि आस्था बुद्धि का प्रमुख आधार है। अर्थात् धार्मिक ज्ञान इन्हीं के आधार पर सही गलत का मूल्यांकन करने में सहायता प्रदान करते हैं। सामान्यतया देखा जाता है कि विज्ञान और धर्म में मुख्य अंतर को स्पष्ट करने में इनका सहारा लिया जाता है।

जहां धर्म आस्था का विषय है, वहीं ज्ञान तर्क बौद्धिकता का मापदंड है। इस के संदर्भ में प्रो. गैलरी गैलवे का मत है कि आस्था एवं तर्क में इस प्रकार कोई विरोध नहीं है। धर्म विरोधी नहीं है, और विज्ञान में तो आता नहीं है। एक वैज्ञानिक को अपनी उस शक्ति की विश्वसनीयता तो आस्था से होती है। जिसके द्वारा वह अपनी परिकल्पना का निर्माण करता है। उससे निष्कर्ष प्राप्त करता है इतना ही विज्ञान को

स्वयं सिद्धि योग में आस्था होती है। जिसके द्वारा वह अपनी परिकल्पना का निर्माण करता है। उससे सभी प्रकार के निष्कर्ष निकालता है।

इस प्रकार हम देखते हैं कि धार्मिक चेतना में ज्ञान मनुष्य की भावना क्रिया के साथ-साथ आस्था मूलक भावनात्मक प्रवृत्तियों का उत्कृष्ट योगदान रहता है, क्योंकि जब तक हम अपने श्रद्धेय व्यक्त पुरुष के प्रति आस्था विश्वास नहीं रखेंगे। हम उसका संपूर्णता में अनुकरण नहीं कर सकते, क्योंकि बुद्धि हमें तर्क के माध्यम से उसके गुणों-अवगुणों का मूल्यांकन करने का दृष्टिकोण प्रदान करती है; जबकि धार्मिक ज्ञान के संदर्भ में आस्था विश्वास तर्क से ऊपर उठकर एक भाव पूर्ण समर्पण होता है जिसमें किसी भी प्रकार का भाव नहीं होता है।

सामान्यत: यह देखा जाता है कि विज्ञान में हम किसी भी वस्तु को सापेक्ष निरपेक्ष के आधार पर तर्क बुद्धि के आधार पर परीक्षण करते हैं, जबकि धर्म नैतिक दृष्टिकोण होने के कारण हम पक्ष विपक्ष का मूल्यांकन भी देवी प्रकाशना एवं आस्था के आधार पर करने लगते हैं। जहां हमारी बुद्धि निरपेक्ष एवं सापेक्षतावादी दृष्टिकोण की प्रमाणिकता को न देते हुए अंधाधुंध समर्पण के भाव से किसी विषय वस्तु को स्वीकार करती है। इसके संदर्भ में कुछ तर्क दिए जाते हैं जो इस प्रकार हैं–

1. सापेक्षतावादी यह कहते हैं कि बुद्धि का तर्क द्वारा निरपेक्ष ज्ञान संभव नहीं है, क्योंकि जब हम बुद्धि के द्वारा निरपेक्ष ज्ञान प्राप्त करने का प्रयत्न करते हैं, तो वह धर्म का विषय निर्मित तत्व हमारी बुद्धि और विचार द्वारा सापेक्ष हो जाता है।
2. सापेक्षतावादी दूसरा तर्क प्रस्तुत करते हुए बुद्धि पर निरपेक्ष की खोज में तत्पर होती है, तो विरोधी विचारधाराओं को जन्म देती है अर्थात् इससे ईश्वर है, और ईश्वर नहीं है। दोनों ही प्रकार की परिकल्पना सिद्ध हो जाती है।
3. बुद्धि की प्रमाणिकता के विषय में इसके अनुसार बुद्धि द्वारा दी गई परिकल्पना पर कैसे विश्वास किया जा सकता है कि

वह हमें प्रमाणिक ज्ञान प्रदान करती है। यह प्रमाणित प्रदान करती है।

4. यहाँ पर विचार करने का अर्थ है धर्म को बुद्धि और विचारों द्वारा सीमित करना इस प्रकार असीमित निरपेक्ष और अज्ञेय को बुद्धि और तर्क द्वारा जानने का प्रयास व्यर्थ प्रतीत होता है।

इसके साथ-साथ धर्म संबंधी अध्ययन के लिए निम्नलिखित रूपों का भाव देखा जा सकता है-

1. संप्रेषण– धार्मिक अनुभूति और भाषा में अभिव्यक्ति होती है उनका आधार प्रत्यय होता है। इन प्रत्यय को स्पष्ट करें और लोगों को उसके अर्थ को सार्थकता देने में तथा तर्कसंगत भाषा के माध्यम से उनको संप्रेषित करना धर्म या तर्क से ही संभव है।

2. विभिन्न धर्मों के बीच समायोजन अर्थात् समग्रता में विश्व के सभी धर्मों का अनुसरण करना। किसी विषय के प्रति यदि दुराग्रह हो जाता है। इसके फलस्वरूप उसे यथार्थ दृष्टिकोण प्राप्त करने के लिए कहीं न कहीं तर्क बुद्धि के साथ आस्था और विश्वास की भी आवश्यकता पड़ती है।

3. निर्णय धर्म की आवश्यकता तब पड़ती है, जब विभिन्न धार्मिक सिद्धांत के अर्थ का निर्णय करना आवश्यक हो जाता है। उदाहरण के लिए विभिन्न धर्मावलम्बी ईश्वर के विषय में विभिन्न धारणाएं रखते हैं, परंतु उनके अर्थ में कोई भी भिन्नता नहीं होती है, इसका निर्णय धर्म के द्वारा ही संभव है धर्म के अभाव में इसे सही तरीके से मूल्यांकित नहीं किया जा सकता है।

4. धर्म का दार्शनिक अध्ययन अर्थात् धर्म का दार्शनिक अध्ययन करने के लिए हमें विभिन्न धर्म दर्शन में व्याप्त उसकी व्याख्या एवं स्पष्टीकरण के भाव को समझना। धर्म में अनेक प्रकार के विश्वास एवं नियम होते हैं, जो रूढ़िवादी मानसिकता से ग्रसित होते हैं। वहां पर धार्मिक एकता का अभाव रहता है। इस धार्मिक एकता को बनाए

रखने के लिए तर्क बुद्धि एवं धार्मिक आस्था की अत्यंत आवश्यकता पड़ती है।

5. धार्मिक एकता– इस दृष्टिकोण से देखा जाए तो विश्व में किसी बात को लेकर आए दिन तनाव की स्थिति जो उत्पन्न होती है बस सदा के लिए समाप्त हो सकती है। कहीं न कहीं धार्मिक एकता के अभाव में ही यह उत्पन्न होती है।

इस धार्मिक एकता के भाव को समझने के लिए हमें किसी न किसी दृष्टिकोण से धर्म में व्याप्त नियमों को वर्तमान परिदृश्य की आवश्यकता के अनुरूप तर्क बुद्धि के आधार पर मूल्यांकन करने की आवश्यकता है। जिससे धर्म में व्याप्त नियमों का वर्तमान परिदृश्य में प्रासंगिकता के भाव को स्पष्ट किया जा सके। इसके साथ-साथ धार्मिक आस्था और विश्वास की कुछ विशेषताएं भी दिखाई पड़ती हैं जो इस प्रकार हैं–

धार्मिक आस्था की विशेषताएं

1. धार्मिक आस्था और विश्वास में अलौकिक शक्ति का बोध होता है, जो हमें सामान्य जीवन की विषय वस्तु को जोड़ने में सहायता प्रदान करती है।
2. अधिक आस्था की अभिव्यक्ति धर्म शास्त्रों में ही देखी जा सकती है। धर्म शास्त्रों में वर्णित घटनाएं चमत्कार और कर्मकाण्डीय क्रिया एवं धार्मिक आस्था को सुदृढ़ करती है। कहीं न कहीं इसको वर्तमान परिदृश्य के अनुरूप देखने के लिए हमें तर्क एवं बुद्धि की आवश्यकता पड़ती है, जो धर्म में व्याप्त रुढ़िवादी मानसिकता को सही तरीके से मूल्यांकित कर सके।
3. धार्मिक आस्था के आधार पर आस्था को दृष्टि प्रदान करने पर कहीं न कहीं तर्कसंगत एवं बुद्धि के आधार पर व्याप्त विषय वस्तुओं में भी अंतर होने लगता है। इसलिए इन दोनों

विषयों के बीच उचित संबंध स्थापित करने के लिए इनकी आवश्यकता होती है।

4. आस्था में मानवीय मूल्यों का स्थान होता है, धार्मिक आस्था का विषय सर्वोच्च मूल्य ईश्वर होता है। इसी मूल्य से आस्थावान व्यक्ति अपनी आत्मा तथा जगत को अर्थ प्रदान करता है। धार्मिक आस्था से ही जीवन की सार्थकता सिद्ध होती है। आस्था से व्यक्ति को पूर्ण आश्वासन मिलता है। इसी आधार पर उसे निश्चितता का भाव दिखाई पड़ता है।
5. आस्था के सभी विषय तर्क पर आधारित नहीं होते हैं। कभी-कभी कुछ नियम एवं पौराणिक विषय वस्तु को निष्ठा और विश्वास में लाने के लिए आस्था का विशेष योगदान होता है।

धार्मिक आस्था एवं धार्मिक विश्वास में अन्तर

1. आस्था को विश्वास भी कहा जा सकता है, परंतु आस्था का स्तर लक्षण और दृष्टिकोण विश्वास से भिन्न होता है।
2. सामान्य जीवन में यदि हमारा विश्वास है कार्य कार्य सिद्धि से होता है, यह असत्य हो जाता है, तो उसे हम तोड़ भी सकते हैं उसे छोड़ने की अपेक्षा सत्य सिद्ध करने का प्रयास करते हैं।
3. विश्वास में बुद्धि की सहमति या बुद्धि का समर्थन होता है, परंतु आस्था या निष्ठा में भाव प्रवणता होती है। बुद्धि यहां संकल्प और भावना से परिपूर्ण होती है। आस्था के विषय के प्रति समर्पित रहती है।
4. विश्वास में अंतर्दृष्टि नहीं होती है, परंतु आस्था में आंतरिक दृष्टि या अंत:प्रेरणा कार्य करती है। विश्वास कुछ उदाहरण के आधार पर निर्मित हो सकता है, परंतु आस्था मनुष्य की आंतरिक अभिव्यक्ति की आसक्ति का परिणाम मानी जाती है।

5. विश्वास में परिवर्तन किया जा सकता है। विश्वास के परिवर्तन से व्यक्ति को कोई हानि नहीं होती है, परंतु आस्था पर आघात लगने से व्यक्ति को चिंता या ग्लानि होती है। यही कारण है कि आस्था का त्याग संभव नहीं है। दूसरे शब्दों में कह सकते हैं कि आस्था पूर्ण विश्वास है। जिसमें व्यक्ति का संपूर्ण व्यक्तित्व क्रियाशील रहता है। आस्था में ज्ञान भावना और क्रिया सभी पक्षों का सहयोग होता है। आस्था अस्थायी विश्वास है। जो सामान्य विश्वास की तरह आस्था के संशय से विचलित नहीं किया जा सकता है। संदेह की स्थिति में भी आस्था के कारण व्यक्ति परमार्थिक स्तर पर अटूट विश्वास रखता है। यही अटूट आंतरिक विश्वास से जुडा हुआ विश्वास ही आस्था है। आस्थावान व्यक्ति ईश्वर आत्मा और पारलौकिक जगत में भी निष्ठा बनाए रखता है।

उपर्युक्त विशेषताओं के आधार पर धार्मिक विज्ञान में तर्क बुद्धि के महत्व को समझा जा सकता है। सापेक्षतावादी कहते हैं कि ईश्वर या निरपेक्ष का ज्ञान तर्क बुद्धि और इंद्रियों द्वारा असंभव है। साथ ही साथ यह भी कहते हैं कि ईश्वर के अस्तित्व को इनकार भी नहीं किया जा सकता है। सापेक्षतावादी यह भी कहते हैं कि विचार या तर्क द्वारा असीमित और निरपेक्ष को जानने का प्रयत्न करना उसे सीमित और सापेक्ष बना देता है। जहां से एक प्रकार की संकीर्ण एवं संकुचित पूर्ण भाव दिखाई पड़ने लगता है।

यदि विचार पूर्वक देखा जाए तो निरपेक्ष की बुद्धि द्वारा जानने का अर्थ होता है या नहीं होता है। जिसे हम तर्क बुद्धि निरपेक्ष से बड़ा बना देते हैं। यह निर्मित विचार श्रृंखला में आने के कारण सीमित हो जाता है। यह विचार भी उसी महत्त्व का प्रकाशन है। उसी के प्रकाश से हम उसे जानने का प्रयास करते हैं, तो इसका अर्थ यह नहीं हुआ कि हम कोई चीज जिस पर बाहर से धूप रहेगी अथवा विचार श्रृंखला के कारण जुड़ने वाले से आता है। जहां बुद्धि उसका विश्लेषण करने का

कार्य करती है। आस्था और विश्वास का संबंध ज्ञान से मनुष्य अपने जीवन के विभिन्न क्षेत्र में जो भी ज्ञान प्राप्त करता है। उसकी पृष्ठभूमि में आस्था और विश्वास का प्रमुख स्थान होता है। संदेह शंकाओं के विचारों का भ्रम आस्था और विश्वास के द्वारा ही किया जा सकता है।

इस क्रिया में निस्संदेह हमारी बुद्धि का महत्वपूर्ण स्थान होता है, परंतु इस बौद्धिक धरातल पर भी आस्था और विश्वास का महत्वपूर्ण स्थान होता है। इससे किसी वस्तु की पूर्णता का बोध संभव नहीं कहा जा सकता है। अंत में हमें एक निष्कर्ष पर पहुंचने के लिए आस्था और विश्वास को आधार मानना ही पड़ता है। जीवन का कोई भी ऐसा क्षेत्र नहीं है, जिसमें इसका उपयोग न होता है। वैज्ञानिक लोग बौद्धिक क्रिया का फल मानते हैं; फिर भी उसमें आस्था और विश्वास को नहीं छोड़ा जा सकता है।

सामाजिक या राजनीतिक जीवन में किसी न किसी प्रकार व्यक्ति को इस सिद्धांत में लोगों की आस्था और विश्वास दिखाई पड़ता है। धार्मिक जीवन के लिए तो बार-बार यह कथन दोहराया जाता है कि बिना इनके सहयोग से हम किसी भी विषय पर नहीं पहुंच सकते हैं। यदि भारतीय दर्शन को धर्म की दृष्टि से देखा जाए तो संपूर्ण भारतीय दर्शन आस्था विश्वास और श्रद्धा के आधार पर संपूर्ण लौकिक एवं पारलौकिक विषय वस्तु का मूल्यांकन करता है।

इसी कारण इसमें कभी-कभी रूढ़िवादिता एवं अंधविश्वास भी उत्पन्न होने लगते हैं, परंतु उनकी बौद्धिक व्याख्या में आस्था की आवश्यकता मिलती है। वर्तमान परिदृश्य में विज्ञान के अनेक आविष्कार से अंधविश्वास जनित आस्था का लोप हो रहा है, परंतु धर्म के मूल तत्व में आस्था सुदृढ़ रहती है। उपयोगितावादी दृष्टिकोण वैज्ञानिक युग को प्रधान मानता है। आस्था मनुष्य के धर्म जीवन में अधिक उपयोगी सिद्ध हुई है। समाज में शांति और सद्भावना के आधार को भी आस्था और विश्वास के आधार पर ही देखा जा सकता है। यह एक अनंत सदैव सत्ता में परिवर्तनशील जगत को शांति रूप से धारित करने में उत्कृष्ट योगदान का निर्वहन करती है। संपूर्ण मानव समाज के लिए

एक आशापूर्ण सौहार्दपूर्ण समाज की परिकल्पना को विकसित करने में सहायता प्रदान करती है।

जहां मनुष्य के मानवीय मूल्यों के साथ धार्मिक मूल्यों को भी आस्था पूर्ण तरीके से देखकर भौतिक जगत के साथ आध्यात्मिक जगत के बीच उचित सामंजस्य स्थापित करने में महत्वपूर्ण भूमिका निभाती है। संपूर्ण समाज को एक सूत्र में जोड़कर शांति व्यवस्था कायम करने में एवं मनुष्य के अंदर नैतिक गुणों के साथ निष्काम कर्म के साथ त्याग समर्पण के सद्गुण रूपी भाव को भी प्रखर करने में उत्कृष्ट योगदान का निर्वहन करती है।

■■■■

अध्याय 15

रहस्यानुभूति का स्वरूप

प्रस्तावना

धर्म दर्शन में व्याप्त धार्मिक ज्ञान आध्यात्मिक विज्ञान के संदर्भ में मनुष्य के अंदर जो आंतरिक अनुभूति का भाव होता है। उसको स्पष्ट करने के संदर्भ में इस भाव को समझा जा सकता है। सामान्यत: रहस्यवाद दो शब्दों से मिलकर बना है। रहस्य तथा वाद यहां रहस्य का शाब्दिक अर्थ सामान्य रूप से एकांत गुप्त विजन है, जबकि वाद का अर्थ मत या दृष्टिकोण है, अर्थात् रहस्यवाद का शाब्दिक अर्थ तो एकांत या गुप्त या गोपनीय में मूलभूत स्वरूप को जानने का ज्ञान है अर्थात् परम ज्ञान को प्राप्त करने का दृष्टिकोण है। गीता में रहस्यवाद शब्द का उपयोग इसी अर्थ में किया गया है।

इसीलिए रहस्य शब्द का उपयोग तत्व या सार तत्व गुढ़ तत्व को समझना है। अर्थात् तत्वज्ञान के रहस्य को समझना भी रहस्यवाद कहलाता है। धार्मिक दृष्टिकोण से यह एक प्रकार से मनोवैज्ञानिक आधार पर चेतन अनुभूति या मनोवृति द्वारा प्रकट अवधारणा है; अर्थात् रहस्य अनुभूति एक विशिष्ट अनोखी रोचक अद्वितीय अद्‌भुत अनुभूति है। जिसका संबंध हमारी साधारण चेतना से न होकर असाधारण चेतना से होता है, जब धार्मिक अनुभूति अत्यंत तीव्र गमन एवं विस्तृत रूप में होती है, तो धार्मिक व्यक्ति के संपूर्ण पक्ष को धार्मिक विषय अपने में समाहित कर लेता है। अनुभूति की अवस्था को रहस्य अनुभूति कहते हैं।

इस प्रकार रहस्य अनुभूति धार्मिक अनुभूति का सार है। यह धार्मिक आस्था की पराकाष्ठा है। रहस्य अनुभूति सांसारिक अनुभव गुप्त विद्या, जादू-टोना आदि से भिन्न होती है। वस्तुतः यह धार्मिक चेतना के तीन पक्ष ज्ञान, क्रिया भावना की चरम स्थिति या पराकाष्ठा को प्रदर्शित करती है। जहां ईश्वर जीव की एकता ज्ञान व ज्ञेय की एकता उपासक एवं उपास्य के मध्य की स्थिति उत्पन्न होती है। इस स्थिति में विचार भाव क्रिया एवं अस्तित्व तत्व एक अनुपम समन्वय के साथ विद्यमान रहते हैं। रहस्य अनुभूति में अपने से परे की चेतना होती है। वह उसी की निरंतरता मात्र बनी रहती है। इस रहस्य अनुभूति के संबंध में जो सिद्धांत प्रतिपादित किए गए हैं, उसे ही रहस्यवाद कहा जाता है।

विश्व के लगभग सभी धर्म में रहस्यवाद संबंधी वर्णन दिखाई पड़ता है। पाश्चात्य दर्शन में इसके प्रबल समर्थक स्पिनोजा, ब्रेडले, बर्गस्सा इत्यादि आते हैं, जबकि भारतीय संबंध में देखा जाए तो उपनिषद का दर्शन दार्शनिक रहस्यवाद का उत्तम उदाहरण प्रस्तुत करते हैं। उपनिषदों के अनुसार ज्ञान की उत्पत्ति के रहस्य की खोज भारतीय परंपरा में राधा-कृष्णन्न, महर्षि अरविंद, रविंद्र नाथ टैगोर जैसे समाजवादी दृष्टिकोण रखने वाले दार्शनिकों ने भी इस विषय वस्तु का समग्रता में समर्थन किया है। रहस्य अनुभूति क्षणिक व्यक्तिनिष्ठ उद्भव एवं दिव्य अनुभूति होती है।

इसलिए इसका स्वरूप कुछ हद तक रहस्यमय होता है। साधारण अनुभव की व्याख्या करने वाले इसका वर्णन करने में असमर्थ दिखाई पड़ते हैं। यही कारण है कि रहस्यानुभूति का वर्णन प्रायः धार्मिक कर्मकाण्डीय मान्यताओं के विरोधाभासों में संयुक्त भाषा के रूप में किया जाता है। यह उसके संदर्भ में मनोरम होता है। इस संदर्भ में रहस्य अनुभूति को अवर्णनीय कहा गया है। अंडरहिल के अनुसार रहस्यवाद एक जीवंत प्रक्रिया है। जिसके द्वारा मनुष्य ईश्वर के प्रति प्रेम प्रकट करता है। राधाकृष्णन् के अनुसार रहस्यानुभूति एक अनुशासन है। जिसके द्वारा आध्यात्मिक तत्वों की अनुभूति होती है। यह अनुभूति अतार्किक न होकर तार्किक होती है। रहस्यानुभूति में धार्मिक चेतना

के तीन पक्ष ज्ञान क्रिया की भावना सम्मिलित होती है। इसीलिए ब्रेडले ने इसे संपूर्णानुभूति कहा है जिसकी परिभाषा के संदर्भ में विभिन्न दृष्टिकोण दिखाई पड़ता है।

1. मनोवैज्ञानिक आधार पर रहस्यानुभूति की परिभाषा वाल्टर जैसे विचारकों ने ज्ञान तत्व को अधिक प्रधानता से दिया है। जहां रहस्यवाद को अनिर्दिष्ट एकता के रूप में चेतना को बतलाया है। क्लेडर के अनुसार **रहस्यवाद ईश्वर के साथ आत्मा की स्पष्ट अनुभूति है।** रसोल के अनुसार तत्वतः रहस्यवाद अनुभूति की इस गंभीरता तथा तीव्रता के अतिरिक्त कुछ नहीं है जो अपनी विश्व संबंधी भावना के प्रति अनुभव की जाती है।

रहस्यवाद को मनोवृति के रूप में स्वीकार करने वाले रानाडे के अनुसार रहस्यवाद एक मनोवृत्ति है। जिससे मन का परात्पर प्रभु से सीधा अति निकट और अंतर ज्ञानात्मक संबंध होता है। प्रभु का शांत भाव से संयोग का नाम ही रहस्यवाद है। केयर के शब्दों में रहस्यवाद चित्त की मनोवृत्ति विशेष है। जिसके कारण सारे संबंध ईश्वर के प्रति आत्मा के संबंध के अंतर्गत जाकर भी जुड़ जाते हैं। आलोचनात्मक दृष्टि से देखने पर पता चलता है कि इन पर भाषाओं में भी केवल मनोवैज्ञानिक ऐसा ही प्रगति होती है। इसके अतिरिक्त इससे रहस्यवाद के संपूर्ण क्षेत्र पर प्रकाश नहीं पड़ता है। इसलिए यह भी एकात्मक परिभाषा है।

2. क्रियात्मक एवं व्यवहारिकता को दृष्टि से रहस्यवाद की परिभाषा इसके अंतर्गत अंडरहिल के शब्दों में रहस्यवाद तथ्य की खोज विषयक उस प्रणाली का एक निर्दिष्ट रूप है, जो उत्कृष्ट एवं पूर्ण जीवन के लिए काम में लाई जाती है।

3. साधन या कला की दृष्टि से रहस्यवाद की परिभाषा के अंतर्गत हॉकिंग के अनुसार **रहस्यवाद ईश्वर के साथ व्यवहार करने का एक मार्ग है।** डॉ महेंद्रनाथ सरकार के शब्दों में **रहस्यवाद सत्य एवं वास्तविक तथ्य तक पहुंचने का ऐसा माध्यम है**, जिससे निषेधात्मक रूप में तर्क शून्य हो जाता है।

4. जीवन पद्धति तथा अनुशासन की दृष्टि से– इस परिभाषा में रहस्यवाद के अंतर्गत डॉक्टर राधाकृष्णन के विचार अधिक तार्किक लगता है। यहाँ रहस्यवाद एक अनुशासन है। जिसके द्वारा आध्यात्मिक तत्वों की उपलब्धि होती है। वासुदेव जगरनाथ कृति कर के अनुसार रहस्यवाद एक आचार प्रधान अनुशासन है। इसका लक्ष्य मनुष्य का ईश्वर के साथ मिलन या आत्मानुभूति अथवा विश्वात्मा के साथ उस सत्ता का अनुभव करना है। यह एक वैज्ञानिक आस्था है। सभी प्रकार से व्यावहारिक भी है।

रहस्यवाद की विशेषताएं

1. **अनिर्वचनीयताः** रहस्यानुभूति अनिर्वचनीय होती है। इसका तात्पर्य है कि रहस्य की अनुभूति वचन विन्यास से परे होती है। इसे शब्दों के माध्यम से अभिव्यक्त नहीं किया जा सकता है। अनुभूति की गहराई को शब्दों से नहीं लिया जा सकता है। इसके लिए प्रेमी मन के समान हृदय की आवश्यकता है।
2. **बौद्धिकताः** रहस्यवाद को अंतरंग हृदय का अद्‌भुत भाव समझा जाता है, परंतु यह चेतन भाव नहीं है। यह ज्ञान की गहराई है। जिसमें ज्ञाता और ज्ञेय की एकता का साक्षात ज्ञान होता है। दूसरी बात यह है कि यदि यह बौद्धिक होती है, परंतु ऐसी बात नहीं है। इसकी प्रमाणिकता अलौकिक है। यह संदेह रहित सत्य है। इसको किसी प्रमाण की आवश्यकता नहीं होती है।
3. **क्षणिकताः** रहस्यात्मक अनुभूति क्षणिक होती है। यह हवा के झकोरों या समुद्र की लहरों के समान किसी विशेष क्षण में इसका उदय होता है। बहुत कम समय में अस्त भी हो जाती है, परंतु जिस क्षण में इसकी उत्पत्ति होती है। वह अत्यंत तीव्र होती है, बाद में धीरे-धीरे समाप्त होने लगती है। यह दिव्य अनुभूति है, इसकी उत्पत्ति के समय एक विचित्र बेचैनी या कंपन अनुभव होता है।

4. **निष्क्रियताः** इसकी उत्पत्ति के समान सभी भौतिक इंद्रियां शिथिल पड़ जाती हैं। साधक भी कर्तव्य विमूढ़ हो जाता है। पराशक्ति के बस में वह अपने को पराधीन सा अनुभव करता है। मंत्रमुग्ध होकर किसी अज्ञात स्तर की आवाज को सुनने लगता है।
5. **परम आनंद की अनुभूतिः** जिस क्षण रहस्य की स्थिति की अनुभूति होती है। साधक परम आनंद का अनुभव करता है। साधक आत्ममुग्धता से विभोर होकर एक प्रकार के उन्माद का अनुभव करने लगता है। इस आनंद का शब्दों में वर्णन नहीं किया जा सकता है।
6. **नैतिक उत्कर्षः** रहस्यानुभूति को प्राप्त साधक का शरीर पूर्णतया पवित्र हो जाता है। उसका जीवन दूसरों के लिए आदर्श बन जाता है। उसका चरित्र अनुकरणीय हो जाता है। वह कभी कुमार्ग पर नहीं चलता है। वह कभी वासना का दास नहीं बन पाता है। मन शांत, स्थिर, अहंकार शून्य रहित जीवन पवित्र हो जाता है। उपर्युक्त विशेषताओं को प्रायः सभी रहस्यवादी स्वीकार करते हैं। इसके साथ-साथ अनेक विद्वानों में से एक विलियम जेम्स ने रहस्यवाद के चार प्रमुख लक्षण बताए है–

1. अनिर्वचनीयता अनित्यता और बौद्धिकता निष्क्रियता धर्म दर्शन के अंतर्गत बहुत से ऐसे विद्वान हुए, जो इस भाव को स्वीकार किए तथा कुछ विद्वान ऐसे भी हुए, जो इसके अंतर्गत आत्मगत प्रकाश नैतिक भाव आदि को स्वीकार करते हैं।
2. बौद्धिक चमत्कार अमरत्व की इच्छा मृत्यु के भय का लोप, पाप की भावना का अंत है। इसके साथ-साथ अंडरहीत ने पांच प्रकार की विशेषताओं का वर्णन किया है, जो इस प्रकार हैं।

क. यह पूर्णता व्यवहारिक है। इसमें क्रिया की प्रधानता होती है। अतः इसका अनुभव आत्मज्ञान के रूप में स्वीकार किया जाता है।

ख. यह अतिंद्रीय शक्तियों का प्रकाश है। इसमें अदृश्य और अगोचर सत्य के साक्षात्कार का प्रयास किया जाता है।

ग. यह प्रेम से पूर्ण अभिनय है। रहस्यवादी अपने को प्रेमी के रूप में प्रकट करता है। इससे संपूर्ण जगत में प्रेम का प्रकाश फैलता है।

घ. यह अनंत के साथ शांति का मिलन है। इसमें जीव और शिव में एकता स्थापित हो जाती है।

ङ. यह निष्पक्ष अनुभव है। तटस्थ अनुभव में किसी प्रकार का पक्षपात नहीं होता है। रहस्यवाद निःस्वार्थ होता है।

रहस्यवाद के प्रकार

रहस्यानुभूति में व्याप्त आंतरिक एवं बाह्य भाव के आधार पर इसे दो भागों में विभाजित किया जाता है–

1. बहिर्मुखी रहस्यवाद
2. अंतर्मुखी रहस्यवाद

1. **बर्हिमुखी रहस्यवाद का स्वरूप:** इसमें रहस्यवादी बाह्य भवति जगत के मूल में एक आध्यात्मिक सत्ता का अनुभव करता है। उसमें एकता व समन्वय का दर्शन होता है। इसके साथ उपनिषद के वाक्य सर्वम् ब्रह्म अर्थात् सब कुछ ब्रह्म ही है। स्पिनोजा के अनुसार ईश्वर ही विश्व है, और विश्व ही ईश्वर है। अतः इससे स्पष्ट हो जाता है कि इसमें इसकी अनुभूति दिखाई पड़ती है।

2. **अंतर्मुखी रहस्यवाद का स्वरूप:** इसमें रहस्यवादी अपने अंदर की किसी आध्यात्मिक सत्ता का अनुभव करता है। यह आत्मा परमात्मा की एकता के भाव की अनुभूति होती है। उपनिषदों में वर्णित अहम् ब्रह्मास्मि् में इसकी अभिव्यक्ति पूर्ण रूप से दिखाई पड़ती है।

जहां शंकराचार्य से मोक्ष की स्थिति में जीव में ब्रह्म का स्वरूप का साक्षात्कार हो जाता है, अर्थात् जगत में ही ब्रह्म की झलक दिखाई पड़ने लगती है। इसके साथ-साथ पाश्चात्य दर्शन में हेनरी बर्गसा ने अंतर्मुखी की अनुभूति को दो रूपों में विभाजित कर मूल्यांकित करने का प्रयास किया गया है–

1. अपूर्ण रहस्यवाद
2. पूर्ण रहस्यवाद

अपूर्ण रहस्यवाद में व्यक्ति ध्यान की अवस्था में रहता है। इसमें सृजनात्मकता नहीं होती है। यह पूर्ण रहस्यवाद के पूर्व की स्थिति को माना जाता है, जबकि पूर्ण रहस्यवाद उच्च कोटि का रहस्यवाद होता है। पूर्ण रहस्यवाद में आत्मा अपने को ईश्वर में विलीन मान लेती है। इस प्रकार पूर्ण रहस्यवाद में आत्मा को ईश्वर का पूर्ण ज्ञान प्रत्यक्ष ज्ञान होने लगता है। पूर्ण रहस्यवाद उच्च कोटि का रहस्यवाद होता है। इसमें सृजनात्मकता भी होती है। यह सक्रियता एवं प्रेम संयुक्त माना जाता है, जबकि अपूर्ण रहस्यवाद में जहां भक्त ईश्वर की ओर अभिमुख होकर आनंद की प्राप्ति करता है।

वही पूर्ण रहस्यवाद में भक्तों में असीम बल प्राप्त हो जाता है। रहस्यवाद में भक्तों में जिस प्रकार का भाव आता है। वह अतुलनीय होता है। इसे एक उदाहरण द्वारा स्पष्ट किया जा सकता है, जिस प्रकार बांध को अवरुद्ध कर जल को नियंत्रित कर महान बांध का निर्माण किया जाता है, ठीक उसी प्रकार भक्त भी अपनी दैवीय शक्ति को जागृत कर अपने अंदर सृजनात्मक शक्ति को उत्पन्न करता है। जिससे मानव के अंदर रहस्यवाद भाव के साथ ईश्वर के सृजनात्मक एवं देवतुल्य स्वरूप को समझने में सहानुभूति या आत्मानुभूति मिलती है। रहस्यानुभूति के प्राप्ति के साधन के रूप में वैराग्य कर्मकांड पूजा ध्यान उपासना भक्ति आदि को स्वीकार किया गया है। इसी क्रम में यदि भारतीय दर्शन का अवलोकन किया जाए तो यह दृष्टिगोचर होता है कि लगभग सभी आस्तिक दर्शन मोक्ष के संबंध में रहस्यानुभूति को स्वीकार करते हैं।

इसी ने भारतीय दर्शन की आधारभूत ग्रंथों में मुख्यत: उपनिषदों में रहस्यवाद के अनेक साक्ष्य दिखाई देते हैं। जहां पर ब्रह्म और जीव के बीच संबंध को स्थापित करने वाले वाक्य अहम् ब्रह्मास्मि प्रज्ञानंम ब्रह्मा तत्वमीमांसीय इत्यादि रहस्यवाद के उत्कृष्ट माने जाते हैं। शंकराचार्य के अनुसार जहां अंतिम अवसर पर ब्रह्म और जीव में उचित संबंध स्थापित हो जाता है। वहीं रामानुज यह मानते हैं कि अंतिम स्थिति में जीव ब्रह्म के अंश के रूप में स्थापित होता है।

इसके साथ-साथ वैष्णव मतानुयायी माधवाचार्य के अनुसार मोक्ष के अवसर पर भेद तो बना ही रहता है, परंतु यहां जीव ईश्वर परतंत्र हो जाता है चूंकि रामानुज व माधवाचार्य भक्ति मार्ग में विश्वास करते हैं। इसलिए वह अंतिम स्थिति में भी द्वैताद्वैत की स्थिति को स्वीकार करते हैं, ताकि भक्त भगवान की भक्ति का आनंद प्राप्त कर सके। रहस्यानुभूति को मुंडक उपनिषद में भी एक उपमा के माध्यम से स्पष्ट किया गया है। जिस प्रकार प्रवाहित नदी अपना अलग-अलग रूप छोड़कर अंततोगत्वा समुद्र में समाहित हो जाती है, ठीक उसी प्रकार रहस्यवादी नाना रूप से रहित होकर दिव्य परमात्मा के तत्वों में विलीन हो जाता है।

इसका उत्कृष्ट उदाहरण कबीर दास के दर्शन में भी दिखाई पड़ता है, जहां कहा गया है कि

लाली मेरे लाल की, जित देखूं तित लाल।
लाली देखन मैं गई, मैं भी हो गई लाल॥

इससे स्पष्ट हो जाता है कि रहस्यानुभूति के भाव में कहीं न कहीं भक्त और भगवान के बीच जो भाव अन्त में एक हो जाता है। आगे चलकर रहस्यानुभूति का वर्गीकरण कई रूपों में किया गया है। यहां पर कुछ लोग अनिश्वरवादी हुए तो कुछ लोग कर्मकांडी रहस्यवादी हुए तो कुछ लोग सर्वेसर्वावादी रहस्यवाद को स्वीकार किए। इसके अतिरिक्त रहस्यवाद से संबंधित सभी पक्ष के आधार पर भी इसे बैठकर मूल्यांकित करने का प्रयास किया गया था। इस पक्ष के आधार पर देखा जाए तो इसके विभिन्न स्वरूप दिखाई पड़ते हैं।

1. **ईश्वर की प्रकृति वादी अवधारणा से संबंधितः** रहस्यवाद इसमें प्रकृति या उसके अवयव को शक्ति संपन्न मानकर उनके प्रति पूजा, आराधना, श्रद्धा, निष्ठा, उपासना, प्रार्थना, वंदना किया जाता है।
2. **व्यक्तित्व पूर्ण ईश्वर से संबंधित रहस्यवाद का सिद्धांतः** इसके अंतर्गत मुख्यतः ईश्वर को व्यक्तित्व के रूप में डालकर उसके अनुरूप आचरण करने का प्रयास किया जाता है। समग्रता में देखा जाए, तो यह संपूर्ण मानव जाति के लिए नैतिकता के आधार पर आदर्श आचरण की अभिव्यक्ति को उजागर करता है। उदाहरण के लिए भगवान राम तथा भगवान श्री कृष्ण का चरित्र इस प्रकार की अभिव्यक्ति को उजागर करने का प्रयास करती है। विभिन्न धर्मों में जैसे बौद्ध धर्म में भगवान बुद्ध, जैन धर्म में महावीर स्वामी, इस्लाम धर्म में पैगंबर साहब, कहीं-न-कहीं इसी भाव को परिलक्षित करने का प्रयास करते हैं।
3. **अव्यक्तित्त्व पूर्ण ईश्वर की अवधारणा संबंधी रहस्यवादी सिद्धांतः** इसके अंतर्गत ईश्वर को निर्गुण निराकार तत्वों के रूप में स्वीकार किया जाता है। इसी क्रम में इस तरह से अव्यक्तात्मक अवधारणा का प्रगटीकरण किया जाता है।

रहस्यवाद के विरुद्ध कुछ आलोचनाएं

1. रहस्यवाद जीव और जगत की व्याख्या नहीं करता है, यह तो एक अनुभव की स्थिति है। संसार की व्याख्या करना इसका कार्य नहीं है। आज वैज्ञानिक युग में जो जीव व जगत की वैज्ञानिक व्याख्या नहीं करता है। वह अज्ञानी माना जाए यह प्रसंग असंगत प्रतीत होता है।
2. रहस्यवाद को अबौद्धिक समझा जाता है। रहस्यवाद बुद्धि से परे की विषय वस्तु माना जाता है। बुद्धिजीवियों का कहना है कि जो बुद्धि से परे है वह विश्वास का विषय नहीं हो

सकता है। रहस्यवाद बुद्धि का निषेध करता है। अतः हेगल का कहना है कि रहस्यवाद दर्शन का निषेध करता है।

3. रहस्यवाद का संबंध भावना से है, भावनाएं आत्मगत हुआ करती है। यह परम्परागत नहीं होती है। अतः यही कारण है कि रहस्यवाद को एक आत्मनिष्ठ अनुभूति के रूप में स्वीकार किया जाता है, परंतु इस अनुभूति में वस्तुनिष्ठता का पूर्ण अभाव रहता है। वस्तुनिष्ठ न होने के कारण इसकी प्रमाणिकता पर संदेह किया जाता है। आत्मगत भावनाओं की परीक्षा संभव नहीं है।
4. दार्शनिक दृष्टि से तो रहस्यवाद संशयवाद और अज्ञेयवाद को जन्म देता है। रहस्यात्मक अनुभूति अद्‌भुत चमत्कार से उत्पन्न होती है, परंतु यह स्पष्ट अनुभूति है। दूसरों के लिए इसमें संदेह की मात्र बनी रहती है। रहस्यवाद तत्व की प्रकृति को बौधिक ज्ञान से परे मानता है।
5. रहस्यवाद अनुभूति की गहराई है। इस स्थिति में कुछ उन्माद अवश्य उत्पन्न हो जाते हैं। इसलिए कुछ आलोचकों का कहना है कि यह विकृत मस्तिष्क का परिणाम है। कुछ सामान्य व्यक्ति ही इस अवस्था को प्राप्त कर सकते हैं।
6. रहस्यात्मक अनुभूति निष्क्रियता उत्पन्न करती है। रहस्य का अनुभव करते समय साधक की इंद्रियां शिथिल हो जाती हैं। व्यक्ति निष्क्रिय होकर केवल पराशक्ति को सुनता है। रहस्य को प्राप्त करने के बाद सामाजिक कार्य और जीवन में व्यक्ति की कोई रुचि नहीं रह जाती है। वह समाज में जीते हुए भी नहीं जीता है। अतः आलोचकों का कहना है कि समाज में यह अकर्मण्यता की स्थिति है। यह पलायनवादी प्रवृत्ति को उत्पन्न करता है, जो जीवन की सच्चाई का सामना नहीं कर सकते हैं। वही रहस्यवाद की ओर विचरण करना चाहते हैं।
7. रहस्यवाद के कारण समाज में असंगत धारणा तथा अंधविश्वासों का जन्म होता है। रहस्यवाद दिव्य दृष्टि की बातों का पता

कर लोगों में अंधविश्वास उत्पन्न करता है। इसी आधार पर जादू-टोना आदि असंगत धारणाओं को भी प्रोत्साहन मिलता है। इस प्रकार आलोचकों का कहना है कि रहस्यवाद मानव विवेक का शत्रु है, संक्षिप्त में कहा जाए तो इसका प्रारूप इस प्रकार दिखाई पड़ता है–

1. विरोधाभासी कथनों से युक्त।
2. अतार्किक आप बौद्धिक।
3. वस्तुनिष्ठ रूप में सत्यापन नहीं परिणामस्वरूप सार्वजनिक पता नहीं है।
4. वैज्ञानिक दृष्टिकोण से असंगत।
5. अंधविश्वासों को बढ़ावा देना।
6. पलायनवाद एवं निष्क्रियता को बढ़ावा देना।

रहस्यवाद का मूल्यांकन

रहस्यवाद को यदि धर्म का केंद्र बिंदु कहा जाए, तो इसमें कोई अतिशयोक्ति नहीं होगी इसकी आवश्यकता या उपयोगिता के संबंध में इतना ही कहना पर्याप्त होगा कि चाहे धर्म ईश्वरवादी हो या ईश्वर को न मानने वाला हो वह भी रहस्यवाद को अवश्य स्वीकार करता है। इसका तात्पर्य है कि ईश्वर के बिना धर्म का अस्तित्व रह सकता है, परंतु रहस्यवाद के बिना निराधार हो जाएगा। भारत में जैन और बौद्ध धर्म बड़े ही उच्च कोटि के धर्म हैं, परंतु दोनों ही निराशावादी ईश्वर में आस्था न रखने वाले हैं। इनका महत्व ईश्वरवादी बौद्धिक धर्म से किसी भी प्रकार से कम नहीं है। इससे स्पष्ट होता है कि रहस्यवाद धर्म का सुदृढ़ आधार स्तंभ है। यही कारण है कि इस युग के महान दार्शनिक बर्ट्रेड रसेल ने कहा है कि महान दार्शनिकों ने विज्ञान और आशीर्वाद की आवश्यकता का अनुभव किया है। इस युग के महान वैज्ञानिक आइंस्टीन महोदय का कथन है कि संपूर्ण जगत में एक चेतन शक्ति का प्रकाश है। दार्शनिक रहस्यवाद को धर्म का सार तत्व भी मानते हैं।

यही कारण है कि संसार में सर्वोच्च धर्म के संस्थापक रहस्यवादी होते रहे हैं। रहस्यवादी ही परमतत्व का साक्षात अनुभव करता है। यह अनुभव मनुष्य के शब्द एवं अभिव्यक्ति से परे की विषय वस्तु माना जाता है। इसकी गहराई का पता इसमें गोता लगाने के बाद चल सकता है। यह एक ऐसा ज्ञान है जिसकी गहराई व्यवहार में है। इसलिए इसे अकथनी अनुभव भी कहते हैं। इस अनुभव के बिना धर्म अपने अंतिम लक्ष्य तक नहीं पहुंच सकता है। धर्म में ज्ञानात्मक, भावनात्मक एवं क्रियात्मक तीनों तत्व विद्यमान रहते हैं।

यही स्थिति रहस्यवाद की भी है। इसमें रहस्यवाद तो धर्म का पर्याय है। इसी के कारण धर्म की रक्षा होती है। इससे धर्म का विकास होता है। रहस्यवाद के बिना धर्म निर्जीव और गतिहीन माना जाता है।

अतः रहस्यवाद अनुभूति के बिना धर्म केवल बाह्य आडंबरवाद विवाद के रूप में देखा जा सकता है। इसे सभी प्रकार के शब्दों से परे माना जाता है। विभिन्न रहस्यवादियों के जीवन तथा उनके द्वारा किए गए सिद्धान्त इस बात के साक्ष्य हैं कि रहस्यानुभूति के पश्चात् व्यक्ति का स्वःस्वार्थ में विलीन हो जाता है। उसका स्वयं का हित परहित में परिवर्तित हो जाता है। वह सदैव लोक कल्याण हेतु प्रयास करता रहता है। शुद्ध रहस्यवादी होने पर व्यक्ति या साधक में दिव्य शक्ति, नैतिक बल एवं लोक सेवा का भाव जागृत हो जाता है। उसका चित्त शांत हो जाता है उसके सभी प्रकार के विकार समाप्त हो जाते हैं। विभिन्न रहस्यवादियों में रामकृष्ण परमहंस, महर्षि अरविंद, रविंद्र नाथ टैगोर, मदर टेरेसा इत्यादि का जीवन इस बात का साक्ष्य है कि यह अनुभूति निरर्थक नहीं है।

इस संदर्भ में समकालीन पाश्चात्य दार्शनिक का कथन है कि महान पुरुषों में जो दार्शनिक भी हैं। उन्होंने विज्ञान एवं रहस्यवाद दोनों की आवश्यकता का अनुभव किया है। अतः जो अनुभूति जीवन में सद्‌गुणों को बढ़ावा दें सृजनात्मकता लोक कल्याणकारी कार्यों में प्रवृत्ति को बढ़ाए उसे मानसिक विकार भ्रम या निरर्थक नहीं कहा जा सकता है।

पाप की संकल्पना

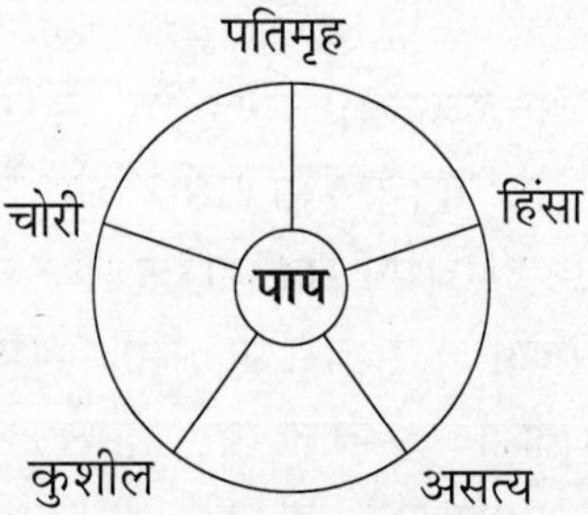

धर्म दर्शन के अंतर्गत समग्रता में भारतीय संस्कृति या पाश्चात्य संस्कृति में व्याप्त धार्मिक एवं दार्शनिक दृष्टिकोण का अवलोकन किया जाए तो यह दृष्टिगोचर होता है कि पाप की अवधारणा का संबंध ईश्वरवादी धर्म से है। जहां पाप का अर्थ ईश्वर के बनाए नियमों का उल्लंघन करना है। इस प्रकार की मान्यता ईसाई धर्म में भी स्वीकार की जाती है। ईश्वर ने मनुष्य को अपने अनुरूप बनाए रखने का प्रयास किया था, परंतु मनुष्य स्वतंत्र इच्छाशक्ति के कारण कुछ अच्छे कर्म के साथ कुछ बुरे कर्म भी करता है।

इस बुरे कर्मों के परिणामस्वरूप उस दंड के प्रावधान को ही माना जाता है। जब वह ईश्वर हमारे कर्मों के दंड देता है, तो यह माना जाता है कि वह हमारे पापों का दंड दे रहा है। ईसाई धर्म के अनुसार मनुष्य को इस पाप से मुक्त होना चाहिए। इसी प्रवृत्ति से मुक्त होने पर ही मनुष्य ईश्वर की छवि को प्राप्त कर सकता है। यही पाप बंधन का कारण है।

इसके संदर्भ में संत पाल कहते हैं कि यदि मैं वही करता हूं जिसकी इच्छा नहीं करता तो उसका करने वाला मैं न रहा, परंतु आप जो मुझमें विश्वास करता है मैं कैसे अभागा मनुष्य कहूँ मुझे इस युक्ति के देखने से कौन मुक्त कराएगा। इनका कहना है कि पाप के कारण ही हम बंधन से बंधते हैं। इससे छुटकारा पाना ही मुक्ति का स्वरूप है। इस मुक्ति के उपाय पर ईसाई धर्म में भी हिंदू धर्म के समान ही प्रकाश डाला गया है। यह एक प्रकार से आत्मिक जीवन से मुक्ति का

मार्ग प्रशस्त करता है। इस संदर्भ में मुक्ति प्राप्त करने के कुछ मार्ग बतलाए गए हैं–

1. **विश्वास का स्वरूप:** ईसाई धर्म में मुक्ति के लिए पहला मार्ग यह है कि मनुष्य ईसा मसीह की शिक्षा पर विश्वास करे। उनके दिए गए वचन को मानकर अपने कर्तव्य का निर्वहन करे। इस संदर्भ में स्वयं ईसा मसीह ने कहा है कि यदि कोई मेरे द्वारा बतायी गई बातों पर अमल करे या यदि कोई मेरे द्वारा भीतर प्रवेश करे, तो उसका उद्धार हो जाएगा, जो मुझे देखता है। वह मुझे भजने वाले हैं। मैं जगत का उद्धारक बन कर आया हूं, ताकि कोई मुझे या मेरे बताए मार्ग पर विश्वास करे; तो उसका संपूर्ण जीवन अंधकार से मुक्ति प्राप्त हो सकेगी। जिससे उसे मुक्ति मिल सकेगी। इस प्रकार की अवधारणा भी कहीं न कहीं हिंदू धर्म में ही दिखाई पड़ती है। जहां ईश्वर द्वारा बनाए गए नैतिक नियमों के पालन करने से हमें मुक्ति मिलती है।
2. **ईश्वर कृपा क्षमा एवं हृदय की पवित्रता:** इस संदर्भ में न केवल ईसाई धर्म में मुक्ति प्राप्ति के लिए ईश्वर की कृपा आवश्यक है, बल्कि हिंदू धर्म तथा विश्व के सभी धर्मों में इस प्रकार की अवधारणा दिखाई पड़ती है। जहां ईश्वर मनुष्य के अनेक प्रकार की गलतियों को माफ कर देता है। ईसाई धर्म में भी मुक्ति के लिए यह बात बतलाया गया है कि ईश्वर की कृपा के बिना यह संभव नहीं है। वहीं हिंदू धर्म या बौद्ध धर्म में मनुष्य का प्रयास अधिक आवश्यक है, परंतु राधाकृष्णन् का कहना है कि ईसाई धर्म में मनुष्य के प्रयास और उसके कर्मों के आधार पर मुक्ति निर्भर करती है। उनके शब्दों में ईश्वर को भी मान्य है कि अध्यात्म जगत के कुछ नियम है। इस प्रकार हम देखते हैं कि सभी धर्मों में ईश्वर में एक सर्वभौमिक दृष्टिकोण दिखाई पड़ता है, जो मनुष्य के अनेक

बुरे कर्मों को क्षमा करता है। जो भी हृदय भाव से ईश्वर की शरण में जाता है उसका उद्धार होता है।

3. **नैतिक आचरण:** ईसाई धर्म में मुक्ति के मार्ग के रूप में नैतिक आचरण की शुद्धता पर अधिक बल दिया गया है, क्योंकि मानव का भावी जीवन वर्तमान के कर्मों पर निर्भर करता है। यही भाव कहीं न कहीं हिंदू धर्म के साथ अन्य धर्मों में भी दिखाई पड़ता है। वही व्यक्ति देवी सामान्य का अधिकारी होगा जिसका नैतिक आचरण शुद्ध हो अर्थात् जिसने नैतिक जीवन व्यतीत किया है। वह बुरे आचरण से दूर रहता है। वह ईश्वर की शरणागत में रहता है। उसी को मुख्य रूप से आत्मा की अमरता प्राप्त होती है। नैतिक आचरण ही संपूर्ण समाज के लिए पथ प्रदर्शन का कार्य करता है। यही आचरण मनुष्य को पशुओं से भिन्नता दिलाता है।

सार संक्षेप में कहा जाए कि ईसाई धर्म के अनुसार मानव जीवन का चरम उद्देश्य पाप से मुक्त होना है तथा व्यक्ति अमरता को प्राप्त करता है; परंतु इनकी अमरत्व की धारणा हिंदू धर्म में वेदांत दर्शन की धारणा से भिन्न दिखाई पड़ती है, परंतु ईसाई धर्म में इसमे एकता नहीं है। इस धर्म में मनुष्य ईश्वर के रूप में नहीं माना जा सकता है, बल्कि ईश्वर से अलग अपनी सत्ता बनाए रखता है। ईसाई धर्म के अनुसार पाप से निवृत्ति होने के बाद ही मुक्ति संभव है। ईश्वर के प्रति मनुष्य ने झूठे और अनित्य रूप को चाहा तथा अपने सच्चे रूप अर्थात् ईश्वर से दूर भागता रहा है।

राधाकृष्णन् का कथन है कि वह सिद्धांत जो मनुष्य को स्वभाव का पापी समझता है; मुझे भय है कि सत्य नहीं सिद्ध किया जा सकता है। हमारी प्रकृति तो दैवीय है, जो पुरुष संसार में आता है। वह ईश्वरीय ज्योति से मुक्त रहता है। यदि तुझ में न होता तो तुम हमारी खोज नहीं कर सकते। इस दृष्टि से पाप त्याग किसी नवीन वृत्ति का परिणाम है। इस प्रकार यदि ईसाई धर्म में पाप पर अधिक बल नहीं दिया जाए तो

मुक्त आत्मा के लक्षण हिंदू धर्म के समान दिखाई पड़ते हैं। मुक्ति का फल ज्ञान प्रेमानंद से है। मुक्त पुरुष के पास केवल ज्ञान तथा प्रेम ही नहीं होता है, बल्कि उसके पास शांति भी होती है, जो मनुष्यों एवं परिस्थितियों की शक्ति से परे होती है। इसका वर्णन हिंदू धर्म में भी किया गया है, वही वह आनंद है। जिसका वर्णन ईसाई धर्म में भी किया गया है। जिसे सच्चिदानंद के रूप में स्वीकार किया जाता है यहां पर डाक्टर राधाकृष्णन् दो बातों पर अधिक बल देते हैं–

1. अपने त्याग से दूसरों के पाप का प्रायश्चित करने का सिद्धांत।
2. ईशा के बलिदान के फलस्वरूप

ईसा द्वारा मनुष्यों को फिर से अपना लेने का सिद्धांत उनका कहना है कि यदि इन दो बातों में विश्वास न करें तो हिंदू और ईसाई धर्म में मुक्ति के स्वरूप तथा साधन के संबंध में भेद नहीं रह जाता है उनका कहना है कि यह बात तो निर्विवाद रूप से कही जा सकती है कि सभी साधुओं की तरह हमें भी किसी हद तक पापों से बचकर ईश्वर की तरफ उन्मुख करने का मार्ग प्रशस्त करना चाहिए।

सार संक्षेप में कहा जा सकता है कि न केवल ईसाई धर्म में बल्कि हिंदू धर्म, बौद्ध धर्म, जैन धर्म इत्यादि सभी धर्मों में पाप के स्वरूप को मनुष्य के द्वारा किए गए अनैतिक कर्म के परिणामस्वरूप देखा गया है, जो न केवल समाज में बुरे कर्म बुरे परिणाम को रोकता है, बल्कि संपूर्ण समाज में एक आदर्श पूर्ण परिदृश्य को बनाने में भी सहायक सिद्ध होता है।

■■■■

अध्याय 16
धर्मनिरपेक्षता का स्वरूप

प्रस्तावना

धर्मनिरपेक्षता एक जटिल तथा गत्यात्मक अवधारणा है। इस अवधारणा का प्रयोग सर्वप्रथम यूरोप में किया गया। यह एक ऐसी विचारधारा है जिसमें धर्म और धर्म से संबंधित विचारों को इहलोक संबंधित मामलों से जान-बूझकर दूर रखा जाता है, अर्थात् तटस्थ रखा जाता है। धर्मनिरपेक्षता राज्य द्वारा किसी विशेष धर्म को संरक्षण प्रदान करने से रोकती है। भारत में इसका प्रयोग आजादी के बाद अनेक संदर्भों में देखा गया तथा समय-समय पर विभिन्न परिप्रेक्ष्य में इसकी व्याख्या की गई है।

धर्मनिरपेक्षता का समग्रता में मूल्यांकन किया जाए तो यह परिलक्षित होता है कि सामान्यतः इसका प्रयोग सभी धर्मों में समान दृष्टिकोण अपनाते हुए तटस्थ होकर सभी धर्मों का सम्मान करते हुए जीवन जीने की कला ही धर्मनिरपेक्षता कहलाती है। धर्मनिरपेक्षता वैसे आधुनिक युग में एक पाश्चात्य धारणा के रूप में स्वीकार की गई है, जो मानवतावाद का अभिन्न अंग के रूप में मानी जाती है। यह युवा सिद्धांत है, जो मानव हित को सर्वोपरि मानता है। इसमें पारलौकिक जगत का विरोध तथा अलौकिक जगत को अधिक महत्व दिया जाता है, परंतु भारतीय दृष्टिकोण से पाश्चात्य जगत के जैसे स्वीकार नहीं किया गया है।

धर्मनिरपेक्षता का संबंध एक ओर धर्म से है, तो दूसरी ओर राज्य से है। इसके ऐतिहासिक रूप को देखने से इसके वास्तविक स्वरूप

की यथार्थता मूल्यांकित होती है। भारतीय दृष्टिकोण से इसका भेद भी स्पष्ट किया जा सकता है। वैसे भारतीय धर्मनिरपेक्षता का ही एक रूप है, परंतु उसका उपयोग भारतीय सिद्धांत एवं परंपरा पर अधिक आधार पर किया जा सकता है।

साइक्लोपीडिया ऑफ रीमिक्स में धर्मनिरपेक्षतावाद के विषय में बतलाया गया है कि धर्मनिरपेक्षता का वर्णन एक आंदोलन के रूप में किया जाता है, जो नैतिक आधार पर सभी लोग स्वीकार करते हैं। धर्म के प्रति नकारात्मक दृष्टि रखते हुए उस में व्याप्त रूढ़िवादी कर्मकांडी अवधारणाओं की अवहेलना किया जाता है। इस आंदोलन की पूर्ण राजनीतिक एवं दार्शनिक रूप से की जा सकती है। राजनीतिक क्षेत्र में मध्य युग से पूर्व तक धर्म राजनीति पर छाया हुआ था।

पाश्चात्य जगत में चर्चा अपनी सत्ता राज्य पर जाता था तथा राज्य अपनी स्वतंत्रता चाहता था कभी तो धर्म का आश्रय लेता था, कभी धर्म का विरोध करता था, लेकिन आधुनिक युग में राजनैतिक दार्शनिक मैकियावेली ने सर्वप्रथम राज्य सत्ता को धर्म सत्ता से पृथक् दर्जा देने का आग्रह किया था। राज्य को धर्म के अधीन करने की मांग इससे पता चलता है कि आधुनिक युग में राजनीतिक सत्ता का धर्म से अलगाव आरंभ हो गया था।

धर्मनिरपेक्ष राज्य समाज का प्रथम रूप है। इसकी उत्पत्ति में सामाजिक कारण अधिक सहायक दिखाई पड़ते हैं। विशेष रूप में सामाजिक अत्याचार, उत्पीड़न, धार्मिक प्रभावकारी लोगों का स्वार्थ धर्म के संदर्भ में उत्पन्न अत्याचार पर अधिक बल दिया गया है। धार्मिक और सामाजिक अत्याचार के प्रति प्रतिक्रिया के रूप में निरपेक्षता की अवधारणा निकल कर सामने आई। धार्मिक एवं दार्शनिक चिंतन में व्यक्ति की स्वतंत्रता की भावना निरपेक्षता के आंदोलन का कारण मानी जाती है। यूरोप में जब प्रोटेस्टेंट धर्म का प्रभाव शुरू हुआ तो कुछ लोगों ने धर्म पर समान अधिकार की मांग तथा कैथोलिक पादरी इस पर सहमत नहीं हुए इसका परिणाम यह हुआ कि विचारकों और सामाजिक सुधार करने के नाम पर धार्मिक संगठनों को बिना महत्व दिये सम्पूर्ण कार्य धर्म निरपेक्षता के सानिध्य में आया था।

राष्ट्रीय हित पर चिंतन करना शुरू किए तथा इसका आधार बुद्धि विज्ञान लौकिक जगत सामाजिक न्याय लोक कल्याण जैसी विषय वस्तु पर अधिक ध्यान दिया गया। डॉ जैक होली ओक धर्मनिरपेक्षता के संस्थापक माने जाते हैं। इनके अनुसार धर्मनिरपेक्षता का मुख्य उद्देश्य मानव जाति की उस स्थिति का सुधार करना है। जिसमें वह रह रहा है, दूसरे शब्दों में मनुष्य के हितों को प्राप्त करना इसका उद्देश्य माना जाता है। धर्मनिरपेक्षता के अंतर्गत धार्मिक क़ट्टरता रुढ़िवादी कर्मकांडी देवी सत्ता जैसी परंपरागत अवधारणाओं को दूर करने का प्रयास किया गया है।

धर्मनिरपेक्षता के मूल सिद्धांत

1. मानव की वास्तविक स्थिति में सुधार और प्रगति केवल भौतिक संसाधनों खनिज पदार्थ तकनीकी उद्योग कल-कारखानों के द्वारा लाना तथा मनुष्य की अलौकिक सुख सुविधा को अधिक महत्व देना।
2. विज्ञान की प्रगति के साथ धर्म से उसका कई रूपों में विरोध प्रकट हुआ जिसके कारण धर्म की मान्यताएं हासियें पर सिद्ध होने लगी। अलौकिक शक्ति में विश्वास रखने वालों की अपेक्षा वैज्ञानिक साधनों पर निर्भर रहना अधिक उपयुक्त दिखाई पड़ता है विज्ञान उन्हीं विषय में आस्था रखता है, जो वास्तविक जीवन के अनुभव से सिद्ध होते हैं।

   धर्मनिरपेक्षता जीवन के अनुभव पर आधारित तथा मनुष्य के अनुभव द्वारा पुष्टि की हुई विषय वस्तु पर आधारित मानी जाती है। यह मनगढ़ंत और कपोल कल्पना के आधार पर सिद्ध नहीं किया जाता है, बल्कि इस प्रकार की अवधारणाओं का पूरी तरीके से खंडन किया जाता है।
3. जीवन के कल्याण और मनुष्य के आचरण तथा व्यवहार के लिए निरपेक्षतावाद का सिद्धांत अपनाया या निरपेक्षता भौतिक विज्ञान में दिखाई देती है, जैसे भौतिक, रसायन विज्ञान और

धर्म से कोई संबंध नहीं आता है। पारलौकिक जगत में ईश्वर के साथ संबंध है, परंतु धर्मनिरपेक्षता बाद केवल लौकिक संबंध रखता है। पारलौकिक सत्ता का विरोध करता है।

4. धर्मनिरपेक्षता लौकिक जीवन को अधिक महत्व देता है। इसलिए कुछ लोग इसे लौकिकतावाद के रूप में मानते हैं। पाश्चात्य देशों में धर्मनिरपेक्षता से लौकिकतावाद के अर्थ को लिया जाता है।
5. धर्मनिरपेक्षता में ईश्वरवाद और अनिश्वरवाद दोनों का स्थान नहीं है, क्योंकि दोनों ही अनुभव से सिद्ध करने योग्य नहीं माने जाते हैं।
6. धर्मनिरपेक्षता नैतिकता को उन्हीं आधार पर मान्यता देता है, जो ईसाई धर्म में दिखाई पड़ते हैं अर्थात् नैतिकता की दृष्टि से दोनों मत समान दिखाई पड़ते हैं।
7. धर्मनिरपेक्षता को धर्म के प्रति तटस्थता के कारण कुछ लोगों की यह धारणा बन गई कि धर्मनिरपेक्षतावाद अनिश्वरवाद के रूप में माना जाता है, जबकि यथार्थता यह है कि धर्मनिरपेक्षता का आधार बुद्धि और तर्क माना जाता है, जो व्यवहारिक प्रसंग में सभी प्रकार की संस्कृतियों को समायोजित का जीवन जीने की कला को सिखाता है।

धर्मनिरपेक्षता का अर्थ

1. धर्मनिरपेक्षता का अर्थ है कि राज्य राजनीति या किसी गैर-धार्मिक मामले से धर्म को दूर रखे तथा सरकार धर्म के आधार पर किसी से भी कोई भेदभाव न करे।
2. धर्मनिरपेक्षता का अर्थ किसी के धर्म का विरोध करना नहीं है, बल्कि सभी को अपने धार्मिक विश्वासों एवं मान्यताओं को पूरी आजादी से मानने की छूट देता है।
3. धर्मनिरपेक्ष राज्य में उस व्यक्ति का भी सम्मान होता है, जो किसी भी धर्म को नहीं मानता है।

4. धर्मनिरपेक्षता के संदर्भ में धर्म, व्यक्ति का नितांत निजी मामला है, जिसमें राज्य तब तक हस्तक्षेप नहीं करता है, जब तक कि विभिन्न धर्मों की मूल धारणाओं में आपस में टकराव की स्थिति उत्पन्न न हो।

धर्मनिरपेक्ष समाज के लिए आवश्यक बातें

1. भिन्न धर्मों के अनुयायियों के बीच किसी भी प्रकार का भेदभाव न हो।
2. किसी एक धार्मिक समुदायों के भीतर सभी वर्ग तथा समूहों की स्वतंत्रता और समानता के अधिकार समान रूप से प्राप्त हो।
3. नास्तिकों को भी जीवित रहने और उन्नति के उतने ही अधिकार हो जितने किसी भी मजहब के मानने वाले को हो।
4. धर्म व्यक्ति के जीवन का एक निजी मामला है यह हिन्दुत्व, इस्लाम और इसाई को एक निजी विषय ही रखा जाये किसी भी स्थिति में धर्म का सार्वजनिक वाद-विवाद का विषय न बनाया जाए और न ही उसमें राजनैतिक प्रवेश होने दिया जाए।

धर्मनिरपेक्ष राज्य की विशेषताएं

1. सभी धर्मों के बीच समानता होता है।
2. कानून द्वारा किसी धर्म का पक्षपात नहीं होता है।
3. सभी धर्मों के लोग को अपने धर्म के पालन तथा प्रचार और प्रसार की आजादी होती है।
4. राज्यों द्वारा किसी भी धर्म को राजकीय धर्म घोषित नहीं किया जाता है।

धर्मनिरपेक्ष राज्य में राज्य की भूमिका

1. राज्य धर्म के मामले में तटस्थ या निरपेक्ष रहता है और किसी भी धार्मिक संस्था का कोई भी सहायता या लाभ प्रदान नहीं करता है।

2. राज्य धार्मिक संगठनों के क्रियाकलाप में हस्तक्षेप नहीं करता है।
3. प्रत्येक व्यक्ति को चाहे वह किसी भी धर्म का मानने वाला हो, सबको एक जैसे अधिकार प्रदान किए जाते हैं।

धर्मनिरपेक्षता का यूरोपीय मॉडल

1. धर्म और राज्यों का एक-दूसरे के मामले में हस्तक्षेप न करने कि अटल नीति होती है।
2. व्यक्ति और उसके अधिकारों को केंद्रीय महत्व दिया जाता है।
3. समुदाय आधारित अधिकारों पर कम ध्यान दिया जाता है।
4. विभिन्न धार्मिक समुदायों के बीच समानता, एक मुख्य सरोकार होता है।
5. किसी एक समुदाय का अन्य समुदाय पर वर्चस्व नहीं होना चाहिए।
6. एक ही धार्मिक समुदाय के भीतर व्यक्ति के किसी एक समूह का दुसरे समूह पर हावी होना उचित नहीं है।
7. किसी भी व्यक्ति को धर्म के आधार पर किसी भी प्रकार का कोई भेदभाव नहीं किया जाना चाहिए।

उदाहरण

हाल ही सत्ताधारी दल के एक बड़े नेता द्वारा कथित तौर पर यह कहा गया है कि हम भारत का संविधान बदल देंगे, क्योंकि धर्मनिरपेक्षता से कुछ भी हासिल नहीं होने वाला है। हालाँकि, बाद में वे अपने बयान से मुकर गए लेकिन धर्मनिरपेक्षता भारतीय संविधान का वह मूल-लक्षण है। जिससे मुकरा नहीं जा सकता है। भले ही संविधान की प्रस्तावना में इसे बाद में जोड़ा गया हो, लेकिन शुरू से ही भारतीय संविधान का चरित्र धर्मनिरपेक्ष रहा है। आजादी के बाद कुछ वर्षों में भारत में धर्मनिरपेक्षता अक्षुण्ण रही है। लेकिन, यूनिफॉर्म सिविल कोड का बहाल न हो पाना और बाबरी से लेकर दादरी तक कुछ ऐसी घटनाएँ घटी हैं जो भारत के एक धर्मनिरपेक्ष राष्ट्र होने पर सवाल खड़ा कर रही है।

धर्मनिरपेक्षता के संबंध में महान नेताओं के विचार

महात्मा गांधी के विचार

1. महात्मा गांधी अपने निजी और सार्वजनिक दोनों जीवन में एक धार्मिक व्यक्ति थे और वे राजनीति और धर्म के मध्य नजदीकी संबंध के हिमायती थे।
2. गांधी राजनीति को नैतिकता के मूल्यों पर आधारित करना चाहते थे, और उनके नैतिकता के मूल्य धार्मिक रंग में रंगे हुए थे।

पंडित नेहरू के विचार

1. नेहरू गांधी के उलट राजनीति व धर्म के बीच किसी भी प्रकार का कोई भी संबंध रखने के खिलाफ थे। वे धर्मनिरपेक्षता को भारतीय स्वभाव में समायोजित करना चाहते थे।
2. लेकिन दोनों नेता भारत जैसे बहुलवादी देश में धर्मनिरपेक्षता विभिन्न धर्मों के बीच सद्भाव स्थापित करने का एक सशक्त माध्यम मानते थे।

डॉ. अंबेडकर के विचार

1. अंबेडकर मानते थे कि प्रारंभ में तो अल्पसंख्यकों के अस्तित्त्व को मान्यता दी जानी चाहिये, किन्तु हल ऐसा होना चाहिये कि अल्पसंख्यक और बहुसंख्यक आगे चलकर एक दिन एक-दूसरे में घुल-मिल जाएँ।

भारतीय धर्मनिरपेक्षता और पश्चिमी धर्मनिरपेक्षता में अंतर

कभी-कभी यह कहा जाता है कि भारतीय धर्मनिरपेक्षता पश्चिमी धर्मनिरपेक्षता की नकल भर है, लेकिन संविधान को ध्यान से पढ़ने से पता चलता है कि ऐसा नहीं है। भारतीय धर्मनिरपेक्षता पश्चिमी

धर्मनिरपेक्षता से बुनियादी रूप से भिन्न है। जिसका जिक्र निम्न बिन्दुओं के अंतर्गत किया जा सकता है–

पश्चिम की पूर्णतया अलगाववादी नकारात्मक धर्मनिरपेक्ष अवधारणा के विपरीत भारत की धर्मनिरपेक्षता समग्र रूप से सभी धर्मों का सम्मान करने की संवैधानिक मान्यता पर आधारित है। भारतीय धर्मनिरपेक्षता धर्म और राज्य के बीच संबंध विच्छेद पर बल नहीं देती है, बल्कि अंतर-धार्मिक समानता पर जोर देती है, जैसे नेहरू का धर्मनिरपेक्षतावादी विचार।

धर्मनिरपेक्षता पर नेहरु के विचारः 'हम भारत में धर्मनिरपेक्ष राज्य की बात करते हैं, लेकिन संभवतः हिंदी में सेक्यूलर' के लिए कोई अच्छा शब्द तलाशना भी मुश्किल है। कुछ लोग समझते हैं कि धर्मनिरपेक्ष का मतलब कोई धर्मविरुद्ध बात है। यह बिल्कुल भी सही नहीं है। इसका मतलब तो यह है कि एक ऐसा राज्य जो हर तरह की आस्था का बराबर आदर करता हो और सबको समान अवसर देता है। देश के तौर पर वह खुद को किसी खास आस्था या धर्म से न जुड़ने दे, ऐसा होने पर ही राजधर्म बनता है।

पश्चिमी मॉडल में धर्मनिरपेक्षता से आशय ऐसी व्यवस्था से है, जहाँ धर्म और राज्यों का एक-दूसरे के मामले में हस्तक्षेप न हो, व्यक्ति और उसके अधिकारों को केंद्रीय महत्व दिया जाए। वहीं इसके विपरीत भारत में प्राचीन काल से ही विभिन्न विचारधाराओं को स्थान दिया जाता रहा है। यहाँ धर्म को जिंदगी का एक तरीका, आचरण संहिता तथा व्यक्ति की सामाजिक पहचान माना जाता रहा है। इस प्रकार भारतीय संदर्भ में धर्मनिरपेक्षता का मतलब समाज में विभिन्न धार्मिक पंथों एवं मतों का सहअस्तित्व, मूल्यों को बनाए रखने, सभी पंथों का विकास, और समृद्ध करने की स्वतंत्रता तथा साथ-ही-साथ सभी धर्मों के प्रति एक समान आदर तथा सहिष्णुता विकसित करना रहा है।

पंडिल जवाहर लाल नेहरू ऐसा धर्मनिरपेक्ष राष्ट्र चाहते थे जो 'सभी धर्मों की हिफाजत करें अन्य धर्मों की कीमत पर किसी एक धर्म की तरफदारी न करे और खुद किसी धर्म को राज्यधर्म के तौर पर स्वीकार न करे। नेहरू भारतीय धर्मनिरपेक्षता के दार्शनिक थे। नेहरू स्वयं किसी

धर्म का अनुसरण नहीं करते थे। स्मरणीय हो कि ईश्वर में उनका विश्वास नहीं था, लेकिन उनके लिए धर्मनिरपेक्षता का मतलब धर्म के प्रति विद्वेष नहीं था। इस अर्थ में नेहरू तुर्की के अतातुर्क से काफी भिन्न थे। साथ ही वे धर्म और राज्य के बीच पूर्ण संबंध विच्छेद के पक्ष में भी नहीं थे। उनके विचार के अनुसार, समाज में सुधार के लिए धर्मनिरपेक्ष राज्यसत्ता धर्म के मामले में हस्तक्षेप कर सकती है।

पाश्चात्य जगत को धर्मनिरपेक्षता की धारणा से भारत और प्रभावित नहीं कर रहा और देश की स्वतंत्रता के पश्चात उसे भी अपनी धर्मनिरपेक्षता का प्रमाण पत्र संविधान से देना पड़ा जिसके अनुसार संविधान व्यक्तिगत एवं सामूहिक दोनों रूप से किसी भी धर्म को स्वीकार करने की स्वतंत्रता प्रदान करता है। विभिन्न धर्मों को राज्य की ओर से समान रूप से सहायता देने की व्यवस्था है। धर्म के नाम पर राजनीति और सामाजिक जीवन में कोई भेदभाव नहीं किया जा सकता है। भारतीय संविधान की 42वें संविधान संशोधन 1976 में धर्मनिरपेक्ष शब्द जोड़ा गया था और घोषणा किया गया कि हम भारत के लोग भारत को एक संपूर्ण प्रभुत्व संपन्न लोकतंत्रात्मक धर्मनिरपेक्ष समाजवादी गणराज्य बनाने के लिए तथा उसके समस्त नागरिकों को सामाजिक आर्थिक और राजनीतिक न्याय विचार अभिव्यक्ति विश्वास धर्म और उपासना की स्वतंत्रता को स्वीकार करेंगे इसके साथ भारतीय संविधान में मूल अधिकार के अंतर्गत अनुच्छेद 15 तथा 16 अनुच्छेद 25, 26, 27 आदि धर्मनिरपेक्षता के यथार्थ स्वरूप को स्वीकार करते हैं।

इस प्रकार भारतीय संविधान के अनुसार भारत एक धर्मनिरपेक्ष राज्य है। इसकी धर्मनिरपेक्षता इस अर्थ में है कि यह धर्म के बीच सामंजस्य बनाए रखने का प्रयास करता है। भारत न तो रूस की तरह धर्म विरोधी है और इंग्लैंड की तरह राज्य द्वारा धर्म विशेष का समर्थन करता है, वैसे भारतीय हिंदू धर्म में धर्मनिरपेक्ष प्रवृत्ति शुरू से ही दिखाई पड़ती है, परंतु स्पष्ट रूप से राज्य के संदर्भ में धर्मनिरपेक्षता की धारणा को मुखरित करने वाले प्रथम राजनीतिक पंडित जवाहरलाल नेहरू को माना जाता है।

नेहरू आधुनिक विज्ञान की उपलब्धियों से प्रभावित थे। इसीलिए वैज्ञानिकता, तर्क-बुद्धि और निरपेक्षता चिंता को अधिक महत्व देते थे, उनकी दृष्टि में धार्मिक पद्धति वैज्ञानिक एवं रूढ़िवादी होती है। धार्मिक आध्यात्मिक पलायनवाद का रूप लेता है। उसके लिए अलौकिक जगत सत्य है। वैज्ञानिक पद्धति और तकनीकी से संपूर्ण मानव का उत्थान हो रहा है इस प्रकार उनका वैज्ञानिक, मानवतावाद, धर्मनिरपेक्षवाद के रूप में संपूर्ण मानव का उत्थान करने के रूप में दिखाई पड़ता है जबकि पाश्चात्य निरपेक्षतावाद का अर्थ तो कहना होगा कि पंडित नेहरू का धर्मनिरपेक्षता व पाश्चात्य निरपेक्षतावाद का एक उदारवादी रूप है।

नेहरू : धर्मनिरपेक्षता की अवधारणा

भारत बीसवीं सदी में एक धर्मनिरपेक्ष राष्ट्र बना, जो कि मुख्यत: जवाहरलाल नेहरू के सतत प्रयासों का ही परिणाम था। उनका मानना था कि विभिन्न धार्मिक संप्रदायों एवं अलग-अलग धर्मों में विभाजित एक राष्ट्र का धर्मनिरपेक्ष होना अत्यंत आवश्यक है। नेहरू धर्म विरोधी या अधार्मिक नहीं थे जैसा कि कई बार उनके धर्मनिरपेक्षता के विचार के कारण उन्हें मान लिया जाता है, बल्कि वे ऐसे राज्य के समर्थक थे जो एक धर्म की तुलना में दूसरे धर्म को कोई विशेषाधिकार न दे और कानून के शासन के आधार पर सभी धर्म राज्य की दृष्टि में समान हों। नेहरू की धर्मनिरपेक्षता की परिभाषा में, धर्मनिरपेक्षता का अर्थ है–

1. धर्म को जीवन के राजनीति, सामाजिक, आर्थिक और सांस्कृतिक पहलुओं से अलग करके एकदम व्यक्तिगत मामला मानना।
2. दूसरे राज्य का धर्म से संबंध न होना।
3. तीसरे सभी धर्मों को मानने वालों को समान अवसर प्रदान करना।
4. चौथा धर्म के आधार पर कोई भेदभाव अथवा पक्षपात न करना।

नेहरू के अनुसार, धर्मनिरपेक्ष के लिए कोई और बेहतर शब्द ढूंढ़ना सरल नहीं है। कुछ लोगों का सोचना है कि इसका अर्थ है धर्म विरोधी, जो कि बिलकुल सही नहीं है। इसका अर्थ है राज्य सभी धर्मों को समान रूप से सम्मान और अवसर प्रदान करेगा। राज्य स्वयं को किसी विशेष धर्म से नहीं जोड़ेगा जो कि राज्य का धर्म बने।

धर्मनिरपेक्षता का आधार

पंडित नेहरू के इस धर्मनिरपेक्ष दृष्टिकोण को निम्न रूप से सूत्रबद्ध किया जा सकता है–

1. राज्य को धार्मिक आधार पर अपने नागरिकों के मध्य किसी प्रकार का भेदभाव नहीं करना चाहिए। धार्मिक दृष्टि से उसे अपने सभी नागरिकों को समान समझना चाहिए तथा इसी आधार पर उनके प्रति अपना व्यवहार निर्धारित करना चाहिए।
2. राज्य को आवश्यक होने पर सामाजिक हित, शिष्टाचार, स्वास्थ्य तथा आपसी सद्भाव को बनाए रखने हेतु व्यक्ति की धार्मिक स्तंत्रता के अधिकार में हस्तक्षेप करने का अधिकार है, लेकिन इसका प्रयोग राज्य पर अपवाद स्वरूप ही होना चाहिए। यह उसका आम व्यवहार नहीं होना चाहिए।
3. प्रत्येक नागरिक को अपनी धार्मिक स्वतंत्रता के अधिकार का प्रयोग करते हुए दुसरे नागरिक की धार्मिक स्वतंत्रता के अधिकार का भी उचित सम्मान करना चाहिए। अर्थात् उसे इस दृष्टि से धार्मिक सहिष्णुता का परिचय देना चाहिए। अपने धार्मिक व्यवहार द्वारा दूसरे की धार्मिक भावना को ठेस नहीं पहुंचानी चाहिए।
4. धर्म राष्ट्रीय एकता का संवद्र्धक होना चाहिए, बाधक नहीं। अतः धार्मिक उन्माद उत्पन्न करने और उसको फैलाने हेतु धार्मिक असहिष्णुता तथा समानता, मानव गरिमा और भ्रातृत्व भाव के विरुद्ध किया जाने वाला हर कार्य अनुचित होने के कारण प्रतिबंधित होना चाहिए।

5. धर्मनिरपेक्षता एक उदार अवधारणा है। वह हर प्रकार की धार्मिक रूढ़िवादिता और कट्टरता का निषेध करती है। उसके नाम पर धार्मिक असहिष्णुता तथा समानता, मानव गरिमा और भ्रातृत्व-भाव के विरुद्ध किया जाने वाला हर कार्य अनुचित होने के कारण प्रतिबंधित होना चाहिए।
6. धर्मनिरपेक्षता हर तरह की सांप्रदायिक संकीर्णता की भावना के निषेध की अवधारणा है। अतः उसका प्रयोग सांप्रदायिक सद्भाव को नष्ट करने और दूसरे संप्रदायों के विरुद्ध घृणा और तिरस्कार की भावना फैलाने के लिए नहीं किया जाना चाहिए। धार्मिक स्वतंत्रता सांप्रदायिक तनाव एवं संघर्ष का कारण न बने, राज्य को इस दृष्टि से सदा सतर्क रहना चाहिए तथा उसके दुरूपयोग के हर प्रयास का दृढ़ता के साथ दमन करने में तत्पर रहना चाहिए।
7. प्रत्येक व्यक्ति अबाध रूप से अपनी इच्छानुसार सामाजिक हित को ध्यान में रखते हुए धार्मिक विश्वास रखने एवं उपासना करने के लिए स्वतंत्र होना चाहिए तथा बिना किसी अवांछित प्रलोभन के उनको परिवर्तित करने अर्थात् अपना धार्मिक रूपांतरण करने हेतु स्वतंत्र होना चाहिए। राज्य को इस दृष्टि से किसी प्रकार का अवांछित प्रतिबंध नहीं लगाना चाहिए।

धार्मिक स्वतंत्रता का प्रयोग केवल निजी जीवन के लिए ही होना चाहिए। सामाजिक जीवन का संचालन उसके अनुसार नहीं किया जाना चाहिए। सामाजिक जीवन सामाजिक हित के अनुसार समान आचार संहिता के आधार पर संचालित किया जाना चाहिए। पृथक्-पृथक् धार्मिक विश्वास होते हुए भी सामाजिक दृष्टि से सभी को समान समझा जाना चाहिए तथा इसी मानवीय आधार पर उनके जीवन का नियमन होना चाहिए। धर्म नहीं, विवेक इस दृष्टि से मार्गदर्शक सिद्धांत के रूप में स्वीकार किया जाना चाहिए।

नेहरू के धर्म संबंधी विचार

1947 में द्वि-राष्ट्र सिद्धांत के आधार पर हुए देश विभाजन के बाद की परिस्थितियों में भारत की धर्मनिरपेक्ष छवि को बनाए रखना एक चुनौतीपूर्ण कार्य था। धार्मिक गोलबंदी के कारण कुछ राजनीतिक दल भारत को भी मुस्लिम पाकिस्तान का हिंदू प्रतिरूप बनाना चाहते थे। लेकिन हमारे संविधान निर्माताओं की दूरदर्शिता और पंडित नेहरू और बाबासाहेब अंबेडकर की लोकतंत्र और धर्मनिरपेक्षता के प्रति अगाध वैचारिक निष्ठा के कारण भारत अपनी धर्मनिरपेक्ष छवि को बनाए रखने में सफल रहा जो सदियों से इसकी विरासत रही थी।

भारतीय धर्मनिरपेक्षता की विरासत को "गांधी-नेहरू विरासत" के नाम से भी जाना जाता है, क्योंकि भारत में आधुनिक धर्मनिरपेक्षता की अवधारणा को निरूपित करने में इन दो नेताओं की महत्वपूर्ण भूमिका थी। गांधी और नेहरू दोनों ही एक बहुलवादी समाज के समर्थक थे और भारत को एक धर्मनिरपेक्ष राज्य बनाने के प्रबल पक्षधर थे, लेकिन दोनों की धर्मनिरपेक्षता संबंधी अवधारणा एक-दूसरे से पूर्णतः भिन्न थी। गांधी अपने निजी और सार्वजनिक दोनों जीवन में एक धार्मिक व्यक्ति थे, और वे राजनीति और धर्म के मध्य निकट संबंध के पक्षधर थे। गांधी राजनीति को नैतिकता के मूल्यों पर आधारित करना चाहते थे, और उनके नैतिकता के मूल्य धार्मिक रंग में रंगे हुए थे।

गांधी से उलट नेहरू राजनीति व धर्म के बीच किसी भी प्रकार का कोई भी संबंध रखने के खिलाफ थे। वे एक नास्तिक व्यक्ति थे। वे भारत को मुस्तफा कमालपाशा के तुर्की और लेनिन के सोवियत रूस जैसा एक धर्मनिरपेक्ष देश बनाना चाहते थे, लेकिन लोकतांत्रिक देश होने के कारण नेहरू का तरीका कमालपाशा और लेनिन से भिन्न था और वे धर्मनिरपेक्षता को भारतीय स्वभाव में समायोजित करना चाहते थे, लेकिन दोनों ही नेता भारत जैसे बहुलवादी देश में धर्मनिरपेक्षता को विभिन्न धर्मों के बीच सद्भाव स्थापित करने का एक सशक्त माध्यम मानते थे।

एक बात पर गांधी और नेहरू दोनों सहमत थे कि धर्मनिरपेक्षता भारत जैसे धार्मिक बहुलता वाले देश में सभी धर्मों के मध्य सर्वधर्म समभाव और भाईचारे की भावना को बढ़ाने का एक सशक्त माध्यम है। स्वतंत्रता संग्राम के अंतिम दिनों में जब देश में धार्मिक कट्टरता और दंगे होने लगे थे तथा धर्म के आधार पर जनता को गोलबंद करने का प्रयास हो रहा था, तो उस परिवेश में गांधी भी धर्म को व्यक्ति का निजी मामला मानने लगे थे।

जवाहरलाल नेहरू आधुनिक भारत के वास्तुकार थे। राष्ट्रीय आंदोलन में उनकी दीर्घकालिक भूमिका ओर भारत के सबसे बड़े राजनीतिक नेता के रूप में स्वतंत्र भारत पर उनकी विचारधारा का व्यापक असर दिखाई देता है। नेहरू एक लोकतांत्रिक समाजादी थे, जो अंतर्राष्ट्रीयतावाद में विश्वास करते थे। उनके द्वारा प्रदत्त धर्मनिरपेक्षता की धारणा ने आज भी भारतीय समाज में अपना सकारात्मक प्रभाव बनाए रखा है। उनके द्वारा स्थापित पंचशील सिद्धांत और गुटनिरपेक्षता ने राष्ट्रीय ही नहीं अंतर्राष्ट्रीय मंच पर भी भारत को सुदृढ़ता प्रदान की और शीतयुद्ध के काल में एक नई राह दिखलाई। अत: हम कह सकते हैं कि नेहरू एक युगद्रष्टा और राष्ट्रनिर्माता थे।

धर्मनिरपेक्षता पर गांधी जी के विचार

महात्मा गांधी निजी जीवन में धार्मिक व्यक्ति थे, वे धर्म और राजनीति के मध्य संबंधों को प्रमुखता देते थे। इस मामले में वे पंडित नेहरू से अलग मत रखते थे।

गौरतलब है कि भारतीय धर्मनिरपेक्षता ने अंत:धार्मिक और अंतर-धार्मिक वर्चस्व पर एक साथ ध्यान केंद्रित किया है। इसने हिंदुओं के अंदर दलितों और महिलाओं के उत्पीड़न और भारतीय मुसलमानों तथा ईसाइयों के अंदर महिलाओं के प्रति भेदभाव तथा बहुसंख्यक समुदाय द्वारा अल्पसंख्यक धार्मिक समुदायों के अधिकारों पर उत्पन्न किए जा सकने वाले खतरों का विरोध किया है, जो इसे पश्चिमी धर्मनिरपेक्षता की अवधारणा से भिन्न बनाती है।

यदि पश्चिम में कोई धार्मिक संस्था किसी समुदाय या महिला के लिए कोई निर्देश देती है, तो सरकार और न्यायालय उस मामले में हस्तक्षेप नहीं कर सकते हैं, जबकि भारत में मंदिरों, मस्जिदों में महिलाओं के प्रवेश जैसे मुद्दों पर राज्य और न्यायालय दखल दे सकते हैं।

एक अन्य भिन्नता यह भी है कि भारतीय धर्मनिरपेक्षता का संबंध व्यक्तियों की धार्मिक आजादी से ही नहीं, बल्कि अल्पसंख्यक समुदायों की धार्मिक आबादी से भी है। इसके अंतर्गत हर आदमी को अपनी पसंद का जहाँ धर्म चुनने व मानने का अधिकार है, वहीं धार्मिक अल्पसंख्यकों को भी अपनी खुद की संस्कृति और शैक्षिक संस्थाएँ कायम रखने का अधिकार दिया गया है।

भारतीय धर्मनिरपेक्षता में राज्य समर्थित धार्मिक सुधार की गुंजाइश भी होती है, और अनुकूलता भी, जो पश्चिम में देखने को नहीं मिलती है। उदाहरण के लिए भारतीय संविधान ने अस्पृश्यता पर प्रतिबंध लगाया है, वहीं भारत राज्य ने बाल विवाह के उन्मूलन और अंतर्जातीय विवाह पर हिंदू धर्म के द्वारा लगाए निषेध को खत्म करने हेतु अनेक कानून बनाए हैं।

भारत में धर्मनिरपेक्षता के तहत गांधी जी की अवधारणा पर ज्यादा बल दिया गया है, जिसके अनुसार सभी धर्मों को समान और सकारात्मक रूप से प्रोत्साहित करने की बात की गई है।

इस प्रकार भारत की धर्मनिरपेक्षता न तो पूरी तरह धर्म के साथ जुड़ी है और न ही इससे पूरी तरह तटस्थ है। विदित हो कि भारत के सुप्रीम कोर्ट ने केशवानंद मामले में दिए अपने निर्णय में धर्मनिरपेक्षता को भारत की आधारभूत संरचना का हिस्सा माना है। भारतीय धर्मनिरपेक्षता अपने इन्हीं मूल्यों के आधार पर पश्चिमी धर्मनिरपेक्षता से सैद्धान्तिक रूप में भिन्न है।

इस अवधारणा के संदर्भ में महात्मा गांधी का सर्वधर्म समभाव की अवधारणा भी भारतीय धर्मनिरपेक्षतावाद से अधिक अलग लगती है, लेकिन गांधीजी हमेशा आध्यात्मिक एवं पारलौकिक जगत की विषय वस्तु में पूर्ण आस्था रखे थे। वह धर्म के समर्थक थे हिंदू धर्म को विश्व धर्म के रूप में स्वीकार करते थे। सभी धर्मों में एकता स्थापित करना

चाहते थे। धर्मों के प्रति सहिष्णुता समभाव के दृष्टिकोण ही उनके अनुसार धर्मनिरपेक्षता का वास्तविक स्वरूप है, जो पाश्चात्य जगत के दृष्टिकोण से पूरी तरह से भिन्न दिखाई पड़ता है, जबकि नेहरू ने धर्मनिरपेक्षता में धर्म के प्रति तटस्थता दो अर्थों में भिन्न दिखाई पड़ती है–

1. ऐसी स्थिति में जब सरकार धार्मिक संगठन से कोई सरोकार नहीं रखती है।
2. ऐसी स्थिति में जब सरकार धर्म संगठन है।

अपने अनुयायियों एक साथ एक जैसा व्यवहार करती है। ऐसी स्थिति में सरकार धार्मिक संगठनों को सहायता दे सकती है। यह उसके प्रबंध में हस्तक्षेप कर सकती है, परंतु ऐसा करते समय वह किसी धर्म के साथ भेदभाव नहीं करती है।

भारत को धर्मनिरपेक्ष राज्य घोषित कर दिया गया हे, वैसे इससे पहले भी भारत को धर्मनिरपेक्ष माना जाता रहा है। भारत के संदर्भ में धर्मनिरपेक्षता और अधिक उपयुक्त है। भारत में धर्मनिरपेक्षता की व्याख्या धर्म के प्रति तटस्थता के भाव में नहीं की जाती है, बल्कि धर्म समन्वय के रूप में दिखाई पड़ती है। यही राष्ट्रीय एकता का यथा सिद्धांत माना जाता है।

राधाकृष्णन् अपनी पुस्तक **डिस्कवरी ऑफ फेथ** में व्यक्त करते हुए कहते हैं कि भारतीय और पाश्चात्य धर्मनिरपेक्षतावाद का अंतर तब स्पष्ट हो जाता है, जब भारत को धर्मनिरपेक्ष राज्य कहा जाता है, तो इसका अर्थ यह नहीं कि हम अलौकिक आत्मा की सत्ता को स्वीकार करते हैं अथवा जीवन के लिए धर्म की उपयोगिता को नहीं मानते हैं अथवा हम अधर्म को प्रोत्साहन देते हैं।

इसका अर्थ यह भी नहीं है कि सेक्युलरिज्म स्वतः एक धर्म बन जाता है अथवा राज्य देवी सता का आबाध अधिकार मानता है। यदि परम सत्ता में आस्था रखना भारतीय परंपरा का मुख्य स्थान है, फिर भी भारतीय राज्य किसी विशेष धर्म से अपना तादात्म्य संबंध नहीं रखता है,

बल्कि सभी धर्मों में निष्पक्षता सहिष्णुता भविष्य गामी दृष्टिकोण रखने का कार्य करता है। भारत धर्मनिरपेक्षता के अनुसार धर्म के एक समूह को नागरिकों के द्वारा ऐसे अधिकार की मांग नहीं की जा सकती है जो अन्य धर्मों के समूह के लोगों के विरुद्ध हो सकता है।

सामान्य जीवन में सभी का समान हिस्सा है कोई व्यक्ति या समूह धर्म के कारण भेदभाव की दृष्टि से नहीं देखा जाएगा।

भारतीय धर्मनिरपेक्षता की विशेषताएं

1. यह उदारवादी है इसकी उदारता इस बात में दिखाई पड़ती है कि यह बिना भेदभाव के सभी नागरिकों को समानता और स्वतंत्रता के अधिकार देता है। अल्पसंख्यकों को अपने धर्म के पालन और प्रसार की स्वतंत्रता देता है।
2. भारतीय धर्मनिरपेक्षता स्थिर नहीं है, बल्कि निरंतर गतिशील है। इसकी जागरूकता में इसका भाव दिखाई पड़ता है।
3. इसमें समाज कल्याण को सर्वोपरि रखा जाता है। समाज कल्याण में बाधा पड़ने पर धार्मिक स्वतंत्रता पर प्रतिबंध भी लगाया जा सकता है।
4. भारतीय धर्मनिरपेक्षताओं में तार्किक दृष्टिकोण को समानता एवं विश्व बंधुत्व की भावना से स्वीकार किया जाता है।

हम कह सकते हैं कि भारतीय संदर्भ में भारतीय धर्मनिरपेक्षता को व्यापक धरातल दिया गया है। राज्य को धार्मिक मामलों से पृथक् रखा गया है। नागरिकों को धार्मिक स्वतंत्रता दी गई है, किंतु देश की एकता एवं अखंडता पर आज धार्मिक मामले में हस्तक्षेप कर सकता है, लेकिन **शाहबानो प्रकारण में सरकार** ने मुस्लिम कट्टरपंथ की ओर झुक कर धर्म के सम्मुख समर्पण कर दिया या धर्मनिरपेक्षता के प्रति भारतीय विरोधाभास दिखाई पड़ता है। समस्त राजनीतिक दल एवं राजनीतिक प्रतिनिधि धर्म की आड़ को लेकर अथवा धार्मिक भावनाओं को भड़का कर धर्मनिरपेक्षता का गला घोंट कर चुनाव

लड़ते हैं। राजनीतिक दल शिलान्यास संपन्न करवाता है, तो दूसरा दल मंदिर बनवाने का नेतृत्व कर रहा है अल्पसंख्यकों की तुष्टीकरण होना धार्मिक निष्पक्षता पर एक प्रकार कुठाराघात के रूप में दिखाई पड़ता है।

धार्मिक नेताओं से उपाधि लेना, जामा मस्जिद से अपने दल के लिए वोट का फतवा जारी कराना ऐसा दृष्टांत है। जिससे स्पष्ट होता है कि भारत में अभी भी धर्मनिरपेक्षता व्यवहारिक धरातल पर नहीं आ पाई है। इस संदर्भ में महात्मा गांधी द्वारा कहा गया कथन धर्म का राजनीतिकरण नहीं करना चाहिए बल्कि राजनीति का धार्मिक करण करना अधिक प्रासंगिक दिखाई पड़ता है, क्योंकि जिस प्रकार से भारत में धर्म का राजनीतिकरण करके धर्मनिरपेक्षता की मूल आत्मा पर कुठारघात किया जा रहा है, तथा अपने धर्म को सर्वश्रेष्ठ की भावना कहीं न कहीं भारतीय संस्कृति की मूल आत्मा वसुधैव कुटुंबकम् की मूल भावना पर कुठाराघात करती नजर आ रही है।

इसलिए वर्तमान परिदृश्य में आवश्यकता दिखाई पड़ती है कि हम सभी प्रकार के धार्मिक मान्यताओं से ऊपर उठकर आर्थिक दृष्टिकोण अपनाते हुए नैतिक आधार पर वैज्ञानिक जीवन शैली को भौतिकवाद के साथ आध्यात्मिक उन्नति के बीच उचित सामंजस्य स्थापित कर जीवन जीने की कला को विकसित करना चाहिए।

जिससे संपूर्ण समाज तथा संपूर्ण विश्व में विश्व बंधुत्व की भावना, स्वतंत्रता, समानता के आधार पर अंबेडकर द्वारा स्थापित भारतीय संविधान की मूल आत्मा को लागू किया जा सके। जहां लोग कर्म बुद्धि तर्क नैतिक जैसे सद्गुण को विकसित कर जीवन जीने की भारतीय संस्कृति की मूल आत्मा वसुधैव कुटुंबकम् की प्रकृति के साथ जीवन जीने की कला को पकड़ कर सकें।

भारतीय धर्मनिरपेक्षता की आलोचना क्यों

भारतीय धर्मनिरपेक्षता अपने शुरूआती समय से ही तीखी आलोचनाओं का विषय रही है। जिसको लेकर कई तर्क भी दिए जाते रहे हैं। यहाँ हम उन चुनौतियों का जिक्र निम्न बिन्दुओं के अन्तर्गत कर सकते हैं–

1. कुछ आलोचकों का तर्क है कि धर्म निरपेक्षता धर्म विरोधी है, लेकिन भारतीय धर्म निरपेक्षता धर्म विरोधी नहीं है। इसमें सभी धर्मों को उचित सम्मान किया गया है। उल्लेखनीय है कि धर्म निरपेक्षता संस्थाबद्ध धार्मिक वर्चस्व का विरोध तो करती है लेकिन यह धर्म विरोधी होने का पर्याय नहीं है।
2. धर्म निरपेक्षता के विषय में यह भी कहा जाता है कि यह पश्चिम से आयातित है, अर्थात् ईसाईयत से प्रेरित है, लेकिन यह सही आलोचना नहीं है। दरअसल भारत में धर्मनिरपेक्षता को प्राचीन काल से ही अपनी एक विशिष्ट पहचान रही है, यह कहीं से आयातित नहीं बल्कि मौलिक है।
3. भारत की धर्मनिरपेक्षता पर अल्पसंख्यकवाद होने का भी आरोप लगता रहा है। विदित हो कि भारतीय धर्मनिरपेक्षता अल्पसंख्यक अधिकारों की पैरवी जरूर करती है मगर यह पैरवी न्याय के अनुसार होता है। ऐसे में अल्पसंख्यक अधिकारों को विशेष सुविधाओं के रूप में नहीं देखना चाहिए।
4. भारत में धर्मनिरपेक्षता राज्य द्वारा संचालित होती है। अल्पसंख्यकों को शिकायत है कि राज्य को धर्म के मामलों में हस्तक्षेप नही करना चाहिये। उल्लेखनीय है कि तीन तलाक के मसले पर मुस्लिम पर्सनल लॉ बोर्ड का यह कहना था कि सामाजिक सुधारों के नाम पर राज्य द्वारा निजी कानूनों में दखल दिया जा रहा है। वहीं जैन धर्मावलंबी अपनी संथारा प्रथा का बचाव उसके हजारों सालों से चले आने के आधार पर कर रहे हैं।
5. इसके अलावा यह भी आरोप लगाया जाता रहा है कि राज्य बहुसंख्यकों से प्रभावित होकर ही अल्पसंख्यकों के मामलों में दखल देता है। इसके विपरीत बहुसंख्यकों को यह संदेह होता है कि राज्य अल्पसंख्यकों का तुष्टिकरण कर रहा है। ऐसी प्रवृत्ति समुदायों में सांप्रदायिकता बढ़ाने का काम कर रही है।

धर्मनिरपेक्षता पर सवाल उठाती कुछ घटनाएँ भी इसके समक्ष चुनौती पेश करती रही हैं जैसे 1984 के दंगे, बाबरी मस्जिद का ध्वंस, वर्ष 1992-93 के मुंबई दंगे, गोधरा कांड और वर्ष 2003 के गुजरात दंगे, गौहत्या रोकने की आड़ में धार्मिक और नस्लीय हमले आदि। नतीजतन भारत में धर्मनिरपेक्षता धार्मिक कट्टरवाद, अग्र राष्ट्रवाद तथा तुष्टिकरण की नीति के कारण खतरे में है।

कुछ आलोचकों का तर्क है कि भारतीय धर्मनिरपेक्षता उत्पीड़नकारी है। यह व्यक्ति की धार्मिक स्वतन्त्रता में अधिक हस्तक्षेप करती है। जबकि ऐसा नहीं है, भारतीय धर्मनिरपेक्षता का स्वरूप उत्पीड़नकारी नहीं बल्कि सुधारवादी है।

धर्मनिरपेक्षता शब्द हमारे संविधान में अच्छी तरह से परिभाषित नहीं है, जो इसके दुरूपयोग और इसे अपरिभाषित करने के लिये एक समुचित जगह प्रदान करता है। इस अर्थ में, समय-समय पर धर्मांतरण शब्द का भी दुरूपयोग और इसकी गलत व्याख्या की जाती रही है।

आलोचकों द्वारा एक अन्य तर्क यह भी दिया जाता है कि धर्मनिरपेक्षता वोट बैंक की राजनीति को बढ़ावा देती है।

पश्चिमी देशों की धर्मनिरपेक्षता से भिन्न

धर्मनिरपेक्षता का पश्चिमी मॉडल-धर्मनिरपेक्ष राज्य पादरियों द्वारा नहीं चलाया जाता है और नही इसका कोई सरकारी या स्थापित धर्म संघ होता है। फ्रांसीसी क्रांति के बाद फ्रांस में धर्मनिरपेक्षवाद एक आन्दोलन के रूप में बदल गया था। संयुक्त राज्य अमेरिका भी शुरू से धर्मनिरपेक्ष राज्य रहा है। संयुक्त राज्य अमेरिका के संविधान में कहा गया है कि अमेरिकी कांग्रेस ऐसा कोई कानून पारित नहीं करेगी, जो धर्मसंघ की स्थापना करता हो या किसी धर्म को मानने की स्वतंत्रता पर रोक लगाता हो।

1. भारत में एक राष्ट्र के तौर पर धर्मनिरपेक्षता का अर्थ है, सरकार की सभी धर्मों से एक समान दूरी बनाए रखना। दरअसल, यह पश्चिम के देशों और अमेरिका आदि की

धर्मनिरपेक्षता से काफी अलग है।

2. भारत और पश्चिम की धर्मनिरपेक्षता के मध्य विद्यमान अंतर को हम एक उदाहरण के माध्यम से समझ सकते हैं।
3. यदि पश्चिम के किसी देश में चर्च की कोर कमेटी द्वारा यह तय कर दिया जाए कि आगे से कोई महिला प्रिस्ट नहीं बन सकती तो सरकार और न्यायालय इन मामलों में हस्तक्षेप नहीं कर सकते हैं।
4. जबकि यदि भारत में कोई मठ या मंदिर किसी महिला सदस्य को महंत बनाने से इनकार करता है तो सरकार और न्यायालय इन मामलों में हस्तक्षेप कर सकते हैं।

धर्मनिरपेक्षता का भारतीय मॉडल

1. राज्यों द्वारा समर्थित धार्मिक सुधारों की अनुमति।
2. एक धर्म के भिन्न-भिन्न पंथों के बीच समानता पर जोर देना।
3. अल्पसंख्यक समुदायों के अधिकारों पर ध्यान देना।
4. व्यक्ति और धार्मिक समुदायों का दोनों के अधिकारों को संरक्षण देना।

संविधान में धर्मनिरपेक्षता का उल्लेख

1. धर्मनिरपेक्षता शब्द का प्रयोग भारतीय संविधान के किसी भाग में नहीं किया गया था, लेकिन संविधान में कई ऐसे अनुच्छेद मौजूद थे जो भारत को एक धर्मनिरपेक्ष राज्य बनाते हैं।
2. मसलन संविधान के अनुच्छेद 14 के तहत देश के सभी नागरिक कानून की नजर में एक समान हैं।
3. वहीं अनुच्छेद 15 के तहत धर्म, जाति, नस्ल, लिंग और जन्म स्थल के आधार पर भेदभाव पर पाबंदी लगाई गई है।
4. अनुच्छेद 16 के तरह तक सार्वजनिक रोजगार के क्षेत्र में सबको एक समान अवसर प्रदान करने की बात की गई है। (कुछ अपवादों के साथ)

5. भारतीय संविधान में धर्मनिरपेक्षता शब्द की बजाय पंथनिरपेक्ष शब्द का प्रयोग 1976 में 42वें संविधान संशोधन के द्वारा संविधान की प्रस्तावना में शामिल किया गया है।
6. संविधान के अधीन भारत एक पंथनिरपेक्ष राज्य है, ऐसा राज्य जो सभी धर्मों के प्रति तटस्थता और निष्पक्षता का भाव रखता है।
7. संविधान में भारतीय राज्य का कोई धर्म घोषित नही किया गया है और न ही किसी खास धर्म का समर्थन किया गया है।

मूल अधिकार और धर्मनिरपेक्षता

1. भारतीय संविधान निर्माताओं ने मूल अधिकारों के अंतर्गत बहुत से ऐसे प्रावधान किये हैं, जो राज्य की धर्मनिरपेक्ष प्रकृति को बढ़ावा देते हैं।
2. संविधान के अनुच्छेद 25 में प्रत्येक व्यक्ति को अपने धार्मिक विश्वास और सिद्धांतों का प्रसार करने या फैलाने का अधिकार है।
3. अनुच्छेद 26 धार्मिक संस्थाओं की स्थापना का अधिकार देता है। इसके अलावा अनुच्छेद 27 कहता है कि नागरिकों को किसी विशिष्ट धर्म या धार्मिक संस्था की स्थापना या पोषण के एवज में कर देने के लिये बाध्य नहीं किया जा सकता।
4. अनुच्छेद 28 कहता है कि राज्य की आर्थिक सहायता द्वारा चलाए जा रहे शैक्षणिक संस्थानों में धार्मिक शिक्षा नहीं दी जाएगी।
5. जबकि संविधान का अनुच्छेद 30 अल्पसंख्यक समुदायों को स्वयं के शैक्षणिक संस्थान खोलने एवं उन पर प्रशासन का अधिकार देता है।

भारत में धर्मनिरपेक्षता का स्वरूप

1. भारतीय धर्मनिरपेक्षता की अवधारणा अमेरिका की तरह धर्म और राज्य के बीच अलगाव पर आधारित नहीं है।
2. भारत की धर्मनिरपेक्षता न तो पूरी तरह धर्म के साथ जुड़ी है और न ही इससे पूरी तरह तटस्थ है। भारतीय धर्मनिरपेक्षता के इन मूल्यों को ही सैद्धान्तिक अंतर के रूप में बताया गया है।
3. गौरतलब है कि भारत के सुप्रीम कोर्ट ने केशवानंद मामले में दिए अपने निर्णय में धर्मनिरपेक्षता को भारत की आधारभूत संरचना का हिस्सा माना है।

यूनिफॉर्म सिविल कोड धर्मनिरपेक्षता के लिये एक बड़ी चुनौती

जब देश धार्मिक तौर पर एक है, तो सबके लिये एक समान कानून क्यों नहीं है? दरअसल, यूनिफॉर्म सिविल कोड यानी समान नागरिक संहिता आज तक बहाल नहीं हो पाई है और एक धर्मनिरपेक्ष राष्ट्र के तौर पर यह देश की सबसे बड़ी चुनौती है। देश के प्रमुख धार्मिक समुदायों के ग्रंथों, रीति-रिवाजों और मान्यताओं के आधार पर बनाए गए व्यक्तिगत कानूनों के स्थान पर भारत के सभी नागरिकों के लिये एक समान संहिता बनाने को ही यून्किॉर्म सिविल कोड यानी समान नागरिक संहिता कहते हैं।

यूनिफॉर्म सिविल कोड आवश्यक क्यों?

सभी को बराबरी का दर्जा

1. एक आधुनिक, धर्मनिरपेक्ष और लोकतांत्रिक गणराज्य का यह उत्तरदायित्व है कि वह विभिन्न जाति, धर्म, वर्ग और लिंग से संबंध रखने वाले अपने सभी नागरिकों के लिये एक समान नागरिक और व्यक्तिगत कानून का निर्माण करे।

लैंगिक समानता की बहाली

1. आमतौर पर यह देखा गया है कि लगभग सभी धर्मों के व्यक्तिगत कानून महिलाओं के प्रति भेदभावपूर्ण हैं।
2. पुरुषों को उत्तराधिकार और विरासत के मामले में तरजीह दी जाती है। ऐसे में, यूसीसी पुरुषों और महिलाओं दोनों को समानता के स्तर पर लाने में सहायक होगा।

नव-भारत की आकांक्षाओं की पूर्ति

1. दरअसल, समकालीन भारत पूरी तरह से एक नया समाज है, जिसमें आधे से भी अधिक आबादी 25 वर्ष से कम उम्र के लोगों की है।
2. भारत के इस नौजवान वर्ग की सामाजिक चेतना को समानता, मानवता और आधुनिकता के सार्वभौमिक और वैश्विक सिद्धांतों ने आकार दिया है।
3. यूनिफॉर्म सिविल कोड इस चेतना को और भी मजबुत बनाएगा।

राष्ट्र की एकता और अखंडता की सुरक्षा

1. सभी भारतीय नागरिकों को कानूनों द्वारा एक समान सरंक्षण प्राप्त है, क्योंकि आपराधिक कानून और अन्य नागरिक कानून सभी के लिये समान हैं।
2. यदि यूसीसी लागू होता है, तो किसी विशेष समुदाय को रियायतें या अन्य विशेषाधिकारों के मुद्दों पर राजनीति की कोई संभावना नहीं होगी, जिससे देश की एकता और अखंडता अक्षुण्ण रहेगी।

यूनिफॉर्म सिविल कोड लागू कर पाना मुश्किल क्यों?

देश की सांस्कृतिक विविधता के कारण व्यावहारिक कठिनाइयाँ-

1. भारत के सभी धर्मों, संप्रदायों, जातियों, राज्यों आदि में व्यापक सांस्कृतिक विविधता देखने को मिलती है।

2. यही कारण है कि विवाह जैसे व्यक्तिगत मुद्दों पर आम तौरपर एक समान राय बनाना व्यावहारिक रूप से कठिन है।
3. उदाहरण के लिये, हिन्दू धर्म में विवाह को जहाँ एक संस्कार माना जाता है, वहीं मुस्लिम धर्म इसे संविदा (contract) मानता है।

धार्मिक स्वतंत्रता के अधिकार का अतिक्रमण

1. भारत में बड़ी संख्या में अल्पसंख्यक तबका और उनका प्रतिनिधित्व करने वाली संस्थाओं का मानना है कि यूसीसी उनके धार्मिक अधिकारों का उल्लंघन होगा।
2. दरअसल, ऐसा इस मुद्दे के राजनितीकरण के कारण हुआ है। दक्षिणपंथी विचारधारा के उग्र समर्थकों का विचार यह है कि अल्पसंख्यक समुदाय की सभी समस्याओं की जड़ उनके पर्सनल लॉज ही हैं।
3. जबकि, उन्हें वोट बैंक मानने वाली पार्टियाँ इस संबंध में तुष्टीकरण की नीतियों का पालन करती रही हैं, जिससे कट्टरपंथी वर्ग फल-फूल रहा है।

एक संवेदनशील और मुश्किल कार्य

1. यदि यूनिफॉर्म सिविल कोड लागू करने का निर्णय ले भी लिया गया तो इसे समग्र रूप देना आसान नहीं होगा।
2. इसके लिये न्यायालय को व्यक्तिगत मामलों से संबंधित सभी पहलुओं पर विचार करना होगा।
3. विवाह, तलाक, पुनर्विवाह आदि जैसे मसलों पर किसी धर्म विशेष की भावनाओं को ठेस पहुँचाए बिना कानून बनाना आसान काम नहीं है।

धर्मनिरपेक्षता के संदर्भ में संवैधानिक दृष्टिकोण

1. भारतीय परिप्रेक्ष्य में संविधान के निर्माण के समय से ही इसमें धर्मनिरपेक्षता की अवधारणा निहित थी जो संविधान के

भाग-3 में वर्णित मौलिक अधिकारों में धार्मिक स्वतंत्रता के अधिकार (अनुच्छेद-25 से 28) से स्पष्ट होती है।

2. भारतीय संविधान में पुनः धर्मनिरपेक्षता को परिभाषित करते हुए 42वें सविधान सशोधन अधिनयम, 1976 द्वारा इसकी प्रस्तावना में 'पंथ निरपेक्षता' शब्द को जोड़ा गया।
3. यहाँ पंथनिरपेक्ष का अर्थ है कि भारत सरकार धर्म के मामले में तटस्थ रहेगी। उसका अपना कोई धार्मिक पंथ नही होगा तथा देश में सभी नागरिकों को अपनी इच्छा के अनुसार धार्मिक उपासना का अधिकार होगा। भारत सरकार न तो किसी धार्मिक पंथ का पक्ष लेगी और न ही किसी धार्मिक पंथ का विरोध करेगी।
4. पंथनिरपेक्ष राज्य धर्म के आधार पर किसी नागरिक से भेदभाव न कर प्रत्येक व्यक्ति के साथ समान व्यवहार करता है।
5. भारत का संविधान किसी धर्म विशेष से जुड़ा हुआ नहीं है।

धर्मनिरपेक्षता का सकारात्मक पक्ष

1. धर्मनिरपेक्षता की भावना एक उदार एवं व्यापक दृष्टिकोण प्रस्तुत करती है जो 'सर्वधर्म समभाव' की भावना से परिचालित है।
2. धर्मनिरपेक्षता सभी को एकता के सूत्र में बाँधने का कार्य करती है।
3. इसमें किसी भी समुदाय का अन्य समुदायों पर वर्चस्व स्थापित नहीं होता है।
4. यह लोकतांत्रिक व्यवस्था को मजबूती प्रदान करती है तथा धर्म को राजनीति से पृथक् करने का कार्य करती है।

धर्मनिरपेक्षता का लक्ष्य नैतिकता तथा मानव कल्याण को बढ़ावा देना है जो सभी धर्मों का मूल उद्देश्य भी है।

धर्मनिरपेक्षता का नकारात्मक पक्ष

1. ये धर्म विरोधी है।
2. ये पश्चिम से आयातित है।
3. अल्पसंख्यकवाद पर ज्यादा केन्द्रित है।
4. बहुत अधिक हस्तक्षेप होता है।
5. इसे वोट बैंक की राजनीति के लिए इस्तेमाल किया जाता है।
6. भारतीय परिप्रेक्ष्य में धर्मनिरपेक्षता को लेकर आरोप लगाया जाता है कि यह पश्चिम से आयातित है अर्थात् इसकी जड़े उत्पत्ति ईसाइयत में खोजी जाती है।
7. धर्मनिरपेक्षता पर धर्म विरोधी होने का आक्षेप भी लगाया जाता है जो लोगों की धार्मिक पहचान के लिये खतरा उत्पन्न करती है।
8. भारतीय संदर्भ में धर्मनिरपेक्षता पर आरोप लगाया जाता है कि राज्य बहुसंख्यकों से प्रभावित होकर अल्पसंख्यकों के मामले में हस्तक्षेप करता है जो अल्पसंख्यकों के मन में यह शंका उत्पन्न करता है कि राज्य तुष्टीकरण की नीति को बढ़ावा देता है। ऐसी प्रवृत्तियाँ ही किसी समुदाय में साप्रदायिकता को बढ़ावा देती हैं।
9. धर्मनिरपेक्षता को कभी-कभी अति उत्पीड़नकारी रूप में भी देखा जाता है जो समुदायों, व्यक्तियों की धार्मिक स्वतंत्रता में अत्यधिक हस्तक्षेप करती है।
10. यह वोट बैंक की राजनीति को बढ़ावा देती है।

भारतीय धर्मनिरपेक्षता तथा पश्चिमी धर्मनिरपेक्षता के बीच अंतर

भारतीय धर्मनिरपेक्षता तथा पश्चिमी धर्मनिरपेक्षता के बीच अंतर को निम्नलिखित बिंदुओं से स्पष्ट किया जा सकता है-

1. पश्चिमी धर्मनिरपेक्षता जहाँ धर्म एवं राज्य के बीच पूर्णत: संबंध विच्छेद पर आधारित है, वहीं भारतीय संदर्भ में यह अंतर-धार्मिक समानता पर आधारित है।
2. पश्चिम में धर्मनिरपेक्षता का पूर्णत: नकारात्मक एवं अलगाववादी स्वरूप दृष्टिगोचर होता है, वहीं भारत में यह समग्र रूप से सभी धर्मों का सम्मान करने की संवैधानिक मान्यता पर आधारित है।

1. राज्य तथा धर्म के बीच पृथक्कारी कोई दिवार नहीं है- हमारे संविधान राज्य को धर्म से पूर्ण रूप से अलग नहीं करता, भारत में राज्यों विभिन्न धार्मिक समुदायों के आर्थिक वित्तीय राजनैतिक या अन्य क्रियाकलापों को नियमित करने की अनुमति दी गयी है।

2. धार्मिक और भाषीय समूहों के अधिकार- व्यक्ति को अत:करण की स्वतन्त्रता प्रदान की गयी है इसके साथ ही संविधान धार्मिक अल्पसंख्यकों के अधिकारों रक्षा करता है, ताकि वह गरिमा के साथ जीवन व्यतीत कर सकें।

3. किसी धर्म परिवर्तन पर रोक- धर्म के प्रचार का अर्थ है कि धार्मिक मान्यताओं को किसी अन्य व्यक्तियों तक पहुँचाने का अधिकार या अपने धर्म के सिद्धांतों की व्याख्या करना।

भारतीय धर्मनिरपेक्षता की आलोचनायें

1. यह धर्म विरोधी राष्ट्र है– भारत विभाजन के फलस्वरूप हमने पाकिस्तान के गठन होते देखा जहां इस्लाम का वर्चस्व है। यदि तर्क के आधार पर देखा जाये, तो भारत के लिए उचित था कि वह स्वम् को हिन्दू राज्य घोषित कर देता।

2. धर्मनिरपेक्ष पश्चिमी देशों की अवधारणा– युरोपीय राज्य में जहाँ ईसाई धर्म का बोल-बाला है। धर्मनिरपेक्षवाद का अर्थ है कि राज्य ईसाई चर्च के आधीन नहीं है। इसके पश्चात् देशों में समाज को धर्मनिरपेक्ष बनाने का अर्थ है। इसमें एक ऐसा रूप प्रदान करना जिससे यह धर्म को नियंत्रण में न रखे।

3. अल्पसंख्यक साम्प्रदायिकता को बढावा देने के खतरे– संविधान द्वारा अल्पसंख्यक समुदायों के कुछ लोगों को विशेषाधिकार प्रदान किए गए हैं। आलोचकों का कहना है कि धर्म के आधार पर किसी भी विशेष सुविधा या अधिकार को प्राप्त करना गलत है।

4. अन्य धर्मों की तुलना में एक धर्म के मामलों में बहुत ज्यादा हस्तक्षेप– राज्य ने हिन्दू विवाह अधिनियम विशेष विवाह अधिनियम जैसे कानून द्वारा हिन्दू समाज में सुधार लाने की चेष्टा की।

5. धर्मनिरपेक्षता वोट बैंक राजनीति का एक हथियार– वोटरों की सर्वाधिक संख्या को लुभाने के लिए राजनीतिक दल भारत जैसे विशाल जनसंख्या वाले देश में धर्मनिरपेक्षता को एक राजनीतिक हथियार बना लिए हैं। राजनीतिक शक्ति पर कब्जा जमाने के लिए धर्म और जाति का प्रयोग करते हैं।

धर्मनिरपेक्षता के समक्ष चुनौतियाँ

भारत में हमेशा से धर्मनिरपेक्षता का मुद्दा सार्वजनिक वाद-विवाद और परिचर्चाओं में मौजूद रहा है। एक तरफ जहाँ हर राजनीतिक दल धर्मनिरपेक्ष होने की घोषणा करता है वहीं धर्मनिरपेक्षता के संदर्भ में कुछ पेंचीदा मामले हमेशा चर्चाओं में बने रहते हैं, जो समय-समय पर अनेक़ प्रकार की चिंताओं के साथ धर्मनिरपेक्षता के समक्ष चुनौतियाँ उत्पन्न करते रहे, जैसे–

1. वर्ष 1984 के दंगों में दिल्ली तथा देश के अन्य हिस्सों में लगभग 2700 से अधिक लोगों का मारा जाना।
2. वर्ष 1990 में हजारों कश्मीरी पंडितों को घाटी से अपना घर छोड़ने के लिये विवश करना।
3. वर्ष 1992-1993 के मुम्बई दंगे।
4. वर्ष 2003 में गुजरात के दंगे जिसमें मुस्लिम समुदाय के लगभग 1000 से अधिक लोग मारे गए।
5. गौहत्या रोकने की आड़ में धार्मिक और नस्लीय हमले।

6. नागरिकता संशोधन अधिनियम तथा नेशनल रजिस्टर ऑफ सिटिजन बिल के खिलाफ देश भर में उत्पन्न विरोध एवं हिंसा इत्यादि।

उपरोक्त सभी उदाहरणों में किसी-न-किसी रूप में नागरिकों के एक समूह को बुनियादी जरूरतों से दूर रखा गया। परिणामस्वरूप भारत में धर्मनिरपेक्षता समय-समय पर धार्मिक कट्टरवाद, उग्रराष्ट्रवाद तथा तुष्टीकरण की नीति के कारण शंकाओं एवं विवादों में घिरी रहती है।

समाधान

1. धर्मनिरपेक्षता संविधान के मूल ढाँचे का अभिन्न अंग है। अतः सरकारों को चाहिये कि वे इसका संरक्षण सुनिश्चित करें।
2. एस.आर. बोम्मई बनाम भारत गणराज्य मामले में वर्ष 1994 में सर्वोच्च न्यायालय द्वारा निर्णय दिया गया कि अगर धर्म को राजनीति से अलग नहीं किया गया, तो सत्ताधारी दल का धर्म ही देश का धर्म बन जाएगा। अतः राजनीतिक दलों को सर्वोच्च न्यायालय के इस निर्णय पर अमल करने की आवश्यकता है।
3. यूनिफार्म सिविल कोड यानी एक समान नागरिक संहिता जो धर्मनिरपेक्षता के समक्ष चुनौती प्रस्तुत करती है, को मजबूती से लागू करने की आवश्यकता है।
4. किसी भी धर्मनिरपेक्ष राज्य में धर्म विशुद्ध रूप से व्यक्तिगत मामला है। अतः जनप्रतिनिधियों को चाहिये कि वे इसका प्रयोग वोट बैंक के रूप में करने से बचें।

निष्कर्ष: कहा जा सकता है कि भारतीय राज्य का धर्मनिरपेक्ष चरित्र वस्तुतः इसी वजह से बरकरार है कि वह किसी धर्म को राजधर्म के रूप में मान्यता प्रदान नहीं करता है। इस धार्मिक समानता को हासिल करने के लिये राज्य द्वारा अत्यंत परिष्कृत नीति अपनाई है। अपनी इसी

नीति के चलते वह स्वयं को पश्चिम से अलग भी कर सकता है, तथा जरूरत पड़ने पर उसके साथ संबंध भी स्थापित कर सकता है।

भारतीय राज्यों द्वारा समय-समय पर धार्मिक अत्याचार का विरोध करने तथा राज्य के हित में धर्मनिरपेक्षता के महत्त्व को समझाने के लिये धर्म के साथ निषेधात्मक संबंध भी स्थापित किया गया है। यह दृष्टिकोण अस्पृश्यता पर प्रतिबंध, तीन तलाक, सबरीमाला मंदिर में महिलाओं का प्रवेश जैसी कार्रवाइयों में स्पष्ट रूप से झलकता है।

■■■■

अध्याय 17

धार्मिक सहिष्णुता का स्वरूप

सहिष्णुता का अर्थ

सहिष्णुता का शाब्दिक अर्थ है सहन करना। विरोधी के साथ न प्रवृत्ति करो, न निवृत्ति करो, किन्तु उपेक्षा करो। क्रोध करने वाले के साथ क्रोध नहीं, उसकी उपेक्षा करो। सहिष्णुता का एक अर्थ है- सहन करके सुधार के लिए अवसर देना। किसी व्यक्ति की तुच्छता को सहन करना उसको बिगाड़ना नहीं, वरन् उसे सुधरने का अवसर देना है। प्रश्न है कि क्या अन्याय को भी सहन करें। अनेकान्त का उत्तर है-अन्याय को सहन मत करो पर उसका प्रतिकार सहिष्णुता से हो।

सहिष्णुता का एक अर्थ है-मानसिक शांति। विरोधी विचार व परिस्थितियां व्यक्ति को अशांत करती हैं। विपरीत विचारों, स्थितियों व व्यवस्थाओं को सहन करें। इससे मानसिक शांति भंग नहीं होगी और यदि व्यक्ति शांत है तो विश्व शांति भी संभव है।

सहिष्णुता की परिभाषा

सहिष्णुता का विश्वास न केवल पारिवारिक कलह को दूर करेगा, बल्कि समाज, धर्म, राष्ट्रीय व अन्तर राष्ट्रीय संघर्षों को भी निराकृत कर सकेगा। विशेषत: उन संघर्षों को जो वैचारिक हैं, जो महत्वकांक्षाओं पर आधारित हैं, जो भय की भावनाओं या अविश्वास के कारण है, क्योंकि वह दूसरे के विचारों को सहन करना सिखाती है। महत्वाकांक्षाओं व

भय के संवेगों पर नियंत्रण करती है तथा आपसी विचार-विमर्श के द्वारा अविश्वास को दूर करती है। इसलिए वैचारिक अशांति का महत्वपूर्ण निदान है-सहिष्णुता का विकास, दूसरे के विचारों को सहना।

सहिष्णुता की आवश्यकता

संयोग-वियोग की इस दुनिया में सहिष्णुता ही त्राण है। विरोधी व्यक्तियों, विरोधी विचारों, विरोधी परिस्थितियों के बीच यदि व्यक्ति सदैव प्रतिक्रिया ही करता रहेगा तो अपनी क्षमताओं का उपयोग वह विकास के लिए कब करेगा? इसलिए सहिष्णुता प्रतिक्रिया विरति के लिए आवश्यक है। सुविधाओं के विकास के साथ व्यक्ति की सहनशीलता भी समाप्त हो गई है। व्यक्ति में धैर्य नहीं, शक्ति नहीं, सहन करने की क्षमता नहीं, अधीरता नहीं, इसलिए भी सहिष्णुता की अपेक्षा है।

सुविधावाद जो अन्ततः हिंसा की ओर धकेलता है, कष्ट सहिष्णु बनकर ही उससे बचा जा सकता है। सहिष्णुता के विकास से ही अनुशासन का विकास संभव है। अनुशासनहीनता की समस्या किसी एक राष्ट्र की नहीं, वरन् पूरे विश्व की है। सहिष्णुता के विकास से अनुशासनहीनता समाप्त होती चली जाएगी। सहिष्णुता व्यक्ति में शक्ति का वर्धन करेगी जो अन्ततः उसे समता के आदर्श तक पहुंचा सकेगी।

सहिष्णुता का विकास

सहिष्णुता के विकास के लिए कुछ मार्गदर्शक तत्त्व का प्रयोग इस प्रकार हैं-

1. **संवेगों पर नियंत्रण करें**- विपरीत परिस्थिति के आते ही व्यक्ति संवेगों के भंवर में फंस जाता है। क्रोध या अहंकार जब प्रबल होता है तब व्यक्ति यह भूल जाता है उसे कैसा व्यवहार करना चाहिए। इसलिए सहिष्णुता के विकास के लिए क्रोध, भय, अहंकार, राग-द्वेष आदि संवेगों पर नियंत्रण करें।

2. **दृष्टिकोण सम्यक् बनाएं**- वस्तु सत्य को उसी रूप में जानें। कोई व्यक्ति कब, कहां, कैसे और किन परिस्थितियों में कह रहा है, उसे उसी संदर्भ में समझने की कोशिश करें।
3. **सहासिका**- समस्या सुलझाने के लिए एक साथ बैठें। व्यक्तियों के बीच संचार के अभाव में संघर्ष बढ़ जाते हैं। इसलिए उचित संचार के लिए एक साथ बैठकर विचार-विमर्श करें।
4. एक दूसरे को समझने का प्रयत्न करें।
5. **सहिष्णुता के विकास की भूमिकाएँ**- इन सभी स्थितियों को शामिल किया जाता है-
   a) परिस्थितियों को सहन करना।
   b) दूसरे व्यक्तियों को सहन करना।
   c) अपने से भिन्न विचारों को सहन करना।
   d) राग-द्वेष की तरंगों का सामना कर उन्हें परास्त करना।

धार्मिक सहिष्णुता

समग्रता में इस शब्द का मूल्यांकन किया जाए तो यह परिलक्षित होता है। यह दो शब्दों से मिलकर बना है धर्म एवं सहिष्णुता। यहां धर्म की अनेक समस्या वर्तमान युग में विशेष रूप से दिखाई पड़ती है, क्योंकि एक रिलीजन के नाम पर यह उस का सहारा लेकर अनेक लोगों में आपस में संघर्ष तनाव विघटन की स्थिति दिखाई पड़ती है। पर स्थाई समस्या के मूल में धर्म के वास्तविक स्वरूप के प्रतीक नाम से भ्रांतिमूलक ज्ञान ही दिखाई पड़ता है।

सामान्यतया धर्म शब्द अंग्रेजी भाषा के रिलीजन शब्द से लिया गया है। जिसका शाब्दिक अर्थ एक साथ बांधना होता है। भारतीय दर्शन के संदर्भ में धर्म का अर्थ धारण करना है। फिर भी धार्मिक संघर्ष एवं तनाव सही मायने में जाति एवं सांस्कृतिक संघर्ष को दरमियां कर रिलीजन के साथ जोड़कर उसे व्यापक रूप दिया जाना है। जिस प्रकार धार्मिक कुरीतियों ने धर्म को जन्म दिया उसी प्रकार धार्मिक संघर्ष ने भी धर्म समन्वय का मार्ग प्रशस्त किया था। धर्म

सामान्य अनेक समस्याओं में अनेक रूपों में दिखाई पड़ता है, किंतु इन्हें सैद्धांतिक रूप से एवं परिभाषिक रूप में एक रूप करने का नाम ही धार्मिक सहिष्णुतावाद कहा जाता है अथवा धार्मिक बहुलतावाद कहा जाता है।

यहा धार्मिक एकता का तात्पर्य विभिन्न धर्म या धर्मावलंबी एक धर्म में समाहित हो जाते हैं। उसे धार्मिकता कहा जाता है, जबकि धार्मिक सहिष्णुता का तात्पर्य विभिन्न धर्मानुयायी परस्पर धार्मिक विरोध न रखें। धार्मिक बहुलवाद का तात्पर्य है, विभिन्न धर्मावलंबी अन्य धर्मों के प्रति समभाव रखें। धार्मिक संहिता का तात्पर्य है कि हमें अन्य धर्मों के प्रति सहनशीलता का भाव अर्थात् उनके प्रति द्वेष तथा विरोध के भाव को समाप्त करना होगा। वर्तमान लोकतांत्रिक युग में विविध रूप से धार्मिक स्वतंत्रता की स्थापना के साथ अवधारणा गत रूप से धार्मिक सहिष्णुता को विशेष महत्व दिया जाता है।

धार्मिक सहिष्णुता और धार्मिक स्वतंत्रता में तादात्म्य दिखाई पड़ता है। दोनों वैचारिक का अवधारणा है एक दूसरे की अभिव्यक्ति को पूर्ण करने में अधिक कारगर दिखाई पड़ती है। इसके सन्दर्भ में पाश्चात्य दर्शन में लॉक की धार्मिक सहिष्णुता की नीति अधिक तर्क संगत दिखाई पड़ती है जो इस प्रकार है–

लॉक की धार्मिक सहिष्णुता का स्वरूप

1. प्राकृतिक अधिकारों का सिद्धान्त

लॉक की यह धारणा कि मनुष्य जन्म से ही प्राकृतिक अधिकारों से सुशोभित है, उसकी राजनीतिक सिद्धान्त की सबसे बड़ी देन है। उसने जीवन, स्वतन्त्रता तथा सम्पत्ति के अधिकारों को मनुष्यों का विशेषाधिकार मानते हुए, उनकी सुरक्षा की जिम्मेदारी शासन पर छोड़ी है। किसी भी शासक को उनका उल्लंघन करने का अधिकार नहीं है। व्यक्ति का सुख तथा उसकी सुरक्षा शासक के प्रमुख कर्तव्य हैं। इनके आधार पर ही राज्य को साधन तथा व्यक्ति को साध्य माना गया है। यदि राज्य

व्यक्ति का साध्य बनने में असफल रहता है, तो जनता को विद्रोह करने का पूरा अधिकार है।

प्रो. डनिंग के अनुसार- "लॉक के समान अधिकार उसके राजनीतिक संस्थाओं की समीक्षा में इस प्रकार ओत-प्रोत है कि वे वास्तविक राजनीतिक समाज के अस्तित्व के लिए ही अपरिहार्य दिखलाई पड़ते हैं।" लॉक की प्राकृतिक अधिकारों की धारणा का आगे चलकर जैफरसन जैसे विचारकों पर भी प्रभाव पड़ा। आधुनिक देशों में मौलिक अधिकारों के प्रावधान लॉक की धारणा पर ही आधारित हैं।

2. जनतन्त्रीय शासन

लॉक के दर्शन की यह सबसे महत्त्वपूर्ण देन है। जन-इच्छा पर आधारित सरकार तथा बहुमत द्वारा शासन की उसकी धारणा। लॉक के संवैधानिक शासन सम्बन्धी विचार ने 18वीं शताब्दी के मस्तिष्क को बहुत प्रभावित किया। मैक्सी के अनुसार- "निर्माण करने वाला हाथ, कहीं वाल्पील का, कहीं जैफरसन का और कहीं गम्बेटा का अथवा कहीं केवूर का था, किन्तु प्रेरणा निश्चित रूप से लॉक की थी।" उसने सहमति पर आधारित शासन का प्रबल समर्थन किया। आधुनिक राज्यों में संविधानवाद की धारणा उसके दर्शन पर ही आधारित है।

3. उदारवाद का जनक

लॉक की दार्शनिक और राजनीतिक मान्यताएँ उनके उदारवादी दृष्टिकोण का ही प्रतिनिधित्व करती है। लॉक ने दावा किया कि राज्य का उद्देश्य नागरिकों के अधिकारों की सुरक्षा करना है। वेपर के शब्दों में- "उन्होंने उदारवाद के अनिवार्य विषय वस्तु का प्रतिपादन किया था अर्थात् जनता ही सारी राजनीतिक सत्ता का स्रोत है, जनता की स्वतन्त्र सहमति के बिना सरकार का अस्तित्व न्यायसंगत नहीं, सरकार की सभी कार्यवाहियों का नागरिकों के एक सक्रिय संगठन द्वारा आंका जाना आश्यक होगा। यदि राज्य अपने उचित अधिकार का अतिक्रमण करे तो उसका विरोध किया जाना चाहिए। लॉक का सीमित राज्य व सीमित सरकार का सिद्धान्त उदारवाद का आधार-स्तम्भ है।

4. व्यक्तिवाद का सिद्धान्त

लॉक की सबसे महत्त्वपूर्ण देन उसकी व्यक्तिवादी विचारणरा है लॉक के दर्शन का केन्द्र व्यक्ति और उसके अधिकार हैं। वाहन के शब्दों में- "लॉक की प्रणाली में प्रत्येक ची का आधार व्यक्ति है, प्रत्येक व्यवस्था का उद्देश्य व्यक्ति की सम्प्रभुता को अक्षुण्ण रखना है।" लॉक ने प्राकृतिक अधिकारों को गौरवान्वित कर, व्यक्ति की आत्मा की सर्वोच्च गरिमा को स्वीकार कर, सार्वजनिक हितों पर व्यक्तिगत हितों को महत्त्व देकर उसने व्यक्तिवाद की पृष्ठभूमि को मजबूत बनाया है। लॉक ने व्यक्ति की स्वतन्त्रता पर बल दिया तथा व्यक्ति को साध्य तथा राज्य को साधन माना है। उसके बुनियादी विचारों पर व्यक्तिवाद आधारित है।

5. शक्ति-पृथक्करण का सिद्धान्त

लॉक की महत्वपूर्ण देन उसका शक्ति-पृथक्करण का सिद्धान्त है। इसका मान्टेस्क्यू पर गहरा प्रभाव पड़ा है। ग्रान्सियान्स्की के अनुसार- "मान्टेस्क्यू का सत्ताओं के पृथक्करण का सिद्धान्त लॉक की संकल्पना का ही आगे गहन विकास था।" लॉक का यह मानना था कि शासन की समस्त शक्तियों का केन्द्रीयकरण, स्वतन्त्रता की रक्षा के लिए सही नहीं है। व्यक्ति की स्वतन्त्रता को सुरक्षित रखने के साधन के रूप में इस सिद्धान्त का प्रयोग करने वाला लॉक शायद पहला आधुनिक विचारक था। लॉक सरकारी सत्ता को विधायी, कार्यकारी तथा संघपालिका अंगों में विभाजित करता है ताकि शक्ति का केन्द्रीयकरण न हो। लास्की के अनुसार- "मान्टेस्क्यू द्वारा लॉक को अर्पित की गई श्रद्धांजलि अभी अशेष है।"

6. कानून का शासन

लॉक की राजनीतिक शक्ति की परिभाषा का महत्वपूर्ण तत्त्व यह है कि इस कानून को बनाने का अधिकार है। लॉक कानून के शासन को प्रमुखता देता है तथा कानून के शासन का उल्लंघन करने वाले शासन को अत्याचारी मानता है। लॉक के शब्दों में "नागरिक समाज में

रहने वाले एक भी व्यक्ति को समाज के कानूनों का अपमान करने का अधिकार नहीं है।" वह निर्धारित कानूनों द्वारा स्थापित शासन को उचित मानता है। आधुनिक राज्य कानून का पूरा सम्मान करते हैं।

7. क्रान्ति का सिद्धान्त

लॉक का मानना है कि यदि शासक अपने कर्तव्यों का निर्वहन करने में असफल हो जाएं या अत्याचारी हो जाएं तो जनता को शासन के विरुद्ध विद्रोह करने का अधिकार है। लॉक के इस सिद्धान्त का अमेरिका तथा फ्रांस की क्रान्तियों पर गहरा प्रभाव पड़ा। लॉक के इसी कथन ने 1688 की गौरवमयी क्रान्ति का औचित्य सिद्ध किया है और अमेरिका व फ्रांस में भी परोक्ष रूस से क्रान्तियों के सूत्रधारों को इस कथन ने प्रभावित किया।

8. धर्मनिरपेक्षता की अवधारणा

लॉक व्यक्ति को उसके अन्तःकरण के अनुसार उपासना की स्वतन्त्रता देता है। लॉस्की के अनुसार- "लॉक वास्तव में उन अंग्रेजी विचारकों में प्रथम था जिनके चिन्तन का आधार मुख्यतः धर्मनिरपेक्ष है।" लॉक के राज्य में पूर्ण सहिष्णुता थी। लॉक का मानना है कि राज्य व चर्च अलग-अलग हैं। राज्य आत्मा व चर्च के क्षेत्राधिकार से परे है। राज्य को धार्मिक मामलों में तटस्थ होना चाहिए। यदि कोई धार्मिक उन्माद उत्पन्न हो, तो राज्य को शान्ति का प्रयास करना चाहिए। इसलिए लॉक ने धर्मनिरपेक्षता का समर्थन किया। उसके सिद्धान्त में चर्च को एक स्वैच्छिक समाज में पहली बार परिवर्तित किया गया।

9. उपयोगितावादी तत्त्व

लॉक का सिद्धान्त उपयोगितावादी तत्त्वों के कारण उपयोगितावादी विचारक बेन्थम को भी प्रभावित करता है। लॉक ने कहा, "वह कार्य जो सार्वजनिक कल्याण के लिए है वह ईश्वर की इच्छा के अनुसार है।" लॉक ने राज्य का उद्देश्य व्यक्ति के अधिकतम सुखों की सुरक्षा बताया। लॉक राज्य को व्यक्ति की सुविधाओं का यन्त्र मात्र मानते हैं। अतः बेन्थम लॉक के बड़े ऋणी हैं।

10. आधुनिक राज्य की अवधारणा

लॉक की धारणाएँ समाज की प्रभुसत्ता, बहुमत द्वारा निर्णय, सीमित संवैधानिक सरकार का आदर्श तथा सहमति की सरकार आदि आदर्श आधुनिक राज्यों में प्रचलित हैं। आधुनिक राज्य लॉक की इन धारणाओं के किसी न किसी रूप में अवश्य प्रभावित है। आधुनिक विचारक किसी न किसी रूप में लॉक के प्रत्यक्ष ज्ञान का ऋणी है।

रूसो का प्रभाव

लॉक के समाज को सामान्य इच्छा के सिद्धान्त पर लॉक का स्पष्ट प्रभाव है। लॉक के अनुसार सर्वोच्च सत्ता समाज में ही निवास करती है। रूसो की सामान्य इच्छा लॉक के समुदाय की सर्वोच्चता के सिद्धान्त पर आधारित है।

यद्यपि लॉक के विचारों में विरोधाभास एवं अस्पष्टता पाई जाती है, किन्तु राजनीतिक सिद्धान्त पर लॉक का अमिट प्रभाव पड़ा है। उसके जीवनकाल में उसकी धारणाओं का बहुत सम्मान था। भावी पीढ़ियों को भी लॉक ने प्रभावित किया। लॉक की विचारधारा ने उसे मध्यवर्गीय क्रान्ति का सच्चा प्रवक्ता बना दिया था। लॉक की राजनीतिक चिन्तन की मुख्य देन व्यक्तिवाद, लोकप्रभुता, उदारवाद, संविधानवाद और नागरिकों के मौलिक अधिकार हैं। लॉक की महत्ता का मापदण्ड उनके राजनीतिक विचारों द्वारा परवर्ती राजनीतिक चिन्तन को प्रभावित करता है। अतः हम कह सकते हैं कि लॉक का राजनीतिक चिन्तन का योगदान अमूल्य व अमर है।

धार्मिक सहिष्णुता का धार्मिक में अर्थ

आधुनिक परिप्रेक्ष्य में धार्मिक सहिष्णुता के संदर्भ में लॉक का तर्क धार्मिक सहिष्णुता के लिए लॉक ने अपनी पुस्तक **टू ट्रिटिज ऑफ गवर्नमेंट** में वर्णन करते हैं। उनके अनुसार धार्मिक विश्वासों को रखने की स्वतंत्रता लोगों का व्यक्तिगत एवं प्राकृतिक अधिकार है, जब तक कि यह दूसरों की स्वतंत्रता एवं अधिकारों में हस्तक्षेप नहीं करता है।

इसके लिए राज्य को विविध धार्मिक विश्वासों को सहन करना चाहिए। सभी विषयों पर एक धर्म को थोपने का प्रयास नहीं करना चाहिए उनका तर्क है कि नागरिक सरकार की शक्ति केवल पुरुषों के नागरिक हितों से संबंधित है। इस दुनिया की चीजों की देखभाल तक ही सीमित है और आने वाली दुनिया से उसका कोई लेना-देना नहीं है।

लॉक के प्रमुख तर्क की अधिक रूप में इस आधार पर मूल्यांकन किया जा सकता है–

1. धार्मिक सहिष्णुता आध्यात्मिक नागरिकों की भलाई के रूप में प्रयोग की जानी चाहिए। लॉक का तर्क है कि सामाजिक अनुबंध करते समय लोग अपनी आत्मा की देखभाल सरकार को सौंपने के लिए सहमत नहीं होते हैं। यह कुछ ऐसा ही है जिसे सहमति देना असंभव है, क्योंकि धर्म से संबंधित प्रश्नों में प्रत्येक व्यक्ति जो मानता है वह सच है न कि जो सरकार करती है या उन्हें विश्वास करने के लिए मजबूर करती है। आखिरकार जो कुछ दाव पर लगाया है। वह उनकी आत्माओं का अनंत काल का उधार है। यहां इनका तर्क है कि भगवान ने सरकारों को यह सुनिश्चित करने के लिए अनिवार्य नहीं किया है कि लोग सच्चे धर्म या एक धर्म का पालन करें प्राकृतिक नियम जो लॉक के लिए भगवान से मिला है सरकारों से धर्म को विनियमित करने के लिए नहीं कहता है। इसलिए न तो लोग और न ही भगवान राज्य के लोगों को ध ार्मिक मान्यताओं में हस्तक्षेप करने का अधिकार देता है। इसलिए सरकारों को एक धर्म के उपदेश को लागू करने का कोई काम नहीं करना चाहिए।
2. लोगों को सरकारी आज्ञा मानने के लिए सरकार के पास अनिवार्य शक्ति के रूप में बल है, जो आज्ञा के लिए दंड की धमकी द्वारा समर्थित है। जैसे कारावास लॉक का तर्क है कि धर्म का पालन कराने के लिए एक बल उपयुक्त है

उपकरण नहीं क्योंकि आध्यात्मिक विश्वास के लिए मन की आंतरिक भाव की आवश्यकता होती है। जिसके बिना ईश्वर को कुछ भी स्वीकार नहीं किया जा सकता है।

इसलिए सरकार को चाहिए कि आंतरिक विषय वस्तुओं में तथा मन की विषय वस्तु ऊपर नियम लागू न करें और इस आधार पर स्वीकार करने पर दंड का कोई भी प्रावधान न करें।

3. लोगों को उनके उद्धार के संबंध में सच्चे धर्म को मानने की मान्यता सभी को अपनी आंतरिक अभिव्यक्ति के रूप में छोड़ देना चाहिए, क्योंकि सभी के विचारों में विविधता और विरोधाभास दिखाई पड़ता है।

   इसलिए धार्मिक आदेश में कोई भी शक्ति का प्रयोग नहीं करना चाहिए, बल्कि मनुष्य को अभिव्यक्ति के आधार पर धार्मिक मान्यताओं को ग्रहण करना चाहिए। यहां सही सुनता के संदर्भ में इन्होंने धार्मिक निरपेक्षतावाद को अधिक प्रासंगिकता के रूप में स्वीकार कर मनुष्य के अंदर सहनशीलता के भाव को प्रकट करने का प्रयास करते हैं।

धार्मिक सहिष्णुता के लिए आंतरिक अभिव्यक्ति एक अनिवार्य अस्त्र के रूप में काम करती है, जो विभिन्न धार्मिक विश्वासों को सहन करते हुए एक दूसरे के साथ प्राकृतिक नियम के आधार पर आगे बढ़ने की कला आत्मविश्वास के रूप में प्रतीत होता है। इसलिए धार्मिक विश्वास में मनुष्य को व्यक्तिगत स्वतंत्रता के अधिकार के रूप में सरकार को हस्तक्षेप नहीं करना चाहिए।

भारत में धार्मिक सहिष्णुता का स्वरूप

भारत में धार्मिक सहिष्णुता का स्वरूप प्राचीन काल से ही दिखाई पड़ता है जहां भारतीय संस्कृति की मूल आत्मा **वसुधैव कुटुंबकम्** की भावना धार्मिक सहिष्णुता के यथार्थ स्वरूप को उजागर करने का कार्य करती

है। शुरू से ही भारत में सभी धर्मों का सम्मान करते हुए आगे बढ़ने की कला दिखाई पड़ती है। प्रारंभिक काल से ही देखा जाता है कि मानव बिना किसी न किसी धर्म के नहीं रह सकता है ऐसा माना जाता है कि धर्म मानव का स्वभाव गुण है, जो कि मानव की सभ्यता परंपरा तथा संस्कृति एक समान नहीं पाई जाती है।

इसलिए गीता के अनुसार विभिन्न प्रकार के व्यक्ति अवश्य होंगे और उनकी मानसिक प्रवृत्ति के अनुसार देवता और तरल रूप धारण की विभिन्न प्रकार की अवधारणाएं भी बदलती रहेंगी। अतः मानव की सभ्यता परंपरा तथा संस्कृति में विभिन्नता के कारण संसार में विभिन्न प्रकार के धर्म हुए, किंतु विश्व के विभिन्न धर्मों का अवलोकन करने से परिलक्षित होता है कि सभी धर्म सत्य के संदर्भ में जानकारी नहीं रखते हैं।

सभी धर्म एक ही सत्य का स्पष्टीकरण अनेक तरीके से करते हैं। ईश्वर धर्म का केंद्र बिंदु है। ईश्वर एक है एक ही ईश्वर विभिन्न धर्मों का आधार है। राधाकृष्णन् ने भी स्वीकार किया है कि **ईस्ट एंड वेस्ट इन रिलिजन** राधाकृष्णन् 15वीं शताब्दी के संत कबीर के विचारों का उल्लेख किया है, जो ईश्वर की एकता को प्रमाणित करता है। कबीर ने कहा है कि हिंदुओं को ईश्वर बनारस में निवास करता माना जाता है मुसलमान का शहर मक्का में निवास करता माना जाता है, परंतु जिस ईश्वर ने विश्व की रचना की है वह शहरों में निवास नहीं कर सकता है।

हिंदू और मुसलमान के पिता एक हैं ईश्वर एक है **अंडर हिल** ने कहा कि ब्राह्मण धर्म और ईसाई में मूलतः तक कोई अंतर नहीं है। बौद्ध ईसाई हिंदू-मुस्लिम जैन तथा सिख आदि के धर्म के मानने वालों का कहना है कि सभी धर्मों का रास्ता अलग है, लेकिन मंजिल सबका एक है सभी धर्म शांति सौहार्द और सहयोग का संदेश देते हैं।

इससे स्पष्ट होता है कि मूलतः सभी धर्म एक समान हैं, तो फिर धर्मों में भेद क्यों दिखाई पड़ता है। यद्यपि धार्मिक अनुभूति स्वतः समान दिखाई पड़ती है। फिर भी बाहरी रूप में उनमें भेद दृष्टिगोचर होता है

क्योंकि प्रत्येक व्यक्ति अपनी सुविधा के अनुकूल विभिन्न प्रकार की पूजा एवं उपासना की पद्धति को स्वीकार करता है। धर्म के क्षेत्र में एकता की प्राप्ति परम आवश्यक है। संसार में विभिन्न प्रकार के धर्म हैं। उन धर्मों के बीच समन्वय स्थापित करना धार्मिक एकता कहलाता है।

धर्म समन्वय ही धार्मिक एकता का दूसरा नाम है। धर्मों के बीच एकता विभिन्न धर्मों को एक में मिला देने से संभव नहीं है, बल्कि विभिन्न धर्मों के बीच तर्कसंगत एकता स्थापित करना ही धर्म समन्वय कहलाता है। यहां धार्मिक सहिष्णुता का अर्थ सभी धर्मों के प्रति आदर प्रेम के भाव को प्रदर्शन करना है, मानव की सबसे बड़ी दुर्बलता यह है कि वह अपने धर्म को सर्वश्रेष्ठ समझता है तथा दूसरे धर्म को निम्न दृष्टि से देखता है।

फलतः धर्मों के बीच निरंतर संघर्ष बढ़ते जाते हैं। डॉ. राधाकृष्णन् ने कहा है कि **एक धर्म का जितना विरोधी अन्य धर्म है उतना विरोधी कोई दूसरा नहीं आपस में ऐसा नहीं होना चाहिए।** अपने धर्म के प्रति श्रद्धा एवं आस्था रखना सराहनीय है; परन्तु दूसरे धर्म के प्रति निंदा करना तर्कसंगत नहीं दिखाई पड़ता है। सब धर्मों में एक दूसरे के प्रति सहने की क्षमता होनी चाहिए। धार्मिक सहिष्णुता में विभिन्न धर्मों के प्रति सहनशीलता के दृष्टिकोण को तथा उदारता की भावना को अपनाने का प्रयास करना चाहिए।

धार्मिक सहिष्णुता के विकास से आध्यात्मिक अंतर्दृष्टि का विकास होता है। धार्मिक सहिष्णुता अपने धर्म के प्रति उदासीनता का पाठ नहीं पढ़ाता है; बल्कि अपने धर्म के प्रति आदर और प्रेम की भावना को बढ़ावा देता है, परंतु इसका अर्थ यह नहीं है कि धर्मावलंबी को अपने धर्म की त्रुटियों के प्रति आंख मूंद लेनी चाहिए। प्रत्येक धर्मावलंबी को अपने धर्म को सही परिप्रेक्ष्य में समझने की दिशा में प्रयत्नशील रहना चाहिए। धार्मिक सहिष्णुता के विकास के लिए मानव को धर्म के मूल तत्वों की सही जानकारी होनी चाहिए। सभी धर्म किसी न किसी रूप में सत्य से संबंधित हैं।

सभी धर्म मानवीय मूल्यों के संरक्षण पर बल देते हैं। कोई धर्म मानव और मानव की सत्यता परखने का आदेश नहीं देता है। कोई धर्म मानव और मानव के बीच आपसी प्रेम की भावना को बढ़ावा जीवन का अंतिम उद्देश्य समझते हैं। सभी धर्मावलंबी को सर्वधर्म समन्वय की शिक्षा अनिवार्य रूप से दी जानी चाहिए। फलस्वरूप अपने धर्म के प्रति विश्वास जगेगा और दूसरों के प्रति आदर के भाव का विकास होगा। महात्मा गांधी ने धार्मिक सहिष्णुता के विकास के लिए धार्मिक ग्रंथों के अध्ययन पर अधिक बल दिया था। साथ ही उन्होंने यह चेतावनी भी दिया था कि धार्मिक ग्रंथों का अध्ययन करते समय तार्किक दृष्टिकोण अधिक उपयोगी मानी जाती है। यदि मानव अपने धर्म और दूसरे के धर्म के धार्मिक ग्रंथों को नीचा समझे तो इस अर्थ में एक दूसरे के प्रति कट्टरता की भावना बढ़ेगी।

इसलिए विश्व के सभी धर्म ग्रंथों के प्रति भक्ति और श्रद्धा का भाव ही धार्मिक सहिष्णुता का वास्तविक परिचायक माना जाता है। धार्मिक सहिष्णुता के विकास में हिंदू धर्म की भूमिका सराहनीय दिखाई पड़ती है। राधाकृष्णन् हिंदू धर्म को सर्वधर्म समन्वय का सुंदर उदाहरण मानते हैं। हिंदू धर्म एक ऐसा धर्म है जिसमें धार्मिक सहिष्णुता का संदेश है। हिंदू धर्म सभी धर्मों के प्रति सहनशीलता की भावना को अपनाकर आदर का पात्र बन गया है। हिंदू धर्म में हमें आध्यात्मिकता पर अधिक बल दिखाई पड़ता है।

यही कारण है कि हिंदू धर्म का आध्यात्मिक दृष्टिकोण उसे सहनशील एवं विश्वव्यापी होने के लिए सिद्ध करता है। हिंदू धर्म ने अपने अंदर विभिन्न प्रकार के विचारों का स्थान दिया है। जिसके फलस्वरूप इसका विश्वव्यापी दृष्टिकोण अभिव्यक्ति के रूप में दिखाई पड़ता है। स्वामी विवेकानंद के अनुसार हिंदू धर्म एक ऐसा धर्म है जिसने संपूर्ण समाज को सहनशीलता का पाठ पढ़ाया है। सहनशीलता हिंदू धर्म की आत्मा मानी जाती है। हिंदू धर्म की मूल विशेषता सहनशीलता को विश्व के लिए उजागर करना है।

विश्व के किसी भी धर्म में हिंदू धर्म की तरह सहनशीलता का धार्मिक सहिष्णुता की भावना नहीं दिखाई पड़ती है। भारतीय धार्मिक सहिष्णुता संस्कृति के मूल में ही उत्पन्न दिखाई देता है। वेद का प्रथम उपदेश परस्पर समभाव को उद्‌बोधन करता है। अथर्ववेद में सभी के प्रति आदर भाव रखना इस बात का परिचायक है कि आरंभ से ही भारतीय संस्कृति में धार्मिक सहिष्णुता की भावना व्याप्त थी। मध्यकाल में अकबर की धार्मिक सहिष्णुता भी उत्कृष्ट रूप से दिखाई पड़ती है। जहां विभिन्न धर्म संप्रदाय के लोग एक दूसरे के साथ अपनी मान्यताओं को मानते हुए जीवन जीने के गुण को विकसित करते थे। यद्यपि देखा जाए तो धार्मिक सहिष्णुता की प्राप्ति सरल नहीं है, किंतु हमें धार्मिक सहिष्णुता की प्राप्ति के संदर्भ में उदास नहीं हो सकते हैं। धार्मिक सहिष्णुता की प्राप्ति होने से ही मानव धर्म के नाम पर जो संघर्ष और हिंसा हो रहे हैं उस से बचा जा सकता है। धार्मिक सहिष्णुता की प्राप्ति में कुछ कठिनाइयां इस प्रकार हैं–

1. धार्मिक कट्टरता का निराकरण

समग्रता में देखा जाए तो धार्मिक व्यक्तियों में कट्टरता की भावना दिखती है। ऐसे लोग अपने धर्म को ही सर्वश्रेष्ठ, अन्य धर्मों को निकृष्ट मानने लगते हैं। ऐसी स्थिति में धर्म के अनुयायियों के संकुचित दृष्टिकोण का उद्‌भव होता है। परिणाम तक मानव की शांति और सुरक्षा खतरे में पड़ जाती है। यदि हम धर्म के इतिहास की ओर अपनी दृष्टि डालें तो हमें ज्ञात होगा कि धर्म युद्ध का मूल कारण धार्मिक कट्टरता की प्रवृत्ति को आश्रय देना रहा है। यह प्रवृत्ति धार्मिक सहिष्णुता के विकास में बाधक दिखाई पड़ती है, क्योंकि इस प्रवृत्ति के फलस्वरूप मनुष्य दूसरे धर्म के समर्थकों को सहन नहीं कर पाता है परिणाम परस्पर सभी धर्मों के बीच का विवाद मतभेद संगत शुरू हो जाते हैं।

धार्मिक सहिष्णुता में इस संघर्ष को रोकने के लिए विभिन्न धर्मों के प्रति सहनशीलता के दृष्टिकोण को आश्रय देना ही यथार्थ

धार्मिक सहिष्णुता मानी जाती है। जिससे धार्मिक कट्टरता की भावना का समापन हो जाता है।

2. संप्रदायवाद का निराकरण

प्रत्येक धर्म का विभाजन विभिन्न संप्रदाय में हुआ है। एक संप्रदाय दूसरे संप्रदाय के प्रति सहानुभूति नहीं रखते हैं, बल्कि उनके विरुद्ध प्रचार करते हैं। संप्रदाय को सत्य मानने वाले धर्म के सार को नहीं समझते हैं। परिणामत: धर्म के बीच नफरत एवं वैमनस्य की भावना प्रस्फुटित होता है। मानव की शांति भंग होती है। इस प्रकार संप्रदाय के फलस्वरूप धार्मिक सहिष्णुता के विकास में कठिनाई उत्पन्न होती है। अत: धार्मिक सहिष्णुता के विकास के लिए धर्म के संप्रदायों का निराकरण करना अति आवश्यक दिखाई पड़ता है।

3. धार्मिक अंधविश्वासों का निराकरण

प्रत्येक धर्म में कुछ न कुछ धार्मिक अंधविश्वास दिखाई पड़ते हैं। धर्म में कुछ ऐसी प्रथा तथा कुछ कर्मकांडी मान्यताएं हैं जिसको वर्तमान प्रासंगिकता के अनुसार लागू करना तथा उनमें व्याप्त रूढ़िवादी मान्यताओं को परित्याग करना ही जीवन का अंतिम उद्देश्य होना चाहिए। फलस्वरूप धार्मिक सहिष्णुता में इस प्रकार के धार्मिक रूढ़िवादी कट्टरता की भावना एवं कर्मकांड व्यक्तियों को दूर कर वर्तमान प्रासंगिकता अभिव्यक्ति के अनुसार कार्य करने की पृष्ठभूमि को उजागर करने की प्रयास करना चाहिए।

सर्वधर्म समभाव की भावना विकसित हो यह कहा जा सकता है कि भारत में प्रारंभिक काल से ही **वसुधैव कुटुंबकम् बुद्धम् शरणम् गच्छामि** की भावना है। संपूर्ण विश्व को धार्मिक सहिष्णुता का पाठ पढ़ाती रही है। हिंदू धर्म में वह सहनशीलता एवं धार्मिक परिष्कृत करने की गतिशीलता का भाव है, जो विश्व का एक सर्वकालिक धर्म बन सकता है। प्रत्येक मनुष्य को इस में व्याप्त रूढ़िवादिता को दूर करते हुए आगे बढ़ने की कला सीखना चाहिए।

मनुष्य को नैतिक जीवन जीते हुए आगे बढ़ने की यथार्थ दृष्टिकोण प्राप्त करता है। जिसकी वजह से संपूर्ण विश्व में एकरूपता प्राप्त हो सके। इंसान-इंसान के बीच मोहब्बत का पैगाम जा सके। धार्मिक सहिष्णुता सुई-धागे के समान है, जो संपूर्ण विश्व को एक सूत्र में पिरोने की कला रखती है।

धार्मिक सहिष्णुता की आवश्यकता धर्म की सबसे बड़ी विडंबना उसका अलौकिक होना है और न कि आस्था तक होना है, बल्कि उसकी सबसे बड़ी विडंबना यह है कि श्रेष्ठता की ग्रंथि में ग्रस्त होना है, प्रत्येक धर्म और उसका मानने वाला अपने धर्म तथा धर्म ग्रंथ तथा धर्म स्थल को सर्वश्रेष्ठ मानकर दूसरे धर्म को नीचा समझता है।

इसलिए विश्व में शायद ऐसा कोई व्यक्ति नही होगा जो किसी अन्य के धर्म के दो निरर्थक प्रत्ययों को अंधविश्वास पूर्ण रूप से स्वीकार करे। इसके बावजूद भी ऐसा कोई मत या सिद्धांत नहीं होगा, जिसे तर्कसंगत या व्यवहारिक उपयोगी सिद्ध न किया जा सके। यह सब कुछ हमारी दृष्टिकोण के परिवर्तन पर निर्भर करता है। धार्मिक सहिष्णुता इसे आत्म श्रेष्ठता की अभिव्यक्ति मानी जाती है।

प्रिंसटन किंग ने ठीक ही कहा है कि हम किसी व्यक्ति समुदाय अथवा शासन की केवल इस प्रकार प्रशंसा नहीं कर सकते हैं कि वह सहिष्णु है यह सब निर्दयता और जन संहार के प्रति सहनशील हो सकते हैं। इस प्रकार हम व्यक्तियों की मात्र इस कारण भी निंदा नहीं कर सकते हैं कि वह असहिष्णु है। इस प्रकार सब कुछ सहिष्णुता असहिष्णुता के बीच निर्भर करता है। यदि इस तर्क को स्वीकार करें तो धार्मिक सहिष्णुता भी एक दृष्टि से उचित व त्वरित दृष्टि से अनुचित दिखाई पड़ती है।

इस प्रकार यदि धार्मिक सहिष्णुता कुरीतियों एवं अंधविश्वासों के प्रति देखें तो ज्यादातर कर्मकांडी एवं औपचारिक विधियों के कारण इसे धर्म में व्याप्त धार्मिक रूढ़िवादी परंपराओं को परिष्कृत करने के उपकरण के रूप में प्रयोग किया जा सकता है। आधुनिक काल में धार्मिक सहिष्णुता एक प्रकार से धर्म के सकारात्मक सोच की वास्तविक अभिव्यक्ति के रूप में स्वीकार किया जा सकता है।

धार्मिक असहिष्णुता के कारण

भारत शुरू से ही धार्मिक प्रवृत्ति का रहा है। यहाँ कई दैवीय जन्म होने की मान्यता है, कई ऋषि मुनि हुए जो सभी धर्म के प्रति आस्था को बढ़ाते हैं। भारत के इतिहास में युगों से ऋषि, मुनि, राजा-महाराजा संयम को अपनाते हुए निरंतर आगे बढ़ते रहे हैं। धर्म के वेद पुराणों में पूरी पृथ्वी को एक परिवार माना गया है। हम पृथ्वी को माता के रूप में देखते हैं और माता के सहनशीलता तथा निरंतरता के गुण को आत्मसात् करना अपना कर्तव्य समझते हैं।

"वसुधैव कुटुंबकम्" की मान्यता है, अर्थात् पूरा विश्व एक ही परिवार है, का सिद्धान्त देने वाला भारत सदियों से सहिष्णुता, पारस्परिक स्नेह और सौहार्द का पक्षधर रहा है, लेकिन वर्तमान में वैश्विक स्तर पर सहिष्णुता लुप्तप्राय है। जैसे-जैसे वैश्वीकरण हो रहा है वैसे-वैसे दुनिया के विभिन्न समाजों एवं देशों में विविध प्रकार का परिवर्तन देखा जा रहा है। वैश्वीकरण से संवाद और विनिमय के तो कई अवसर बन रहे हैं, लेकिन कई नई चुनौतियां भी सामने आ रही हैं। असमानता और गरीबी से लगातार संघर्ष देशों की प्रगति को धीमा कर रहा है। इन समस्याओं के बहुत से कारणों में से एक असहिष्णुता भी एक है।

असहिष्णुता

सहिष्णुता का विपरीत होता है **"असहिष्णुता"**। असहिष्णुता अर्थात् सहने की शक्ति नहीं होना। भारत को संयमित, सहनशील राष्ट्र के रूप में देखा जाता है, परंतु आजकल यह देखने एवं सुनने में आ रहा है, भारत के लोग असहिष्णु होते जा रहे हैं। भारत की जनता किसी भी घटना पर तुरंत ही अपनी प्रतिक्रिया देने लग गयी है। देश में होने वाली छोटी सी भी घटना पर देश की जनता आक्रोशित होने लगी है एवं अपना संयम तथा सहनशीलता खोने लगी है। अपने विचारों को प्रकट करने में लोग छोटी-छोटी बातों को तूल देते हुए बड़ा करने में लगे हैं। कई बार छोटी-छोटी घटना से विवाद इतना बढ़ जाता है कि लोगों की जान पर बन जाती है।

असहिष्णुता का इतिहास

1993 में विधानसभा द्वारा उद्घोषणा किये जाने के बाद 1995 में यूनाइटेड नेशन ईयर फॉर टोलेरेंस के वर्ष में एक्शन लिया गया था, जिसके अंतर्गत अन्तर्राष्ट्रीय सहिष्णुता दिवस मनाने के प्रस्ताव के साथ आम-जन के लिए विविध गतिविधियाँ तय की गयीं थीं। 1995 से पहले हुई यूनेस्को की जनरल कांफ्रेंस में यूनाइटेड नेशन ईयर फॉर टोलेरेंस का वर्ष मनाने की घोषणा की गयी थी। 1996 में संयुक्त राष्ट्र महासभा (यू एम जनरल एसेम्बली) के सदस्य राज्यों को 16 नवंबर को सहिष्णुता के लिए अंतराष्ट्रीय दिवस मनाने के लिए आमंत्रित किया, जिसमें शैक्षणिक प्रतिष्ठानों और जनता (12 दिसंबर के रिजोल्यूशन 5195) के लिए विभिन्न क्रियाविधियाँ निर्धारित की गई। यूनेस्को के सदस्य देशों ने अगले वर्ष के लिए 16 नवंबर, 1995 को सहिष्णुता और इस सिद्धांत से सम्बंधित योजनाओं की घोषणा को स्वीकार किया। इसके बाद 2005 में हुआ विश्व शिखर सम्मेलन मानव कल्याण, हर जगत स्वतंत्रता और प्रगति, सहिष्णुता, सम्मान, संवाद और विभिन्न संस्कृतियों, सभ्यताओं और लोगों के बीच सहयोग को प्रोत्साहित करने के लिए विभिन्न राज्य सरकारों के प्रमुखों को प्रतिबद्ध करने के लिए जाना जाता है। इस कारण ही विश्व सहिष्णुता दिवस के संदर्भ में बात करने पर 2005 के विश्व शिखर सम्मेलन की बात करना भी जरूरी हो जाता है।

अंतरराष्ट्रीय सहिष्णुता दिवस क्यों मनाया जाता है?

पिछले कुछ वर्षों में आतंकवाद, हिंसा, रंगभेद जैसी कई गतिविधियाँ सामने आई हैं। जिसके कारण कुछ देशों का, धर्म का, अल्पसंख्यकों का, शरणार्थियों और प्रवासियों के आधारभूत मानवाधिकारों का हनन होने लगा है। इन सबसे विश्व भर में लोकतंत्र, शान्ति और विकास की दिशा में कई बाधाएं आ रही हैं। इन परिस्थितियों में मानवता का अस्तित्व बचाने के लिए शांति और सौहार्द को बढ़ावा देने के लिए

वर्ष में एक ऐसा दिन मनाने की आवश्यकता हुई, जब लोगों को सहिष्णुता के प्रति जागरूक किया जा सके, असहिष्णुता के कारण होने वाले खतरों के प्रति जागरूक किया जा सके।

सहिष्णुता का उद्देश्य

इस दिन को मनाने का सबसे महत्वपूर्ण उद्देश्य विश्व भर में लोगों को सहिष्णुता का महत्व समझाना है। आज राजनीति के अंतर्गत विभिन्न राजनेताओं द्वारा दिए जाने वाले विभाजन के भाषण आसानी से देखे जा सकते हैं, जिन पर प्रतिक्रिया में हिंसा का फैलना ही असहिष्णुता का उदाहरण है। किसी भी समाज में शक्तिशाली वर्ग का रूप यदि नकारात्मक हो और शोषण करने वाला हो, तो असहिष्णुता के लिए अच्छी जमीन तैयार हो जाती है। शोषित वर्ग को दबाना और उनके तर्क एवं पक्ष को खारिज करना ही असहिष्णुता की श्रेणी में आता है। सहिष्णुता का सम्बंध केवल इन दो वर्गों के मध्य ही नहीं है, जहां भी सोच का टकराव होता हो या जहां भी हितों की प्रतिस्पर्धा होती हो, वहाँ पर असहिष्णुता का उद्भव होता ही है। कई बार ये असहिष्णुता नफरत में परिणत हो जाती है, जिसका परिणाम विनाशकारी सिद्ध हो सकता है।

असहिष्णुता की शुरुआत हमेशा छोटे-छोटे मुद्दों से होती है, जैसे किसी एक अपराधी के कारण पूरे वर्ग को दोषी मानकर उन्हें समाज में उचित स्थान और सम्मान न देना, या फिर किसी देश विदेश में होने वाली कुछ नकारात्मक घटनाओं को ध्यान में रखते हुए विश्व समुदाय का उस देश को ही उसके अधिकारों से वंचित करना जैसी कई बातें हैं, जो वैश्विक स्तर पर सहिष्णुता में आती हैं, लेकिन मानवता एक ऐसा आधारभूत योजक है। जिसने सम्पूर्ण विश्व को आपस में जोड़ रखा है। इसके अलावा प्यार और सौहार्द से किसी भी तरह की नफरत की खाई को कम किया जा सकता है। दुनिया में स्नेह और सौहार्द को फैलाने के लिए ही सहिष्णुता दिवस मनाने की आवश्यकता महसूस हुई है, क्योंकि दुनिया में विभिन्न देशों की भले संस्कृतियां अलग-अलग हैं, लेकिन मानवता के तौर पर अपने मूल्यों की साझेदारी और अतीत एवं भविष्य

को भुलाकर वर्तमान में सम्मानपूर्वक जीवन जीना और जीने देना ही है, वैश्विक स्तर पर सहिष्णुता दर्शाने का अच्छा तरीका है।

यूनाइटेड स्टेट का उद्देश्य पूरे विश्व में सहिष्णुता, मानवता, सौहार्द एवं स्नेह को बढ़ावा देना है। आधुनिक युग में बढ़ती नफरत और हिंसा को रोकने के लिए ये बहुत आवश्यक है कि इस दिशा में यथायोग्य कदम उठाए जाएं क्योंकि प्रत्येक मानव को शान्ति-पूर्ण और सम्मान के साथ जीने का अधिकार है, और इस तरह के प्रयासों से ही विश्व में सहिष्णुता एवं सौहार्द विकसित की जा सकती है।

यूनाइटेड नेशन में यूनेस्को का औचित्य ही मानवता के हित के लिए आवश्यक काम करना और इसको प्रोत्साहन देना है। सहिष्णुता के माध्यम से ही अभिव्यक्ति की स्वतंत्रता, विभिन्न संस्कृतियों और धर्मों को सम्मान और महिला सशक्तिकरण जैसे आवश्यक कार्य किये जा सकते हैं।

अंतरराष्ट्रीय सहिष्णुता दिवस प्रतीक

यूनेस्को के चिन्ह में एक मन्दिर को दिखाया गया है, जिसमें संयुक्त राष्ट्र के शैक्षणिक, वैज्ञानिक और सांस्कृतिक संगठन के बारे में बताने के लिए यूनेस्को के संक्षिप्त नाम का उपयोग किया गया है और इस मंदिर के नीचे "यूनाइटेड नेशन्स एजुकेशनल, सांइटिफिक एंड कल्चरल ओर्गनाइजेशन" शब्द लिखा गया है, जिसका हिंदी अर्थ "संयुक्त राष्ट्र शैक्षणिक, वैज्ञानिक और सांस्कृतिक संगठन" है। इस चिन्ह का उपयोग अंतर्राष्ट्रीय सहिष्णुता दिवस के लिए ऑनलाइन या मुद्रित प्रचार सामग्री में किया जाता है।

यूनेस्को के पूरे नाम का उपयोग विभिन्न भाषाओं में भी किया जाता है, लेकिन इसे समझने के लिए किसी निर्धारित भाषा के साथ ही इंग्लिश में पूरा नाम भी लिखा जाता है। जिससे संस्था के संक्षिप्त नाम (एक्रोनिम) को समझा जा सके। यूनेस्को की 6 आधिकारिक भाषाएं अरेबिक, चाइनीज, इंग्लिश, फ्रेंच, रशियन और स्पेनिश हैं। 1995 में ही यूनेस्को ने महात्मा गांधी के 125वीं वर्षगाँठ पर सहिष्णुता और अहिंसा

को प्रोत्साहन देने और इसका प्रचार-प्रसार करने के उद्देश्य से मदनजीत सिंह पारितोषिक (प्राइज) देना भी तय किया था। ये पुरस्कार हर 2 वर्ष में विज्ञान, कला, संस्कृति या कम्युनिकेशन में अच्छा प्रदर्शन करने वाली किसी संस्था या व्यक्ति को दिया जाता है।

धार्मिक सहिष्णुता की आलोचना

सर्वप्रथम तो प्रत्येक नवीन धर्म पुरातन धर्म की आलोचना से प्रारंभ होता है। इस ऐतिहासिक विकास के क्रम में परस्पर आलोचना प्रति आलोचना का जो क्रम चलता है। वह धर्म ग्रंथों एवं धर्म गाथाओं तक में सीमित नहीं होता है, फिर भी व्यवहारिक स्तर पर भी इसे देखने को मिलता है, फिर भी धर्मों के मध्य सास्वत रूप से बना हुआ रहने वाला यह सदैव कुछ का अंतराल बन जाता है। यह अंतराल दिन-प्रतिदिन प्रचार-प्रसार के माध्यम से बढ़ता जाता है। यही सबसे बड़ा धार्मिक असहिष्णुता का कारण माना जाता है।

धार्मिक सहिष्णुता की दूसरी विडंबना यह है कि यह परिवार से जन्म देती है धर्म किसी व्यक्ति का बौद्धिक चयन नहीं इसका परिवारिक संस्कार होता है। हम में से अधिकांश व्यक्ति किसी धर्म विशेष को केवल इस कारण मान रहे होते हैं कि हमारे माता-पिता ने वह धर्म अपना रखा होता है। 5 वर्ष का शासन चुनने के लिए तो वयस्क होने की प्रतीक्षा की जाती है, किंतु जीवन धर्म का मार्ग अपनाने के लिए कम से कम उम्र में संस्कार डाल दिए जाने के प्रयास किए जाते हैं।

यह मात्र पारिवारिक विरासत बनकर रह जाता है और परिवार अपने घरों की चार दीवारी की तरह धर्म को पुरानी दीवारों में ही सिमट कर रखने की हर संभव कोशिश करते रहते हैं। परिवार में न तो कोई दूसरे धर्म का व्यक्ति होता है और न उसके प्रति कोई आदर होता है। समाज वैज्ञानिकों का मानना है कि जिस दिन विवाह में धर्म रिलीजन बाधा रह जाए उस दिन सही मायने में धार्मिक सहिष्णुता धार्मिक समन्वय का भाव विकसित होगा सामाजिक दृष्टि से व्यक्तित्व अपने संप्रदाय और मतों के साथ अपनों को जोड़कर देखने के लिए आदी हो चुका

है शायद ही कभी एक धर्म का व्यक्ति दूसरे धर्म के त्यौहार में सक्रिय भाग लेता है और यदि ऐसा करें भी तो उसकी निष्ठा पराया राजनीतिक मानी जाती है।

ऐतिहासिक रूप से गठित सांप्रदायिक संघर्षों के कारण भी ऐसा धार्मिक ध्रुवीकरण प्रबल हुआ हमारी सामाजिक परंपरा में आर्थिक संबंध भले ही व्यापक हो, परंतु आंतरिक संबंध पराया धर्म की सीमा में मथे दिखाई पड़ते हैं। सामान्य काल में हम उदारता की बात करते हैं किंतु आपातकाल में बस अपने धर्म के सदस्य बनकर रह जाते हैं।

इन्हीं स्थितियों में राजनीतिक कारण भी प्रभावी हो जाते हैं। इतिहास साक्षी है कि शासन के पास जो शक्ति रहे उसमें भी प्रायः धार्मिक भेदभाव बढ़ा है। दूसरी ओर यदि शासन को शक्ति देने वाले जनता में भी बहुमत किसी एक वर्ग का हो तो तुष्टीकरण बढ़ जाता है। फलतः प्रतीकात्मक धार्मिक और सहिष्णुता की भावना बढ़ती चली जाती है। धार्मिक असहिष्णुता की मानसिक कारण में धर्म की आत्म श्रेष्ठता की ग्रंथि और अन्य के निंदा का भाव हमें सर्वाधिक मुख्य कारण के रूप में सामने आता है। संभव है कि हमें अन्य धर्मों की कमी के सापेक्ष अपने धर्म की कमी को देखने की आवश्यकता है लेकिन जैसे ही कोई पराया उस पर आक्षेप करेगा हम तत्काल उसकी प्रतिरक्षा के संबंध में खड़े हो जाते हैं।

निष्कर्षः वर्तमान परिदृश्य में सर्वधर्म समभाव धार्मिक बहुततत्ववाद से अधिक घनिष्ठ दिखाई पड़ता है, किंतु इसका अभिप्राय नहीं है कि दोनों सामान्य हैं, बल्कि भारतीय परिप्रेक्ष्य में भी एवं पाश्चात्य संस्कृति में भी दोनों में भेद दिखाई पड़ता है। समग्रता में यह कहा जा सकता है कि धार्मिक सहिष्णुता की भावना मानव धर्म के माध्यम से प्राप्त की जा सकती है। यहाँ मानव धर्म उन समस्त धर्मों के नैतिक नियम का समूह माना जाता है, जो हमें जीवन जीने की कला सिखाता है जो मनुष्य को तार्किक दृष्टिकोण प्रदान कर समानता स्वतंत्रता के साथ जीवन जीने की कला सिखाता है हमारे अन्दर से सभी प्रकार के वैमनस्य की भावना को समाप्त करने का कार्य करता है।

धार्मिक बहुलतावाद का स्वरूप

भूमिका →
1. इसके अंतर्गत धार्मिक बहुलता का समावेश दिखाई पड़ता है।
2. इसमें नाना प्रकार के धर्म दिखाई पड़ते हैं।
3. इसमें अधिकांश लोग विभिन्न धर्मों की मान्यताओं पर आधारित होते हैं।

↓

समस्या →
- धर्मों के बीच व्याप्त विवाद (नियमनीमावली)
- कर्मकाण्डीय अवधारणों के आधार पर

↓

प्रकार →
- सर्वधर्म समन्वय
- सर्वधर्म सद्भाव
- सर्वधर्म समभाव

↓

शाब्दिक अर्थ →
- **शाब्दिक अर्थः** सभी धर्म जीवन जीने की कला सिखाते हैं।
- **व्यवहारिक अर्थः** व्यवहारिक आधार पर तार्किक दृष्टिकोण से जोड़ने का कार्य करना

↓

विशेषताएं →
- तार्किक आधार पर
  - धार्मिक सहिष्णुता
  - सर्वधर्म समभाव
- वर्तमान प्रासंगिकता के आधार पर
- नैतिक गुणों में एकता सीमित करने के आधार पर
- सामाजिक पहलुओं में एकरूपता के आधार पर

↓

विचारक →
- **पाश्चात्य दर्शन में:** अधिकांश आधुनिक समकालीन दार्शनिक व्यवहारिकता के आधार पर मानते हैं।
- **भारतीय दर्शन में:** राधाकृष्णन् टैगोर स्वामी विवेकानन्द

↓

आलोचना →
- यहाँ धर्मों में मूल भाव को जानना
- व्यवहारिक प्रासंगिकता के अनुरूप होना चाहिए
- इसमें मूल भावों का खण्डन

↓

महत्व → सभी धर्मों की कमियों को बताने का प्रयास करेंगे

■■■■

संघ लोक सेवा आयोग एवं राज्य लोक सेवा आयोग में मुख्य परीक्षा में पूछे गए प्रश्नों का स्वरूप

1. धर्म दर्शन का स्वरूप और क्षेत्र

1. धर्म में प्रार्थना का स्थान है, धर्म शास्त्र और धर्म दर्शन में क्या अंतर है? स्पष्ट कीजिए।
2. धार्मिक होने का अर्थ किसी संस्था पित्त धर्म का सदस्य होना सही है इस कथन की विवेचना कीजिए।
3. आधुनिक परिवर्तित संबंध में धर्म के अध्ययन के महत्व तथा उपयोगिता का विश्लेषणात्मक वर्णन कीजिए।
4. धर्म शास्त्र और धर्म दर्शन से आप क्या समझते हैं ईश्वर की सत्ता की सिद्धि के लिए कारणमूलक यूक्ति का आलोचनात्मक विवेचन कीजिए।
5. धर्म-दर्शन की स्वरूप की व्याख्या कीजिए तथा धर्म और ईश्वर विद्यमान संबंध के भेद को समझाइए।
6. भारतीय दर्शन तारक एवं नैतिकता का अतिक्रमण करता है विवेचना कीजिए।
7. धर्म और रिलीजन में क्या अंतर है, धर्म की विशेषता का वर्णन कीजिए तथा जीवन में उसके महत्व को बतलाइए।
8. धर्म दर्शन दो तो दर्शन है, न धर्म इस कथन के संदर्भ में धर्म दर्शन का सही अर्थ बताइए।
9. धर्म-दर्शन के स्वरूप की विवेचना कीजिए तथा ईश्वर ने मानसा से इसके भेद की व्याख्या कीजिए।
10. धर्म दर्शन के स्वरूप की विवेचना कीजिए, तथा ईश्वर मीमांसा में इसका अंतर बतलाइए।
11. क्या धार्मिक होने के लिए धर्म दर्शन का अध्ययन आवश्यक है। धर्म दर्शन के उद्देश्य एवं स्वरूप के संदर्भ में अपना उत्तर दीजिए।

12. धर्म-दर्शन के क्षेत्र को स्पष्ट करते हुए उसके अध्ययन की उपयोगिता का वर्णन कीजिए।

2. ईश्वर विषयक धारणा

1. परंपरागत ईश्वर का गुण उसका सर्वशक्तिमान होना माना गया है, परंतु कुछ आलोचकों के अनुसार सर्वशक्तिमान ईश्वर की अवधारणा विरोधाभासी प्रतीत होती है। इसके विपक्ष में कुछ ईश्वरवादी ने कथित विरोधाभास के निवारण का प्रयास किया है। सर्वशक्तिमान ईश्वर संबंधित कथन विरोधाभास को वर्णित कीजिए एवं उसके समाधान के लिए किए गए प्रयासों की विवेचना कीजिए।
2. कृपा और भक्ति के ईश्वर के संबंध में क्या तपेश्वर ईश्वर वाद एक संतोषजनक सिद्धांत हो सकती है चर्चा कीजिए टिप्पणी कीजिए?
3. धर्म के ईश्वर की पहचान क्या दर्शन के परम तत्व से की जा सकती है?
4. मनुष्य होने का अर्थ ईश्वर होने का प्रयास करना है, टिप्पणी कीजिए।
5. ईश्वर की व्यक्ति मूलक अवधारणा की व्याख्या और परीक्षा कीजिए।
6. ईश्वर का अवतारवाद किस प्रकार उसके व्यक्तित्व एवं प्रकृतिवादी धारणाओं का समन्वय करता है, अपने उत्तर की पुष्टि में तर्क प्रस्तुत कीजिए।
7. ईश्वर व्यक्ति पूर्ण है या व्यक्तित्व रहित दोनों विचारों में से कौन सा धार्मिक मांगों के लिए अधिक उपर्युक्त है, विवेचना कीजिए।
8. धार्मिकता की व्याख्या हेतु ईश्वर को सगुण मानना आवश्यक है, परंतु तार्किक दृष्टिकोण से असंगत लगता है। इस संदर्भ में अपने मत को स्पष्ट कीजिए।

9. ईश्वर के गुणों पर एक समीक्षात्मक टिप्पणी दीजिए।
10. यदि ईश्वर को एक माना जाए, तो क्या इससे धार्मिक द्वंद्व उत्पन्न होंगे।
11. व्यक्तित्व पूर्ण ईश्वर की अवधारणा और कुछ नहीं, बल्कि स्वयं को ही एक महामानव के रूप में देखने की अवधारणा है, टिप्पणी करें।
12. कुछ लोग अति मानवीयता को ही ईश्वर समझ लेते हैं और यह भूल जाते हैं कि इस ग्रुप में जिस ईश्वर की अवधारणा या संकल्पना में भी प्रस्तुत करने जा रहे हैं। वह तर्कसंगत आत्म विरोधी ही सिद्ध होगी अति मानवीयता ऐसे गुण जो मनुष्य में संभव न हो।
13. कहने को तो ऐसा बौद्धिक और आकारिक ईश्वर माना जा सकता है, जो पूरी तरह तर्कसंगत हो पर ऐसे ईश्वर हमारे किस काम का जो न दिखता है, न जिसमें मानव जैसे गुण पाए जाते हों ना हमारी प्रार्थना का उत्तर दे सकता है ऐसे ईश्वर के होने से तो ईश्वर का ना होना ही अच्छा है। उपर्युक्त वाक्यांश के आधार पर बताइए कि इस वाक्यांश में किस प्रकार के ईश्वर की चर्चा हो रही है, और ऐसे ईश्वर को महत्वहीन क्यों कहा जा रहा है क्या आप का मत भी इस वाक्यांश के मत में कही गई बात के समर्थन में है।
14. ईश्वर ऐसा जगत नहीं बनाता जिस में सुधार के लिए उसे बार-बार आना पड़े वह तो एक कुशल शिल्पी है, जो एक बार जो कुछ भी बनाता है। वह इतना पूर्ण होता है कि उसमें दोबारा हस्तक्षेप करना ही ना पड़े यदि लाइबनित्ज नामक दार्शनिक ऐसा कहता है, तो वह ईश्वरवाद की किस विचारधारा का वर्णन कर रहा है और क्या लाइबनित्ज की यह विचारधारा समस्याओं से मुक्त है। अपना तर्क देते हुए समझाइए।
15. ईश्वर और जगत के संबंध में उपादान और निमित्त कारण के आधार पर स्वर वाद की जो प्रमुख अवधारणाएं बनती हैं।

उनमें से कौन सी अवधारणा है। आज के वैज्ञानिक युग के संदर्भ में ज्यादा तार्किक प्रतीत होती है, अपने मत के पक्ष में तर्क देते हुए इस बात को समझाइए।

16. पॉल तिलिक का कथन है कि ईश्वर सत्ता में से एक सटा नहीं है, बल्कि स्वयं में सत्ता है।

3. ईश्वर के अस्तित्व के लिए प्रमाण

1. क्या ईश्वर की सत्ता के लिए रहस्यात्मक अनुभूति पर्याप्त प्रमाण है, विवेचना कीजिए।
2. ईश्वर के अस्तित्व के लिए दी गई सत्ता मूलक युक्ति का व्याख्यान और मूल्यांकन कीजिए।
3. ईश्वर के अस्तित्व के लिए प्रतिपादित विभिन्न विधियों का वर्णन एवं मूल्यांकन कीजिए।
4. ईश्वर के अस्तित्व हेतु प्रत्यय सत्तामूलक युक्ति की व्याख्या कीजिए तथा इस युक्ति में निहित तर्क दूसरों की परीक्षा कीजिए।
5. ईश्वर के अस्तित्व के लिए परंपरागत प्रमाण की विवेचना कीजिए तथा प्रत्येक पर आलोचना दीजिए।
6. ईश्वर की सत्ता स्थापना हेतु प्रयोजन सापेक्ष युक्ति का उल्लेख एवं मूल्यांकन कीजिए। जगत उत्पत्ति के संबंध में इससे क्या निर्दिष्ट है? क्या जगत रचनाकार की परिकल्पना युक्ति युक्त है? अथवा क्या जगत सुव्यवस्था को सहयोग एवं आवश्यकता की प्रक्रिया के रूप में समझा जा सकता है, विवेचना कीजिए।
7. कुछ ईश्वरवादी ईश्वर परख विश्वास के संदर्भ में प्रमाण एवं तर्क की सार्थकता पर प्रश्नचिन्ह लगाते हैं। उनके विचार में ईश्वर पर विश्वास करने वाला अपने विश्वास के लिए प्रमाण के अभाव में अविवेकी नहीं हो जाता है, क्योंकि धार्मिक जीवन के लिए प्रमाण तो आवश्यक है। क्या आप इस प्रकार के मत से सहमत होंगे विवेचना कीजिए।

8. ईश्वर के अस्तित्व के एक प्रमाण के रूप में कारणात्मक तर्क समालोचनात्मक रूप में परीक्षण कीजिए।
9. ईश्वर के अस्तित्व के प्रमाण के रूप में प्रयोजनपरक युक्ति का विश्लेषण कीजिए।
10. मानव मन ही ऐसा है कि वह स्वाभाविक रूप से प्रकृति में व्यवस्था का परीक्षण करता है। इस बात को स्वीकार कर लेने के उपरांत क्या ईश्वर के अस्तित्व के लिए अभिकल्पना से प्राप्त तर्क का उपयोग किया जा सकता है, चर्चा कीजिए।
11. पाश्चात्य और भारतीय दर्शन में भगवान के अस्तित्व के पक्ष में दिए गए ब्रह्मांड संबंधित तर्क बताइए तथा इसकी विवेचना कीजिए।
12. क्या ईश्वर के प्रत्यय को तो स्वीकार करना चाहिए, परंतु ईश्वर के अस्तित्व को नकार दिया जाय, तो यह आत्मघाती हो सकता है, व्याख्या कीजिए।
13. ईश्वर की सत्ता के न्याय पक्ष में न्याय के तर्कों का परीक्षण कीजिए। कांट और न्याय दर्शन में नैतिकता के आधार पर ईश्वर को सिद्ध करने का प्रयास किया गया है। पर दोनों तर्कों में इस बात पर समानता होते हुए भी कुछ मूलभूत अंतर विद्यमान हैं। इन अंतर की चर्चा करते हुए दोनों के तर्क की व्याख्या कीजिए।
14. ट्रीनेट का प्रयोजनमूलक तर्क क्या है? इस तर्क में किन आधार पर ईश्वर को सिद्ध करने के लिए प्रयास किए गए हैं? इसकी विवेचना कीजिए।
15. आपके मंत में ईश्वर की सिद्धि के लिए दिए गए प्रमाण में कौन-सा प्रमाण आपको ज्यादा विश्वसनीय लगता है? अपने चयन को तर्क के द्वारा समझाइए ईश्वर के प्रमाण की सफलता यह सिद्ध करती है कि अंततः अब समय आ गया है, जब हमें स्वीकार कर लेना चाहिए कि ईश्वर जैसी कोई

सत्ता नहीं होती है। इस कथन के पक्ष या विपक्ष में तर्क देते हुए टिप्पणी कीजिए।

16. क्या ईश्वर के न होने का कोई प्रमाण बनाया जा सकता है और यदि ऐसा प्रमाण बनाने का प्रयास किया जाए, तो आपके विचार में ऐसे कौन-कौन से धर्म दार्शनिक आधार हो सकते हैं जो इस प्रमाण के लिए तर्क का काम करेंगे?
17. मंदबुद्धि देवता मिलकर इससे बेहतर जगत बना सकते थे जैसे तथाकथित रूप में ईश्वर द्वारा बनाया गया जगत है। क्या इस कथन से ईश्वर के अस्तित्व के किस तर्क का विरोध किया जा रहा है? और इस विरोध का आधार क्या है? क्या यह व्यवस्था अनुभव का विषय है और जगत हमारे अनुभव में नहीं आता है? क्या यह तर्क अवैध है? यहां किस तर्क की बात की जा रही है और पाश्चात्य दर्शन परंपरा में कौन से दार्शनिक ऐसे हैं, जो यह बात कह सकते हैं?
18. यदि ईश्वर को केवल निमित्त कारण स्वीकार की जाए तो ऐसे ईश्वर को सिद्ध करने के लिए मुख्य रूप से कौन सा तर्क दिया जा सकता है? अपने उत्तर में निमित्त कारण रखने वाले पक्ष पर बल देते हुए तर्क दीजिए।
19. इस जगत में नदियां हैं, पहाड़ हैं, ग्रह-उपग्रह हैं और सभी इस प्रकार से एक दूसरे से संबंधित है कि पूरा जगत सामंजस्य पूर्ण एवं उद्देश्य पूर्ण दिखाई पड़ता है, और सामंजस्य पूर्ण और उद्देश्य पूर्णता या आकस्मिक घटनाएं नहीं है।
20. यदि कोई उपर्युक्त बात कह कर एक सार्थक तर्क रूप में ईश्वर को सिद्ध करने का प्रयास करें, तो वह मूलतः ईश्वर की सिद्धि के लिए किस तरह का इस्तेमाल कर रहा है और क्या आप कांडवादी तरीके से उससे इस उपर्युक्त तर्क को किस आधार पर स्वीकार करने से मना करेंगे?

21. क्या ऐसी सत्ताओं को जिसका मूल संबंध आस्था और विश्वास से है, सिद्ध करने का प्रयास किया जाना चाहिए? यदि हां तो क्यों और यदि नहीं तो विभिन्न धर्मशास्त्रियों ने ऐसा क्यों किया है? अपने उत्तर के द्वारा सहमति और असहमति वाले दोनों पक्ष में तर्क देते हुए अपना निर्णायक मत दीजिए।
22. जिस सत्ता को ईश्वर के तौर पर स्वीकार किया जाता है। यदि इसे स्वीकार न किया जाए तो धर्म के स्वरूप या प्रकृति पर क्या प्रभाव पड़ता है? क्या यह प्रभाव इतना निर्णायक है कि यह अनंत कुछ ऐसे अंतर पैदा कर देगा, जिन्हें किसी भी दूसरे स्रोत से पूरा नहीं किया जा सकता है?
23. ईश्वरवादी और अनिश्वरवादी धर्म के बीच तुलना करते हुए उपर्युक्त संदर्भ को स्पष्ट कीजिए।
24. रिलीजन क्या है? और यदि इसके परंपरागत अर्थ में बदलाव करने के लिए कहा जाए, तो आप इनमें से कौन से परंपरागत बदलाव करना चाहेंगे, जो आज के इस समकालीन संदर्भ में इस शब्द की व्यापकता को इस प्रकार का बनाए जिससे कि इसे समकालीन संदर्भ में उन जगहों पर लागू किया जा सके जहां इसके परंपरागत अर्थ में इसको लागू करना संभव नहीं था।
25. क्या धर्म के ईश्वर की पहचान दर्शन के परम तत्व के रूप में की जा सकती है? अपनी असहमति या सहमति को तर्कों के द्वारा स्पष्ट कीजिए।

4. अशुभ की समस्या

1. अशुभ की समस्या का क्या तात्पर्य है? क्या इसका समाधान हो सकता है?
2. यदि ईश्वर का प्रयोजन हमें स्वतंत्र मानना था और तर्क द्वारा हमें उत्तरदाई प्राणियों की परिपक्वता तथा प्रतिष्ठा प्राप्त करने के लिए सामर्थ्यवान बनना चाहता था, तो फिर उसे हमें पाप

करने की अनुमति देनी ही थी।

3. यह जगत सर्वोत्तम संभाव्य जगत है, इसमें कुछ भी अशुभ नहीं है। टिप्पणी कीजिए।
4. यदि हम ऐसी दो पेंटिंग की तुलना करें जिनमें से एक के पार्श्व में केवल एक ही रंग हो और दूसरे के पेंटिंग में कई आधार रंग भरे गए हों, तो निश्चित तौर पर दूसरी पेंटिंग ज्यादा सुंदर प्रतीत होती है। क्या आप पेंटिंग की इन तुलनाओं के आधार पर अशुभ की समस्या के संदर्भ में किस समाधान की चर्चा देखते हैं? चर्चा कीजिए।
5. यदि कोई आपसे यह कहता है कि आदम का पतन एक मंगलमय पाप है, तो उसके इस कथन से अशुभ की समस्या के संदर्भ में उसके किस दृष्टिकोण का पता चलता है? आप कीमत में क्या उस दार्शनिक का या विचार तर्क संगत या अतर्क संगत समीक्षा कीजिए और संगत है।
6. यदि मानव ने युद्ध किए तो उसी आधार पर यह सीखा कि युद्ध बुरा होता है। यदि दास प्रथा रंगभेद जैसी कुरीतियों को सामाजिक व्यवस्था में शामिल किया जाए तभी यह जान पाया जा सकता है कि यह उचित या नैतिक नहीं है।
7. इस प्रकार मानव कुछ समस्याओं के आधार पर ही अपनी नैतिक विकास करने के सक्षम हैं। ऐसे में इन समस्याओं को अशुभ क्यों कहा जाए यदि कोई आपसे ऐसा तर्क करता है तो वह अशुभ का किस प्रकार समाधान देने के समर्थन में आपको क्या बाधाएं दिखाई देती हैं?
8. अशुभ की समस्या के क्या-क्या भिन्नताऐं हो सकते हैं और यदि आप एक धार्मिक व्यक्ति की तरह नहीं, बल्कि धर्म दार्शनिक की तरह हैं, तो अशुभ की समस्या का समाधान करने के क्रम में आप धर्म के किन-किन मान्यताओं को परिवर्तित या निरस्त करना चाहेंगे।

9. क्या अशुभ की समस्या निमित्त ईश्वरवाद और निरव्यक्तिक ईश्वर की अवधारणा पर लागू होती है। यदि हां तो कैसे और यदि नहीं तो क्यों?
10. ईश्वर ने मानव को अनुशासित करने के लिए दु:ख भोग की अनुमति दी थी। चर्चा कीजिए।
11. क्या आस्तिक लोक संसार में दैवी बुराई की अच्छाई का दूसरा आवश्यक पहलू बताने में सफल हुए हैं?
12. अशुभ और पाप की समस्या क्या है कर्म सिद्धांत उसका कहां तक समाधान करता है?
13. ईसाई मत के अनुसार अशुभ के स्वरूप और महत्व की व्याख्या कीजिए।
14. अशुभ की समस्या किन कारणों से एक दार्शनिक समस्या बनती है? इस समस्या का जो समाधान शंकराचार्य ने दिया अथवा स्पिनोजा ने दिया उनमें से किसी एक समाधान का मूल्यांकन कीजिए।
15. ईश्वर अधिकतम शुभ को लाने के लिए अशुभ को जन्म देता है। आदम का गिरना एक मंगलमय पाप था, लाइबनित्ज की इस कथन की टिप्पणी कीजिए।
16. अमंगल की समस्या तभी उठती है जब हम निर्दोष व्यक्तियों के कष्ट के तथ्य को स्वीकार करते हुए ईश्वर पर अनंत ज्ञान शक्ति एवं उद्यमता के गुण को अस्वीकार कर देते हैं। अपने स्वयं के अनुभव के संबंध में कोई गलती नहीं कर सकता और कष्ट भोग एक अनुभव ही है। अर्थ एवं ईश्वर पर अनंत ज्ञान शक्ति और उत्तमता इन तीनों गुण रूपों में से कम से कम एक तो नहीं हो सकता है। इस तर्क का मूल्यांकन कीजिए।

5. रहस्यानुभूति के संदर्भ में

1. क्या रहस्य अनुभूति को ईश्वर के अस्तित्व का एक प्रमाण माना जा सकता है? यदि आपका उत्तर आप के पक्ष में है तो

समझाइए क्यों और यदि आपका उत्तर इसके विपक्ष में है तो आपके विरोध का आधार क्या है? चर्चा कीजिए।

2. रहस्यानुभूति में जिस प्रकार के अनुभव का दावा किया जाता है। उस अनुभव की विशेषता ऐसी है कि उन विशेषताओं के आधार पर रहस्यानुभूति को सिद्ध करना संभव नहीं है, ऐसे में यह पूरा विचार क्या आत्मघाती नहीं है?
3. एक तरफ तो रहस्यानुभूति में कहा जाता है कि इससे एक धार्मिक आस्था का ज्ञान होता है, उसकी प्रकृति और स्वरूप की जानकारी मिलती है, और दूसरी तरफ यह कहा जाता है कि हम रहस्यानुभूति के दावों की कोई परीक्षा नहीं कर सकते हैं। क्या ज्ञान का ऐसा दावा आपको स्वीकार होगा और आप इस के संदर्भ में क्या तर्क देना चाहेंगे?
4. भारतीय और पाश्चात्य परंपरा का उल्लेख करते हुए रहस्यानुभूति के अंतर को समझाइए और इसके लिए दोनों परंपरा के कुछ उदाहरण प्रस्तुत कीजिए।
5. रहस्यानुभूति को इसलिए प्रामाणिक नहीं माना जा सकता है, क्योंकि इसके दावे परस्पर विरोधी होते हैं। क्या आप इस कथन का समर्थन करते हैं? पक्ष और विपक्ष में तर्क दीजिए।
6. रहस्यानुभूति और धार्मिकता में क्या संबंध है? क्या धार्मिकता रहस्यानुभूति को प्राप्त करने की अनिवार्य शर्त है, अथवा केवल आकस्मिक तर्क है। टिप्पणी कीजीए।
7. रहस्यानुभूति इस बात का समर्थन करती है कि धार्मिक भाषा सदैव सामान्य भाषा से अलग एक विशेष कृति या कटु भाषा होती है। क्या आप इस रूप में रहस्यवाद और धार्मिक भाषा के प्रतीकवाद और सादृश्य अनुमान के सिद्धांतों के बीच समायोजन भाव है? क्या इससे सिद्ध होता है कि धार्मिक भाषा के संज्ञानात्मक की रहस्यानुभूति के आधार पर हो सकती है? अपना मत देते हुए उसके समर्थन में तर्क प्रस्तुत कीजिए।

8. जब तक यह कहा जाता है कि धर्म पूरी तरह तर्क बुद्धि का विषय नहीं, बल्कि आस्था का विषय है तो यह सिद्ध होता है कि धर्म की मान्यताओं का कोई वस्तुनिष्ठ परीक्षण नहीं हो सकता है और जब धार्मिक सत्ता के अनुरूप की बात की जाती है, तो भी यही बात सिद्ध होती है कि ऐसी सत्ता के अनुरूप हो जिसे तर्क द्वारा प्रभावित किया जा सके, समीक्षात्मक वर्णन कीजिए।
9. रहस्यानुभव के बारे में कहा जाता है कि इसमें कोई वस्तुनिष्ठ और तार्किक प्रमाण देना संभव नहीं है। ऐसे में क्या आपको यह नहीं लगता है कि रहस्यानुभव धार्मिक आस्था के निरबौद्धिक स्वरूप के पक्ष में एक प्रकार का प्रमाण है। अपने मत के समर्थन में तर्क देते हुए उपर्युक्त विषय पर चर्चा कीजिए।

5. आत्मा की अमरता पुनर्जन्म का स्वरूप

1. क्या आत्मा की अमरता का श्रीमद्‌भगवतगीता के आत्मन सिद्धांत के साथ संगत है? चर्चा कीजिए।
2. आत्मा की अमरता की अवधारणा के अभाव में धर्म निरर्थक है। टिप्पणी कीजिए।
3. बिना अमरत्व के किसी अवधारणा के धर्म का कोई अर्थ नहीं है। टिप्पणी कीजिए।
4. कर्म विधान के सिद्धांत की व्याख्या कीजिए क्या यह सिद्धांत संकल्प स्वतंत्र की अवधारणा के साथ संगत पूर्ण है? विचार कीजिए।
5. जीवात्मा की भारतीय संकल्पना और आत्मा की प्लेटों की संकल्पना के बीच विभेदन कीजिए।
6. क्या आत्मा की अमरता में विश्वास धर्म की पूर्व मान्यता है? चर्चा कीजिए।
7. क्या पुनर्जन्म एवं पुनरुक्त रण का विश्वास आत्मा के अमृत्व के विचार के अभाव में संभव है। चर्चा करें।

8. क्या पुनर्जन्म और मुक्ति समान संकल्पन आए हैं? स्पष्ट कीजिए।
9. पुनर्जन्म को आत्मा के साथ या उसके बिना आप किस प्रकार सिद्ध कर सकते हैं?
10. अमरत्व का तात्पर्य कर्म और पुनर्जन्म की अनुपस्थिति का होना है। विवेचना कीजिए।
11. आत्मा की अमरता के पक्ष में दी गई नैतिक युक्ति की व्याख्या और परीक्षण कीजिए।
11. परंपरा में आत्मा के स्वरूप से संबंधित विभिन्न मुद्दों की चर्चा करें कृत्रिम बुद्धि के प्रकाश में आध्यात्मिक मूल्यों का मूल्यांकन करें।
12. आत्मा की अमरता के धार्मिक और नैतिक पक्षों का समीक्षात्मक विवेचना कीजिए।
13. कर्म नियम की व्याख्या हेतु पुनर्जन्म को मानना आवश्यक है। टिप्पणी कीजिए।
14. पुनर्जन्म क्या है? इसके मानने के क्या आधार है? क्या पुनर्जन्म की व्याख्या हेतु आत्मा की अमरता को मानना आवश्यक है?

6. मोक्ष की अवधारणा के संदर्भ में

1. अद्वैत वेदांत के अनुसार मोक्ष की अवधारणा के स्वरूप की विवेचना कीजिए।
2. मोक्ष से आप क्या समझते हैं? क्या इसी जीवन में मुक्ति हो जाना किसी व्यक्ति के लिए संभव है? यदि ऐसा होना संभव है तो मुक्त हुए व्यक्ति के क्या अभिलक्षण होते हैं? चर्चा कीजिए।
3. मोक्ष प्राप्ति के लिए ईश्वर की कृपा की आवश्यकता क्यों होती है? एक उदाहरण प्रस्तुत करते हुए इस पर विशेष चर्चा कीजिए।
4. अद्वैत वेदांत तथा विशिष्ट अद्वैत के अनुसार मोक्ष की संकल्पना के बीच समानता और असमानता की चर्चा कीजिए।

5. मुक्ति क्या है? मुक्ति के संदर्भ में जीवन मुक्ति और विधि मुक्ति के स्वरूप पर विशेष चर्चा करते हुए भारतीय दर्शन में वर्णित मार्क्स की अवधारणा की व्याख्या कीजिए।
6. मोक्ष के विषय में शंकर और नागार्जुन के मतों में सैद्धांतिक भेद को स्पष्ट कीजिए।
7. मोक्ष और निर्माण की अवधारणा की तुलनात्मक व्याख्या अद्वैत वेदांत एवं बौद्ध दर्शन के संदर्भ में कीजिए।
8. मोक्ष क्या है? मोक्ष के विभिन्न मार्गों का संक्षिप्त विवेचन कीजिए।
9. मोक्ष क्या है? भारतीय धर्म दर्शन में मोक्ष प्राप्ति के प्रमुख उपाय क्या है? वर्णन कीजिए।
10. मोक्ष प्राप्ति के प्रमुख मार्गों की स्पष्ट व्याख्या कीजिए आपकी राय में मोक्ष प्राप्ति का सबसे सर्वश्रेष्ठ साधन कौन-सा है स्पष्ट व्याख्या कीजिए।
11. मोक्ष क्या है? उसे प्राप्त करने के साधन के रूप में कर्म भक्ति ज्ञान की भूमिका पर विशेष चर्चा कीजिए।

7. परम सत्य और धार्मिक बहुलवाद का स्वरूप

1. परम सत्य और धार्मिक बहुलवाद की समस्या तब उत्पन्न होती है, जब धर्म के प्रति व्याप्तिमूलक व्याख्या को स्वीकार कर लिया जाए इस कथन को समझाते हुए अपने मत के समर्थन में तर्क दीजिए।
2. जैन धर्म का अनेकांतवादी सिद्धांत किस प्रकार धार्मिक समन्वय की पृष्ठभूमि तैयार करता है। इसके बावजूद यहां भी परम सत्य की अवधारणा विद्यमान है, विवेचना कीजिए।
3. क्या गीता दर्शन का परम सत्य और धार्मिक बहुलवाद के संदर्भ में इनकी समायोजित करने की कोई दृष्टि देता है।
4. सर्वधर्म समन्वय की अवधारणा इस बात पर टिकी हुई है कि सभी धर्मों में सत्य विद्यमान है। ऐसे में किसी एक धर्म को

परम सत्य की अवधारणा पर कोई प्रतिकूल प्रभाव पड़ता है तर्क देते हुए अपना मत स्थापित कीजिए।

5. लोकतंत्र बहुसंस्कृतिवाद जैसी आधुनिक विचारधारा भी किसी न किसी रूप से एक प्रकार की परम सत्य के स्वरूप को स्वीकार करती है, परंतु फिर भी यह बहुलवाद की स्थापना में सहायक है ऐसे में परम सत्य को धार्मिक बहुलवाद का विरोधी क्यों माना जाता है।
6. सभी सत्य अनंत निरपेक्ष ही होते हैं लेकिन बहुलवाद शक्तियों की प्रकृति के आधार पर नहीं, बल्कि मानव की शक्तियों की समझ पर निर्भर अवधारणा है। मानव की समझ निरपेक्ष नहीं होती है उपर्युक्त कथन से आपको ऐसा महत्वपूर्ण संकेत मिलता है। जिसे आप परम सत्य और धार्मिक बहुलवाद की समस्या को सुलझाने के संबंध में प्रयुक्त करना चाहेंगे।
7. यदि धर्म का अर्थ पंथ से दिया जाए तो धर्म एक मार्ग मात्र है और ऐसे में यदि हम किसी एक ही स्थान तक पहुंचने के लिए कई रास्ते बना सकते हैं, तो एक ही सत्य तक पहुंचने के लिए कई धर्म क्यों नहीं हो सकते हैं, धार्मिक बहुलवाद और परम सत्य की समस्या के संदर्भ में उपर्युक्त कथन के समर्थन या विरोध में तर्क दीजिए।
8. मानव के ज्ञान विज्ञान की कोई भी शाखा ऐसी नहीं है जिस के संदर्भ में पूरे मानवीय इतिहास में यह कहा जा सके कि उसमें कोई ऐसी चीज ढूंढ़ी जा सकती है, जो कभी बदली ना हो और यदि ऐसा है, तो परम सत्य की मान्यता को स्वीकार ही कैसे हो सकता है। ऐसे में क्या धर्म को इसका अपवाद मानना उचित है अपना मत व्यक्त कीजिए।

8. ईश्वर रहित धर्म का स्वरूप

1. धर्म को अलौकिक सत्ता में विश्वास पर आधारित माना जाता है? परंतु कुछ विचारक अगस्त काम्टे, जॉन डीवी हक्सले,

एरिक फ्रॉम, अलौकिक सत्ता को नकारते हैं एवं धर्म की प्रकृतिवादी पुनर्निर्माण का प्रयास करते हैं। इस दिशा में किए गए कतिपय मुख्य प्रयासों का आलोचनात्मक विवेचन कीजिए।

2. धर्म से आप क्या समझते हैं? क्या आप के अनुसार ईश्वर के अस्तित्व में विश्व के धर्म का आवश्यक अंग है? विवेचना कीजिए।
3. परंपरागत शास्त्रीय धर्म के मूल लक्षणों की चर्चा कीजिए।
4. मनुष्य के जीवन में धर्म की आवश्यकता की व्याख्या करें क्या ईश्वर भी धर्म की आवश्यकता की पूर्ति कर सकता है विवेचना कीजिए।
5. क्या ईश्वर के बिना धर्म हो सकता है विवेचना कीजिए।
6. नैतिक और आध्यात्मिक मूल्यों के भेद कीजिए तथा ईश्वर रहित धर्म के पक्ष अथवा विपक्ष में तर्क प्रस्तुत कीजिए।
7. व्यक्तित्व पुर्ण ईश्वर विहीन धर्म के पक्ष और विपक्ष में युक्ति की चर्चा कीजिए।
8. ईश्वर हीन का क्या अभिप्राय है? क्या ईश्वर विहीन मनुष्य की धार्मिक आकांक्षाओं को संतुष्ट कर सकता है, विवेचना कीजिए।
9. धार्मिक जीवन जीने के लिए क्या ईश्वर में विश्वास आवश्यक है, धार्मिक जीवन की अपनी धारणा के परिप्रेक्ष्य में इसका वर्णन कीजिए।

9. धार्मिक भाषा की प्रकृति

1. धार्मिक भाषा के विभिन्न सिद्धांत का आलोचनात्मक व्याख्या कीजिए और उनमें से किसी एक के प्रति अपनी पसंद के लिए युक्ति प्रदान कीजिए।
2. धार्मिक भाषा को किस प्रकार सत्यापित किया जा सकता है क्या यह कहना सही है कि धार्मिक भाषा सत्यापित होती है, क्योंकि इसे सत्यापित नहीं किया जा सकता है विवेचना कीजिए।

3. क्या धार्मिक भाषा को सत्यापन योग्य कहा जा सकता है?
4. धार्मिक भाषा की प्रकृति के संज्ञानात्मक विवरण प्रस्तुत कीजिए।
5. धार्मिक भाषा कार्य करने के लिए सादृश्य और प्रति के लिए प्राकृतिक भाषा पर आश्रित है, ऐसी स्थिति में धार्मिक भाषा को भाषा की समान एक विशेष गीत भाषा के रूप में क्यों नहीं समझना चाहिए?
6. धार्मिक विश्वास तात्विकतत्व और मिथ्या कृत्य ग्रहों का संघटन है, जो व्यक्ति की अन्य सभी मान्यताओं का संचालन करता है। आर.एम. हेयर के संदर्भ में टिप्पणी कीजिए।
7. क्या धार्मिक भाषा प्रतीकात्मक होती है चर्चा कीजिए।

10. धार्मिक सहिष्णुता का स्वरूप

1. धर्मनिरपेक्षता से आप क्या समझते हैं? क्या धर्मनिरपेक्षता धर्म तथा आध्यात्मिकता की विरोधी है आलोचनात्मक वर्णन कीजिए।
2. धार्मिक सहिष्णुता की धारणा का विश्लेषण करें।
3. धार्मिक सहिष्णुता के स्वरूप की विवेचना कीजिए इसकी प्राप्ति हेतु किए गए उपायों का वर्णन कीजिए।
4. आधुनिक संदर्भ में धार्मिक बहुलवाद और धार्मिक सहिष्णुता की आवश्यकता का मूल्यांकन कीजिए।

11. धार्मिक सुचिता या परम सत्य की समस्या का स्वरूप

1. क्या निरपेक्ष सत्य के अभिप्राय को तार्किक आधार पर उचित ठहराया जा सकता है?
2. सत्य के संबंध में धार्मिक विवादों का समाधान किस प्रकार किया जा सकता है चर्चा करें।
3. क्या निरपेक्ष सत्य का विचार असहिष्णुता एवं धार्मिक विवादों को उत्पन्न करता है चर्चा कीजिए।

4. धर्म न केवल असत्य है, वह हानिकारक भी है, इस संदर्भ में चर्चा कीजिए।
5. पूर्ण सत्य नहीं होते हैं सभी सत्य अर्धसत्य होते हैं। उनको पूर्ण सत्य मानकर चलने की कोशिश करना भी दानव बना देता है।
6. धार्मिक अनेकांतवादियों एवं धार्मिक व्यवहारवादियों के बीच बहस का मुद्दा क्या है। इस संदर्भ में अपने मत के समर्थन में जो तर्क दिए? उनका विवेचन कीजिए इस धारणा की चर्चा कीजिए जिसके अनुसार धार्मिक सिद्धांत छद्‌म वैज्ञानिक सिद्धांत ना होकर जीवन शैली का प्रतिनिधित्व करते हैं।
7. धार्मिक बहुत तत्वाद से आप क्या समझते हैं? क्या एक अच्छे विश्व के निर्माण के लिए विभिन्न धर्मों के मध्य कोई सामान्य आधार हो सकता है इस कथन की विवेचना कीजिए।
8. प्रत्येक धर्म एक ही परम सत्य की विभिन्न प्रकार की व्याख्या है टिप्पणी कीजिए।

12. धर्म और नैतिकता में सम्बन्ध

1. धर्म एवं नैतिकता के सम्बन्धों की समीक्षा करें जिसके अनुसार नैतिकता का आधार केवल धार्मिक संरचना से ही संभव है।
2. यदि नैतिकता को धर्म का अनुगमन करना आवश्यक है तो नैतिक कार्यों के लिए क्या कोई युक्तिसंगत तर्क की चर्चा कीजिए।
3. धार्मिक नैतिकता किस सीमा तक व्यक्तिगत स्वतंत्रता को समाहित कर सकती है।
4. क्या नैतिकता आवश्यक रूप से धर्म पर आधारित होती है विवेचना कीजिए।
5. नैतिकता धर्म की आधारशिला है, ईश्वर नहीं इस कथन की व्याख्या और परीक्षण कीजिए।
6. कांट के अनुसार नैतिकता तथा धर्म के संबंध की परीक्षा कीजिए।

7. धर्म और नैतिकता के अर्थ की चर्चा करें साथ ही इनके अंतर्संबंध को बताएं क्या हमें एक के बिना दूसरे पर सोच सकते हैं तथा इसके साथ में अंतर को भी स्पष्ट करें।
8. नैतिकता का आधार देवी आदेश में निहित होता है यह मानवीय संबंध में इस संदर्भ में अपनी विशेष टिप्पणी का वर्णन कीजिए।
9. यदि ईश्वर का अस्तित्व ही नहीं है तो व्यक्ति सभी समय नैतिक ही क्यों बना रहे टिप्पणी कीजिए।
10. धर्म और नैतिकता में क्या अंतर है? तथा इसके पारस्परिक संबंधों की विवेचना करते हुए मानव कल्याण पर आधारित वास्तविक स्वरूप की विवेचना कीजिए।
11. नैतिकता के बिना धर्म खोखला होता है और धर्म के बिना नैतिकता अंधी होती है। इस कथन की टिप्पणी करते हुए व्याख्या कीजिए।
12. ईश्वर और धर्म नैतिकता के आवश्यक पूर्व मान्यताएं हैं। आप कांट के अनुसार अपने उत्तर को उदाहरण से स्पष्ट करें तथा नीरिश्वरवादियों के लिए नैतिकता के संबंध कारणों पर समालोचनात्मक वर्णन कीजिए।
13. धार्मिक हुए बिना नैतिक हो सकता हूँ, परंतु मैं नैतिक हुए बिना धार्मिक नहीं हो सकता क्या आप सहमत हैं अपने उत्तर के संदर्भ में कारण प्रस्तुत कीजिए।

13. धार्मिक ज्ञान तर्क बुद्धि श्रुति कथा आस्था पर आधारित स्वरूप

1. धार्मिक ज्ञान में तर्क बुद्धि और इलहाम की भूमिका को उजागर कीजिए।
2. धर्म के क्षेत्र में तर्क बुद्धि इलहाम और आस्था की भूमिका पर चर्चा कीजिए। क्या यह सुसंगत हैं? यदि नहीं तो उनकी आभासी असंगत का किस प्रकार समाधान निकाला जा सकता है।

3. इलाहम की संकल्पना आवश्यक रूप से धार्मिक बहुत अपवाद के विपरीत है। क्या आप सहमत हैं? अपने उत्तर के कारण बताइए।
4. क्या धार्मिक आस्था तर्क के विरुद्ध है?
5. क्या आस्था और तर्क विधि बुद्धि साथ-साथ चल सकते हैं? टिप्पणी कीजिए।
6. क्या इलाहम को तर्क बुद्धि के द्वारा तर्कसंगत सिद्ध किया जा सकता है? वर्णन कीजिए।
7. श्रुति किसे कहते हैं, उसकी व्याख्या के विभिन्न सिद्धांत की विवेचना कीजिए।
8. धार्मिक विश्वास के आधार पर बुद्धि एवं देवी प्रकाशना के महत्व का विवेचन कीजिए।
9. धार्मिक आस्था से आप क्या समझते हैं? क्या आस्था को तर्क विधि के अग्रा समर्थन की आवश्यकता होती है? विवेचना कीजिए।
10. देवी ज्ञान की धारणा स्पष्ट कीजिए क्या देवी ज्ञान स्वरूप क्या है? धर्म ज्ञान क्या है? अपने उत्तर में तर्क दीजिए
11. श्रुति को प्रमाण मानने में तर्क की क्या भूमिका होती है? इसे स्पष्ट करने का प्रयास करें।
12. धार्मिक ज्ञान की आधारशिला के रूप में देवी प्रकाशना की प्रकृति और प्रमाणिकता की विवेचना कीजिए।